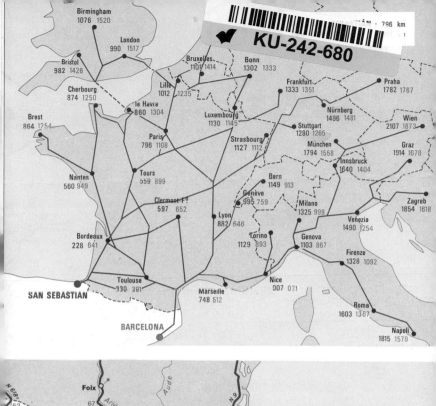

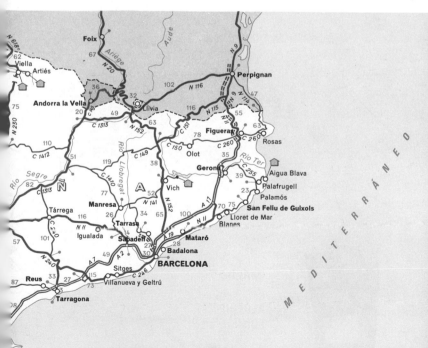

169 MAROC

172 ALGÉRIE
TUNISIE

1/1 000 000

8

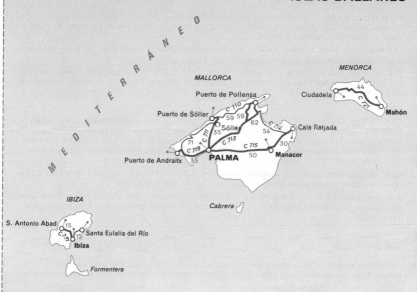

ISLAS BALEARES

MEDITERRÁNEO

MALLORCA

Puerto de Pollensa

Puerto de Sóller

C 710
59 59
Sóller
35
C 711
71
C 719
62
C 713
C 715
54
C 712
Cala Ratjada

Puerto de Andraitx
35
PALMA
50
30
Manacor

MENORCA

Ciudadela
44
C 721
Mahón

Cabrera

IBIZA

S. Antonio Abad
15
15
Santa Eulalia del Río
Ibiza

Formentera

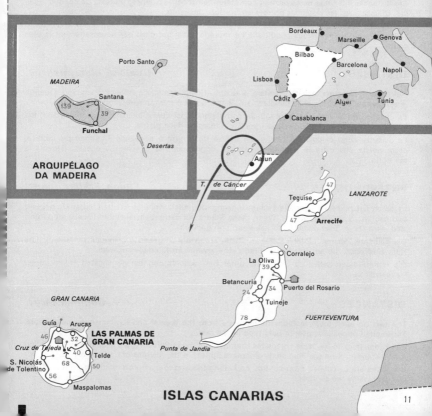

Bordeaux
Marseille
Genova
Bilbao
Barcelona
Napoli
Lisboa
Cádiz
Alger
Tunis
Casablanca

Porto Santo

MADEIRA

Santana
139
39
Funchal

Desertas

**ARQUIPÉLAGO
DA MADEIRA**

Aaiun

T. de Cáncer

Teguise
47
47
Arrecife
LANZAROTE

Corralejo
La Oliva
39
Betancuria
24
34
Puerto del Rosario
Tuineje

GRAN CANARIA
78

Guía
Arucas
46
32
**LAS PALMAS DE
GRAN CANARIA**
Cruz de Tejeda
7
40
S. Nicolás
de Tolentino
68
50
Telde
56
Maspalomas

Punta de Jandía
FUERTEVENTURA

ISLAS CANARIAS

11

DISTANCIAS

En el texto de cada localidad encontrará la distancia a la capital de estado y a las ciudades de los alrededores. Cuando estas ciudades figuran en el cuadro de la página siguiente, su nombre viene impreso en caracteres gruesos.

Las distancias entre capitales de este cuadro completan las indicadas en el texto de cada localidad. Utilice también las distancias marcadas al margen de los planos.

El kilometraje está calculado a partir del centro de la ciudad por la carretera más cómoda, o sea la que ofrece las mejores condiciones de circulación, pero que no es necesariamente la más corta.

DISTÂNCIAS

Algumas precisões:

No texto de cada localidade encontrará a distância até à capital do país e às cidades dos arredores. Quando estas cidades figuram no quadro da página seguinte, o seu nome aparece em caracteres destacados.

As distâncias deste quadro completam assim as que são dadas no texto de cada localidade. Utilize também as indicações quilométricas inscritas na orla dos planos.

A quilometragem é contada a partir do centro da localidade e pela estrada mais prática, quer dizer, aquela que oferece as melhores condições de condução, mas que não é necessàriamente a mais curta.

DISTANCES

Quelques précisions:

Au texte de chaque localité vous trouverez la distance de sa capitale d'état et des villes environnantes. Lorsque ces villes sont celles du tableau ci-contre, leur nom est écrit en caractères gras.

Les distances intervilles de ce tableau complètent ainsi celles données au texte de chaque localité. Utilisez aussi les distances portées en bordure des plans.

Les distances sont comptées à partir du centre-ville et par la route la plus pratique, c'est-à-dire celle qui offre les meilleures conditions de roulage, mais qui n'est pas nécessairement la plus courte.

DISTANZE

Qualche chiarimento:

Nel testo di ciascuna località troverete la distanza dalla capitale e dalle città viciniori. Quando queste città sono quelle della tabella a lato, il loro nome è stampato in carattere grassetto.

Le distanze fra le città di questa tabella completano così quelle indicate nel testo di ciascuna località. Utilizzate anche le distanze riportate a margine delle piante.

Le distanze sono calcolate a partire dal centro delle città e seguendo la strada più pratica, ossia quella che offre le migliori condizioni di viaggio ma che non è necessariamente la più corta.

ENTFERNUNGEN

Einige Erklärungen:

In jedem Ortstext finden Sie die Entfernungsangaben nach weiteren Städten in der Umgebung und nach der Landeshauptstadt. Wenn diese Städte auf der nebenstehenden Tabelle aufgeführt sind, sind sie im Text durch Fettdruck kenntlich gemacht.

Die Kilometerangaben dieser Tabelle ergänzen somit die Angaben des Ortstextes. Eine weitere Hilfe sind auch die am Rande der Stadtpläne erwähnten Kilometerangaben.

Die Entfernungen gelten ab Stadtmitte unter Berücksichtigung der günstigsten (nicht immer kürzesten) Strecke.

DISTANCES

Commentary:

The text on each town includes its distance from the capital and its immediate neighbours. Those cited opposite appear in bold type in the text.

The kilometrage in the table completes that given under individual town headings in calculating total distances. Note also that some distances appear in the margins of town plans.

Distances are calculated from centres and along the best roads from a motoring point of view - not necessarily the shortest.

DISTANCIAS ENTRE LAS CIUDADES PRINCIPALES

DISTÂNCIAS ENTRE AS CIDADES PRINCIPAIS

DISTANCES ENTRE PRINCIPALES VILLES

DISTANZE TRA LE PRINCIPALI CITTÀ

ENTFERNUNGEN ZWISCHEN DEN GRÖSSEREN STÄDTEN

DISTANCES BETWEEN MAJOR TOWNS

	Albacete	Alicante	Andorra la Vella	Avila	Badajoz	Barcelona	Bayonne	Bilbao	Burgos	Cáceres	Cádiz	Coimbra	Córdoba	La Coruña	Granada	León	Lérida	Lisboa	Logroño	Madrid	Málaga	Murcia	Oviedo	Pamplona	Perpignan	Porto	Salamanca	San Sebastián	Santander	Segovia	Sevilla	Valencia	Valladolid	Vigo	Vitoria
Alicante	171																																		
Andorra la Vella	650	646																																	
Avila	358	529	733																																
Badajoz	510	681	1026	318																															
Barcelona	551	547	220	740	1033																														
Bayonne	735	772	405	514	815	563																													
Bilbao	649	820	550	393	694	603	145																												
Burgos	490	661	584	234	535	591	280	159																											
Cáceres	483	654	923	228	90	930	725	604	445																										
Cádiz	585	756	1257	620	346	1136	1117	996	837	392																									
Coimbra	793	964	1120	435	304	1127	852	731	572	284	650																								
Córdoba	351	522	1023	510	265	902	922	801	642	311	234	569																							
La Coruña	851	1022	1094	526	714	1101	767	623	516	683	1075	410	1003																						
Granada	331	368	1055	542	437	882	954	833	674	483	343	741	172	1035																					
León	565	736	790	236	500	797	472	351	192	410	802	537	717	327	749																				
Lérida	535	531	153	580	873	160	403	443	431	770	1104	967	870	941	902	637																			
Lisboa	749	920	1252	557	241	1259	1051	930	771	329	540	199	506	609	674	736	1099																		
Logroño	542	713	468	350	651	475	212	150	116	561	953	688	735	632	767	308	315	887																	
Madrid	248	419	623	110	403	630	522	401	242	300	634	545	400	603	432	317	470	629	335																
Málaga	457	494	1181	668	430	1008	1080	939	800	476	260	734	176	1161	126	875	1028	624	893	558															
Murcia	143	84	687	501	653	588	878	792	633	626	627	936	455	994	284	708	572	892	685	391	410														
Oviedo	683	854	848	354	618	865	443	299	310	528	920	655	835	324	867	118	705	854	390	435	993	826													
Pamplona	615	652	418	443	744	443	120	160	209	654	1042	781	808	725	840	401	283	980	92	408	966	758	457												
Perpignan	736	732	166	864	1157	185	439	584	715	1054	1321	1251	1087	1225	1067	921	284	1383	599	754	1193	773	882	549											
Porto	850	1021	1177	492	420	1184	857	736	577	400	766	116	685	294	857	457	1024	315	693	602	850	993	575	786	1308										
Salamanca	458	629	783	100	300	790	515	394	235	210	602	337	520	473	642	200	630	536	351	210	686	601	318	444	914	394									
San Sebastián	720	744	458	464	765	535	53	95	230	675	1067	802	872	717	904	422	375	1001	184	472	1030	863	393	92	492	807	465								
Santander	646	817	656	360	661	702	251	107	156	571	963	698	798	529	830	265	542	897	227	398	956	789	205	265	690	722	361	201							
Segovia	341	512	653	65	383	660	479	358	199	293	685	500	493	539	525	243	500	622	304	93	651	484	361	377	784	557	165	429	355						
Sevilla	489	660	1161	497	223	1040	994	873	714	269	123	527	138	952	257	679	1008	417	830	538	207	541	797	923	1225	643	479	944	840	562					
Valencia	188	184	462	460	646	363	620	630	519	623	773	895	539	953	519	667	347	885	480	350	645	225	785	500	548	952	560	592	675	443	677				
Valladolid	432	603	670	112	413	677	402	281	122	323	715	450	584	443	616	133	517	649	238	184	742	575	251	331	801	459	113	352	248	110	592	534			
Vigo	866	1037	1127	548	573	1134	829	708	549	553	919	269	838	156	1050	381	974	468	665	618	1003	1009	429	758	1258	153	448	779	646	554	796	968	458		
Vitoria	604	775	513	348	649	538	166	65	114	559	951	686	756	630	788	306	378	885	85	356	914	747	362	95	605	691	349	116	170	313	828	565	236	663	
Zaragoza	407	479	297	436	729	304	296	321	287	626	960	823	726	797	758	493	144	955	171	326	884	522	561	176	428	880	486	268	398	356	864	327	373	830	256

Ejemplo / Esempio
Exemplo / Beispiel
Exemple / Example

Madrid-Vitoria 356

ADUANAS	**ALFÂNDEGAS**	**DOUANES**
Oficinas abiertas :	**Escritórios abertos :**	**Bureaux ouverts :**
● a cualquier hora, día y noche	● a qualquer hora, dia e noite	● à toute heure, jour et nuit
● a ciertas horas solamente	● a certas horas sòmente	● à certaines heures seulement
● a ciertas horas solamente, pero cerradas en invierno.	● a certas horas sòmente, mas fechados no Inverno.	● à certaines heures seulement, mais fermés en hiver.

Las formalidades administrativas y aduaneras varían con frecuencia. Aconsejamos a nuestros lectores se afilien a un automóvil club o a una asociación especializada en donde conseguirán información de última hora e incluso los documentos necesarios, si los precisaran.

As formalidades administrativas e alfandegárias são frequentemente modificadas nos seus detalhes. Aconselhamos os nossos leitores a filiarem-se num clube automobilístico ou numa associação especializada, que lhes fornecerá as informações mais recentes e, se for o caso, os documentos necessários.

Les formalités administratives et douanières sont fréquemment modifiées dans leurs détails. Nous conseillons à nos lecteurs de s'affilier à un club automobile ou à une association spécialisée qui leur fournira les renseignements les plus récents et, s'il y a lieu, les pièces nécessaires.

Uffici aperti :
- a qualsiasi ora del giorno o della notte
- solo a determinate ore
- solo a determinate ore ma chiusi in inverno.

Öffnungszeiten der Zoll-stationen
- Tag und Nacht durchgehend
- nur während einiger Stunden
- nur während einiger Stunden, im Winter geschlossen.

Offices open :
- day and night, all year round
- only at certain hours
- only at certain hours, but closed in winter.

Le formalità amministrative e doganali subiscono frequenti modifiche di dettaglio. Consigliamo ai nostri lettori di affiliarsi ad un automobile club o ad un'associazione specializzata, che potranno fornire tutte le informazioni recenti e, all'occasione, i documenti necessari.

Die Verwaltungs- und Zollformalitäten werden häufig in ihren Einzelheiten geändert. Wir raten unseren Lesern, sich an einen Automobil-Club oder eine ähnliche Vereinigung zu wenden, die Ihnen die neuesten Auskünfte erteilt und gegebenenfalls die notwendigen Dokumente beschafft.

Minor changes frequently occur in administrative and customs formalities. We advise readers to join an automobile club or other specialised association which will be able to give up-to-date information and details of any additional documents possibly required.

SÍMBOLOS Y ABREVIATURAS

SÍMBOLOS E ABREVIATURAS

LAS POBLACIONES

AS CIDADES

Capital de Provincia	$\mathbb{P}$	Capital de Província
Mapa Michelin y número del pliego	990 ⑩, 37 ②	Mapa Michelin e número da dobra
Población	24 000 h.	População
Altitud	alt. 175	Altitude
Código territorial de la red automática provincial	✪ 918	Indicativo telefónico interprovincial
Teleféricos o telecabinas	2 ⛷	Teleféricos ou telecabines
Telesquís y telesillas	7 ⛷	Teleskis e teleassentos
Correos	⊠ Altea	Correios
Letras para localizar un emplazamiento en el plano	AX A	Letras determinando um local no plano
Golf y número de agujeros	⛳	Golfe e número de buracos
Aeropuerto		Aeroporto
Localidad con servicio Auto-Expreso y número de teléfono	🚗 ☎ 22 98 36	Localidade com serviço de Auto-Expresso e número de telefone
Transportes marítimos (pasajeros y automóviles)	⛴	Transportes marítimos (passageiros e autos)
Oficinas del Ministerio de Información y Turismo	M.I.T.	Serviço Nacional Espanhol do Turismo
Real Automóvil Club de España	R.A.C.E.	Real Automóvel Clube de Espanha
Oficinas del Turismo Portugués	Turismo	Turismo
Automóvil Club de Portugal	A.C.P.	Automóvel Clube de Portugal

Las curiosidades

As curiosidades

Justifica el viaje	★★★	Vale a viagem
Merece un rodeo	★★	Merece um desvio
Interesante	★	Interessante
Panorama, vista	⁕ ⩽	Panorama, vista
Distancia en kilómetros	6 km	Distância em quilómetros
Tiempo de recorrido a pie, en barco, en teleférico, etc. (ida)	1 h, 30 mn	Tempo do percurso a pé, de barco, de teleférico, etc. (ida)

LOS HOTELES

OS HOTÉIS

Hotel de gran lujo	🏨	Hotel de grande luxo
Hotel de lujo	🏨	Hotel de luxo
Hotel muy confortable	🏨	Hotel muito confortável
Hotel de confort medio	🏨	Hotel de conforto médio
Hotel bastante confortable	🏨	Hotel bastante confortável
Hotel sencillo pero decoroso	🏨	Hotel simples, mas que convém
Restaurante de gran lujo	XXXXX	Restaurante de grande luxo
Restaurante de lujo	XXXX	Restaurante de luxo
Restaurante muy confortable	XXX	Restaurante muito confortável
Restaurante de confort medio	XX	Restaurante de conforto médio
Restaurante sencillo	X	Restaurante simples, mas que convém

Las buenas mesas

As boas mesas

Español	Símbolo	Português
Buena mesa dentro de su categoría	❀	Uma boa mesa na sua categoria

Atractivo y situación

Atractivo e situação

Hoteles agradables	🏨 ... 🏚	Hotéis agradáveis
Restaurantes agradables	XXXXX ... X	Restaurantes agradáveis
Vista excepcional	⩽ mar	Vista excepcional
Elemento particularmente agradable	« Parque »	Elemento particularmente agradável
Hotel muy tranquilo, o aislado y tranquilo	⚓	Hotel muito tranquilo ou isolado e tranquilo
Vista interesante o extensa	⩽ lago	Vista interessante ou ampla
Hotel tranquilo	⚓	Hotel tranquilo
Emplazamiento de un hotel en el plano	BV a	Localização dum hotel no plano

Apertura (ver p. 39 y 312)

(ver p. 40 e 311) Abertura

Español	Símbolo	Português
Período probable de apertura de un hotel de temporada	mayo-octubre maio-outubro temp.	Período de abertura provável dum hotel de época
Apertura probable en temporada		Abertura provável na época

Distracciones

Passatempos

Tenis. Piscina al aire libre o cubierta	⚟. ⌇ ◨	Ténis. Piscina ao ar livre ou coberta
Golf y número de agujeros	⛳	Golfe e número de buracos
Caballos de silla	🏇	Cavalos de sela

16

Los establecimientos que citamos disponen normalmente de duchas o cuartos de baño generales.

Para los 🏨🏨, 🏨, 🏨 no detallamos su instalación, puesto que estos hoteles tienen generalmente toda clase de confort.

Os estabelecimentos que citamos dispõem geralmente de duches ou de casas de banho comuns.

Para os 🏨🏨, 🏨, 🏨 não damos o detalhe de instalação, pois estes hotéis possuem, em geral, todo o conforto.

Español	Símbolo	Português
Dentro de su categoría, hotel con instalaciones modernas	Ⓜ	Na sua categoria, hotel de instalações modernas
El hotel no dispone de restaurante	sin rest sem rest	O hotel não tem restaurante
El restaurante tiene habitaciones	con hab com qto	O restaurante tem quartos
Teléfono y número	☏ 12 90 01	Telefone e número
Número de habitaciones (ver p. 39 y 312)	**30 hab**, 30 hab, **30 qto**	Número de quartos (ver p. 40 e 311)
Ascensor	🛗	Elevador
Calefacción central, aire acondicionado	🎐 🎐	Aquecimento central, ar condicionado
Bidet con agua corriente	🚿	Bidé com água corrente
Cuarto de baño privado, con wc	🛁wc	Casa de banho e wc privados
Cuarto de baño privado, sin wc	🛁	Casa de banho privada, sem wc
Ducha privada, con wc	🚿wc	Duche e wc privados
Ducha privada, sin wc	🚿	Duche privado, sem wc
Teléfono en la habitación, comunicando con el exterior	☎	Telefone no quarto, comunicando com o exterior
Garaje gratuito (una noche solamente) a los portadores de la Guía 1975	🚗	Garagem gratuita (só uma noite) para os portadores do Guia 1975
Garaje de pago, aparcamiento reservado a la clientela	🚗 Ⓟ	Garagem paga, parque de estacionamento reservado à clientela
El hotel dispone de una o varias salas de congresos (25 plazas mínimo)	🅰	O hotel dispõe de uma ou várias salas de conferências (25 lugares mínimo)
Prohibidos los perros :		Proibidos os cães :
en todo el establecimiento	🐕	em todo o estabelecimento
en el restaurante solamente	🐕 rest	só no restaurante
en las habitaciones solamente	🐕 hab 🐕 qto	só nos quartos

■ LOS PRECIOS   OS PREÇOS ■

Cuando los nombres de los hoteles y restaurantes figuran con caracteres gruesos, significa que los hoteleros nos han señalado todos sus precios, comprometiéndose a respetarlos ante los turistas de paso, portadores de nuestra Guía. Estos precios, establecidos a finales del año 1974 son susceptibles de variación si el costo de la vida sufre alteraciones importantes. En todo caso deben considerarse como precios base.

Quando os nomes dos hotéis e restaurantes figuram em caracteres destacados, é porque os hoteleiros deram todos os seus preços e são obrigados a aplicá-los aos turistas de passagem, possuidores do nosso Guia. Estes preços, estabelecidos no final do ano de 1974, são susceptíveis de serem modificados se o custo de vida sofreu variações importantes. Devem em todo o caso, ser considerados como preços de base.

Español	Símbolo	Português
Comidas a precio fijo. — Mínimo y máximo	Com 150/200 Ref 60/70	**Refeições a preço fixo.** — Mínimo e máximo
Bebida comprendida	bc	Bebida compreendida
Comidas a la carta. — El primer precio corresponde a una comida sencilla, pero esmerada, comprendiendo : entrada, plato fuerte del día, postre. El segundo precio se refiere a una comida más completa, comprendiendo : entrada, dos platos, postre.	Carta 125/325 Lista 85/130	**Refeições à lista.** — O primeiro preço corresponde a uma refeição simples, mas conveniente, compreendendo : entrada, prato do dia guarnecido, sobremesa. O segundo preço, refere-se a uma refeição mais completa, compreendendo : entrada, dois pratos, sobremesa.
Precio del desayuno eventualmente servido en la habitación.	☕ 40	Preço do pequeno almoço eventualmente servido no quarto.
Habitaciones. — Precio máximo de una habitación individual y precio máximo de la mejor habitación o pequeño apartamento (incluído el cuarto de baño si ha lugar), ocupado por dos personas.	hab 180/390 qto 130/195	**Quartos.** — Preço máximo para um quarto de uma pessoa e preço máximo para o melhor quarto ou pequeno apartamento (incluindo a casa de banho, se houver) ocupado por duas pessoas.
Pensión. — Precio mínimo y máximo de la pensión completa por persona y por día, en plena temporada (ver p. 39 y 312).	P 340/380	**Pensão.** — Preço mínimo e máximo da pensão completa por pessoa e por dia, em plena estação (ver p. 40 e 311).

SYMBOLES ET ABRÉVIATIONS

SIMBOLI ED ABBREVIAZIONI

LES VILLES

LE CITTÀ

Capitale de Province	P	Capoluogo di Provincia
Carte Michelin et numéro du pli	990 ⑩, 37 ②	Carta Michelin e numero della piega
Population	24 000 h.	Popolazione
Altitude	alt. 175	Altitudine
Indicatif téléphonique interprovincial	✪ 918	Prefisso telefonico interprovinciale
Téléphériques ou télécabines	2	Funivie o cabinovie
Remonte-pentes et télésièges	7	Sciovie e seggiovie
Bureau de poste	✉ Altea	Sede dell'Ufficio Postale
Lettres repérant un emplacement sur le plan	AX A	Lettere indicanti l'ubicazione sulla pianta
Golf et nombre de trous	⌷₁₈	Golf e numero di buche
Aéroport		Aeroporto
Localité desservie par train-auto et numéro de téléphone	🚗 ☎ 22 98 36	Località con servizio auto su treno e numero di telefono
Transports maritimes (passagers et voitures)		Trasporti marittimi (passeggeri ed autovetture)
Office National Espagnol du Tourisme	M.I.T.	Ufficio Nazionale del Turismo Spagnolo
Royal Automobile-Club d'Espagne	R.A.C.E.	Reale Automobile Club di Spagna
Office National Portugais du Tourisme	Turismo	Ufficio Nazionale del Turismo Portoghese
Automobile-Club du Portugal	A.C.P.	Automobile Club del Portogallo

Les curiosités

Le « curiosità »

Vaut le voyage	★★★	Vale il viaggio
Mérite un détour	★★	Merita una deviazione
Intéressante	★	Interessante
Panorama, point de vue	※ ≼	Panorama, punto di vista
Distance en kilomètres	6 km	Distanza in chilometri
Temps de marche à pied, en bateau, en téléphérique, etc. (aller)	1 h, 30 mn	Tempi per percorsi a piedi, in battello, in seggiovia, ecc. (andata)

LES HOTELS

GLI ALBERGHI

Hôtel de grand luxe	🏨	Albergo di gran lusso
Hôtel de luxe	🏨	Albergo di lusso
Hôtel très confortable	🏨	Albergo molto confortevole
Hôtel de bon confort	🏨	Albergo di buon confort
Hôtel assez confortable	🏨	Albergo abbastanza confortevole
Hôtel simple mais convenable	⛨	Albergo semplice ma conveniente
Restaurant de grand luxe	XXXXX	Ristorante di gran lusso
Restaurant de luxe	XXXX	Ristorante di lusso
Restaurant très confortable	XXX	Ristorante molto confortevole
Restaurant de bon confort	XX	Ristorante di buon confort
Restaurant simple, convenable	X	Ristorante semplice, abbastanza confortevole

Les bonnes tables

Le ottime tavole

Une bonne table dans sa catégorie	⊕	Un'ottima tavola nella sua categoria

Agrément et situation

Amenità e situazione

Hôtels agréables	🏨 ... 🏠	Alberghi ameni
Restaurants agréables	XXXXX ... X	Ristoranti ameni
Vue exceptionnelle	≼ mar	Vista eccezionale
Elément particulièrement agréable	« Parque »	Segnalazione di un particolare ameno
Hotel très tranquille ou isolé et tranquille	ॐ	Albergo molto tranquillo o isolato e tranquillo
Vue intéressante ou étendue	≼ lago	Vista interessante o estesa
Hotel tranquille	ॐ	Albergo tranquillo
Emplacement d'un hôtel sur le plan	BV a	Ubicazione di un albergo sulla pianta

Ouverture *(voir p. 41 et 313)*

(vedere p. 42 e 314) **Apertura**

Période probable d'ouverture d'un hôtel saisonnier	*mayo-octubre maio-outubro temp.*	Periodo probabile di apertura di un albergo
Ouverture probable en saison		Apertura probabile in stagione

Distractions

Divertimenti

Tennis. Piscine plein air ou couverte	✸. 🏊 🏊	Tennis. Piscina all'aperto o coperta
Golf et nombre de trous	⌷₁₈	Golf e numero di buche
Chevaux de selle	🏇	Cavalli da sella

INSTALLATION — INSTALLAZIONI

Les établissements que nous citons disposent généralement de douches ou de salles de bains communes.
Pour les 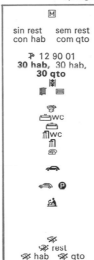, 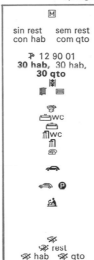, 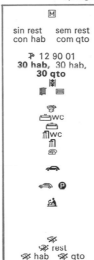 nous ne donnons pas le détail de l'installation, ces hôtels possédant, en général, tout le confort.

Gli alberghi che noi citiamo possiedono normalmente docce o bagni comuni.
Per i 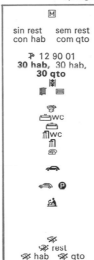, 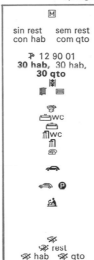, 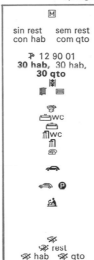 non diamo il dettaglio delle installazioni, poiché questi alberghi dispongono, generalmente, di ogni confort.

Français	Symbole	Italiano
Dans sa catégorie, hôtel d'équipement moderne	Ⓜ	Nella sua categoria, albergo con attrezzatura moderna
L'hôtel n'a pas de restaurant	sin rest sem rest	L'albergo non ha ristorante
Le restaurant possède des chambres	con hab com qto	Il ristorante dispone di camere
Téléphone et numéro	☎ 12 90 01	Telefono e numero
Nombre de chambres (voir p. 41 et 313)	**30 hab**, 30 hab, **30 qto**	Numero di camere (vedere p. 42 e 314)
Ascenseur	🛗	Ascensore
Chauffage central, air conditionné	🏭 ▭	Riscaldamento centrale, aria condizionata
Bidet à eau courante	⌂	Bidet con acqua corrente
Salle de bains et wc privés	⌂wc	Stanza da bagno e wc privati
Salle de bains privée sans wc	⌂	Stanza da bagno privata senza wc
Douche et wc privés	�filwc	Doccia e wc privati
Douche privée sans wc	fil	Doccia privata senza wc
Téléphone dans la chambre communiquant avec l'extérieur	☏	Telefono nella camera, comunicante con l'esterno
Garage gratuit (1 nuit seulement) pour les porteurs du guide 1975	🚗	Garage gratuito (1 sola notte) per i portatori della Guida 1975
Garage payant, parc à voitures réservé à la clientèle de l'hôtel	🚗 Ⓟ	Garage a pagamento, parcheggio riservato alla clientela
L'hôtel dispose d'une ou plusieurs salles de conférence (25 places minimum)	⚐	L'albergo dispone d'una o più sale per conferenze (minimo 25 posti)
Accès interdit aux chiens : dans tout l'établissement	🐕	È vietato l'accesso dei cani : dovunque
au restaurant seulement	🐕 rest	soltanto al ristorante
dans les chambres seulement	🐕 hab 🐕 qto	soltanto alle camere

LES PRIX — I PREZZI

Quand les hôtels et les restaurants figurent en gros caractères, c'est que les hôteliers ont donné tous leurs prix et se sont engagés à les appliquer aux touristes de passage porteurs de notre ouvrage. Ces prix établis en fin d'année 1974 sont susceptibles d'être modifiés sur autorisation des pouvoirs publics si le coût de la vie subit des variations importantes. Ils doivent en tout cas être considérés comme des prix de base.

Quando gli alberghi e i ristoranti figurano in carattere grassetto, ciò significa che gli albergatori ci hanno comunicato tutti i loro prezzi e si sono impegnati ad applicarli ai turisti di passaggio portatori della nostra guida. Questi prezzi redatti alla fine dell'anno 1974 sono suscettibili di modifiche su autorizzazione delle Autorità competenti, qualora il costo della vita subisca importanti variazioni. Essi devono comunque essere considerati come prezzi base.

Français	Prix	Italiano
Repas à prix fixe. — Minimum et maximum	Com 150/200 Ref 60/70	**Pasti a prezzo fisso.** — Minimo e massimo
Boisson comprise	bc	Bevanda compresa
Repas à la carte. — Le 1er prix correspond à un repas simple mais soigné comprenant : une petite entrée, plat du jour garni et dessert. Le 2e prix concerne un repas plus complet comprenant : hors-d'œuvre, deux plats et dessert.	Carta 125/325 Lista 85/130	**Pasti alla carta.** — Il 1° prezzo corrisponde ad un pasto semplice ma accurato, comprendente : primo piatto, piatto del giorno con contorno, dessert. Il 2° prezzo corrisponde ad un pasto più completo comprendente : antipasto, due piatti, dessert.
Prix du petit déjeuner éventuellement servi dans la chambre.	⚊ 40	Prezzo della prima colazione eventualmente servita in camera.
Chambres. — Prix maximum pour une chambre d'une personne et prix maximum pour la plus belle chambre ou petit appartement (y compris salle de bains, s'il y a lieu) occupé par deux personnes.	hab 180/390 qto 130/195	**Camere.** — Prezzo massimo di una camera per una persona e prezzo massimo della più bella camera o appartamentino (compreso il bagno, se c'è) per due persone.
Pension. — Prix minimum et maximum de la pension complète par personne et par jour, en saison (voir p. 41 et 313).	P 340/380	**Pensione.** — Prezzo minimo e massimo della pensione completa, per persona e per un giorno, in alta stagione (vedere p. 42 e 314).

19

ZEICHEN-ERKLÄRUNG

SYMBOLS AND ABBREVIATIONS

STÄDTE

TOWNS

Provinz-Hauptstadt	🅿	Provincial capital
Michelin-Karte und Faltseite	**990** ⑩ , **37** ②	Michelin Road map and fold
Einwohnerzahl	24 000 h.	Population
Höhe	alt. 175	Altitude (in metres)
Provinznetzkennzahl (nur zu benutzen, wenn man von außerhalb der Provinz anruft)	✪ 918	Dialling codes for the provinces
Schwebe- und Gondelbahnen	2 🚠	Cable cars
Schlepp- und Sessellifts	7 🚡	Ski and chair-lifts
Zuständiges Postamt	✉ Altea	Post Office serving the town
Markierung auf dem Plan	AX **A**	Letters giving the location of a place on the town plan
Golfplatz mit Lochzahl	🏌	Golf course and number of holes
Flughafen	✈	Airport
Ladestelle für Autoreisezüge und Telefonnummer	🚗 ℡ 22 98 36	Places with a motor rail connection and telephone number
Schiffsverkehr	⛴	Boat services (passengers and cars)
Spanisches Verkehrsamt	M.I.T.	Spanish State Tourist Department
Royal-Automobil-Club Spaniens	R.A.C.E.	Royal Automobile Club of Spain
Portugiesisches Verkehrsamt	Turismo	Portuguese State Tourist Department
Automobil-Club von Portugal	A.C.P.	Automobile Club of Portugal

Sehenswürdigkeiten

Sights

Eine Reise wert	★★★	Worth a special journey
Verdient einen Umweg	★★	Worth a detour
Sehenswert	★	Interesting
Rundblick, Aussichtspunkt	☀ ❰	Panorama, viewpoint
Entfernung in Kilometern	6 km	Distance in kilometres
Zeitangabe : zu Fuß, mit Schiff, Drahtseilbahn usw. (einfacher Weg)	1 h, 30 mn	Time required for trip, on foot, by boat, cable-car etc. (one way)

HOTELS

HOTELS

Luxus-Hotel ersten Ranges	🏨	Luxury hotel
Luxus-Hotel	🏨	Top class hotel
Sehr komfortables Hotel	🏨	Very comfortable hotel
Hotel mit gutem Komfort	🏨	Good average hotel
Bürgerliches Hotel	🏛	Fairly comfortable hotel
Einfacher, aber ordentlicher Gasthof	🏚	Plain but adequate hotel
Luxus-Restaurant ersten Ranges	XXXXX	Luxury restaurant
Luxus-Restaurant	XXXX	Top class restaurant
Sehr komfortables Restaurant	XXX	Very comfortable restaurant
Restaurant mit gutem Komfort	XX	Fairly comfortable restaurant
Bürgerliches Restaurant	X	Plain but good restaurant

Die guten Restaurants

Outstanding cuisine

Eine gute Küche : verdient Ihre besondere Beachtung	✿	A good restaurant in its class

Annehmlichkeiten und Lage

Amenity and situation

Angenehme Hotels	🏨 ... 🏚	Pleasant hotels
Angenehme Restaurants	XXXXX ... X	Pleasant restaurants
Reizvolle Aussicht	❰ mar	Exceptional view
Besondere Annehmlichkeit	« Parque »	Particularly attractive feature
Sehr ruhiges oder abgelegenes, ruhiges Hotel	⚘	Very quiet or quiet, secluded hotel
Interessante oder weite Sicht	❰ lago	Interesting or extensive view
Ruhiges Hotel	⚘	Quiet hotel
Lage eines Hauses auf dem Stadtplan	BV **a**	Letters giving the location of a hotel on the town plan

Öffnungszeiten *(siehe S. 43 und 315)*

(see p. 44 and 316) **Dates open**

Wahrscheinliche Öffnungszeit eines Saisonhotels	*mayo-octubre maio-outubro*	Period during which seasonal hotels are open
Öffnung voraussichtlich während der Saisonmonate	*temp.*	Probably open for the season

Sportmöglichkeiten

Sports and amusements

Tennis. Freibad oder Hallenbad	🎾 ⛱ 🏊	Tennis. Outdoor or indoor pool
Golfplatz mit Lochzahl	🏌	Golf course and number of holes
Reitpferde	🏇	Riding Facilities

20

EINRICHTUNG

Die Häuser, die wir aufführen, verfügen im allgemeinen über ein Etagenbad oder eine Etagendusche.
Für die 🏨🏨, 🏨, 🏨 geben wir keine Einzelheiten über die Einrichtung an, da diese Hotels im allgemeinen jeden Komfort besitzen.

The establishments generally have a bathroom or a shower for general use.
Hotels in categories 🏨🏨, 🏨, 🏨 offer every modern comfort and facility therefore no particulars are given.

Hotel mit für seine Kategorie moderner Einrichtung	Ⓜ	In its class, hotel with modern amenities
Hotel ohne Restaurant	sin rest sem rest	The hotel has no restaurant
Restaurant vermietet auch Zimmer	con hab com qto	The restaurant has bedrooms
Telefon-Nummer	☏ 12 90 01	Telephone number
Anzahl der Zimmer (siehe S. 43 und 315)	**30 hab,** 30 hab, **30 qto**	Number of rooms (see p. 44 and 316)
Fahrstuhl	📶	Lift (elevator)
Zentralheizung, Klimaanlage	📶 📶	Central heating, air conditioning
Bidet mit fließendem Wasser	📶	Bidet with running water
Privatbad mit wc	📶wc	Private bathroom with toilet
Privatbad ohne wc	📶	Private bathroom without toilet
Privatdusche mit wc	📶wc	Private shower with toilet
Privatdusche ohne wc	📶	Private shower without toilet
Zimmertelefon mit Außenverbindung	📶	Telephone in bedroom
Garage kostenlos (nur für eine Nacht) für die Besitzer des Michelin-Führers 1975	🚗	Free garage (one night only) for those having the 1975 Guide
Garage wird berechnet, Parkplatz reserviert für Gäste	🚗 Ⓟ	Charge made for garage, car park (customers only)
Hotel verfügt über einen oder mehrere Konferenzräume (für mindestens 25 Personen)	🏛	Conference facilities available (minimum capacity 25)
Das Mitführen von Hunden ist untersagt : im ganzen Haus	🐕	Dogs are not allowed : in any part of the hotel
nur im Restaurant	🐕 rest	in the restaurant
nur im Hotelzimmer	🐕 hab 🐕 qto	in the bedrooms

Die Namen der Hotels und Restaurants, die ihre Preise genannt haben, sind fett gedruckt. Gleichzeitig haben sich diese Häuser verpflichtet, diese Preise den Benutzern des Michelin-Führers zu berechnen. Die Preise wurden uns Ende 1974 angegeben und können sich ändern, wenn eine Steigerung der allgemeinen Lebenshaltungskosten eintreten sollte. Sie können auf jeden Fall als Richtpreise dienen.

Hotels and restaurants whose names are printed in bold type have disclosed all their prices and undertaken to abide by them if the traveller is in possession of the Michelin Guide. Valid for late 1974, these prices are subject to alteration should the cost of living have changed since then to any great extent. In any case they should be taken only as basic charges.

Feste Menüpreise. — Mindest- und Höchstpreis	Com 150/200 Ref 60/70	**Set meals.** — Lowest and highest prices
Getränk eingeschlossen	bc	Drink included
Mahlzeiten "à la carte". — Der 1. Preis entspricht einer einfachen, aber doch mit Sorgfalt zubereiteten Mahlzeit und umfaßt : kleine Vorspeise, Tagesgericht mit Beilage, Nachtisch. Der 2. Preis entspricht einer reiclicheren Mahlzeit bestehend aus : Vorgericht, zwei Hauptgängen, Nachtisch.	Carta 125/325 Lista 85/130	**" A la carte " meals.** — The first figure is for a plain but well prepared meal including : light entree, main dish of the day with vegetables, dessert. The second figure is for a fuller meal and includes hors-d'œuvre, two main courses, dessert.
Frühstückspreis (eventuell im Zimmer serviert).	⊒ 40	Price of continental breakfast (occasionally served in the bedroom).
Zimmer. — Höchstpreis für ein Einzelzimmer und Höchstpreis für das schönste Doppelzimmer oder ein kleines Appartement.	hab 180/390 qto 130/195	**Rooms.** — Highest price of a comfortable single room and highest price for the best double room or a small suite (including bathroom where applicable) for two persons.
Pension. — Mindestpreis und Höchstpreis für Vollpension pro Person und Tag während der Hauptsaison (siehe S. 43 und 315).	P 340/380	**Full Board.** — Lowest and highest full " en pension " rate per person in the high season (see p. 44 and 316).

LOS PLANOS
SIGNOS CONVENCIONALES

PLANOS
SÍMBOLOS CONVENCIONAIS

Características de las calles

Calle de travesía o de circunvalación...........

Calle con calzadas separadas ....

Calle de sentido único – Calle con escalera ......

Calle prohibida, impracticable.................. o con circulación reglamentada

Calle bordeada de árboles ....

Calle en construcción – en proyecto ....

Paso de la calle : a nivel, ... superior, inferior al ferrocarril

Tranvía o trolebús ....

Puerta – Pasaje cubierto – Túnel ....

Calle comercial ....

Plano completo – Plano simplificado ....

Vias de circulação

.... Vias de travessia ou desvios

.... Rua com faixas de rodagem separadas

.... Rua de sentido único – com escadas

.... Rue proibida, impraticável ou de circulação regulamentada

.... Rua ladeada de árvores

.... Rua em construção – em projecto

.... Passagem da via : de nível, por cima ou por baixo da via férrea

.... Eléctrico ou trólei

...... Porta – Passagem sob arco – Túnel

.... Rua comercial

.... Plano completo – Plano simplificado

Visita - Hospedaje

Monumento interesante con la entrada principal ..

Iglesia o capilla...........................

Letra localizando las curiosidades ....

Hotel – Restaurante ....

Letra localizando los hoteles y restaurantes ......

Visitas - Alojamento

...... Monumento interessante e entrada principal

.... Igreja ou capela

.... Letra indicando as curiosidades

.... Hotel – Restaurante

.... Letra indicando os hotéis e restaurantes

Signos diversos

Referencia común a los planos y a .... los mapas detallados Michelin

Iglesia, capilla – Hospital ....

Lista de correos, telégrafos, teléfonos ....

Lista de correos, telégrafos ....

Teléfonos ....

Edificios públicos localizados con letras : ......

Diputación – Gobierno civil ....

Ayuntamiento – Museo ....

Policía (en las grandes ciudades : .... Jefatura)

Teatro – Universidad ....

Oficina de Información de Turismo ....

Mercado cubierto – Cementerio ....

Jardin público, privado......................

Aparcamiento ....

Faro – Torre – Depósito de agua ....

Monumento, estatua – Crucero – Ruinas ....

Fuente – Fábrica – Golf ....

Hipódromo – Panorama – Vista ....

Aeropuerto ....

Embarcadero : transporte de pasajeros y vehículos.. transporte de pasajeros solamente ..

Sucursal Michelin ....

Diversos símbolos

.... Referência comum aos planos e aos mapas Michelin detalhados

.... Igreja, capela – Hospital

.... Posta restante, telégrafo, telefone

.... Posta restante, telégrafo

.... Telefone

.... Edifícios públicos indicados por letras :

.... Conselho provincial – Governo civil

.... Câmara municipal – Museu

.... Polícia (nas cidades principais : comissariado central)

.... Teatro – Universidade

.... Centro de Turismo

.... Mercado coberto – Cemitério

.... Jardim público, privado

.... Parque de estacionamento

.... Farol – Torre – Mãe de água

...... Monumento, estátua – Cruzeiro – Ruínas

.... Fonte – Fábrica – Golfe

.... Hipódromo – Panorama – Vista

.... Aeroporto

.... Cais : transporte de passageiros e automóveis .... transporte só de passageiros

.... Sucursal Michelin

22

PLANS

SIGNES CONVENTIONNELS

LE PIANTE

SEGNI CONVENZIONALI

Voirie
Viabilità

Rue de traversée ou de contournement	..... Via di attraversamento o di circonvallazione
Rue à chaussées séparées	.... Via a doppia carreggiata
Rue à sens unique – en escalier	.... Via a senso unico – Via a scalinata
Rue interdite, impraticable............. ou à circulation réglementée	.... Via vietata, impraticabile o a circolazione regolamentata
Rue bordée d'arbres	.... Via alberata
Rue en construction – en projet	.... Via in costruzione – in progetto
Passage de la rue : à niveau, au-dessus, au-dessous de la voie ferrée	.... La via passa : a livello, al disopra, al disotto della strada ferrata
Tramway ou trolleybus	.... Tranvia o filovia
Porte – Passage sous voûte – Tunnel	.... Porta – Passaggio sotto volta – Galleria
Rue commerçante........................... Real	.... Via commerciale
Plan détaillé – Plan simplifié	.... Pianta particolareggiata – Pianta semplificata

Visite - Hébergement
Visita - Risorse ricettive

Monument intéressant et entrée principale.......	... Monumento interessante ed entrata principale
Église ou chapelle	.... Chiesa o cappella
Lettre repérant les curiosités .... A	.... Lettera di riferimento delle « curiosità »
Hôtel – Restaurant	.... Albergo – Ristorante
Lettre repérant les hôtels et les restaurants ..... a	... Lettera di riferimento degli alberghi e ristoranti

Signes divers
Simboli vari

Repère commun aux plans et aux cartes Michelin détaillées	..... Simbolo di riferimento comune alle piante ed alle carte Michelin particolareggiate
Église, chapelle – Hôpital	.... Chiesa, cappella – Ospedale
Poste restante, télégraphe, téléphone	.... Fermo posta, telegrafo, telefono
Poste restante, télégraphe	.... Fermo posta, telegrafo
Téléphone	.... Telefono
Édifices publics repérés par des lettres :	.... Edifici pubblici indicati con lettere :
Conseil provincial – Préfecture .... D G	.... Consiglio provinciale – Prefettura
Hôtel de ville – Musée .... H M	.... Municipio – Museo
Police (dans les grandes villes commissariat central) POL.	.... Polizia (Questura nelle grandi città)
Théâtre – Université .... T U	.... Teatro – Università
Office de tourisme .... M.I.T. TURISMO	.... Ente turistico
Marché couvert – Cimetière	.... Mercato coperto – Cimitero
Jardin public, privé	.... Giardino pubblico, privato
Parc de stationnement	.... Parcheggio
Phare – Tour – Château d'eau	.... Faro – Torre – Torre idrica
Monument, statue – Calvaire – Ruines...........	...... Monumento, statua – Calvario – Ruderi
Fontaine – Usine – Golf	.... Fontana – Fabbrica – Golf
Hippodrome – Panorama – Vue	.... Ippodromo – Panorama – Vista
Aéroport	.... Aeroporto
Embarcadère : transport de passagers et voitures .. transport de passagers seulement ...	.. Imbarcadero : trasporto passeggeri ed autovetture .... trasporto solo passeggeri
Agence Michelin .... MICHELIN	.... Succursale Michelin

23

STADTPLÄNE
ZEICHENERKLÄRUNG

TOWN PLANS
CONVENTIONAL SIGNS

Straßen

		Streets
Durchfahrts- oder Umgehungsstraße		Through route or by-pass
Straße mit getrennten Fahrbahnen		Dual carriageway
Einbahnstraße – treppenstraße		One-way street – Stepped street
Straße für Kfz gesperrt, nicht befahrbar .... oder mit sonstigen Verkehrsbeschränkungen		Street closed, unsuitable for traffic or subject to restrictions
Allee		Treelined street
Im Bau befindliche – geplante Straße		Street under construction, planned
Bahnkreuzungen : Schienengleicher Übergang, ... Straßenüberführung, Straßenunterführung		Railway crossings : Level crossing, Road crossing rail, Rail crossing road
Straßenbahn oder Obus		Tram or trolleybus route
Tor – Gewölbedurchgang – Tunnel		Gateway – Street passing under arch – Tunnel
Einkaufsstraße	Real	Shopping street
Vollständiger–, vereinfachter Stadtplan		Detailed plan – Plan showing a selection of streets

Besichtigung - Übernachtung

Sightseeing - Accommodation

Interessantes Gebäude mit Haupteingang		Place of interest and its main entrance
Kirche oder Kapelle		Church
Markierung der Sehenswürdigkeiten	A	Reference letter locating a sight
Hotel – Restaurant		Hotel – Restaurant
Markierung der Hotels und Restaurants	a	Reference letter locating hotels and restaurants

Verschiedene Symbole

Various signs

Straßenkennzeichnung (identisch auf .... Michelin-Stadtplänen u.-Abschnittskarten)	③	Reference number common to town plans on large scale Michelin maps
Kirche – Kapelle – Krankenhaus.................		Church – Hospital
Postlagernde Sendungen, Telegraph, Fernsprecher..		Poste restante, telegraph, telephone
Postlagernde Sendungen, Telegraph		Poste restante, telegraph
Fernsprecher		Telephone
Öffentliche Gebäude durch .... Buchstaben gekennzeichnet :		Public buildings located by letters :
Provinzrat – Präfektur	D G	Provincial Council – Prefecture
Rathaus – Museum	H M	Town Hall – Museum
Polizei (in größeren Städten Polizeipräsidium) ..	POL.	Police (in large towns, Police Headquarters)
Theater – Universität	T U	Theatre – University
Verkehrsverein	M.I.T. TURISMO	Tourist information Office
Markthalle – Friedhof		Covered market – Cemetery
Öffentlicher Park – Privatgarten		Public garden – Private garden
Parkplatz	P	Car park
Leuchtturm – Turm – Wasserturm		Lighthouse – Tower – Water tower
Denkmal, Standbild – Kreuz – Ruine		Monument, statue – Cross – Ruins
Brunnen – Fabrik – Golfplatz		Fountain – Factory – Golf course
Pferderennbahn – Panorama – Aussicht		Racecourse – Panorama – View
Flughafen		Airport
Anlegestelle : Personen– und Autobeförderung .... nur Personenbeförderung		Landing stage : passenger and car transport passenger transport only
Michelin – Niederlassung	MICHELIN	Michelin Branch

LAS BUENAS MESAS...
Y LA ESTRELLA

En el mapa (p. 28 a 31), encontrará una selección de las localidades que poseen por lo menos un establecimiento con una mesa particularmente esmerada. Indicamos estas mesas con una estrella en el texto de la guía. Nuestras búsquedas continúan y mediante su colaboración, esperamos descubrir nuevos establecimientos, y aumentar de esta manera la selección de buenas mesas en nuestras ediciones posteriores.

🏵 : **Una buena mesa dentro de su categoría**

¡ Pero cuidado : hay estrellas y estrellas !
No compare la estrella de un establecimiento de lujo, de precios elevados, con la estrella de un establecimiento pequeño de tipo familiar en donde el propietario sirve, a un precio razonable, una cocina esmerada.
Y sea indulgente también con la estrella de una región poco favorecida en recursos y productos de calidad.
A pesar de todas las precauciones tomadas, puede ocurrir que coma Vd. medianamente en un establecimiento recomendado por una estrella. No nos juzgue severamente, pero no deje de informarnos de ello. Sus opiniones y sugerencias serán acogidas objetivamente y servirán para completar nuestras informaciones y rectificar, si ha lugar, nuestras calificaciones.
Devuélvanos, rellenado, el cuestionario incluido en esta guía.

Especialidades gastronómicas : Indicamos tres de ellas como máximo en los establecimientos recomendados por su mesa. No figuran en el mismo menú y generalmente sólo se sirven a la carta.

El automovilista, al cabo de un largo viaje o recorrido, consulta a veces detenidamente su guía y sus mapas con el fin de escoger el hotel donde espera encontrar la acogida, los cuidados, la tranquilidad, el descanso que contribuyen a hacer agradable una etapa.

Hemos pensado facilitarle su elección situando en un mapa (p. 28 a 31) los lugares donde indicamos, en el texto de la guía :

Los hoteles agradables, con una situación y un ambiente excepcionales, donde es un placer vivir, y en los que se permanecería con agrado...

Los hoteles aislados y particularmente tranquilos que buscan cada vez más los automovilistas cansados del ruido de las grandes ciudades...

Estos diversos establecimientos se señalan en la guía por medio de **símbolos rojos** (ver p. 16 : Atractivo - Situación).

No pretendemos haber indicado todos los hoteles agradables, muy tranquilos, aislados... Nuestras averiguaciones continúan. Vd. puede ayudarnos enviándonos sus observaciones y sus descubrimientos.

HOTELES AGRADABLES, MUY TRANQUILOS, AISLADOS...

AS BOAS MESAS... E A ESTRELA

No mapa (p. 28 a 31), encontrará uma selecção das localidades que possuem pelo menos um estabelecimento com uma mesa particularmente cuidada. Estes são indicados por uma estrela junto ao nome respectivo. As nossas investigações continuam e esperamos, com a vossa colaboração, descobrir outros estabelecimentos e aumentar assim o número das boas mesas seleccionadas, nas nossas edições posteriores.

❀ : **Uma boa mesa na sua categoria**

Mas atenção : há estrelas e estrelas.
Não compare a estrela de um estabelecimento de luxo, de preços elevados, com a de um estabelecimento simples, onde o patrão serve, a preço razoável, uma cozinha cuidada.
Seja também indulgente para com a estrela de uma região pouco favorecida em recursos e produtos de qualidade.
Apesar de todas as precauções tomadas, poderá acontecer que vos sirvam uma refeição medíocre num estabelecimento recomendado por uma estrela. Não nos levem a mal, mas não deixem de nos informar. As vossas opiniões e sugestões serão bem-vindas para completar as nossas informações e rectificar o nosso parecer, se necessário.
Devolva-nos, preenchido, o questionário incluído neste guia.

Especialidades culinárias : Indicamos um máximo de três nos estabelecimentos recomendados pela sua mesa. Não figuram na mesma ementa e frequentemente são servidas apenas à lista.

HOTÉIS AGRADÁVEIS, MUITO TRANQUILOS, ISOLADOS...

O automobilista, no termo de viagens muitas vezes fatigantes, folheia por vezes longamente o seu guia e os seus mapas a fim de escolher o hotel onde espera encontrar o acolhimento, os cuidados, o repouso e a calma que contribuem para tornar agradável um itinerário.

Pensámos facilitar as suas consultas assinalando, num mapa (p. 28 a 31) os locais onde no texto do guia indicámos :

Os hotéis agradáveis com uma situação e decoração invulgares, onde é repousante viver e apetece prolongar a estadia...

Os hotéis isolados e particularmente tranquilos que, cada vez mais, os automobilistas procuram, por fatigados do ruído das grandes cidades...

Estes diversos estabelecimentos estão indicados no guia por **símbolos vermelhos** (ver p. 16 : Atractivo - Situação).

Não pretendemos ter assinalado todos os hotéis agradáveis, tranquilos, isolados... As nossas investigações vão continuar. Podeis facilitá-las dando-nos a conhecer os vossos comentários e as descobertas realizadas.

LES BONNES TABLES... ET L'ÉTOILE

Sur la carte (p. 28 à 31), vous trouverez une nouvelle sélection de localités possédant au moins une table particulièrement soignée. Ces tables sont signalées à votre attention au nom de la localité par une étoile. Nos recherches continuent et nous espérons bien, avec votre aide, en découvrir de nouvelles et accroître ainsi pour nos éditions ultérieures le nombre de tables sélectionnées.

❀ ı **Une bonne table dans sa catégorie**

Mais attention : il y a étoile et étoile.

Ne comparez pas l'étoile d'un établissement de luxe, à prix élevés, avec celle d'une petite maison où le patron sert, à un prix raisonnable, une cuisine soignée.

Et soyez aussi indulgent pour l'étoile d'une région peu favorisée en ressources et productions de choix.

Malgré toutes les précautions prises, il pourra vous arriver de faire un repas médiocre dans un établissement recommandé par une étoile. Ne nous en tenez pas rigueur mais ne manquez pas de nous en avertir. Vos avis et suggestions seront les bienvenus pour compléter nos informations et rectifier, s'il y a lieu, nos jugements.

Renvoyez-nous, rempli, le questionnaire encarté dans ce guide.

Spécialités culinaires : Nous en indiquons trois au maximum aux maisons recommandées pour leur table. Elles ne figurent pas au même menu et ne sont souvent servies qu'à la carte.

L'automobiliste, au terme de randonnées souvent fatigantes, feuillette parfois longuement son guide et ses cartes afin de choisir l'hôtel où il compte trouver l'accueil, l'attention, le repos, la détente qui contribuent à l'agrément d'une étape.

Nous avons pensé faciliter ses recherches en repérant, sur une carte (p. 28 à 31) les endroits où nous citons, dans le texte du guide :

Les hôtels agréables, où, dans une situation et un décor sortant de l'ordinaire, il fait bon vivre, où l'on s'attarde volontiers...

Les hôtels isolés et particulièrement tranquilles que recherchent, de plus en plus, les automobilistes fatigués du bruit des grandes villes...

Ces divers établissements sont indiqués, dans le guide, par des **symboles rouges** (voir p. 18 : Agrément - Situation).

Nous ne prétendons pas avoir signalé tous les hôtels agréables, très tranquilles, isolés...

Nos enquêtes continuent. Vous pouvez les faciliter en nous faisant connaître vos observations et vos découvertes.

HOTELS AGRÉABLES, TRÈS TRANQUILLES, ISOLÉS...

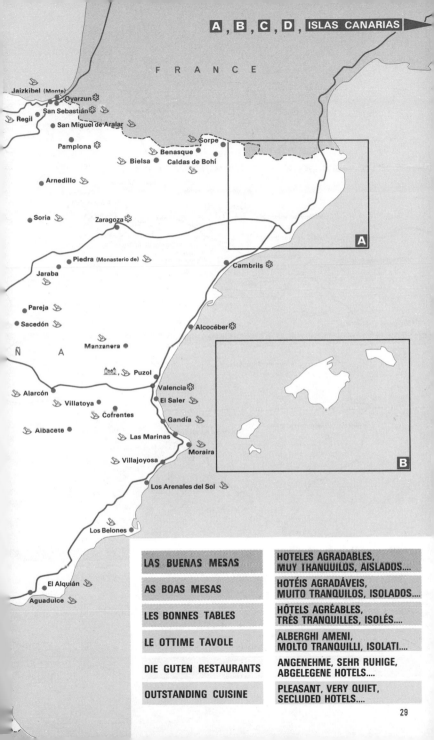

F R A N C E

Jaizkibel (Monte)
Oyarzun
San Sebastián
Regil
San Miguel de Aralar
Pamplona
Benasque
Bielsa
Caldas de Bohí
Sorpe
Arnedillo
Soria
Zaragoza
Piedra (Monasterio de)
Jaraba
Cambrils
Pareja
Sacedón
Alcocéber
Manzanera
Puzol
Valencia
Alarcón
Villatoya
El Saler
Cofrentes
Gandía
Albacete
Las Marinas
Moraira
Villajoyosa
Los Arenales del Sol
Los Belones
El Alquián
Aguadulce

A

B

LAS BUENAS MESAS	HOTELES AGRADABLES, MUY TRANQUILOS, AISLADOS....
AS BOAS MESAS	HOTÉIS AGRADÁVEIS, MUITO TRANQUILOS, ISOLADOS....
LES BONNES TABLES	HÔTELS AGRÉABLES, TRÈS TRANQUILLES, ISOLÉS....
LE OTTIME TAVOLE	ALBERGHI AMENI, MOLTO TRANQUILLI, ISOLATI....
DIE GUTEN RESTAURANTS	ANGENEHME, SEHR RUHIGE, ABGELEGENE HOTELS....
OUTSTANDING CUISINE	PLEASANT, VERY QUIET, SECLUDED HOTELS....

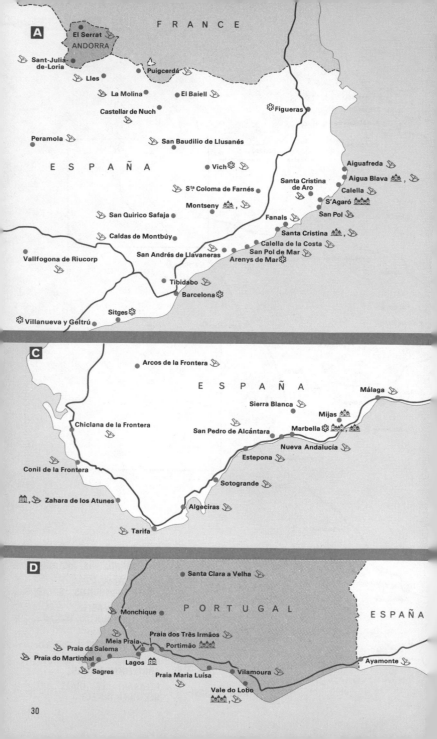

A

F R A N C E

El Serrat
ANDORRA

Sant-Juliá-
de-Loria

Lles

Puigcerdá

La Molina

El Baiell

Castellar de Nuch

Figueras

Peramola

San Baudilio de Llusanés

E S P A Ñ A

Vich

Aiguafreda

Sta Coloma de Farnés

Santa Cristina
de Aro

Aigua Blava

Calella

Montseny

S'Agaró

San Quirico Safaja

Fanals

San Pol

Caldas de Montbúy

Santa Cristina

Vallfogona de Riucorp

Calella de la Costa

San Andrés de Llavaneras

San Pol de Mar

Arenys de Mar

Tibidabo

Barcelona

Sitges

Villanueva y Géltrú

C

Arcos de la Frontera

E S P A Ñ A

Málaga

Sierra Blanca

Mijas

Chiclana de la Frontera

San Pedro de Alcántara

Marbella

Nueva Andalucía

Estepona

Conil de la Frontera

Sotogrande

Zahara de los Atunes

Algeciras

Tarifa

D

Santa Clara a Velha

Monchique

P O R T U G A L

E S P A Ñ A

Praia dos Três Irmãos

Meia Praia

Portimão

Praia da Salema

Praia do Martinhal

Lagos

Sagres

Praia Maria Luísa

Vilamoura

Ayamonte

Vale do Lobo

30

B

MENORCA

MALLORCA

Formentor (Cabo de)

Cala'n Forcat

Santo Tomás

Tamarinda

Deyá

Orient

Cala Ratjada

Son Vida

Bendinat (Costa de)

Palma de Mallorca

Cala Fornells

Palma Nova

ISLAS BALEARES

LANZAROTE

IBIZA

Playa de los Pocillos

Na Xamena

Es Caló de S'Oli

S'Argamasa

Cala Gració

Santa Eulalia del Rio

Cala Llonga

FUERTEVENTURA

Playa Blanca

Cala Sahona

Playa Mitjorn

Morro Jable

Tarajalejo

FORMENTERA

TENERIFE

Güimar

GRAN CANARIA

GOMERA

Las Cañadas del Teide

Playa de las Américas

Cruz de Tejeda

San Sebastián de la Gomera

Maspalomas

ISLAS CANARIAS

LE OTTIME TAVOLE...
E LA STELLA

Sulla carta (p. 28 a 31) troverete una nuova selezione delle località che possiedono almeno un albergo o ristorante con cucina particolarmente accurata. Questi esercizi vengono segnalati alla vostra attenzione mediante una stella. Le nostre ricerche continuano nell'intento di scoprire, con il vostro aiuto, altre « stelle » e di accrescere il numero delle tavole selezionate, per le nostre prossime edizioni.

❀ : Un'ottima tavola nella sua categoria

Ma attenzione : C'è stella e stella.
Non confrontate la stella di un esercizio di lusso, dai prezzi elevati, con quella di un piccolo esercizio dove il padrone serve, per un prezzo ragionevole, una cucina accurata.
E siate anche un po'indulgenti per la stella di una regione povera di risorse e di prodotti scelti.
Malgrado ogni nostra precauzione, potrà accadervi di mangiare mediocremente in un esercizio raccomandato con la stella. Non fatene una colpa. Non mancate di avvertirci se vi capita una disavventura del genere.
I vostri pareri e suggerimenti ci torneranno utili e graditi per completare le nostre informazioni e modificare, se del caso, i nostri giudizi.
Compilate e rinviateci il questionario inserito nella guida.

Specialità culinarie : Ne indichiamo tre al massimo negli esercizi raccomandati per la loro tavola. Esse non sono incluse nel medesimo menu e spesso vengono servite unicamente alla carta.

ALBERGHI
AMENI,
MOLTO TRANQUILLI,
ISOLATI...

L'automobilista, al termine d'un percorso spesso faticoso, consulta talvolta a lungo la propria guida e le proprie carte allo scopo di scegliere l'albergo dove conta di trovare le attenzioni, la tranquillità, la distensione che contribuiscono a rendere piacevole una tappa.

Abbiamo pensato di facilitare le sue ricerche situando su una carta (p. 28 a 31) i luoghi dove citiamo, nel testo della guida :

Gli alberghi ameni, dove, in una situazione ed un ambiente eccezionali, si soggiorna piacevolmente, dove ci si attarda volentieri...

Gli alberghi isolati e particolarmente tranquilli, che sono sempre più ricercati dagli automobilisti stanchi del frastuono delle grandi città...

Questi vari esercizi sono indicati, nella guida, mediante dei **simboli rossi** (vedere p. 18 : Amenità - Situazione).

Non pretendiamo di aver segnalato tutti gli alberghi ameni, molto tranquilli, isolati... Le nostre inchieste continuano. Voi potrete facilitarle facendoci pervenire le vostre osservazioni e le vostre segnalazioni.

DIE GUTEN RESTAURANTS...
UND DER STERN

Auf der Karte (S. 28 bis 31) finden Sie unsere neue Auswahl von Orten mit mindestens einer besonders " guten Küche ". Die Häuser mit besonders guter Küche sind durch einen Stern gekennzeichnet. Wir setzen unsere Nachforschungen und Prüfungen fort und hoffen, mit Ihrer Hilfe für die nächsten Ausgaben weitere Sterne zu entdecken.

❀ : **Eine gute Küche, verdient Ihre besondere Beachtung**

Aber : Stern ist nicht gleich Stern.

Vergleichen Sie bitte nicht den Stern eines teueren Luxusrestaurants mit demjenigen eines kleineren oder mittleren Hauses, wo Ihnen zu einem annehmbaren Preis eine vorzügliche Mahlzeit gereicht wird.

Seien Sie auch ein wenig nachsichtig, wenn es sich um den Stern einer Gaststätte in einer armen Gegend handelt, die keine besonderen Bodenerzeugnisse hervorbringt. Trotz aller Vorsichtsmaßnahmen kann es vorkommen, daß Sie in einem Sternrestaurant nur mittelmäßig essen. Nehmen Sie es uns bitte nicht übel und versäumen Sie nicht, uns davon Mitteilung zu machen. Ihre Ansichten und Vorschläge sind immer willkommen, um unsere Angaben zu vervollstandigen und, wenn nötig, unser Urteil zu berichtigen. Schicken Sie uns bitte den diesem Führer beiliegenden Fragebogen ausgefüllt zurück.

Kulinarische Spezialitäten : wir geben für jedes Sternrestaurant höchstens drei Spezialitäten an. Sie sind nicht im gleichen Menü enthalten und werden oft nur " à la carte " angeboten.

Nach ermüdenden Fahrten blättert der Autofahrer oft lange seinen Hotelführer und seine Karten durch, um das Hotel auszuwählen, wo er die Aufnahme, die Ruhe und die Ausspannung zu erlangen hofft, die soviel zu einem angenehmen Aufenthalt beitragen.

Um seine Wahl zu erleichtern, haben wir auf einer Karte (S. 28 bis 31) die Orte angegeben, wo wir im Michelinführer erwähnen :

ANGENEHME, SEHR RUHIGE, ABGELEGENE HOTELS...

Angenehme Hotels, in einer schönen Lage, mit nicht alltäglicher Einrichtung und Atmosphäre, wo es sich gut leben läßt und wo man auch gerne mal länger bleibt.

Abgelegene und besonders ruhige Hotels, die mehr und mehr von Autofahrern, die dem Lärm der Großstadt entgehen wollen, bevorzugt werden.

Die angenehmen Hotels sind im Michelinführer durch **rote Symbole** angegeben (siehe S. 20 : Annehmlichkeiten - Lage).

Wir behaupten nicht, alle angenehmen, sehr ruhigen, abgelegenen Hotels genannt zu haben... Unsere diesbezügliche Erkundungsarbeit wird fortgesetzt. Sie können unsere Aufgabe erleichtern, indem Sie uns Ihre eigenen Beobachtungen und Entdeckungen mitteilen.

OUTSTANDING CUISINE... AND THE STAR

On the map (p. 28 to 31) you will find our new selection of towns where there is at least one restaurant serving particularly good food. These establishments are brought to your attention in the text under the name of their respective town by means of a star. Our enquiries continue and we hope with your help to discover new stars and to increase the number of restaurants selected for future editions.

🏵 **: A good restaurant in its class**

But : there are stars and stars.
Do not compare by the same standard the star of an expensive de-luxe restaurant with that of a small establishment where the owner serves well prepared meals at reasonable prices.
Make allowance, too, for the starred restaurant in a region lacking natural resources and choice foodstuffs.
Despite all our efforts, you may have the misfortune to be served a mediocre meal in a starred restaurant. If you should have such an experience, do not be too quick to condemn, but please let us know. Your views and suggestions are welcome : they will increase our knowledge and, where necessary, enable us to correct our assessment.
Please fill up and return the questionnaire enclosed in the Guide.

« Spécialités » : a maximum of three are indicated for any hotel or restaurant recommended for its cuisine. They are not served in the same menu and often only « à la carte ».

PLEASANT, VERY QUIET, SECLUDED HOTELS...

After a tiring day's journey the motorist often has to hunt through maps and guides to discover a hotel where he can expect the attention, rest and relaxation which make a break so pleasant.

To simplify this problem we have prepared maps p. 28 to 31 showing those places for which the information given in the body of the guide includes :

Pleasant hotels, where, in an unusual setting and original decor, life is worth living and where the temptation to linger is strong...

Secluded and particularly quiet hotels, more and more in favour with motorists wearied by the noise of towns...

These types of hotel are indicated in the text by **red symbols** (see p. 20 : Amenity and situation).

We make no claim to have discovered all the hotels that deserve to be called pleasant, very quiet or secluded... Our enquiries continue and you can help us by sending us your comments and your discoveries.

LOS BUENOS VINOS

OS BONS VINHOS

LES BONS VINS

I BUONI VINI

GUTE WEINE

GOOD WINES

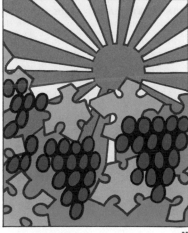

PARA SU COCHE - PARA SUS NEUMÁTICOS

En el texto de diversas localidades y a continuación de los hoteles y restaurantes, hemos indicado los concesionarios de las principales marcas de automóviles, capacitados para efectuar cualquier clase de reparación en sus propios talleres. Cuando un agente de neumáticos carezca del artículo que Vd necesite, diríjase a la Dirección Comercial Michelin en Madrid, o a cualquiera de sus Sucursales en las poblaciones siguientes : Albacete, Barcelona, Bilbao, Cáceres, Granada, Lasarte, León, Lérida, Pamplona, Sevilla, Valencia, Valladolid, Zaragoza. En **Portugal**, diríjase a la Dirección Comercial Michelin en Lisboa o a su Sucursal en Oporto.

La dirección y el número de teléfono figuran en el texto de estas localidades.

VER TAMBIÉN LAS PÁGINAS BORDEADAS DE AZUL

PARA O SEU CARRO - PARA OS SEUS PNEUS

No texto de muitas localidades, depois dos hotéis e restaurantes, indicámos os concessionários das principais marcas de viaturas, com possibilidades de reparar automóveis nas suas próprias oficinas. Desde que um agente de pneus não tenha o artigo de que V. tem necessidade, dirija - se : em **Espanha**, à Direcção Comercial Michelin, em Madrid, ou à Sucursal da Michelin de qualquer das seguintes cidades : Albacete, Barcelona, Bilbao, Cáceres, Granada, Lasarte, León, Lérida, Pamplona, Sevilha, Valença, Valladolid, Saragoça. Em **Portugal** : à Direcção Comercial Michelin em Lisboa ou à Sucursal do Porto.

As direcções e os números de telefones das agências Michelin figuram no texto das correspondentes localidades.

VER TAMBÉM AS PÁGINAS DEBRUADAS A AZUL

POUR VOTRE VOITURE - POUR VOS PNEUS

Dans le texte de beaucoup de localités, après les hôtels et les restaurants, nous avons indiqué les concessionnaires des principales marques de voitures en mesure d'effectuer dépannage et réparations dans leurs propres ateliers. Lorsqu'un agent de pneus n'a pas l'article dont vous avez besoin, adressez-vous : en **Espagne** à la Direction Commerciale Michelin à Madrid ou à la Succursale Michelin de l'une des villes suivantes : Albacete, Barcelone, Bilbao, Cáceres, Granada, Lasarte, León, Lérida, Pamplona, Sevilla, Valencia, Valladolid, Zaragoza. Au **Portugal**, à la Direction Commerciale à Lisbonne ou à la Succursale de Porto.

Les adresses et les numéros de téléphone des agences Michelin figurent au texte des localités correspondantes.

VOIR AUSSI LES PAGES BORDÉES DE BLEU

PER LA VOSTRA AUTOMOBILE - PER I VOSTRI PNEUMATICI

Nel testo di molte località, dopo gli alberghi ed i ristoranti, abbiamo elencato gli indirizzi dei concessionari delle principali marche di automobili, in grado di effettuare il rimorchio e di eseguire riparazioni nelle proprie officine. Se vi occorre rintracciare un rivenditore di pneumatici potete rivolgervi : in **Spagna** alla Direzione Commerciale Michelin di Madrid o alla Succursale Michelin di una delle seguení città : Albacete, Barcelona, Bilbao, Cáceres, Granada, Lasarte, León, Lérida, Pamplona, Sevilla, Valencia, Valladolid, Zaragoza. Per il **Portogallo**, potete rivolgervi alla Direzione Commerciale Michelin di Lisboa o alla Succursale di Porto.

Gli indirizzi ed i numeri telefonici delle Succursali Michelin figurano nel testo delle relative località.

VEDERE ANCHE LE PAGINE BORDATE DI BLU

FÜR IHREN WAGEN - FÜR IHRE REIFEN

Bei vielen Orten haben wir nach den Hotels und Restaurants die Vertretungen der wichtigsten Auto-Marken aufgeführt, die einen Abschleppdienst unterhalten bzw. Reparaturen in ihren eigenen Werkstätten ausführen können. Sollte ein Reifenhändler den von Ihnen benötigten Artikel nicht vorrätig haben, wenden Sie sich bitte in **Spanien** an die Michelin - Hauptverwaltung in Madrid, oder an eine der Michelin - Niederlassungen der folgenden Städte : Albacete, Barcelona, Bilbao, Cáceres, Granada, Lasarte, León, Lérida, Pamplona, Sevilla, Valencia, Valladolid, Zaragoza. In **Portugal** können Sie sich an die Michelin-Hauptverwaltung in Lissabon oder an die Michelin-Niederlassung von Porto wenden.

Die Anschriften und Telefonnummern der Michelin-Niederlassungen sind jeweils bei den entsprechenden Orten vermerkt.

SIEHE AUCH DIE BLAU UMRANDETEN SEITEN

FOR YOUR CAR - FOR YOUR TYRES

Following the lists of hotels and restaurants in many towns are to be found the names and addresses of agents for most makes of car. These agents offer a breakdown and repair service. When a tyre trader is unable to supply your needs, get in touch : in **Spain** with the Michelin Head Office in Madrid or with the Michelin Branch in one of the following towns : Albacete, Barcelona, Bilbao, Cáceres, Granada, Lasarte, León, Lérida, Pamplona, Sevilla, Valencia, Valladolid, Zaragoza. In **Portugal** with the Michelin Head Office in Lisbon or with the Michelin Branch in Oporto.

Addresses and phone numbers of Michelin Agencies are listed in the text of the towns concerned.

SEE ALSO THE PAGES BORDERED IN BLUE

ESPAÑA

Esta guía Michelin no es un repertorio de todos los hoteles y restaurantes, ni siquiera de todos los buenos hoteles y restaurantes.
Como nos interesa prestar servicio a todos los automovilistas, nos vemos sujetos a indicar establecimientos de todas clases y citar solamente algunos de cada clase.

SIGNOS Y SÍMBOLOS ESENCIALES

(lista completa p. 16, 17 y 22)

HOTELES Y RESTAURANTES

EL CONFORT

Hotel de gran lujo
Hotel de lujo
Hotel muy confortable
Hotel de confort medio
Hotel sencillo pero confortable
Hotel muy sencillo pero decoroso

sin rest   El hotel no dispone de restaurante

Ⓜ   Dentro de su categoría, hotel con instalaciones modernas

Restaurante de gran lujo
Restaurante de lujo
Restaurante muy confortable
Restaurante de confort medio
Restaurante sencillo

con hab   El restaurante tiene habitaciones

LAS BUENAS MESAS

Una buena mesa dentro de su categoría

EL ATRACTIVO

Hoteles agradables
Restaurantes agradables
Elemento particularmente agradable
Hotel muy tranquilo,
o aislado y tranquilo
Vista excepcional

« Parque »

◄ mar

LAS CURIOSIDADES

Justifica el viaje   ★★★
Merece un rodeo   ★★
Interesante   ★

Para recorrer Europa,
utilicen los Mapas Michelin **Grandes Carreteras** a 1 / 1 000 000.

ALGUNAS INFORMACIONES ÚTILES

OFICINAS DE TURISMO

Para toda clase de información turística puede dirigirse al M.I.T. en Madrid, av. Generalísimo 39 ☎ 279 62 00, y a las oficinas de Información de Turismo de las principales ciudades españolas (ver las direcciones en el texto de las localidades).

EN EL HOTEL - EN EL RESTAURANTE

Nuestra clasificación ha sido establecida para uso del automovilista de paso. En cada categoría los establecimientos están indicados por orden de preferencia.

Paradores y Albergues de Carretera. — Son establecimientos dependientes del Ministerio de Información y Turismo (M.I.T.). El Parador, a veces instalado en un castillo histórico o en un antiguo monasterio confortablemente amueblado, suele estar situado en poblaciones etapa o en centros de excursión y la estancia no está limitada. El Albergue es un alto en la carretera, generalmente alejado de poblaciones importantes : es esencialmente un restaurante con habitaciones para el turista de paso; no se permite una estancia superior a dos días.

Apertura. — Los hoteles en caracteres gruesos cuyo nombre no va seguido de alguna mención, están abiertos todo el año.

Los precios están indicados en pesetas.

Servicio e impuestos. — Se practica en España la modalidad de « todo incluido », ya que los hoteleros están obligados oficialmente a facturar precios globales, incluyendo el servicio y los impuestos.

Desayuno. — Desde el verano de 1974, los hoteleros tienen derecho a incluir en la factura el precio del desayuno, se utilice o no este servicio.

Las comidas en el hotel. — El hotelero tiene la obligación de alojarle sin exigir que coma en el hotel. Sin embargo, si no efectúa por lo menos una de las dos comidas en el hotel, hay que considerar dos casos :

1) El precio de la habitación no tiene ningún aumento : entonces el número de habitaciones está señalado en esta Guía con caracteres gruesos : **30 hab.**
2) En ciertos establecimientos de confort medio (🏨, 🏨 con habitaciones) o sencillos (🏨, 🏨, 🏨 con habitaciones), el hotelero puede aplicar un aumento del 20 % sobre el precio de la habitación. En este caso, el número de habitaciones está señalado con caracteres finos : 30 hab.

Toda habitación doble ocupada por una persona debe ser facturada con un descuento obligatorio del 20 % sobre su precio de base.

La pensión. — La pensión completa incluye la habitación y la pensión alimenticia (el desayuno y las dos comidas). Damos, a título indicativo, el precio mínimo y máximo de la pensión completa, por persona y por día, en plena temporada (precios válidos para estancias superiores a dos días) : P 340/380.
Para una estancia en pensión completa, es conveniente ponerse de acuerdo con el hotelero de antemano.

Nota. — Los precios de pensión completa en habitación doble ocupada por una persona son generalmente superiores a los indicados en la guía.

En julio y agosto los hoteles están casi siempre llenos.
Se encontrará más a gusto si elije otra época.

ALGUMAS PRECISÕES ÚTEIS

CENTROS DE INFORMAÇÃO TURÍSTICA

Para todas as questões de ordem turística referentes à Espanha, podem consultar a Delegação Oficial do Turismo Espanhol em Lisboa : Travessa do Salitre 37, ☎ 35414.

NO HOTEL - NO RESTAURANTE

A nossa classificação é estabelecida para uso do automobilista de passagem. Em cada categoria os estabelecimentos são citados por ordem de preferência.

Paradores e Albergues de Estrada. — São estabelecimentos dependentes do Ministério do Turismo (M.I.T.). O parador, por vezes instalado num castelo histórico ou num antigo mosteiro confortàvelmente arranjado, é situado numa cidade de paragem ou num centro de excursões e pode-se aí residir. O albergue é uma paragem de estrada, em geral afastada dos centros importantes : é essencialmente um restaurante com quartos para o turista de passagem e onde não se passa muito mais que um dia ou uma noite.

Abertura. — Os hotéis em caracteres destacados, cujo nome não é seguido de qualquer menção, estão abertos todo o ano.

Os preços são indicados em pesetas.

Serviço e Impostos. — A prática do « tudo compreendido » é regra em Espanha, sendo os hoteleiros oficialmente obrigados a praticar preços globais, compreendendo o serviço, as taxas, os impostos...

Pequeno almoço. — Desde o Verão 1974, os hoteleiros têm o direito de incluir na conta o preço do pequeno almoço, mesmo no caso deste não ter sido consumido.

As refeições no hotel. — O hoteleiro é obrigado a alojar, sem exigir que se tomem refeições. Todavia, se se não toma pelo menos uma refeição no hotel, há dois casos a considerar :

1) o preço do quarto não tem qualquer suplemento e o número de quartos figura então neste guia em forma de caracteres destacados : **30 hab.**

2) Em certos estabelecimentos de conforto médio (🏨, ✗✗ com quartos) ou simples (🏠, ✿, ✗ com quartos), o hoteleiro pode aplicar um aumento de 20 % sobre o preço do quarto. Neste caso, o número de quartos figura em caracteres normais : 30 hab.

Todo o quarto com duas camas, ocupado por uma só pessoa, deve beneficiar dum desconto legal de 20 % sobre o seu preço de base.

A Pensão. — A pensão completa compreende o quarto e a « pensión alimenticia » (o pequeno almoço e as duas refeições). A título indicativo, damos os preços mínimo e máximo da pensão completa, por pessoa e por dia, plena estação (preços geralmente aplicáveis a partir de três dias) : P 340/380.

É indispensável entender-se de início com o hoteleiro para combinar um acordo definitivo.

Nota. — *Para as pessoas sós ocupando um quarto de casal, os preços indicado podem, por vezes, ser aumentados.*

A qualquer pedido por escrito, é aconselhável juntar um cupão-resposta internacional.

DIFERENÇA DE HORÁRIOS E DIAS DE ENCERRAMENTO

Durante a época estival os turistas deverão ter em conta uma possível diferença horária : avanço de 2 horas em relação à hora solar, ou seja, de 1 hora em relação à hora legal portuguesa.

O turista que se encontra pela primeira vez em Espanha, fica surpreendido com as horas tardias observadas para as refeições, aberturas dos armazéns, dos museus e das salas de espectáculo.

O almoço é geralmente servido a partir das 13,30 e o jantar a partir das 21 horas. Fora destas horas normais, as cafeterias das grandes cidades servem refeições rápidas a qualquer hora do dia e até às 2 horas da manhã.

Armazéns e escritórios : as horas médias de abertura são as seguintes : 9,30 às 13,30 e 16,30 às 20 horas.

Igrejas, monumentos, museus: estão frequentemente abertos de manhã, geralmente entre as 10 horas (algumas vezes 9 horas) e 13 horas, salvo no que se refere às igrejas, que abrem na maioria dos casos mais cedo. Se abrem à tarde, é raramente antes das 15 ou 16 horas. Convém assinalar que a visita aos monumentos religiosos é interrompida durante os ofícios.

Espectáculos : a matinée começa cerca das 16,30 horas aos Domingos e dias festivos, cerca das 19 horas nos outros dias ; a soirée começa cerca das 22,30 ou 23 horas.

Os bancos estão abertos ao público das 9 às 14 horas.

Os estabelecimentos públicos estão fechados ao Domingo e em determinados dias feriados : dias 1 e 6 de Janeiro, 19 de Março, 1 de Abril, 5ª e 6ª feiras Santas, 1 de Maio, Ascensão, Festas do Corpo de Deus, 29 de Junho, 18 e 25 de Julho, 15 de Agosto, 12 de Outubro, 1 de Novembro, 8 e 25 de Dezembro bem como, em cada cidade, no dia da festa patronal (S. Isidro em Madrid).

Em Julho e Agosto os hotéis estão quase sempre cheios
Será melhor para si se escolher outros meses.

QUELQUES PRÉCISIONS UTILES

OFFICES DE TOURISME

Pour toutes les questions d'ordre touristique concernant l'Espagne, on peut consulter l'Office National Espagnol du Tourisme, à :
  F-75008 Paris : 43 ter avenue Pierre-Ier-de-Serbie, ☎ 225 14 61 (fermé le samedi après-midi).
  F1-3001 Marseille : 21 cours Lieutaud, ☎ 47 24 37.
  B-1000 Bruxelles : 18 rue de la Montagne, ☎ 12 67 35.

A L'HOTEL - AU RESTAURANT

Notre classement est établi à l'usage de l'automobiliste de passage. Dans chaque catégorie les établissements sont cités par ordre de préférence.

Paradores et Albergues de Carretera. — Ce sont des établissements dépendant du Ministère du Tourisme (M.I.T.). Le parador, parfois installé dans un château historique ou un ancien monastère confortablement aménagé, est situé dans une ville-étape ou un centre d'excursions et on peut y séjourner. L'albergue est un relais de route en général éloigné des centres importants : c'est essentiellement un restaurant avec chambres pour le touriste de passage et on ne s'y arrête guère plus d'une journée ou une nuit.

Ouverture. — Les hôtels en caractères gras dont le nom n'est suivi d'aucune mention sont ouverts toute l'année.

Les prix sont indiqués en pesetas.

Service et taxes. — La pratique du tout compris est de règle en Espagne, les hôteliers étant tenus de pratiquer des prix globaux, comprenant le service, les taxes, les impôts...

Petit déjeuner. — Depuis l'été 1974, les hôteliers sont autorisés à facturer le petit déjeuner même si celui-ci n'a pas été consommé.

Les repas à l'hotel. — L'hôtelier est tenu de vous loger sans exiger que vous dîniez chez lui. Toutefois, si vous ne prenez pas au moins un repas à l'hôtel, deux cas sont à considérer :
1) Le prix de la chambre ne subit aucune majoration, le nombre des chambres figure alors dans ce guide en caractères gras : **30 hab**;
2) Dans certains établissements de bon confort (🏨, ※※ avec chambres) ou simples (🏠, ☆, ※ avec chambres), l'hôtelier peut appliquer une augmentation de 20 % sur le prix de la chambre. Dans ce cas, le nombre de chambres figure en caractères maigres : 30 hab.

Toute chambre à deux lits occupée par une seule personne doit bénéficier d'une remise légale de 20 % sur son prix de base.

La pension. — La pension complète comprend la chambre et la « pensión alimenticia » (le petit déjeuner et deux repas). Nous donnons à titre indicatif le prix minimum et le prix maximum de la pension complète, par personne et par jour, en pleine saison (prix généralement applicables à partir de trois jours) : P 340/380.
Il est indispensable de s'entendre à l'avance avec l'hôtelier pour conclure un arrangement définitif.

  Nota. — Pour les personnes seules occupant une chambre de deux personnes, les prix indiqués peuvent être parfois majorés.

A toute demande écrite, il est conseillé de joindre un coupon-réponse international.

DÉCALAGE DES HORAIRES ET JOURS DE FERMETURE

Au cours de la saison d'été les touristes devront tenir compte d'un possible décalage horaire : avance de 2 heures sur l'heure solaire, soit 1 heure sur l'heure légale française.
Le touriste est surpris des heures tardives observées pour les repas, les ouvertures de magasins, des musées et des salles de spectacles.
Le déjeuner est généralement servi à partir de 13 h 30, et le dîner à partir de 21 h. En dehors de ces heures normales, les « cafeterias » des grandes villes servent des repas rapides à toute heure du jour jusqu'à 2 h du matin.
Les heures d'ouverture des magasins et des bureaux sont les suivantes : 9 h 30 à 13 h 30 et 16 h 30 à 20 h.
Les banques sont ouvertes au public de 9 h à 14 h (sauf dimanche et jours fériés).
Les monuments et musées sont fréquemment ouverts le matin entre 9 ou 10 h et 13 h, mais les églises sont souvent ouvertes plus tôt. Lorsqu'ils ouvrent l'après-midi c'est rarement avant 15 ou 16 h. Les monuments religieux ne se visitent pas pendant les offices.
Pour les spectacles, la « matinée » commence vers 16 h 30 (dimanches et jours de fêtes), vers 19 h les autres jours; la « soirée » commence vers 22 h 30 ou 23 h.
Les établissements publics sont fermés le dimanche et certains jours de fête : 1er et 6 janvier, 19 mars, 1er avril, Jeudi et Vendredi Saints, 1er mai, Ascension, Fête-Dieu, 29 juin, 18 et 25 juillet, 15 août, 12 octobre, 1er novembre, 8 et 25 décembre ainsi que dans chaque ville, le jour de fête patronale (St-Isidro à Madrid).

  En juillet et août, les hôtels sont souvent débordés.
  En dehors de cette période, vous serez mieux.

QUALCHE CHIARIMENTO UTILE

UFFICI TURISTICI

Per tutte le questioni turistiche concernenti la Spagna, si può consultare l'Ufficio Nazionale Spagnolo del Turismo a :
I - 00187 Roma - piazza di Spagna 55, ☏ 678 31 06.
I - 20123 Milano - via del Don 5, ☏ 89 74 76.

ALL'ALBERGO - AL RISTORANTE

Le nostre classifiche sono stabilite ad uso degli automobilisti di passaggio. In ogni categoria, gli esercizi sono citati in ordine di preferenza.

Paradores e albergues de carretera. — Sono esercizi dipendenti dal Ministero del Turismo (M.I.T.) Il parador, talvolta sistemato in un castello storico o in un antico monastero confortevolmente adattati, si trova in una città-tappa o in un centro di escursioni e vi si può soggiornare ; l'Albergue è un posto di ristoro e di sosta lungo la strada, generalmente lontano dai centri importanti : si tratta essenzialmente di un ristorante con camere per il turista di passaggio dove non ci si sofferma più di una giornata o di una notte.

Apertura. — Gli alberghi in carattere grassetto il cui nome non è seguito da alcuna menzione sono aperti tutto l'anno.

In questa guida **i prezzi** sono indicati in pesetas.

Servizio e tasse. — I prezzi tutto compreso rappresentano la regola in Spagna, poichè gli albergatori sono ufficialmente tenuti ad applicare prezzi globali, comprendenti il servizio, le tasse e le imposte. I prezzi indicati si intendono dunque tutto compreso.

Colazione del mattino. — Dall'inizio dell'estate 1974, gli albergatori sono stati autorizzati a fatturare la colazione del mattino anche se questa non viene consumata.

La cena in Albergo. — L'albergatore è tenuto a darvi alloggio senza esigere che ceniate presso di lui. Tuttavia, se non consumate almeno un pasto nell' albergo, si possono verificare due casi :
1) Il prezzo della camera non subisce alcun aumento ed allora il numero delle camere figura nella guida in carattere grassetto : **30 hab**;
2) In alcuni esercizi di buon confort (🏨, ✗✗ con camere) o semplici (🏠, ⚓, ✗ con camere), l'albergatore può applicare un aumento del 20 % sul prezzo della camera. In questo caso, il numero delle camere figura in carattere magro : 30 hab.

Per una camera doppia occupata da una persona sola, deve essere praticato uno sconto legale uguale al 20 % del prezzo base.

La pensione. — La pensione completa comprende la camera e la « pensión alimenticia » (la prima colazione del mattino e due pasti). Noi diamo, a titolo indicativo, il prezzo minimo ed il prezzo massimo della pensione completa, per persona e per un giorno, in alta stagione (prezzi applicabili in generale per permanenze di almeno tre giorni) : P 340/380.
È indispensabile prendere accordi preventivi con l'albergatore per stabilire delle condizioni esatte definitive.

Nota. — *Per le persone sole che occupano una camera da due persone, i prezzi indicati sono suscettibili di maggiorazione.*

Si consiglia di allegare sempre alle richieste scritte di prenotazione un tagliando-risposta internazionale.

GLI ORARI E GIORNI DI CHIUSURA

Per un periodo che va solitamente dalla primavera all'autunno, è possibile che l'ora normale venga anticipata di 60 minuti, come si verifica abitualmente in Italia.
I turisti saranno sorpresi dagli orari tardivi che vengono osservati per i pasti, le aperture dei negozi, dei musei e delle sale di spettacolo.
La colazione è normalmente servita dalle 13,30 ed il pranzo a partire dalle 21. Al di fuori di queste ore normali, le « cafeterias » delle grandi città servono pasti rapidi a tutte le ore del giorno e fino alle 2 di notte.
Gli orari di apertura dei negozi e degli uffici sono i seguenti : dalle 9,30 alle 13,30 e dalle 16,30 alle 20.
Le banche sono aperte al pubblico dalle 9 alle 14 (eccettuati domenica e giorni festivi).
I monumenti, i musei, sono frequentemente aperti il mattino tra le 9 o le 10 e le 13; però le chiese possono spesso risultare aperte più presto. Quando aprono il pomeriggio, ciò avviene raramente prima delle 15 o delle 16. È opportuno notare che la visita dei monumenti religiosi viene interrotta durante le funzioni.
Per gli spettacoli, quelli del pomeriggio iniziano verso le 16,30 (domenica e giorni festivi), verso le 19 gli altri giorni, quelli della sera verso le 22,30 o le 23.
Gli edifici pubblici sono chiusi la domenica e certi giorni festivi : 1° e 6 gennaio, 19 marzo, 1° aprile, Giovedì e Venerdì Santo, 1° maggio, Ascensione, Corpus Domini, 29 giugno, 18 e 25 luglio, 15 agosto, 12 ottobre, 1° novembre, 8 e 25 dicembre e, in ogni città, il giorno della festa del Santo Patrono (S. Isidro a Madrid).

In luglio ed agosto, gli alberghi sono spesso affollati.
Fuori di questo periodo vi ci troverete meglio.

EINIGE NÜTZLICHE HINWEISE

REISEINFORMATIONEN

Mit allen Fragen, die das Reisen betreffen, kann man sich an das Staatliche Spanische Verkehrs-
büro wenden in :
- D - 4000   Düsseldorf - Graf-Adolf-Str. 81, ☎ 155 47
- D - 6000   Frankfurt am Main - Bethmanstraße 50 - 54, ☎ 28 57 60
- D - 2000   Hamburg - Ferdinandstraße 64 - 68, ☎ 33 07 87
- D - 8000   München - Oberanger 6, ☎ 26 75 84
- A - 1010   Wien - Maysedergasse 4, ☎ 52 13 82.

IM HOTEL - IM RESTAURANT

In jeder Kategorie drückt die Reihenfolge der Betriebe eine weitere Rangordnung aus.

Paradores und Albergues de Carretera sind Gaststätten, die von dem spanischen Verkehrs-
amt (M.I.T.) betrieben werden. Der Parador, der manchmal in einem historischen Schloß oder
einem Kloster untergebracht und komfortabel eingerichtet ist, liegt in einem Rastort oder Aus-
flugszentrum, und man kann dort Unterkunft finden. Die Albergue ist ein Rasthaus, im allgemeinen von den bedeutenden Zentren entfernt und hauptsächlich ein Restaurant mit Zimmern
für durchreisende Touristen. Man hält sich hier kaum länger als einen Tag oder eine Nacht auf.

Öffnungszeiten. — Die fettgedruckten Hotels, hinter deren Namen keinerlei Zeitangabe steht,
sind das ganze Jahr hindurch geöffnet.

Die Preise sind in Pesetas angegeben.

Bedienung und Steuern. — Der Gebrauch von „ alles inbegriffen " ist in Spanien allgemein
üblich, und es wird von den Hoteliers offiziell verlangt, Gesamtpreise - Bedienung, Steuern
und Zuschläge inbegriffen - zu berechnen.

Frühstück. — Seit Sommer 1974 können die Hoteliers das Frühstück in Rechnung setzen,
selbst wenn es nicht verzehrt wurde.

Abendessen im Hotel. — Der Hotelier ist verpflichtet, Sie zu beherbergen, ohne daß Sie bei
ihm die Abendmahlzeit einnehmen müssen. Es gibt jedoch zwei Möglichkeiten, wenn Sie nicht
im Hotel zu Abend essen :
1° Es wird kein Zuschlag auf den Zimmerpreis erhoben. In diesem Falle ist die Zahl der Zimmer
   fett gedruckt : **30 hab;**
2° In manchen mit gutem Komfort (🏨, XX mit Zimmern) oder einfachen (🏠, ♔, X mit Zimmern)
   Häusern kann der Hotelier einen Zuschlag von 20 % auf den Zimmerpreis erheben. In diesem
   Falle ist die Zahl der Zimmer dünn gedruckt : 30 hab.
Bei Benutzung eines Doppelzimmers durch eine Einzelperson muß ein rechtmäßiger Nachlaß
von 20 % auf den Grundpreis gewährt werden.

Die Pension. — Die Vollpension umfaßt das Zimmer und die " pensión alimenticia " (das Frühstück und zwei Mahlzeiten). Zu ihrer Orientierung geben wir den Mindest- und den Höchstpreis
für Vollpension an. Diese Preise verstehen sich pro Person und Tag während der Hauptsaison
und werden im allgemeinen für einen Aufenthalt von mehr als drei Tagen in Anrechnung gebracht :
P. 340/380.
Es wird dringend empfohlen, sich zuvor mit dem Hotelier über den endgültigen Pensionspreis
zu einigen.

   Anmerkung. — Für Personen, die allein ein Doppelzimmer belegen, werden die angegebenen
   Pensionspreise manchmal erhöht.
Bei schriftlichen Zimmerbestellungen empfehlen wir, einen Freiumschlag oder einen inter-
nationalen Antwortschein beizufügen.

ÖFFNUNGSZEITEN UND SCHLIESSUNGSTAGE

Spanienreisende müssen damit rechnen, daß die Sommerzeit der GMT um 2 Stunden voraus ist.
In Spanien ist der Tourist von den späten Essenszeiten, den Öffnungszeiten der Geschäfte,
der Museen und der Theater überrascht.
Das Mittagessen wird im allgemeinen ab 13.30 Uhr und das Abendessen ab 21 Uhr serviert.
Außerdem bieten die „ cafeterias " der großen Städte schnelle Mahlzeiten den ganzen Tag
über an - bis 2 Uhr morgens.
Die Geschäfte und Büros sind wie folgt geöffnet : 9.30 bis 13.30 und 16.30 bis 20 Uhr.
Die Banken sind von 9 bis 14 Uhr geöffnet (außer sonntags und an Feiertagen).
Die öffentlichen Gebäude und Museen sind meist von 9 oder 10 Uhr bis 13 Uhr geöffnet, die
Kirchen öffnen meistens früher. Wenn sie am Nachmittag geöffnet sind, ist es selten vor 15 oder
16 Uhr. Während der Gottesdienste ist die Besichtigung der Kirchen nicht erlaubt.
Kinos und Theater sind gewöhnlich ab 19 Uhr geöffnet (sonntags und an Feiertagen schon
ab 16.30).
Die Abendvorstellungen beginnen gegen 22.30 oder 23 Uhr.
Die öffentlichen Gebäude sind sonntags und an einigen Feiertagen geschlossen : 1. und 6.
Januar, 19. März, 1. April, Gründonnerstag, Karfreitag, 1. Mai, Himmelfahrt, Fronleichnam,
28. Juni, 18. und 25. Juli, 15. August, 12. Oktober, 1. November, 8. und 25. Dezember
sowie in jeder Stadt am Kirchweihfest (S. Isidro in Madrid).

Im Juli und August sind die Hotels oft überfüllt.

Außerhalb dieser Zeit werden Sie besser bedient.

A FEW USEFUL DETAILS

TOURIST OFFICE

All enquiries concerning touring in Spain should be made to the Spanish National Tourist Office : 70 Jermyn Street - London SW 1 - ☏ 930 85 78.

HOTELS - RESTAURANTS

We have classified the hotels and restaurants with the travelling motorist in mind. In each category, they have been listed in order of preference.

Paradores and Albergues de Carretera. — These are establishments operated by the Spanish State Tourist Department (M.I.T.). The paradors, sometimes comfortably established in an historic castle or an old monastery, are to be found in towns, on main routes or in touring centres. One may stay in them for several days. The Albergue on the other hand is a roadside hotel, generally well away from important towns ; in essence it is a restaurant with rooms for passing tourists and one rarely stops for more than a single day or night.

Dates open. — Where no date or season is shown, the hotel in heavy type is open all the year round.

Prices are given in pesetas.

Tax and service charge. — The formula " tax and service included " has become common practice in Spain, hotel owners now being officially expected to apply all-in prices including tax and service charge.

Breakfast. — Hotel owners are now (since summer 1974) officially allowed to charge for breakfast whether or not it is actually taken.

Dinner at the hotel. — Guests are under no obligation to take dinner at their hotel.

Where this makes no difference to the price of the room, the number of rooms is printed in heavy type : **30 hab**.

In comfortable (🏨, ╳╳ with rooms) and plain hotels (🏠, 🏫, ╳ with rooms) where the hotelier may charge an extra 20 % for the room if dinner is not taken, the number of rooms is shown in light type : 30 hab.

Any double room occupied by one person only must be charged at a 20 % discount on its basic price.

Full Board. — The full board rates shown (room and " pensión alimenticia " : breakfast and two meals) are minimum and maximum rates per person per day in season and generally apply for a stay of at least three days : P 340/380.

It is essential to settle terms with the hotel-keeper in advance.

Note. — *A single person in a double room may be charged more than for a single room.*

If you apply for a reservation in advance, we advise you to enclose an International Reply Coupon in your letter.

DIFFERENCES IN TIME AND CLOSING DAYS

As applied in 1974, it is expected that time in Spain during the summer months will be 2 hours in advance of G.M.T., i.e. 1 hour in advance of B.S.T.

In Spain, the tourist may be surprised by the lateness of meal times, the opening times of shops and museums and the starting hours of shows.

Lunch is normally served from 1.30 pm, and dinner from 9 pm. Outside these normal hours " cafeterias " in the large towns serve quick meals all day till 2 am.

The opening times for shops and offices are 9.30 am to 1.30 pm and 4.30 to 8 pm.

Banks are open to the public from 9 am to 2 pm (except on Sundays and public holidays).

Historic buildings and museums are usually open in the morning from 9 or 10 am to 1 pm, but churches are often open earlier. Although all open in the afternoon it is rarely before 3 or 4 pm. It is convenient to note that visits to religious buildings may be interrupted by services.

Afternoon shows, or matinées, start about 4.30 pm (on Sundays and public holidays) or 7 pm on other days. Evening performances start about 10.30 or 11 pm.

Public buildings are closed on Sundays and on public holidays : 1 and 6 January, 19 March, 1 April, Maundy Thursday and Good Friday, 1 May, Ascension Day, Corpus Christi, 29 June, 18 and 25 July, 15 August, 12 October, 1 November, 8 and 25 December. Each town has a holiday on its patron saint's day. (S. Isidro for Madrid.)

In July and August, hotels are often overcrowded and staff overworked.

You will be more satisfied if you go in other months.

LA GASTRONOMÍA

LA COCINA

España ofrece al viajero una gran variedad culinaria. La lista de especialidades regionales es extensa y su preparación diversa, estando siempre condimentadas con aceite de oliva y diferentes hierbas aromáticas. La pimienta se utiliza poco, pero, en cambio, la guindilla aporta su sabor picante a algunos platos.

Las comidas españolas son sanas y substanciosas. El pescado y los mariscos tienen gran importancia en la composición de los menús, incluso en el interior del país. El pescado frito, las gambas y langostinos, los percebes, los calamares y las angulas son muy apreciados.

La charcutería es muy variada, destacando el jamón serrano — los de Trévelez, Jabugo y Tineo son los más reputados — y el chorizo de Cantimpalos, Burgos y Soria. Los huevos y las tortillas, con sus numerosas variantes, alternan en los menús.

Especialidades regionales. — El plato español por excelencia es el cocido, encontrándose en todas las regiones, aunque su nombre y composición varíe ligeramente de una a otra. En Castilla se llama **« cocido a la madrileña »**; en Santander se denomina **« olla podrida »**; en Galicia recibe el nombre de **« pote gallego »**; en Asturias, **« fabada »** y en Cataluña, **« escudella »**. Sólo los levantinos hacen concesiones al barroquismo al preparar la **« paella »**, el plato español más conocido fuera de nuestras fronteras.

El **« gazpacho »**, plato típico de Andalucía, Extremadura y La Mancha, servido muy frío, es excelente para el verano. El **« lacón con grelos »** gallego es el brazuelo de cerdo, salado y curado, cocido con nabizas. Castilla es el área de los asados : cordero, cochinillo o ternera y perdiz estofada. El País Vasco tiene quizá la cocina más elaborada de la Península : bacalao al **« pil-pil »**, merluza a la vasca, chipirones en su tinta, angulas, etc. Las vieiras y centollos de Galicia son codiciadísimos. Aragón y Navarra preparan el pollo, el cordero y la ternera con su excelente salsa **« chilindrón »**. Entre los platos más conocidos de Cataluña podemos citar la **« zarzuela »**, y las **« mongetes amb butifarra »**.

Los mejores quesos españoles son el de Cabrales, fabricado con leche de oveja y conocido sobre todo en el norte de la península ; los quesos de Burgos, suaves y de pasta untuosa ; el del Roncal, seco y de fuerte sabor, también de oveja, y el Manchego, consumido en toda España.

Los numerosos dulces y pasteles son muy apreciados. Citemos particularmente los **« mazapanes »** de Toledo, los **« turrones »** de Alicante, de gran fama, las **« ensaimadas »** de Mallorca y todos los postres andaluces : buñuelos, flan cordobés, tartas...

Finalmente, las variadas y deliciosas frutas producidas en la península completan generosamente el capítulo de los postres.

LOS VINOS *(ver mapa p. 35)*

España produce gran cantidad de vinos. Los de mesa son generalmente de fuerte graduación alcohólica, siendo los más solicitados los procedentes de la Rioja.

En Castilla la Nueva se encuentran los vinos de Méntrida (Toledo) y los de Valdepeñas (Ciudad Real), igualmente muy conocidos después de los de Rioja.

Cataluña, buena región vinícola, produce exquisitos caldos en el Priorato ; secos y finos en el Ampurdán y Penedés que van desde sus diferentes tipos de blancos y tintos hasta los espumosos de elaboración en cava y los de Alella de producción reducida y fino paladar.

Los vinos de Aragón son generalmente robustos y de fuerte graduación, si bien en Cariñena se elaboran vinos más finos y ligeros.

En Navarra los vinos son de grado elevado, principalmente los tintos.

Existen otros vinos famosos tales como los de Ribeiro y Valdeorras en Galicia, Jumilla en Murcia, Yecla y Utiel-Requena en la región levantina y otros muchos que resultaría interminable enumerar.

Vinos generosos. — Estos vinos de la región andaluza son universalmente conocidos, destacando los de Jerez, con una amplia gama de vinos finos, amontillados, olorosos, palo cortado y la famosa manzanilla de Sanlúcar de Barrameda. En la zona de Montilla-Moriles se elaboran igualmente vinos generosos de características similares a los de Jerez, entre los que destaca el fino.

Los excelentes vinos de Málaga tienen ya de antiguo un justificado renombre como vinos de postre.

Los Licores. — Jerez de la Frontera y El Puerto de Santa María son los principales centros productores de estimados **« coñacs »** o **« brandys »**. Cazalla (Huelva), Chinchón (Madrid) y Ojén (Málaga) elaboran excelentes aguardientes y anises.

A GASTRONOMIA

A COZINHA

Em Espanha, o viajante encontrará uma grande variedade culinária. A lista dos pratos regionais é longa e a sua preparação muito diversa, mas o azeite e as numerosas ervas aromáticas aparecem como constantes. A pimenta é raramente empregada, mas o pimentão dá uma nota picante a certos pratos.

A cozinha espanhola é sempre saudável e substancial. Os peixes e mariscos desempenham um papel importante na composição das ementas, mesmo no interior do país. Os fritos e coscorões de lulas, « calamares », são muito apreciados, assim como as « angulas », pequenas enguias salgadas e temperadas com especiarias.

Os produtos de charcutaria apresentam-se sob numerosas formas. O « jamón serrano », ou presunto, distingue-se pelo seu sabor agradável; os « chorizos », variedade de enchidos com pimentão, têm um sabor forte. Os ovos e as « tortillas », cuja guarnição pode ser infinitamente variada, são servidos frequentemente.

As especialidades regionais. — O cozido é um prato muito original. A composição e o nome variam de uma província para outra : na Castela, com vaca, toucinho, morcela, chouriço, galinha e grão, chama-se « cocido »; em Santander, « olla podrida »; na Galiza, com presunto, morcela e feijão, tem o nome de « pote gallego »; nas Astúrias, menos guarnecido, é conhecido por « fabada ». Um prato igualmente muito divulgado e típico é a « paella », com as suas variedades regionais, mas tendo sempre por base o arroz com açafrão, o azeite e diversas ervas aromáticas, e feita com frango, porco, lulas, lagostins e outros mariscos.

O « gazpacho » da Andaluzia, da Estremadura ou da Mancha é uma sopa fria feita com sumo de tomate, e pepinos, cebolas e pimentos (esmagados e passados por um passador), temperada com vinagre, azeite e alho e servida com quadradinhos de pão seco e legumes. O « lacón con grelos » da Galiza é feito com perna de porco e grelos. Na Castela encontra-se o leitão ou o cordeiro assados e a perdiz estufada. No País Basco, os « chipirones », lulas pequenas, cozinhadas com a tinta, são muito saborosos. Os « centollos », enormes santolas, são deliciosos.

Os melhores queijos espanhóis são o « cabrales », variedade de queijo de ovelha, muito divulgado no norte de Espanha; os queijos de Burgos, suaves e cremosos; o « roncal », forte e seco, também de ovelha, fabricado na Navarra, e o « manchego », consumido em todo o país.

Os doces, muito apreciados pelos espanhóis, são numerosíssimos. Citemos em particular os « mazapanes » de Toledo, variedade de bolinhos secos, ou o « turrón », pasta de amêndoa, especialidade das regiões de Alicante ou de Tarragona, a « ensaimada », bolo de massa folhada de Maiorca e todos os doces da Andaluzia : coscorões, flan de Córdova, torta de limão...

Enfim, os frutos, abundantes e variados, dão uma contribuição generosa à sobremesa espanhola.

OS VINHOS (ver mapa p. 35)

A Espanha é um país grande produtor, que possui uma notável variedade de vinhos de mesa, tintos, brancos, « rosés », espumantes e vinhos aperitivos ou doces.

Os vinhos de mesa. — Frequentemente são muito alcoolizados e têm um forte sabor a uva. Os mais solicitados são produzidos na região de Rioja, no Alto Vale do Ebro, que compreende a quase totalidade da província de Logroño e uma parte das de Alava e de Navarra. Na Nova Castela, as vinhas de Méntrida (Toledo) e, sobretudo, de Valdepeñas produzem vinhos de grande consumo, perfumados e nervosos.

A Catalunha, rica região vinícola, produz vinhos secos e finos no Ampurdán ; doces ou secos em Alella ; fortemente alcoolizados, suaves ou espumantes, no Penadés ; pesados e aromatizados no Priorato. Aragão fornece os vinhos encorpados, tintos e brancos de Cariñena ; a Navarra, os tintos de Tudela ; a Galiza, o « ribeiro » acre. Enfim, o Levante, cuja produção de vinho tinto corrente é importante, produz também vinhos de qualidade, nas regiões de Valência, de Alicante e de Jumilla (Murcia).

Os vinhos aperitivos e doces. — São, em geral, provenientes da Andaluzia. O mais famoso é o Jerez, do qual existem diferentes variedades, desde os brancos, secos, fortemente aromatizados, aos tintos espessos, muito doces. Os vinhos de Montilla-Moriles, perto de Córdova, são muito apreciados com os aperitivos. Sanlúcar de Barrameda produz o Manzanilla seco e perfumado, e Málaga um vinho licoroso, encorpado, de aroma subtil.

Os digestivos. — Jerez de la Frontera e Puerto de Santa Maria são os mais importantes centros de produção dos variadíssimos « brandys » (coñacs) espanhóis. As aguardentes e anises elaborados em Cazalla (Huelva), Chinchón (Madrid) e Ojén (Málaga) são excelentes.

LA GASTRONOMIE

LA CUISINE

L'Espagne offre au voyageur une grande variété de cuisines. La liste des plats régionaux est longue et leur préparation très diverse mais on y retrouve constamment l'huile d'olive et de nombreuses herbes aromatiques. Le poivre est pratiquement inemployé, cependant, dans certains mets, le piment apporte sa note brûlante.

Les repas espagnols sont toujours sains et substantiels. Les poissons, crustacés et coquillages jouent un rôle important dans la composition des menus même à l'intérieur du pays. Les fritures et les beignets de calmar « **calamares** », sont très appréciés ainsi que les « **angulas** », alevins d'anguilles salée et épicée.

Les charcuteries se présentent sous de nombreuses formes. Le « **jamón serrano** » ou jambon sec se distingue par son goût agréable ; les « **chorizos** », sortes de saucisses au piment ont une forte saveur. Les œufs et les omelettes ou « **tortillas** », aux garnitures infiniment variées sont très souvent servis.

Les spécialités régionales. — Un plat fortement original est le pot-au-feu. Sa composition et son nom varient d'une province à l'autre : en Castille avec bœuf, lard, boudin, chorizo, poule et pois chiches, c'est le « **cocido** » ; à Santander l' « **olla podrida** » ; en Galice avec jambon, boudin et haricots, le « **pote gallego** » ; en Asturies, moins garni la « **fabada** ». Un plat également très répandu et typique est la « **paella** » avec ses variétés régionales mais toujours à base de riz au safran, d'huile d'olive, d'aromates divers et garnie de poulet, de porc, de calmars, de langoustines, de coquillages...

Le « **gazpacho** » d'Andalousie, d'Estremadure ou de la Manche est une soupe froide composée de jus de tomates, concombres, oignons, poivrons (broyés et tamisés), assaisonnée de vinaigre, d'huile et d'ail et servie avec des petits dés de pain sec et de légumes. Le « **lacón con grelos** » galicien est de la jambe de porc aux feuilles de navets. La Castille propose le cochon de lait ou l'agneau rôtis et la perdrix à l'étouffée. Au Pays Basque, les « **chipirones** », jeunes calmars cuits dans leur encre, sont savoureux. Les « **centollos** », énormes araignées de mer, sont délicieuses.

Les meilleurs fromages espagnols sont les « **cabrales** » variété de bleu de brebis, surtout répandu dans le nord de l'Espagne ; les fromages de Burgos doux et onctueux ; le « **roncal** » fort et sec, au lait de brebis, fabriqué en Navarre, et le « **manchego** », consommé dans tout le pays.

Les sucreries sont très appréciées des Espagnols. Elles sont fort nombreuses. Citons en particulier les « **mazapanes** » tolédans, sorte de petits fours frais, ou le « **turrón** » sorte de nougat originaire de la région d'Alicante ou de Tarragone, l' « **ensaimada** », galette feuilletée de Majorque et tous les desserts andalous : beignets, flan cordouan, tourte au citron...

Enfin, les fruits, abondants et variés, apportent au dessert espagnol leur alliance généreuse.

LES VINS *(voir carte p. 35)*

L'Espagne est un pays grand producteur qui possède une remarquable variété de vins de table rouges, blancs, rosés, mousseux et de vins apéritifs et de dessert.

Les vins de table. — Ils sont souvent très alcoolisés et très fruités.

Les plus demandés sont produits par la région de Rioja dans la haute vallée de l'Ebre qui comprend la presque totalité de la province de Logroño et une partie de celles d'Alava et de Navarre. Dans la Nouvelle Castille les vignobles de Méntrida (Tolède) et surtout de Valdepeñas donnent des vins de grande consommation, parfumés et nerveux. La Catalogne, riche région vinicole, produit des vins secs et fins dans l'Ampurdán ; doux ou secs à Alella ; forts en alcool, doux ou mousseux dans le Penedés ; lourds et bouquetés dans le Priorato. L'Aragon fournit les vins corsés rouges et blancs de Cariñena ; la Navarre, les rouges de Tudela ; la Galice, l'aigrelet « ribeiro ». Enfin le Levant dont la production de rouges ordinaires est importante donne aussi des vins de qualité dans les régions de Valence, d'Alicante et de Jumilla (Murcia).

Les vins apéritifs et de dessert. — Ils proviennent en général de l'Andalousie. Le plus renommé est le Xérès (Jerez) dont il existe plusieurs variétés qui vont des crus blancs, secs, finement bouquetés aux crus noirs, épais, très sucrés. Les vins de Montilla-Moriles près de Cordoue sont très appréciés à l'apéritif. Sanlúcar de Barrameda produit le Manzanilla sec et parfumé et Málaga un vin liquoreux, corsé, au bouquet nuancé.

Les alcools. — Jerez de la Frontera et Puerto de Santa María sont les centres de production les plus importants de « **brandys** » (coñacs) espagnols, dont il existe un ample choix. Les eaux-de-vie et anis élaborés à Cazalla (Huelva), Chinchón (Madrid) et Ojén (Málaga), sont le plus souvent excellents.

LA GASTRONOMIA

LA CUCINA

La Spagna offre una gran varietà di cucine. L'elenco dei piatti regionali è lungo e le loro preparazioni diversissime ma vi si ritrovano costantemente l'olio d'oliva e numerose erbe aromatiche. Il pepe praticamente non viene adoperato ma, in certi piatti, il peperoncino aggiunge la sua nota piccante.

I pasti spagnoli sono sempre sani e sostanziosi. I pesci, i crostacei ed i molluschi hanno una parte importante nella composizione dei menu, anche nell'interno del Paese. Le fritture e le frittelle di calamari, « calamares », sono molto apprezzate, così come le « angulas », avannotti di anguille salati e conditi con spezie.

I salumi si presentano in svariate forme. Il « jamón serrano » o prosciutto crudo seccato si distingue per il suo gusto gradevole ; i « chorizos », specie di salsicce pimentate, hanno un sapore forte. Le uova e le frittate o « tortillas », accomodate con una varietà infinita di guarnizioni, vengono servite molto spesso.

Le specialità regionali. — Il bollito misto è un piatto molto originale. La sua composizione e la sua denominazione variano da una provincia all'altra : in Castiglia, con manzo, lardo, sanguinacci, chorizo, gallina e ceci, è il « cocido » ; a Santander l' « olla podrida » ; in Galizia, con prosciutto, sanguinacci e fagioli, è il « pote gallego » ; nelle Asturie, meno ricco, la « fabada ». Un piatto pure molto diffuso e tipico è la « paella » nelle sua varietà regionali, ma sempre a base di riso allo zafferano, di olio d'oliva, di aromi diversi e guarnita di pollo, maiale, molluschi, calamari, scampi...

Il « gazpacho » d'Andalusia, d'Estremadura o della Mancia è una zuppa fredda composta di pomodori, cetrioli, cipolle, peperoni (macinati e setacciati) condita con aceto, olio d'oliva ed aglio e servita con dei piccoli dadi di pane secco e di verdure crude. Il « lacón con grelos » galiziano è composto di zampa di maiale con foglie di rape. La Castiglia offre il maialino o l'agnello arrosto e la pernice brasata. Nei Paesi Baschi i « chipirones », giovani calamari cotti nel loro inchiostro, sono assai gustosi. I « centollos », enormi ragni di mare, sono deliziosi.

I migliori formaggi spagnoli sono il « cabrales », fermentato, di latte di pecora, diffuso principalmente nella Spagna settentrionale ; i formaggi di Burgos, dolci e morbidi ; il « roncal » piccante e asciutto, di latte di pecora, fabbricato in Navarra ed il « manchego », largamente diffuso in tutto il Paese.

I dolci sono molto apprezzati dagli Spagnoli. Sono svariatissimi. Citiamo in particolare i « mazapanes » toledani, specie di pasticcini freschi, od il « turrón », specie di torrone originario della regione di Alicante o di Tarragona, l'« ensaimada », pasta sfogliata di Maiorca e tutti i dolci andalusi : frittelle, bodino cordovese, torta al limone...

Infine i frutti, la cui produzione è abbondante e varia, contribuiscono ad allietare con il loro colore ed il loro profumo la conclusione dei pasti spagnoli.

I VINI *(vedere carta p. 35)*

La Spagna è una grande produttrice che possiede una notevole varietà di vini da tavola rossi, bianchi, rosati, spumanti, aperitivi e da dessert.

I vini da tavola. — Sono generalmente di alta gradazione alcolica e molto fruttati. I più richiesti sono prodotti nella regione di Rioja, nell'alta vallata dell'Ebro che comprende quasi interamente la provincia di Logroño ed una parte di quelle di Alava e di Navarra. Nella Nuova Castiglia, i vigneti di Méntrida (Toledo) e soprattutto quelli di Valdepeñas producono vini di grande consumo, fragranti e forti.

La Catalogna, ricca regione vinicola, produce dei vini secchi e fini nell'Ampurdán, dolci o secchi ad Alella, fortemente alcolici, dolci o spumanti nel Penedés, pesanti e profumati nel Priorato. L'Aragona fornisce i vini spessi, rossi e bianchi, di Cariñena ; la Navarra, i rossi di Tudela ; la Galizia l'asprigno « ribeiro ». Infine, il Levante, la cui produzione di vini rossi ordinari è importante, offre anche dei vini di qualità nelle regioni di Valenza, di Alicante e di Jumilla (Murcia).

I vini aperitivi e da dessert. — Provengono generalmente dall'Andalusia. Il più famoso è quello di Jerez di cui esistono vari tipi, dai bianchi, secchi, finemente aromatici, a quelli scuri, spessi, molto zuccherini. I vini di Montilla-Moriles accanto a Córdoba sono molto apprezzati come aperitivi. Sanlúcar di Barrameda produce il Manzanilla secco e profumato e Málaga un vino liquoroso, forte, dalla fragranza sfumata.

Gli alcolici. — Jerez de la Frontera e Puerto de Santa María sono i più importanti centri di produzione dei « brandy », (coñacs) spagnoli, dei quali esiste un'ampia scelta. Le acqueviti e gli anici elaborati di Cazalla (Huelva), Chinchón (Madrid) e Ojén (Málaga) sono quasi sempre eccellenti.

GASTRONOMIE

DIE KÜCHE

Die spanische Küche bietet eine große Auswahl regionaler Spezialitäten, die auf verschiedene Arten, jedoch immer mit Olivenöl und aromatischen Kräutern zubereitet werden. Pfeffer wird kaum verwendet, dagegen geben Pfefferschoten einigen Speisen die typische Schärfe. Die spanischen Mahlzeiten sind immer bekömmlich und nahrhaft. Fische, Krusten- und Schalentiere spielen selbst im Innern des Landes eine bedeutende Rolle bei der Zusammenstellung eines Menüs. In Fett ausgebackene kleine Fische und Tintenfische ,, **calamares** '' werden ebenso gerne gegessen wie die ,, **angulas** '', kleine gesalzene und gewürzte Brutaale.

Das Angebot an verschiedenen Wurstsorten ist sehr groß. Der ,, **jamón serrano** '' — roher luftgetrockneter Schinken — zeichnet sich durch seinen milden Geschmack aus, während ,, **chorizos** '', eine Art Pfefferwürste, stark gewürzt sind. Die Eierspeisen und Omeletten ,, **tortillas** '' mit zahllosen Garnitur-Varianten werden recht häufig serviert.

Regionale Spezialitäten. — Eines der traditionellsten Gerichte Spaniens ist der Fleisch-Gemüse-Eintopf. Seine Zusammenstellung und sein Name wechseln von Provinz zu Provinz : in Kastilien wird er ,, **cocido** '' (mit Rindfleisch, Speck, Blutwurst, chorizos, Hühnerfleisch und Kichererbsen) genannt, in Santander ,, **olla podrida** '', in Galicien ,, **pote gallego** '' (mit Schinken, Blutwurst und Bohnen) und in Asturien ,, **fabada** '' (weniger reichhaltige Zutaten). Ein ebenso weitverbreitetes und typisches Gericht ist die ,, **paella** '', zwar mit regionalen Varianten aber immer mit den Hauptbestandteilen Safranreis, Olivenöl, verschiedene Gewürze, Huhn und Schweinefleisch, Tintenfische, Langustinen und Schalentiere.

Die ,, **gazpacho** '' der Provinzen Andalusien, Estremadura und La Mancha ist eine kalte Suppe aus Tomatensaft, Gurken, Zwiebeln, grünen Pfefferschoten (gestoßen und passiert), Essig, Öl, Knoblauch, kleinen Brotwürfeln und Gemüsen. ,, **Lacón con grelos** '', eine galicische Spezialität, besteht aus Schweinshaxe mit Blättern von weißen Rüben. In Kastilien rät man zu geschmortem Rebhuhn. Im Baskenland gibt es die schmackhaften, in der eigenen Tinte gekochten jungen Tintenfische, ,, **chipirones** '' genannt, und die leckeren ,, **centollos** '', große Meerspinnen.

Die besten Käse sind der nordspanische ,, **cabrales** '' (ähnlich dem bleu), die Käse von Burgos — mild und recht fett —, der ,, **roncal** '' aus Navarra — kräftig und trocken — und der allgemein verbreitete ,, **manchego** ''.

Süßigkeiten und Backwaren werden in Spanien sehr geschätzt und deshalb auch in vielen verschiedenen Arten hergestellt. Besonders zu erwähnen sind die toledanischen ,, **mazapanes** '' (frisches Kleingebäck), der ,, **turrón** '' (Nougat) aus der Gegend von Alicante und Tarragona, die ,, **ensaimada** '' (Blätterteiggebäck) von Mallorca sowie alle andalusischen Desserts : Krapfen, korduanische Fladen, Zitronentorte...

Das große Obstangebot bietet natürlich auch für das Dessert zahlreiche Variationsmöglichkeiten.

DIE WEINE *(siehe Karte S. 35)*

Spanien ist ein bedeutendes Weinerzeugerland, das über eine bemerkenswerte Auswahl an Tischweinen (Rotwein, Weißwein, Rosé, Schaumwein), Apéritif- und Dessertweinen verfügt.

Die Tischweine. — Die Tischweine sind im allgemeinen sehr alkoholreich und fruchtig. Die meist verlangten unter ihnen werden in der Gegend von Rioja im oberen Ebrotal angebaut, das fast die ganze Provinz Logroño und einen Teil der Provinzen Alava und Navarra umfasst. In Neu-Kastilien, in den Weinbergen von Méntrida (Toledo) und vor allem von Valdepeñas, wächst ein nerviger und aromatischer Tafelwein. Die Weine Kataloniens, einer reichen Weinbauprovinz, sind in der Ebene von Ampurdán edel und herb, süß oder herb in der Gegend von Alella, alkoholreich, süß oder moussierend im Penedés und schwer und blumig in der Gegend von Priorato. Die Provinz Aragon erzeugt die herzhaften Rot- und Weißweine von Cariñena, Navarra die Rotweine von Tudela und Galicien den stahligen « ribeiro ». Die « Levante », besonders bekannt durch die Produktion von rotem Landwein, bringt in der Gegend von Valencia, Alicante und Jumilla (Murcia) auch Spitzengewächse hervor.

Die Apéritif- und Dessertweine. — Die Apéritif- und Dessertweine werden hauptsächlich in Andalusien erzeugt. Der bekannteste ist der Jerez, von dem es mehrere Arten gibt, vom herben Weißwein mit feiner Blume bis zum süßen, öligen Rotwein. Die Montilla-Moriles-Weine aus der Gegend von Córdoba werden zum Apéritif sehr geschätzt. In Sanlúcar de Barrameda wird der trockene und aromatische « manzanilla » und in Malaga ein herzhafter, likörartiger Wein mit feinem Bukett angebaut.

Spirituosen. — Die Städte Jerez de la Frontera und Puerto de Santa María sind die Haupterzeuger der spanischen ,, **Brandys** '' (coñacs). Die Schnäpse und der Anis von Cazalla (Huelva), Chinchón (Madrid) und Ojén (Málaga) sind eine meist ausgezeichnete Spezialität.

GASTRONOMY

THE FOOD

The visitor to Spain is offered many different styles of cookery — the list of regional dishes is long and the methods of preparation differ considerably. The only common factors are that the food is nearly always cooked in olive oil and seasoned with aromatic herbs. Pepper is seldom used, pimentos or red peppers being added where necessary to give a burning touch.

Spanish meals are wholesome and copious. Fish, crustaceans and shellfish play an important part in a menu, even inland. Fried seafood and squid fritters, " **calamares** ", are popular as are " **angulas** ", — salted and spiced elvers.

The choice of smoked and cooked cold meats is extensive : " **jamón serrano** ", or smoked ham, is particularly delicious ; " **chorizos** ", are strong tasting, peppery, sausages. Egg dishes and " **tortillas** " omelettes, with a wide variety of garnishes, are found everywhere.

Regional specialities. — The Spanish hot-pot served in one province will be totally different from the one put before you in another : in Castile it will include beef, bacon, black pudding, " chorizos ", chicken and chick peas and will be called " **cocido** " ; at Santander it is known as " **olla podrida** " ; in Galicia the " **pote gallego** " has in it ham, black pudding and beans ; in Asturias, where there are fewer ingredients, it is the " **fabada** ". A dish that is equally widespread and as typical is the " **paella** " again with an almost infinite number of local variations but always based on saffron rice with the ingredients cooked in olive oil and aromatic herbs whether these be chicken, pork, squid, lobster or shellfish or a combination of two or more at the same time.

The " **gazpacho** " served in Andalusia, Estremadura and La Mancha is a cold cucumber, tomato, onion, and green pepper juice soup (milled and sieved), seasoned and diluted with olive oil, vinegar, and garlic, served with diced bread and diced raw vegetables.

The Galician " **lacón con grelos** " is a leg of pork with turnip leaves. From Castile come sucking pig, roast lamb and braised partridge ; from the Basque country " **chipirones** ", young squid cooked in their own ink which are delicious. Finally there are " **centollos** ", the enormous spider crabs which make excellent eating.

The best Spanish cheeses are the " **cabrales** ", (a blue ewes' milk cheese, especially from northern Spain), those from Burgos which are soft and creamy, the strong and dry " **roncal** ", made from ewes' milk in Navarre and the common " **manchego** ".

Spaniards relish sweetmeats. From the very wide choice one might pick out Toledo " **mazapanes** " — fresh marzipan — " **turrón** ", — almond and honey blocks originally from Alicante and the Tarragona region, the flaky " **ensaimada** ", biscuits of Majorca. Andalusia also makes a speciality of desserts ; there you will have set before you fritters, Cordoba tart, lemon cake...

Fruit, ripe, plentiful and varied, makes a generous dessert and a fresh tasting ending to many a good Spanish meal.

THE WINES *(see map p. 35)*

Spain produces wine in quantity, quality and considerable variety. There are red, white, rosé and sparkling Spanish table wines, Spanish aperitif and Spanish dessert wines.

Table Wines. — The table wines often have a high alcoholic content and may well be very fruity. Those most often asked for come from the Rioja region in the upper Ebro Valley which includes almost all of Logroño Province and a part of Alava and Navarre. In New Castile, the vineyards of Méntrida (Toledo) and particularly Valdepeñas produce a popular wine with a strong "bouquet". Catalonia, a rich wine region, is known for its first class dry wines from around Ampurdán, the sweet and dry wines of Alella, those of Penedés, high in alcoholic content and either sweet or sparkling and the full bodied aromatic wines from the Priorato. Aragon produces full bodied reds and whites in Cariñena ; Navarre, Tudela reds ; Galicia, the sharp " ribeiro ". Finally from the Levant come large quantities of every day red and white wines and also the quality wines of the Valencia, Alicante and Jumilla (Murcia) vineyards.

Aperitif and Dessert Wines. — Most of these wines come from Andalusia. The most famous is sherry (Jerez) which can be very dry (Fino), dry (Amontillado), medium (Oloroso) and sweet (Dulce). Montilla-Moriles wines from the vineyards around Córdoba are also popular as aperitifs. Sanlucar de Barrameda produces the dry scented Manzanilla and Malaga, a full bodied sweet wine with a pronounced " bouquet ".

Spirits. — Xeres de la Frontera and Puerto de Santa María are the two most important centres of production of Spanish " **brandy** " (coñac) of which there is a wide variety in taste and brand name. Spirit and aniseed drinks blended in Cazalla (Huelva), Chinchón (Madrid) and Ojén (Málaga) are usually excellent.

LÉXICO

EN LA CARRETERA

¡atención, peligro!
a la derecha
a la izquierda
autopista

bajada peligrosa
bifurcación

calzada resbaladiza
cañada
carretera cortada
carretera en mal estado

carretera nacional
ceda el paso
cruce peligroso
curva peligrosa

despacio
desprendimientos
dirección prohibida
dirección única

encender las luces
esperen

hielo

niebla
nieve

obras

parada obligatoria
paso de ganado
paso a nivel sin barreras
peaje
peatones

51

LÉXICO

NA ESTRADA

atenção! perigo!
à direita
à esquerda
auto-estrada

descida perigosa
bifurcação

piso resvaladiço
rebanhos
estrada interrompida
estrada em mau estado

estrada nacional
dê passagem
cruzamento perigoso
curva perigosa

lentamente
queda de pedras
sentido proibido
sentido único

acender as luzes
esperem

gelo

nevoeiro
neve

trabalhos na estrada

paragem obrigatória
passagem de gado
passagem de nível sem guarda
portagem
peões

LEXIQUE

SUR LA ROUTE

attention! danger!
à droite
à gauche
autoroute

descente dangereuse
bifurcation

chaussée glissante
troupeaux
route coupée
route en mauvais état

route nationale
cédez le passage
croisement dangereux
virage dangereux

lentement
chute de pierres
sens interdit
sens unique

allumer les lanternes
attendez

verglas

brouillard
neige

travaux (routiers)

arrêt obligatoire
passage de troupeaux
passage à niveau non gardé
péage
piétons

LESSICO

LUNGO LA STRADA

attenzione! pericolo!
a destra
a sinistra
autostrada

discesa pericolosa
bivio

fondo sdrucciolevole
gregge
strada interrotta
strada in cattivo stato

strade statale
cedete il passo
incrocio pericoloso
curva pericolosa

adagio
caduta sassi
senso vietato
senso unico

accendere le luci
attendete

ghiaccio

nebbia
neve

lavori in corso

fermata obbligatoria
passaggio di mandrie
passaggio a livello incustodito
pedaggio
pedoni

LEXIKON

AUF DER STRASSE

Achtung! Gefahr!
nach rechts
nach links
Autobahn

gefährliches Gefälle
Gabelung

Rutschgefahr
Viehherde
gesperrte Straße
Straße in schlechtem Zustand

Staatsstraße
Vorfahrt achten
gefährliche Kreuzung
gefährliche Kurve

langsam
Steinschlag
Einfahrt verboten
Einbahnstraße

Licht einschalten
warten

Glatteis

Nebel
Schnee

Straßenbauarbeiten

Halt!
Viehtrieb
unbewachter Bahnübergang
Wegegebühr
Fußgänger

LEXICON

ON THE ROAD

caution! danger!
to the right
to the left
motorway

dangerous descent
road fork

slippery road
cattle
road closed
road in bad condition

State road
yield right of way
dangerous crossing
dangerous bend

slowly
falling rocks
no entry
one way

put on lights
wait, halt

ice (on roads)

fog
snow

road works

compulsory stop
cattle crossing
unattended level crossing
toll
pedestrians

¡peligro!	perigo!	danger!	pericolo!	Gefahr!	danger!
precaución	prudência	prudence	prudenza	Vorsicht	caution
prohibido	proibido	interdit	vietato	verboten	prohibited
prohibido aparcar	estacionamento proibido	stationnement interdit	divieto di sosta	Parkverbot	no parking
prohibido el adelantamiento	proibido ultrapassar	défense de doubler	divieto di sorpasso	Überholverbot	no overtaking
puente estrecho	ponte estreita	pont étroit	ponte stretto	enge Brücke	narrow bridge
puesto de socorro	pronto socorro	poste de secours	pronto soccorso	Unfall-Hilfsposten	first aid station
salida de camiones	saída de camiões	sortie de camions	uscita di camion	LKW-Ausfahrt	lorry exit
travesía peligrosa	perigoso atravessar	traversée dangereuse	attraversamento pericoloso	gefährliche Durchfahrt	dangerous crossing

PALABRAS DE USO CORRIENTE	**PALAVRAS DE USO CORRENTE**	**MOTS USUELS**	**PAROLE D'USO CORRENTE**	**GEBRÄUCHLICHE WÖRTER**	**COMMON WORDS**
abierto	aberto	ouvert	aperto	offen	open
abril	Abril	avril	aprile	April	April
acantilado	falésia	falaise	scogliera	steile Küste	cliff
acceso	acesso	accès	accesso	Zugang, Zufahrt	access
acueducto	aqueduto	aqueduc	acquedotto	Aquädukt	aqueduct
adornado	adornado, enfeitado	orné, décoré	ornato	geschmückt	decorated
agosto	Agosto	août	agosto	August	August
agua potable	água potável	eau potable	acqua potabile	Trinkwasser	drinking water
alameda	alameda	promenade	passeggiata	Promenade	promenade
alcazaba	antiga fortaleza árabe	ancienne forteresse arabe	antica fortezza araba	alte arabische Festung	old Arab fortress
alcázar	antigo palácio árabe	ancien palais arabe	antico palazzo arabo	alter arabischer Palast	old Arab palace
almuerzo	almoço	déjeuner	colazione	Mittagessen	lunch
alrededores	arredores	environs	dintorni	Umgebung	surroundings
altar esculpido	altar esculpido	autel sculpté	altare scolpito	Schnitzaltar	carved altar
ambiente	ambiente	ambiance	ambiente	Stimmung	atmosphere
antiguo	antigo	ancien	antico	alt	ancient
aparcamiento	parque de estacionamento	parc à voitures	parcheggio	Parkplatz	car park
apartado	apartado, caixa postal	boîte postale	casella postale	Postfach	post office box
arbolado	arborizado	ombragé	ombreggiato	schattig	shady
arcos	arcadas	arcades	portici	Arkaden	arcades
artesanía	artesanato	artisanat	artigianato	Handwerkskunst	craftwork
artesonado	tecto de talha	plafond à caissons	soffitto a cassettoni	Kassettendecke	coffered ceiling
avenida	avenida	avenue	viale, corso	Boulevard, breite Straße	avenue

bahía	baía	baie	baia	Bucht	bay
bajo pena de multa	sob pena de multa	sous peine d'amende	passibile di contravvenzione	bei Geldstrafe	under penalty of fine
balneario	termas	établissement thermal	terme	Kurhaus	health resort
baños	termas	bains, thermes	terme	Thermen	public baths, thermal bath
barranco	barranco, ravina	ravin	burrone	Schlucht	ravine
barrio	bairro	quartier	quartiere	Stadtteil	quarter, district
bodega	adega	chais, cave	cantina	Keller	cellar
bonito	bonito	joli	bello	schön	beautiful
bosque	bosque	bois	bosco, boschi	Wäldchen	wood
bóveda	abóbada	voûte	volta	Gewölbe, Wölbung	vault, arch
cabo	cabo	cap	capo	Kap	head
caja	caixa	caisse	cassa	Kasse	cash-desk
cala	enseada	crique, calanque	seno, calanca	Bucht	creek
calle	rua	rue	via	Straße	street
callejón sin salida	bêco	impasse	vicolo cieco	Sackgasse	no through road
cama	cama	lit	letto	Bett	bed
camarero	criado, empregado	garçon, serveur	cameriere	Ober, Kellner	waiter
camino	caminho	chemin	cammino	Weg	way, path
campanario	campanário	clocher	campanile	Glockenturm	belfry, steeple
campo, campiña	campo	campagne	campagna	Land	country, countryside
capilla	capela	chapelle	cappella	Kapelle	chapel
capitel	capitel	chapiteau	capitello	Kapitell	capital (of column)
carretera en cornisa	estrada escarpada	route en corniche	strada panoramica	Höhenstrasse	corniche road
cartuja	cartuxa	chartreuse	certosa	Kartäuserkloster	monastery
casa señorial	casa senhorial	demeure seigneuriale	villa residenziale	Herrensitz	seigniorial residence
cascada	cascata	cascade	cascata	Wasserfall	waterfall
castillo	castelo	château	castello	Burg, Schloss	castle
cena	jantar	dîner	pranzo	Abendessen	dinner
cenicero	cinzeiro	cendrier	portacenere	Aschenbecher	ash-tray
centro urbano	baixa, centro urbano	centre ville	centro città	Stadtzentrum	town centre
cercano	próximo	proche	prossimo	nah	near
cerillas	fósforos	allumettes	fiammiferi	Zündhölzer	matches
cerrado	fechado	fermé	chiuso	geschlossen	closed
certificado	recomendaco	recommandé (objet)	raccomandato	Einschreiben	registered
césped	relvado	pelouse	prato	Rasen	lawn
circunvalación	circunvalação	contournement	circonvallazione	Umgehung	by-pass
ciudad	cidade	ville	città	Stadt	town
claustro	claustro	cloître	chiostro	Kreuzgang	cloisters

climatizado	climatizado	climatisé	con aria condizionata	mit Klimaanlage	air-conditioned
cocina	cozinha	cuisine	cucina	Kochkunst	cuisine
colección	colecção	collection	collezione	Sammlung	collection
colegiata	colegiada	collégiale	collegiata	Stiftskirche	collegiate church
colina	colina	colline	colle, collina	Hügel	hill
columna	coluna	colonne	colonna	Säule	column
comedor	casa de jantar	salle à manger	sala da pranzo	Speisesaal	dining room
comisaria	esquadra de policia	commissariat de police	commissariato di polizia	Polizeistation	police headquarters
conjunto	conjunto	ensemble	insieme	Gesamtheit	group
conserje	porteiro	concierge	portiere, portinaio	Portier	porter
convento	convento	couvent	convento	Kloster	convent
coro	coro	chœur	coro	Chor	chancel
correos	correios	bureau de poste	ufficio postale	Postamt	post-office
crucero	cruzeiro	transept	transetto	Querschiff	transept
crucifijo, cruz	crucifixo, cruz	crucifix, croix	crocifisso, croce	Kruzifix, Kreuz	crucifix, cross
cuadro, pintura	quadro, pintura	tableau, peinture	quadro, pittura	Gemälde, Malerei	painting
cuchara	colher	cuillère	cucchiaio	Löffel	spoon
cuchillo	faca	couteau	coltello	Messer	knife
cuenta	conta	note	conto	Rechnung	bill
cueva, gruta	gruta	grotte	grotta	Höhle	cave
cúpula	cúpula	coupole, dôme	cupola	Kuppel	dome, cupola
dentista	dentista	dentiste	dentista	Zahnarzt	dentist
deporte	desporto	sport	sport	Sport	sport
desembocadura	foz	embouchure	foce	Mündung	mouth
desfiladero	desfiladeiro	défilé	forra	Engpaß	pass
diario	jornal	journal	giornale	Zeitung	newspaper
diciembre	Dezembro	décembre	dicembre	Dezember	December
dique	dique	digue	diga	Damm	dike, dam
domingo	Domingo	dimanche	domenica	Sonntag	Sunday
embalse	lago artificial	lac artificiel	lago artificiale	künstlicher See	artificial lake
encinar	azinhal	chênaie	querceto	Eichenwald	oak-grove
enero	Janeiro	janvier	gennaio	Januar	January
entrada	entrada	entrée	entrata, ingresso	Eingang, Eintritt	entrance, admission
equipaje	bagagem	bagages	bagagli	Gepäck	luggage
ermita	eremitério, retiro	ermitage	eremo	Einsiedelei	hermitage
escalera	escada	escalier	scala	Treppe	stairs
escuelas	escolas	écoles	scuole	Schulen	schools

54

escultura	escultura	sculpture	scultura	Schnitzwerk	carving
espectáculo	espectáculo	spectacle	spettacolo	Schauspiel	show, sight
estanco	tabacaria	bureau de tabac	tabaccaio	Tabakladen	tobacconist
estanque	lago, tanque	étang	stagno	Teich	pond, pool
estatua	estátua	statue	statua	Standbild	statue
estrecho	estreito	détroit	stretto	Meerenge	strait
estuario	estuário	estuaire	estuario	Mündung	estuary
fachada	fachada	façade	facciata	Vorderseite	façade
farmacia	farmácia	pharmacie	farmacia	Apotheke	chemist
faro	farol	phare	faro	Leuchtturm	lighthouse
febrero	Fevereiro	février	febbraio	Februar	February
festivo	feriado	férié	festivo	Feiertag	holiday
florido	florido	fleuri	fiorito	mit Blumen	in bloom
fortaleza	fortaleza	forteresse, château fort	fortezza	Festung, Burg	fortress, fortified castle
fortificado	fortificado	fortifié	fortificato	befestigt	fortified
frescos	frescos	fresques	affreschi	Fresken	frescoes
frio	frio	froid	freddo	kalt	cold
friso	friso	frise	fregio	Fries	frieze
frontera	fronteira	frontière	frontiera	Grenze	frontier
fuente	fonte	source	sorgente	Quelle	source, stream
garganta	garganta	gorge	gola	Schlucht	gorge, stream
gasolina	gasolina	essence	benzina	Benzin	petrol
guardia civil	polícia	gendarme	gendarme	Polizist	policeman
hermoso	belo, formoso	beau	bello	schön	beautiful
huerto (a)	horta	potager	orto	Gemüsegarten	kitchen-garden
iglesia	igreja	église	chiesa	Kirche	church
informaciones	informações	renseignements	informazioni	Auskünfte	information
instalado	instalado	installé	installato	eingerichtet	established
invierno	Inverno	hiver	inverno	Winter	winter
isla	ilha	île	isola, isolotto	Insel	island
jardin	jardim	jardin	giardino	Garten	garden
jueves	5ª. feira	jeudi	giovedì	Donnerstag	Thursday
julio	Julho	juillet	luglio	Juli	July
junio	Junho	juin	giugno	Juni	June

lago	lago	lac	lago	See	lake
laguna	lagoa	lagune	laguna	Lagune	lagoon
lavado	lavagem de roupa	blanchissage	lavatura	Wäsche, Lauge	laundry
lonja	bolsa de comércio	bourse de commerce	borsa	Handelsbörse	Trade exchange
lunes	2ª feira	lundi	lunedì	Montag	Monday
llanura	planície	plaine	pianura	Ebene	plain
mar	mar	mer	mare	Meer	sea
martes	3ª feira	mardi	martedì	Dienstag	Tuesday
marzo	Março	mars	marzo	März	March
mayo	Maio	mai	maggio	Mai	May
médico	médico	médecin	medico	Arzt	doctor
mediodía	meio-dia	midi	mezzogiorno	Mittag	midday
mesón	estalagem	auberge	albergo	Gasthof	inn
mezquita	mesquita	mosquée	moschea	Moschee	mosque
miércoles	4ª feira	mercredi	mercoledì	Mittwoch	Wednesday
mirador	miradouro	belvédère	belvedere	Aussichtspunkt	belvedere
mobiliario	mobiliário	ameublement	arredamento	Einrichtung	furniture
molino	moinho	moulin	mulino	Mühle	windmill
monasterio	mosteiro	monastère	monastero	Kloster	monastery
montaña	montanha	montagne	montagna	Berg	mountain
muelle	cais, molhe	quai, môle	molo	Mole, Kai	quay
murallas	muralhas	murailles	mura	Mauern	walls
nacimiento	presépio	crèche	presepio	Krippe	crib
nave	nave	nef	navata	Kirchenschiff	nave
Navidad	Natal	Noël	Natale	Weihnachten	Christmas
noviembre	Novembro	novembre	novembre	November	November
obra de arte	obra de arte	œuvre d'art	opera d'arte	Kunstwerk	work of art
octubre	Outubro	octobre	ottobre	Oktober	October
oficina de viajes	agência de viagens	bureau de voyages	ufficio viaggi	Reisebüro	travel bureau
orilla	orla, borda	bord	orlo	Rand	edge
otoño	Outono	automne	autunno	Herbst	autumn
pagar	pagar	payer	pagare	bezahlen	to pay
paisaje	paisagem	paysage	paesaggio	Landschaft	landscape
palacio real	palácio real	palais royal	palazzo reale	Königsschloß	royal palace
palmera, palmeral	palmeira, palmar	palmier, palmeraie	palma, palmeto	Palm, Palmenhain	palm-tree, palm grove
pantano	barragem	barrage	sbarramento	Talsperre	dam
papel de carta	papel de carta	papier à lettre	carta da lettere	Briefpapier	writing paper

parada	paragem	arrêt	fermata	Haltestelle	stopping place
paraje, emplazamiento	local	site	posizione	Lage	site
parque	parque	parc	parco	Park	park
pasajeros	passageiros	passagers	passeggeri	Fahrgäste	passengers
Pascua	Páscoa	Pâques	Pasqua	Ostern	Easter
paseo	passeio	promenade	passeggiata	Spaziergang, Promenade	walk, promenade
patio	pátio interior	cour intérieure	cortile interno	Innenhof	inner courtyard
peluquería	cabeleireiro	coiffeur	parrucchiere	Friseur	hairdresser, barber
península	península	péninsule	penisola	Halbinsel	peninsula
peñón	rochedo	rocher	roccia	Felsen	rock
pico	pico	pic	pizzo, picco	Gipfel	peak
pinar, pineda	pinhal	pinède	pineta	Pinienhain	pine wood
piso	andar	étage	piano (di casa)	Stock, Etage	floor
planchado	engomado	repassage	stiratura	Bügelerei	pressing, ironing
plato	prato	assiette	piatto	Teller	plate
playa	praia	plage	spiaggia	Strand	beach
plaza de toros	praça de touros	arènes	arena	Stierkampfarena	bull ring
portada, pórtico	portal, pórtico	portail	portale	Haupttor, Portal	doorway
prado, pradera	prado, pradaria	pré, prairie	prato, prateria	Wiese	meadow
primavera	Primavera	printemps	primavera	Frühling	spring (season)
prohibido fumar	proibido fumar	défense de fumer	vietato fumare	Rauchen verboten	no smoking
promontorio	promontório	promontoire	promontorio	Vorgebirge	promontory
propina	gorjeta	pourboire	mancia	Trinkgeld	tip
pueblo	aldeia	village	villaggio	Dorf	village
puente	ponte	pont	ponte	Brücke	bridge
puerta	porta	porte	porta	Tür	door
puerto	colo, porto	col, port	passo, porto	Gebirgs-Paß, Hafen	mountain pass, harbour
púlpito	púlpito	chaire	pulpito	Kanzel	pulpit
punto de vista	vista	point de vue	punto di vista	Aussichtspunkt	viewpoint
recinto	recinto	enceinte	recinto	Ringmauer	perimeter walls
recorrido	percurso	parcours	percorso	Strecke	course
reja, verja	grade	grille	cancello	Gitter	iron gate
reliquia	relíquia	relique	reliquia	Reliquie	relic
reloj	relógio	horloge	orologio	Uhr	clock
Renacimiento	Renascença	Renaissance	rinascimento	Renaissance	Renaissance
recepción	recepção	réception	ricevimento	Empfang	reception
retablo	retábulo	retable	postergale	Altaraufsatz	altarpiece, retable
río	rio	fleuve	fiume	Fluss	river

roca, peñón	rochedo, rocha	rocher, roche	roccia	Felsen	rock
rocoso	rochoso	rocheux	roccioso	felsig	rocky
rodeado	rodeado	entouré	circondato	umgeben	surrounded
románico, romano	românico, romano	roman, romain	romanico, romano	romanisch, römisch	Romanesque, Roman
ruinas	ruínas	ruines	ruderi	Ruinen	ruins
sábado	Sábado	samedi	sabato	Samstag	Saturday
sacristía	sacristia	sacristie	sagrestia	Sakristei	sacristy
sala capitular	sala capitular	salle capitulaire	sala capitolare	Kapitelsaal	chapterhouse
salida	partida	départ	partenza	Abfahrt	departure
salida de socorro	saída de socorro	sortie de secours	uscita di sicurezza	Notausgang	emergency exit
salón	salão, sala	salon, grande salle	sala, salotto, salone	Salon	drawing room, sitting room
santuario	santuário	sanctuaire	sacrario	Heiligtum	shrine
sello	selo	timbre-poste	francobollo	Briefmarke	stamp
septiembre	Setembro	septembre	settembre	September	September
sepulcro, tumba	sepúlcro, túmulo	sépulcre, tombeau	sepolcro, tomba	Grabmal	tomb
servicio incluido	serviço incluído	service compris	servizio compreso	Bedienung inbegriffen	service included
servicios	toilette, casa de banho	toilettes	gabinetti	Toiletten	toilets
sierra	serra	chaîne de montagnes	giogaia	Gebirgskette	mountain range
siglo	século	siècle	secolo	Jahrhundert	century
sillería del coro	cadeiras de coro	stalles	stalli	Chorgestühl	choir stalls
sobres	envelopes	enveloppes	buste	Briefumschläge	envelopes
sótano	cave	sous-sol, cave	sottosuolo	Keller	basement
subida	subida	montée	salita	Steigung	hill
tapices, tapicerías	tapeçarias	tapisseries	tappezzerie, arazzi	Wandteppiche	tapestries
tarjeta postal	bilhete postal	carte postale	cartolina	Postkarte	post card
techo	tecto	plafond	soffitto	Zimmerdecke	ceiling
tenedor	garfo	fourchette	forchetta	Gabel	fork
tesoro	tesouro	trésor	tesoro	Schatz	treasure, treasury
torre	torre	tour	torre	Turm	tower
tribuna	tribuna, galeria	jubé	tramezzo	Lettner	roodscreen
valle	vale	val, vallée	val, valle, vallata	Tal	valley
vaso	copo	verre	bicchiere	Glas	glass
vega	veiga	vallée fertile	valle fertile	fruchtbare Ebene	fertile valley
verano	Verão	été	estate	Sommer	Summer
vergel	pomar	verger	frutteto	Obstgarten	orchard
vidriera	vitral	verrière, vitrail	vetrata	Kirchenfenster	stained glass windows
viernes	6ª. feira	vendredi	venerdì	Freitag	Friday

vigilia, víspera	véspera	veille	vigilia	Vorabend	preceding day, eve
viñedos	vinhedos, vinhas	vignes, vignoble	vigne, vigneto	Reben, Weinberg	vines, vineyard
vista pintoresca	vista pitoresca	vue pittoresque	vista pittoresca	malerische Aussicht	picturesque view
vuelta, circuito	volta, circuito	tour, circuit	giro, circuito	Rundreise	tour
COMIDAS Y BEBIDAS	COMIDAS E BEBIDAS	NOURRITURE ET BOISSONS	CIBI E BEVANDE	SPEISEN UND GETRÄNKE	FOOD AND DRINK
aceite, aceitunas	azeite, azeitonas	huile, olives	olio, olive	Öl, Oliven	oil, olives
agua con gas	água gaseificada	eau gazeuse	acqua gasata, gasosa	Sprudel	soda water
agua mineral	água mineral	eau minérale	acqua minerale	Mineralwasser	mineral water
ahumado	fumado	fumé	affumicato	geräuchert	smoked
ajo	alho	ail	aglio	Knoblauch	garlic
alcachofa	alcachofra	artichaut	carciofo	Artischocke	artichoke
almendras	amêndoas	amandes	mandorle	Mandeln	almonds
alubias	feijão	haricots	fagioli	Bohnen	beans
anchoas	anchovas	anchois	acciugne	Anschovis	anchovies
arroz	arroz	riz	riso	Reis	rice
asado	assado	rôti	arrosto	gebraten	roast
atún	atum	thon	tonno	Thunfisch	tunny
ave	aves, criação	volaille	pollame	Geflügel	poultry
azúcar	açúcar	sucre	zucchero	Zucker	sugar
bacalao	bacalhau fresco	morue fraîche, cabillaud	merluzzo	Kabeljau, Dorsch	cod
bacalao en salazón	bacalhau salgado	morue salée	baccalà, stoccafisso	Laberdan	dried cod
berenjena	beringela	aubergine	melanzana	Aubergine	egg-plant
bogavante	lavagante	homard	gambero di mare	Hummer	lobster
brasa (a la)	na brasa	à la braise	brasato	gedämpft, geschmort	braised
café con leche	café com leite	café au lait	caffè-latte	Milchkaffee	coffee and milk
café solo	café simples	café nature	caffè nero	schwarzer Kaffee	black coffee
calamares	chocos	calmars	calamari	Tintenfische	squids
caldo	caldo	bouillon	brodo	Fleischbrühe	clear soup
cangrejo	caranguejo	crabe	granchio	Krabbe	crab
caracoles	caracóis	escargots	lumaca	Schnecken	snails
carne	carne	viande	carne	Fleisch	meat
castañas	castanhas	châtaignes	castagne	Kastanien	chestnuts
caza mayor	caça grossa	gros gibier	cacciagione	Wildbret	game
cebolla	cebola	oignon	cipolla	Zwiebel	onion
cerdo	porco	porc	maiale	Schweinefleisch	pork
cerezas	cerejas	cerises	ciliege	Kirschen	cherries

cerveza	cerveja	bière	birra	Bier	beer
ciervo, venado	veado	cerf	cervo	Hirsch	deer
cigalas	lagostins	langoustines	scampi	Meerkrebse, Langustinen	crayfish
ciruelas	ameixas	prunes	prugne	Pflaumen	plums
cochinillo, tostón	leitão assado	cochon de lait grillé	maialino grigliato, porchetta	Spanferkelbraten	roast sucking pig
cordero	carneiro	mouton	montone	Hammelfleisch	mutton
cordero lechal	cordeiro	agneau de lait	agnello	Lammfleisch	lamb
corzo	cabrito montês	chevreuil	capriolo	Reh	venison
charcutería, fiambres	charcutaria	charcuterie	salumi	Aufschnitt	pork-butchers'meat
chipirones	choquinhos	petits calmars	calamaretti	kleine Tintenfische	small squids
chorizos	chouriços	saucisses au piment	salsicce piccanti	Pfefferwurst	spiced sausages
chuleta, costilla	costela	côtelette	costoletta	Kotelett	cutlet
dorada, besugo	dourada, besugo	daurade	orata	Goldbrassen	dory
ensalada	salada	salade	insalata	Salat	green salad
entremeses	entrada	hors-d'œuvre	antipasti	Vorspeise	hors d'œuvre
espárragos	espargos	asperges	asparagi	Spargel	asparagus
espinacas	espinafres	épinards	spinaci	Spinat	spinach
fiambres	carnes frias	viandes froides	carni fredde	kaltes Fleisch	cold meats
filete	filete, bife de lombo	filet	filetto	Filetsteak	fillet
fresas	morangos	fraises	fragole	Erdbeeren	strawberries
frutas	fruta	fruits	frutta	Früchte	fruit
frutas en almíbar	fruta em calda	fruits au sirop	frutta sciroppata	Früchte in Sirup	fruit in syrup
galletas	bolos sêcos	gâteaux secs	biscotti secchi	Gebäck	cakes
gambas	camarões grandes	crevettes (bouquets)	gamberetti	Garnelen	prawns
garbanzos	grão	pois chiches	ceci	Kichererbsen	chick peas
guisantes	ervilhas	petits pois	piselli	junge Erbsen	garden peas
helado	gelado	glace	gelato	Speiseeis	ice cream
hígado	fígado	foie	fegato	Leber	liver
higos	figos	figues	fichi	Feigen	figs
horno (al)	no forno	au four	al forno	im Ofen gebacken	baked in the oven
huevos al plato	ovos estrelados	œufs au plat	uova fritte	Spiegeleier	fried eggs
huevo pasado por agua	ovo quente	œuf à la coque	uovo al guscio	weiches Ei	soft boiled egg
huevo duro	ovo cozido	œuf dur	uovo sodo	hartes Ei	hard boiled egg
jamón	presunto	jambon	prosciutto	Schinken	ham
(serrano, de York)		(cru ou cuit)	(crudo o cotto)	(roh oder gekocht)	(raw or cooked)
judías verdes	feijão verde	haricots verts	fagiolini	grüne Bohnen	French beans

langosta	lagosta	langouste	aragosta	Languste	spiny lobster
langostino	gamba	crevette géante	gamberone	große Garnele	prawns
legumbres	legumes	légumes	verdure	Gemüse	vegetables
lenguado	linguado	sole	sogliola	Seezunge	sole
lentejas	lentilhas	lentilles	lenticchie	Linsen	lentils
limón	limão	citron	limone	Zitrone	lemon
lobarro, perca	perca	perche	pesce persico	Barsch	perch
lomo	lombo	échine	lombata, lombo	Rückenstück	spine, chine
lubina	barbo	bar	ombrina	Barsch	bass, sea-perch
mantequilla	manteiga	beurre	burro	Butter	butter
manzana	maçã	pomme	mela	Apfel	apple
mariscos	mariscos	fruits de mer	frutti di mare	„Früchte des Meeres"	sea food
mejillones	mexilhões	moules	cozze	Muscheln	mussels
melocotón	pêssego	pêche	pesche	Pfirsich	peach
membrillo	marmelo	coing	cotogna	Quitte	quince
merluza	pescada	colin, merlan	merluzzo	Kohlfisch, Weißling	black cod, whiting
mero	mero	mérou	cernia	Rautenscholle	brill
naranja	laranja	orange	arancia	Orange	orange
ostras	ostras	huîtres	ostriche	Austern	oysters
paloma, pichón	pombo, borracho	palombe, pigeon	palomba, piccione	Taube	pigeon
pan	pão	pain	pane	Brot	bread
parrilla (a la)	grelhado	à la broche, grillé	(allo) spiedo	am Spieß	grilled
pasteles	bolos	pâtisseries	dolci, pasticceria	Süßigkeiten	pastries
patatas	batatas	pommes de terre	patate	Kartoffeln	potatoes
pato	pato	canard	anitra	Ente	duck
pavo	perú	dindon	tacchino	Truthahn	turkey
pepino, pepinillo	pepino	concombre, cornichon	cetriolo, cetriolino	Gurke, kleine Essiggurke	cucumber, gherkin
pepitoria	fricassé	fricassée	fricassea	Frikassee	fricassée
pera	pêra	poire	pera	Birne	pear
perdiz	perdiz	perdrix	pernice	Rebhuhn	partridge
pescados	peixes	poissons	pesci	Fische	fish
pimienta	pimenta	poivre	pepe	Pfeffer	pepper
pimiento	pimento	poivron	peperone	Pfefferschote	pimento
plátano	banana	banane	banana	Banane	banana
pollo	frango	poulet	pollo	Hähnchen	chicken
postres	sobremesas	desserts	dessert	Nachspeise	dessert
potaje	sopa	potage	minestra	Suppe mit Einlage	soup

queso	queijo	fromage	Käse	cheese
rape	lota	lotte	Aalquappe	eel-pout, burbot
raya	raia	raie	Rochen	skate
relleno	recheado	farci	gefüllt	stuffed
riñones	rins	rognons	Nieren	kidneys
rodaballo	cherne	turbot	Steinbutt	turbot
sal	sal	sel	Salz	salt
salchichas	salsichas	saucisses	Würstchen	sausages
salchichón	salpicão	saucisson	Wurst	salami, sausage
salmón	salmão	saumon	Lachs	salmon
salmonete	salmonete	rouget	Barbe, Rötling	red mullet
salsa	molho	sauce	Sauce	sauce
sandía	melancia	pastèque	Wassermelone	water melon
sesos	miolos, mioleira	cervelle	Hirn	brains
setas, hongos	cogumelos	champignons	Pilze	mushrooms
sidra	cidra	cidre	Apfelwein	cider
solomillo	filete, bife de lombo	filet	Filetsteak	fillet
sopa	sopa	soupe	Suppe	soup
tarta	torta, tarte	tarte, grand gâteau	Torte, Kuchen	tart, pie
ternera	vitela	veau	Kalbfleisch	veal
tortilla	omelete	omelette	Omelett	omelette
trucha	truta	truite	Forelle	trout
turrón	torrão de Alicante, nougat	nougat	Nugat, Mandelkonfekt	nougat
uva	uva	raisin	Traube	grapes
vaca, buey	vaca, boi	bœuf	Rindfleisch	beef
vieira	vieira	coquille St-Jacques	Jakobsmuschel	scallop
vinagre	vinagre	vinaigre	Essig	vinegar
vino blanco dulce	vinho branco doce	vin blanc doux	Süßer Weißwein	sweet white wine
vino blanco seco	vinho branco sêco	vin blanc sec	herber Weißwein	dry white wine
vino rosado	vinho «rosé»	vin rosé	« Rosé »	"rosé" wine
vino corriente del país	vinho da região	vin courant du pays	Landwein	local wine
vino de marca	vinho de marca	grand vin	Prädikatswein	famous wine
vino tinto	vinho tinto	vin rouge	Rotwein	red wine
zumo de frutas	sumo de frutas	jus de fruits	Fruchtsaft	fruit juice

POBLACIONES

CIDADES
VILLES
CITTÀ
STÄDTE
TOWNS

ADADIANU Vizcaya **990** ⑥, **42** ④ – 4 066 h. alt. 133 – ○ 944.
Alred. : Puerto de Urquiola* (descenso*) SO : 12 km por Durango.
Madrid 398 – Bilbao 32 – Vitoria 42.

    en la carretera N 634 N : 2 km – ⊠ ⏚ Abadiano :

🏠 **San Blas,** ⏚ 81 42 00 – ▥ 🍴 🛁wc 🚽wc ☎ Ⓟ
    Com 160 – ☲ 30 – 17 hab 175/290 – P 475/490.

ABÉJAR Soria **990** ⑱ – 576 h. alt. 1 138.
Madrid 259 – Burgos 115 – Soria 30.

  🏯 **La Torre,** carret. N 234 ⏚ 7 – ▥ 🚽wc Ⓟ. 🎿
    Com 160 bc – ☲ 30 – 30 hab 75/200 – P 465/490.

ADRA Almería **990** ㉟ – 16 283 h.
Madrid 563 – Almería 52 – Granada 131 – Málaga 167.

  🏠 Abdera, carret. de Almería 26 ⏚ 486 – ▥ 🚽wc ☎ ⟸ Ⓟ
    38 hab.

  🏠 **Delfín** sin rest y sin ☲, Natalio Rivas 106-A ⏚ 234 – 🛗 🍴 🛁wc 🚽wc ☎. 🎿
    21 hab 190/210.

RENAULT Natalio Rivas 110 ⏚ 222

AGER Lérida **43** ⑤ – 772 h. alt. 642 – ○ 973.
Madrid 532 – Barcelona 184 – Lérida 62.

    en la carretera C 147 S : 8 km – ⊠ ⏚ Ager :

🏰 **Juan Ramiro y Rest. Don Juan,** ⏚ 43 50 66, ≼ montañas, 🍴, ⊥ – ▥ 🛁wc 🚽wc ☎ Ⓟ
    Com 210 bc – ☲ 45 – **20 hab** 200/350 – P 550/575.

AGUADULCE Almería – 🏨, 🏨 ver Almoría.

AGUILAR DE CAMPÓO Palencia **990** ⑤ – 4 845 h. alt. 895 – ○ 988.
Madrid 326 – Palencia 97 – Santander 106.

    en la carretera N 611 – ⊠ ⏚ Aguilar de Campóo :

🏰 **Valentín,** ⏚ 12 21 25 – ▥ 🛁wc 🚽wc ☎ Ⓟ. 🎿
    Com 220 – ☲ 60 – **49 hab** 275/530.

AUSTIN-MG-MORRIS-MINI av. Palencia 30 ⏚ 12 28 09
CHRYSLER-SIMCA av. de Palencia 9 ⏚ 12 27 67
CITROEN av. de Santander 19 ⏚ 12 22 21

RENAULT av. Generalísimo 99 ⏚ 12 20 30
SEAT av. Generalísimo 45 ⏚ 12 21 21

AGUILAR DE LA FRONTERA Córdoba **990** ㉞ – 13 934 h. alt. 372.
Madrid 453 – Antequera 76 – Córdoba 53 – Sevilla 136.

  🏠 Viñas, carret. de Málaga ⏚ 375 – ▥ 🛁wc 🚽wc ☎ Ⓟ
    14 hab.

AGUILAS Murcia 990 ⑰ − 17 389 h. − ⊙ 968.
Madrid 479 − Almería 130 − Cartagena 85 − Lorca 42 − **Murcia 104.**

🏠 **Madrid** sin rest y sin ⌦, Robles Vives 5 ⚓ 41 05 00 − 📺 ⌹ 🛏wc 🛁wc 🅿
33 hab 210/360.

🏠 Calica, sin rest y sin ⌦, paseo de Peral 5 ⚓ 41 04 00, ≤ puerto − 📳📺 ⌹ 🛏wc 🅿
21 hab.

FIAT San Diego ⚓ 41 03 17   SEAT San Diego ⚓ 41 01 75
RENAULT pl. Juan XXIII ⚓ 41 06 51

AGUINAGA Guipúzcoa 42 ⑤ − ⊙ 943.
Madrid 469 − Bilbao 91 − Pamplona 89 − San Sebastián 11.

XX **Aguinaga,** carret. N 634 ⚓ 36 27 37 − 🅿. 🕸
cerrado miércoles y 28 octubre al 21 noviembre − Com carta 370 a 480.

AIGUA BLAVA Gerona 990 ⑳, 43 ⑩ − 🏨, 🏩, 🏠 ver Bagur.

AIGUAFREDA Gerona 43 ⑩ − 🏨 ver Bagur.

AIGÜES TORTES (Parque Nacional de) ★★ Lérida 990 ⑨, 42 ⑳, 43 ⑤.

AINSA Huesca 43 ④ − 1 261 h. alt. 589.
Madrid 517 − Huesca 120 − **Lérida 143** − Pamplona 203.

🏠 **Dos Ríos** sin rest y sin ⌦, av. Central 2 ⚓ 92 − 📺 🛏wc 🛁wc. 🕸
25 hab 120/270.

AJO Santander 42 ②.
Madrid 414 − Bilbao 86 − Santander 37.

X **La Casuca** 🍴 con hab, ⚓ 4 − 🅿. 🕸
cerrado 1 al 15 noviembre − Com carta 145 a 335 − **11 hab** 140.

en la playa N : 2 km − ✉ ⚓ Ajo :

🏠 **Costa de Ajo** 🍴, ⚓ 8, ≤ playa − ⌹ 🛏wc 🅿. 🕸
junio-15 septiembre − Com carta 180 a 350 − ⌦ 49 − 25 hab 190/310 − P 445/470.

ALARCÓN Cuenca 990 ⑳ − 403 h. alt. 845.
Ver : Emplazamiento★★.
Madrid 191 − Albacete 94 − Cuenca 85 − **Valencia 163.**

🏨 **Parador del Marqués de Villena M.I.T.** 🍴, av. Amigos Castillo ⚓ 1, « Antiguo castillo
medieval sobre un peñón rocoso, dominando el río Júcar » − 🅿. 🕸 rest
Com 280 − ⌦ 60 − **11 hab** 375/515.

ALBACETE 🅿 990 ㉘⑰ − 93 233 h. alt. 686 − Plaza de toros − ⊙ 967.
M.I.T. av. Rodríguez Acosta 2 ⚓ 21 33 12 − **R.A.C.E.** (A.C. de la Mancha) av. Isabel la Católica 39 ⚓ 21 33 40.
Madrid 248 ① − Córdoba 351 ④ − Granada 331 ④ − Murcia 143 ③ − Valencia 188 ②.

Plano página siguiente

🏨 **Llanos** Ⓜ, av. Rodríguez Acosta 9 ⚓ 22 37 50, ⌇, − 🍽 🚗. 🕸 rest   BZ **a**
Com 300 − ⌦ 65 − **102 hab** 615/980 − P 990/1 115.

🏨 **Bristol,** pl. del Caudillo 4 ⚓ 21 37 87 − 🍽 rest. 🕸   BY **r**
Com 250 − ⌦ 50 − **69 hab** 640/895 − P 997/1 190.

🏠 **Albar,** Isaac Peral 3 ⚓ 21 44 84 − 📳📺 🍽 rest ⌹ 🛏wc 🅿. 🕸   BY **e**
Com 185 − ⌦ 35 − 50 hab 250/450 − P 550/575.

🏠 Albacete, Carcelén 4 ⚓ 21 35 88 − 📺 🛁wc − 40 hab.   BY **n**

XX Surco, Capitán Cortés 120 ⚓ 22 10 01 − 🍽 🅿.   AZ **f**

XX Las Rejas, Dionisio Guardiola 7 ⚓ 21 28 53, Mesón típico − 🍽.   AZ **v**

X **Rex,** paseo de José Antonio 14 ⚓ 21 28 52 − 🍽. 🕸   BY **s**
Com carta 150 a 380.

en la carretera N 430 por ② : 3 km − ✉ ⚓ Albacete :

X **La Casita,** ⚓ 21 28 56 − 🅿
Com carta 225 a 305.

al Sureste : 5 km por ② ó ③ :

XXX **Parador M.I.T.** 🍴, con hab, ✉ apartado 384 ⚓ 21 42 90 Albacete, ≤ campo, « Bonito
conjunto de estilo regional », 🕸, ⌇ − 🍽 ⌹ 🛏wc 🅿 🚗 🅿. 🕸 rest
Com 315 − ⌦ 65 − **23 hab** 580/760 − P 695/895.

en la carretera N 301 por ① : 11 km − ✉ ⚓ Albacete :

🏠 Los Gabrieles, ⚓ 22 28 00, ⌇, ⚷ − 📺 🍽 rest 🛁wc 🅿 🅿
47 hab.

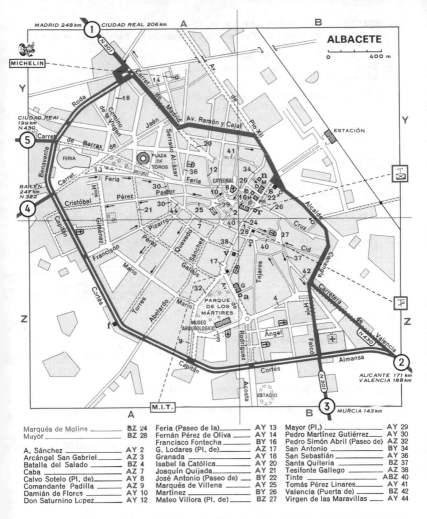

Marqués de Molins	BZ 24	Feria (Paseo de la)	AY 13	Mayor (Pl.)		AY 29
Mayor	BZ 28	Fernán Pérez de Oliva	AY 14	Pedro Martínez Gutiérrez		AY 30
		Francisco Fontecha	BY 16	Pedro Simón Abril (Paseo de)		AZ 32
A. Sánchez	AY 2	G. Lodares (Pl. de)	AZ 17	San Antonio		BY 34
Arcángel San Gabriel	AZ 3	Granada	AY 18	San Sebastián		AY 36
Batalla del Salado	BZ 4	Isabel la Católica	AY 20	Santa Quiteria		BZ 37
Caba	AZ 7	Joaquín Quijada	AY 21	Tesifonte Gallego		AZ 38
Calvo Sotelo (Pl. de)	AY 8	José Antonio (Paseo de)	BY 22	Tinte		ABZ 40
Comandante Padilla	AZ 9	Marqués de Villena	AY 25	Tomás Pérez Linares		AY 41
Damián de Flores	AY 10	Martínez	BY 26	Valencia (Puerta de)		BZ 42
Don Saturnino López	AY 12	Mateo Villora (Pl. de)	BZ 27	Virgen de las Maravillas		AY 44

S.A.F.E. Neumáticos MICHELIN, Sucursal, Fernán Pérez de Oliva 27 (AY) ☎ 21 16 20 y 21 24 78.

AUSTIN-MG-MORRIS-MINI av. Ramón Menéndez Pidal 6 ☎ 22 32 50
CHRYSLER-SIMCA carret. de Madrid 80 ☎ 22 09 50
CITROEN Santiago 7 ☎ 22 33 49

FIAT-SEAT Hellín 17 ☎ 22 22 40
FIAT-SEAT Alcalde Conangla 36 ☎ 21 31 25
PEUGEOT carret. de Madrid 6 ☎ 22 34 90
RENAULT carret. de Madrid 8 ☎ 22 41 12

ALBA DE TORMES Salamanca 990 ⑭ – 3 985 h. alt. 821.

Ver : Iglesia de San Juan (grupo escultórico*).

Madrid 195 – Ávila 85 – Plasencia 118 – Salamanca 19.

🏨 **Benedictino** ⑤, Benitas 6 ☎ 212 – 🛗 🏧 ☎ 🛏wc 🏧wc ☎ 🚗. ⚶ rest
Com 150 – ☑ 40 – 44 hab 180/320 – P 420/440.

CITROEN Carlos III-6 ☎ 297

RENAULT Padre Cámara ☎ 233

ALBAIDA Valencia 990 ㉗㉘ – 4 971 h. alt. 313.

Madrid 380 – Albacete 132 – Alicante 81 – Valencia 89.

✗ Odón, con hab, carret. de Alcoy ☎ 346 – 🏧 🍽 rest 🏧wc ☎ Ⓟ
13 hab.

La ALBERCA Salamanca [990] ⑬ – 1 457 h. alt. 1 050.
Ver : Pueblo típico**. **Alred. :** S : Carretera de Las Batuecas* – Peña de Francia ✳** NO : 15 km.
Madrid 279 – Béjar 54 – Cuidad Rodrigo 49 – **Salamanca 69.**

🏨 Batuecas ⚘, Fuente Canal ☎ 5 – ▥ 🍸 🛁wc 🚿wc 📞 🚘 Ⓟ
24 hab.

ALBERIQUE Valencia [990] ㉗ ㉘ – 8 509 h. alt. 28.
Madrid 394 – Albacete 146 – Alicante 128 – Valencia 42.

en la carretera N 340 S : 3 km – ✉ ☎ Alberique :

✕ **Balcón del Júcar,** ☎ 87, < valle del Júcar – Ⓟ
Com carta 205 a 445.

La ALBUFERETA Alicante – 🏨, ✕✕ ver Alicante.

ALCALÁ DE HENARES Madrid [990] ⑮ y ㊵ – 59 783 h. alt. 588 – ⊙ 91.
Ver : Antigua Universidad o Colegio de San Ildefonso (fachada plateresca*).
Madrid 31 – Guadalajara 25 – **Zaragoza 295.**

🏨 El Bedel, sin rest, con snack-bar, pl. San Diego 6 ☎ 289 37 00 – ⇅ ▥ 🍸 🛁wc 📞. 👥
51 hab.

✕✕✕ **Hostería del Estudiante M.I.T.,** Colegios 3 ☎ 293 03 30, « Restaurante de estilo castellano, patio adornado con flores » – ▤. 🚫 – Com 315.

✕ Mesón Las Torres, Daoiz y Velarde 15 – ▤.

✕ Reinosa, Goya 6 ☎ 289 09 98 – ▤.

AUSTIN-MG-MORRIS-MINI carret. N II km 30,8 ☎ 293 12 66
CHRYSLER-SIMCA carret. N II km 31,5 ☎ 293 08 68
CITROEN av. de Guadalajara 14 ☎ 293 03 60
RENAULT Marqués de Ibarra 2 ☎ 293 14 54
SEAT carret. N II km 31,6 ☎ 293 13 10

ALCANAR Tarragona [990] ⑱ – 7 070 h. alt. 72.
Madrid 510 – Castellón de la Plana 91 – Tarragona 102 – Tortosa 35.

en la carretera N 340 NE : 6 km :

🏨 **Biarritz** sin rest, ✉ apartado 17 Vinaroz ☎ 51 Alcanar Playa, < mar, 🏊 – ▥ 🍸 🛁wc 🚿wc 📞 Ⓟ. 🚫
junio-septiembre – ☕ 60 – **24 hab** 225/400.

ALCAÑICES Zamora [990] ⑬, [37] ⑬ – Ver aduanas p. 14 y 15.

ALCAÑIZ Teruel [990] ⑯, [43] ⑬⑭ – 10 818 h. alt. 338 – Plaza de toros – ⊙ 974.
Ver : Colegiata (portada*).
Madrid 407 – Teruel 156 – **Zaragoza 103.**

🏨 **Parador de la Concordia M.I.T.** ⚘, castillo de los Calatravos ☎ 13 04 00, < valle y colinas cercanas, « Hermoso edificio medieval » – ▤ Ⓟ. 🚫 rest
Com 315 – ☕ 65 – **12 hab** – 580/785 – P 708/895.

🏨 **Senante,** carret. de Zaragoza ☎ 13 05 50 – ▥ ▤ rest 🍸 🛁wc 🚿wc 📞 Ⓟ. 🚫 rest
Com 150 – ☕ 50 – 29 hab 200/375 – P 453/480.

🏨 Aragón, Alejandre 4 ☎ 13 03 00 – ▥ ▤ rest 🍸 🛁wc 🚿wc 📞
30 hab.

🏨 **Guadalope,** pl. de España 8 ☎ 13 07 50 – ▥ ▤ rest 🛁wc 🚿wc 📞
Com 125 – ☕ 34 – 14 hab 125/225 – P 360.

AUSTIN-MG-MORRIS-MINI av. de Bartolomé Esteban 28 ☎ 13 08 23
CHRYSLER-SIMCA carret. Zaragoza 51 ☎ 13 02 14
CITROEN carret. Zaragoza 4 ☎ 13 15 61
FIAT-SEAT av. Maestrazgo 4 ☎ 13 03 51
RENAULT carret. Zaragoza 115 ☎ 13 02 23

ALCÁZAR DE SAN JUAN Ciudad Real [990] ㉕㉖ – 26 391 h. alt. 651 – Plaza de toros – ⊙ 926.
Madrid 150 – Albacete 144 – Aranjuez 103 – Ciudad Real 87 – Cuenca 149 – Toledo 99.

AUSTIN-MG-MORRIS-MINI av. Campo de Criptana 28 ☎ 54 13 74
CHRYSLER-SIMCA av. General Fernández Urrutia 26 ☎ 54 06 26
CITROEN av. Herencia 28 ☎ 54 00 37
RENAULT pl. Santa Quiteria 14 ☎ 54 06 00
SEAT-FIAT av. Campo de Criptana 29 ☎ 54 07 40

Los ALCÁZARES Murcia [990] ㊲.
Madrid 443 – Alicante 84 – Cartagena 25 – **Murcia 52.**

🏨 **Corzo,** av. Aviación Española 4 ☎ 212 – ▥ 🍸 🛁wc 📞 Ⓟ. 🚫
Com 170/210 – ☕ 50 – 26 hab 245/480 – P 590/595.

🏨 **Mar Menor,** Santa Teresa 31 ☎ 47 – ▥ 🛁wc. 🚫 hab
Com 150 bc/180 bc – ☕ 45 – **23 hab** 110/245 – P 420/435.

ALCEDA Santander 990 ⑤, 42 ① – alt. 176.
Madrid 356 – Burgos 114 – Oviedo 205 – Santander 42.

🏛 Hoyuela, carret. N 623 ☎ 13 – 🅿 – *temp.* – 22 hab.

ALCOBENDAS Madrid 990 ⑮ y ⑳ – XXX ver **Madrid.**

ALCOCÉBER Castellón 990 ⑯ – ✪ 964.
Madrid 468 – Castellón de la Plana 49 – Tarragona 150.

en la urbanización las Fuentes NE : 2 km – ⊠ ☎ Alcalá de Chivert :

🏨 Eurhostal Ⓜ 🗢, ⊠ apartado 7 ☎ 41 02 00, Telex 65559, ≼ mar ⚲, ⌣ climatizada, ⚶ –
🍽 rest 🅿
303 hab.

🏨 Arcos de las Fuentes, sin rest y sin ⊆, ⊠ apartado 2 ☎ 41 00 00, Telex 65559, ≼ mar,
⚲, ⌣ climatizada, ⚶ – 🅿
287 apartamentos.

XXX ✿ El Figón, ☎ 41 00 00, Telex 65559, ⌣ climatizada – 🍽 🅿
Espec. Dorada a la bourguignonne, Brocheta de langostinos salsa Diablotin, Centro de solomillo Stroganoff.

ALCOLEA Córdoba 990 ㉚ – ✪ 957.
Madrid 390 – Córdoba 10 – Jaén 98 – Linares 108.

en la carretera N IV E : 3 km – ⊠ ☎ Alcolea :

🏠 **Las Vegas,** ☎ 32 01 39 – 🎞 🍽 rest ☎ ⇔wc 🗻wc 🅿. ⚲
Com 150 – ⊆ 50 – 11 hab 215/375 – P 462/490.

ALCOY Alicante 990 ㉗㉘ – 61 371 h. alt. 545 – Plaza de toros – ✪ 965.
Ver : Emplazamiento★★. **Alred. :** Puerto de la Carrasqueta★ S : 15 km.
Madrid 400 – Albacete 152 – Alicante 56 – Murcia 140 – Valencia 114.

🏨 Reconquista, puente de San Jorge 1 ☎ 33 09 00, ≼ ciudad – 🍽 ⇐. 🅰. ⚲ rest
Com 325 – ⊆ 70 – **63 hab** 450/725 – P 962/1 050.

en la carretera de Valencia NE : 2,5 km – ⊠ ☎ Alcoy :

XX **Venta del Pilar,** ☎ 52 03 96, Conjunto rústico – 🅿
cerrado domingo y 14 julio al 6 agosto – Com carta 355 a 485.

AUSTIN-MG-MORRIS-MINI pl. Emilio Sala 10 ☎   CITROEN carret. de Valencia 4 ☎ 33 13 94
34 27 12   RENAULT carret. de Alicante ☎ 34 19 71
CHRYSLER-SIMCA carret. de Valencia ☎ 33 10 67 SEAT av. de Elche 40 ☎ 34 14 09

ALCOZ Navarra 42 ⑤ – alt. 588 – ✪ 948.
Madrid 437 – Bayonne 96 – Pamplona 29.

X **Anayak** 🗢 con hab, San Esteban ☎ 31 30 05 Iraizoz – 🎞 🅿. ⚲
Com 155 – ⊆ 30 – 13 hab 115/195 – P 377/395.

ALCUDIA Baleares 990 ㉚, 43 ㉛ – Ver Baleares (Mallorca).

ALCUDIA DE CRESPINS Valencia 990 ㉗ – 3 724 h.
Alred. : Játiva : Museo San Félix (primitivos★, pila de agua bendita★) NE : 7 km.
Madrid 373 – Albacete 125 – Alicante 108 – Valencia 63.

X Grau, carret. N 340 ☎ 219 – 🍽 🅿.

ALDEANUEVA DEL CAMINO Cáceres 990 ⑬ – 1 496 h. alt. 524.
Madrid 241 – Cáceres 114 – Plasencia 35 – Salamanca 96.

en la carretera de Béjar NE : 2 km – ⊠ ☎ Aldeanueva del Camino :

🏠 **Roma,** ☎ 95, ≼ montañas, ⌣ – 🎞 🍽 rest ⇔wc 🅿. ⚲ hab
Com 125 bc – ⊆ 30 – 26 hab 90/230 – P 365/395.

ALFAJARÍN Zaragoza 990 ⑰⑱, 43 ㉒ – 1 171 h. alt. 199.
Madrid 343 – Lérida 125 – Zaragoza 17.

en la carretera N II SE : 1,5 km – ⊠ ☎ Alfajarín :

🏠 **Alfajarín,** ☎ 53 – 🎞 🍽 rest ⇔wc 🗻wc ☎ 🅿. ⚲
Com 160 bc – ⊆ 44 – **40 hab** 290/425.

ALFARO Logroño 990 ⑰, 42 ⑮ – 8 766 h. alt. 301 – Plaza de toros – ✪ 941.
Madrid 325 – Logroño 71 – Soria 96 – Zaragoza 100.

🏨 **Palacios,** carret. N 232 ☎ 18 01 00, ⌣ – 📶🎞 🍽 rest ☎ ⇔wc 🗻wc ☎ 🅿
Com 230 bc – ⊆ 60 – **86 hab** 275/530 – P 575/600.

ALFAZ DEL PI Alicante 𝟿𝟿𝟶 ㉘ – 2 527 h. alt. 80.
Madrid 468 – Alicante 49 – Benidorm 7.

🏠 Mendoza, frente al parque municipal 𝗣 34, ≼ montaña – 📺 ☺ ⌂wc 🚿wc ⟺ 36 hab.

🏠 **Niza,** Herrerías 9 𝗣 7, ≼ montaña – 📺 ☺ ⌂wc 🚿wc ☏ ❷
Com 150 – ⌧ 40 – 24 hab 130/240 – P 370/380.

ALGECIRAS Cádiz 𝟿𝟿𝟶 ㉙ – 81 662 h. – Plaza de toros – ❍ 956.
Ver : ≼★★. **Alred. :** Carretera★ de Algeciras a Ronda.

🚗 𝗣 67 32 58.

⚓ para Tánger, Ceuta y Canarias : Cⁱᵃ Aucona, Segismundo Moret 𝗣 67 28 90.
M.I.T. Muelle 𝗣 67 17 61.

Madrid 712 – Cádiz 121 – Gibraltar 24 – Jerez de la Frontera 138 – Málaga 139 – Ronda 100.

🏨 Reina Cristina ⬙, paseo de la Conferencia 𝗣 67 13 90, « Gran parque y bonito jardín ≼ peñón de Gibraltar y bahía de Algeciras », ⌁ climatizada – 🍽 ❷
135 hab.

🏨 **Octavio y Rest. Iris,** San Bernardo 1 𝗣 67 21 90 – 🍽 ⟺. �֍
Com carta 300 a 560 – ⌧ 70 – **80 hab** 550/800.

🏨 **Alarde** sin rest, con snack-bar, Alfonso XI - 4 𝗣 66 04 08 – ✖
⌧ 60 – **68 hab** 400/700.

🏨 Las Yucas, sin rest, con snack-bar, av. Augustín Bálsamo 2 𝗣 67 20 90 – ❷ – 33 hab.

🏠 **Estrecho,** 7° piso, sin rest, av. Virgen del Carmen 15 𝗣 67 26 90, ≼ puerto, bahía y peñón de Gibraltar – 🛗 ☺ ⌂wc ☏. ✖
20 hab 300.

🏠 **Río** sin rest y sin ⌧, Comandante García Morato 2 𝗣 67 26 03 – ⌂wc 🚿wc. ✖
25 hab 120/245.

🏠 **Versalles** sin rest y sin ⌧, Montero Ríos 12 𝗣 67 27 97 – 🚿 ☏
21 hab 140/250.

✕✕ Montes, Castelar 36 𝗣 67 36 59 – 🍽.

✕ **Cazuela,** Castelar 59 𝗣 67 12 31, Decoración rústica, Espec. vascas
cerrado miércoles – Com carta 170 a 290.

en la carretera de Cádiz SO : 7,5 km – ✉ Algeciras :

✕ **Don Juan,** barriada El Pelayo – ❷
cerrado domingo noche, lunes y del 23 diciembre al 1 enero – Com carta 370 a 535.

en la carretera N 340 NE : 7,5 km :

🏨 Guadacorte, ✉ Los Barrios 𝗣 78 01 56 San Roque, « En un parque con pequeño lago », ✖, ⌁ – 🍽 rest ❷
118 hab.

en la playa de Palmones NE : 8 km :

🏨 **Posada de Terol** ⬙ con snack-bar, ✉ apartado 133 𝗣 66 15 50 Algeciras, ≼ bahía de Algeciras y peñón de Gibraltar, ⌁ – 🛗 📺 ☺ ⌂wc ☏
24 hab 300/500.

Ver también ***Tarifa*** SO : 12 km.

AUSTIN-MG-MORRIS-MINI carret. Málaga 21 𝗣 66 01 65
CHRYSLER-SIMCA carret. N 340 km 108 𝗣 66 01 74
CITROEN av. Virgen del Carmen 53 𝗣 66 16 73
FIAT-SEAT av. Virgen del Carmen 36 𝗣 66 00 08
RENAULT av. Virgen del Carmen 30 𝗣 66 12 00

ALGEZARES Murcia – 🏨 ver Murcia.

ALGORTA Vizcaya 𝟿𝟿𝟶 ⑥, 𝟺𝟸 ③ – 7 700 h. – Playa – ❍ 944 – 🏖 de Neguri.
Madrid 416 – Bilbao 15.

🏨 **Tamarises** ⬙, playa de Ereaga 5 𝗣 69 00 50, ≼ playa – 🍽 rest. ✖ rest
Com 300 – ⌧ 60 – **42 hab** 425/700 – P 850/925.

✕✕✕ **Deportiva Náutica Algorta,** Puerto Viejo 𝗣 69 36 62, ≼ mar y puerto, ⌁ climatizada – ❷. ✖
cerrado lunes de octubre a marzo – Com carta 300 a 610.

✕ La Ola, playa de Ereaga, ≼ playa.

FIAT-SEAT Barrio de Villamonte 𝗣 69 03 43

ALHAMA DE ARAGÓN Zaragoza 𝟿𝟿𝟶 ⑰ – 1 591 h. alt. 634 – Balneario.
Madrid 210 – Soria 83 – Teruel 165 – Zaragoza 116.

🏨 **Termas y Parque,** General Franco 20 𝗣 1, « Hermoso estanque de agua termal en un gran parque », ⌁ – 🛗 📺 ☺ ⌂wc 🚿wc ☏ ❷. ✖ rest
marzo-octubre – Com 360 – ⌧ 90 – **149 hab** 475/810 – P 1 045/1 115.

Ver también ***Piedra (Monasterio de)*** SE : 17 km.

ALHAMA DE GRANADA Granada 𝟗𝟗𝟎 ⊛ – 7 927 h. alt. 960 – Balneario.

Ver : Emplazamiento★★.

Madrid 486 – Córdoba 181 – Granada 54 – Málaga 75.

   🏨 **Balneario** 🕭, N : 3 km por carretera de Granada ⏊ 2, « En un gran parque », ⌇ climatizada – ▐§ 🌫 ⇔wc 🏚wc ☎ 🅟.
     10 junio - 10 octubre – Com 260 – ⌼ 70 – **84 hab** 260/460 – P 640/670.

ALICANTE 🅟 𝟗𝟗𝟎 ⊘⊗ – 184 716 h. – Playa – Plaza de toros – ⊙ 965.

Ver : Castillo de Santa Bárbara ≼★.

   ✈ de Alicante por ② : 12 km ⏊ 22 68 41 – Iberia : paseo de Soto 9 ⏊ 22 41 45 BYZ.

   🚗 ⏊ 22 98 36.

   🚢 para Baleares y Canarias : Cⁱᵃ Aucona, explanada de España 3 ⏊ 21 18 52, Telex 66063
CZ **B**.

M.I.T. explanada de España 2 ⏊ 21 22 85 – **R.A.C.E.** (A.C. de Alicante) San Fernando 1 ⏊ 21 18 91.

Madrid 419 ③ – Albacete 171 ③ – Cartagena 109 ② – Murcia 84 ② – Valencia (por la costa) **184 ①.**

Plano páginas siguientes

   🏨🏨 Apartotel Meliá Alicante, playa del Postiguet ⏊ 24 95 00, Telex 66131, ≼ playa, mar y
     puerto, ⌇ climatizada – 🖵 🅟. 🏋   CZ **r**
     355 hab.

   🏨🏨 Carlton, rambla Méndez Núñez 1 ⏊ 21 63 00, Telex 66060, ≼ puerto – 🖵 hab   BZ **s**
     119 hab.

   🏨🏨 **Maya,** Canónigo Penalva ⏊ 24 12 00, Telex 66093, 🍴, ⌇ climatizada – 🖵 ⇔ 🅟.
     🍴 rest   por ①
     Com 250 – ⌼ 00 – **200 hab** 500/800 – P 900/1 000.

   🏨🏨 **Gran Sol** 🅼 sin rest, con snack-bar, rambla Méndez Núñez 3 ⏊ 24 72 00, ≼ puerto, playa
     y ciudad – 🖵. 🍴   BZ **a**
     150 hab 650/975.

   🏨🏨 **Leuka** 🅼, Segura 23 ⏊ 21 14 55, Telex 66272 – 🖵 ⇔. 🍴 rest   AY **h**
     Com 250 – ⌼ 60 – **108 hab** 340/610 – P 805/840.

   🏨🏨 **Resid. Palas** sin rest. pl. 18 de Julio 6 ⏊ 21 43 60 – 🖵   CYZ **k**
     ⌼ 60 – **53 hab** 360/635.

   🏨🏨 **Covadonga y Rest. Fontana,** pl. de los Luceros 17 ⏊ 21 14 15 – 🖵 rest ⇔. 🍴 rest
     Com carta 250 a 440 – ⌼ 60 – **83 hab** 300/550 – P 775/800.   BY **d**

   🏨🏨 **Palas,** Cervantes 5 ⏊ 21 79 06 – 🖵 rest. 🍴   CYZ **e**
     Com 265/300 – ⌼ 60 – **49 hab** 355/620 – P 785/830.

   🏨🏨 Cristal, sin rest, López Torregrosa 11 ⏊ 21 23 98 – 🖵   BY **z**
     54 hab.

   🏨🏨 **Gran Hotel,** Navas 41 ⏊ 21 44 01 – 🖵 ⇔. 🍴 rest   BY **v**
     Com 225 – ⌼ 50 – **72 hab** 305/575 – P 703/720.

   🏨🏨 **Bernia** sin rest, rambla Méndez Núñez 43 ⏊ 21 70 04 – 🖵   BY **s**
     ⌼ 60 – **72 hab** 400/650.

   🏨 **Reycar,** Pintor Lorenzo Casanova 33 ⏊ 22 16 46 – ▐§ 🏚 🖵 rest 🌫 ⇔wc ☎ ⇔.
     🍴   AZ **a**
     Com carta 320 a 650 – ⌼ 55 – **116 hab** 265/475.

   🏨 **La Reforma** sin rest, Reyes Católicos 7 ⏊ 22 21 47 – ▐§ 🏚 🌫 ⇔wc ☎. 🍴   BZ **h**
     ⌼ 50 – **54 hab** 240/415.

   🏨 **El Escorial** sin rest y sin ⌼, poeta Campos Vassallo 12 ⏊ 21 39 93 – ▐§ 🏚 🌫 ⇔wc
     🏚wc ☎. 🍴   BY **f**
     34 hab 175/325.

   🏨 **Maisonnave,** 1º piso, sin rest, av. Maisonnave 5 ⏊ 22 59 45 – ▐§ 🏚 🌫 ⇔wc 🏚wc ☎. 🍴
     ⌼ 38 – **40 hab** 165/300.   BZ **q**

   🏨 **Alamo,** San Fernando 56 ⏊ 22 63 44 – ▐§ 🏚 🌫 ⇔wc 🏚wc ☎. 🍴   BZ **f**
     Com 195 – ⌼ 45 – 48 hab 150/370 – P 475/510.

   🏨 **Cervantes** sin rest, con snack-bar, Pascual Pérez 19 ⏊ 21 72 90 – ▐§ 🏚 🌫 ⇔wc 🏚wc ☎.
     🍴   BY **p**
     ⌼ 39 – **34 hab** 135/325.

   🏨 Marhuenda, 4º piso, sin rest, Navas 32 ⏊ 21 27 06 – ▐§ 🏚 🌫 ⇔wc 🏚wc ☎   BY **p**
     33 hab.

   🏨 **San Remo** sin rest, Navas 30 ⏊ 21 74 14 – ▐§ 🏚 🌫 ⇔wc 🏚wc ☎. 🍴   BY **x**
     ⌼ 50 – **28 hab** 170/300.

   🏨 **Benacantil** sin rest, San Telmo 7 ⏊ 21 56 18 – ▐§ 🏚 ⇔wc 🏚 ☎. 🍴   CY **b**
     ⌼ 45 – **47 hab** 175/360.

   🏨 Cataluña, 1º piso, sin rest, Gerona 11 ⏊ 21 59 01 – ▐§ 🏚 ⇔wc 🏚wc ☎   BZ **n**
     18 hab.

sigue →

XX **La Masía,** Valdés 10 ☎ 22 60 58 – 🍴. 🌿 BZ **r**
Com carta 385 a 640.

XX R.A.C., explanada de España 16 ☎ 21 82 81. BZ **u**

XX Quo Vadis, pl. Santísima Faz 3 ☎ 21 66 60, Mesón rústico – 🍴. CY **q**

XX Estación Marítima, muelle de Levante ☎ 21 10 65, ≤ puerto – 🅿. CZ

X **Goleta,** explanada de España 8 ☎ 21 43 92 – 🌿 CZ **c**
Com carta 275 a 420.

en la carretera de la Albufereta por ① : 2 km por la costa – ✉ ☎ Alicante :

XX **Tiro de Pichón,** ☎ 23 53 17,
≤ mar – 🅿
cerrado lunes – Com carta
300 a 515.

en la carretera de Valencia :

🏨 Motel Abril, por ① : 10 km
✉ ☎ 65 34 08 San Juan, 🌿,
≦ – 📺 🍴 🐕 ➯wc ☎ 🅿
48 hab.

🏨 Caballo Blanco, sin rest,
Gabriel y Galán 1, por ① :
3 km ✉ ☎ 23 00 00 Alicante,
≦ – 📺 ➯wc ☎ ⬅ 🅿
12 hab.

XX Piel del Oso, Vistahermosa,
por ① : 3,5 km ✉ ☎ 23 30 58
Alicante – 🍴 🅿.

en la playa de la Albufereta por ① : 6 km por la
costa – ✉ ☎ Alicante :

🏨 Lafayette, ☎ 23 47 42, ≤ mar –
📺 🐕 ➯wc ☎
13 hab.

XX **Pizzeria Romana,** línea las
Palmeras ☎ 26 06 02, Cocina
francesa – 🅿. 🌿
*cerrado martes no festivos y
28 octubre al 30 noviembre* –
Com carta 265 a 540.

en Playa de San Juan por
① : 8 km por la costa – ✉
☎ Playa de San Juan :

🏨 **Domingo** 🐚, ☎ 65 01 12, ≤
mar, ≦ – 🛗 📺 🍴 rest 🐕 ➯wc
☎ 🅿. 🌿
Com 265 – 🖵 55 – **68 hab**
325/535 – P 648/805.

🏨 Babieca, carret. de Alicante
☎ 65 02 50, ≦ – 📺 🍴 rest 🐕
➯wc 📺wc ☎ ⬅ 🅿
92 hab.

🏨 **Tequila,** av. de Cataluña ☎
65 01 58, ≦ – 🛗 📺 🍴 rest 🐕
➯wc 📺wc ☎ 🅿
Com 150/270 – 🖵 39 – **15
hab** 250/375 – P 588/650.

🏨 **Cabo** 🐚, ☎ 65 01 00, ≤
playa – 🛗 🍴 rest 🐕 ➯wc
📺wc ☎ 🅿
23 marzo-septiembre – Com
207 – 🖵 52 – 36 hab 265/460
– P 615/650.

XX **Ranchito Vera - Cruz,** ☎
65 22 36
cerrado lunes y noviembre –
Com carta 295 a 530.

ALICANTE

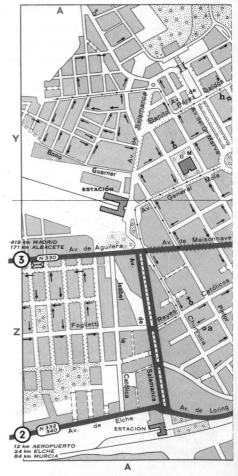

en la playa de Los Arenales del Sol por ② : 13 km – ✉ 🏤 Alicante :

🏨 **Los Arenales** 🗫, 🏤 68 01 01, ⩽ playa, 🍴, 🏊, 🖼 – 🛗 ▥ 🐕 🛏wc 🚿wc ☎ 🚗. 🌴 rest
Com 290 – ☲ 60 – **146 hab** 410/645 – P 818/905.

AUSTIN-MG-MORRIS-MINI av. de Orihuela 117
🏤 22 28 48
CHRYSLER-SIMCA av. Aguilera 14 🏤 22 15 40
CITROEN carret. N 340 km 5 🏤 22 06 12
FIAT-SEAT av. de Orihuela 🏤 22 70 45

PEUGEOT av. de Denia 81 🏤 23 53 42
RENAULT carret. de Madrid 🏤 22 11 77
SEAT carret. N 330 km 408,5 🏤 22 66 43
SEAT carret. de Valencia km 84,5 Vistahermosa
🏤 24 04 16

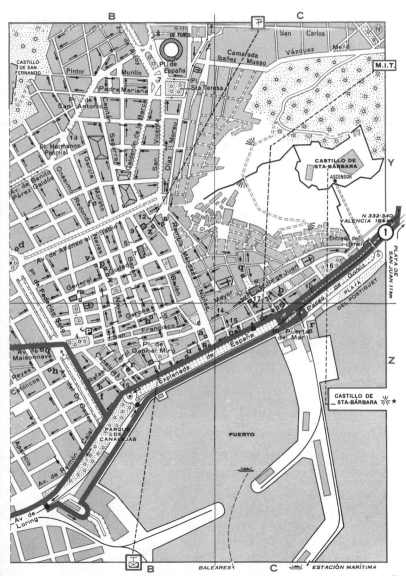

ALMACELLAS Lérida 🄼🄼🄼 ⑱, 🄸🄸 ⑭ – 4 992 h. alt. 289 – ✪ 973.
Madrid 491 – Huesca 99 – **Lérida 21.**

   🏨 **Roca,** carret. N 240 ⅋ 74 00 50 Lérida – ▥ ▤ rest ⇔wc ☜ **🅟**. ❀ hab
      Com 150 – 🍴 40 – 22 hab 130/225 – P 380/425.

AUSTIN-MG-MORRIS-MINI San Jaime 6 ⅋ 74 04 80   RENAULT General Franco 8 ⅋ 74 02 90
CHRYSLER-SIMCA San Jaime ⅋ 74 01 42   SEAT carret. Lérida ⅋ 74 04 41
CITROEN General Franco 112 ⅋ 74 02 42

ALMADRABA Gerona – 🏔 ver Rosas.

ALMADRONES Guadalajara – 144 h. alt. 1 054.
Madrid 103 – Guadalajara 46 – Soria 128.

   🏠 **Venta de Almadrones - km 103,** carret. N II - E : 1 km ⅋ 1, ❀ – ▥ 🍽 🏠wc ☜ **🅟**. ❀
      Com 150 bc – 80 hab 110/250 – P 360/375.

ALMAGRO Ciudad Real 🄼🄼🄼 ⑳ – 9 066 h. alt. 643.
Ver : Plaza Mayor★ (Corral de Comedias★).
Madrid 190 – Albacete 209 – Ciudad Real 23 – **Córdoba 228** – Jaén 163.

   ✗ Chés, 1º piso, pl. España 39 ⅋ 513, ≼ plaza Mayor – ▤.

CITROEN carret. de circunvalación ⅋ 482

ALMAZÁN Soria 🄼🄼🄼 ⑯ – 4 856 h. alt. 950.
Ver : Iglesia de San Miguel (cúpula★).
Madrid 194 – Aranda de Duero 117 – Soria 35 – **Zaragoza 181.**

   🏠 **Antonio,** carret. de Soria ⅋ 110 – ▥ ⇔wc 🏠wc ☜ **🅟**. ❀ hab
      cerrado 24 diciembre al 16 enero – Com 200 bc – **28 hab** 150/275.

FIAT-SEAT carret. de Madrid km 192 ⅋ 525   RENAULT Salazar y Torres 18 ⅋ 86

Pour parcourir l'Europe,

utilisez les cartes Michelin **Grandes Routes** à 1/1 000 000.

ALMERÍA 🅿 🄼🄼🄼 ㊲ – 114 510 h. – Plaza de toros – ✪ 951.
Ver : Alcazaba★ (jardines★) – Catedral★.
Alred. : Carretera★ de Benahadux a Tabernas por ①.

🛬 de Almería E : 9 km ⅋ 22 19 54 – Iberia : Conde Ofalia 42 ⅋ 21 49 85.

⛴ para Melilla : Cia Aucona, parque José Antonio 26 ⅋ 21 40 52, Telex 78811.

M.I.T. Paseo del Generalísimo Franco 115 ⅋ 21 21 46.

Madrid 550 ① – Cartagena 239 ① – Granada (por Motril) 171 ① – Jaén 234 ① – Lorca 157 ① – Motril 113 ②.

Plano página siguiente

   🏨 **G. H. Almería,** av. Reina Regente 4 ⅋ 21 40 75, ≼ puerto, 🍴 – ▤ ☜. ❀   Z c
      Com 305 – 🍴 72 – **124 hab** 430/730 – P 910/975.

   🏨 Costasol, paseo del Generalísimo Franco 58 ⅋ 21 42 83 – ▤   Z e
      55 hab.

   🏨 **Indálico** sin rest. con snack-bar, Dolores Sopeña 4 ⅋ 22 40 50 – ▤ ▥ 🍽 ⇔wc 🏠wc
      ☜   Y s
      🍴 57 – **100 hab** 305/540.

   🏨 **Embajador,** Calzada de Castro 4 ⅋ 22 15 08 – ▤ ▥ ▤ rest 🍽 ⇔wc 🏠wc ☜. ❀   Z b
      Com 175 – 67 hab 190/375 – P 485/490.

   🏨 **Torreluz,** sin rest, con snack-bar, pl. Flores 6 ⅋ 21 42 80 – ▤ ▤ 🍽 ⇔wc ☜ ☜   Y v
      24 hab.

   🏠 **Fátima** sin rest, San Leonardo 22 ⅋ 22 01 00 – ▤ 🍽 ⇔wc 🏠wc ☜ ☜   Y z
      🍴 45 – **52 hab** 215/350.

   🏨 Nixar, sin rest y sin 🍴, Antonio Vico 28 ⅋ 21 29 92 – ▥ ⇔wc 🏠wc ☜   Y f
      27 hab.

   ✗✗✗ **Rincón de Juan Pedro,** pl. del Carmen 6 ⅋ 21 52 22 – ▤. ❀   Y n
      Com carta 325 a 520.

   ✗ La Reja, Gerona 8 ⅋ 21 52 94, Decoración típica – ▤.   Z a

   ✗ Club de Mar, Muelle 1 ⅋ 21 52 79, ≼ puerto – **🅟**.   Z s

   en la playa de El Zapillo SE : 2 km – ✉ ⅋ Almería :

   🏨 **Hairan** sin rest, av. Vivar Téllez 80 ⅋ 22 13 04 – ▤ ▥ 🍽 ⇔wc 🏠wc ☜ **🅟**. ❀
      🍴 45 – **40 hab** 330/550.

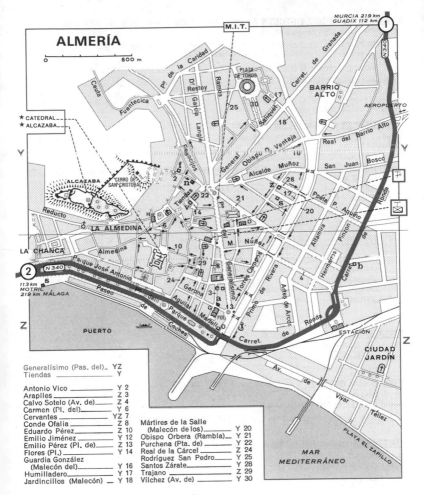

ALMERÍA

0 _____ 500 m

★ CATEDRAL
★ ALCAZABA

MURCIA 219 km
GUADIX 112 km

N 340

BARRIO ALTO

AEROPUERTO

ALCAZABA
CERRO DE SAN CRISTOBAL

LA ALMEDINA

LA CHANCA

N 340
113 km MOTRIL
219 km MÁLAGA

PUERTO

CIUDAD JARDÍN

MAR MEDITERRÁNEO

PLAYA EL ZAPILLO

| Generalísimo (Pas. del) | YZ |
| Tiendas | Y |

Antonio Vico	Y 2
Arapiles	Z 3
Calvo Sotelo (Av. de)	Z 4
Carmen (Pl. del)	Y 6
Cervantes	YZ 7
Conde Ofalia	Z 8
Eduardo Pérez	Y 12
Emilio Jiménez	Z 13
Emilio Pérez (Pl. de)	Y 14
Flores (Pl.)	Y
Guardia González (Malecón del)	Y 16
Humilladero	Y 17
Jardincillos (Malecón)	Y 18

Mártires de la Salle (Malecón de los)	Y 20
Obispo Orbera (Rambla)	Y 21
Purchena (Pta. de)	Y 22
Real de la Cárcel	Z 24
Rodríguez San Pedro	Y 25
Santos Zárate	Y 28
Trajano	Z 29
Vílchez (Av. de)	Y 30

en la carretera de Málaga por ② :

🏨 **La Parra** Ⓜ, Bahía El Palmer por ② : 6 km, ✉ apartado 343 Almería ☎ 346 Aguadulce, ⩽ mar, ⌿, – ▤ ⓟ. 🏖. ⌖ rest
Com 300 – ⌧ 75 – **150 hab** 600/960 – P 1 020/1 140.

🏨 Solymar, por ② : 2,5 km, ✉ ☎ 21 38 87 Almería, ⩽ puerto, mar y Almería – 🛗 ⫿ ⌖ 🛁wc 🛀 ⓟ
15 hab.

en la urbanización Costacabana E : 9 km par la carretera del aeropuerto – ✉ ☎ Almería :

🏨 **Costacabana**, ☎ 22 20 63, ⌿ – ⓟ. ⌖ rest
Com 300 – ⌧ 75 – **102 hab** 530/665 – P 837/1 035.

en Aguadulce por ② : 11 km – ✉ ☎ Aguadulce :

🏨 Aguadulce ⌿, ☎ 36, ⩽ mar, ⌖, ⌿ – ▤ ⓟ – **80 hab.**

🏨 **Satélites Park,** ☎ 337, ⩽ mar, ⌿ climatizada – ▤ ⓟ. ⌖ rest
Com 195 – ⌧ 50 – **250 apartamentos** 575/715 – P 732/950.

AUSTIN-MG-MORRIS-MINI Calvo Sotelo 10 ☎ 22 11 32
CHRYSLER-SIMCA carret. de Granada 2° tramo ☎ 22 36 08
CITROEN carret. de Granada 2° tramo ☎ 22 20 50
FIAT av. San Juán Bosco 3 ☎ 22 00 45

PEUGEOT Padre Santaella 4 ☎ 21 43 48
RENAULT carret. de Ronda 28 ☎ 22 17 97
SEAT av. Vivar Téllez 36 ☎ 22 00 46
SEAT av. San Juán Bosco 3 ☎ 22 36 79

73

La ALMUNIA DE DOÑA GODINA Zaragoza 990 ⑦, 43 ⑪ – 4 905 h. alt. 320 – 🅾 976.
Madrid 274 – Soria 128 – Zaragoza 52.

  ✗ **El Patio** con hab, av. Generalísimo 6 ☎ 60 06 08 – ▥ 🛁wc 🅿
     Com carta 165 a 315 – 🍷 30 – **11 hab** 125/250.

   en la carretera N II O : 8 km – ⊠ ☎ La Almunia de Doña Godina :

  🏨 **Río Grío,** ☎ 60 00 01, ≼ valle y montañas – ▥ 🛁wc 🛁wc 🚗 🅿
     Com 180 bc – 🍷 30 – 11 hab 175/250 – P 455/480.

CHRYSLER-SIMCA carret. de Madrid ☎ 60 02 86   RENAULT av. Zaragoza 6 ☎ 60 01 96
CITROEN av. Zaragoza ☎ 60 02 41   SEAT av. Zaragoza 17 ☎ 60 01 68

ALMUÑÉCAR Granada 990 ㊿ – 13 251 h. alt. 59 – Playa – 🅾 958.
Alred. : Carretera en cornisa★★ de Almuñécar a Granada – E : Carretera★★ de La Herradura a Nerja ≼★★.
Madrid 525 – Almería 136 – Granada 93 – Málaga 83.

  🏨 **Portamar,** playa de Puerta del Mar ☎ 63 02 04, ≼ playa – 🛗 ▥ 🍽 rest 🍸 🛁wc 🛁wc
     🚗. �â
     mayo-octubre – Com 250 – 🍷 65 – **72 hab** 340/500 – P 650/740.

  🏠 **Resid. y Rest. Goya,** playa San Cristóbal ☎ 63 05 50 – ▥ 🛁wc 🛁wc 🚗. �â
     cerrado febrero – Com carta 210 a 270 – 🍷 40 – **14 hab** 240/340.

  🏡 **El Puente,** av. de la Costa del Sol ☎ 63 00 65 – ▥ 🛁wc 🅿. �â
     Com 150 bc – 🍷 35 – **26 hab** 140/270.

  🏡 **Rocamar** sin rest del 15 octubre a abril, Córdoba 1 ☎ 63 00 23 – ▥ 🛁wc. �â
     Com 135 – 🍷 45 – 18 hab 125/250 – P 375.

  ✗ **Piccadilly,** carret. de Málaga O : 1,5 km ☎ 63 05 74, ≼ población y mar – 🅿. �â
     cerrado noviembre y lunes – Com carta 180 a 280.

  ✗ **Vizcaya,** playa de San Cristóbal ☎ 63 00 13, ≼ playa – �â
     cerrado noviembre al 15 diciembre – Com carta 165 a 255.

CHRYSLER-SIMCA Málaga 136

☛ *En esta Guía no hay ninguna publicidad de pago.*

ALMURADIEL Ciudad Real 990 ㊿ – 1 020 h. alt. 800.
Madrid 231 – Ciudad Real 75 – Jaén 104 – Valdepeñas 30.

  🏨 **Los Podencos,** carret. N IV ☎ 36 – 🍽 🅿. �â rest
     Com 250 – 🍷 55 – **76 hab** 500/600 – P 805/855.

ALP Gerona 990 ⑲, 43 ⑦ – 906 h. alt. 1 158 – 🅾 972 – Deportes de invierno en Masella SE : 5 km : 5⛷.
Madrid 645 – Lérida 175 – Puigcerdá 8.

  🏡 Roca ⤵, travesía de la Fuente 2 ☎ 89 00 11, ≼ montaña – ▥ 🛁wc 🚗
     38 hab.

ALQUÉZAR Huesca 990 ⑱, 42 ⑱, 43 ④ – 371 h.
Ver : Paraje★★.
Madrid 445 – Huesca 48 – Lérida 92.

El ALQUIÁN Almería – 🅾 951.
Madrid 562 – Almería 12.

   por la carretera de Cabo de Gata SE : 7 km – ⊠ El Alquián ☎ Almería :

  🏨 **Alborán** ⤵, ☎ 22 58 00, ≼ mar, 🍴, 🌊 – 🅿. �â
     marzo-octubre – Com 200 – 🍷 50 – **103 hab** 325/475 – P 597/685.

ALSASUA Navarra 990 ⑥, 42 ④ – 7 047 h. alt. 532 – 🅾 948.
Alred. : S : Carretera★★ del puerto de Urbasa – Carretera★ del puerto de Lizárraga ≼★ SE : 21 km.
Madrid 401 – Pamplona 50 – San Sebastián 71 – Vitoria 45.

  ✗✗ **Mendía,** av. Pamplona 2 ☎ 56 00 31 – 🅿. �â
     cerrado domingo y del 5 al 26 noviembre – Com carta 300 a 520.

   en la carretera de San Sebastián N I – ⊠ ☎ Alsasua :

  🏨 **Alaska H.,** NO : 6,5 km ☎ 56 01 00, « En un encinar », 🌊 – ▥ 🍸 🛁wc 🚗 🚗 🅿
     Com 280 – 🍷 65 – **30 hab** 400/600 – P 800/900.

  ✗ **Ulayar** con hab, NO : 2 km ☎ 56 00 75, « Bonito jardín al borde de un bosque » – ▥ 🍸
     🛁wc 🍴 🚗 🚗 🅿
     marzo-noviembre – Com carta 205 a 325 – 🍷 40 – 9 hab 150/250 – P 400/425.

  ✗ **Leku-Ona** con hab, NO : 2 km ☎ 56 02 75, « Al borde de un bosque » – ▥ 🛁wc 🚗 🅿.
     �â rest
     marzo-diciembre – Com carta 240 a 355 – 🍷 30 – 7 hab 190/250.

en Ciordia - en la carretera N I SO : 6,5 km – ✉ Ciordia �ᵀ Alsasua :

🏨 Alzania, �ᵀ 56 05 50, ≤ montañas – 📶 ▥ ☞ ⌂wc 🅿 🅿
36 hab.

en la Sierra Urbasa S : 16 km – alt. 902 – ✉ Olazagutía :

✗ Urbasa, « Bonita terraza con arbolado » – 🅿
temp.

AUSTIN-MG-MORRIS-MINI O. Melero 14 ⲣ 56 04 56
CHRYSLER-SIMCA carret. Madrid-Irún 393 ⲣ 56 01 01

CITROEN Alzate 21 ⲣ 56 02 33
RENAULT Venta de Abajo ⲣ 56 01 32

ALTAMIRA (Cuevas de) Santander 🔟🔟🔟 ⑤, 🔢🔢 ①.
Ver : Cueva prehistórica** (techo**).
Madrid 394 – Oviedo 173 – Santander 37

ALTEA Alicante 🔟🔟🔟 ㉘ – 8 804 h. – Playa – 🅾 965.
Alred. : Recorrido* de Altea a Calpe.
Madrid 471 – Alicante 52 – Benidorm 10 – Gandía 64.

🏠 **Altaya** ⑤, Generalísimo 113 ⲣ 84 08 00, ≤ mar – ▥ ☞ ⌂wc 🏠wc 🅿 🅿. ✗ rest
Com 150 – ☲ 46 – **24 hab** 180/300 – P 415/445.

🏠 San Miguel, Generalísimo 67 ⲣ 84 04 00, ≤ mar – 📶 ▥ ☞ 🏠wc 🅿
24 hab.

en la carretera N 332 :

🏨 **Corona Motel,** SO : 4 km ✉ ⲣ 111 Alfaz del Pl., 🏊 – ▥ ☞ 🏠wc 🅿 🚗 🅿
Com 220 bc – ☲ 60 – 36 hab 500/600.

CITROEN Fermín Sanz Orrio 1-A ⲣ 314

ALTO CAMPÓO Santander – 🏨 ver Espinilla.

ALTO DE BUENAVISTA Oviedo – 🏨 ver Oviedo.

ALTO DE MEAGAS Guipúzcoa – ✗ con hab, ver Zarauz.

ALZOLA Guipúzcoa 🔟🔟🔟 ⑥, 🔢🔢 ④ – alt. 40 – Balneario – 🅾 943.
Madrid 423 – Bilbao 54 – Pamplona 110 – San Sebastián 43.

🏠 Balneario ⑤, ⲣ 74 12 50, « Jardín con arbolado al borde del río » – 📶 ☞ ⌂wc 🅿 🅿
temp. – 78 hab.

AMASA Guipúzcoa 🔢🔢 ⑥ – ✗ ver Villabona.

La AMETLLA DEL VALLÉS Barcelona 🔟🔟🔟 ⑳, 🔢🔢 ⑱ – 1 432 h. alt. 312.
Madrid 663 – Barcelona 33 – Gerona 86.

✗ **La Masía,** paseo Torregasa 2 ⲣ 4 – ▤ 🅿. ✗
Com carta 250 a 600.

en la carretera N 152 – ✉ ⲣ La Ametlla del Vallés :

🏨 **Del Vallés,** ⲣ 141, 🏊 – ▤ 🚗 🅿. 🏔. ✗
Com 250 bc – ☲ 52 – **54 hab** 450/615 – P 763/905.

AMETLLA DE MAR Tarragona 🔟🔟🔟 ⑱ – 3 595 h. alt. 20.
Madrid 534 – Castellón de la Plana 138 – Tarragona 51 – Tortosa 34.

🏠 Bon Repos ⑤, General Mola 49 ⲣ 35, « Jardín con arbolado », ✗, 🏊 – ▥ ☞ ⌂wc 🏠wc
🅿 🅿
temp. – 38 hab.

AMOREBIETA Vizcaya 🔟🔟🔟 ⑥, 🔢🔢 ③ – 12 465 h. alt. 70.
Alred. : Balcón de Vizcaya ≤** NE : 16 km.
Madrid 411 – Bilbao 21 – San Sebastián 76 – Vitoria 55.

✗ El Cojo, San Miguel 11 ⲣ 75 – 🅿.

en la autopista A 68 NO : 2 km – ✉ Amorebieta ⲣ Bilbao :

✗✗ Restop, con snack-bar, ⲣ 33 05 55, ≤ campo y montaña – 🅿.

AMPURIABRAVA (Urbanización) Gerona – 🏖, ✗ ver Castelló de Ampurias.

No viaje hoy con un mapa de ayer.

ANDORRA (Principado de) ★★★ 🏔🏔🏔 ⑨, 🏔🏔 ⑥⑦, 🏔🏔 ⑭⑮ – 23 092 h. – ⊙ con España : 9738.

s = servicio comprendido	**s** = servizio compreso
s = serviço compreendido	**s** = Bedienung inbegriffen
s = service compris	**s** = service included

Andorra la Vieja (Andorra la Vella) Capital del Principado – alt. 1 029.

Alred. : NE : Valira del Orient★★ – N : Valira del Nord★.

Madrid 623 – Barcelona 220 – Carcassonne 164 – Foix 103 – Gerona 217 – **Lérida 153** – Manresa 148 – Perpignan 166 – Tarragona 208 – Toulouse 185.

🏨🏨 **Eden-Roc** Ⓜ, av. D-F. Mitjavila 1 ☏ 210 00 – ॐ
   Com 360 **s** – 😑 100 – **60 hab** 850/1 300 **s** – P 1 390/1 570 **s**.

🏨🏨 **Sasplugas** Ⓜ 🐾, av. del Co Princep Iglesias ☏ 203 11, ← valle y montaña – 🚗. ॐ
   Com 350/450 **s** – 😑 80 – **30 hab** 400/800 **s** – P 880/1 000 **s**.

🏨🏨 **Flora** Ⓜ sin rest, Antic Carrer Major 23 ☏ 215 08, Telex 209 – ❷
   😑 80 – **44 hab** 550/900 **s**.

🏨🏨 Andorra Park H. 🐾, ☏ 209 79, Telex 203, ← parque, « Construcción andorrana en un parque », ॐ, ⏋ – ❷. ♨. ॐ rest
   90 hab.

🏨🏨 **Andorra Palace** Ⓜ, Prat de la Creu ☏ 210 72, Telex 208, ← montaña, ॐ, ⏋ – ❷. ♨. ॐ
   Com 300 – 😑 85 – **140 hab** 500/1 300 – P 1 010/1 185.

🏨 **Serola** Ⓜ, carret. Santa Coloma ☏ 206 47, ← valle, ⏋ climatizada – 🔲 ▥ ☞ 📶wc 🚽wc
   ☜ ❷. ॐ rest
   Com 250/300 **s** – 😑 60 – 58 hab 650 **s** – P 750/825 **s**.

🏨 Florida Ⓜ sin rest, Llacuna 11 ☏ 201 05 – 🔲 ▥ ☞ 📶wc 🚽wc ☜. ॐ – 37 hab.

🏨 **Internacional,** ☏ 214 22 – 🔲 ▥ ☞ 📶wc 🚽wc ॐ rest
   Com 250 **s** – 😑 70 – 50 hab 400/600 **s** – P 800 **s**.

🏨 **Montserrat,** av. Meritxell 68 ☏ 200 83 – 🔲 ▥ ☞ 📶wc 🚽wc ☜. ॐ rest
   Com 225/275 **s** – 😑 65 – 44 hab 400/650 **s** – P 600/700 **s**.

🏠 **Cassany,** av. Meritxell 28 ☏ 206 36 – 🔲 ▥ ☞ 📶wc 🚽wc ☜
   Com 180/230 **s** – 😑 60 – **50 hab** 300/500 **s**.

🏠 **Pyrénées H.,** av. Princep Benlloch 20 ☏ 205 08, Telex 209 – 🔲 ▥ ☞ 📶wc 🚽wc
   ☜ ❷
   Com 250 **s** – 😑 75 – 81 hab 250/600 **s** – P 800/900 **s**.

🏠 **Consul,** pl. Rebes 4 ☏ 201 96 – 🔲 ▥ ☞ 📶wc 🚽wc ☜
   Com 200/250 – 😑 65 – 75 hab 375/500 – P 950/1 000.

✗ **Els Fanals,** av. Meritxell 20 ☏ 213 81
   cerrado miércoles y noviembre – Com carta 270 a 520.

CHRYSLER-SIMCA carret. La Massana ☏ 201 19   FIAT-SEAT av. D-F. Mitjavila 1 bis ☏ 204 71
CITROEN, AUSTIN-MG-MORRIS-MINI Av. Carlemany   FORD av. Meritxell 76 ☏ 207 54
34 bis ☏ 214 87

Arinsal – alt. 1 445 – ✉ La Massana.
Andorra la Vieja 9.

🏠 **Poblado** 🐾, ☏ 351 22, ← valle y montaña – ▥ ☞ 📶wc 🚽wc ☜ 🚗 ❷. ॐ
   cerrado del 1 al 20 octubre – Com 180/225 **s** – 😑 50 – 40 hab 200/500 **s** – P 450/550 **s**.

Canillo
Alred. : Capilla Sant Joan de Caselles (retablo★) NE : 1 km.
Andorra la Vieja 11.

🏨🏨 Armany, ☏ 510 55, ← montañas – ▥ ☞ 📶wc ☜ 🚗 ❷. ॐ
   cerrado del 13 al 31 octubre – Com 210 **s** – 😑 55 – 53 hab.

Encamp – alt. 1 313.
Andorra la Vieja 6.

🏨🏨 **Oros,** ☏ 312 22 – 🚗. ॐ rest
   Com 250/300 **s** – 😑 60 – **53 hab** 350/450 **s** – P 700/827 **s**.

🏠 **Paris,** ☏ 313 25 – ▥ ☞ 📶wc 🚽wc. ॐ hab
   Com 185 **s** – 😑 45 – **32 hab** 185/370 **s** – P 425/450 **s**.

Les Escaldes – alt. 1 105 – ✉ Andorra la Vieja.
Andorra la Vieja 1.

🏨🏨 **Les Comtes d'Urgell** Ⓜ, en Engordany ☏ 206 21, Telex 226 – 🚗. ♨. ॐ rest
   Com 250/275 **s** – 😑 70 – 200 hab 325/600 **s** – P 650 **s**.

🏨🏨 **Roc Blanc,** pl. dels Co-Princeps 5 ☏ 214 86, Telex 224, ॐ, ⏋ climatizada, ⏋ – ❷.
   ♨. ॐ rest
   Com 410/460 – 😑 75 – **100 hab** 690/1 435 – P 1 350/1 590.

🏨🏨 **Paris-Londres,** av. Miquel Mateu 3 ☏ 208 14 – 🚗 ❷. ♨. ॐ rest
   Com 225 **s** – 😑 60 – **115 hab** 225/450 **s** – P 650 **s**.

🏨 **La Grandalla,** av. Carlemany 14 ☎ 211 25 – 🛗 🏚 📞wc 🛁wc ☎. 🎇
Com 210 – 🖵 50 – 45 hab 300/500 – P 600/625.

🏨 **Princep,** ☎ 209 07 – 🛗 🏚wc 🛁wc ☎ 🅿. 🎇 rest
Com 200 – 65 hab 400/800 – P 700/800.

🏨 **Hostal Andorrá,** av. Carlemany 34 ☎ 208 31 – 🛗 🏙 🍽 🏚wc 🛁wc ☎. 🎇
Com *(cerrado miércoles)* 300/350 **s** – 🖵 80 – **35 hab** 500/850 **s** – P 750/925 **s**.

🏛 **Nouvel H. Espel,** en Engordany ☎ 209 44 – 🛗 🏙 🍽 🏚wc 🛁wc ☎ 🅿. 🎇
Com 180/200 **s** – 🖵 50 – 50 hab 530/560 **s** – P 500/560 **s**.

🏛 **Giltor,** en Engordany ☎ 209 58, ≼ valle – 🛗 🏙 🍽 🏚wc 🛁 ☎ 🅿. 🎇 rest
Com 225 bc/325 bc – 🖵 65 – 36 hab 375/600 – P 575/600.

🏛 **La Pubilla** sin rest. av. Fiter i Rossell ☎ 209 81, ≼ montaña – 🏙 🍽 🛁 🅿. 🎇
🖵 60 – **30 hab** 200/360.

ΓΕUGEOT Ouiage Iniernacional, Josep Serra ☎ 214 92

La Massana

Andorra la Vieja 5.

🏨 **Rutlan** 🅼, ☎ 350 00, ≼ montaña, 🌲 climatizada – 🚗 🅿. 🎇 rest
Com 225/280 **s** – 🖵 75 – 70 hab 400/700 **s** – P 700/750 **s**.

🏛 **Naudi,** ☎ 350 95, ≼ montaña – 🏙 🍽 🚗 🅿. 🎇 rest
Com 200/220 **s** – 🖵 60 – **50 hab** 330/450 **s** – P 600/650 **s**.

🏔 Gd H. Font, ☎ 351 32, ≼ valle y montaña – 🍽 🅿
temp. – 35 hab.

Pas de la Casa – alt. 2 091 – Deportes de invierno : 9 ⛷ – Ver aduanas p. 14 y 15.

Alred. : Puerto de Envalira 🎇★★ O : 4 km.

Andorra la Vieja 30.

🏨 **Refugi dels Isards,** ☎ 511 55, ≼ valle y montañas – 🏙 🍽 🛁wc ☎. 🎇
Com 300 **s** – 🖵 70 – **51 hab** 500/700 **s** – P 950 **s**.

Santa Coloma – alt. 970 – ✉ Andorra la Vieja.

Ver : Capilla (campanario★).

Andorra la Vieja 3.

🏨 **Cerqueda** 🅼 🐾, ☎ 202 35, ≼ montaña, 🌲 – 🛗 🏙 🍽 🏚wc ☎ 🚗 🅿. 🎇 rest
Com 250/280 **s** – 🖵 60 – 75 hab 475/810 **s** – P 810/925 **s**.

🏛 **La Roureda** 🐾, ☎ 206 81, ≼ encinar y montaña, 🌲 – 🏙 🍽 🛁 ☎ 🅿. 🎇
mayo-septiembre – Com 250 **s** – 🖵 85 – 40 hab 350/600 **s** – P 800 **s**.

RENAULT carretera ☎ 206 72

Sant Julia de Loriá – alt. 909.

Ver : Iglesia (Cristo★).

Andorra la Vieja 7.

🏨 **Sol Park** 🐾, ☎ 410 43, ≼ montaña y Sant Juliá de Loria – 🏙 🍽 🏚wc ☎ 🅿. 🎇 rest
abril-10 octubre – Com 245 **s** – 🖵 75 – **40 hab** 425/550 **s** – P 690/810 **s**.

🏨 **Pol,** ☎ 411 22 – 🛗 🏙 🍽 🏚wc ☎ 🅿. 🎇 rest
15 marzo-15 octubre – Com 250/320 **s** – 🖵 80 – **70 hab** 400/700 **s** – P 800/850.

🏨 **Co-Princeps,** ☎ 410 02, ≼ montañas – 🛗 🏙 🍽 🏚wc 🛁wc ☎ 🅿. 🎇 rest
cerrado 16 enero al 14 marzo – Com 230 **s** – 🖵 60 – **100 hab** 360/550 **s** – P 700/800 **s**.

🏨 **Barcelona,** N : 1 km ☎ 411 77, ≼ montaña y río – 🏙 🍽 🏚wc 🛁wc ☎ 🅿. 🏊 🎇 rest
Com 250 **s** – 🖵 75 – 49 hab 600/900 **s** – P 600/725 **s**.

🏛 **Coma Bella** 🐾, ☎ 412 20, alt. 1 300, ≼ montaña y valle, « En el bosque de la Rabassa »
– 🏙 🍽 🛁wc 🅿
cerrado 10 noviembre al 10 diciembre y 10 enero al 10 febrero – Com 220/250 **s** – 🖵 60 –
28 hab 420/525 **s** – P 675/825 **s**.

El Serrat – alt. 1 539 – ✉ Ordino.

Andorra la Vieja 16.

🏛 **Del Serrat** 🐾, ☎ 352 96, ≼ valle y montaña – 🏙 🛁wc ☎ 🅿. 🎇
Com 200 **s** – 🖵 50 – 20 hab 300/500 **s** – P 600 **s**.

Además de los establecimientos clasificados con
XXXXX · · · X,
existen muchos hoteles
con un buen restaurante.

ANDÚJAR Jaén 𝟵𝟵𝟬 ⑧ – 31 464 h. alt. 212 – Plaza de toros – ○ 953.

Ver : Iglesia de San Miguel* (portada*) – Iglesia de Santa María (reja*). **Alred. :** Santuario de la Virgen de la Cabeza ≤** N : 32 km.

Madrid 323 – Córdoba 77 – Jaén 64 – Linares 41.

en la carretera N IV :

🏨 **Del Val,** E : 1 km ⊠ apartado 103 ℱ 50 09 50 Andújar, ♨ – ▥ 🖃 rest 🛁wc 🚿wc ☎ ☻
Com 260 – ⊒ 55 – **79 hab** 335/500 – P 710/795.

🏨 El Soto, O : 3,5 km ⊠ ℱ 50 11 27 Andújar – ▥ 🖃 rest 🛁wc 🚿wc ☻
40 hab.

🏨 Botijo, O : 2 km ⊠ ℱ 50 10 93 Andújar – 🖃 rest 🛁wc ☻
18 hab.

AUSTIN-MG-MORRIS-MINI Bernardino Martínez 63
ℱ 50 18 45
CHRYSLER-SIMCA carret. Madrid km 321 ℱ 50 14 84

CITROEN av. Camilo Alonso Vega 1 ℱ 50 04 85
RENAULT carret. Madrid km 321 ℱ 50 03 47
SEAT-FIAT carret. N IV km 322 ℱ 50 05 39

ANTEQUERA Málaga 𝟵𝟵𝟬 ④ – 40 908 h. alt. 512 – Plaza de toros – ○ 952.

Ver : Castillo ≤*. **Alred. :** NE : Los dólmenes* (cuevas de Menga, Viera y del Romeral) – El Torcal* S : 16 km – Carretera* de Antequera a Málaga ≤**.

Madrid 529 – Córdoba 129 – Granada 98 – Jaén 195 – Málaga 47 – Sevilla 160.

🏨 **Vergara,** Infante Don Fernando 59 ℱ 84 19 40 – 🕾 🛁wc 🚿wc ☎
Com 225 – ⊒ 46 – 19 hab 250/375 – P 568/630.

🏨 Reyes, Tercia 4 ℱ 84 10 28 – 🛁wc 🚿wc – 18 hab.

XX **Albergue M.I.T.** ◈, con hab, Glorieta Sagrado Corazón de Jesús 1 ℱ 84 17 40, « Jardín arbolado, ≤ campo » – ▥ 🕾 🛁wc ☎ ☻. ❀ rest
Com 250 – ⊒ 45 – **17 hab** 240/425.

en el cruce de las carreteras N 331 y N 334 N : 7 km :

🏨 **Vega** (colaborador M.I.T.), ⊠ apartado 56 ℱ 84 18 46 Antequera, ≤ campo, ♨ – ▥ 🕾 🛁wc ☎ ☻. ❀ rest
Com 325 – ⊒ 70 – **37 hab** 425/625 – P 925/1 035.

AUSTIN-MG-MORRIS-MINI Chimenea ℱ 84 22 38
CHRYSLER-SIMCA carret. N 331 - 178 ℱ 84 18 93
CITROEN carret. de Córdoba ℱ 84 12 36

FIAT carret. de Madrid ℱ 84 10 90
RENAULT Alameda ℱ 84 20 50
SEAT carret. de Córdoba ℱ 84 16 91

La ANTILLA Huelva 𝟵𝟵𝟬 ② – 🏨, 🏨 ver Lepe.

ARACENA Huelva 𝟵𝟵𝟬 ② – 6 804 h. alt. 682 – Plaza de toros – ○ 955.

Ver : Gruta de las Maravillas**. **Excurs. :** S : Sierra de Aracena*.

Madrid 504 – Beja 132 – Cáceres 233 – Huelva 108 – Sevilla 93.

X **Casas,** pl. San Pedro ℱ 11 00 44, « Decoración de estilo andaluz » – ❀
Com carta 265 a 410.

SEAT pl. San Pedro 36 ℱ 11 02 87

ARAGÜES DEL PUERTO Huesca 𝟰𝟮 ⑦, 𝟰𝟯 ② – alt. 1.000.

Madrid 491 – Huesca 94 – Jaca 41 – Pamplona 113.

🏨 **Lizara,** ℱ 16, ≤ montañas, ♨ – ▥ 🕾 🚿wc ☎
Com carta 260 a 400 – ⊒ 40 – 16 hab 180/290 – P 450/490.

ARÁN (Valle de) ** Lérida 𝟵𝟵𝟬 ⑨, 𝟰𝟮 ⑩②.

ARANDA DE DUERO Burgos 𝟵𝟵𝟬 ⑮ – 18 369 h. alt. 798 – Plaza de toros – ○ 947.

Ver : Iglesia de Santa María (fachada*). **Alred. :** Peñaranda de Duero (plaza Mayor* – Palacio de los Condes de Miranda*) NE : 18 km.

Madrid 160 – Burgos 82 – Segovia 117 – Soria 122 – Valladolid 93.

🏨 **Aranda,** San Francisco 51 ℱ 50 16 00 – 📶 ▥ 🚿wc ☎
Com 160 bc – ⊒ 35 – 48 hab 150/285 – P 440/500.

XX Casa Florencio, Arias de Miranda 14 ℱ 184, Espec. cordero asado.

XX **Mesón de la Villa,** Alejandro Rodríguez de Valcárcel 3 ℱ 50 10 25 – ❀
cerrado lunes noche – Com carta 250 a 380.

en la carretera de Burgos N I – ⊠ ℱ Aranda de Duero :

🏨 **Montermoso,** N : 4,5 km ⊠ apartado 159 ℱ 50 15 50 – 📶 ▥ 🖃 rest 🕾 🛁wc 🚿wc ☎ ☻. ❀ rest
Com 240 – ⊒ 60 – **53 hab** 250/500 – P 680/700.

🏨 **Los Bronces,** N : 1,5 km ℱ 50 08 50 – ▥ 🖃 rest 🕾 🛁wc ☎ ☻
Com 280 bc – ⊒ 60 – **29 hab** 365/625 – P 803/815.

🏨 **Hostería de Castilla,** N : 1,5 km ℱ 50 06 00 – ▥ 🖃 rest 🛁wc 🚿wc ☎ 🚐 ☻. ❀ rest
cerrado diciembre a febrero – Com 225 – ⊒ 45 – 31 hab 225/425 – P 638/650.

XX **Albergue M.I.T.** con hab, N : 1,5 km ℱ 50 00 50 – ▥ 🕾 🛁wc ☎ 🚐 ☻. ❀ rest
Com 260 – ⊒ 50 – 21 hab 350/450.

AUSTIN-MG-MORRIS-MINI av. Carlos Miralles 49 ☎ 50 11 34
CHRYSLER-SIMCA carret. N I km 155 ☎ 50 12 11
CITROEN av. Carlos Miralles 39 ☎ 50 01 60

RENAULT carret. N I km 160 ☎ 50 01 43
SEAT-FIAT carret. N I km 154 ☎ 50 0363
SEAT carret. N I km 161 ☎ 50 20 60

ARANJUEZ Madrid 990 ⑤ y ⑳ – 29 548 h. alt. 489 – Plaza de toros – ⊙ 91.

Ver : Palacio Real* : salón de porcelana**, parterre* – Jardín del Príncipe* (Casa del Labrador**, Casa de Marinos**).

M.I.T. pl. Santiago Rusiñol ☎ 891 04 27.

Madrid 47 – Albacete 201 – Ciudad Real 151 – Cuenca 146 – Toledo 44.

🏨 **Infantas** sin rest. con snack-bar, av. Infantas 4 ☎ 891 13 41 – ▥ 🚻wc 🚻wc 🕾. 🎇 ⬭ 40 – **40 hab** 180/300.

🍴 **Pastor,** José Antonio 13 ☎ 001 01 03 – ▥ 🔥 *cerrado 20 diciembre al 10 enero* – Com 160 – ⬭ 40 – 20 hab 150/285 – P 420/430.

XX Salones Príncipe, Glorieta del Príncipe 1 ☎ 294 39 09 – ▤ ❶ *temp.*

XX **Casa Pablo,** Hermanos Guardiola 20 ☎ 294 10 21, Decoración castellana – ▤. 🎇 Com carta 260 a 330.

X Chirón, Real 10 ☎ 294 10 58 – ▤.

X La Mina, Príncipe 21 ☎ 294 11 46, Decoración típica – ▤ ❶.

AUSTIN-MG-MORRIS-MINI carret. Andalucía km 46,5 ☎ 294 02 05
CHRYSLER-SIMCA carret. Andalucía 26 ☎ 294 02 07

CITROEN Infantas 4 ☎ 294 09 29
RENAULT av. Plaza de Toros 6 ☎ 294 10 83
SEAT carret. Andalucía km 44 ☎ 294 12 48

ARÁNZAZU Guipúzcoa 990 ⑥, 42 ④ – alt. 800.

Ver : Paraje* – Carretera* de Oñate a Aránzazu.

Madrid 411 – San Sebastián 80 – Vitoria 55.

🏨 **Hospedería** 🍽 (dirigida por las religiosas franciscanas), ✉ ☎ 78 11 65 Oñate, ⩽ montañas – ▥ 🍽 🚻wc 🚻wc. 🎇 Com 160 bc/220 bc – ⬭ 30 – 63 hab 165/275 – P 360/390.

ARAVACA Madrid 990 ⑥ y ⑳ – XX ver Madrid.

ARBUCIAS Gerona 990 ⑳, 43 ⑧ – 4 084 h. alt. 291.

Madrid 700 – Barcelona 70 – Gerona 55.

🏨 **Montsoliu** 🍽, Camprodón 90 ☎ 48, ⛓ – ▥ 🍽 🚻wc 🚻wc ❶. 🎇 rest *julio-15 septiembre* – Com 170 – ⬭ 40 – 34 hab 195/310 – P 455/495.

CITROEN Camprodón 41 ☎ 12

ARCHENA Murcia 990 ⑳ – 10 058 h. alt. 100 – Balneario – ⊙ 968.

Madrid 375 – Albacete 127 – Lorca 75 – **Murcia 24.**

🏨 **Termas** 🍽, Balneario de Archena N : 2 km ☎ 67 01 00 – 🛗 ▥ 🍽 🚻wc 🕾. 🎇 Com 305 – ⬭ 66 – **47 hab** 405/690 – P 910/970.

SEAT-FIAT av. Daniel Ayala ☎ 67 03 22

Los ARCOS Navarra 990 ⑥, 42 ⑭ – 1 796 h. alt. 444.

Alred. : Torres del Río (iglesia del Santo Sepulcro*) SO : 7 km.

Madrid 363 – Logroño 28 – Pamplona 64 – Vitoria 63.

🏨 **Mónaco,** pl. del Coso 22 ☎ 80 – 🛗 ▥ ▤ rest 🚻wc 🚻wc 🕾 🚗 Com 175 – ⬭ 40 – 18 hab 175/295 – P 443/470.

ARCOS DE JALÓN Soria 990 ⑮ – 4 309 h. alt. 827.

Alred. : Gargantas del Jalón* SE : 8 km.

Madrid 170 – Soria 93 – Teruel 184 – Zaragoza 156.

X **Oasis** con hab. carret. N II ☎ 48 – ▥ 🍽 🚻wc 🚻wc 🚗 ❶. 🎇 rest Com carta 190 a 380 – ⬭ 35 – **4 hab** 130/230.

AUSTIN-MG-MORRIS-MINI carret. N - km 170 ☎ 210
RENAULT carret. N II-km 169 ☎ 60

ARCOS DE LA FRONTERA Cádiz 990 ⑳ – 25 966 h.

Ver : Emplazamiento** – Plaza de España ⩽* – Iglesia de Santa María (fachada occidental*).

Madrid 588 – Cádiz 66 – Jerez de la Frontera 34 – Ronda 77 – **Sevilla 92.**

junto a la presa E : 3,5 km – ✉ ☎ Arcos de la Frontera:

XX Mesón del Brigadier, ☎ 215, ⩽ lago artificial.

sigue →

ARCOS DE LA FRONTERA

junto al lago artificial – ⊠ ⍟ Arcos de la Frontera :

🏠 Santiscal ⍟, E : 8 km ⍟ 157, ⋖ lago, « Típico cortijo andaluz », ⌿ – ⊪ ⍹ ⌷wc **P**
10 hab.

✗✗ Mesón de la Molinera ⍟ con bungalows, E : 6 km ⍟ 214, ⋖ lago y Arcos de la Frontera,
⌿ – ⊪ ⍹ ⌷wc **P**
20 bungalows.

CHRYSLER-SIMCA Ponce de León   RENAULT av. Miguel Mancheño 24 ⍟ 425
CITROEN Alférez Díaz ⍟ 461   SEAT av. Miguel Mancheño 34 ⍟ 188

ARENAL Alicante – 🏔, ✗ ver Jávea.

Los ARENALES DEL SOL Alicante – 🏠 ver Alicante.

El ARENAL Baleares 🗺 ⑲ – Ver Baleares (Mallorca) : Palma de Mallorca.

ARENAS DE SAN PEDRO Ávila 🗺 ⑭ – 6 234 h. alt. 509 – Plaza de toros.
Alred. : Cuevas del Aguila★ SE : 8 km.
Madrid 136 – Ávila 80 – Plasencia 119 – Talavera de la Reina 44.

🛎 Eva, carret. de Candeleda 1 ⍟ 248 – ⊪
   temp. – 46 hab.

CHRYSLER-SIMCA carret. de Candeleda ⍟ 86   RENAULT pl. José Antonio 6 ⍟ 108
CITROEN av. de los Toreros ⍟ 570   SEAT-FIAT carret. de Madrid ⍟ 400

☞ Utilice la Guía del año en curso.

ARENYS DE MAR Barcelona 🗺 ⑳, 🗺 ⑱ – 8 325 h. – Playa – ● 93.
🚉 de Llavaneras O : 8 km.
Madrid 668 – Barcelona 38 – Gerona 60.

🏨 **Raymond,** paseo Xifré 1 ⍟ 392 17 00, ⋖ playa – 🔔 ⊪ ⍹ ⌷wc ⊛. 🔦. ✗✗ rest
   Com 285 – ⍆ 75 – **31 hab** 435/700 – P 875/960.

🏨 **Carlos I** ⍟, av. Cataluña ⍟ 392 03 83, ⌿ – 🔔 ⊪ ⍹ ⌷wc ⍫wc. ✗✗ rest
   mayo-25 octubre – Com 190 – ⍆ 55 – 100 hab 250/430 – P 540/550.

🏨 **Floris,** playa Cassá 80 ⍟ 392 03 84 – 🔔 ⊪ ⍹ ⌷wc ⍫wc. ✗✗ rest
   Com 155 – ⍆ 45 – 32 hab 192/286 – P 488/535.

🏠 **Impala** ⍟, urbanización residencial Montmar 78 ⍟ 392 15 04, ⌿ – ⌷wc ⍫wc ⊛ **P**. ✗✗
   mayo-18 octubre – Com 230 – ⍆ 60 – 52 hab 250/500 – P 625/650.

🏠 **Carlos V,** av. Cataluña ⍟ 392 08 99 – ⍫wc **P**. ✗✗ rest
   junio-septiembre – Com 150 – ⍆ 50 – 50 hab 150/300 – P 390/400.

🏠 **Arymar,** carret. N II ⍟ 392 03 13, ⋖ puerto y mar – ⍫wc **P**. ✗✗
   mayo-25 octubre – Com 170 – ⍆ 45 – 48 hab 175/285 – P 400/425.

✗✗ ❀ **Portinyol,** Escollera de Levante ⍟ 392 00 09, ⋖ playa, Pescados y mariscos – 🍽. ✗✗
   cerrado Navidad – Com carta 525 a 990
   Espec. Bogavante Portinyol, Combinado de mariscos, Dorada Costa Brava.

   Ver también **Caldetas** SO : 2 km.

ARGENTONA Barcelona 🗺 ⑳, 🗺 ⑱ – 4 058 h. alt. 75.
Madrid 662 – Barcelona 32 – Mataró 4.

🏠 **Colón y Rest. Recó d'En Binu,** av. del Caudillo 14 ⍟ 23 – ⊪ ⍫wc. ✗✗ hab
   cerrado 15 octubre al 15 noviembre – Com (cerrado lunes) 150 – ⍆ 40 – 20 hab 130/310
   – P 400/425.

ARGUINEGUIN Las Palmas – ✗ ver Canarias (Gran Canaria).

ARINSAL Andorra 🗺 ⑨, 🗺 ⑥ – 🏠 ver Andorra (Principado de).

ARNEDILLO Logroño 🗺 ⑭ – 552 h. alt. 640 – Balneario – ● 941.
Madrid 297 – Calahorra 26 – **Logroño 61** – Soria 68.

🏨 **Balneario** ⍟, ⍟ 39 40 00, ✗✗ – 🔔 ⍹ ⌷wc ⍫wc ⊛ ⍨ **P**. ✗✗ rest
   15 junio-septiembre – Com 275 – ⍆ 60 – 177 hab 375/600 – P 725/825.

ARNEDO Logroño 🗺 ⑯, 🗺 ⑭⑮ – 9 809 h. alt. 550 – ● 941.
Madrid 309 – Calahorra 14 – **Logroño 49** – Soria 80.

🏨 **Victoria** Ⓜ, General Franco 113 ⍟ 38 01 00, ⋖ campo y montañas – 🔔 ⊪ 🍽 rest ⍹ ⌷wc
   ⊛. ✗✗
   Com 225 bc – ⍆ 50 – **48 hab** 250/450 – P 635/660.

🏨 **Virrey** Ⓜ, General Franco 27 ⍟ 38 01 50 – 🔔 ⊪ 🍽 rest ⍹ ⌷wc ⍫wc ⊛. ✗✗
   Com 200 – ⍆ 45 – 36 hab 285/495 – P 605/640.

ARO Gerona 990 ⑳, 43 ⑨ – Ver Playa de Aro.

ARRECIFE Las Palmas – 🏨🏨, 🏨, 🏠, ✗ ver Canarias (Lanzarote).

ARROYO DE LA MIEL Málaga – 🏠 ver Torremolinos.

ARTA (Cuevas de) Baleares 990 ㉚, 43 ⑳ – Ver Baleares (Mallorca).

ARTESA DE SEGRE Lérida 990 ⑲, 43 ⑥ – 3 139 h. alt. 400 – ⊙ 973.
Madrid 520 – Barcelona 141 – Lérida 50.

  🏛 **La Palma,** carret. de Agramunt 24 ⴕ 40 00 08 – ▥ ▥wc 🛏
    cerrado 23 diciembre al 7 enero – Com 130 – 🍽 40 – 33 hab 95/220 – P 300/315.

CITROEN carret. Agramunt 36 ⴕ 40 03 88   SEAT carret. Lérida-Puigcerdá km 48,5
RENAULT carret. Lérida km 48 ⴕ 40 00 31

ARTIES Lérida 990 ⑨, 42 ⑳ – 506 h.
Madrid 610 – Lérida 170 – Viella 6.

  ✗✗✗ **Hostería Don Gaspar de Portolá M.I.T.,** Mayor ⴕ 10, ≼ montañas, « Decoración
    regional » – 🅿. ✗ – Com 315.

El ASTILLERO Santander 42 ① – 9 142 h.
Alred. : Peña Cabarga ✗✗★★ SE : 8 km.
Madrid 392 – Bilbao 98 – Santander 9.

  🏠 **Las Anclas** sin rest, San José 7 ✉ El Astillero ⴕ 68 11 00 (ext. 454) Santander – 📶 ▥
    🛏wc ▥wc 🛁 🅿. ✗
    🍽 45 – **36 hab** 220/390.

ASTORGA León 990 ③④ – 11 794 h. alt. 869 – ⊙ 987.
Ver : Catedral* (retablo*) – Museo diocesano*.
M.I.T. Bajos del Ayuntamiento ⴕ 61 59 47.
Madrid 323 – León 47 – Lugo 185 – Orense 228 – Ponferrada 62.

  🏛 **Cantábrico,** pl. de la Aduana 1 ⴕ 61 52 50 – ▥ 🛁 🅿
    Com 200/250 – 🍽 45 – 29 hab 150/250 – P 475/500.

  ✗ Peseta, con hab, Sr. Ovalle 6 ⴕ 61 53 00 – ▥ ⌷
    19 hab.

AUSTIN-MG-MORRIS-MINI carret. Madrid-La Coruña   RENAULT carret. La Coruña km 326,6 ⴕ 61 62 31
ⴕ 61 52 59   RENAULT carret. La Coruña km 326,6 ⴕ 61 56 01
CHRYSLER-SIMCA cruce carret. N VI-N 120 ⴕ 61 68 81   SEAT-FIAT cruce carret. N VI-N 120 ⴕ 61 52 67
CITROEN carret. de León 48 ⴕ 61 63 81

ATAUN Guipúzcoa 42 ④ – ✗ ver Beasain.

AUSEJO Logroño 42 ⑭ – 821 h.
Madrid 328 – Logroño 29 – Pamplona 95 – Zaragoza 143.

  🏠 **Maite,** carret. N 232 ⴕ 25 – ▥ ▤ rest 🍽 🛏wc 🛁 🅿
    Com 175 bc – 🍽 40 – 24 hab 250/400 – P 550.

AVILA 🅿 990 ⑭ – 30 983 h. alt. 1 131 – Plaza de toros – ⊙ 918.
Ver : Murallas** – Catedral** (cabecera fortificada*, sacristía**, obras de arte**, sepulcro del
Tostado**) – Basílica de San Vicente** (portada occidental**, sepulcro de los Mártires**,
cimborrio*) – Monasterio de Santo Tomás* (mausoleo*, Claustro del Silencio*, sillería*,
retablo de Santo Tomás**) – Casa de los Deanes (tríptico*) Y **M** – Convento de San José
o Las Madres (sepulcros*) – Ermita de San Segundo (estatua*) Y **E.**
M.I.T. pl. Catedral 4 ⴕ 21 13 87.
Madrid 110 ① – Cáceres 228 ③ – Salamanca 100 ④ – Segovia 65 ① – Valladolid 112 ①.

Plano página siguiente

  🏨 **G. H. Palacio Valderrábanos** Ⓜ, pl. Catedral 6 ⴕ 21 10 25, Decoración elegante –
    ▤ 🛏. 🛁. ✗ rest   YZ **z**
    Com 330 – 🍽 90 – **73 hab** 600/990 – P 1 125/1 230.

  🏨 **Parador Raimundo de Borgoña M.I.T.,** Marqués de Canales de Chozas 16 ⴕ 21 13 40,
    Decoración castellana – 🅿. ✗ rest   Y **n**
    Com 280 – 🍽 60 – **27 hab** 360/530.

  🏨 **Encinar** ⌘ sin rest, con snack-bar, carret. de Toledo E : 1 km ⴕ 22 02 12, ≼ campiña y
    monte – ▥ 🍽 🛏wc ▥wc 🛁 🅿   por ①
    🍽 25 – **20 hab** 225/410.

sigue →

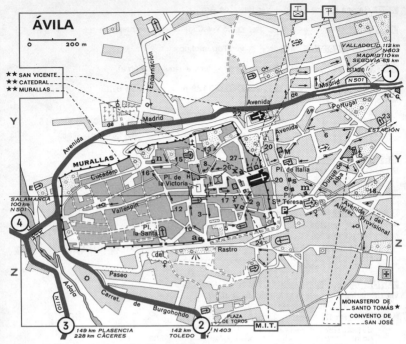

ÁVILA

0   200 m

★★ SAN VICENTE
★★ CATEDRAL
★★ MURALLAS

VALLADOLID 112 km
N 403
MADRID 110 km
SEGOVIA 65 km

ESTADIO

Madrid N 501 ①

POL. G.

ESTACIÓN 23

Avenida de Portugal

6

Avenida

Madrid

22

M

MURALLAS

Cucadero 13

n 8 27

16 26

Pl. de X a

la Victoria H

20 s

Pl. de Italia m

Vallespín E

12 17 3 V 20 Pl.

Pl. la Santa 9 Sta Teresa

10 a

Avenida del Alférez Provisional

18

SALAMANCA
100 km
N 501 ④

24

Rastro

del Paseo

Carret. de Burgohondo

③ 149 km PLASENCIA
228 km CÁCERES

PLAZA
DE TOROS

② 142 km
TOLEDO N 403

M.I.T.

MONASTERIO DE
SANTO TOMÁS ★
CONVENTO DE
SAN JOSÉ

Alemania	Z 2	Eduardo Marquina	Y 6	San Pedro del Barco	YZ 18
Generalísimo Franco	Z 9	Esteban Domingo	Y 8	San Segundo	Y 20
Reyes Católicos	YZ 17	General Mola (Plaza)	Z 10	San Vicente	Y 22
		Jimena Blázquez	Z 12	Santa Ana (Pl. de)	Y 23
Caballeros	Z 3	Lope Núñez	Y 13	Sonsoles (Bajada de)	Z 24
Calvo Sotelo (Plaza de)	Z 4	Marqués Canales	Y 15	Tomás Luis de Victoria	Y 26
Cardenal Pla y Deniel	Z 5	Ramón y Cajal	Y 16	Tostado	Y 27

🏨 **Rey Niño,** sin rest y sin 🚲, pl. de José Tomé 1 ☎ 21 14 04 – 🛗 🏛 🖙 🛏wc 🚿wc ☎ Z v
24 hab.

🏨 **Reina Isabel,** av. José Antonio 17 ☎ 22 02 00 – 🏛 🛏wc ☎. 🛇 por pl. de Santa Ana
Com 175 – 🚲 45 – 44 hab 225/390 – P 575/605.

🏨 **Santa Teresa y Rest. Mesón El Sol,** antigua carret. de Toledo ☎ 22 02 11, ≼ valle
y montañas – 🛗 🏛 🚿wc. 🛇 por ①
Com 150 bc – 🚲 50 – **15 hab** 185/300.

✕✕ **Caballeros,** Estrada 10 ☎ 21 31 73 Y s
Com carta 260 a 435.

✕ **Torreón,** Tostado 1 ☎ 21 31 71. En el sótano de un antiguo palacio señorial Y x
Com carta 305 a 465.

✕ **El Rastro,** pl. del Rastro 4 ☎ 21 12 19, Albergue castellano z a
Com carta 305 a 405.

✕ **Pepillo,** 1º piso, pl. Santa Teresa 12 ☎ 21 12 36 – 🍴. 🛇 YZ m
Com carta 180 a 340.

✕ **Piquío,** 1º piso, Estrada 2 ☎ 21 14 18 – 🍴 Y e
Com carta 185 a 350.

en la carretera de Salamanca por ④ : 1,5 km – ⊠ ☎ Ávila :

🏨 **Cuatro Postes,** ☎ 21 29 44, ≼ Ávila y sus murallas – 🛗 🏛 🖙 🛏wc ☎ 🅿. 🛇
Com 205/240 – 🚲 50 – 36 hab 225/405 – P 563/585.

AUSTIN-MG-MORRIS-MINI carret. de Valladolid CITROEN av. José Antonio 8 ☎ 21 29 77
☎ 22 22 00 RENAULT av. de Madrid 3 ☎ 21 19 09
CHRYSLER-SIMCA carret. de Madrid ☎ 22 05 00 SEAT-FIAT carret. de Madrid ☎ 22 07 21

P 340/380

Los **precios de la pensión** se consignan en la guía
a título indicativo.
Para una estancia, consulte siempre al hotel.

AVILÉS Oviedo 990 ④ – 81 710 h. alt. 13 – ✪ 985.

Alred. : Salinas ≪* NO : 5 km.

Madrid 463 – El Ferrol del Caudillo 280 – Gijón 25 – **Oviedo 28.**

XX   San Félix, con hab, av. de Lugo 48 ⋽ 56 51 46 – 🏩 🍽 🛁wc 🅿 🅿 – **18 hab.**

X   Mantido, av. de Lugo 11 ⋽ 56 49 38.

en la playa de Salinas NO : 5 km – ⊠ ⋽ Salinas :

🏨   **Esperanza,** General Franco 33 ⋽ 51 02 00 – 🏩 🍽 🛁wc 🅿. 🏵 rest
     Com 180 – 🍽 40 – 34 hab 150/350 – P 485/500.

🏨   San Cristóbal ⅏, Ramón y Cajal 26 ⋽ 37 – 🛁wc 🏬 🅿 – 10 hab.

XX   **Las Conchas,** Pablo Laloux – Edificio Espartal ⋽ 51 00 38, ≪ playa y mar
     Com 130 bc.

AUSTIN-MG-MORRIS-MINI   av. Gijón ⋽ 56 58 45
CHRYSLER-SIMCA   av. Conde de Guadalhorce 27
⋽ 56 54 40
CITROEN   Quirinal 8 ⋽ 56 31 71

FIAT-SEAT   av. Lugo 80 ⋽ 56 12 42
RENAULT   av. Conde de Guadalhorce 41 ⋽ 56 71 94
RENAULT   Calvo Sotelo 6 ⋽ 56 64 59
RENAULT   La Maruca 59 ⋽ 56 17 82

AYAMONTE Huelva 990 🅥, 37 ⑩ – 13 099 h. alt. 84 – Ver aduanas p. 14 y 15.

🚢 para Vila Real de Santo António (Portugal).

Madrid 680 – Beja 122 – Faro 53 – Huelva 50.

🏨   **Parador Costa de la Luz M.I.T.** ⅏, El Castillito ⋽ 183, ≪ Ayamonte, el Guadiana,
     Portugal y el Atlántico, ⅃ – 🍴 🅿 🏵 rest
     Com 315 – 🍽 65 – **20 hab** 580/760 – P 695/895.

🏨   **Don Diego** sin rest de octubre a junio, av. Carrero Blanco ⊬ 353, ≪ parque – 🛗 🏩 🍴 rest
     🍽 🛁wc 🅿 🅿. 🏵 rest
     Com 215 – 🍽 50 – **45 hab** 280/485 – P 630/665.

🏨   Marqués de Ayamonte, sin rest y sin 🍽, General Mola 14 ⋽ 261 – 🏩 🍽 🛁wc 🏬wc 🅿
     31 hab.

RENAULT   Ramón y Cajal ⋽ 421   SEAT   Ciprés 5 y 7 ⋽ 171

AYGUAFREDA Barcelona 43 ⑧⑱ – 1 813 h. alt. 404.

Madrid 637 – Barcelona 45 – Vich 19.

en la carretera N 152 S : 4 km – ⊠ Ayguafreda :

X   Tagamanent – 🅿.

AZPEITIA Guipúzcoa 990 ⑥, 42 ④ – 10 797 h. alt. 84 – Plaza de toros – ✪ 943.

Madrid 470 – Bilbao 70 – Pamplona 90 – San Sebastián 38.

🏨   Izarra, av. de Loyola ⋽ 81 11 03 – 🏩 🛁wc 🏬wc 🅿 – 32 hab.

en Loyola O : 1,5 km – ⊠ ⋽ Azpeitia :

XX   **Echaniz** con hab, ⋽ 81 20 04 – 🏩 🍽 🅿. 🏵
     Com carta 300 a 450 – 🍽 35 – 11 hab 160/300.

RENAULT   San Pelayo 7 ⋽ 81 14 09

BADAJOZ 🅿 990 🅥🅰, 37 ⑦ – 101 710 h. alt. 183 – Plaza de toros – ✪ 924 – Ver aduanas
p. 14 y 15.

M.I.T. pasaje de San Juan 1 ⋽ 22 27 63.

Madrid 403 ② – Cáceres 90 ① – Córdoba 265 ③ – Lisboa 241 ④ – Mérida 62 ② – Sevilla 223 ③.

Plano página siguiente

🏨   **Gran H. Zurbarán,** paseo Castelar ⋽ 22 37 41, ⅃ – 🍴 🚗 🅿. 🏦. 🏵 rest   AY **k**
     Com 350 – 🍽 75 – **113 hab** 660/875 – P 1 060/1 180.

🏨   **Río** sin rest, av. de Elvas ⋽ 22 51 25, ⅃ – 🛗 🏩 🍴 🍽 🛁wc 🅿 🅿   por ④
     🍽 60 – **90 hab** 330/540.

🏨   **Conde Duque** sin rest, Muñoz Torrero 29 ⋽ 22 46 41 – 🛗 🏩 🍴 🍽 🛁wc 🏬wc 🅿. 🏵   BZ **a**
     🍽 30 – **35 hab** 225/430.

🏨   Montescristo, sin rest y sin 🍽, Afligidos 4 ⋽ 22 13 40 – 🛗 🏩 🍽 🛁wc 🏬wc 🅿   BCZ **e**
     16 hab.

XXX   **Caballo Blanco,** av. General Rodrigo 9 ⋽ 23 59 02 – 🍴. 🏵   ABZ **u**
     cerrado del 11 al 31 agosto – Com carta 420 a 780.

XX   El Águila, 1º piso, pl. de España 16 ⋽ 22 00 59.   BZ **n**

XX   Colón, 1º piso, pl. de España 11 ⋽ 22 00 39 – 🍴.   BZ **r**

X   **Sótano,** Virgen de la Soledad 8 ⋽ 22 00 19 – 🏵   BY **a**
     Com carta 180 a 450.

AUSTIN-MG-MORRIS-MINI   carret. de la Corte 1 ⋽
22 45 71
CHRYSLER-SIMCA   Antonio Masa 26 ⋽ 23 13 00
CITROEN   carret. de Madrid 56 ⋽ 22 39 27

RENAULT   carret. de Madrid km 401 ⋽ 22 44 46
SEAT   av. de Elvas 29 ⋽ 22 30 43
SEAT-FIAT   M. Alfaro 3 ⋽ 22 03 48

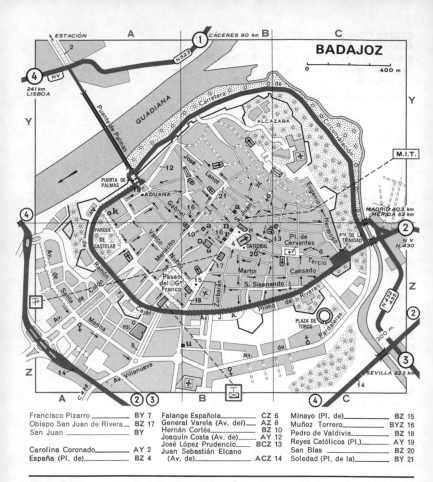

BADAJOZ

CÁCERES 90 km

0 — 400 m

ESTACIÓN

241 km
LISBOA

GUADIANA

ALCAZABA

M.I.T.

MADRID 403 km
MERIDA 62 km

N V
N 430

CATEDRAL

Pl. de Cervantes

PLAZA DE TOROS

SEVILLA 223 km

Francisco Pizarro	BY 7	Falange Española — CZ 6
Obispo San Juan de Rivera	BZ 17	General Varela (Av. del) — AZ 8
San Juan	BY	Hernán Cortés — BZ 10
		Joaquín Costa (Av. de) — AY 12
Carolina Coronado	AY 2	José López Prudencio — BCZ 13
España (Pl. de)	BZ 4	Juan Sebastián Elcano
		(Av. de) — ACZ 14

Minayo (Pl. de)	BZ 15
Muñoz Torrero	BYZ 16
Pedro de Valdivia	BZ 18
Reyes Católicos (Pl.)	AY 19
San Blas	BZ 20
Soledad (Pl. de la)	BY 21

BADALONA Barcelona 𝟵𝟵𝟬 ⑳, 𝟰𝟯 ⑱ – 162 888 h. – ✪ 93.
Madrid 638 – Barcelona 8,5 – Mataró 20.

🏨 **Miramar,** Santa Madrona 60 ℡ 380 30 48, ≤ mar – 🛗 ▥ 🍴 ⇔wc 🏧wc ☎ 🚗. 🎿
Com 200 bc – ☲ 45 – 42 hab 190/380 – P 635.

AUSTIN-MG-MORRIS-MINI San Bruno 172-180 ℡
380 43 40
CHRYSLER-SIMCA av. Marqués de Montroig 301 ℡
389 20 92

CITROEN 27 Enero 55 ℡ 380 25 97
FORD General Primo de Rivera 86 ℡ 380 04 29
RENAULT av. Alfonso XIII - 1 ℡ 380 13 19
SEAT Hermano Julio 10 ℡ 380 38 40

BAENA Córdoba 𝟵𝟵𝟬 ㉜ – 19 781 h. alt. 407 – ✪ 957.
Madrid 408 – Córdoba 63 – Granada 109 – Jaén 73 – Lucena 36.

🏨 Iponuba, Nicolás Alcalá 5 ℡ 67 00 75 – ▥ 🍽 rest ⇔wc 🏧wc ☎ 🚗. 🎿
40 hab 140/325.

AUSTIN-MG-MORRIS-MINI av. Padre Villoslada 26
℡ 67 00 04
CHRYSLER-SIMCA Coronel Adolfo de los Ríos 30
℡ 67 08 60

RENAULT General Morales 1 ℡ 67 07 16
SEAT carret. N 432 km 338,7 ℡ 67 03 00

BAEZA Jaén 𝟵𝟵𝟬 ㉕ – 14 834 h. alt. 760 – Plaza de toros.
Ver : Centro monumental★★ : plaza de los Leones★, catedral (interior★), palacio de Jabalquinto★,
ayuntamiento★ – Iglesia de San Andrés★ (tablas góticas★).
M.I.T. Casa del Pópulo.
Madrid 321 – Jaén 48 – Linares 20 – Úbeda 9.

BAGUR Gerona 990 ㉒, 43 ⑨⑩ – 2 234 h. – ☼ 972.

🏌 de Playa de Pals N : 11,5 km por Pals.

Madrid 757 – Gerona 48 – Palamós 17.

🏨 **Bagur,** Comas y Ros 8 �🀰 31 22 07 – ▥ 🍽 ⌂wc ☎ 🅿. ⅜ rest
   marzo-octubre – Com 200/225 – ⌷ 60 – 37 hab 200/400 – P 525/550.

🏠 **Plaja,** Calvo Sotelo 4 ⟟ 31 21 97 – ▥ 🍽 ⌂wc ⏢wc 🅿. ⅜
   cerrado 19 diciembre al 24 enero – Com 180 – ⌷ 50 – 18 hab 160/350 – P 480/500.

✕✕ Mas Coman Gau, carret. de Aiguablava – 🅿.

   en la playa de Sa Riera NE : 2 km – ✉ ⟟ Bagur :

🏠 **Sa Riera** ⌕, ⟟ 31 30 00 – ▥ 🍽 ⌂wc ⏢wc ☎ 🅿. ⅜ rest
   22 marzo-5 octubre – Com 250 – ⌷ 60 – 37 hab 265/442 – P 620/665.

   en Alguafreda NE : 5 km – ✉ ⟟ Bagur :

🏨🏨 **Cap Sa Sal** Ⓜ ⌕, ⟟ 31 21 00, ≼ mar, « Lujosa instalación sobre las rocas dominando la
   cala de Aiguafreda – extenso pinar », ⨺ – ⇔ 🅿. ⚖. ⅜ rest
   16 mayo-25 septiembre – Com 625 – ⌷ 125 – **230 hab** 1 600/2 800 – P 2 550/2 750.

   en Aigua Blava SE : 3,5 km – ✉ ⟟ Bagur :

🏨🏨 **Parador de la Costa Brava M.I.T.** ⌕, ⟟ 31 21 62, « Magnífica situación con ≼ cala » –
   ▤ 🅿. ⅜ rest
   Com 315 – ⌷ 65 – **40 hab** 580/760 – P 695/895.

🏨🏨 **Aigua Blava** ⌕, playa de Fornells ⟟ 31 20 58, « Parque con flores, ≼ cala », ✕✕, ⨺ –
   ▤ rest 🅿. ⅜
   22 marzo-21 octubre – Com 310 – ⌷ 65 – **75 hab** 500/820 – P 960/1 000.

🏨 **Bonaigua** ⌕, sin rest, playa de Fornells ⟟ 31 20 50, ≼ mar y montaña – 🕴 ▥ 🍽 ⌂wc
   ☎ ⇔. ⅜
   20 marzo-20 octubre – ⌷ 65 – **47 hab** 450/625.

El BAIELL Gerona – 🏨 ver Ribas de Freser.

BAILÉN Jaén 990 ㉖ – 13 233 h. alt. 349.

Madrid 296 – Córdoba 103 – Jaén 39 – Úbeda 41.

   en la carretera de circunvalación N IV – ✉ ⟟ Bailén :

🏨🏨 **Albergue M.I.T.,** ⟟ 372, « Jardín con flores », ⨺ – ▤ 🅿. ⅜ rest
   Com 315 – ⌷ 65 – **40 hab** 580/760 – P 695/895.

🏨🏨 **Motel Don Lope de Sosa,** ⟟ 493, ⨺ – ▤ 🅿
   Com 325 – ⌷ 75 – **27 hab** 455/745 – P 1 025/1 105.

🏨 Zodíaco, ⟟ 1051 – ▤ 🍽 ⌂wc ☎ ⇔ 🅿
   52 hab.

🏨 Sur, ⟟ 221 – ▥ ▤ 🍽 ⌂wc ⏢wc ☎ 🅿
   17 hab.

   en la carretera N IV O : 6,5 km – ✉ Bailén :

🏨 Delicias – ▥ ▤ rest 🍽 ⌂wc ⏢wc 🅿
   16 hab.

CHRYSLER-SIMCA, SEAT-FIAT carret. N IV km 295   FIAT-SEAT carret. N IV km 295 ⟟ 30
⟟ 305

BAJAMAR Santa Cruz de Tenerife – 🏨🏨, ✕ ver Canarias (Tenerife).

BALAGUER Lérida 990 ⑥, 43 ⑮ – 11 676 h. alt. 233 – ☼ 973.

Madrid 497 – Barcelona 149 – Huesca 125 – Lérida 27.

🏨🏨 **Conde Jaime de Urgel** (colaborador **M.I.T.**) Ⓜ, Urgel 2 ⟟ 44 56 04, ⨺ – ▤ ⇔ 🅿.
   ⅜ rest
   Com 320 – ⌷ 75 – **60 hab** 410/750 – P 975/1 010.

AUSTIN-MG-MORRIS-MINI av. Caudillo 6 ⟟ 44 52 69   FORD av. Caudillo 47 y 49 ⟟ 44 54 84
CHRYSLER-SIMCA Urgel 46 ⟟ 44 55 99   RENAULT Urgel 90 ⟟ 44 53 67
CITROEN Urgel 34 ⟟ 44 54 38   SEAT-FIAT Urgel 19 ⟟ 44 50 91

Mit diesem Führer benutzen Sie die **Michelin-Karten :**

Nr 990 SPANIEN-PORTUGAL Hauptverkehrsstraßen. Maßstab 1/1 000 000,

Nr 42 und 43 SPANIEN (Abschnittskarten). Maßstab 1/400 000,

Nr 37 PORTUGAL. Maßstab 1/500 000.

BALEARES (Islas) ★★★ 🔲🔲🔲 ㉘㉙㉛, 🔳 ⑩⑰ a ㉓ — 558 287 h.

🚗 ver : Palma de Mallorca, Mahón, Ibiza.

🚢 para Baleares ver : Alicante, Barcelona, Valencia.

en Baleares ver : Palma de Mallorca, Mahón, Ibiza, Alcudia (Mallorca), Ciudadela (Menorca).

MALLORCA

Alcudia — 4 039 h. — Playa en Puerto de Alcudia — Plaza de toros — ⊙ 971.
Palma 57.

🚢 para Ciudadela (Menorca) : Cía Aucona, Lazareto 1 ☎ 54 53 42.

Hoteles : ver Puerto de Alcudia SE : 3 km.

Artá (Cuevas de) ★★★. — Palma 80 – Artá 10.

Bañalbufar — 511 h. — ⊙ 971.
Palma 25.

🏨 **Mar i Vent** ⑤, José Antonio 49 ☎ 61 00 25, ≤ mar y montaña, ♨ – ▥ ⑨ 🛁wc ⇐ 🅿. ❄
Com 175/225 – � 50 – 15 hab 240/350 – P 485/575.

Bendinat (Costa de) — ✉ ☎ Palma – ⊙ 971.
Ver situación p. 88

🏨 **Bendinat** ⑤, ☎ 67 52 54, « Bungalows en un jardín con agradables terrazas », ✕ – ▥
⑨ 🛁wc ☎ 🅿. ❄ rest
Com 275 – ⊑ 60 – **30 hab** 400/750 – P 775/800.

en Illetas – ✉ ☎ Palma :

🏨 De Mar ⑤, ☎ 23 18 46, ≤ mar y costa, « Bonito jardín con arbolado », ♨ climatizada –
▤ 🅿. ⚑
136 hab.

🏨 G. H. Bonanza Playa Ⓜ ⑤, ☎ 23 97 45, ≤ mar, « Amplia terraza con ♨ al borde del mar »
– ▤ 🅿. ⚑
300 hab.

🏨 **G. H. Albatros** ⑤, carret. de Illetas ☎ 23 35 40, Telex 68545, ≤ mar y costa, ✕, ♨ climatizada – ▤. ❄
Com 300 – ⊑ 70 – **119 hab** 480/940 – P 1 005/1 015.

🏨 Bonanza ⑤, ☎ 23 97 45, ≤ mar, « Bonito jardín con arbolado », ♨ climatizada – ▤ rest
🅿 – **139 hab.**

🏨 **Illetas** ⑤, ☎ 23 35 45, « Hermosas terrazas con ≤ mar y costa », ♨ – ▤ rest. ❄
Com 275 – ⊑ 70 – **62 hab** 435/670 – P 785/885.

Cala de San Vicente – ✉ ☎ Pollensa.
Ver : Paraje*.
Palma 59 – Pollensa 7.

🏨 **Molins** ⑤, ☎ 53 02 00, ≤ Cala Molins, ✕, ♨ climatizada – ▤ rest 🅿. ❄
cerrado 6 enero al 8 febrero – Com 285 – ⊑ 65 – **90 hab** 475/740 – P 820/900.

Cala d'Or – ✉ Santany ☎ centralilla de Cala d'Or.
Ver : Paraje**.
Palma 61.

🏨 Rocador ⑤, ☎ 65 70 75, ≤ cala, « Bonito jardín con flores entre los pinos », ♨ – ▥ ⑨
🛁wc ☎ 🅿
temp. – **91 hab.**

🏨 **Cala Gran** ⑤, ☎ 65 71 00, ≤ cala, ♨ – ▥ ⑨ 🛁wc ▥wc ☎. ❄
7 marzo-noviembre – Com 185 – ⊑ 64 – **77 hab** 280/490 – P 585/620.

🏨 **Cala d'Or** ⑤, ☎ 65 72 49, « Entre los pinos, terrazas con flores » – ▥ ⑨ 🛁wc 🅿. ❄ rest
mayo-octubre – Com 150 – ⊑ 39 – 27 hab 150/300 – P 450.

✕✕✕ Playa d'Or ⑤ con bungalows, ☎ 65 72 05, ≤ cala, ♨ – ▥ ▤ rest ⑨ 🛁wc 🅿
temp. – Com 300 bc – 26 bungalows.

✕ Los Arcos, av. Porto Petro.

Cala Ratjada – ✉ ☎ Capdepera – ⊙ 971.
Alred. : Capdepera (murallas ≤*) O : 2,5 km.
Palma 80.

🏨 **Aguait** ⑤, av. de los Pinos ☎ 56 34 08, ≤ mar, ✕, ♨ – 🅿. ❄
abril-octubre – Com 190 – ⊑ 50 – **156 hab** 260/420 – P 510/560.

🏨 **Son Moll** ⑤, Tritón ☎ 56 31 00, ≤ playa, ♨ – ❄
14 febrero-octubre – Com 190 – ⊑ 50 – **118 hab** 260/420 – P 510/560.

🏛 **Serrano** 🦪, playa Son Moll ☎ 56 33 50, ≼ mar, ☒ – 📳 ▥ 🍷 ⇔wc ☎. ⬥
Com 135 – ☲ 40 – 42 hab 215/355 – P 430/465.

🏠 **Tampico,** Leonor Servera 27 ☎ 56 36 04, ≼ puerto y mar – 🍷 ⇔wc ▥wc. ⬥
abril-octubre – Com 105 – ☲ 39 – 30 hab 95/235 – P 310/330.

%% **Ses Rotges** con hab, Alsedo ☎ 56 31 08, « Comedor rústico » – ▥ 🍷 ⇔wc ☎. ⬥
cerrado 11 enero-febrero – Com carta 320 a 550 – ☲ 50 – 12 hab 250/500 – P 600.

%% **Es Molí de Ca'n Pebre,** carret. de Capdepera O : 1 km ☎ 56 36 71, « Antiguo molino
acondicionado » – 🅿
cerrado lunes mediodía, noviembre y días de semana de diciembre a marzo – Com carta
250 a 500.

Calas de Mallorca
Palma 64.

en Cala Antena – ⊠ Manacor ☎ Cala Murada :

%% La Carreta, 1° piso, ☎ 57 32 63 – 🅿.

% Cala Antena, ☎ 57 32 70 – 🅿.

en Cala Domingos :

🏨 María Eugenia 🦪, ⊠ Manacor ☎ 57 32 77 Cala Murada, ≼ mar, ☒ – ▤ rest 🅿
temp. – **203 hab.**

La Calobra – ◍ 971.
Ver : Paraje* – Carretera de acceso*** – Torrente de Pareis*. **Alred. :** Desfiladero
de Gorch Blau ≼* SE : 10 km.
Palma 63.

🏛 **La Calobra** 🦪, ⊠ apartado 35 Sóller ☎ 51 70 16 La Calobra, ≼ cala – 📳 🍷 ⇔wc ☎. ⬥
abril-octubre – Com *(abierto todo el año)* 190 – ☲ 50 – 55 hab 230/385 – P 522/560.

Ca'n Picafort – 50 h. – ◍ 971.
Palma 56.

🏛 **Alomar,** Paseo Colón ⊠ Santa Margarita ☎ 52 70 54 Ca'n Picafort, ≼ mar, ☒ – 📳 🍷
⇔wc. ⬥
abril-octubre – Com 160/195 – ☲ 50 – 125 hab 200/320 – P 400/460.

Colonia de San Jorge – ⊠ ☎ Campos del Puerto.
Palma 52.

🏠 Lemar, Bonanza 1 ☎ 65 51 78, ≼ mar – ⇔wc ▥wc
temp. – **90 hab.**

Deyá – 423 h. alt. 184 – ◍ 971.
Ver : Paraje*. **Alred. :** Son Marroig ≼* O : 3 km.
Palma 29 – Sóller 9.

🏨 Es Molí 🦪, carret. de Valldemosa 1 km ☎ 63 90 00, ≼ valle y mar, « Bonito jardín esca-
lonado », ⬥, ☒ climatizada – ▤ 🅿
temp. – **73 hab.**

Drach (Cuevas del) ***
Palma 63 – Porto Cristo 1.

Hoteles y restaurantes : ver Porto Cristo N : 1 km.

Estellenchs – 411 h. – ◍ 971.
Palma 33 – Andraitx 18 – Bañalbufar 8.

🏠 **Maristel** 🦪, Eusebio Pascual 5 ☎ 61 02 82, ≼ montañas, ☒ – ▥ 🍷 ⇔wc ▥wc 🚗
Com 150 – ☲ 35 – 64 hab 150/250 – P 350/375.

en la carretera de Andraitx O : 4 km – ⊠ ☎ Estellenchs.

%% Es Grau, ☎ 61 02 70, ≼ acantilados y mar – 🅿.

Formentor (Cabo de)
Ver : Carretera*** de Puerto de Pollensa al Cabo Formentor – Mirador d'Es Colomer***
– Cabo Formentor*** – Playa Formentor*.
Palma 80 – Puerto de Pollensa 21.

🏨 **Formentor** 🦪, ⊠ ☎ 53 13 00 Puerto de Pollensa, Telex 68523, ≼ bahía y montañas,
« Espléndida situación entre los pinos, magníficas terrazas con flores », ⬥, ☒ climatizada,
🎾 – ▤ 🅿. ⬥ rest
Com 600 – ☲ 100 – **133 hab** 1 300/2 000 – P 2 000/2 300.

BALEARES (Islas)

Magaluf – ⊠ ⅌ Palma – ☉ 971.
Palma 16.

🏨 Guadalupe Ⓜ ⑤, ⅌ 68 19 58, Telex 68539, ⬛, ⌇ climatizada – 🍽 rest Ⓟ – 488 hab.

🏨 **Coral Playa** ⑤, ⅌ 68 05 62, ≼ mar, costa y playa, ⌇ climatizada – 🍽 rest Ⓟ. 🛁. ❀
Com 275 – ⇌ 65 – **184 hab** 630/930 – P 835/990.

🏨 **Barbados** ⑤, ⅌ 68 05 50, Telex 68539, ≼ mar, ❀. ⌇ climatizada – 🍽 rest Ⓟ. ❀
Com 275 – ⇌ 65 – **428 hab** 695/ 1 060 – P 1 145/1 310.

🏨 **Antillas** ⑤, ⅌ 681500,
Telex 68539, ≼ mar, ⌇
climatizada – 🍽 rest Ⓟ.
🛁. ❀
Com 275 – ⇌ 65 – **332
hab** 630/930 – P 835/
990.

🏨 **Pax** ⑤, Notario Alema-
ny ⅌ 68 03 12, ≼ mar,
⌇ climatizada – Ⓟ. ❀
Com 180 – ⇌ 65 – **161
hab** 300/480 – P 600/
660.

🏨 **Jamaica** ⑤, ⅌ 68
13 00, Telex 68689,
« Bonita terraza con
⌇ climatizada ». ❀ –
🍽 rest Ⓟ. ❀
Com 200 – ⇌ 60 – **308
hab** 400/600 – P 600/
700.

🏨 **Atlantic,** ⑤, ⅌ 68 02
08, ≼ mar, « Gran ter-
raza entre los pinos ».
⌇ climatizada – 🍽 rest
Ⓟ. ❀
marzo - noviembre –
Com 260 – ⇌ 60 – **80
hab** 450/770 – P 870/
935.

🏨 **Flamboyán** ⑤, ⅌ 68 04 62, ≼ mar, ⌇ – 🛗 🍽 ⌂wc ☎ Ⓟ. ❀
Com 300 – ⇌ 80 – **78 hab** 410/810 – P 955.

Orient
Palma 31.

🏚 **De Muntanya** ⑤, carret. Buñola-Alaró ⊠ Buñola, ≼ montañas – 🎱 🍽wc. ❀
cerrado enero – Com 150 – ⇌ 35 – 15 hab 125/250 – P 375/400.

Paguera – 90 h – ☉ 971.
Ver : Paraje*. Alred. : Cala Fornells (paraje*) SO : 1,5 km.
Palma 24.

🏨 **Villamil,** carret. de Andraitx 22 ⅌ 68 60 50, Telex 68841, ≼ playa, « Bonita terraza con ⌇
climatizada ». ❀ – 🍽 Ⓟ. ❀
Com 350 – ⇌ 100 – **102 hab** 680/1 360 – P 1 300.

🏨 **Sunna** ⑤, Gaviotas ⅌ 68 67 50, ≼ pinar y mar, ⌇ climatizada – 🍽 rest. ❀ rest
Com 300 – ⇌ 65 – **75 hab** 600/900 – P 925/1 075.

🏚 Baney ⑤, Gaviotas ⅌ 68 67 00, ⌇ – 🛗 🎱 ☞ ⌂wc 🍽wc ☎ Ⓟ – temp. – **68 hab.**

🏚 Bahía Club, carret. de Andraix, ⅌ 68 61 00, ≼ pinar, « Terrazas con flores », ⌇ climatizada
– 🎱 ☞ ⌂wc ☎ Ⓟ
55 hab.

en Cala Fornells SO : 1,5 km – ⊠ ⅌ Paguera :

🏨 Coronado ⑤, ⅌ 68 68 00, ≼ cala y mar, « Rodeado de pinos », ⌇ climatizada – 🍽 Ⓟ
temp. – **110 hab.**

| Para os 🏨🏨, 🏨, 🏨, não damos detalhes sobre a instalação uma vez que estes hotéis possuem, em geral, todo o conforto. | ⌂wc 🍽wc ☞ ☎ 🛗 |

88

Palma de Mallorca Ⓟ – 234 098 h. – Playas : Portixol DX, Ca'n Pastilla por ④ : 10 km, San Antonio por ④ : 10 km y El Arenal por ④ : 14 km – Plaza de Toros – ❁ 971.

Ver : Catedral★★ – Lonja★ – Barrios antiguos : Iglesia de San Francisco★, Casa de los marqueses de Sollerich (patio★) – Pueblo Español★.

Alred. : Castillo de Bellver★ (⁂★★) BV.

ⓝ de Son Vida – BU – NO : 6 km.

✈ de Palma de Mallorca por ④ : 11 km ☎ 22 33 72 – Iberia : Archiduque Luis Salvador 6 ☎ 25 20 66 GY.

⚓ para la Península, Menorca e Ibiza : Cⁱᵃ Aucona, paseo del Muelle ☎ 22 67 40, Telex 68555 EZ.

M.I.T. av. Jaime III - 56 ☎ 21 22 16 y en el aeropuerto ☎ 26 08 03.

R.A.C.E. (Delegación del R.A.C. de Cataluña) Marqués de la Cenia 87 ☎ 23 73 46.

Planos páginas siguientes

En la ciudad :

🏨 **Saratoga**, paseo Mallorca 4 ☎ 22 72 40, ⌧ climatizada – 🍴 rest   EY **s**
92 hab.

🏨 **Jaime III**, paseo Mallorca 50 ☎ 22 59 43 – 🍴 rest. ⁂   EY **n**
Com 215 – ⌧ 60 – **88 hab** 360/560 – P 630/710.

🏨 **Jaime I**, paseo Mallorca 15 ☎ 23 06 43, ⌧ – 🍴 rest. ⁂ rest   EY **r**
Com 215 – ⌧ 60 – **140 hab** 485/700 – P 635/770.

🏨 **Almudaina** sin rest, con snack-bar, av. Jaime III-57 ☎ 22 73 40 – 🍴. ⁂   EFY **a**
⌧ 65 – **80 hab** 400/725.

🏨 **Drach**, Font y Monteros 51 ☎ 22 31 46, Telex 68539 – |❄| 🎬 🍴 rest 🔔 🛁wc ⏰   GY **v**
62 hab.

🏨 **Palladium** sin rest, con snack-bar, paseo Mallorca 180 ☎ 21 28 41 – |❄| 🎬 🍴 🔔 🛁wc 🛁wc
⏰. ⁂   EY **z**
⌧ 60 – **53 hab** 410/720.

🏨 **Nácar** sin rest, con snack-bar, av. Jaime III-125 ☎ 22 26 41 – |❄| 🎬 🔔 🛁wc ⏰.
⁂   EY **e**
⌧ 65 – **60 hab** 275/550.

🏨 **Capitol**, pl. del Rosario 8 ☎ 22 25 04 – |❄| 🎬 🍴 rest 🔔 🛁wc 🛁wc ⏰. ⁂   FZ **c**
Com 160 – ⌧ 40 – 72 hab 335/535 – P 535.

🏨 **Club Náutico** 🦪, muelle de San Pedro ☎ 22 14 05, ≤ puerto deportivo, ⌧ – 🎬 🔔 🛁wc ⏰   EZ **k**
35 hab.

XXX **Antonio**, paseo Generalísimo Franco 21 ☎ 22 26 13, « Decoración estilo 1900 » – 🍴. ⁂   FY **b**
Com carta 470 a 680.

XX **Casa Sophie**, Apuntadores 62 ☎ 22 60 86, Rest. francés   FZ **u**
cerrado domingo y 5 diciembre al 6 enero – Com carta 270 a 540.

XX **La Broche**, Asprer 3 ☎ 22 10 65, Cocina francesa, Decoración rústica – 🍴   FY **m**
Com carta 255 a 355.

X **Puerto**, paseo de Sagrera 5 ☎ 21 35 37 – ⁂   EZ **y**
cerrado martes y febrero – Com carta 215 a 455.

X **Casa Gallega**, 1º piso, Pueyo 6 ☎ 22 61 82, Rest. gallego – 🍴. ⁂   GY **a**
Com carta 190 a 440.

X **Gina**, pl. de la Lonja 9 ☎ 21 72 06 – 🍴. ⁂   EZ **a**
cerrado miércoles – Com carta 165 a 380.

X **Los Gauchos**, San Magín 168 ☎ 28 00 23, Espec. latino-americanas – 🍴   EY **f**
cerrado jueves – Com *(sólo cena en verano)* carta 355 a 550.

Al Oeste de la bahía :

al borde del mar :

🏨🏨 **Victoria** Ⓜ, Calvo Sotelo 125 ☎ 23 25 42, Telex 68558, ≤ ciudad y bahía, ⌧ climatizada
– 🍴 ❷. 🅰. ⁂   BV **u**
Com 480 – ⌧ 75 – **170 hab** 1 150/2 300 – P 1 630.

🏨🏨 **Fenix**, paseo Marítimo ☎ 23 24 44, Telex 68558, ≤ bahía, « Atractivo jardín tropical »,
⌧ climatizada – 🍴 ❷. ⁂   BV **e**
Com 480 – ⌧ 75 – **96 hab** 1 365/1 760 – P 1 565/1 650.

🏨🏨 **Meliá Mallorca**, Monseñor Palmer 5 ☎ 23 37 40, Telex 68538, ≤ bahía y puerto, ⌧ climatizada – 🍴. 🅰   CV **z**
303 hab.

🏨🏨 **Mediterráneo Gran H.**, pl. Mediterráneo 4 ☎ 23 27 45, Decoración clásica, mobiliario de estilo, « Terrazas con ≤ bahía y ciudad », ⌧ climatizada – 🍴. ⁂   BVX **u**
Com 400 – ⌧ 75 – **120 hab** 825/1 250 – P 1 200/1 400.

sigue →

BALEARES (Islas) –
Palma de Mallorca

🏨 **Bellver,** paseo Marítimo 97 ☎ 23 51 42, Telex 68539, ≤ bahía y ciudad, ⌁ climatizada – ▤. 🛁. ⚘ CV **v**
Com 290 – ⌑ 70 – **393 hab** 700/1 160.

🏨 **Reina Constanza,** paseo Marítimo ☎ 23 76 45, ≤ puerto y bahía, ⌁ – ▤ 🅿. 🛁. ⚘ rest
Com 270 – ⌑ 70 – **97 hab** 480/880 – P 930/970.   BX **x**

🏨 **Mirador,** paseo Marítimo 95 ☎ 23 20 46, ≤ bahía – ⚘   CV **x**
Com 250 – ⌑ 70 – **78 hab** 400/625 – P 762/850.

XXXX **La Caleta,** Marqués de la Cenia 147 ☎ 23 27 51, ≤ bahía y ciudad, ⌁ – ▤.   BV **n**
Com carta 550 a 775.

XX Le Relais del Club de Mar, paseo Marítimo ☎ 23 64 40 – 🅿.   BX **n**

en Terreno – BX – ⊠ ☎ Palma :

🏨 **Araxa** ⌂, Alférez Cerdá 42 ☎ 23 16 40, « Jardín con ⌁ » – ▤ rest ⚘   BV **h**
Com 325 – ⌑ 85 – **79 hab** 540/910 – P 995/1 080.

🏨 Rex, Luís Fabregas 8 ☎ 23 03 65, ⌁ climatizada   BV **a**
80 hab.

🏨 Madrid, Garita 60 ☎ 23 33 40, ≤ bahía y puerto, ⌁ – ▤ rest
84 hab.   BX **p**

🏨 **El Paso,** Álvaro de Bazán 13 ☎ 23 41 40, Telex 68621, ⌁ climatizada – ▥ ▥ 🍴 ⌁wc ☏. ⚘ rest   BV **b**
Com 150 – ⌑ 45 – 210 hab 235/410 – P 485/515.

★ PUEBLO ESPAÑOL
★ CASTILLO DE BELLVER

7.5 km C'AS CATALÁ
14 km PALMA NOVA
30 km ANDRAITX

Adrián Ferrán	DV 2
Andrea Doria	BV 5
Arquitecto Bennassar (Av. del)	CU 10
Arzobispo Aspargo	DV 12
Balmes	CU 13
Capitán Vila	DV 17
Duquesa de la Victoria	DV 20
Espartero	CV 21
Fray Junípero Serra	BCV 23
General Ricardo Ortega	DV 25
Industria	CV 29
Juan Crespi	CV 32
Juan Maragall	CDV 34
Luca de Tena	DV 35
Manuel de Los Herreros	DV 36
Marqués de la Cenia	BCV 37
Médico J. Darder	DV 38
Pedro Garau (Pl.)	DV 41
Puente (Pl.)	CV 44
Quetglas	CV 45
Rosselló y Cazador	CU 52
Teniente Coronel Franco (Pl.)	DV 68
Teniente Juan LLobera	CV 70
Teniente Lizasoain	CV 71
Teniente Sánchez Bilbao	DV 74

🏨 **Villa Río,** Calvo Sotelo 335 ☎ 23 33 46, ≤ bahía, ⌁ – ▥ ▥ ☏ ⌁wc ☏. ⚘   BX **d**
Com 200 – ⌑ 45 – 83 hab 270/460 – P 540/580.

🏨 **Borenco,** Calvo Sotelo 217 ☎ 23 23 47, ⌁ climatizada – ▥ ▥ ▤ rest ☏ ⌁wc ▥wc ☏. ⚘   BX **a**
Com 145 – 67 hab 267/510 – P 445/455.

XXX Bora Bora, pl. Gomila 6 ☎ 28 18 18, ≤ bahía, « Bonito conjunto de estilo polinesio » – ▤   BV **u**

XXX **El Patio,** Consignatario Schembri 5 ☎ 23 24 41 – ▤. ⚘   BVX **u**
cerrado domingo – Com carta 545 a 910.

XXX **Samantha's y Le Petit Café,** pl. Mediterráneo ☎ 23 74 97, ≤ mar – ▤. ⚘   BX **t**
Com carta 520 a 890.

XX Pizzeria Terreno, Bellver 31 ☎ 23 00 41, Cocina italo-francesa, « Patio rústico con plantas ».   BVX **k**

en La Bonanova – BX – ⊠ ☎ Palma :

🏨 **Valparaiso Palace** Ⓜ ⌂, ☎ 28 04 00, Telex 68754, ≤ Palma, bahía y puerto, ⚘, ⌁, ⌁ climatizada – ▤ 🍴 🅿. 🛁. ⚘   BX **f**
Com 625 – ⌑ 150 – **138 hab** 1 600/2 750 – P 2 500/2 725.

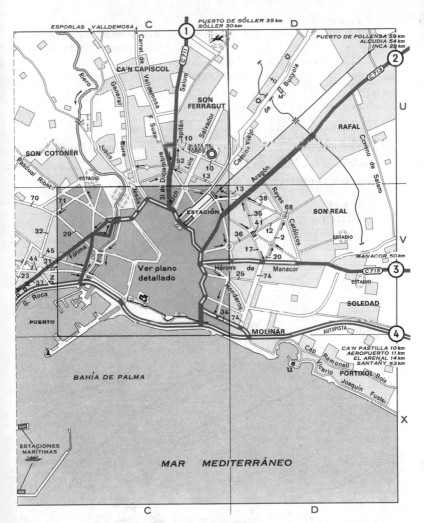

sigue →

Gran H. Augusta ⑤, Corp Mari ☏ 23 28 46, « Terrazas con ← ciudad y bahía », ⬙ –
🛗 ▥ ⬙ ⬕wc ⬆ ⬥
cerrado enero y febrero – Com 210 – ⬒ 50 – **88 hab** 370/540 – P 580/680.
BX e

Constelación ⑤, Corp Mari 49 ☏ 23 02 46, Telex 68754, ← bahía, puerto y ciudad, ⬙ –
🛗 ▥ ▤ rest ⬙ ⬕wc ⬆. ⬥
Com 210 – ⬒ 60 – **41 hab** 310/540 – P 645/685.
BX z

en Calamayor (carretera de Andraitx) – AX – ⊠ ☏ Palma :

Nixe Palace, Calvo Sotelo 537 ☏ 23 18 41, Telex 68569, « Amplias terrazas con palmeras
y ← mar », ⬙ climatizada – ▤ ⑰. ⬥
Com 485 – ⬒ 80 – **131 hab** 780/1 960 – P 1 550.
AX s

Santa Ana, ☏ 23 36 40, ← mar, ⬙ – ▤ rest ⑰. ⬥
Com 285 – ⬒ 70 – **185 hab** 400/800 – P 880.
AX e

La Cala, Calvo Sotelo ☏ 23 21 41, ← mar, ⬙ – ⑰. ⬥
Com 235 – ⬒ 45 – **72 hab** 260/590 – P 670/705.
AX e

Acor ⑤, sin rest, con snack-bar, Miguel Roselló y Alemañy 68 ☏ 23 02 47, ← mar, ⬙ climatizada – 🛗 ▥ ⬙ ⬕wc ⽥wc ⬆ – **43 hab**.
AX m

BALEARES (Islas) – Palma de Mallorca

en San Agustín – AX – **y C'as Catalá (carretera de Andraitx)** – ✉ ☎ Palma :

🏨 **Maricel,** C'as Catalá ☎ 23 12 40, « Bonito edificio de estilo mallorquino con terrazas escalonadas, ≤ cala y mar », %, ⌇ – 🍽 rest ℗. %
    Com 325 – ⌑ 65 – **55 hab** 450/900 – P 850/950.
    AX **v**

🏨 **San Agustín,** av. Calvo Sotelo 675, San Agustín ☎ 23 05 44, ≤ cala y mar – 📶 ▥ 🍽 rest
    ☎ 🛁wc ▥wc ☜
    53 hab.
    AX **a**

en Son Vida – BU – NO : 6 km – ✉ ☎ Palma :

🏨 **Son Vida** ⌂, ☎ 23 23 40, Telex 68651, « Antiguo palacio señorial entre pinos con ≤ ciudad, bahía y montañas », %, ⌇ climatizada, ⅏, 🔫 – 🍽 ℗. 🎱. %
    Com 600 – ⌑ 100 – **175 hab** 1 200/1 900 – P 1 900/2 150.

🏨 **Racquet Club H.** ⌂, ☎ 23 02 40, ≤ pinar y golf, « Ambiente acogedor y elegante », %, ⌇ climatizada, ⅏, 🔫 – 🍽 ℗. %
    Com 350 – ⌑ 75 – **51 hab** 550/880 – P 970/1 080.

Ver también : **Bendinat (Costa de), Palma Nova y Magaluf.**

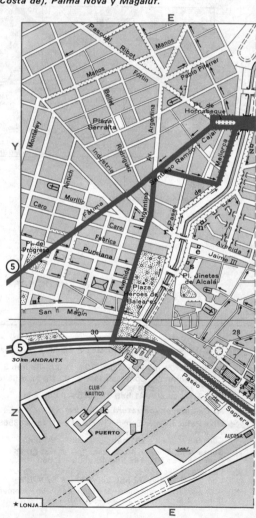

PALMA
DE MALLORCA

0   300 m

Pour un bon usage
des plans de villes
voir les signes
conventionnels, p. 23.

Para el buen uso
de los planos
de ciudades,
consulte los signos
convencionales, p. 22.

Al Este de la bahía :

en Portixol – DX – ⊠ ₱ Palma :

✗ **Portixol** ⑤ con hab, Sirena 31 ₱ 27 18 00, ⇐ mar y puerto pesquero, Pescados y mariscos, ⣥ – 墅▥ ☏ ⟱wc ☎ ❷. ✸   DX **u**
Com carta 235 a 595 – ⌺ 45 – 30 hab 210/300 – P 410/470.

en Playa de Palma (Ca'n Pastilla, Las Maravillas, El Arenal) por ④ : 10 y 14 km – ₱ Palma :

🏰 Garonda Palace, carret. Nacional ⊠ Ca'n Pastilla ₱ 26 22 00, Telex 68558, ⇐ playa, ✾, ⣥ climatizada – ▤ ❷ – *temp.* – **110 hab.**

🏨 **San Francisco,** Laud ⊠ Ca'n Pastilla ₱ 26 46 50, Telex 68693, ⇐ mar, ⣥ climatizada – ▤ ❷. ⚴. ✸
Com 190 – ⌺ 50 – **138 hab** 340/560 – P 630/670.

🏨 **Cristóbal Colón** ⑤, Parcelas, Las Maravillas ⊠ Ca'n Pastilla ₱ 26 27 50, ⣥ climatizada – ▤ rest. ✸
Com carta 160 a 340 – ⌺ 58 – **158 hab** 340/530 – P 660/735.

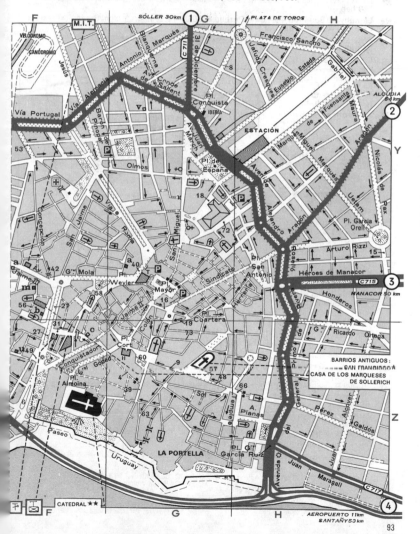

93

BALEARES (Islas) – Palma de Mallorca

🏨🏨 **Cristina Palma** ⌂, ✉ Ca'n Pastilla ☎ 26 24 50, Telex 68504, ≼ mar, ⌇, ▨ – 🍽 rest
🚗 🅿. ❀ rest
Com 288 – 🍴 75 – **104 hab** 456/840 – P 930/965.

🏨🏨 Las Arenas, Tito Livio 20 ✉ Ca'n Pastilla ☎ 26 07 50, ≼ mar, ⌇ climatizada – 200 hab.

🏨🏨 Oleander ⌂, ✉ Ca'n Pastilla ☎ 26 48 50, ❀, ⌇ climatizada – 🍽 rest 🅿. 🏛 – 264 hab.

🏨🏨 Aya, ✉ El Arenal ☎ 26 04 50, ≼ playa, ⌇ – 🍽 rest 🚗
temp. – **140 hab.**

🏨🏨 **Playa de Palma,** carret. de El Arenal ✉ Ca'n Pastilla ☎ 26 29 00, ≼ playa, ⌇ climatizada
– 🍽 rest. ❀
Com 250 – 🍴 65 – **113 hab** 575/820 – P 700/880.

🏨🏨 **G.H. El Cid,** ✉ Ca'n Pastilla ☎ 26 08 50, ≼ playa, ❀, ⌇ – 🍽 rest 🅿. ❀
Com 230 – 🍴 63 – **216 hab** 400/640 – P 690/770.

🏨🏨 Linda, av. Bartolomé Riutort ✉ Ca'n Pastilla ☎ 26 29 82, ❀, ⌇ climatizada – 🍽 rest 🅿
189 hab.

🏨🏨 Lotus Playa, Maestro Ekitai Ahn ✉ Ca'n Pastilla ☎ 26 21 00, ⌇ climatizada – 🅿
130 hab.

🏨🏨 **Leman,** av. Son Rigo 4 ✉ Ca'n Pastilla ☎ 26 07 12, ≼ mar, ⌇ climatizada – 🍽 rest. ❀
Com 190 – 🍴 50 – **98 hab** 300/500 – P 600/650.

🏨🏨 Riviera, ✉ Ca'n Pastilla ☎ 26 06 00, ⌇ climatizada – 🍽 rest 🚗
74 hab.

🏨 Copacabana ⌂, Berlín ✉ El Arenal ☎ 26 04 12, « Rodeado de pinos » ❀, ⌇ – 📶 🕾 🛏wc 🅿
temp. – **111 hab.**

🏨 **Amazonas,** San Bartolomé 4 ✉ El Arenal ☎ 26 36 50, ⌇ – 📶 🕾 🛏wc 🅿. ❀
abril-octubre – Com 160 – 🍴 45 – **110 hab** 320/375 – P 525/660.

🏨 Neptuno, ✉ El Arenal ☎ 26 00 00, ≼ mar, ⌇ climatizada – 📶 🍽 rest 🛏wc 🅿
103 hab.

🏨 **Oasis,** Bartolomé Riutort 25 ✉ Ca'n Pastilla ☎ 26 01 50, ⌇ climatizada – 📶 🕾 🛏wc 🅿. ❀ rest
Com 175 – 🍴 50 – **110 hab** 350/560 – P 630/700.

🏨 **Brasilia,** Polacra 4 ✉ Ca'n Pastilla ☎ 26 29 20, ≼ mar, ⌇ climatizada – 📶 🕾 🛏wc 🛏wc 🅿. ❀ rest
cerrado noviembre al 14 diciembre – Com 170 – 🍴 60 – 126 hab 230/410 – P 500/535.

🏨 Luxor ⌂, av. Son Rigo ✉ Ca'n Pastilla ☎ 26 05 12, ⌇ – 📶 🕾 🛏wc 🅿 – **52 hab.**

🏨 Boreal ⌂, Sedal 11 ✉ Ca'n Pastilla ☎ 26 21 12, ⌇ climatizada – 📶 🕾 🛏wc 🅿
temp. – **64 hab.**

🏨 Playa d'Or, Virgilio 26 ✉ Ca'n Pastilla ☎ 26 01 62 – 📶 🍽 rest 🕾 🛏wc 🅿
71 hab.

🏨 Isla del Sol ⌂, av. de los Pinos 11 ✉ Ca'n Pastilla ☎ 26 15 62, ⌇ climatizada – 📶 🍽 rest 🕾 🛏wc 🅿
60 hab.

🏨 **Lido,** Costa Brava 1 ✉ Ca'n Pastilla ☎ 26 17 66, ≼ playa, ⌇ climatizada – 📶 🕾 🛏wc 🛏wc 🅿. ❀
14 marzo-octubre – Com 165 – 🍴 50 – 56 hab 165/370 – P 470/485.

✕✕ Piscis, 18 de Julio ✉ El Arenal ☎ 26 42 53 – 🍽.

✕ Portixol Playa, av. Nacional, Ca'n Pastilla ✉ Palma ☎ 26 20 22, ≼ mar, Pescados y mariscos.

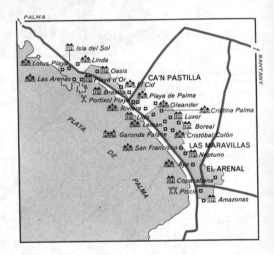

PALMA

Isla del Sol
Lotus Playa   Linda
Las Arenas   Oasis
Playa d'Or   El Cid   CA'N PASTILLA
Brasilia   Playa de Palma
Portixol Playa   Oleander
Riviera   Cristina Palma
Lido   Luxor
Leman   Boreal
Garonda Palace   Cristóbal Colón
San Francisco   LAS MARAVILLAS
Neptuno
Aya   EL ARENAL
Copacabana
Piscis   Amazonas

PLAYA   DE   PALMA

SANTANY

Palma Nova – ☎ 971.

Palma 14.

Ver situación p. 88

🏨🏨🏨 **Delfín Playa,** Hermanos Moncada ☎ 68 01 00, Telex 68673, « Bonita terraza con 🏊 climatizada » – ▤ rest. ⊘
Com 250 – ☕ 65 – **104 hab** 450/800 – P 925/975.

🏨🏨🏨 **Comodoro,** ☎ 68 02 00, ≼ mar y costa, 🏊 climatizada – ▤ rest. 👥. ⊘
Com 310 – ☕ 80 – **81 hab** 500/875 – P 1 000/1 075.

🏨🏨🏨 **Torrenova** 🕊, av. de los Pinos ☎ 68 16 16, 🏊 climatizada – ▤ rest Ⓟ. 👥. ⊘
Com 185 – ☕ 50 – **254 hab** 300/480 – P 565/625.

🏨🏨 **Don Bigote** Ⓜ, París ☎ 68 11 62, 🏊 climatizada – ⇕ ▥ ▤ rest 🚿 🛁wc ☏ Ⓟ. ⊘
Com 165 – ☕ 45 – 231 hab 250/400 – P 500/550.

🏨🏨 Son Matías, sin rest, av. Son Matías ☎ 68 15 54, ≼ playa y costa – ⇕ ▥ 🚿 🛁wc ☏
temp. – 135 hab.

🏨 **Toix,** Pineda ☎ 68 03 62, ≼ mar, 🏊 – ⇕ 🚿 🛁wc ☏. ⊘
23 marzo-octubre – Com 160 – ☕ 55 – 42 hab 245/350 – P 475/545.

en la carretera de Palma NE : 1,5 km – ✉ ☎ **Palma Nova :**

🏨🏨🏨🏨 **Punta Negra** 🕊, ☎ 68 07 62, ≼ bahía, « Magnífica situación al borde de una cala », 🎾, 🏊 climatizada – ▤ Ⓟ. ⊘
Com 360 – **58 hab** 800/1 190 – P 1 250/1 455.

Pollensa – 9 963 h. alt. 200 – Playa en Puerto de Pollensa – Plaza de toros.

Alred. : Cuevas* de Campanet S : 16 km.

Palma 52.

Hoteles : ver Cala de San Vicente NE : 7 km.
Puerto de Pollensa NE : 7 km.

Portals Nous – ✉ ☎ Palma.

Palma 11.

🏠 Saint Michel, carret. de Andraitx SO : 1 km ☎ 67 52 50, ≼ mar y costa, 🏊 climatizada – ⇕ ▥ 🛁wc ☏
temp. – 102 hab.

Porto Cristo – 470 h. – Playa – ☎ 971.

Alred. : Cuevas del Drach* S : 1 km – Cuevas del Hams (sala de los Anzuelos*) O : 1,5 km.**

Palma 63.

🏨🏨 Drach 🕊, carret. de las Cuevas ☎ 57 00 25, ≼ cala, 🏊 – ⇕ ▥ 🚿 🛁wc ☏ Ⓟ
temp. – 70 hab.

🏠 **Perelló,** San Jorge 30 ☎ 57 00 04, ≼ cala – ▥ 🚿 🛁wc. ⊘
Com 175/250 – ☕ 34 – 84 hab 140/240 – P 345/370.

XX Patio, Burdils 45 ☎ 57 00 33, ≼ cala.

X **C'as Rectoret,** Puerto 9 ☎ 57 00 34 – ▤
cerrado lunes y noviembre – Com carta 220 a 440.

Porto Petro

Alred. : Cala Santañy* SO : 16 km.

Palma 62.

⛱ **Nereida,** Cristóbal Colón ✉ Santañy ☎ 65 72 23 Cala d'Or, ≼ puerto y mar, 🏊 – 🚿wc. ⊘
abril-octubre – Com 125 – ☕ 35 – 50 hab 150/270 – P 350/365.

Puerto de Alcudia – Playa – ☎ 971.

Palma 57.

🏨🏨 **Golf** 🕊, carret. de Artá ✉ ☎ 54 52 98 Alcudia, « Villa al borde de la playa, ≼ mar » 🎾 – 🚿 🛁wc Ⓟ. ⊘ rest
abril-octubre – Com 215 – ☕ 60 – 12 hab 250/455 – P 618/640.

en la carretera de Artá – ✉ ☎ **Alcudia :**

🏨🏨🏨 **Playa Esperanza** 🕊, S : 5 km ☎ 54 55 00, ≼ mar, « Jardín entre pinos rodeando la 🏊 climatizada », 🎾 – ▤ rest Ⓟ. 👥. ⊘
abril-octubre – Com 200 – ☕ 75 – **330 hab** 325/580 – P 670/705.

🏨🏨 Ciudad Blanca, S : 2 km ☎ 54 51 00, ≼ mar, 🎾, 🏊 – ⇕ ▥ 🚿 🛁wc ☏ Ⓟ
temp. – 48 hab.

XX Es Segây, S : 3,5 km, ≼ pinar y mar – Ⓟ.

BALEARES (Islas)

Puerto de Andraitx – ● 971.
Alred. : Camp de Mar (paraje★) E : 4,5 km – Carretera★ de Puerto de Andraitx a Camp de Mar – Recorrido en cornisa★★★ de Puerto de Andraitx a Sóller (terrazas★).
Palma 35.

🏨 **Brismar,** av. Almirante Riera 78 ☏ 67 16 00, ≼ puerto y colinas – 🛗 ⫙ ⇲ ⇱wc ⫙wc ☎.
⛱
cerrado 23 diciembre al 6 enero – Com 225 – ⊊ 55 – 56 hab 260/375 – P 560/625.

XX **Mini Folies,** urbanización Costa de Andraitx ☏ 67 17 50, Telex 68628, « Agradable terraza con ⤳ y ≼ mar y acantilado », ⛱ – ❷
Com carta 350 a 540.

X **Miramar,** av. Mateo Bosch 22 ☏ 67 16 17, ≼ puerto y colinas ·
Com carta 260 a 410.

en Camp de Mar E : 4,5 km – Playa – ✉ ☏ Andraitx :

🏨 **Gran H. Camp de Mar** ⤳, ☏ 67 10 00, ≼ mar, « Jardín y terraza con arbolado », ⛱, ⤳ –
▤ rest ❷. ⛱ rest
abril-octubre – Com 290 – ⊊ 70 – **75 hab** 465/870 – P 930/960.

🏨 **Playa Camp de Mar** ⤳, ☏ 67 10 25, ≼ mar, ⛱, ⤳ climatizada – ▤ rest. ⛱
Com 200 – ⊊ 50 – **212 hab** 300/480 – P 600/650.

🏨 **Villa Real** ⤳, carret. del Puerto ☏ 67 10 50, ⛱, ⤳ – 🛗 ⫙ ⇲ ⇱wc ☎. ⛱
mayo-octubre – Com 210 – ⊊ 60 – **52 hab** 240/440 – P 595/620.

Puerto de Pollensa – Playa – ● 971.
Ver : Paraje★.
Palma 59.

🏨 **Daina,** Teniente Coronel Llorca ☏ 53 12 50, ≼ bahía, ⤳ – ▤ rest. ⛱
temp. – Com 275 – ⊊ 65 – **60 hab** 380/670 – P 710/755.

🏨 **Illa d'Or** ⤳, paseo de Colón ☏ 53 11 00, ≼ bahía, « Jardín con arbolado y terraza », ⛱ –
▤ rest ❷
119 hab.

🏨 **Uyal,** paseo de Londres ☏ 53 15 00, ≼ bahía, « Terraza con flores » ⤳ – ❷. ⛱ rest
abril-octubre – Com 210 – ⊊ 60 – **83 hab** 310/620 – P 625.

🏨 **Pollensa Park** ⤳, zona Gommar ☏ 53 13 50, ≼ mar, ⤳ climatizada – ▤ rest ❷. ⛱
marzo-noviembre – Com 165 – ⊊ 50 – **316 hab** 250/475 – P 525/540.

🏨 **Pollentia,** carret. de Alcudia ☏ 53 12 00, ≼ bahía, « Gran terraza con flores » – ❷. ⛱
23 marzo-octubre – Com 185 – ⊊ 55 – **70 hab** 295/480 – P 590/645.

🏨 **Sis Pins,** paseo Anglada Camarasa 77 ☏ 53 10 50, ≼ bahía – 🛗 ⫙ ⇲ ⇱wc ⫙wc ☎. ⛱
abril-noviembre – Com 210 – ⊊ 65 – **55 hab** 265/500 – P 610/625.

🏨 **Miramar,** paseo Anglada Camarasa ☏ 53 14 00, ≼ bahía, ⛱ – 🛗 ⫙ ⇲ ⇱wc ⫙wc ☎. ⛱
marzo-noviembre – Com 215 – ⊊ 60 – **69 hab** 310/490 – P 660/725.

🏨 **Capri,** paseo Anglada Camarasa 69 ☏ 53 16 00, ≼ bahía – 🛗 ⫙ ⇲ ⇱wc ⫙wc ☎. ⛱ rest
abril-octubre – Com 215 – ⊊ 60 – **33 hab** 295/460 – P 625/690.

🏨 **Eolo,** Juan XXIII-2 ☏ 53 15 50, ≼ bahía – 🛗 ⫙ ⇲ ⇱wc ☎. ⛱ rest
abril-octubre – Com 185 – ⊊ 50 – **30 hab** 260/410 – P 505/560.

🏨 **Raf,** Coronel Llorente 28 ☏ 53 11 95 – 🛗 ⫙ ⇲ ⇱wc ⫙wc. ⛱ rest
temp. – Com 160 – ⊊ 55 – 26 hab 220/375 – P 440/470.

🏨 **Panorama Playa** ⤳, zona Gommar 6 ☏ 53 11 92 – ⇲ ⫙wc ❷. ⛱ rest
15 marzo-15 octubre – Com 130/190 – ⊊ 40 – 35 hab 170/300 – P 390/410.

🏨 **Singala,** calle del Faro ☏ 53 15 55 – ⫙ ⇲ ⇱wc ⫙wc ❷. ⛱
abril-octubre – Com 150/200 – ⊊ 35 – 28 hab 170/280 – P 375/400.

🏨 **Bellavista,** paseo Saralegui 50 ☏ 53 11 03, ≼ bahía – ⫙ ⇱wc. ⛱
25 marzo-15 octubre – Com 150 – ⊊ 45 – 40 hab 125/300 – P 375/400.

🏨 **Luz del Mar** ⤳, Méndez Núñez 12 ☏ 53 12 06 – ⛱
30 marzo-15 octubre – Com 200 – ⊊ 35 – 12 hab 230 – P 415.

X **Lonja del Pescado,** Dique Muelle ☏ 53 00 23, ≼ puerto pesquero, Pescados y mariscos
– ⛱
cerrado jueves – Com carta 345 a 560.

AUSTIN-MG-MORRIS-MINI Juan XXIII-80 ☏ 133

Puerto de Sóller – ✉ Sóller ☏ Puerto de Sóller – ● 971.
Palma 35.

🏨 **Edén,** Es Través ☏ 63 16 00 – 🛗 ⇲ ⇱wc ☎ ❷. ⛱
cerrado noviembre-diciembre – Com 215 – ⊊ 75 – **152 hab** 265/495 – P 605/620.

🏨 **Es Port,** Antonio Montís ☏ 63 16 50, ≼ bahía y montaña, « Casa solariega del siglo XVI, molino de aceite », ⛱, ⤳ – 🛗 ⫙ ⇲ ⇱wc ☎ ❷. ⛱ rest
Com 160 – ⊊ 45 – **96 hab** 210/320 – P 420/465.

🏠🏠 **Espléndido,** Marina ☏ 63 18 50, ≼ bahía y montañas – 📶 📠 🖳 rest 🖘 🛏wc ⊛. 🎎 rest
23 marzo-octubre – Com 180 – ⌑ 55 – **104 hab** 200/380 – P 500/510.

🏠 **Roma,** Es Través ☏ 63 14 62, ≼ bahía y montaña – 📶 📠 🖘 🛏wc ⊛. 🎎
enero-septiembre – Com 180 – ⌑ 45 – 30 hab 110/240 – P 370/380.

🛇🛇 La Broche, Antonio Montís 5 ☏ 63 03 80 – 🖳.

🛇 **Es Canyis,** 1° piso, playa d'En Repic ☏ 63 10 34, ≼ bahía y montañas
cerrado 15 noviembre al 15 enero y lunes salvo festivos y vísperas del 15 septiembre a mayo – Com carta 150 a 270.

San Juan (Balneario de) – ⊠ ☏ Campos.

Palma 46 – Campos 9.

🏠🏠 Baln. de la Font-Santa ॐ, ☏ 65 50 16 – 🖘 🛏wc ℗
temp. – 19 hab.

San Salvador – alt. 509.
Ver : Monasterio★ (🎎★★).

Palma 57 – Felanitx 6.

Santa Ponsa – ⊠ ☏ Palma de Mallorca – Playa – ⊙ 971.
Ver : Paraje★. **Alred.** : Cala Figuera★ SE : 12 km.

Palma 21.

🏠🏠 Rey Don Jaime ॐ, vía del Puig ☏ 68 16 54, ⌒ climatizada – 🖳 rest ℗. 🖋
417 hab.

🏠🏠 **Santa Ponsa Park** 🅜 ॐ, Puig del Teix ☏ 68 15 62, ⌒ climatizada – 🖳 rest ℗. 🎎 rest
cerrado 15 noviembre al 15 diciembre – Com 200 – ⌑ 50 – **269 hab** 300/500 – P 570/620.

🏠🏠 **Casablanca** ॐ, vía Rey Sancho 11 ☏ 68 12 00, ≼ pinar, mar y costa, ⌒ – 🖘 🛏wc 🛏wc
⊛ ⟝. 🎎 rest
abril-octubre – Com 160 – ⌑ 50 – 87 hab 220/410 – P 480/490.

🏠 **Aparthotel Lucinda** ॐ, Es Castellot ☏ 68 34 12, ≼ bahía de Santa Ponsa, ⌒ – 📶 📠 🖘
🛏wc ⊛ ⟝
60 apartamentos.

🏠 **Playa Santa Ponsa** ॐ, Puig del Teix ☏ 68 03 55, ⌒ – 📶 🛏wc. 🎎
abril-15 octubre – Com 140 – ⌑ 45 – 216 hab 200/320 – P 430/470.

Sóller – 10 145 h. alt. 54 – Playa en Puerto de Sóller – ⊙ 971.
Alred. : Carretera★ de Sóller a Alfabia – Recorrido en cornisa★★★ de Sóller a Puerto de Andraitx (terrazas★).

Palma 30.

Hoteles y restaurantes : ver Puerto de Sóller NO : 5 km.

AUSTIN-MG-MORRIS-MINI Isabel II-68 ☏ 63 07 01　　RENAULT Rullán y Mir 11 ☏ 63 07 31
CITROEN José Antonio 144 ☏ 63 07 37　　　　　　SEAT Teniente Pérez Rojo ☏ 63 02 35

Son Servera – 3 371 h. alt. 92 – ⊙ 971.
🏌 de Punta Rotja NE : 7,5 km.

Palma 66.

en Cala Millor SE : 3 km – ⊠ ☏ Son Servera :

🏠🏠 **Osiris,** ☏ 56 73 25, ≼ mar, ⌒ climatizada – 🎎
15 marzo-octubre – Com 160 – ⌑ 45 – 213 hab 200/340 – P 475/495.

🏠 **Villa Mi-El** sin rest, urbanización Son Moro ☏ 56 78 28, ≼ mar – 🖘 🛏wc
abril-octubre – **13 hab** 330.

en Cala Bona SE : 3,5 km – ⊠ ☏ Son Servera :

🏠🏠 **Levante y Levante Park,** ☏ 56 71 75, ≼ playa, 🎎, ⌒ – 🎎
abril-octubre – Com 135 – ⌑ 40 – 242 hab 200/275 – P 365/425.

Valldemosa – 1 143 h. alt. 427 – ⊙ 971.
Ver : Cartuja★.

Palma 18.

🛇 **Ca'n Pedro,** av. Archiduque Luis Salvador ☏ 61 21 70 – 🎎
cerrado lunes y del 8 al 31 enero – Com carta 150 a 270.

en la carretera de Deyá N : 4 km – ⊠ ☏ Valldemosa :

🛇🛇 Encinar, ☏ 61 20 00, ≼ mar, ⌒ – ℗ – *temp.*

Reisen Sie " außerhalb der Saison ";
Sie finden leichter Unterkunft und werden besser bedient.

MENORCA

Ciudadela – 15 140 h. – ✪ 971.

Ver : Localidad★.

🚢 para Alcudia (Mallorca) : Cⁱᵃ Aucona, Santa Clara 31 ☎ 38 00 90.

Mahón 44.

en Cala'n Forcat O : 5 km – ✉ ☎ Ciudadela :

🏨 Los Delfines 🦐, urbanización Los Delfines ☎ 38 24 50, ≼ mar, ✗, ⌁ – 🛗 🌮 🚬wc 🕿 🅿
96 hab.

en la urbanización Tamarinda S : 10 km :

🏨 Cala'n Bosch 🦐 ✉ apartado 124 ☎ 38 06 00 Ciudadela, ≼ mar, ⌁ climatizada – 🍽 rest 🅿
temp. – 168 hab.

AUSTIN-MG-MORRIS-MINI Cruz ☎ 38 23 88   RENAULT paseo del Puerto 47 ☎ 38 09 87
CHRYSLER-SIMCA José Antonio 24 ☎ 38 24 25

Fornells – ✪ 971.

Mahón 29 – Ciudadela 31.

✗ **Es Plá,** pasaje d'Es Plá ☎ 37 51 55, ≼ bahía – ✻
Com carta 250 a 415.

Mahón – 19 279 h. – ✪ 971.

✈ de Menorca, San Clemente SO : 5 km ☎ 36 01 50 – Aviaco : Doctor Orfila 9
☎ 36 09 75.

🚢 para la Península y Mallorca : Cⁱᵃ Aucona, General Goded 27 ☎ 35 10 79, Telex
68888.

M.I.T. Arco de San Roque ☎ 36 34 67.

🏨 Port Mahón, Fort de l'Eau ☎ 35 17 00, ≼ rada, ⌁ – 🍽 rest
74 hab.

✗ El Greco, Doctor Orfila 49 ☎ 36 00 00.

✗ **Chez Gaston,** Conde de Cifuentes 13 ☎ 36 00 44 – ✻
cerrado domingo y 7 enero al 10 febrero – Com carta 210 a 415.

✗ Tritón, Norte 15 ☎ 35 21 88.

en Cala Fonduco E : 1 km – ✉ ☎ Mahón :

✗✗ Rocamar 🦐, con hab en temporada, ☎ 35 14 63, ≼ rada – 🛗 🍽 rest 🚬wc – 23 hab.

en Villacarlos E : 3 km – ✉ Villacarlos ☎ Mahón :

🏨 Rey Carlos III 🦐, Miranda de Cala Corp ☎ 35 25 83, ≼ rada, « Bonitas terrazas » ⌁ –
🍽 rest
temp. – **87 hab.**

🏨 **Agamenón** 🦐, paraje Fontanillas ☎ 35 26 70, ≼ rada, ⌁ – 🅿. ✻ rest
Com 260 – 🍽 60 – **75 hab** 415/640 – P 800/895.

AUSTIN-MG-MORRIS-MINI Cos de Gracia 256 ☎   CITROEN Polígono Industrial - vía D - Parcela 12
35 33 01   ☎ 35 35 02
CHRYSLER-SIMCA San Manuel 108 ☎ 36 05 50   SEAT pl. Augusto Miranda 17 ☎ 35 11 98

San Clemente

Alred. : Cala En Porter★ SO : 8 km.

Mahón 5 – Ciudadela 49.

en Cala En Porter SO : 8 km :

🏨 Aquarium 🦐, ✉ apartado 208 Mahón, ≼ cala – 🚬wc 🚬wc 🅿 – *temp.* – 59 hab.

San Cristóbal – ✪ 971.

Alred. : Cala de Santa Galdana (paraje★★) SO : 13 km.

Mahón 21 – Ciudadela 21.

en la playa de Santo Tomás S : 4,5 km – ✉ ☎ San Cristóbal :

🏨 Lord Nelson 🦐, ☎ 37 01 25, ≼ playa, ⌁ climatizada – 🅿
temp. – 145 hab.

🏨 **Santo Tomás** 🦐, ☎ 37 00 25, ≼ playa, ⌁ – 🍽 rest 🅿. ✻
24 marzo-25 octubre – Com 320 – 🍽 65 – **60 hab** 450/735 – P 920/1 000.

San Luis – 2 323 h.

Mahón 4.

en la playa de Punta Prima S : 4,5 km – ✉ San Luis :

🏨 Playa Punta Prima 🦐, ≼ playa – *temp.* – 25 hab.

IBIZA

Ibiza – 16 943 h. – Plaza de toros – ✪ 971.

Ver : Dalt Vila★ : Museo Arqueológico★, Catedral ⁂★ – La Marina : Barrio de Sa Penya★.

🏌 Roca Llisa por ② : 10 km.

✈ de Ibiza por ③ : 7,5 km ☎ 30 22 00.

⛴ para la Península y Mallorca : Cⁱª Aucona, av. Bartolomé Vicente Ramón ☎ 30 16 50 BY.

M.I.T. Vara de Rey 13 ☎ 30 19 00.

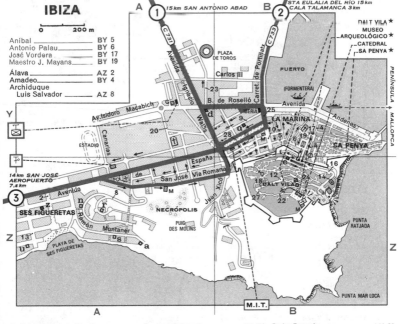

IBIZA

0   200 m

Aníbal	BY	5
Antonio Palau	BY	6
José Vordera	BY	17
Maestro J. Mayans	BY	19
Álava	AZ	2
Amadeo	BY	4
Archiduque Luis Salvador	AZ	8

Bartolomé Vicente Ramón (Av.)	BY	9	General Balanzat	BZ	14	Pedro Francés	AY	23
Conde Rosellón	BY	10	General Franco (Av.)	BZ	16	Pedro Tur	BZ	24
Cuesta Vieja	BZ	12	Juan Román	BZ	18	Ramón y Tur	BY	25
Formentera	AZ	13	Obispo Huix	AY	20	San Ciriaco	BZ	27
			Obispo Torres	BZ	22	Vara de Rey (Paseo)	BY	28

🏠 El Corsario, Poniente 5, D'Alt Vila ☎ 30 12 48, ≼ bahía, montaña y alrededores – ⇔wc 🏠wc – 18 hab.   BZ **a**

XXXX D'Alt Vila, pl. Luis Tur 3 ☎ 30 00 52, Rest. francés – 🍽 – *temp.*   BYZ **e**

XX Celler Balear, Ignacio Wallis 18 ☎ 30 10 31, « Decoración rústica regional » – 🍽.   AY **d**

XX Gormand, av. Bartolomé Vicente Ramón 13 ☎ 30 00 09 – 🍽.   BY **a**

en la playa de Ses Figueretas – AZ – ⊠ ☎ Ibiza :

🏨 Los Molinos Ⓜ ⚓, Ramón Muntaner 60 ☎ 30 22 50, ≼ mar y archipiélago de las Pitiusas, « Bonito jardín con flores, terraza con ⌃ climatizada » – 🍽 – 147 hab.   AZ **a**

🏨 **Ibiza Playa** ⚓, ☎ 30 28 04, ≼ mar y archipiélago de las Pitiusas, ⌃ – 🎬 *abril-octubre* – Com 210 – ⊊ 60 – **155 hab** 270/470 – P 615/655.   AZ **u**

🏨 **Náutico Ebeso** ⚓, Ramón Muntaner 44 ☎ 30 23 00, ≼ mar y archipiélago de las Pitiusas, ⌃ – 🕽 📺 ☎ ⇔wc 🏠wc ☎. 🎬 Com 175 – ⊊ 50 – 113 hab 225/425 – P 565/575.   AZ **s**

🏨 **Cenit** ⚓, Archiduque Luis Salvador ☎ 30 14 04, ≼ mar y archipiélago de las Pitiusas, ⌃ – 🕽 📺 ☎ ⇔wc 🏠wc ☎ – *temp.* – **61 hab**.   AZ **r**

🏠 **Marigna** ⚓ sin rest, Alsabini 18 ☎ 30 14 50 – 📺 ☎ ⇔wc 🏠wc ☎. 🎬 ⊊ 39 – **44 hab** 155/270.   AZ **n**

X El Vesubio, Navarra 19 ☎ 30 00 26.   AZ **z**

BALEARES (Islas) – Ibiza

en la playa d'En Bossa por
③ : 4 km – ☒ ⴵ Ibiza :

✗ **Can' Bossa** ⤷ con hab, ⴵ
30 14 46, ⵏ, « Jardín con
flores » – ☞ ⊖wc – ✪
15 marzo-15 noviembre –
Com carta 205 a 355 – ⊐ 39 –
10 hab 300 – P 425.

en la playa de Talamanca
por ② : 3 km – ☒ ⴵ Ibiza :

🏨 **El Corso** Ⓜ ⤷, ☒ apartado
201 ⴵ 30 20 62, ⬿ bahía de
Ibiza, « Terraza con ⵏ dominando el mar » – 🍽 rest ✪. ⵜ
abril-octubre – Com 250 –
⊐ 65 – **178 hab** 350/650 –
P 750/775.

🏨 Argos ⤷, ⴵ 30 10 62, ⬿
playa y bahía de Talamanca, ⵏ – ✪
temp. – **106 hab.**

🏠 Talamanca ⤷, ⴵ 30 20 93, ⬿ playa y bahía de Talamanca – ⊖wc ⵜwc – *temp. –* 39 hab.

en Ses Figueres por ② : 3 km – ☒ ⴵ Ibiza :

🏠 Ses Figueres ⤷, playa de Talamanca ⴵ 30 13 62, ⬿ bahía de Talamanca – ☞ ⊖wc
ⵜwc ✪
temp. – 41 hab.

AUSTIN-MG-MORRIS-MINI carret. San Antonio
km 1 ⴵ 30 17 19
CHRYSLER-SIMCA av. Bartolomé Vicente Ramón 27
ⴵ 30 21 30

CITROEN carret. San José km 2 ⴵ 30 21 19
PEUGEOT av. España 21 ⴵ 31 11 27
RENAULT carret. San José km 2,3 ⴵ 30 19 76
SEAT-FIAT Madrid 35 ⴵ 30 16 05

San Antonio Abad – 9 537 h. – Playa – ✪ 971.

Ver : Bahía*.

Ibiza 15.

en la población :

🏨 **Tropical** ⤷, Cervantes ⴵ 34 00 50, ⵏ – 🍽 rest. ⵜ
marzo-octubre – Com 190 – ⊐ 60 – **142 hab** 275/480 – P 620/650.

🏨 March, carret. de Ibiza ⴵ 34 00 62, ⵏ – ☞ ⊖wc ⵑ
temp. – **82 hab.**

🏨 Montblanc, del Mar 1 ⴵ 34 01 58, ⬿ bahía, ⵏ – ▯ ☞ ⊖wc ⵑ
temp. – **55 hab.**

🏠 **Excelsior** sin rest, con snack-bar, Vara de Rey 17 ⴵ 34 01 85 – ▯ ☞ ⊖wc. ⵜ
abril-octubre – ⊐ 40 – **58 hab** 190/340.

✗✗ **Mesón El Yate,** paseo Marítimo 22 ⴵ 34 09 15 – 🍽. ⵜ
Com carta 290 a 445.

✗✗ **Celler El Refugio,** Bartolomé Vicente Ramón 5 ⴵ 34 01 29, Rústico regional – ⵜ
15 marzo-15 noviembre – Com carta 420 a 600.

✗ Celler Es Cubell, Ramón y Cajal 27 ⴵ 34 00 19, Decoración regional – 🍽.

✗ S'Olivar, San Mateo 9 ⴵ 34 00 10.

en la playa :

🏨 **Palmyra** Ⓜ, av. Fleming ⴵ 34 03 54, ⬿ bahía, « Bonita terraza », ⵏ climatizada –
🍽 rest ✪. ⵜ
15 marzo-15 noviembre – Com 325 – ⊐ 75 – **160 hab** 545/960 – P 1 075/1 140.

en la playa de S'Estanyol SO : 2,5 km – ☒ ⴵ San Antonio Abad :

🏨 **Bergantín** ⤷, ⴵ 34 09 50, ⬿ bahía y población, ⵏ climatizada – ✪. ⵜ
marzo-octubre – Com 225 – ⊐ 60 – **205 hab** 320/560 – P 610/650.

🏨 Helios ⤷, ⴵ 34 05 00, ⬿ bahía y población, ⵏ climatizada – ✪ – **132 hab.**

🏨 **Tagomago** ⤷, ⴵ 34 09 62, ⬿ bahía y población, ⵏ – ▥ ☞ ⊖wc ⵑ ✪. ⵜ
abril-octubre – Com 190 – ⊐ 55 – 113 hab 230/395 – P 520/535.

en Cala de Bou SO : 3 km – ☒ ⴵ San Antonio Abad :

🏨 Nautilus ⤷, ⴵ 34 04 00, ⬿ bahía y población, ⵏ climatizada – 🍽 ✪ – *temp. –* 168 hab.

🏨 **Tampico** ⤷, ⴵ 34 06 62, ⬿ bahía y población, ⵏ climatizada – ✪. ⵜ rest
mayo-octubre – Com 225 – ⊐ 60 – **186 hab** 310/450 – P 685/710.

🏨 Els Pins ⤷, ⴵ 34 03 01, ⬿ bahía y población, ⵜ, ⵏ – ✪ – *temp. –* **170 hab.**

🏨 **Riviera** ⤷, ⴵ 34 08 12, ⬿ bahía, ⵏ – ▯ ☞ ⊖wc ⵜwc ⵑ ✪. ⵜ
marzo-octubre – Com 190 – ⊐ 50 – 168 hab 220/380 – P 490/520.

en Es Caló de S'Oli SO : 4,5 km – ✉ 🏤 San Antonio Abad :

🏨 **Sandiego** 🦢, 🏤 34 08 50, ≤ bahía y población, 🏊 – 🅿. 🎗
25 marzo-octubre – Com 290 – 🍽 75 – **132 hab** 420/850 – P 995.

en Ses Fontanelles SO : 4,5 km – ✉ 🏤 San Antonio Abad :

🏨 **Cap Nonó** 🦢, 🏤 34 07 50, ≤ bahía, 🏊 – 🕾 🛏wc 🖧 🅿. 🎗
abril-octubre – Com 200 – 🍽 65 – **91 hab** 250/500 – P 650.

✗ **Ses Funtanellas,** ≤ bahía – 🅿
mayo-15 octubre – Com carta 160 a 305.

en Cala Gració NO : 2 km – ✉ 🏤 San Antonio Abad :

🏨 Acor 🦢, 🏤 34 08 51, 🎗, 🏊 – 🅿 – *temp.* – **121 hab.**

🏨 Cala Gració 🦢, 🏤 34 08 62, Decoración regional, « En un pinar » – 🅿 – *temp.* – **50 hab.**

en la carretera de Ibiza SE : 3 km – ✉ 🏤 San Antonio Abad :

✗✗ Ibiza Country Club, ✉ apartado 757 🏤 34 08 66, ≤ San Antonio Abad y mar – 🅿.

SEAT-FIAT   carret. Santa Inés 🏤 34 09 05

San Miguel – 🕿 971.

en la urbanización Na Xamena NO : 6 km :

🏨 **Hacienda** 🦢, ✉ apartado 423 Ibiza 🏤 33 30 46 San Juan, « Edificio de estilo ibicenco con ≤ cala » 🏊, 🆒 – 🍴 🅿. 🎗
abril-octubre – Com 385 – 🍽 100 – **54 hab** 1 125/1 950 – P 1 725/1 875.

San Rafael – 🕿 971.

✗✗ Club San Rafael, carret. de Ibiza, ≤ Ibiza y mar, Decoración rústica – 🅿.

✗✗ Grill San Rafael, pl. de la Iglesia, ≤ valle, Ibiza, mar e isla Formentera, Decoración rústica regional.

Santa Eulalia del Río – 9 299 h. – 🕿 971.

🛆 Roca Llisa SO : 11,5 km.

Ibiza 14.

🏨 Riomar 🦢, playa Els Pins, 🏤 33 03 27, ≤ mar y montaña, 🏊 – 📶 📺 🕾 🛏wc 🍴wc 🖧
temp. – **120 hab.**

🏨 Ses Roques 🦢, del Mar 🏤 33 01 00, ≤ bahía – 📺 🕾 🛏wc 🖧 – *temp.* – 34 hab.

✗✗ **Sa Punta,** del Mar 🏤 33 00 33, ≤ bahía
cerrado domingo noche – Com carta 375 a 575.

✗✗ **Sa Caleta,** San Jaime 74 🏤 33 00 65, Decoración regional – 🎗
Com carta 220 a 420.

en la carretera de Es Caná NE : 1,5 km – ✉ 🏤 Santa Eulalia del Río :

🏨 Montebello 🦢, Ses Estaques 🏤 33 03 50, ≤ mar y montaña, 🎗, 🏊, 🆒, ≤ – 🅿. 🏊
262 hab.

en la urbanización S'Argamassa NE : 3 km – ✉ 🏤 Santa Eulalia del Río :

🏨 S'Argamassa 🦢, 🏤 33 00 51, ≤ bahía, 🎗, 🏊 – 🅿 – *temp.* – **217 hab.**

en Ca'n Fita S : 1,5 km – ✉ 🏤 Santa Eulalia del Río :

🏨 **Fenicia** 🅼 🦢, 🏤 33 01 01, ≤ desembocadura del río y mar, « Grandes terrazas rodeando la 🏊 », 🎗 – 🍴 🅿. 🎗
15 marzo-octubre – Com 325 – 🍽 80 – **190 hab** 550/910 – P 1 060/1 150.

en Cala Llonga S : 6,5 km – ✉ 🏤 Santa Eulalia del Río :

🏨 Cala Llonga 🦢, 🏤 33 00 50, ≤ cala y playa, 🏊 – 📶 🕾 🛏wc 🍴wc 🖧 🅿
temp. – 163 hab.

✗ Del Mar, ≤ playa – *temp.*

FORMENTERA

Cala Sahona – 🕿 971.

🏨 Cala Sahona 🦢, 🏤 32 00 30, ≤ cala y mar, 🏊 – 🕾 🛏wc 🅿 – *temp.* – 93 hab.

Es Pujols – 🕿 971.

✗ Sala, playa 🏤 32 01 61, ≤ mar.

✗ **Capri** con hab, 🏤 32 01 21 – 🕾 🛏wc. 🎗 rest
Com carta 180 a 385 – 🍽 35 – 15 hab 150/235 – P 360/390.

BALEARES (Islas)

Playa Mitjorn – ● 971.

🏨 Club H. La Mola Ⓜ ⤴, La Mola ☏ 32 00 50, ≤ mar, ❤, ⤴ – ▤ ❷. 🏖 – temp. – 328 hab.

San Francisco Javier – ● 971.

✗ Sol y Mar, ☏ 32 00 08.

BALNEARIO – Ver a continuación y al nombre propio del balneario.

BALNEARIO DE PANTICOSA Huesca 990 ⑧, 42 ⑱ – alt. 1 639 – Balneario.
Ver : Balneario*. **Alred. :** S : Garganta del Escalar** (carretera*).
Madrid 490 – Huesca 93 – Jaca 55.

🏨 **Gran Hotel** ⤴, ❤, ⤴ – 🛗 ☏ ➡wc ❷. ❤
25 junio-10 septiembre – Com 300 – ヱ 50 – **72 hab** 375/630 – P 865/925.

🏨 **Mediodía** ⤴, sin rest y sin ヱ, ❤, ⤴ – 🛗 ➡wc 🛁wc ❷. ❤
25 junio-10 septiembre – **52 hab** 220/550.

🏨 **Continental** ⤴, ❤, ⤴ – 🛗 🛁wc ❷. ❤
25 junio-10 septiembre – Com 250 – ヱ 45 – 111 hab 300/505 – P 728/775.

🏨 **Victoria** ⤴, sin rest y sin ヱ, ❤, ⤴ – 🛁wc ❷. ❤
25 junio-10 septiembre – **14 hab** 180/395.

🏨 **Embajadores** ⤴, sin rest y sin ヱ, ❤, ⤴ – 🛁wc ❷. ❤
25 junio-10 septiembre – **80 hab** 160/390.

BANÚS (Puerto) Málaga – ✗✗ ver San Pedro de Alcántara.

BAÑALBUFAR Baleares 990 ㉙, 43 ⑱⑲ – 🏨 ver Baleares (Mallorca).

BAÑOLAS Gerona 990 ㉒, 43 ⑨ – 10 023 h. alt. 172 – ● 972.
Ver : Lago*. – Madrid 749 – Figueras 29 – Gerona 20.

🏨 **Flora,** pl. Turers 22 ☏ 57 00 77 – 🛁 ▤ rest 🛁wc
Com 175 – ヱ 45 – **40 hab** 195/350 – P 425/475.

🏨 Mundial, pl. España 23 ☏ 25 – 🛁 solo agua fría ➡wc – 33 hab.

a orillas del lago :

🏨 **L'Ast** ⤴, paseo Dalmau 4 ☏ 57 04 14 – 🛁 ➡wc ❷. ❤ rest
Com 125 – ヱ 30 – 37 hab 110/300 – P 350.

✗ **Cisne,** paseo Luis Constans 1 ☏ 57 02 96, ≤ lago – ❷
Com carta 225 a 400.'

AUSTIN-MG-MORRIS-MINI Pareireria 6 ☏ (82 92 22)
420
CHRYSLER-SIMCA San Mer 16 ☏ (82 92 22) 214

CITROEN Álvarez de Castro 79 ☏ (82 92 22) 204
FIAT-SEAT Álvarez de Castro 39 ☏ (82 92 22) 37
RENAULT Álvarez de Castro 57 ☏ (82 92 22) 364

BAÑOS DE MOLGAS Orense 990 ② – 4 551 h. alt. 460 – Balneario.
Madrid 537 – Orense 36 – Ponferrada 152.

🏨 **Balneario** ⤴, ☏ 2 – ➡wc ❷
julio-15 octubre – Com 150 – ヱ 40 – **38 hab** 150/378 – P 440/480.

BAÑOS DE MONTEMAYOR Cáceres 990 ⑬⑭ – 1 022 h. alt. 738 – Balneario.
Madrid 231 – Ávila 121 – Cáceres 124 – Plasencia 45 – Salamanca 86.

🏨 **Balneario,** Calvo Sotelo 24 ☏ 5 – 🛗 ☏ ➡wc ❷. ❤
junio-septiembre – Com 225 – ヱ 50 – 91 hab 250/450 – P 570/595.

🏨 **La Glorieta,** carret. N 630 ☏ 18 – 🛁 ☏ ➡wc ▦ ❷
Com 175 – ヱ 35 – 17 hab 115/250 – P 350.

BAQUIO Vizcaya 990 ⑥, 42 ③ – 1 033 h.
Alred. : Alto del Sollube* SE : 12 km – Recorrido en cornisa* de Baquio a Arminza ≤* – Carretera de Baquio a Bermeo ≤*.
Madrid 427 – Bilbao 26.

✗ Gotzón, playa ☏ 43.

BARAJAS (Aeropuerto de) Madrid 990 ⑮ y ㊵ – 🏨, 🛫 ver Madrid.

BARBASTRO Huesca 990 ⑱, 42 ⑲, 43 ④ – 13 427 h. alt. 215 – ● 974.
Alred. : Alquézar (paraje**) N : 21 km. – Madrid 449 – Huesca 52 – Lérida 68.

en la carretera N 240 O : 1 km – ✉ ☏ Barbastro :

🏨 **Rey Sancho Ramírez** Ⓜ, ☏ 31 00 50, ≤ campo y montañas – 🛗 🛁 ▤ rest ☏ ➡wc ▦
➡ ❷. ❤
Com 220 – ヱ 45 – 78 hab 250/450 – P 625/735.

BARCELONA 🅿 🔢 ⑳, 🔢 ⑱ – 1 745 142 h. – Plaza de toros – ⊙ 93.

Ver : Barrio Gótico** : Catedral** (trascoro*, retablo de la Transfiguración*), Museo Federico Marés** (Santo Entierro*), Diputación* – Montjuich* (<*) : Museo de Arte de Cataluña** (colecciones románicas y góticas***, Museo de Cerámica*), Museo Arqueológico*, Pueblo español* – La Ciudadela : Parque zoológico* – Tibidabo* (※**) – Atarazanas y Museo Marítimo** JKZ B – Palacio de la Virreina* – Iglesia de San Pablo del Campo (claustro*) YJ A.

🛬, 🛬 de Prat por ⑤ : 16 km, 🛬 de San Cugat por ⑦ : 20 km, 🛬 de Vallromanas por ④ : 25 km. ⚓ de Barcelona por ⑤ : 12 km 🕾 325 13 66 – Iberia y Aviaco : pl. España 🕾 224 40 00 EZ. 🚂 🕾 310 00 30.

⚓ para Baleares y Canarias : Cⁱᵃ Aucona, vía Layetana 2 🕾 319 82 12, Telex 54629 KX.

M.I.T. av. José Antonio 658 🕾 317 22 46 y 218 05 70 – R.A.C.E. (R.A.C. de Cataluña) Santaló 8 🕾 217 05 00, Telex 520 66.

Madrid 630 ⑥ – Bilbao 603 ⑥ – Lérida 160 ⑥ – Perpignan 185 ② – Tarragona 109 ⑥ – Toulouse 346 ② – Valencia 363 ⑥ – Zaragoza 304 ⑥.

Planos : Barcelona p. 2 a 7

🏨 **Presidente** 🅼, av. Generalísimo 670 🕾 227 31 41, Telex 52180, ⊥ – 🔲 🚗. 🖪. 💱 rest   Com 450 – ⊡ 100 – **161 hab** 1 250/2 000.   EU u

🏨 **Avenida Palace,** av. José Antonio 605 🕾 258 96 00, Telex 54734 – 🔲 🚗. 🖪. 💱 rest   Com 425 – ⊡ 80 – **230 hab** 1 050/1 700 – P 1 650/1 850.   GV r

🏨 **Arycasa** sin rest, Ausias March 17 🕾 318 44 50, Telex 54643 – 🔲. 🖪   JV t   ⊡ 80 – **178 hab** 800/1 300.

🏨 **Diplomatic** 🅼, vía Layetana 122 🕾 317 31 00, Telex 54701, ⊥ – 🔲 🚗. 🖪. 💱   GU e   Com 540 – ⊡ 100 – **217 hab** 1 250/2 700 – P 2 045/2 245.

🏨 **Gran H. Calderón** 🅼 sin rest, con snack-bar, rambla Cataluña 26 🕾 225 15 72, Telex   54560, ⊥ climatizada – 🔲 🚗. 🖪   GV t   ⊡ 90 – **244 hab** 760/1 240.

🏨 **Rotonda,** paseo San Gervasio 53 🕾 247 04 00 – 🔲 🚗. 💱 rest   BS e   Com 300 bc – ⊡ 70 – **81 apartamentos** 850/1 250 – P 1 295/1 520.

🏨 **Majestic,** paseo de Gracia 70 🕾 215 45 12, Telex 52211, ⊥ – 🔲 🚗. 🖪. 💱 rest   GU f   Com 425 – ⊡ 80 – **156 hab** 750/1 180 – P 1 380/1 540.

🏨 **Manila,** Ramblas 111 🕾 318 62 00, Telex 54634 – 🔲 🚗. 💱 rest   JX d   Com 425 – ⊡ 85 – **214 hab** 1 235/1 700 – P 1 600/1 985.

🏨 **Colón,** av. Catedral 7 🕾 207 14 04, Telex 52654 – 🔲. 💱 rest   KV e   Com 420 – ⊡ 75 – **160 hab** 920/1 725 – P 1 150/1 325.

🏨 **Derby y Rest. Epsom** 🅼, Loreto 21 🕾 239 30 07 – 🔲 🚗. 💱 rest   EV e   Com carta 320 a 740 – ⊡ 68 – **116 hab** 600/1 100.

🏨 **Cristal,** Diputación 257 🕾 258 66 00, Telex 54560 – 🔲 🚗. 💱   GV t   Com 395 – ⊡ 90 – **150 hab** 650/1 150 – P 1 285/1 360.

🏨 **Núñez Urgel,** sin rest, Urgel 232 🕾 239 46 06 – 🔲 🚗. 🖪   EV a   **121 hab.**

🏨 **Royal** 🅼 sin rest, Ramblas 117 🕾 258 94 00 – 🔲 🚗. 💱   JX e   ⊡ 80 – **107 hab** 750/1 200.

🏨 **Balmoral** 🅼 sin rest, vía Augusta 5 🕾 217 87 00 – 🔲 🚗. 🖪. 💱   FU n   ⊡ 80 – **93 hab** 660/1 150.

🏨 **Regente,** rambla de Cataluña 76 🕾 215 25 70, ⊥ – 🔲 🚗   FGU z   **66 hab.**

🏨 **Condor** 🅼, sin rest, vía Augusta 127 🕾 218 14 50, Telex 52925 – 🔲   EU z   **78 hab.**

🏨 **Arenas** sin rest, Capitán Arenas 20 🕾 204 03 00 – 🔲 🚗. 💱   BT r   ⊡ 60 – **59 hab** 600/1 040.

🏨 **Regina,** Vergara 2 🕾 207 20 50 – 🔲   HV b   **102 hab.**

🏨 **Euro-Park** sin rest, con snack-bar, Aragón 325 🕾 257 92 05 – 🔲 🚗   JU e   **66 hab** 650/1 100.

🏨 **Dante** sin rest, con snack-bar, Mallorca 181 🕾 323 22 54, Telex 52588 – 🔲 🚗   FV e   ⊡ 70 – **81 hab** 470/870.

🏨 **G.H. Cristina,** av. Generalísimo Franco 458 🕾 217 68 00 – 🔲. 💱   FU y   Com 350 – ⊡ 70 – **123 hab** 550/1 100 – P 1 150.

🏨 **Covadonga,** av. Generalísimo Franco 596 🕾 217 62 16 – 🔲 rest. 💱   EU v   Com 300 – ⊡ 68 – **75 hab** 440/760 – P 915/975.

🏨 **Roma,** Mallorca 163 🕾 253 35 00 – 🔲 🚗. 🖪. 💱   FV v   Com 295 – ⊡ 65 – **74 hab** 530/860 – P 940/1 040.

🏨 **Avenida Victoria** sin rest, con snack-bar, av. Victoria 16 bis 🕾 204 27 54, ⊥ – 🔲 🚗   ABT z   ⊡ 80 – **110 apartamentos** 1 560/1 950.

sigue →

BARCELONA
AGLOMERACIÓN

0   2 km

Repertorio de calles
ver Barcelona p. 7

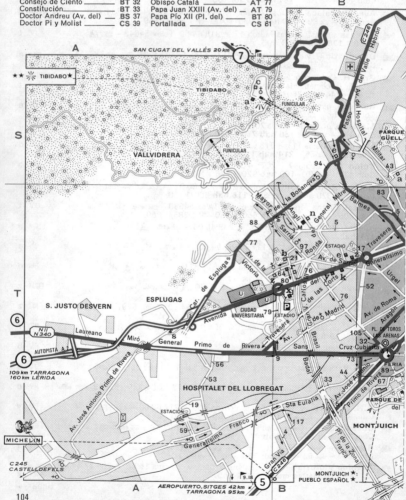

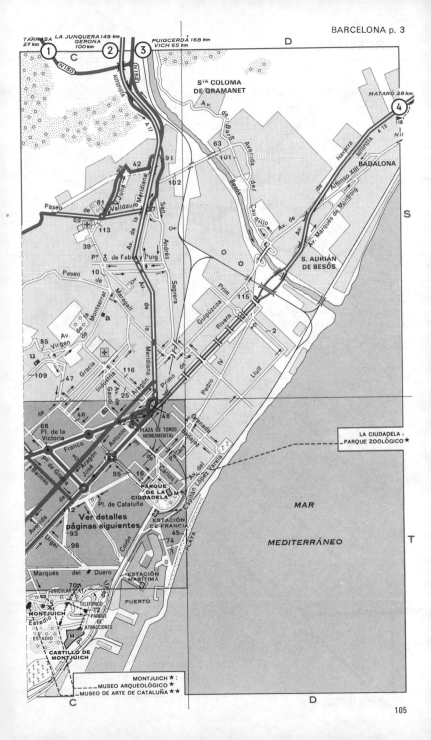

TARRASA 27 km ①
LA JUNQUERA 149 km
GERONA 100 km ②
③
PUIGCERDÁ 168 km
VICH 65 km

N 150

N 152

Autopista A 17

STA COLOMA
DE GRAMANET

Av. de Bará

MATARÓ 28 km ④

18

N II

Autopista A 19

BADALONA

Av. Alfonso XIII

Av. Navarra

Av. Marqués de Montroig

S

63

Avenida del Besós

Av. del Caudillo

101

102

91

42

Julia

42

Av. de la Meridiana

Paseo de Valldaura

Paseo

San Andrés

113

39

P° de Fabra y Puig

Sagrera

Paseo

10 de

S. ADRIÁN
DE BESÓS

115

Prim

Guipúzcoa

Rivera

2

Pedro IV

Lluli

Montserrat

Av. de Montserrat

Maragall

a

85 Av. Virgen

u

109

47

Gracia

Industria

116

Av. de Gaudí

Aragón

de

25

46

48

32

68 Pl. de la
Victoria

Antonio

Franco

Aragón

José

95

16

12

93

98

Pe de Gracia

Balmes

Avenida

Urgel

Granada

Badajoz

Pallars

Av. del Capitán López Varela

PLAYA

Av. del Caudillo

PLAZA DE TOROS
MONUMENTAL

Te Carlos

PARQUE
DE LA
CIUDADELA

Pl. de Cataluña

ESTACIÓN
DE FRANCIA

45
74

Cortón

Marqués del Duero

ESTACIÓN
MARÍTIMA

LA CIUDADELA :
PARQUE ZOOLÓGICO ★

MAR

MEDITERRÁNEO

T

Ver detalles
páginas siguientes

70

FUNICULAR

MONTJUICH
Estadio

TELEFÉRICO

PARQUE DE
ATRACCIONES

ESTADIO

CASTILLO DE
MONTJUICH

PUERTO

MONTJUICH ★ :
MUSEO ARQUEOLÓGICO ★
MUSEO DE ARTE DE CATALUÑA ★★

C

D

105

BARCELONA

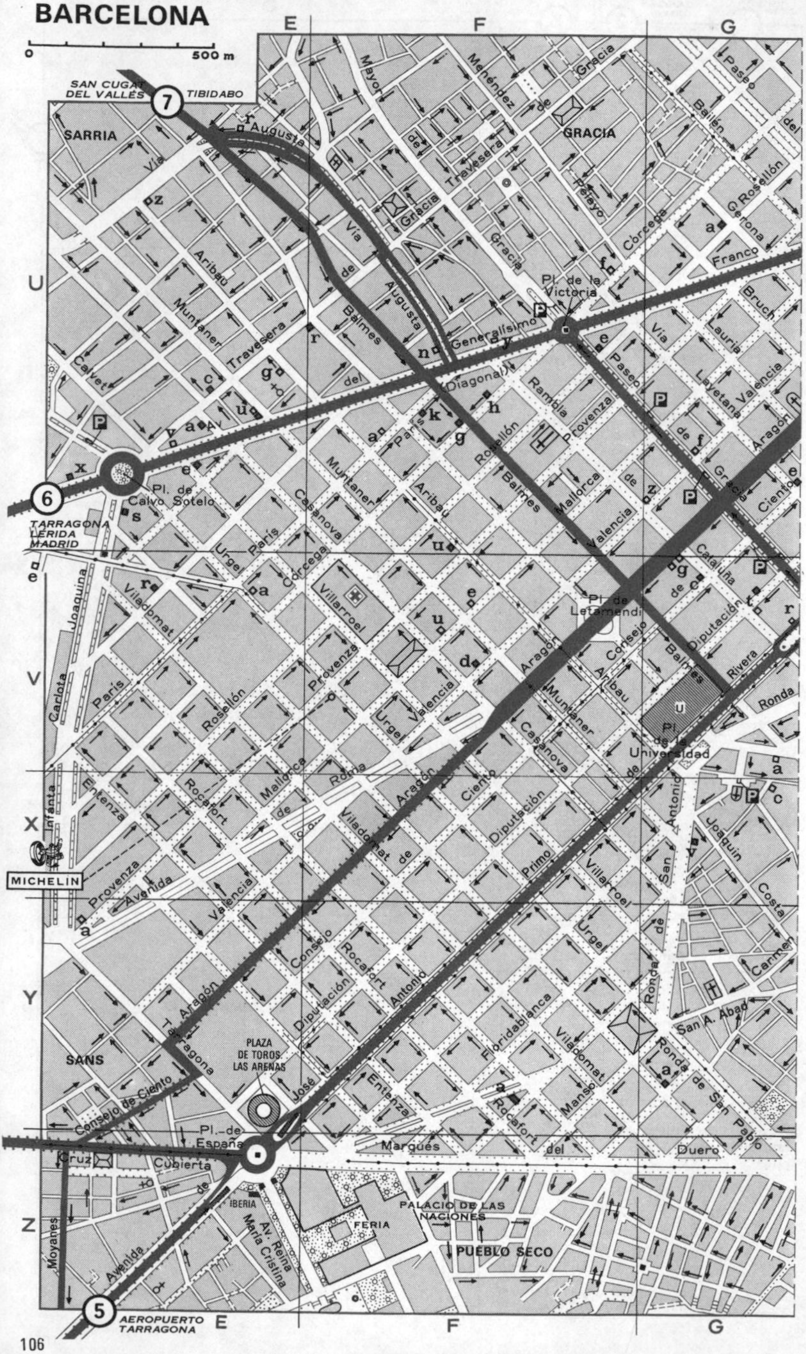
0
500 m
E
F
G
SAN CUGAT DEL VALLES
7
TIBIDABO
SARRIA
GRACIA
Augusta
Via
Aribau
Muntaner
Travesera
Mayor de Gracia
Menéndez
de
Gracia
Travesera
Pelayo
Paseo
Bailén
del
Rosellón
Gerona
Franco
Córcega
Vía de Augusta
Balmes
Pl. de la Victoria
Generalísimo
(Diagonal)
Bruch
Lauria
Vía Layetana
Valencia
Calvet
Av.
Paris
Rosellón
Rambla
Provenza
Paseo de Gracia
Aragón
Ciento
Pl. de Calvo Sotelo
6
TARRAGONA LERIDA MADRID
U
V
X
Y
Z
Muntaner
Aribau
Casanova
Balmes
Mallorca
Valencia
Urgel
París
Córcega
Villarroel
Joaquina
Carlota
Viladomat
Rosellón
Provenza
Cataluña
Pl. de Letamendi
Consejo de C.
Diputación
Rivera
Ronda
Pl. de la Universidad
Muntaner
Aribau
Casanova
Urgel
Valencia
Mallorca
Roma
de
Rocafort
Entenza
Infanta
Aragón
Ciento
Diputación
Viladomat
de
Primo
Villarroel
de
San
Antonio
Joaquín
Costa
Carmen
MICHELIN
Provenza
Avenida
Valencia
Consejo
Rocafort
Diputación
Antonio
Urgel
Ronda
de
Floridablanca
Viladomat
Manso
San A. Abad
Ronda de San Pablo
Aragón
Tarragona
SANS
PLAZA DE TOROS LAS ARENAS
José
Entenza
Rocafort
Consejo de Ciento
Pl. de España
Marqués del Duero
Cruz
Cubierta
de
IBERIA
Av. Reina María Cristina
PALACIO DE LAS NACIONES
FERIA
PUEBLO SECO
Moyanes
Avenida
5
AEROPUERTO TARRAGONA
E
F
G

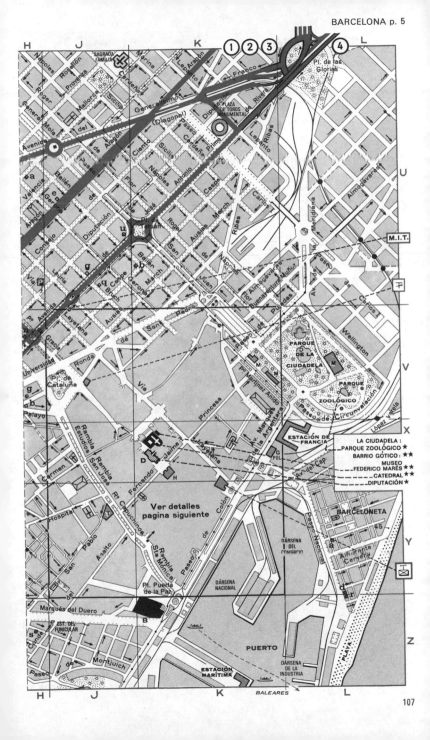

LA CIUDADELA :
PARQUE ZOOLÓGICO : ★
BARRIO GÓTICO : ★★
MUSEO
FEDERICO MARÉS ★★
CATEDRAL ★★
DIPUTACIÓN ★

Ver detalles
pagina siguiente

BARCELONA
PARTE CENTRAL

0   300 m

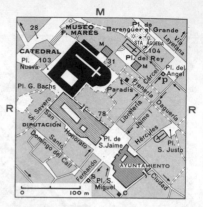

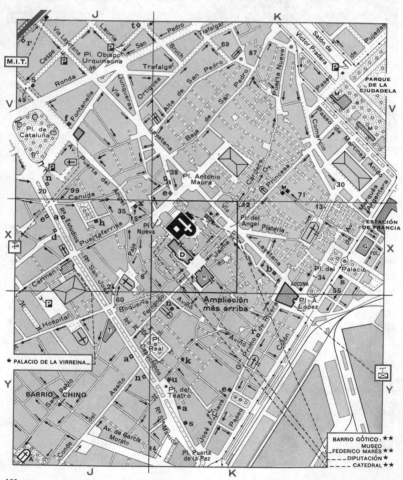

★ PALACIO DE LA VIRREINA___

BARRIO GÓTICO : ★★
MUSEO
FEDERICO MARÉS ★★
----- DIPUTACIÓN ★
----- CATEDRAL ★★

🏨 **Gala Placidia,** vía Augusta 112 ☎ 227 91 19 – 🍽 rest. ✻   EU **r**
Com 285 – ⏤ 63 – **28 apartamentos** 700/1 000 – P 995/1 195.

🏨 **Astoria** sin rest. con snack-bar, París 203 ☎ 218 56 00 – 🍽. ✻   FU **a**
108 hab 470/960.

🏨 **Gran Vía,** av. José Antonio 642 ☎ 318 19 00 – ✻   JV **r**
Com carta 370 a 660 – ⏤ 60 – **55 hab** 552/900 – P 1 050/1 320.

🏨 **Córcega** sin rest, Córcega 345 ☎ 217 17 00 – 🍽 🚗. ✻   FU **f**
⏤ 65 – **42 hab** 780.

🏨 **Condado,** Aribau 201 ☎ 217 25 00 – 🍽 rest. ✻   EU **g**
Com 290 – ⏤ 66 – **89 hab** 405/745 – P 918/950.

🏨 **Regencia Colón,** Sacristans 13 ☎ 318 98 58 – 🍽. ✻   KV **a**
Com 305 – ⏤ 55 – **55 hab** 330/635 – P 853/865.

🏨 **Oriente,** Ramblas 45 ☎ 302 25 58, Telex 54734 – ✻ rest   JV **a**
Com 325 – ⏤ 75 – **140 hab** 460/810 – P 1 045/1 100.

🏨 Terminal, 7º piso, sin rest, con snack-bar, Provenza 1 ☎ 321 53 50 – 🛗 📺 🕾 ➪wc 🅰 🚗
75 hab.   EY **a**

🏨 **Tres Torres** 🌳 sin rest, Calatrava 32 ☎ 247 73 00 – 🛗 📺 🕾 ➪wc 🅰 🚗. ✻   BT **n**
⏤ 56 – **56 hab** 370/590.

• 🏨 **Mesón Castilla,** Valdoncella 5 ☎ 318 57 24 – 🛗 📺 🍽 rest 🕾 ➪wc 🅰 🚗. ✻ rest
Com 225 – ⏤ 55 – **55 hab** 360/550 – P 670/755.   GX **c**

🏨 **Taber,** Aragón 256 ☎ 318 70 50 – 🛗 📺 🍽 rest 🕾 ➪wc 🅰. 🔺. ✻   GV **g**
Com 275 – ⏤ 60 – **65 hab** 500/750 – P 860/985.

🏨 Bonanova Park, sin rest, Capitán Arenas 51 ☎ 204 09 00 – 🛗 📺 🕾 ➪wc 🍴wc 🅰
🚗   BT **b**
60 hab.

🏨 **Montecarlo** sin rest, rambla de los Estudios 124 ☎ 317 58 00 – 🛗 📺 🕾 ➪wc 🅰 🚗.
✻   JX **a**
⏤ 55 – **73 hab** 425/650.

🏨 **Habana** sin rest, av. José Antonio 647 ☎ 207 07 50 – 🛗 📺 🕾 ➪wc 🅰 🚗   JU **g**
⏤ 60 – **65 hab** 425/665.

🏨 **Continental** sin rest, Ramblas 138 ☎ 207 25 12 – 📺 🕾 ➪wc 🅰   JV **n**
⏤ 40 – **28 hab** 250/450.

🏨 **Emperatriz** sin rest, travesera de Dalt 10 ☎ 228 16 00 – 🛗 📺 🕾 ➪wc 🍴wc 🅰 🚗   BS **a**
⏤ 50 – **52 hab** 400/700.

• 🏨 **Suizo,** 1º piso, pl. del Angel 12 ☎ 225 82 40 – 🛗 📺 🕾 ➪wc 🍴wc 🅰. ✻ rest   MR **p**
Com 250 – ⏤ 60 – 44 hab 350/754 – P 800.

🏨 **Apolo** sin rest, Ramblas 33 ☎ 258 57 04 – 🛗 📺 🕾 ➪wc 🍴wc 🅰   JY **n**
⏤ 60 – **90 hab** 310/530.

🏨 **Torelló** sin rest, General Primo de Rivera 31 ☎ 318 60 50 – 🛗 📺 🕾 ➪wc 🍴wc 🅰. ✻
⏤ 45 – **66 hab** 230/380.   KY **r**

🏨 **Rialto,** Fernando 42 ☎ 318 52 12 – 🛗 📺 🕾 ➪wc 🍴 🅰. ✻ rest   MR **s**
Com *(cerrado lunes)* 200 – ⏤ 50 – 53 hab 200/500 – P 600/650.

🏨 **Lleó,** 2º piso, Pelayo 24 ☎ 318 13 12 – 🛗 📺 🕾 ➪wc 🍴wc 🅰. ✻ rest   GV **a**
Com 160/180 – ⏤ 45 – 47 hab 230/400 – P 470/485.

🏨 **Mare Nostrum,** 5º piso, sin rest, rambla de Cataluña 61 ☎ 302 22 12 – 🛗 📺 ➪wc
🅰. ✻   GUV **g**
⏤ 45 – **27 hab** 250/400.

🏨 **Travesera,** 1º piso, sin rest, travesera de Dalt 121 ☎ 213 24 54 – 🛗 📺 🕾 ➪wc
🅰. ✻   CS **u**
⏤ 50 – **17 hab** 250/400.

Restaurantes clásicos o modernos

🍽🍽🍽🍽 ❀ Atalaya, 21º piso, av. Generalísimo Franco 523 ☎ 239 46 61, < Barcelona – 🍽   BT **k**
Espec. Patata con caviar, Medallones Atalaya, Langosta al whisky.

🍽🍽🍽🍽 ❀ **Reno,** Tuset 27 ☎ 227 93 08, Elegante restaurante clásico – 🍽 🅿. ✻   EFU **r**
Com carta 765 a 1 050
Espec. Civet de langosta catalana, Crêpe de langostinos New-Burg, Capón a la española.

🍽🍽🍽🍽 ❀ **Vía Veneto,** Ganduxer 10 ☎ 250 31 00, « Estilo belle époque » – 🍽 🅿. ✻   BT **e**
Com carta 685 a 1 130
Espec. Quenelles lyonnaises au vin blanc, Poularde demi-deuil, Soufflé Grand Marnier.

🍽🍽🍽 Finisterre, av. Generalísimo Franco 469 ☎ 230 91 14 – 🍽.   EU **e**

🍽🍽🍽 **Sol Club,** Infanta Carlota 138 ☎ 230 01 31, Comidas amenizadas al piano – 🍽. ✻   EU **s**
cerrado domingo de junio a septiembre – Com carta 415 a 655.

🍽🍽🍽 El Gran Gatopardo, Aribau 115 ☎ 253 11 10 – 🍽.   FU **u**

🍽🍽🍽 **Koldobika 46,** Bruch 46 ☎ 302 36 46 – 🍽. ✻   JU **q**
cerrado domingo – Com carta 550 a 750.

XXX **Los Borrachos,** vía Layetana 122 ☏ 317 31 00 – 🍽. ✍   GU e
Com carta 575 a 810.

XX **Buenavista,** ronda San Antonio 84 ☏ 302 21 68 – 🍽 ❷. ✍   GX v
Com carta 310 a 450.

XX Orotava, Consejo de Ciento 335 ☏ 231 78 41 – 🍽.   GV c

XX Peppone, Maestro Nicolau 2 ☏ 230 91 94, Cocina italiana – 🍽.   EU x

XX Le Château Camelot, av. Generalísimo Franco 529 ☏ 250 31 77.   BT y

XX **Tramuntana,** pl. San Miguel 2 ☏ 302 61 75 – 🍽. ✍   MR c
cerrado lunes no festivos – Com carta 375 a 480.

XX ✿ **Hostal Sant Jordi,** travesera de Dalt 123 ☏ 213 10 37 – 🍽. ✍   CS u
Com carta 330 a 720
Espec. Tortilla Hostal Sant Jordi, Medallones de rape al serrallo, Escalopa rellena al estragón

XX **Petit Soley,** pl. Villa de Madrid 4 ☏ 302 61 64 – 🍽   JX h
cerrado domingo y del 9 al 31 agosto – Com carta 435 a 780.

XX **Soley,** Bailén 29 ☏ 245 21 75 – 🍽   JKU b
cerrado sábado en verano – Com carta 400 a 675.

XX Crab, 1° piso, Casanova 213 ☏ 217 85 15, Pescados y mariscos – 🍽 ❷.   EU a

XX **Navarra,** paseo de Gracia 4 ☏ 318 16 43 – 🍽. ✍   JV s
Com carta 370 a 545.

XX **Amaya,** rambla Santa Mónica 20 ☏ 302 61 38, Pescados y mariscos – 🍽. ✍   KY a
Com carta 335 a 475.

XX **Tinell,** Frenería 8 ☏ 302 50 15 – 🍽. ✍   MR t
cerrado domingo y 15 julio al 15 agosto – Com carta 320 a 495.

XX **Niu Guerrer,** pl. Tetuán 16 ☏ 225 41 02 – 🍽   JU u
cerrado Jueves santo y Viernes santo – Com carta 410 a 620.

XX **San Antonio,** av. Mistral 27 ☏ 243 10 69   FY a
Com carta 260 a 400.

XX **Au Périgord-le Grill de Janine,** Roberto Bassas 34 C ☏ 230 91 02, Rest. francés –
🍽   BT x
cerrado domingo y del 12 al 17 agosto – Com carta 320 a 585.

X **La Font,** Archs 5 ☏ 231 54 92 – 🍽   JX x
Com carta 390 a 640.

X **Casa Juan,** Ramblas 12 ☏ 302 30 18 – 🍽   KY s
Com carta 255 a 440.

X **Joanet,** paseo Nacional 67 ☏ 319 50 23, Bodega-museo típica   LY d
Com carta 475 a 670.

X **Abrevadero,** Vilá y Vilá 77 ☏ 241 22 06 – 🍽   HZ s
Com carta 300 a 635.

X **Barceloneta,** paseo Nacional 70 ☏ 319 50 22 – ✍   LZ r
Com carta 260 a 490.

X **Giorgi,** Muntaner 231 ☏ 227 38 24, Espec. francesas   EU u
cerrado domingo y agosto-10 septiembre – Com carta 340 a 535.

X **La Nao,** Londres 35 ☏ 230 91 86 – 🍽. ✍   EV r
Com carta 245 a 465.

X **7 Puertas,** paseo Isabel II - 14 ☏ 319 30 33 – 🍽   KX s
Com carta 315 a 580.

X L'Hogar Gallego, vía Layetana 5 ☏ 310 30 74, Espec. gallegas – 🍽.   KX b

X **La Puñalada,** paseo de Gracia 104 ☏ 227 45 63 – ✍   FU e
cerrado agosto – Com carta 360 a 660.

X **El Pescador,** Mallorca 314 ☏ 258 71 03, Pescados y mariscos – 🍽   HU a
cerrado domingo – Com carta 260 a 760.

X **Bienservida,** Rosellón 305 ☏ 257 10 34   GU a
cerrado martes – Com carta 235 a 315.

X Can Solé, San Carlos 4 ☏ 319 50 12, Pescados y mariscos – 🍽.   LY a

X **Pá i Trago,** Parlamento 41 ☏ 241 10 37 – 🍽. ✍   GY a
cerrado lunes no festivos – Com carta 265 a 615.

X **Retiro,** París 200 ☏ 227 04 43 – ✍   FU k
Com carta 295 a 745.

X **Mesón del Pollo al Ast,** Valencia 153 ☏ 253 30 20   FV d
cerrado lunes y agosto – Com carta 300 a 600.

X **Casa Agustín,** Vergara 5 ☏ 218 61 64 – 🍽. ✍   HV g
cerrado sábado – Com carta 245 a 460.

X **Iruña,** pl. Duque de Medinaceli 2 ☏ 245 86 12   KY e
Com carta 180 a 430.

sigue →

✗ Peñón Ifach, travesera de Gracia 35 ☏ 227 38 66 – 🍽.   EU c

✗ **A la Menta,** paseo Manuel Girona 50 ☏ 204 15 49 – 🍽. ✺   BT r
Com carta 325 a 760.

Restaurantes de ambiente típico

✗✗ **Agut d'Avignon,** Trinidad 3 ☏ 302 60 34, « Ambiente típico catalán » – 🍽   KY n
cerrado domingo, Semana Santa, y 15 al 31 agosto – Com carta 460 a 675.

✗✗ **Font del Gat,** paseo Santa Madrona, Montjuich ☏ 243 10 22, Decoración catalana –
🅟. ✺   CT x
Com carta 360 a 775.

✗ **L'Altra Bota,** av. Virgen de Montserrat 248 ☏ 236 51 97, Rest. típico – 🍽.   CS a

✗ **Caracoles,** Escudillers 14 ☏ 258 20 41, Rest. típico – 🍽. ✺   KY k
Com carta 325 a 730.

Cafeterías, « Snack-bars », Restaurantes rápidos

✗✗✗ Comedia Club, av. José Antonio 609 ☏ 222 37 78 – 🍽.   HV n

✗✗✗ Brasserie Atalaya, av. Generalísimo Franco 523 ☏ 230 01 77 – 🍽.   BT k

✗✗ **Nit i Día,** av. Generalísimo 616 ☏ 321 10 77, Decoración moderna – 🍽. ✺   BT z
Com carta 190 a 370.

✗✗ **Pub Renault,** 1° piso, Córcega 293 ☏ 227 88 99 – 🍽 🅟   FU h
Com carta 300 a 420.

✗✗ **Plazza,** pl. Cataluña 15 ☏ 207 17 97 – 🍽. ✺   JV f
Com carta 340 a 460.

✗✗ **Treno,** Diputación 257 ☏ 302 40 30 – 🍽   GV t
Com carta 290 a 425.

✗ **Kok d'Or,** Balmes 149 ☏ 227 10 85 – 🍽. ✺   FU g
Com carta 155 a 280.

✗ **Cosmos,** 1° piso, Ramblas 34 ☏ 218 99 89 – 🍽   KY u
Com carta 325 a 450.

en la carretera de Esplugas – AT :

✗✗✗ **La Masía,** av. Generalísimo Franco 58 ✉ Esplugas ☏ 303 30 80 Barcelona, Rest. al aire
libre – 🍽 🅟. ✺   AT s
Com carta 450 a 675 (suplemento para cena-baile).

en el Tibidabo – AS – ✉ ☏ Barcelona :

🏨 **Florida** ⌖ sin rest, cumbre del Tibidabo ☏ 247 50 00, « Situación agradable dominando
la ciudad, ⬉ mar y montaña », ⤵ – 🛗 ☎ ⛱wc ☎ 🅟   AS c
junio-15 septiembre – ⛺ 60 – **52 hab** 450/750.

✗ **La Masía** con hab, cumbre del Tibidabo ☏ 247 63 50, ⬉ ciudad, mar y montaña, ⤵ del
hotel Florida – 🛗 ▥ ☎ ⛱wc 🅟   AS a
abril-octubre – Com *(abierto todo el año, cerrado miércoles en invierno)* carta 320 a 475 –
⛺ 50 – **29 hab** 300/500.

en la carretera de San Cugat por ⑦ : 10 km – ✉ Barcelona ☏ San Cugat :

✗✗ **Can Cortés,** urbanización Ciudad Condal Tibidabo ☏ 274 17 04, ⬉ montañas, Decoración
rústica – 🅟
cerrado lunes y 8 al 31 enero – Com carta 310 a 575.

en el aeropuerto por ⑤ : 12 km – ✉ Aeropuerto de Muntadas ☏ Barcelona :

✗✗ Aeropuerto de Muntadas, ☏ 241 03 37 – 🍽.

S.A.F.E. Neumáticos MICHELIN, Sucursales, Urgel 151 (FV) ☏ 253 44 04, y en HOSPITALET
DE LLOBREGAT : av. Granvía Sur ☏ 335 01 50.

AUSTIN-MG-MORRIS-MINI Floridablanca 133 ☏ 223 08 82	CHRYSLER-SIMCA Aragón 116 ☏ 253 31 05
AUSTIN-MG-MORRIS-MINI Diputación 43 ☏ 224 85 14	CITROEN Badal 81 ☏ 223 31 77
	FIAT Tuset 23 ☏ 217 16 50
AUSTIN-MG-MORRIS-MINI Mansó 9 ☏ 243 39 00	FIAT-SEAT Gran Vía Carlos III-62 ☏ 250 25 00
AUSTIN-MG-MORRIS-MINI Balmes 229-231 ☏ 228 10 91	FORD travesera de Gracia 21 ☏ 218 69 00
	PEUGEOT Bolivia 243 ☏ 307 27 19
AUSTIN-MG-MORRIS-MINI Pedralbes 2 y 4 ☏ 211 05 50	RENAULT travesera Las Corts 146 ☏ 339 90 00
	RENAULT av. Meridiana 85 ☏ 225 15 75
AUSTIN-MG-MORRIS-MINI Nápoles 312 ☏ 257 13 00	RENAULT Vilamarí 30 ☏ 223 08 12
CHRYSLER-SIMCA Tarragona 147 ☏ 223 30 44	RENAULT Córcega 293 ☏ 227 71 64
CHRYSLER-SIMCA Balmes 184 ☏ 227 93 00	RENAULT Rosellón 188 ☏ 254 17 30
	SEAT av. José Antonio 90 ☏ 243 39 05

El BARCO DE ÁVILA Ávila 🔲🔲🔲 ⑭ – 2 563 h.

Madrid 187 – Avila 77 – Plasencia 72 – Salamanca 96.

▲ **Manila** ⤸, carret. de Plasencia ⭲ 544, ⪪ río Tormes, pueblo y montañas – 🍽 rest 🚗 🅟. ❄
Com 275 – 🖵 60 – **50 hab** 375/650 – P 845/895.

🏠 Bella Vista, carret. de Ávila ⭲ 14 – 🏢 🍽 ⌂wc 🚿wc 🖹 🅟
14 hab.

La BARRANCA (Valle de) Madrid – ▲ ver Navacerrada.

BARRO Oviedo – 🏠 ver Llanes.

BAYONA Pontevedra 🔲🔲🔲 ① – 7 887 h.

Ver : Jardines del parador** (paseo por las murallas**). Alred. : Carretera* de Bayona a La Guardia.

Madrid 629 – Orense 117 – Pontevedra 55 – **Vigo 21.**

🏰 **Parador del Conde de Gondomar M.I.T.** Ⓜ ⤸, ría de Vigo ⭲ 142, ⪪ mar e islas Cíes,
« Castillo feudal reconstruido en un gran parque a la orilla del mar », 🏊 – 🚗 🅟. ❄ rest
Com 315 – 🖵 65 – **66 hab** 425/760 – P 695/740.

en la carretera de La Guardia :

✕ Hermida, O : 8,3 km ✉ Oya, ⪪ mar – 🅟
temp.

BAZA Granada 🔲🔲🔲 ㊴ – 19 990 h. alt. 872 – ✪ 958.

Madrid 427 – Granada 107 – **Murcia 177.**

🛏 Mariquita, Caños Dorados 2 ⭲ 35 – 🏢 🚿wc
32 hab.

🛏 **Rosa,** carret. de Granada 14 ⭲ 70 07 62 – 🏢 🖹 🅟
Com 160 bc – 🖵 40 – 14 hab 120/215 – P 410/460.

CHRYSLER-SIMCA carret. de Granada ⭲ 426
CITROEN Corredera ⭲ 583

FIAT-SEAT Murcia 28 ⭲ 714
RENAULT Corredera 22 ⭲ 895

☛ *Michelin no coloca placas de propaganda
en los hoteles y restaurantes que recomienda.*

BEASAIN Guipúzcoa 🔲🔲🔲 ⑥, 🔲🔲 ④ – 10 095 h. alt. 157 – ✪ 943.

Madrid 429 – Pamplona 71 – San Sebastián 43 – Vitoria 73.

en Olaberría - en la carretera N I SO : 1,5 km :

🏠 **Castillo,** ✉ ⭲ 89 11 11 Beasain – 🏢 🏢 🍽 ⌂wc 🖹 🚗 🅟. 🛌
Com 250 – 🖵 60 – **28 hab** 285/460 – P 665/720.

en Ataun S : 6 km – ✉ ⭲ Ataun :

✕ Victor, carret. de Echarri-Aranaz ⭲ 29 – 🅟.

CITROEN av. Navarra 53 ⭲ 89 18 83
RENAULT carret. N I km 424 ⭲ 88 10 73

SEAT carret. N I km 419 ⭲ 89 18 46

BECERRIL DE LA SIERRA Madrid 🔲🔲🔲 ㊴ – 1 024 h. alt. 1 080 – ✪ 91.

Madrid 52 – Segovia 42.

🏠 **Las Gacelas** ⤸, carret. de Madrid ⭲ 623 80 00, ❄ – 🏢 🍽 ⌂wc 🚿wc 🖹 🅟. ❄
Com 200 – 🖵 40 – 30 hab 200/300 – P 500/600.

BEHOBIA Guipúzcoa 🔲🔲🔲 ⑦, 🔲🔲 ⑤ – Ver aduanas p. 14 y 15.

BÉJAR Salamanca 🔲🔲🔲 ⑬⑭ – 17 576 h. alt. 938 Plaza de toros – ✪ 923.

Madrid 218 – Ávila 108 – Plasencia 58 – **Salamanca 73.**

🏠 **Colón,** Colón 42 ⭲ 40 06 50 – 🏢 🏢 🍽 ⌂wc 🚿wc 🖹. ❄ rest
Com 250 – 🖵 60 – **51 hab** 340/540 – P 685/755.

🏠 **Comercio,** Puerta de Ávila 5 ⭲ 40 03 04 – 🏢 ⌂wc 🚿 🖹. ❄ rest
Com 175 – 🖵 50 – 13 hab 140/290 – P 390/440.

🛏 España, Zúniga Rodríguez 4 ⭲ 40 00 21 – 🏢
29 hab.

AUSTIN-MG-MORRIS-MINI carret. de Salamanca 41
⭲ 40 29 56
CHRYSLER-SIMCA carret. de Salamanca 12 ⭲ 40 14 06

CITROEN carret. Castañar-Arco del Monte 7 ⭲ 40 23 22
RENAULT carret. de Salamanca ⭲ 40 06 61
SEAT av. del Ejército 6 ⭲ 40 07 09

BELLPUIG Lérida 🔲🔲🔲 ⑲, 🔲🔲 ⑮⑯ – 3 558 h. alt. 308 – ✪ 973.

Madrid 503 – Barcelona 127 – Lérida 33 – Tarragona 86.

🏠 Bellpuig, carret. N II ⭲ 32 02 00, 🏊 – 🏢 🚿wc 🖹 🅟
30 hab.

Los BELONES Murcia – ⓕ, ⓕ La Manga SO : 3 km.
Madrid 459 – Alicante 101 – Cartagena 20 – **Murcia 68.**

en la carretera de Portman SO : 3 km – ⊠ Los Belones ⊅ La Manga':

🏨 La Manga Campo de Golf Ⓜ 🦢, ⊅ 56 35 00, Telex 67147, ≼ campo de golf y La Manga,
🍴, ⊿, ⓕ, ⓕ – 🍽 ⓟ
72 hab.

BELLVER DE CERDAÑA Lérida 🆇 ⑦ – 1 697 h. alt. 1 061.
Madrid 636 – Lérida 166 – Seo de Urgel 33.

🏨 **María Antonieta** 🦢, av. de la Victoria ⊅ 95, ≼ montañas, ⊿ – 🛗 ▥ 🍽 🚪wc 🛁wc
🛎 ⓟ. 🎿
Com 250/300 – ⊑ 50 – 38 hab 240/400 – P 560/600.

🏠 Bellavista, carret. de Puigcerdá 7 ⊅ 8, ≼ valle de Cerdaña – 🛗 ▥ 🍽 🛁wc ⓟ
44 hab.

BENABARRE Huesca �ⓞⓞ ⑱, 🆇 ⑲, 🆇 ④⑤ – 1 094 h. alt. 782.
Madrid 505 – Huesca 108 – **Lérida 65.**

✗ Benabarre, con hab, carret. de Lérida ⊅ 89 – ▥ 🛁wc ⓟ
14 hab.

BENAJARAFE Málaga – 🏨 ver Torre del Mar.

BENALMÁDENA COSTA Málaga – 🏨 a 🏨, ✗ ver Torremolinos.

BENASAL Castellón de la Plana – 1 767 h. alt. 821.
Madrid 485 – Castellón de la Plana 68 – Tortosa 124.

🏨 Fuente En-Segures 🦢, Balneario Fuente En-Segures 2 km ⊅ 44 – 🛗 🚪wc 🛁wc 🛎 🚗 ⓟ
temp. – 78 hab.

BENASQUE Huesca 🟡ⓞⓞ ⑧, 🆇 ⑲, 🆇 ④ – 733 h. alt. 1 138 – Deportes de invierno en
Cerler : 5 🎿.
Alred. : S : Valle de Benasque* – O : Carretera del Coll de Fadas ≼* por Castejón de Sos –
Congosto de Ventamillo* S : 16 km.
Madrid 547 – Huesca 150 – **Lérida 149.**

🏨 **Aneto** 🦢, carret. Anciles 2 ⊅ 8, 🍴, ⊿ – 🛗 ▥ 🚪wc 🛁wc 🛎 🚗 ⓟ. 🎿
julio-septiembre y diciembre-mayo – Com 180 – ⊑ 55 – 38 hab 200/330 – P 465/500.

🏠 **Benasque** 🦢, carret. Anciles 3 ⊅ 8, 🍴, ⊿ – ▥ 🚪wc 🛎 🚗 ⓟ. 🎿
Com 175 – ⊑ 50 – 56 hab 170/290 – P 430/455.

en Eriste SO : 3 km – ⊠ Eriste :

🏨 Tres Picos 🦢, ≼ alta montaña – ▥ 🛁wc ⓟ. 🎿
Com 125 – ⊑ 25 – 18 hab.

en la carretera de Baños de Benasque NE : 11 km, acceso difícil por carretera de
montaña : 5 km sin revestir – ⊠ ⊅ Benasque :

🏨 **Balneario** 🦢, alt. 1750, ⊅ 8, ≼ valle y montañas – sólo agua fría 🎿
julio-septiembre – Com 200 – ⊑ 40 – 41 hab 180/320 – P 440/460.

SEAT   estación de servicio la Maladeta ⊅ 25

BENAVENTE Zamora 🟡ⓞⓞ ⑭ – 11 779 h. alt. 724 – ◉ 988.
Madrid 260 – León 70 – Orense 253 – Palencia 107 – Ponferrada 125 – **Valladolid 100.**

🏨 **Parador Rey Fernando II de León M.I.T.** 🦢, ⊅ 63 03 00, ≼ campiña – 🚗 ⓟ. 🎿 rest
Com 315 – ⊑ 65 – **30 hab** 580/785 – P 708/895.

en la carretera N VI – ⊠ ⊅ Benavente :

🏠 **Martín,** S : 2 km ⊅ 63 18 50 – ▥ 🚪wc 🛁wc ⓟ. 🎿
Com 170 – ⊑ 40 – 46 hab 175/325 – P 465/485.

🏨 **Benavente,** S : 1,3 km ⊅ 63 02 50 – ▥ 🛎 🚗 ⓟ. 🎿
Com 160 bc – ⊑ 32 – 8 hab 200 – P 420.

AUSTIN-MG-MORRIS-MINI carret. Madrid km 263
⊅ 63 05 27
CHRYSLER-SIMCA carret. N VI-12 ⊅ 63 01 85

CITROEN Maragatos 37 y 39 ⊅ 63 01 20
FIAT-SEAT carret. N VI km 261 ⊅ 63 16 37
RENAULT carret. N VI km 263 ⊅ 63 16 39

P 340/380	**Full Board prices** given are intended as a rough guide. If you are planning a stay, make enquiries of the hotel.

BENDINAT (Costa de) Baleares 990 ㉙, 43 ⑲ – 🏛 ver Baleares (Mallorca).

BENICARLÓ Castellón de la Plana 990 ⑱ – 12 831 h. alt. 27 – ✪ 964.
Madrid 492 – Castellón de la Plana 73 – Tarragona 116 – Tortosa 51.

🏛 **Printania,** Hernán Cortés 48 ⚋ 47 00 24 – 🏢 ⬚ ﹋wc. ✸ rest
abril-septiembre – Com 125 bc – ⌑ 30 – 35 hab 120/210.

en la carretera de circunvalación – ⊠ ⚋ Benicarló :

🏛 **Sol,** av. Magallanes 90 ⚋ 47 13 49 – ﹋wc ⬅ ❻
junio-septiembre – Com carta 220 a 300 – ⌑ 50 – **16 hab** 175/250 – P 550.

AUSTIN-MG-MORRIS-MINI César Cotaldo 134 ⚋   FORD carret. N 340 km 133 ⚋ 47 02 85
47 06 72   RENAULT carret. N 340 km 135 ⚋ 47 15 47
CHRYSLER-SIMCA E. Collantes 127 ⚋ 47 09 97   SEAT carret. N 340 km 135 ⚋ 47 17 08
CITROEN carret. N 340 ⚋ 47 19 50

BENICASIM Castellón de la Plana 990 ㉘ – 2 923 h. – Playa – ✪ 964.
Madrid 433 – Castellón de la Plana 14 – Tarragona 175 – **Valencia 83.**

🏨 **Orange** Ⓜ, Gran Avenida ⚋ 30 06 00, Telex 65626, ✄, ⌕ climatizada, ⚞ – 🍽 rest ❻.
⚘. ✸ rest
abril-octubre – Com 260 – ⌑ 70 – **415 hab** 450/570 – P 775/940.

🏨 Trinimar, playa ⚋ 30 08 50, ⪪ mar, ⌕ – 🍽 rest ❻ – *temp.* – 170 hab.

🏛 **Azor,** paseo Marítimo ⚋ 30 03 50, Telex 65503, ⪪ mar, « Terraza con flores », ✄, ⌕, ⚞ –
📺 ⬚ ⌂wc ⊛ ❻. ✸ rest
15 marzo-octubre – Com 260 – ⌑ 60 – **88 hab** 370/570 – P 760/845.

🏛 **Voramar,** playa ⚋ 30 01 50, ⪪ mar, « Gran terraza » – 📺 🏢 ⬚ ⌂wc ⬅ ⬤ ❻. ✸ rest
15 marzo-20 octubre – Com 250 – ⌑ 60 – **55 hab** 320/500 – P 700/770.

🏛 **Bonaire,** paseo Marítimo ⚋ 30 08 00, Telex 65503, « Pequeña pineda », ✄, ⌕, ⚞ – ⬚
⌂wc ﹋wc ⊛ ❻. ✸ rest
20 marzo-septiembre – Com 165/200 – ⌑ 50 – **78 hab** 360/535 – P 650/740.

🏛 **Vista Alegre,** av. de Barcelona ⚋ 30 04 00 – 📺 ⬚ ⌂wc ⊛ ❻. ✸
Com 154 – ⌑ 44 – 68 hab 247/385 – P 490/544.

🏛 **Tramontana** sin rest. paseo Marítimo ⚋ 30 03 00 – 📺 🏢 ⬚ ⌂wc ⊛ ❻. ✸
abril-septiembre – ⌑ 50 – **65 hab** 275/425.

🏛 **Avenida,** av. de Castellón 2 ⚋ 30 00 17 – 🏢 ⬚ ⌂wc ❻. ✸ rest
abril-septiembre – Com 120 – ⌑ 40 – 32 hab 125/250 – P 350.

🏛 Felipe II, sin rest. Cristóbal Colón ⚋ 30 05 47 – ⬚ ⌂wc ❻
temp. – **41 hab.**

🏛 Adonis, av. Castellón ⚋ 30 06 99 – ⬚ ⌂wc ❻ – *temp.* – 26 hab.

🏛 **Tres Carabelas,** av. Ferrándiz Salvador 84 ⚋ 30 06 49, ⪪ mar – ﹋wc ❻. ✸ rest
marzo-octubre – Com 150 – ⌑ 40 – 36 hab 260 – P 350.

🏛 Almadraba, Santo Tomás 137 ⚋ 30 01 80 – ⬚ ﹋wc – 24 hab.

✕✕ Rall. paseo Marítimo ⚋ 30 00 27 – *temp.*

✕ **Strada,** av. Castellón ⚋ 30 02 12, Rest. italiano
cerrado domingo y de octubre a marzo – Com carta 280 a 600.

SEAT av. Castellón ⚋ 30 04 95

BENIDORM Alicante 990 ㉘ – 12 124 h. – Playa – Plaza de toros – ✪ 965.
Ver : Promontorio del Castillo ⪪*.
Alred. : Rincón de Loix ✳** E : 2 km.
Madrid 461 ② – Alicante 42 ② – Valencia (por la costa) 142 ①.

Plano página siguiente

🏨 **G.H.Delfín** ⚲, playa de Poniente, La Cala por ② ⚋ 85 34 00, ⪪ playa, ✄, ⌕ – 🍽 ❻.
✸ rest
20 marzo-septiembre – Com 400 – ⌑ 95 – **99 hab** 917/1 510 – P 1 385/1 550.

🏨 **Los Dálmatas,** Estocolmo, Rincón de Loix, por vía del Mediterráneo ⚋ 85 19 00, Telex
66301, ⪪ mar, ⌕ climatizada – 🍽 ❻. ⚘. ✸ rest
Com 315 – ⌑ 70 – **270 hab** 510/950 – P 1 070/1 105.

🏨 **G. H. Corregidor Real,** av. Filipinas 7, por vía del Mediterráneo ⚋ 85 01 03, « Estilo
español del siglo XVI », ⌕ – 🍽. ✸ rest
Com 275 – ⌑ 75 – **35 hab** 560/900 – P 950/1 030.

🏨 **Europa,** Amsterdam 10, Rincón de Loix, por vía del Mediterráneo ⚋ 85 08 00, « Amplias
terrazas entre jardines », ⌕ climatizada – ❻. ✸ rest
Com 265 – ⌑ 55 – **46 hab** 310/550 – P 660/695.

🏨 **Cimbel** Ⓜ, av. de Europa (f), esquina playa Levante ⚋ 85 21 00, ⪪ playa, ⌕ climatizada –
🍽. ✸
Com 350 – ⌑ 90 – **144 hab** 600/1 200 – P 1 075.

sigue →

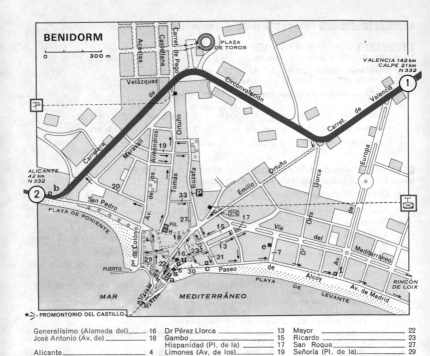

Generalísimo (Alameda del)	16	Dr Pérez Llorca	13	Mayor	22
José Antonio (Av. de)	18	Gambo	15	Ricardo	23
		Hispanidad (Pl. de la)	17	San Roque	27
Alicante	4	Limones (Av. de los)	19	Señoría (Pl. de la)	29
Ayuntamiento (Pl. del)	6	Marqués de Comillas	20	Torreón (Pl. del)	30
Bilbao (Av. de)	7	Martínez Alejos	21	Viga	33

🏨🏨 **Selomar** Ⓜ, av. Virgen del Sufragio (**c**), playa de Levante ⚎ 85 52 77, ⩽ playa, ⨼ – 🗏 ⇌ 246 hab.

🏨🏨 **El Celtíbero,** av. Marina Española 2 (**b**) ⚎ 85 45 50, ⩽ mar – 🗏 **Ⓟ**. ⅍
marzo-noviembre – Com 280 – � 65 – **98 hab** 600/950 – P 1 000/1 125.

🏨 **Roca Blanca,** Horno 5 (**a**) ⚎ 85 06 14, ⩽ ciudad y playa, ⨼ climatizada – ⃦ ▥ 🕿 ⇄wc
⊛. ⅍
15 marzo-octubre – Com 230 – ⊑ 50 – **86 hab** 260/435 – P 680/720.

🏨 **Apartotel Girasol** sin rest, con snack-bar, Bruselas 7, Rincón de Loix, por vía del Mediterráneo ⚎ 85 50 17, ⩽ mar, ⨼ climatizada – ⃦ ▥ 🕿 ⇄wc ⊛ ⇌
⊑ 40 – **110 hab** 1 000.

🏨 **Sierra Dorada** ⌂, Rincón de Loix, por vía del Mediterráneo ⚎ 85 11 35, ⩽ bahía y Benidorm, ⨼ climatizada – ⃦ ▥ ⇄wc ▥wc **Ⓟ**. ⅍ rest
Com 190/250 – ⊑ 40 – **63 hab** 160/350 – P 440/470.

🏨 **Canfali,** pl. San Jaime 4 (**a**) ⚎ 85 08 18, « Sobre un promontorio rocoso, ⩽ playa » – ⃦ ▥
🕿 ⇄wc ⊛
temp. – 37 hab.

🏨 **Regina,** pl. Ayuntamiento 6 (**u**) ⚎ 85 05 12, ⩽ playa – ⃦ ▥ 🕿 ⇄wc ▥wc ⊛. ⅍ rest
Com 175 – ⊑ 40 – 40 hab 240/500 – P 470.

XXX **Tiffany's,** av. del Mediterráneo, edificio Coblanca ⚎ 85 44 68, Decoración moderna –
🗏. ⅍
Com (solamente cenas) carta 500 aprox.

XX **Caserola,** Bruselas 7, Rincón de Loix, por vía del Mediterráneo ⚎ 85 17 19, Cocina francesa, « Terraza con flores » – 🗏 **Ⓟ**
Com carta 260 a 490.

XX Mesón Felipe V, Horno 1 (**s**) ⚎ 85 31 79, ⩽ mar.

X **Pampa Grill,** Ricardo 16 (**u**) ⚎ 85 30 34, Decoración rústica, Espec. carnes a la brasa – 🗏
Com carta 320 aprox.

X **Pizzeria Da Renzo,** av. Bilbao 3 (**e**) ⚎ 85 07 75, Rest. italiano
Com carta 185 a 380.

X **La Parrilla,** av. Diputación, Rincón de Loix, por vía del Mediterráneo ⚎ 85 10 53
Com carta 235 a 355.

en la carretera de Altea E : 4 km por Rincón de Loix – ⊠ ☎ Benidorm :

XX **Gambo El Romeral,** ☎ 85 00 38, « Agradable terraza rodeada de césped »
Com carta 300 a 480.

en Cala Finestrat por ② : 4 km – ⊠ ☎ Benidorm :

X Vivero Casa Modesto, ☎ 36 11 39, « Terrazas con ≤ mar », Pescados y mariscos – **Ɖ**.

en la carretera de Valencia – ⊠ ☎ Benidorm :

XXX **Bravísimo,** por ① : 5,5 km ☎ 85 50 81 – ▤ **Ɖ**
Com carta 315 a 500.

XX **Cisne,** por ① : 4 km ☎ 85 14 81, Decoración rústica, « Bonito jardín con arbolado » – **Ɖ**
Com carta 360 a 625.

X **La Noche,** por ① : 2 km ☎ 85 20 38 – **Ɖ**
Com carta 315 a 445.

en la carretera de Alicante por ② : 3,5 km – ⊠ ☎ Benidorm :

🏨 **Alone,** ☎ 85 47 12, ≤ mar y montaña, ℥ – ▤ rest **Ɖ**. ℅
Com 245/350 – ☲ 55 – **110 hab** 305/500 – P 665/720.

AUSTIN-MG-MORRIS-MINI pl. Triangular 4 ☎ 85 37 50
CHRYSLER-SIMCA carret. Alicante-Valencia ☎
85 37 81
CITROEN La Cala ☎ 36 07 74

FIAT-SEAT carret. Alicante-Valencia km 124
☎ 85 30 61
RENAULT pl. Doctor Fleming 3 ☎ 85 13 65

Não viaje hoje com um mapa de ontem.

Ne voyagez pas aujourd'hui avec une carte d'hier.

Reisen Sie nicht heute mit einer Karte von gestern.

BENISA Alicante 990 ㉘ – 5 665 h. alt. 274.
Madrid 463 – Alicante 71 – Valencia 113.

en la carret. N 332 S : 2,5 km – ⊠ ☎ Benisa :

XX **La Estancia,** ☎ 217, ≤ montañas, Folklore por las noches – **Ɖ**
abril-septiembre – Com carta 300 a 450.

BENITEZ Ceuta – X ver Ceuta.

BERGA Barcelona 990 ⑲, 43 ⑦ – 12 285 h. alt. 715 – ✪ 93.
Alred. : Nuestra Señora de Queralt ❄** O : 4 km.
Madrid 628 – Barcelona 120 – Lérida 158.

🏨 Queralt, pl. de la Cruz 4 ☎ 821 06 11 – |刂| ▥ 🚽wc 🚿wc ☎
46 hab.

X **Sala,** paseo de la Paz 27 ☎ 821 11 85 – ▣. ℅
Com carta 285 a 485.

AUSTIN-MG-MORRIS-MINI carret. San Fructuoso 26
☎ 821 02 33
CHRYSLER-SIMCA paraje Casanpons ☎ 821 05 84
CITROEN Fray F. de Berga 3 ☎ 821 03 84

FIAT-SEAT carret. de Manresa ☎ 821 01 21
FORD carret. San Fructuoso ☎ 821 02 43
RENAULT av. Generalísimo 16 ☎ 821 02 75

BERGONDO La Coruña 990 ② – 5 225 h.
Madrid 584 – La Coruña 20 – El Ferrol del Caudillo 35 – Lugo 76 – Santiago de Compostela 60

X Panchón, ☎ 4.

BERRIA Santander 42 ② – 🏨 ver Santoña.

BETANZOS La Coruña 990 ② – 10 101 h. alt. 24.
Ver : Iglesia de Santa María del Azogue* – Iglesia de San Francisco (sepulcro*).
Madrid 580 – La Coruña 23 – El Ferrol del Caudillo 38 – Lugo 72 – Santiago de Compostela 56.

🏨 **Los Angeles,** Angeles 11 ☎ 201 – ▥ 🍽 🚽wc. ℅ hab
Com 170 – ☲ 45 – 36 hab 300 – P 450.

X Casanova, Soportales del Campo 15 ☎ 206, Decoración rústica.

X **Casilla,** carret. N VI ☎ 71, « Jardín florido » – **Ɖ**. ℅
Com carta 170 a 250.

AUSTIN-MG-MORRIS-MINI carret. de Castilla 144
☎ 928
CHRYSLER-SIMCA Magdalena 8 ☎ 230
CITROEN Valdoncel 38-47 ☎ 166

FIAT-SEAT carret. N VI - cuesta de las Angustias
☎ 520
RENAULT carret. Circunvalación 18 ☎ 447

BEYOS (Desfiladero de los) *** Oviedo **990** ④.

BIELSA Huesca **990** ⑧, **43** ④ – 621 h. alt. 1 053.
Madrid 550 – Huesca 153 – Lérida 176.

    Bielsa ⌂, ⫠ 7, ≤ montaña – 𝖎𝖎𝖎 ☞ ⌂wc 𝖎wc. ⅍ rest
    Com 160 bc/200 bc – ⌂ 45 – 15 hab 150/300 – P 400.

    al Noroeste : 14 km – ⊠ ⫠ Bielsa :

    Parador Monte Perdido M.I.T. ⌂, ⫠ 23, ≤ valle y alta montaña, « En un magnífico
    paisaje de montaña » – ⟵⟶ **Ɒ**. ⅍ rest
    Com 315 – ⌂ 65 – **16 hab** 580/785 – P 708/895.

BIESCAS Huesca **990** ⑧, **42** ⑱, **43** ③ – 1 338 h. alt. 860.
Madrid 465 – Huesca 68 – Jaca 30.

    Giral ⌂, cruce carret. C 136 y C 140 ⫠ 24, ≤ montaña – 𝖎𝖎𝖎 ☞ ⌂wc 𝖎wc ⟵⟶ **Ɒ**
    18 hab.

    Rambla ⌂, Rambla San Pedro 7 ⫠ 48 51 77, ≤ montaña – 𝖎𝖎𝖎 ⌂wc 𝖎wc ⟵⟶. ⅍ hab
    cerrado febrero – Com 170 – ⌂ 40 – 28 hab 150/300 – P 440.

BILBAO **Ⓟ** Vizcaya **990** ⑥, **42** ③ – 410 490 h. – Plaza de toros – ⊛ 944.

Ver : Museo de Bellas Artes★ (sección de arte antiguo★). **Alred. :** La Reineta ≤★ 16 km por ③.
☈ de Neguri – AZ – NO : 13 km.

≋ de Bilbao, Sondica NO : 11 km ⫠ 53 13 50 – Iberia y Aviaco : Buenos Aires 1 ⫠ 21 13 94.
⟲ Abando ⫠ 23 06 17.

⟲ para Canarias : Cⁱᵃ Aucona, Buenos Aires 2 bajo ⫠ 42 18 50, Telex 32497 DZ.

M.I.T. alameda Mazarredo ⫠ 24 48 19 – **R.A.C.E.** (Delegación) alameda Mazarredo 5 ⫠ 24 65 12.

Madrid 401 ① – Barcelona 603 ① – La Coruña 623 ③ – Lisboa 930 ① – San Sebastián 95 ① – Santander 107 ③
– Toulouse 442 ① – Valencia 630 ① – Zaragoza 321 ①.

BILBAO

Bidebarreta	DZ 3
Correo	DZ
Gran Vía de López de Haro	BCYZ

Amézola (Plaza)	CZ 2
Bilbao la Vieja	DZ 4
Buenos Aires	DZ 6
Cruz	DZ 7
Doctor Albiñana	AZ 9
Echaniz (Plaza de)	CZ 10
Ejército (Avenida del)	BY 12
Emilio Campuzano (Plaza)	CYZ 14
España (Plaza de)	DZ 16
Familia (Avenida)	AZ 18
Federico Moyúa (Plaza de)	CYZ 19
Gardoqui	CZ 20
Gen. Franco (Puente del)	BCY 21

Gen. Primo de Rivera (Pl. del)	DY 22
Gen. Mola (Puente del)	DYZ 23
Huertas de la Villa	DY 24
Hurtado de Saracho (Av.)	AZ 25
Iparraguirre	CYZ 26
Iturriaga	AZ 28
Montevideo (Avenida de)	AZ 29
Múgica y Butrón	DY 30
Navarra	DZ 32
Ortiz de Zárate	CZ 33
Ramón y Cajal (Av. de)	BCY 34
Rodríguez Arias	BCYZ 36
San Antón (Puente de)	DZ 37
San José (Plaza)	CY 38
San Mamés (Alameda de)	CZ 39
Santuchu	AZ 40
Victoria (Puente de la)	DZ 41
Viuda de Epalza	DZ 42
Zabalbide	AZ 43
Zabálburu (Plaza de)	CZ 45
Zumalacárregui (Avenida)	DY 46

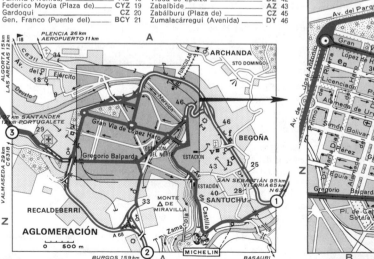

G. H. Ercilla Ⓜ, Ercilla 37 ☎ 43 88 00, Telex 32449 – 🖵 🚗. ⚗. ⚘ CZ **a**
Com *(cerrado domingo)* 260 – ⊡ 80 – **350 hab** 650/950.

Carlton, pl. Federico Moyúa 2 ☎ 23 99 60, Telex 32233 – ⚗. ⚘ rest CZ **u**
Com 450 – ⊡ 90 – **145 hab** 900/1 500.

Avenida, av. Hurtado de Saracho 2 ☎ 33 40 00, Telex 32164 – 🖵 rest 🚗 Ⓟ. ⚗. ⚘ rest
Com *(cerrado domingo)* 300 bc – ⊡ 80 – **116 hab** 580/960. AZ **b**

Aránzazu, Rodríguez Arias 66 ☎ 41 31 00, Telex 32164 – 🖵 rest 🚗. ⚗. ⚘ BY **e**
Com 350 bc – ⊡ 75 – **172 hab** 640/800.

Nervión Ⓜ, paseo del Campo de Volantín 11 ☎ 45 47 00, Telex 32164 – 🖵 rest 🚗.
⚗. ⚘ rest DY **e**
Com *(cerrado domingo)* 250 bc – ⊡ 65 – **351 hab** 500/830.

Conde Duque sin rest, con snack-bar, Campo de Volantín 25 ☎ 45 60 00 – ⚘ DY **a**
⊡ 65 – **75 hab** 480/730.

Almirante sin rest, Arenal 4 ☎ 23 71 37 – 🛗 🗄 🖧 🚽wc 🛁wc ☎. ⚘ DZ **b**
⊡ 70 – **103 hab** 440/775.

Excelsior sin rest, con snack-bar, Hurtado de Amézaga 6 ☎ 21 13 65 – 🛗 🗄 🖧 🚽wc
☎ DZ **e**
⊡ 45 – **60 hab** 165/410.

San Mamés, 1º piso, sin rest, Luis Briñas 15 ☎ 41 79 00 – 🛗 🗄 🖧 🚽wc 🛁 ☎. ⚘
⊡ 40 – **36 hab** 235/450. AZ **a**

Zabalburu sin rest, Pedro Martínez Artola 8 ☎ 43 71 00 – 🗄 🖧 🚽wc 🛁 ☎ 🚗. ⚘ CZ **c**
⊡ 50 – **26 hab** 247/507.

🍴🍴 ❀ **Artagan,** Virgen de Begoña 34 ☎ 24 41 47, « Decoración elegante » – 🖵. ⚘ AZ **v**
cerrado Semana Santa y domingo – Com carta 730 a 1 075
Espec. Brocheta de cigalas, Cocochas, Faisán a las uvas (octubre a febrero).

🍴🍴 **Guría,** Barrencalle Barrena 8 ☎ 24 20 78, « Decoración rústica » – 🖵. ⚘ DZ **r**
cerrado domingo – Com carta 750 a 1 140.

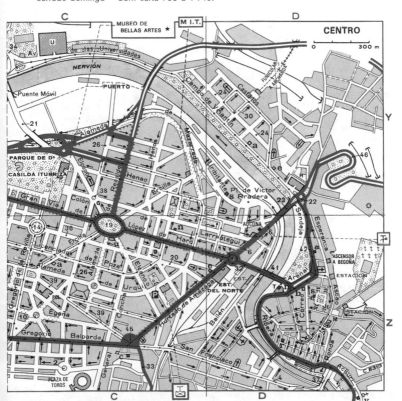

119

XXX Casa Vasca, av. del Ejército 13 ℡ 35 47 78, Decoración vasca – ▤. BY d

XXX Lasa, av. Zumalacárregui 125 ℡ 24 90 54 – ▤ ❷. AZ f

XXX **Machinventa**, Ledesma 26 ℡ 24 21 71 – ▤. ✵ CZ n
cerrado domingo – Com carta 545 a 875.

XX **Victor**, 1º piso, pl. de los Mártires 2 ℡ 21 16 78 – ▤. ✵ DZ s
cerrado domingo y julio – Com carta 430 a 680.

XX **Edificio Albia** con snack-bar, San Vicente ℡ 23 68 06, Decoración moderna – ▤. ✵ DY s
cerrado domingo – Com carta 440 a 855.

XX Arriaga, con snack-bar, pl. Arriaga ℡ 21 56 01, Decoración moderna – ▤. DZ n

XX **Cafet. California**, pl. Zabálburu, centro comercial ℡ 32 31 26 – ▤. ✵ CZ c
Com carta 300 a 465.

X Arandia, plazuela de la Encarnación 10 ℡ 33 10 86 – ▤. DZ v

X Arenal, Viuda de Epalza 3 ℡ 24 81 39. DZ a

Ver también *Algorta* NO : 15 km.

S.A.F.E. Neumáticos MICHELIN, Sucursal, av. Castilla 12 – Bolueta (AZ) ℡ 33 89 24 y 33 99 14.

AUSTIN-MG-MORRIS-MINI María Díaz de Haro 16 ℡ 41 20 92
AUSTIN-MG-MORRIS-MINI, PEUGEOT Alameda Urquijo 85 ℡ 41 99 00
CHRYSLER-SIMCA María Díaz de Haro 6 ℡ 41 32 91
CHRYSLER-SIMCA General Concha 31 ℡ 32 59 21
CHRYSLER-SIMCA Travesía Argentina 6 ℡ 38 05 04 Baracaldo
CHRYSLER-SIMCA av. San Adrián ℡ 43 46 12
CITROEN José María Escuza 1 ℡ 41 73 00

FIAT-SEAT pl. Campuzano 2 ℡ 41 26 42
FIAT-SEAT carret. San Sebastián ℡ 49 40 12 Echevarri
FORD Carlos Haya 11 ℡ 35 85 90
RENAULT María Díaz de Haro 32 ℡ 41 04 50
RENAULT Ortiz de Zárate 21 ℡ 32 06 03
RENAULT Ledesma Ramos 20 ℡ 47 31 00
SEAT Fernández del Campo 28 ℡ 31 62 10
SEAT av. del Ejército 29 ℡ 35 14 03
SEAT prolongación Marino Archer, Zorroza ℡ 41 94 00

☛ *Utilizzate la Guida dell'anno in corso.*

BINÉFAR Huesca ⑨⑨⓪ ⑱, ⑬ ④ – 6 821 h. alt. 286 – ❂ 974.
Madrid 461 – Barcelona 193 – Huesca 81 – Lérida 39.

🏨 La Paz, General Franco 30 ℡ 42 86 00 – ▐幽 ▥ rest 曾 🛏wc 🎨wc
69 hab.

🏨 **Cantábrico**, Zaragoza 1 ℡ 42 86 50 – ▐幽 曾 🎨wc. ✵
Com 135 – ⊐ 30 – 31 hab 140/250 – P 375/410.

La BISBAL Gerona ⑨⑨⓪ ⑳, ⑬ ⑨ – 6 432 h. alt. 35.
Madrid 746 – Barcelona 116 – Gerona 29.

🏨 Bisbal Park, MarceloRalló ℡ 554 – ▐幽 ▥ rest 曾 🛏wc 🎨wc ⊗ ❷. ⅍
34 hab.

RENAULT Marcelo Ralló 15 ℡ 494   SEAT-FIAT Coll y Vehí 16 ℡ 49

BLANCA (Sierra) Málaga – XX con hab, ver Marbella.

BLANES Gerona ⑨⑨⓪ ⑳, ⑬ ⑲ – 16 020 h. – Playa – ❂ 972.
Ver : Jardín botánico Marimurtra* (≤**).
Madrid 692 – Barcelona 62 – Gerona 41.

🏨 Pop Coronat, Maestranza 97 ℡ 33 00 50, ≤ playa – ▐幽 曾 🛏wc 🎨wc ⊗
temp. – 34 hab.

🏨 **Ruiz**, Flechas Azules 45 ℡ 33 03 00 – ▐幽 曾 🛏wc 🎨wc ⊗. ✵ rest
2 mayo-2 octubre – Com 182 – ⊐ 41 – 59 hab 188/312 – P 476/508.

🏠 **S'Arjau**, paseo Maestranza 89 ℡ 33 03 21 – ▐幽 曾 🛏wc
marzo-octubre – Com 150 – ⊐ 38 – 48 hab 180/275 – P 370/440.

X El Port, explanada del Puerto ℡ 33 00 47, Pescados y mariscos – ▤.

en la playa de Sabanell – ✉ ℡ Blanes :

🏨 **Park H.** ⑤, ℡ 33 02 50, ≤ playa, « Agradable pinar », ✵, ⏋ – ▥ rest ❷. ✵ rest
abril-octubre – Com 280 – ⊐ 70 – **131 hab** 500/820 – P 925/1 025.

🏨 **Horitzo** ⑤, paseo Marítimo 11 ℡ 33 04 00, ≤ playa – ▐幽 曾 🛏wc 🎨wc ⊗. ✵ rest
Com 175 – ⊐ 50 – **122 hab** 230/400 – P 510/540.

🏠 **Stella Maris** ⑤, Villa de Madrid ℡ 33 00 92 – 曾 🛏wc 🎨wc. ✵
mayo-septiembre – Com 160 bc – ⊐ 50 – 44 hab 160/350 – P 440/455.

FORD Gerona 2 ℡ 33 11 61

BOADILLA DEL MONTE Madrid ⑨⑨⓪ ⑨ – XX ver Madrid.

Los BOLICHES Málaga – 🏨, 🏠, XX ver Fuengirola.

BOLTAÑA Huesca 990 ⑧, 42 ⑱⑲ – 1 076 h. alt. 643.
Madrid 524 – Huesca 127 – Lérida 150 – Pamplona 196.

Boltaña H., av. Ordesa ☎ 15, – wc P.
Com 175 bc – 35 – 50 hab 135/315 – P 460/475.

La BONANOVA Baleares – ver Baleares (Mallorca) : Palma de Mallorca.

BOÑAR León 990 ④ – 3 571 h. alt. 969.
Madrid 345 – León 50 – Oviedo 119.

Nisi, av. de la Estación ☎ 209
20 hab.

RENAULT Estación ☎ 73 50 88
SEAT-FIAT av. Generalísimo ☎ 73 52 21

Las BORDAS Lérida 42 ⑳ – 205 h.
Madrid 613 – Bagnères-de-Luchon 25 – Lérida 173.

Sant Jordi, ≤ montaña, Decoración rústica
temp.

BORJAS BLANCAS Lérida 990 ⑲, 43 ⑮ – 4 991 h. alt. 297.
Madrid 494 – Barcelona 147 – Lérida 24 – Tarragona 69.

Los Lagos, sin rest y sin, Calvo Sotelo 4 ☎ 250 – wc P
14 hab.

AUSTIN-MG-MORRIS-MINI carret. Lérida-Tarragona ☎ 63
CHRYSLER-SIMCA carret. de Lérida 57 ☎ 125
CITROEN Arrabal del Carmen 76 ☎ 274
RENAULT carret. N 240 ☎ 173
SEAT carret. N 240 ☎ 351

BOSOST Lérida 42 ⑩ – 687 h. alt. 710 – Ver aduanas p. 14 y 15.
Madrid 620 – Lérida 180 – Viella 16.

Hostería Catalana, Piedad 22 ☎ 3, ≤ montaña – wc P
cerrado enero-febrero – Com 185 – 45 – 33 hab 300 – P 440.

El BOSQUE Cádiz 990 ㉝ – 2 010 h. alt. 287.
Madrid 618 – Cádiz 96 – Ronda 50 – Sevilla 119.

Las Truchas, ☎ 61, ≤ población y montaña – wc P. rest
Com 230 – 45 – 8 hab 320/470 – P 745/800.

BRIHUEGA Guadalajara 990 ⑯ – 4 292 h. alt. 868 – Plaza de toros.
Madrid 90 – Guadalajara 33 – Soria 158.

Princesa Elima, Nuestra Señora de la Peña 1 ☎ 58 – .
cerrado septiembre – Com 130/250 – 30 – 20 hab 150 – P 330.

BRIÑAS Logroño 42 ⑬ – 230 h. – 941.
Madrid 336 – Burgos 94 – Logroño 45 – Vitoria 40.

Portal de la Rioja, carret. N 232 ☎ 31 14 80, ≤ viñedos y montañas, – wc
wc P.
Com 145 – 30 – 30 hab 200/310 – P 395/440.

BRIVIESCA Burgos 990 ⑤⑥, 42 ⑫ – 4 263 h. alt. 725.
Ver : Iglesia de Santa Clara* (retablo*).
Madrid 285 – Burgos 43 – Vitoria 72.

El Vallés, carret. N I ☎ 33 – wc wc P.
cerrado 25 diciembre al 18 enero – Com 205 – 50 – 22 hab 210/395 – P 600/667.

La Tere, carret. N I ☎ 422 – P.
Com carta 260 a 420.

CITROEN av. Reyes Católicos 22 ☎ 394
RENAULT carret. N I km 278 ☎ 183
SEAT pl. del Ventorro 10 ☎ 160

BUJARALOZ Zaragoza 990 ⑱, 43 ⑬ – 1 080 h. alt. 245.
Madrid 398 – Lérida 72 – Zaragoza 72.

Monegros, ☎ 8 – P.
Com carta 230 a 330 – 30 – 18 hab 130/230 – P 385/410.

en la carretera N II O : 9 km – ☎ **Bujaraloz :**

Ciervo, ☎ 10, Telex 27578, « Acogedor conjunto rústico », – P. rest
Com 320/400 – 71 – **49 hab** 495/920 – P 990/1 020.

FORD carret. N II ☎ 49

Keine bezahlte Reklame im Michelin-Führer.

EL BURGO DE OSMA Soria 990 ⑯ – 5 908 h. alt. 895 – Plaza de toros.

Ver : Catedral★ (sepulcro de San Pedro de Osma★, museo : archivos antiguos y manuscritos miniados★).

Madrid 185 – Aranda de Duero 66 – Soria 56.

- **Virrey Palafox,** Travesía de Acosta 1 ☎ 205 – 🛁 🚿 Ⓟ. ✈
  Com 200 bc – ☕ 50 – 20 hab 150/320 – P 525/535.
- ✕ **La Perdiz** con hab, Universidad 33 ☎ 254 – 🛁 🚿wc Ⓟ
  Com carta 160 a 280 – ☕ 30 – **18 hab** 105/220 – P 400/410.

CITROEN Universidad 41 ☎ 226

BURGOS Ⓟ 990 ⑤, 42 ⑪⑫ – 119 915 h. alt. 856 – Plaza de toros : por ② – ✆ 947.

Ver : Catedral★★★ (crucero, coro y capilla mayor★★, capilla del Condestable★★, girola★ Capilla de Santa Ana★) – Arco de Santa María★ AY **B** – Museo Arqueológico★ (sepulcro★ del Infante Juan de Padilla, arqueta hispano-árabe★, frontal★) ABY **M** – Iglesia de San Nicolás (retablo★) AY **A**.

Alred. : Monasterio de las Huelgas Reales★ (museo de tejidos★) O : 1,5 km – Cartuja de Miraflores★ (conjunto escultórico★★, sillería★) E : 4 km.

M.I.T. paseo del Espolón 1 ☎ 20 18 46.

Madrid 242 ② – Bilbao 159 ① – Santander 156 ① – Valladolid 122 ③ – Vitoria 114 ①.

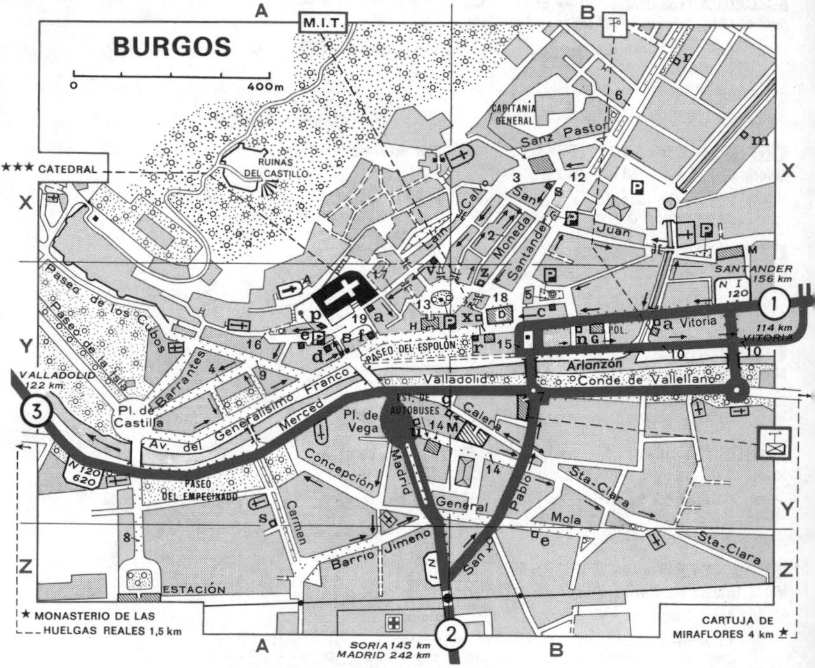

José Antonio (Pl. de) ____ ABY 13
Prim (Pl. de) ____ BY 18
Vitoria ____ BY

Almirante Bonifaz ____ BX 2
Alonso Martínez (Pl. de) ____ BX 3
Aparicio y Ruiz ____ AY 4

Calvo Sotelo (Pl. de) ____ BY 5
Cid Campeador (Av. del) ____ BX 6
Conde de Castro (Pl. del) ____ BY 7
Conde de Guadalhorce (Av. del) ____ AZ 8
Eduardo Martínez del Campo ____ AY 9

Gen. Sanjurjo (Av. del) ____ BY 10
Gen. Santocildes (Pl. del) ____ BX 12
Miranda ____ ABY 14
Miguel Primo de Rivera (Pl.) ____ BY 15
Nuño Rasura ____ AY 16
Paloma ____ AY 17
Rey San Fernando (Pl. del) ____ AY 19

- **Almirante Bonifaz,** Vitoria 22 ☎ 20 69 43, Telex 39430 – ✈ BY **a**
  Com 335 – ☕ 70 – **73 hab** 630/995 – P 1 123/1 255.
- **Condestable,** Vitoria 8 ☎ 20 06 44 – ▤ rest. ✈ BY **n**
  Com 325 – ☕ 60 – **77 hab** 400/1 100 – P 950/1 105.
- **Fernán González,** Calera 17 ☎ 20 94 41 – 🛗 🛁 ▤ rest ☏ 🛁wc 🚿wc ☎ 🚗. ✈ ABY **g**
  Com 275 – ☕ 60 – **47 hab** 330/595 – P 797/830.
- **Rice** sin rest, con snack-bar, av. de los Reyes Católicos ☎ 22 23 00 – 🛗 🛁 ☏ 🛁wc ☎. ✈ BX **m**
  ☕ 60 – **50 hab** 400/750.
- **Asubio,** 4º piso, sin rest, Carmen 6 ☎ 20 34 45 – 🛗 🛁 ☏ 🛁wc 🚿wc ☎. ✈ AYZ **s**
  ☕ 50 – **30 hab** 465.

🏨 **España,** paseo del Espolón 32 🕿 20 63 40 – |🛁| 🎬 🕾 ⇔wc 🛁wc 🐝   BY **x**
cerrado 21 diciembre al 12 enero – Com 225 – ⌷ 50 – **70 hab** 245/440 – P 645/670.

🏨 **Rodrigo,** av. del Cid 42 🕿 22 51 00 – |🛁| ⇔wc 🛁wc 🐝. 🌿   BX **r**
Com 170 – ⌷ 36 – 64 hab 136/318 – P 448/472.

🏨 **Martha,** General Mola 18 🕿 20 20 40 – 🎬 🕾 ⇔wc 🛁wc. 🌿   BZ **e**
Com 225 bc – ⌷ 50 – 21 hab 280/400 – P 620/640.

🏩 **Moderno,** 2° piso, Queipo de Llano 2 🕿 20 72 46 – |🛁| 🎬 🛁 🐝. 🌿 hab   BY **z**
Com 180 – ⌷ 35 – 28 hab 140/270 – P 480.

🏩 **Carlos V,** pl. de la Vega 36 🕿 20 21 00 – |🛁| 🎬 🐝. 🌿   AY **u**
Com 180/250 – ⌷ 40 – 24 hab 150/375 – P 375/390.

XXX **Los Chapiteles,** General Santocildes 7 🕿 20 59 98 – 🍴. 🌿   BX **s**
Com carta 385 a 555.

XXX Puerta Real, 1° piso, pl. del Rey San Fernando 5 🕿 20 96 51 – 🍴.   AY **f**

XXX **Ojeda,** l° piso, Vitoria 5 🕿 20 64 40, Decoración castellana – 🍴   BY **c**
Com carta 330 a 470.

XX **Pinedo,** paseo del Espolón 1 🕿 20 73 55, Decoración clásica   BY **r**
Com carta 260 a 580.

XX Arriaga, Laín Calvo 4 🕿 20 20 21 – 🍴.   AXY **v**

X **Bonfin,** Cadena y Eleta 1 🕿 20 61 93, ⇐ catedral – 🌿   AY **p**
Com 300 a 415.

X **Mesón de los Infantes,** corral de los Infantes 🕿 20 59 82, Decoración rústica   AY **d**
Com carta 400 a 680.

X **Gaona,** Paloma 41 🕿 20 61 91   AY **a**
Com carta 290 a 450.

X **Rincón de España,** Nuño Rasura 11 🕿 20 59 55 – 🍴. 🌿   AY **e**
Com carta 340 a 480.

en la carretera de Vitoria – ✉ 🕿 Burgos :

🏨 **El Cid,** por ① : 3 km 🕿 22 19 00, « Hotel de gran turismo con agradable jardín florido »
– 🎬 🕾 ⇔wc 🛁wc 🐝 ⇦ 🅿. 🌿 hab
Com 300 – ⌷ 60 – **38 hab** 470/750 – P 935/1 030.

🏩 **Solas,** l° piso, sin rest, Vitoria 184 🕿 22 24 12 – |🛁| 🎬 ⇔wc 🐝. 🌿
⌷ 40 – **19 hab** 140/330.

en la carretera de la Cartuja de Miraflores E : 4,5 km – ✉ 🕿 Burgos :

X Ortiz, parque de Fuentes Blancas 🕿 22 10 21.

en la carretera de Madrid :

🏨 **Landa Palace,** por ② : 3,5 km ✉ 🕿 20 63 43 Burgos, « Hotel de gran turismo acondicionado con originalidad y elegancia », ⤧ climatizada – 🍴 ⇦ 🅿. 🌿 rest
Com 500 – ⌷ 90 – **33 hab** 1 300/1 700 – P 1 650/1 900.

🏨 **La Varga,** por ② : 5 km ✉ Villagonzalo Pedernales 🕿 20 16 40 Burgos – 🎬 🕾 ⇔wc
🐝 🅿. 🌿
Com 195 bc – ⌷ 50 – **12 hab** 400 – P 600.

en Castañares - carretera de Logroño N 120 por ① : 6 km – ✉ 🕿 Burgos :

X **Universo** con hab, 🕿 22 48 14 – 🎬 🅿. 🌿
Com 110 – ⌷ 24 – 9 hab 100/200 – P 300/310.

AUSTIN-MG-MORRIS-MINI Vitoria 29 🕿 20 88 48
CHRYSLER-SIMCA carret. N I km 247 🕿 22 41 51
CITROEN carret. N I km 237 🕿 20 05 42

FIAT-SEAT, PEUGEOT Vitoria 117 🕿 20 64 40
RENAULT Alcalde Martín Cobos 🕿 22 41 00
SEAT carret. Madrid 10 🕿 20 08 43

BURGUETE Navarra 𝟿𝟿𝟶 ⑦, 𝟺𝟸 ⑥ – 300 h. alt. 960 – 🅭 948.
Alred. : Roncesvalles (monasterio : colegiata real ; tesoro*) N . 3 km.
Madrid 452 – Jaca 127 – **Pamplona** 44 – St-Jean-Pied-de-Port 32.

🏩 **Burguete** 🐾, Unica 51 🕿 76 00 05 – 🎬 ⇦ 🅿. 🌿
Com 200 – ⌷ 40 – 21 hab 105/206 – P 545.

🏩 **Loizu** 🐾, Unica 3 🕿 76 00 08 – 🎬 🅿. 🌿
19 marzo-noviembre – Com 150 – ⌷ 35 – 22 hab 125/220 – P 410.

BURRIANA Castellón de la Plana 𝟿𝟿𝟶 ⑧ – 22 651 h. – 🅭 964.
Madrid 407 – Castellón de la Plana 13 – **Valencia** 57.

en la playa E : 2,5 km – ✉ 🕿 Burriana :

🏨 **Aloha** 🐾, 🕿 51 01 04, ⤧ – |🛁| 🎬 🕾 ⇔wc 🛁wc 🐝 🅿. 🌿 rest
Com 500 – ⌷ 50 – 30 hab 360/540 – P 720/810.

AUSTIN-MG-MORRIS-MINI Maestro Bonet 9 🕿
51 16 75
CHRYSLER-SIMCA Eccehomo 27 🕿 51 05 85

CITROEN Menéndez y Pelayo 35 🕿 51 17 93
RENAULT Angeles 56 🕿 51 07 29
SEAT pl. Cardenal Primado 6 🕿 51 14 15

CABAÑAS La Coruña – 🏠 ver Puentedeume.

Las CABEZAS DE SAN JUAN Sevilla 🔟🔟🔟 ㊳ – 10 562 h.
Madrid 558 – Cádiz 74 – Córdoba 158 – Sevilla 51.

en la autopista A 4 N : 4 km – ✉ ⱦ Las Cabezas de San Juan :

✕ **Restop** (El Cerro del Fantasma), ⱦ 278 – 🛏 **P**. 🞄
Com carta 310 a 600.

CABO – Ver al nombre propio del cabo.

CABRA Córdoba 🔟🔟🔟 ㊴ – 20 428 h. alt. 350 – Plaza de toros – ✪ 957.
Madrid 434 – Antequera 66 – **Córdoba 73** – Granada 112 – Jaén 99.

🏠 Pallarés, sin rest y sin ☲, con snack-bar, Alcalá Galiano 2 ⱦ 52 00 15 – Ⅲ 🚻wc
24 hab.

CITROEN av. Blanco Serrano 1 ⱦ 52 06 59

La CABRERA Madrid 🔟🔟🔟 ㊴㊵ – 701 h. alt. 1 038 – ✪ 91.
Madrid 57 – Burgos 185.

🏠 **Mavi,** carret. N I ⱦ 868 80 00 – Ⅲ 🚻wc 🚻wc 🕭 **P**. 🞄 rest
Com 190 – ☲ 45 – 46 hab 185/330 – P 525/545.

SEAT carret. N I km 58 ⱦ 668 50 15

CABRILS Barcelona 🜂🜂 ⑱ – 913 h. alt. 64.
Madrid 658 – Barcelona 28 – Mataró 10.

🏠 **Loal** 🞄, La Gleva ⱦ 5, ⬳ Cabrils y campo, ☴ – Ⅲ 🍽 🚻wc 🚻wc 🕭 **P**. 🞄
21 marzo-15 noviembre – Com 170 – ☲ 60 – 50 hab 200/360.

CÁCERES 🄿 🔟🔟🔟 ㊲ – 55 064 h. alt. 439 – Plaza de toros – ✪ 927.
Ver : Viejo Cáceres★★ (plaza de Santa María★, Palacio de los Golfines de Abajo★). **Alred. :** Virgen
de la Montaña ⩶★ E : 3 km.
M.I.T. Pl. General Mola ⱦ 21 21 17.
Madrid 300 ① – Coimbra 284 ③ – Córdoba 311 ② – Salamanca 210 ③ – Sevilla 269 ②.

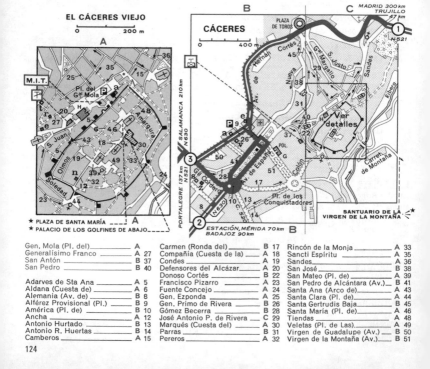

★ PLAZA DE SANTA MARÍA
★ PALACIO DE LOS GOLFINES DE ABAJO

Gen. Mola (Pl. del)	A	Carmen (Ronda del)	B 17	Rincón de la Monja	A 33
Generalísimo Franco	A 27	Compañía (Cuesta de la)	A 18	Sancti Espíritu	A 35
San Antón	B 37	Condes	A 19	Sandes	A 36
San Pedro	B 40	Defensores del Alcázar	A 20	San José	B 38
		Donoso Cortés	B 22	San Mateo (Pl. de)	A 39
Adarves de Sta Ana	A 5	Francisco Pizarro	A 23	San Pedro de Alcántara (Av.)	B 41
Aldana (Cuesta de)	A 6	Fuente Concejo	A 24	Santa Ana (Arco de)	A 43
Alemania (Av. de)	B 8	Gen. Ezponda	A 25	Santa Clara (Pl. de)	A 44
Alférez Provisional (Pl.)	B 9	Gen. Primo de Rivera	B 26	Santa Gertrudis Baja	B 45
América (Pl. de)	B 10	Gómez Becerra	B 28	Santa María (Pl. de)	A 46
Ancha	A 12	José Antonio P. de Rivera	C 29	Tiendas	A 48
Antonio Hurtado	B 13	Marqués (Cuesta del)	A 30	Veletas (Pl. de Las)	A 49
Antonio R. Huertas	B 14	Parras	B 31	Virgen de Guadalupe (Av.)	B 50
Camberos	A 15	Pereros	A 32	Virgen de la Montaña (Av.)	B 51

🏨 **Extremadura,** av. Virgen de Guadalupe 13 ☎ 22 16 00, ⅃ – 📶 📶 📺 🍽 ⛱wc 🚗 🔧.
  🍴 rest   B v
  Com 350 – 🍷 80 – **68 hab** 540/880 – P 1 050/1 150.

🏨 **Alcántara y Rest. Clavero,** av. Virgen de Guadalupe 14 ☎ 22 17 00 – 📶 📶 📺 🍽
  ⛱wc 🛁wc 🚗. 🍴   B a
  Com carta 275 a 355 – 🍷 60 – **60 hab** 400/700.

🏨 Ara, sin rest, Juan XXIII - 3 ☎ 22 39 58 – 📶 📶 🍽 ⛱wc 🚗 🚗   B s
  62 hab.

🏠 Alvarez, Moret 20 ☎ 21 39 00 – 📶 📶 📺 rest ⛱wc 🛁 🚗   A t
  41 hab.

XXX **Hostería del Comendador M.I.T.,** Ancha 6 ☎ 21 30 12, « Elegante decoración clásica »
  – 📺. 🍴 – Com 315.   A n

XX **Mesón del Bujaco,** 1º piso, pl. General Mola ☎ 21 30 40, Decoración rústica – 🍴
  Com carta 265 a 360   A a

X **Figón Huetaquilo,** pl. San Juan 14 ☎ 21 31 47 – 📺. 🍴   A e
  Com carta 175 a 380.

X Delfos, pl. de Albatro ☎ 22 50 51 – 📺.   B e

X Jamec, 1º piso, con hab, Generalísimo Franco 22 ☎ 21 42 98 – 📶 📺 rest 🚗 A r
  13 hab.

X **Jeny,** Juan XXIII-2 ☎ 22 30 48 – 📺   B z
  Com carta 175 a 275.

  en la carretera de Mérida N 630 por ② : 3 km – ✉ ☎ Cáceres :

🏠 **Pasarón,** ☎ 22 28 50 – 📶 📺 rest 🛁wc 🚗 🅿
  Com 150 bc – 🍷 35 – **32 hab** 200/350.

  en la carretera de Salamanca N 630 por ③ : 5 km – ✉ ☎ Cáceres :

XX Alvarez, ☎ 22 34 50, ⇜ campo – 📺 🅿.

S.A.F.E. Neumáticos MICHELIN, Sucursal, carretera N 630 (km 215) por ② ☎ 22 55 70.

AUSTIN-MG-MORRIS-MINI carret. Mérida ☎ 22 09 50   RENAULT av. Hernán Cortés 22 ☎ 22 52 00
CHRYSLER-SIMCA carret. Mérida ☎ 22 12 00   SEAT-FIAT Gómez Becerra 18 ☎ 22 02 50
CITROEN carret. Badajoz ☎ 22 08 75

▓**CADAQUÉS** Gerona 990 ②, 43 ⑩ – 1 272 h. – Playa – ⊙ 972.
Madrid 793 – Figueras 31 – Gerona 65.

🏨 **Playa Sol,** ☎ 25 81 00, ⇜ bahía, ⅃ climatizada – 📶 📶 🍽 ⛱wc 🛁wc 🚗 🚗 🅿. 🍴
  Com (cerrado 10 octubre al 15 marzo) 300 – 🍷 75 – 50 hab 350/750 – P 825/850.

XX **Es Baluard,** Riba Nemesio Llorens 2 ☎ 25 81 83 – 🍴
  cerrado 15 octubre-noviembre – Com carta 220 a 520.

X **Don Quijote,** av. Caridad Seriñana ☎ 25 81 41, Terraza con arbolado – 🍴
  Com carta 225 a 500.

▓**CADIZ** 🅟 990 ⑩ – 135 743 h. – Playa – Plaza de toros – ⊙ 956.
Ver : Emplazamiento* – Paseos marítimos* (jardines* : parque Genovés, alameda Marqués de
Comillas, alameda de Apodaca) – Catedral (colección de orfebrería**) – Museo de Bellas
Artes (obras de Zurbarán*) – Museo histórico (maqueta de la ciudad*).
🚗 ☎ 23 11 59.
🚢 para Canarias : Cía Aucona, Ramón de Carranza 26 ☎ 22 16 42, Telex 76028 CYZ y en
la estación Marítima ☎ 22 10 61.
M.I.T. Calderón de la Barca 1 ☎ 21 13 13.
Madrid 634 ① – Algeciras 121 ① – Córdoba 234 ① – Granada 343 ① – Málaga 260 ① – Sevilla 123 ①.

  Plano página siguiente

🏨 Francia y París, sin rest, pl. Calvo Sotelo 2 ☎ 21 23 18 – 📶 📶 🍽 ⛱wc 🛁 wc 🚗 CY n
  66 hab.

🏠 Imares, sin rest y sin 🍷, San Francisco 9 ☎ 21 22 57 – 📶 🍽 ⛱wc 🛁wc 🚗   CY s
  37 hab.

XXX **Mikay,** 1º piso, pl. San Juan de Dios ☎ 21 17 75 – 📺. 🍴   CZ r
  Com carta 270 a 520.

XX **La Pizzeria,** Feduchy 17 ☎ 22 50 02, Cocina italiana – 📺. 🍴   CZ a
  cerrado julio – Com carta 280 a 530.

XX El Tablao, Santa María de la Cabeza 4 ☎ 23 21 99, Folklore andaluz – 📺   por ①
  Com (cena solamente).

X **Samuel,** pl. San Juan de Dios 14 ☎ 23 30 29 – 📺. 🍴   CZ e
  Com 200 bc.

AUSTIN-MG-MORRIS-MINI zona Franca Los Barrios   CITROEN av. Fernández Ladreda ☎ 23 60 13
☎ 23 49 05   FIAT-SEAT av. López Pinto 59 ☎ 23 18 12
CHRYSLER-SIMCA zona Franca ☎ 23 29 05   RENAULT av. C. del Toro 17 ☎ 23 16 06

CÁDIZ

0	300 m

Alfonso el Sabio		CZ 2
Columela		CYZ
Duque de Tetuán		BY 6
San Francisco		CYZ
Calderón de la Barca		BY 3
Callejones de Cardoso		BZ 4

Fernando García de Arboleya	BY 9
Generalísimo (Pl. del)	BY 12
José Antonio P. de Rivera (Pl.)	BY 13
María Arteaga	BZ 14
Méndez Núñez (Pl.)	BY 16
Montañés	CZ 17
Novena	BY 18
O. Félix Soto	CZ 19
San Juan de Dios	CZ 23
San Juan de Dios (Pl. de)	CZ 24
San Roque	CZ 25
Santo Cristo	CZ 27

Junto con esta guía, utilice los **Mapas Michelin** :

nº **990** ESPAÑA-PORTUGAL Grandes Carreteras a 1 / 1 000 000,

nºs **42** y **43** ESPAÑA (mapas detallados) a 1 / 400 000,

nº **37** PORTUGAL a 1 / 500 000.

CAÍDOS (Valle de los) Madrid **990** ⑮ y ㉘ – ✪ 91 – Zona de peaje.
Ver : Lugar★★ – Basílica★★ (tapices★ de Bruselas, cúpula★) – Cruz monumental★.
Madrid 53 – El Escorial 14 – Segovia 52.

    ✕✕ **Valle de los Caídos,** ✉ Cuelgamuros ☎ 204 10 05 Madrid – ⓟ. ✸
      Com (almuerzo solamente) carta 300 a 475.

CALA ANTENA Baleares **43** ⑳ – ✕✕, ✕ ver Baleares (Mallorca) : Calas de Mallorca.

CALA BONA Baleares **43** ⑳ – 🏨 ver Baleares (Mallorca) : Son Servera.

CALA DE BOU Baleares **43** ⑳ – 🏨 a 🏨 ver Baleares (Ibiza) : San Antonio Abad.

CALA DE SAN VICENTE Baleares **43** ⑳ – 🏨 ver Baleares (Mallorca).

CALA DOMINGOS Baleares **43** ⑳ – 🏨 ver Baleares (Mallorca) : Calas de Mallorca.

CALA D'OR Baleares **43** ⑳ – 🏨, 🏠, ✕✕✕, ✕ ver Baleares (Mallorca).

CALA EN PORTER Baleares **43** ⑳ – 🏠 ver Baleares (Menorca) : San Clemente.

CALAFELL Tarragona **990** ⑲, **43** ⑰ – 3 359 h. – Playa – ❸ 977.
Madrid 578 – Barcelona 64 – Tarragona 31.

en la playa :

🏨 **Canadá,** av. Mosén Jaime Soler 45 ☎ 66 22 58, ‰, ⤶ – ⊨ ☞ ⇔wc ⋔wc ☜. ⁙
junio-septiembre – Com 200 – ⊑ 50 – 110 hab 260/500 – P 600/620.

🏨 Cataluña, av. San Juan de Dios 42 ☎ 69 00 25 – ⊨ ☞ ⇔wc ⋔wc ☜
temp. – 53 hab y 15 apartamentos.

✕ **Emilio,** av. San Juan de Dios 111 ☎ 66 23 49, ≼ playa
cerrado 10 octubre al 10 noviembre y miércoles – Com carta 350 a 460.

CALA FINESTRAT Alicante – ✕ ver Benidorm.

CALA FONDUCO Baleares **43** ㉚ – ✕✕ con hab, ver Baleares (Menorca) : Mahón.

CALA FORNELLS Baleares **43** ⑱ – 🏨 ver Baleares (Mallorca) : Paguera.

CALA GRACIÓ Baleares **43** ⑰ – 🏨 ver Baleares (Ibiza) : San Antonio Abad.

CALAHONDA Granada **990** ㉟ – Playa.
Alred. : Carretera★★ de Calahonda a Castell de Ferro.
Madrid 515 – Almería 100 – Granada 83 – Málaga 119 – Motril 13.

🏨 **Palmeras** ⤶, Acera del Mar ☎ 10, ≼ playa – ⇔wc ⋔wc ❸
15 junio-septiembre – Com 150/180 – ⊑ 40 – 36 hab 200/300 – P 375/400.

CALAHORRA Logroño – **990** ⑯⑰, **42** ⑮ – 16 340 h. alt. 350.
Madrid 323 – Logroño 48 – Soria 94 – Zaragoza 128.

🏨 Parador Marco Fabio Quintiliano M.I.T. – 🛏
67 hab.

CALA LLONGA Baleares **43** ⑱ – 🏨, ✕ ver Baleares (Ibiza) : Santa Eulalla del Río.

CALAMAYOR Baleares **43** ⑲ – 🏨🏨, 🏨, 🏨 ver Baleares (Mallorca) : Palma de Mallorca.

CALA MILLOR Baleares **43** ⑳ – 🏨, 🏨 ver Baleares (Mallorca) : Son Servera.

CALAMOCHA Teruel **990** ⑰ – 2 688 h. alt. 884.
Madrid 263 – Teruel 72 – Zaragoza 110.

🏠 **Fidalgo,** carret. N 234 ☎ 148 – ⫿ ⋔wc, ⁙
Com 140 bc – ⊑ 30 – 30 hab 120/210 – P 310/325.

CITROEN carret. N 234 ☎ 20

CALA MONTJOY Gerona **43** ⑲ – ✕✕ ver Rosas.

CALA'N FORCAT Baleares – 🏨 ver Baleares (Menorca) : Ciudadela.

CALA RATJADA Baleares **43** ⑳ – 🏨 a 🏨, ✕✕, ✕✕ con hab, ver Baleares (Mallorca).

CALA SAHONA Baleares – 🏨 ver Baleares (Formentera).

CALAS DE MALLORCA Baleares **990** ㉙, **43** ⑳ – Ver Baleares (Mallorca).

CALATAÑAZOR Soria **990** ⑯ – 129 h. alt. 1 027.
Madrid 212 – Soria 29 – Valladolid 186.

en la carretera de Soria N 122 NE : 4 km – ✉ Calatañazor :

🏠 **Venta Nueva,** ☎ 2 Valdealvillo – ⫿ ⇔wc ❸. ⁙
Com 150 bc – ⊑ 40 – **44 hab** 160/330 – P 500/650.

CALATAYUD Zaragoza **990** ⑰ – 17 217 h. alt. 534 – Plaza de toros – ❸ 976.
Ver : Colegiata de Santa María la Mayor (torre★, portada★) – Iglesia de San Andrés
(torre★).
Madrid 237 – Cuenca 282 – **Pamplona 215** – Teruel 138 – Tortosa 263 – **Zaragoza 89.**

🏠 **Fornos,** paseo Calvo Sotelo 5 ☎ 88 13 00 – ⫿. ⁙
Com 200/290 – 50 hab 190/330 – P 510/684.

sigue →

CALATAYUD

en la carretera N II NE : 2 km – ⊠ ☏ Calatayud :

🏨 **Calatayud,** ☏ 88 13 23 – ▥ ☗ ⊟wc ▥wc ☜ ⇔ **Ɵ**. ※ rest
Com 200 bc – ☴ 50 – **62 hab** 350/650 – P 750/775.

AUSTIN-MG-MORRIS-MINI   Madre Puy 6 ☏ 88 14 65
CITROEN   Benito Vicioso 1 ☏ 88 17 86
FIAT-SEAT   Agustina Simón 3 ☏ 88 18 63
RENAULT   Padre Claret 1 ☏ 88 10 80

CALDAS DE BOHI Lérida ⑨⑨⓪ ⑨, ㊷ ㉓, ㊸ ⑤ – alt. 1 470 – Balneario.
Alred. : E : Parque Nacional de Aigües Tortes★★ – Tahull (iglesia San Clemente★ : torre★) S :
6 km.
Madrid 583 – Huesca 186 – **Lérida 143.**

🏨 **Manantial** ⬠, ⊠ Pont de Suert ☏ 21 Bohí, ≼ montaña, « Magnífico parque », ⁑, ⤨, ▨
   – ⇔ **Ɵ**. ※ rest
   24 junio-septiembre – Com 350 – ☴ 75 – **123 hab** 750/1 150 – P 1 225/1 350.

🏠 **Caldas** ⬠, ⊠ Pont de Suert ☏ 1 Bohí, ≼ montaña, « Magnífico parque », ⁑, ⤨, ▨ –
   ▥wc ⇔ **Ɵ**. ※ rest
   24 junio-septiembre – Com 195 – ☴ 45 – 72 hab 175/300 – P 600/630.

CALDAS DE MALAVELLA Gerona ⑨⑨⓪ ㉓, ㊸ ⑨ – 2 880 h. alt. 94 – Balneario.
Madrid 713 – Barcelona 83 – Gerona 19.

🏨 **Baln. Prats** ⬠, pl. de los Mártires 6 ☏ 47 00 51, « Terraza con arbolado », ⤨ climatizada
   – ▐▌ ▥ ☗ ⊟wc ▥wc ☜ ⇔ **Ɵ**. ※ rest
   Com 230 – ☴ 60 – 90 hab 350/700 – P 600/720.

🐊 Ribot ⬠, Peñas 2 ☏ 19 – sólo agua fría – temp. – 60 hab.

CALDAS DE MONTBÚY Barcelona ⑨⑨⓪ ㉓, ㊸ ⑰⑱ – 8 161 h. alt. 180 – Balneario – **Ɵ** 93.
Madrid 637 – Barcelona 29 – Lérida 167.

🏨 **Baln. Broquetas** ⬠, pl. España 1 ☏ 865 01 00, « Bonito jardín con flores, arbolado y ⤨ »
   – ▐▌ ▥ ☗ ⊟wc ☜ **Ɵ**. ※ rest
   Com 210 – ☴ 58 – 85 hab 310/570 – P 690/715.

🏠 **Baln. Termas Victoria** ⬠, Barcelona 12 ☏ 865 01 50, ⤨ – ▐▌ ▥ ☗ ⊟wc ☜. ※ rest
   Com 200 – ☴ 40 – 90 hab 180/450 – P 500/625.

en la carretera de San Sebastián de Montmayor NO : 11,5 km :

🏨 **Farell** ⬠, alt. 789, ⊠ apartado 16 ☏ 865 06 50 Caldas de Montbúy, « Magnífica
   situación con ≼ valle y montañas », ⤨ – ▥ ☗ ⊟wc ▥wc ☜ **Ɵ**. ※ rest
   Com 180/200 – ☴ 60 – 36 hab 200/400 – P 520/525.

SEAT-FIAT   Folch y Torras 1 ☏ 865 01 87

CALDAS DE REYES Pontevedra ⑨⑨⓪ ② – 8 466 h. alt. 22 – Balneario.
Madrid 621 – Orense 109 – Pontevedra 23 – Santiago de Compostela 34.

🏨 **Baln. Acuña,** Herrería 2 ☏ 10, « Jardín con arbolado, ⤨ de agua termal » – ▐▌ ▥ ☗ ⊟wc
   ▥wc ☜ **Ɵ**. ※ rest
   julio-septiembre – Com 275 – ☴ 60 – 21 hab 300/500 – P 700/750.

CALDETAS Barcelona ⑨⑨⓪ ㉓, ㊸ ⑱ – 1 053 h. – Playa – **Ɵ** 93.
▣ de Llavaneras O : 6 km.
Madrid 666 – Barcelona 36 – Gerona 62.

🏨 **Colón,** Paz 16 ☏ 393 00 50, ≼ mar, ⤨ – ▤ hab. ※ rest
   Com 300 – ☴ 75 – **82 hab** 525/825 – P 1 015/1 125.

🏨 **Clipper,** paseo Marítimo 21 ☏ 393 06 00, ≼ mar, ⤨ – **Ɵ**. ※
   abril-octubre – Com 250 – ☴ 55 – **102 hab** 350/700 – P 775.

🏠 **Jet,** Francisco Riera 25 ☏ 393 01 50 – ▐▌ ▥ ☗ ⊟wc ▥wc ☜. ※ rest
   abril-septiembre – Com 225 – ☴ 50 – **35 hab** 240/450 – P 560/590.

🏠 **Pinzon,** Mercedes Torres 4 ☏ 393 06 50 – ▥ ☗ ⊟wc ☜
   15 junio-15 septiembre – Com 175 – ☴ 40 – 23 hab 250/375 – P 490/550.

Ver también **Arenys de Mar** NE : 2 km.

CALELLA Gerona ㊸ ⑨⑩ – 🏨, 🏨, ✕ ver Palafrugell.

CALELLA DE LA COSTA Barcelona ⑨⑨⓪ ㉓, ㊸ ⑱ – 9 696 h. – Playa – **Ɵ** 93.
Madrid 679 – Barcelona 49 – Gerona 49.

🏨 **Las Vegas,** carret. N II ☏ 899 08 50, ⤨ – ▐▌ ☗ ⊟wc ▥wc ☜ **Ɵ**. ※ rest
   mayo-15 octubre – Com 190 – ☴ 45 – **112 hab** 275/450 – P 585/635.

🏨 **Calella Park,** Jubara 257 ☏ 899 03 58, ⤨ – ▐▌ ▥ ☗ ⊟wc ☜. ※
   Semana Santa-15 octubre – Com 150 – ☴ 40 – 51 hab 180/330 – P 430/445.

🏨 **Calella,** Anselmo Clavé 134 ☏ 899 02 80, ≼ mar – ▐▌ ⊟wc ▥wc. ※
   Semana Santa-15 octubre – Com 150 – ☴ 40 – 60 hab 170/320 – P 425/435.

🏩 **Fragata,** paseo de las Rocas ☎ 899 03 54 – 📶 🛏️wc 🛁wc 🚗. 🍴 rest
20 marzo-20 octubre – Com 150 – ⚏ 50 – 63 hab 190/350 – P 485/500.

🏩 **Continental,** Cervantes 105 ☎ 899 06 47. ⤴️ – 📶 🛁wc. 🍴 rest
mayo-15 octubre – Com 125/150 – ⚏ 35 – 120 hab 105/225 – P 325/350.

🍴🍴 **La Olla,** Afueras 15 ☎ 899 00 92. « Decoración rústica catalana » – 🍽️
cerrado 6 enero al 25 febrero – Com carta 315 a 410.

en la carretera de Orsavinyá NO : 1,5 km – ✉️ ☎ Calella de la Costa :

🏨🏨 **Maresma** 🦢. ☎ 899 08 00. « Conjunto de estilo regional con bonitas terrazas floridas »
🍴. ⤴️ – 🅿️. 🍴 rest
mayo-15 octubre – Com 275 – ⚏ 65 – **87 hab** 425/670 – P 825/915.

CHRYSLER-SIMCA Montoriol 34-42 ☎ 899 19 96   RENAULT Carrel, N II ☎ 899 05 16
CITROEN San Jaime 200 ☎ 899 00 51

📇 **Las CALETILLAS** Santa Cruz de Tenerife – 🏨🏨, 🍴 ver Canarias (Tenerife).

📇 **La CALOBRA** Baleares 990 ②, 43 ⑲ – 🏨 ver Baleares (Mallorca).

📇 **CALPE** Alicante 990 ㉘ – 3 399 h. – Playa – ◉ 965.
Ver : Emplazamiento*. **Alred. :** Recorrido* de Calpe a Altea – Carretera* de Calpe a Moraira.
Madrid 471 – Alicante 63 – Benidorm 21 – Gandía 53.

en la carretera de Alicante O : 1,5 km – ✉️ Calpe :

🍴🍴 Faisán Dorado, < mar y peñón de Ifach – 🅿️.

en la carretera del Peñón de Ifach E : 2 km – ✉️ ☎ Calpe :

🍴🍴 **Atlántico,** av. Ejércitos Españoles ☎ 83 00 38, < salinas y mar, ⤴️ – 🍽️. 🍴
abril-septiembre – Com carta 300 a 450.

en la urbanización La Canuta S : 2 km – ✉️ ☎ Calpe :

🍴🍴🍴 Puerto Blanco, ☎ 83 09 77 – 🍽️ 🅿️.

en la carretera de Valencia N : 4,5 km – ✉️ ☎ Calpe :

🏩 **Venta La Chata,** ☎ 83 03 08, 🍴 – 📶 📠 🛏️wc 🛁wc 🚗 ⬅️ 🅿️
Com 200 – ⚏ 50 – 20 hab 185/375 – P 547/570.

en la carretera de Moraira :

🍴🍴🍴 **Viñasol,** urbanización Bona Vista NE : 9 km ✉️ ☎ 463 Benisa, < mar, ⤴️ – 🍽️ 🅿️
cerrado 5 noviembre al 15 diciembre Com carta 235 a 520.

📇 **CALLOSA DE ENSARRIA** Alicante 990 ㉘ – 5 701 h. alt. 247.
Madrid 441 – Alcoy 41 – Alicante 55 – Gandía 63.

🍴 Algar, pl. Caudillo 10 ☎ 53.
CITROEN Generalísimo 25 ☎ 221   SEAT Generalísimo ☎ 20

📇 **CAMBADOS** Pontevedra 990 ② – 10 644 h.
Madrid 650 – Pontevedra 33 – Santiago de Compostela 53.

🏨🏨 **Parador del Albariño M.I.T.** 🦢. ☎ 171. « Reconstitución de una casa señorial gallega»
– 🅿️. 🍴 rest
Com 280 – ⚏ 60 – **8 hab** 515.

🍴 Fariña, av. Generalísimo 25 ☎ 31.
🍴 **Marisquería O Arco,** 1º piso, Real 14 ☎ 194
Com carta 235 a 415.

📇 **CAMBRILS** Tarragona 990 ⑲, 43 ⑯ – 7 295 h. – ◉ 977.
Madrid 569 – Castellón de la Plana 172 – Tarragona 18.

🏨🏨 **Mónica H.,** travesía de Jaime I ☎ 36 01 16 – 📶 🛏️wc 🛁wc 🚗 🅿️. 🍴 rest
Semana Santa-septiembre – Com 200 – ⚏ 60 – 56 hab 300/600 – P 565/595.

🏩 **Rovira** sin rest, av. Diputación 6 ☎ 36 09 00, < playa – 📶 📠 🛏️wc 🛁wc. 🍴
junio-septiembre – ⚏ 50 – **25 hab** 425.

🏨 **Cambrils** sin rest y sin ⚏, General Mola 19 ☎ 36 02 36 – 🛏️wc. 🍴
abril-septiembre – **26 hab** 200/330.

🍴🍴 ✿ **Ca'n Gatell,** paseo Miramar 27 ☎ 36 01 06, < puerto pesquero, Pescados y mariscos – 🍴
cerrado martes y 12 noviembre al 12 diciembre – Com carta 340 a 730
Espec. Entremeses de la casa, Zarzuela de pescados y mariscos, Parrillada de pescados y mariscos.

sigue →

XX ❀ **Casa Gatell,** paseo Miramar 26 ☏ 36 00 57, ≼ puerto pesquero, Pescados y mariscos –
⦸
cerrado lunes y 22 diciembre al 22 enero – Com carta 390 a 525
Espec. Entremeses Gatell extra, Parrillada con romescu, Fritura de pescado.

XX **Eugenia,** José Antonio 80 ☏ 36 01 68
cerrado miércoles y 15 octubre al 15 noviembre – Com carta 300 a 550.

X **Rovira Nuevo,** av. Diputación 6 ☏ 36 09 44, ≼ mar – ⦸
cerrado martes y 20 diciembre al 20 enero – Com carta 280 a 410.

X **Rovira Antiguo,** paseo Miramar 37 ☏ 36 01 05, ≼ puerto pesquero
cerrado miércoles y octubre – Com carta 255 a 445.

en la carretera N 340 – ✉ ☏ Cambrils :

🏨 **Motel La Dorada,** SO : 3 km ☏ 35 01 50, ✿, ⌦ – ⫿ ☞ ⊟wc ⊛ ⇔ ❷. ⦸
Com 180 – ⫤ 50 – **37 hab** 480/600.

🏠 **Don Juan,** E : 1,2 km ☏ 36 10 25, ⌦ – ⏀ ⫿ ☞ ⊟wc ⫿wc ❷. ⦸ rest
Com 150/175 – ⫤ 40 – 62 hab 230/360 – P 405/470.

XX **Mas Gallau,** E : 3,5 km ✉ apartado 129 ☏ 36 05 88, Decoración rústica – ▤ ❷
Com carta 300 a 405.

FORD carret. Valencia km 231,5 ☏ 36 03 99   PEUGEOT carret. Valencia-Barcelona km 228

Las CAMPANAS Navarra 990 ⑦, 42 ⑮ – alt. 495 – ❀ 948.
Madrid 394 – Logroño 84 – Pamplona 14 – Zaragoza 166.

🏠 **Iranzu,** carret. N 121 ☏ 35 50 67 – ⫿ ☞ ⊟wc ❷
Com 165 bc/195 bc – ⫤ 40 – 20 hab 150/350 – P 410/460.

CAMP DE MAR Baleares 43 ⑱ – ♨, 🏨 ver Baleares (Mallorca) : Puerto de Andraitx.

CAMPOSANCOS Pontevedra 37 ⑪ – ☘ ver La Guardia.

CAMPRODÓN Gerona 990 ⑳, 43 ⑧ – 2 487 h. alt. 950 – ❀ 972 – Ver aduanas p. 14 y 15.
Ver : Iglesia de San Pedro★. **Alred. :** Carretera★ del Collado de Ares.
Madrid 700 – Barcelona 127 – Gerona 80.

☘ **Güell,** pl. España 8 ☏ 74 00 11 – ⫿ ⊟wc ⇔
Com 175/225 – ⫤ 40 – 42 hab 125/275 – P 475/488.

CANARIAS (Islas) 153 ② ③ ⑮, 990 ㉛ ㉜ – 1 170 224 h.

GRAN CANARIA

Arguineguín
Las Palmas 66.

X **Castilla,** carret. de Mogan ☏ 286
Com carta 200 a 500.

Cruz de Tejeda – alt. 1 450.
Ver : Paraje★★.
Alred. : Pozo de las Nieves ✳★★★ SE : 10 km – Artenara (carretera ≼★ Juncalillo –
Parador de la Silla ≼★) NO : 12 km – Mirador de Zamora ≼★ NE : 12 km por Valleseco
– Pinar★★ de Tamadaba ≼★ NO : 22 km por Artenara.
Las Palmas de Gran Canaria 42.

🏨 **Parador M.I.T.** ⬚, ✉ Cruz de Tejeda ☏ 4 San Mateo, ≼ montañas y valles, « Bonita
situación dominando la isla » – ⫿ ☞ ⊟wc ⫿wc ❷. ⦸ rest
Com 260 – ⫤ 50 – **19 hab** 295/450.

Maspalomas – Playa – ✉ Maspalomas ☏ Las Palmas – ❀ 928 – ⑱.
Ver : Playa de Maspalomas★. **Alred. :** N : Barranco de Fataga★ – San Bartolomé de
Tirajana (paraje★) N : 23 km por Fataga.
Las Palmas de Gran Canaria 50.

🏨 **IFA-Faro Maspalomas** Ⓜ ⬚, en la playa SO : 5 km ☏ 25 80 40, Telex 95295, ≼ mar,
« Bonito césped con ⌦ climatizada » – ▤. ⦸
Com 305 – ⫤ 69 – **188 hab** 810/1 450 – P 1 300/1 385.

🏨 Maspalomas Oasis ⬚, en la playa SO : 5 km ☏ 25 80 12, ≼ mar, « Gran jardín y gran
palmeral », ✿, ⌦, ⑱, ⚲ – ▤ ❷. ♨
260 hab.

Islas CANARIAS

Las Palmas de Gran Canaria ℙ – 287 038 h. – Playa – ✿ 928.

Ver : Casa de Colón* – Paseo Cornisa ✳* . **Alred. :** Jardín Canario* por ② : 10 km – Mirador de Bandama ✳** por ② : 14 km – Arucas : Montaña de Arucas** O : 18 km.

🏌 de Las Palmas, Bandama por ② : 14 km.

✈ de Las Palmas - Gando por ① : 22 km 𝍸 25 41 40 – Iberia : Bravo Murillo 8 𝍸 22 39 40.

⚓ para la Península, Tenerife y La Palma : Cia. Aucona, muelle Santa Catalina CXY 𝍸 26 00 70, Telex 95018.

M.I.T. Casa del Turismo, Parque Santa Catalina 𝍸 26 46 23 – **R.A.C.E.** (R.A.C. de Gran Canaria), Galo Ponte 8 𝍸 22 31 42.

Planos páginas siguientes

Cristina y Parrilla « El Galeón » Ⓜ, Gomera 4 𝍸 26 76 00, Telex 95161, ≼ playa, mar y puerto, ⊐ climatizada – ▤ ⟵. 𝐀   CX **c**
315 hab.

Santa Catalina ॐ, Parque Doramas 𝍸 24 31 40, Telex 95040, « Agradable edificio de estilo canario en un bonito parque », ⊐ – ▤ rest 𝐏. 𝐀. ✸   AZ **z**
Com 440 – ⌑ 100 – **209 hab** 1 200/1 900.

Reina Isabel, Alfredo L. Jones 40 𝍸 26 01 00, Telex 95103, ≼ mar, ⊐ climatizada – ▤ 𝐏. 𝐀. ✸   CX **y**
Com 465 – ⌑ 65 – **240 hab** 1 150/2 060 – P 1 880/2 000.

Imperial Playa Ⓜ, Ferreras 1 𝍸 26 48 54, ≼ playa – ▤   AY **e**
173 hab.

Don Juan Ⓜ, Eduardo Benot 5 𝍸 27 00 00, Telex 95189, ≼ playa, puerto y ciudad, ⊐ climatizada – ▤ rest. ✸   CX **z**
Com 325 – ⌑ 69 – **193 hab** 920/1 200 – P 1 097/1 398.

Sansofe Ⓜ, Portugal 62 𝍸 26 47 58, ≼ playa – ▤ rest   BY **p**
102 hab.

Concorde Ⓜ, Tomás Miller 85 𝍸 26 27 50, ⊐ – ▤. ✸   CX **x**
Com 325 – ⌑ 64 – **124 hab** 600/900 – P 1 050/1 200.

Metropol, León y Castillo 270 𝍸 24 36 40, ≼ puerto, « Gran jardín de reposo », ⊐ – ▤ rest 𝐏. ✸ rest   AZ **x**
Com 360 – ⌑ 80 – **225 hab** 825/1 100.

Helios, Isla de Cuba 6 𝍸 26 58 00, Telex 95185, ⊐   CY **a**
78 hab.

Tigaday, Ripoche 4 𝍸 26 47 20, ⊐ – ▤   CX **s**
160 hab.

Rocamar, Lanzarote 10 𝍸 26 56 00, ≼ playa – ▤ rest   CX **r**
77 hab.

Gran H. Parque, muelle Las Palmas 6 𝍸 21 61 00, Telex 95040 – ✸ rest   CZ **e**
Com 335 – ⌑ 70 – **120 hab** 645/870.

Abaniko, sin rest. av. José Mesa y López 54 𝍸 26 27 00   BY **s**
133 hab.

Gran Canaria, paseo de las Canteras 38 𝍸 26 08 00, ≼ mar – 🕭 ☎ ⌂wc 🛁wc ⊛. ✸ rest   BY **b**
Com 316 – ⌑ 60 – **90 hab** 518/805 – P 978/1 093.

Ballesmen sin rest, León y Castillo 367 𝍸 24 69 90 – 🕭 ☎ ⌂wc ⊛. ✸   CY **s**
⌑ 50 – **102 hab** 450/650.

Miraflor sin rest, Doctor Grau Bassas 21 𝍸 26 16 00 – 🕭 ☎ ⌂wc 🛁wc ⊛ ⟵. ✸   BY **e**
⌑ 50 – **78 hab** 375/625.

Las Caracolas, La Palma 4 𝍸 26 02 00 – 🕭 ☎ ⌂wc ⊛   CX **a**
65 hab.

Sorimba, sin rest, Portugal 26 𝍸 26 82 50, ≼ mar – 🕭 ☎ ⌂wc ⊛   BY **t**
45 hab.

Ansite, sin rest, Juan Rejón 51 𝍸 26 24 12 – 🕭 ☎ ⌂wc ⊛   AY **c**
40 hab.

Pinito del Oro, Portugal 30 𝍸 26 06 20 – 🕭 ☎ ⌂wc ⊛   BY **h**
72 hab.

Atlántico ॐ, Doctor García Castrillo 22 𝍸 24 40 40 – ☎ ⌂wc ⊛   AZ **n**
35 hab.

Britania, Pelayo 14 𝍸 26 20 66 – 🕭 ☎ ⌂wc ⊛   BY **r**
35 hab.

Funchal sin rest, Los Martínez de Escobar 66 𝍸 26 55 78 – 🕭 ☎ ⌂wc ⊛. ✸   BY **d**
⌑ 40 – **35 hab** 290/455.

Tenesoya sin rest, Sagasta 98 𝍸 26 26 08, ≼ playa – 🕭 ☎ ⌂wc ⊛.✸   AY **s**
⌑ 40 – **44 hab** 325/475.

sigue →

CANARIAS (Islas) –
Las Palmas de Gran Canaria

🏨 Timanfaya, sin rest, León Castillo 329 ☎ 24 26 74, ≤ playa y puerto – 🛗 🕾 🖴 wc 🕾
36 hab. CY f

🏨 Coral, Sagasta 88 ☎ 26 49 50, ≤ playa y mar – 🛗 🕾 🖴 wc 🕾
47 hab. CX f

🏨 Pujol, sin rest, con snack-bar, Salvador Cuyás 5 ☎ 26 43 24 – 🛗 🕾 🖴 wc 🕾
48 hab. CX n

🏨 **Olimpia** sin rest, Doctor Grau Bassas 1 ☎ 26 17 20 – 🛗 🕾 🖴 wc 🏬 wc 🕾. 🌭 ☲ 45 – **41 hab** 320/410. BY v

🏨 Cráter, sin rest, Nicolás Estévanez 64 ☎ 26 57 91 – 🛗 🕾 🖴 wc 🏬 wc 🕾
37 hab. BY a

🏨 Syria, sin rest, Luis Morote 27 ☎ 27 06 00 – 🛗 🕾 🖴 wc 🕾
26 hab. CX t

🏨 Hespérides, sin rest, La Naval 7 ☎ 26 22 62 – 🛗 🕾 🖴 wc 🕾 *temp.* – **22 hab.** AY a

🏨 Insula, sin rest, Luis Morote 50 ☎ 26 50 16 – 🕾 🏬 wc 🕾
20 hab. CX b

🏨 Capitol, sin rest, Tomás Morales 42 ☎ 22 24 45 – 🛗 🕾 🖴 wc 🏬 wc
28 hab. BZ v

🏨 Febo, sin rest, Los Martínez de Escobar 37 ☎ 26 27 70 – 🛗 🕾 🖴 wc 🏬 wc 🕾
27 hab. CY x

🏨 El Cid, sin rest, Portugal 73 ☎ 26 23 00 – 🛗 🕾 🖴 wc 🕾
16 hab. BY n

🏨 Ibiza, sin rest, Nicolás Estévanez 31 ☎ 26 31 23 – 🛗 🖴 wc 🕾
22 hab. CY y

🏬🏬🏬 **La Choza,** Nicolás Estévanez 31 ☎ 26 61 01, Mesón rústico – 🍽. 🌭
Com carta 340 a 770. CY y

🏬🏬 **Suizo,** Sargento Llagas 37 ☎ 26 30 48, Decoración regional – 🍽. 🌭
Com carta 310 a 515. CXY q

🏬🏬 **Nanking,** General Primo de Rivera 11 ☎ 26 98 70, Rest. chino – 🍽
Com carta 225 a 380. CY z

🏬🏬 House Ming, paseo de las Canteras 30 ☎ 26 30 16, ≤ mar, Rest. chino CX v

sigue →

132

LAS PALMAS
DE GRAN CANARIA

Albareda	CX
Juan Rejón	AY 42
La Naval	AY 45
Luis Morote	CX 52
Mayor de Triana	CZ
Alfonso XII	AZ 2
Alfredo L. Jones	CX 3
Almirante Benítez Inglot	AZ 4
Bernardo de la Torre	CY 6
Bernartemi	AY 7
Blasco Ibáñez	CY 8
Cano	CZ 10
Carvajal	AZ 12
Colón	CZ 14
Cornisa (Paseo)	AZ 15
Doctor Chil	CZ 16
Dolores de la Rocha	CZ 18
Domingo Doreste	CZ 19
Domingo J. Navarro	BZ 20
Don Benito (Pl. de)	AZ 22
Eduardo Benot	CX 23
Emilio Ley	AZ 24
Espíritu Santo (Pl.)	CZ 25
Galicia	CY 28
García Tello	CZ 29
General Mola	CZ 30
General Vives	CXY 32
Grau Bassas	BY 33
Gordillo	AY 35
Herrería	CZ 36
Ingeniero León y Castillo (Pl.)	AZ 37

AGLOMERACIÓN ISLETA

PUERTO DE LA LUZ

PUERTO

Ver plano detallado

STA CATALINA

ALCARAVANERAS

PLAYA DE LAS ALCARAVANERAS

ESTADIO

C 810
7 km TAMARACEITE
18 km ARUCAS

CIUDAD JARDÍN

OCÉANO ATLÁNTICO

ESCALERITAS

PARQUE DORAMAS

ESTADIO

★ PASEO CORNISA

ALTAVISTA

LUGO

Pl. Juana de Castilla

SCHAMANN

ARENALES

TRIANA

Ver plano detallado

SAN ROQUE

VEGUETA

SAN JUAN

MONTE COELLO 13 km. C 811
CRUZ DE TEJEDA 42 km

AEROPUERTO 22 km
MASPALOMAS 50 km   C 812

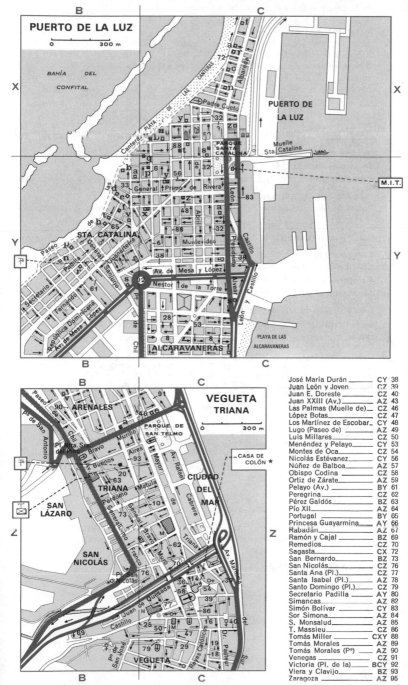

PUERTO DE LA LUZ

0   300 m

BAHÍA DEL CONFITAL

PUERTO DE LA LUZ

Muelle Sta Catalina

M.I.T.

PARQUE SANTA CATALINA

General † Primo de Rivera

STA. CATALINA

Paseo

Av. de Mesa y López

Néstor de la Torre

ALCARAVANERAS

PLAYA DE LAS ALCARAVANERAS

VEGUETA TRIANA

0   300 m

ARENALES

PARQUE DE SAN TELMO

CASA DE COLÓN ★

Pl. Ntra. Sra. del Pino

TRIANA

CIUDAD DEL MAR

SAN LÁZARO

SAN NICOLÁS

Pl. San Nicolás

VEGUETA

133

CANARIAS (Islas) — Las Palmas de Gran Canaria

%% La Guitarra, Dr Miguel Rosas 21 ⏰ 26 38 27 — 🍴.	CX	t
%% Amigo, Bernardo de la Torre 67.	CY	p
% Barbecue Steak House, Los Martínez de Escobar 37 ⏰ 26 70 14.	CY	x
% El Guanche, Parque Santa Catalina ⏰ 26 30 52.	CX	s
% El Novillo Precoz, Portugal 9 ⏰ 27 20 10, Carnes a la parrilla — 🍴.	BY	f
% Canario, Perojo 2 ⏰ 21 79 31.	BZ	a

AUSTIN-MG-MORRIS-MINI av. Escaleritas 120 ⏰ 25 28 22
CHRYSLER-SIMCA urbanización Miller-Bajo ⏰ 24 24 40
CITROEN Telde, Cruce Melenara ⏰ 69 15 68
FIAT-SEAT Barcelona 10 ⏰ 24 23 44

FORD av. Presidente Alevear 22 ⏰ 26 66 56
PEUGEOT Canalejas ⏰ 22 25 18½
RENAULT carret. del Centro km 3,2 ⏰ 21 70 36
SEAT Joaquín Blume 9 ⏰ 25 43 43
SEAT av. Escaleritas 106 ⏰ 25 55 40

San Agustín — Playa.
Las Palmas de Gran Canaria 46.

en la playa de San Agustín :

🏨 **Costa Canaria** 🖂 Maspalomas ⏰ 25 55 45 Las Palmas, Telex 95108, ≤ mar, « Gran terraza con jardín », %, 🏊 climatizada — 🍴 rest. 🍽
Com 370 — ⚏ 63 — **162 hab** 690/1 020 — P 1 190/1 370.

🏨 **Folias** 🖂 Maspalomas ⏰ 861 San Agustín, Telex 95108, ≤ mar, 🏊 climatizada — 🍴 rest. 🍽
Com 370 — ⚏ 63 — **79 hab** 615/935 — P 1 085/1 230.

%%%% **San Agustín Beach Club**, 🖂 Maspalomas ⏰ 231 San Agustín, Decoración moderna, « Bonita terraza con 🏊 climatizada » — 🍴 🅿. 🍽
Com carta 480 a 820.

%%% La Rotonda, 🖂 Maspalomas ⏰ 836 San Agustín, ≤ mar — 🅿.

en Morro Besudo — 🖂 Maspalomas ⏰ Las Palmas :

🏨 **Monte del Moro** 🖾, ⏰ 25 05 40, ≤ mar, « Bonito jardín y patio con 🏊 climatizada » — 🍴 rest. 🍽
Com 300/340 — ⚏ 80 — **42 hab** 865/1 405 — P 1 322/1 485.

en la Playa del Inglés SO : 4 km — 🖂 Maspalomas ⏰ Las Palmas :

🏨 **IFA H. Dunamar** 🅼 🖾, ⏰ 25 29 03, Telex 95311, 🏊 climatizada — 🍴. 🏋. 🍽
Com 340 — ⚏ 80 — **184 hab** 635/1 585 — P 1 437/1 480.

🏨 **Parque Tropical y Rest. Famara**, ⏰ 25 03 31, Telex 95216, ≤ mar, « Bonito jardín tropical — Edificio de estilo regional », %, 🏊 climatizada — 🍴 rest 🅿. 🍽
Com 325 — ⚏ 69 — **221 hab** 635/945 — P 1 137/1 300.

🏨 **Apolo** 🖾, ⏰ 4 San Agustín, ≤ mar, %, 🏊 climatizada — 🍴 🅿. 🍽
Com 360 — ⚏ 63 — **115 hab** 635/945 — P 1 137/1 300.

🏥 Sahara Playa 🖾, ⏰ 74 San Agustín, ≤ mar, %, 🏊 — 🛗 🌫 🛁wc 🚿wc 🅿
50 hab.

Tafira Alta
Alred. : Mirador de Bandama ❀★★ S : 7 km.
Las Palmas 8.

%% Rio Miño, Murillo 36 ⏰ 120, Decoración gallega.
CITROEN carretera Sur km 13 ⏰ 623

Ne prenez pas toujours vos vacances en juillet-août ;
certaines régions sont plus belles en d'autres mois.

Nehmen Sie Ihren Urlaub nach Möglichkeit nicht immer im Juli-August ;
manche Gegenden sind während anderer Monate viel erholsamer und preiswerter.

FUERTEVENTURA

Corralejo
Ver : Puerto y playas★.
Puerto del Rosario 38.

🏚 Corralejo, ≤ mar, isla de Lobos y Lanzarote — 🛁wc 🚿wc
19 hab.

Morro Jable — Playa.

🏨 Jandía Playa 🖾, playa de Jandía 🖂 apartado 74 Puerto del Rosario ⏰ 24 28 45 Las Palmas, ≤ mar, %, 🏊 — 🅿
110 hab.

Puerto del Rosario – 6 680 h. – Playa – ⊙ 928.

  🏊 de Fuerteventura S : 6 km ☏ 85 02 06 – Iberia : General Linares ☏ 85 00 16.

  🚢 para Lanzarote, Gran Canaria y Tenerife : Cia. Aucona, Almirante Lallemand ☏ 15.

🏨 **Las Gavias,** paseo Marítimo ☏ 85 01 00, ≼ puerto y mar – 🕽 ☞ ⊟wc ☜. 🎇
Com 200 bc – ⊊ 40 – **64 hab** 325/525.

🏨 **Valéron** 🐇, Candelaria del Castillo ☏ 85 06 18, ≼ puerto y mar – 🕽 ☞ ⊟wc ☜. 🎇
Com 150 – ⊊ 39 – 16 hab 255/400 – P 480/545.

🏨 Tamasite, sin rest, León y Castillo ☏ 280 – ☞ ⊟wc
18 hab.

en Playa Blanca S : 3,5 km – ⊠ ☏ Puerto del Rosario :

🏨 **Parador de Fuerteventura M.I.T.** 🐇, ☏ 215, ≼ mar, ⊅ – ⓟ. 🎇 rest
Com 280 – ⊊ 60 – **24 hab** 450/575 – P 568/855.

Tarajalejo – Playa.

🏨 Maxorata 🐇, playa de las Palmeras ⊠ ☏ 93 Gran Tarajal, ≼ mar, 🍴, ⊅ – ⓟ – **60 hab.**

LANZAROTE

Arrecife – 21 906 h. – Playa – ⊙ 928.

Alred. : Teguise (castillo de Guanapay ☀★) N : 11 km – La Geria★★ (de Mozaga a Yaiza)
NO : 17 km Cueva de los Verdes★★★ NE : 27 km por Guatiza – Jameos del Agua★★
NE : 29 km por Guatiza.

  🏊 de Lanzarote O : 5 km ☏ 81 14 50 – Iberia : av. Generalísimo Franco 5 ☏ 81 03 50.

  🚢 para Gran Canaria, Tenerife, La Palma y la Península : Cia. Aucona, carret. del Muelle
☏ 81 10 19, Telex 95336.

M.I.T. parque municipal ☏ 81 18 60.

🏨 **Arrecife Gran H.** Ⓜ, av. Mancomunidad ☏ 81 12 50, ≼ puerto, mar y ciudad, 🍴, ⊅
climatizada – 🍽. 🎇
Com 400 – ⊊ 75 – **148 hab** 840/1 600 – P 1 550/1 590.

🏨 **Lancelot Playa,** av. Mancomunidad ☏ 81 14 00, Telex 95181, ≼ mar, ⊅ climatizada –
🍽 rest. 🎇
Com 250 – ⊊ 60 – **123 hab** 375/640 – P 785/840.

🏨 Cardona 🐇, sin rest, 18 de Julio 11 ☏ 81 10 08 – 🕽 ☞ ⊟wc ☜
62 hab.

🏨 **Tinache** sin rest, Triana 7 ☏ 81 18 51 – 🕽 ☞ 🕽wc ☜. 🎇
⊊ 28 – **58 hab** 168/306.

✕ Los Troncos, Juan de Quesada 59 ☏ 81 00 33, Pequeño mesón rústico.

PEUGEOT Hermanos Alvarez Quintero 56 ☏ 81 16 26

Montaña del Fuego – Zona de peaje.
Ver : Montañas del Fuego★★★.

✕✕ Del Diablo, ⊠ ☏ 27 Tinajo, ☀ montañas volcánicas
Com (almuerzo solamente).

Puerto del Carmen – ⊠ Puerto del Carmen ☏ Arrecife.

🏨 **Los Fariones** 🐇, ☏ 81 21 50, « Bonita terraza con ≼ mar », 🍴, ⊅ – 🍽 rest. 🎇
Com 345 – ⊊ 70 – **143 hab** 740/1 050 – P 1 175/1 390.

✕✕ Barracuda, urbanización Playa Blanca ☏ 81 02 00 – 🍽.

en la playa de los Pocillos E : 3 km – ⊠ ☏ Arrecife :

🏨 **San Antonio** Ⓜ 🐇, ⊠ apartado 225 ☏ 81 19 25, ≼ mar, 🍴, ⊅ climatizada – 🍽 ⓟ. 🕭.
🎇 rest
Com 340 – ⊊ 69 – **336 hab** 685/1 330 – P 1 155/1 285.

Tao
Arrecife 14.

✕✕ Don Manuel de Tao, carret. de Tinajo N : 1 km, ☀ campo, montaña y mar, Museo de
piedras volcánicas, « Conjunto de estilo regional » – ⓟ.

Yaiza – ⊙ 928.
Alred. : La Geria★★ (de Yaiza a Mozaga) NE : 17 km – Salinas de Janubio★ SO :
6 km – El Golfo★ NO : 8 km.
Arrecife 22.

✕✕ La Era, ☏ 81 15 16, « Instalado en una casa de campo del siglo XVII » – ⓟ. 🎇
Com carta 260 a 400.

TENERIFE

Bajamar – ⚹ Tejina – ⊘ 922.
Alred. : Carretera de Tacoronte ⩽★★ SO : 6 km.
Santa Cruz de Tenerife 21.

🏨 **Nautilus** ⑊, av. de las Piscinas 2 ⚹ 54 05 04, ⩽ mar, ⚓ climatizada – 🖿 rest ❺. 🛁. ⚘
Com 290 – ⚋ 66 – **267 hab** 495/770 – P 880/990.

🏨 **Neptuno** ⑊, carret. de Punta Hidalgo ⚹ 54 04 00, ⩽ mar, ⚘, ⚓ climatizada – 🖿 rest
❺. ⚘
Com 225 – ⚋ 55 – **100 hab** 400/700 – P 770/820.

🏨 **Tinguaro** ⑊, urbanización Montalmar ⚹ 54 11 54, ⚓ climatizada – ❺. ⚘
Com 225 – ⚋ 55 – **115 hab** 370/750 – P 770.

✗ **El Yate,** av. del Sol 5 ⚹ 54 00 05 – ⚘
cerrado lunes y agosto – Com carta 265 a 375.

Las Caletillas
Santa Cruz de Tenerife 15.

🏨 **Punta del Rey** ⑊, ✉ ⚹ 321 Candelaria, Telex 92274, ⚘, ⚓ climatizada – 🖿 ❺. 🛁. ⚘ rest
Com 350 – ⚋ 60 – **414 hab** 715/1 110 – P 1 190/1 350.

✗ **Las Ruedas,** av. Marítima ✉ ⚹ 267 Candelaria
cerrado lunes y 15 agosto al 15 septiembre – Com carta 220 a 330.

Las Cañadas del Teide – alt. 2 200.
Ver : Parque Nacional de las Cañadas★★. **Alred. :** Pico de Teide★★★ N : 4 km, teleférico
y 45 mn a pie – Boca de Tauce★★ SO : 7 km.
Santa Cruz de Tenerife 67.

🏨 **Parador Cañadas del Teide M.I.T.** ⑊, alt. 2 200, ✉ apartado 15 La Orotava, ⩽ valle y
Teide, « En un paisaje volcánico », ⚘, ⚓ – 🗲 ☎ 🚽wc 🅿 🚗 ❺. ⚘ rest
Com 280 – ⚋ 60 – **24 hab** 375/515.

✗ Mesón del Teide, El Portillo, alt. 2000 ✉ La Orotava, ⩽ Teide – ❺.

Los Cristianos – Playa.
Alred. : Mirador de la Centinela ⩽★★ NE : 12 km.
Santa Cruz de Tenerife 76.

🏨 Moreque ⑊, ⚹ 268, ⩽ mar, ⚘, ⚓ climatizada – ❺ – **105 hab.**

🏨 **Reverón,** av. Generalísimo Franco 26 ⚹ 17 – 🗲wc 🕾. ⚘ rest
Com 155 – ⚋ 35 – 40 hab 170/290 – P 430/455.

Güimar – 12 131 h. alt. 300.
Alred. : Mirador de Don Martín ⩽★★ S : 4 km.
Santa Cruz de Tenerife 25.

en la carret. general del Sur – *en el Mirador de Don Martín* S : 4 km –
✉ ⚹ Güimar :

🏨 Valle de Güimar (colaborador M.I.T.) ⑊, ⚹ 493, ⩽ valle, Güimar, montaña y mar, ⚓ –
🗲🗲 ☎ 🚽wc 🅿 ❺
20 hab.

Icod de los Vinos
Santa Cruz de Tenerife 62.
Ver : Drago milenario★. **Alred. :** El Palmar★★ O : 20 km – San Juan del Reparo (carretera
de Garachico ⩽★) SO : 6 km – San Juan de la Rambla (plaza de la iglesia★) NE : 10 km.

en la playa de San Marcos N : 3 km :

✗ Los Claveles, ✉ apartado 142 Icod de los Vinos, ⩽ mar, ⚓.

La Laguna – 79 963 h. alt. 550 – ⊘ 922.
Ver : Iglesia de la Concepción★. **Alred. :** Monte de las Mercedes★★ (Mirador del Pico del
Inglés★★, Mirador de Cruz del Carmen★) NE : 11 km – Mirador del Pico de las Flores
⚘★★ SO : 15 km – Pinar de La Esperanza★ SO : 6 km.
🏌 de Tenerife O : 7 km.
Santa Cruz de Tenerife 9.

al Sur : 3 km – ✉ ⚹ La Laguna :

✗✗ De París, camino San Bartolomé de Geneto 8 – por autopista ⚹ 25 95 08, Rest. francés
instalado en una villa de estilo regional, ⚘, ⚓ – ❺.

PEUGEOT La Moradita ⚹ 22 90 67

El Médano – Playa.

Santa Cruz de Tenerife 61.

🏨 **Médano** ⟲, playa ⚓ 13, ≤ playa – 📶 🍽 ⫘wc 🚽wc ☎. 🎿 rest
Com 240 – ⊠ 60 – **65 hab** 340/595 – P 750/795.

La Orotava – 26 840 h. alt. 390.

Ver : Calle de San Francisco* – Plaza principal ≤*. **Alred. :** Mirador Humboldt***
NE : 3 km – Jardín de Aclimatación de la Orotava*** NO : 5 km – S : Valle de la
Orotava***.

Santa Cruz de Tenerife 40.

🏚 **Silene** sin rest, Tomás Zerolo 9 ⚓ 199 – 🍽 🚽wc. 🎿
cerrado septiembre – ⊠ 35 – **8 hab** 145/240.

Playa de las Américas – Playa.

Alred. : Barranco del Infierno* N : 8 km y 2 km a pie.

Santa Cruz de Tenerife 76.

🏨 **Gran Tinerfe** Ⓜ, ✉ ⚓ 540 Los Cristianos, Telex 92199, ≤ mar, « Agradables terrazas floridas con piscinas », 🎿, ⫩ climatizada – 🖥 🅿. 🏄. 🎿
Com 300 – ⊠ 60 – **336 hab** 660/970 – P 985/1 160.

Puerto de la Cruz – 45 970 h. – Playa – ◐ 922.

Ver : Paseo Marítimo*. **Alred. :** Jardín de Aclimatación de la Orotava*** por ① : 1,5 km –
Mirador Humboldt*** (valle de la Orotava***) por ① : 8 km.

M.I.T. pl. de la Iglesia 3 ⚓ 37 19 28.

Santa Cruz de Tenerife 38 ①.

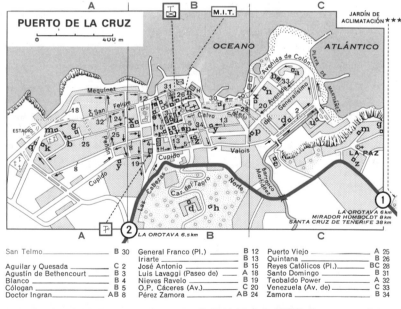

San Telmo	B 30	General Franco (Pl.)	B 12	Puerto Viejo	A 25
Aguilar y Quesada	C 2	Iriarte	B 13	Quintana	B 26
Agustín de Bethencourt	B 3	José Antonio	B 15	Reyes Católicos (Pl.)	BC 28
Blanco	B 4	Luis Lavaggi (Paseo de)	A 18	Santo Domingo	B 31
Cólogan	B 5	Nieves Ravelo	B 19	Teobaldo Power	A 32
Doctor Ingran	AB 8	O.P. Cáceres (Av.)	C 20	Venezuela (Av. de)	C 33
		Pérez Zamora	AB 24	Zamora	B 34

🏨 **Semiramis** Ⓜ ⟲, urbanización La Paz ⚓ 37 31 27, Telex 92160, ≤ mar y acantilados
recosos, Decoración moderna, 🎿, ⫩ climatizada – 🖥 🅿. 🏄. 🎿 rest   C **g**
Com 360 – ⊠ 70 – **290 hab** 1 010/1 260 – P 1 330/1 710.

🏨 **San Felipe,** playa Martiánez 13 ⚓ 37 11 40, Telex 92146, ≤ mar, 🎿, ⫩ climatizada
– 🖥 🅿. 🎿   C **u**
Com 410 – ⊠ 81 – **259 hab** 855/1 500 – P 1 490/1 595.

🏨 Parque San Antonio, carret. de Las Arenas ⚓ 37 17 46, Telex 92156, « Agradables
jardines tropicales », ⫩ climatizada – 🖥 rest 🅿   por ②
211 hab.

sigue →

137

El Tope ⬩, Calzada de Martiánez 2 ☏ 37 31 07, Telex 92134, ≼ mar y montaña, ⅏ climatizada – 🅟. ⌂. ⅏   **C e**
Com 300 – ⌻ 60 – **203 hab** 495/765 – P 950/1 060.

Taoro ⬩, Parque del Taoro ☏ 37 13 40, Telex 92148, ≼ valle de la Orotava, montaña, jardín y mar, « Grandes jardines con árboles », ⅏, ⅏ – 🅟. ⅏ rest   **B d**
Com 400 – ⌻ 90 – **210 hab** 1 000/1 600.

Valle Mar, av. de Colón 2 ☏ 37 15 43, Telex 92168, ≼ mar, ⅏ – 🖻 🅟. ⅏ rest   **C n**
Com 325 – ⌻ 70 – **171 hab** 560/850 – P 975/1 110.

Martiánez, av. del Generalísimo 19 ☏ 37 28 43, ⅏ climatizada – 🖻 ⇔. ⌂. ⅏   **C p**
Com 360 – ⌻ 70 – **147 hab** 575/950 – P 1 100/1 200.

Orotava Garden Ⓜ, Aguilar y Quesada ☏ 37 27 07, Telex 92212, ⅏ climatizada –
🖻 rest ⇔. ⌂. ⅏   **C d**
Com 400 – ⌻ 75 – **230 hab** 600/900 – P 1 150/1 300.

Magec, Cupido 11 ☏ 37 31 20, ⅏ climatizada – 🖻 ⇔. ⅏   **A y**
Com 270 – ⌻ 63 – **187 hab** 640/970 – P 985/1 140.

Atalaya G. H. ⬩, parque del Taoro ☏ 37 03 30, Telex 92380, ≼ valle de la Orotava, montaña y mar, ⅏, ⅏ climatizada – 🖻 ⇔ 🅟. ⌂. ⅏   **B h**
Com 330 – ⌻ 70 – **183 hab** 635/900 – P 1 070/1 255.

Puerto Playa, urbanización San Felipe ☏ 37 01 40, ≼ mar, ⅏ climatizada – 🖻 rest
⇔   **A q**
168 hab.

La Paz, urbanización La Paz ☏ 37 19 41, Telex 92203, « Bonito conjunto de estilo regional », ⅏, ⅏ climatizada – 🖻 🅟. ⌂. ⅏   **C z**
Com 280 – ⌻ 60 – **166 hab** 520/780 – P 900/1 030.

G. H. Tenerife Playa, av. de Colón 12 ☏ 37 14 40, Telex 92135, ≼ mar, ⅏ climatizada –
🖻 rest. ⇔ ⅏   **C a**
Com 265 – ⌻ 60 – **333 hab** 460/730 – P 850/945.

Las Vegas, av. de Colón 2 ☏ 37 29 40, Telex 92142, ≼ mar y montaña, ⅏ climatizada –
🖻 rest 🅟. ⌂. ⅏   **C x**
Com 300 – ⌻ 60 – **226 hab** 490/780 – P 940/1 040.

Nopal, José Antonio 19 ☏ 37 29 90, ⅏   **B v**
51 hab.

Monopol, Quintana 15 ☏ 37 13 46, ⅏ climatizada – 🛗 ☎ ⌂wc ⬚. ⅏ rest   **B n**
Com 200 – ⌻ 50 – **95 hab** 360/630 – P 650/700.

Trovador sin rest, con snack-bar, Puerto Viejo 40 ☏ 37 23 81, ≼ mar, ⅏ – 🛗 ☎ ⌂wc ⬚.
⅏   **A g**
⌻ 45 – **80 hab** 235/500.

El Bajío, sin rest, con snack-bar, paseo Luis Lavaggi ☏ 37 24 92, ≼ mar, ⅏ climatizada –
🛗 ☎ ⌂wc ⬚   **A k**
55 hab.

Ikarus ⬩, urbanización La Paz ☏ 37 25 45, ≼ mar y ciudad, ⅏ – 🛗 ☎ ⌂wc ⬚   **C m**
74 hab.

Los Príncipes, pl. Doctor Víctor Pérez 1 ☏ 37 17 90, ⅏ – 🛗 ☎ ⌂wc ⬚   **B e**
56 hab.

Marquesa, Quintana 11 ☏ 37 14 46 – 🛗 ☎ ⌂wc ⬚. ⅏   **B t**
Com 210 – ⌻ 45 – 90 hab 250/445 – P 590/625.

Tropical, sin rest, pl. General Franco 9 ☏ 37 21 44, ⅏ climatizada – 🛗 ☎ ⌂wc ⬚   **B x**
43 hab.

Don Manolito, Lomo de los Guirres 6 ☏ 37 26 47, ⅏ climatizada – 🛗 ☎ ⌂wc ⬚   **A m**
49 hab.

Don Juan, Puerto Viejo 54 ☏ 37 20 46 – 🛗 ☎ ⌂wc ⬚. ⅏   **A b**
Com 200 – ⌻ 50 – **40 hab** 320/475 – P 617/700.

Cariver, San Telmo 18 ☏ 37 26 40, ≼ mar, ⅏ – 🛗 ☎ ⌂wc ⬚. ⅏   **B f**
Com 210 – ⌻ 52 – **66 hab** 265/485 – P 640/660.

Tagor sin rest, Virtud 3 ☏ 37 14 90, ⅏ – 🛗 ☎ ⌂wc ⬚   **B z**
⌻ 50 – **49 hab** 255/440.

Haral, sin rest, José Antonio 3 ☏ 37 22 41, ⅏ – 🛗 ☎ ⌂wc 🔥wc ⬚   **B a**
34 hab.

Franperez, sin rest, José Arroyo 3 ☏ 37 20 90 – 🛗 ☎ ⌂wc 🔥wc ⬚   **B x**
40 hab.

Chimisay sin rest, Agustín Bethencourt 14 ☏ 37 28 92, ⅏ climatizada – 🛗 ☎ ⌂wc ⬚. ⅏
⌻ 45 – **37 hab** 150/400.   **B u**

Guacimara sin rest, Agustín Bethencourt 9 ☏ 37 27 90 – 🛗 ☎ ⌂wc ⬚. ⅏   **B t**
⌻ 40 – **37 hab** 250/395.

Palmar, sin rest, José Antonio 20 ☏ 37 19 42 – 🛗 ☎ ⌂wc ⬚   **B r**
29 hab.

🏛 Monseve, sin rest, Agustín Bethencourt 22 ☎ 37 22 90 – 🛗 🖙 🛏wc 🛆wc 🕿   B **v**
22 hab.

🏛 **Las Mercedes** sin rest, Iriarte 31 ☎ 37 31 56 – 🖙 🛏wc 🕍 🕿. 🎇   B **y**
⌧ 33 – **25 hab** 138/252.

🕸 El Pescado, av. Venezuela 3 ☎ 37 10 08   C **b**
temp.

🕸 **Marina,** José Antonio 2 ☎ 37 30 40 – 🎇   B **a**
cerrado martes y 15 abril al 31 mayo – Com carta 205 a 370.

🕸 **Cockpit,** Cólogan 6 ☎ 37 18 47, Imitación del interior de un yate – 🎇   B **p**
cerrado jueves y junio-julio – Com carta 190 a 285.

en Santa Úrsula por ① : 7 km – ⊠ ☎ Santa Úrsula :

🕸 El Pajar, Cuesta de la Villa ☎ 09, ≼ platanales, Puerto de la Cruz y mar, Decoración rústica –
📖

CHRYSLER-SIMCA, SEAT-FIAT Blanco Díez ☎ 33 33 40

Puerto de Santiago
Alred. : Los Gigantes (acantilado★) N : 2 km.

Santa Cruz de Tenerife 101.

🏨 **Los Gigantes,** Acantilado de Los Gigantes N : 2 km ☎ 18, Telex 92213, ≼ mar y acantilados, 🎇, 🏊 climatizada – 🍽 rest 🅿. 🛆. 🎇 rest
Com 400 – ⌧ 70 – **225 hab** 600/900 – P 1 150/1 300.

Santa Cruz de Tenerife   🅿 – 151 361 h. – Plaza de toros – ❋ 922.
Ver : Dique del puerto ≼★. **Alred. :** Carretera de Taganana ≼★★ por el puerto del
Bailadero★ por ① : 28 km.

🚠 de Tenerife por ③ : 16 km.

✈ de Tenerife-Los Rodeos por ③ : 13 km ☎ 25 79 40 – Iberia : av. de Anaga 23
☎ 24 66 75 BZ.

🚢 para La Palma, Gran Canaria, Lanzarote, Fuerteventura y la Península : Cía. Aucona, Marina 3 ☎ 24 78 75, Telex 92017 BZ.

M.I.T. Palacio Insular – pl. España ☎ 24 22 27 – **R.A.C.E.** (R.A.C. de Tenerife), av. Anaga – edificio
Bahía Club ☎ 24 37 24.

Plano página siguiente

🏨 **Mencey,** José Naveiras 38 ☎ 27 67 00, Telex 92034, « Hermoso jardín tropical » 🎇
🏊 – 🛆   BZ **k**
Com 440 – ⌧ 100 – **303 hab** 1 100/1 750.

🏨 **Bruja,** av. de Bélgica 11 ☎ 22 62 43, ≼ ciudad y mar, 🏊 climatizada – 🍽 rest 🅿. 🎇 rest
Com 260 – ⌧ 60 – **123 hab** 415/650 – P 775/865.   AY **z**

🏨 **Parque,** Méndez Núñez 40 ☎ 27 44 00 – 🍽. 🎇   ABZ **v**
Com 275 – ⌧ 60 – **73 hab** 510/750 – P 850/980.

🏨 Quibey, sin rest, rambla General Franco 115 ☎ 27 41 00, 🏊 – 🛗 🖙 🛏wc 🕿   BZ **f**
64 hab.

🏨 **Plaza** sin rest, con snack-bar, pl. Candelaria 9 ☎ 24 85 87 – 🛗 🖙 🛏wc 🕿. 🎇   BZ **a**
⌧ 60 – **34 hab** 425/565.

🏨 Tamaide, sin rest, con snack-bar, rambla General Franco 118 ☎ 27 71 00, Telex 92167,
🏊 – 🛗 🖙 🛏wc 🕍wc 🕿   BZ **x**
65 hab.

🏨 Diplomático, sin rest, con snack-bar, Antonio Nebrija 16 ☎ 22 39 41, 🏊 – 🛗 🖙 🛏wc
🕿 – **38 hab.**   AZ **q**

🏨 Pelinor, sin rest, Bethencourt Alfonso 8 ☎ 24 68 75 – 🛗 🖙 🛏wc 🕿   BZ **u**
40 hab.

🏨 **Taburiente,** Doctor Guigou 25 ☎ 27 60 00 – 🛗 🍽 rest 🖙 🛏wc 🕍wc 🕿. 🎇   BZ **r**
Com 170 bc/225 bc – ⌧ 39 – 90 hab 200/360 – P 540/560.

🏛 Manrovi, sin rest, Bethencourt Alfonso 6 ☎ 24 54 87 – 🛗 🖙 🛏wc 🕍wc 🕿   BZ **e**
30 hab.

🏛 Anaga, Imeldo Seris 19 ☎ 24 50 90 – 🛗 🛏wc 🕍 🕿   BZ **n**
126 hab.

🏛 San José, Santa Rosa de Lima 11 ☎ 24 57 94 – 🛏wc 🕿   BZ **u**
51 hab.

🏛 **Tanausú** sin rest, Padre Anchieta 8 ☎ 21 70 00 – 🛗 🖙 🛏wc 🕿. 🎇   AZ **b**
⌧ 39 – **18 hab** 234/428.

🕸🕸🕸🕸 La Riviera, rambla General Franco 155 ☎ 27 58 12, Decoración elegante – 🍽 🅿.   BZ **d**

🕸🕸 La Estancia, Méndez Núñez 116 ☎ 27 20 49 – 🍽.   BZ **s**

🕸 Cafet. Corynto, av. de Anaga 19 ☎ 24 40 20 – 🍽.   BZ **t**

sigue ➜

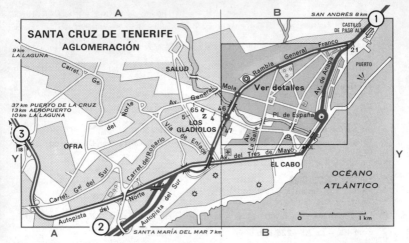

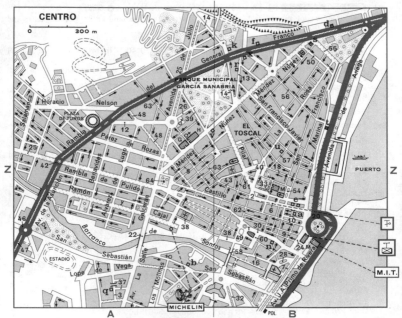

AUSTIN-MG-MORRIS-MINI   av. de la Asunción
4 bis ☎ 22 92 45
CHRYSLER-SIMCA   General Mola 27-29 ☎ 22 16 40
CITROEN   Los Molinos ☎ 24 62 91
FIAT-SEAT   General Mola 27-29 ☎ 22 16 40

FORD   av. 3 de Mayo ☎ 22 40 43
PEUGEOT   Taco-Las Moraditas ☎ 22 90 67
RENAULT   av. 3 de Mayo ☎ 22 08 40
SEAT   El Mayorazgo ☎ 22 80 42

GOMERA

San Sebastián de la Gomera – ✪ 922.
Alred. : Valle de Hermigua** NO : 22 km.

🏨🏨 **Parador Colombino Conde de Gomera M.I.T.** ⌖, La Horca ⊠ apartado 21
☎ 22 54 45, ⌁ – 🍽 rest 🅿. 🕸 rest
Com 315 – 🍷 65 – **20 hab** 580/695 – P 663/805.

LA PALMA

Los Llanos de Aridane – 12 118 h. alt. 350 – ✪ 922.
Alred. : El Time 🌲** O : 12 km – Caldera de Taburiente*** (La Cumbrecita y El Lomo
de las Chozas 🌲***) NE : 20 km – Fuencaliente (paisaje*) S : 23 km – Volcán de
San Antonio* S : 25 km.

🏠 Eden, sin rest, pl. de España 1 ☎ 46 01 04 – 🚹wc 🛏wc 🅿
22 hab.

✕ Marex, av. Exterior.

Santa Cruz de la Palma – 13 163 h. – Playa – ✪ 922.
Ver : Iglesia de San Salvador (artesonados*). **Alred. :** Mirador de la Concepción ⬕**
SO : 9 km – Caldera de Taburiente*** (La Cumbrecita y El Lomo de las Chozas 🌲***)
O : 33 km.

✈ de La Palma S : 7 km ☎ 41 15 40 – Iberia : Miguel Sosvilla 1 ☎ 41 13 45.

🚢 para Tenerife, Gran Canaria, Fuerteventura, Lanzarote y la Península : Cía. Aucona :
General Mola 2 ☎ 41 11 21.

🏨🏨 **Parador de la Palma M.I.T.,** av. Blas Pérez González 34 ☎ 41 23 40, Decoración
regional – 🛗 ☞ 🚹wc 🅿. 🕸 rest
Com 280 – 🍷 60 – **28 hab** 375/515.

🏠 Mayantigo, Álvarez de Abreu 68 ☎ 41 17 40, ⬕ puerto y mar – 🛗 ☞ 🚹wc 🛏wc 🅿
40 hab.

🏠 Dux, 2° piso, sin rest, O'Daly 14 ☎ 31 17 43 – 🛗 ☞ 🚹wc 🛏wc 🅿 – **22 hab.**

✕ La Palma, O'Daly 18 ☎ 31 10 08.

En dehors des établissements désignés par
🅇🅇🅇🅇🅇 ⋯ ✕,
il existe, dans de nombreux hôtels,
un restaurant de bonne classe.

CANDANCHÚ Huesca 🄳🄳🄳 ⑧, 🄼🄽 ⑦ – alt. 1 560 – ✪ 974 – Deportes de invierno : 10 ⬕.
Alred. : Puerto de Somport ** N : 2 km.
Madrid 520 – Huesca 123 – Oloron-Ste-Marie 55 – **Pamplona 142.**

🏨🏨 Edelweiss ⌖, ⊠ ☎ 100 Canfranc, ⬕ montaña – 🅿
temp. – **76 hab.**

🏨 **Candanchú** ⌖, 🖼 ☎ 31 30 25 Canfranc, ⬕ montaña – 🎬 ☞ 🚹wc 🅿 ⬅ 🅿. 🕸 rest
diciembre-abril y julio-15 septiembre – Com 220 – 🍷 50 – 48 hab 280/475 – P 607/620.

🏨 **Tobazo** ⌖, ⊠ ☎ 37 31 25 Canfranc, ⬕ montaña – 🎬 ☞ 🚹wc 🛏wc 🅿 🅿. 🕸 rest
cerrado mayo, junio y 15 septiembre a noviembre – Com 190 – 🍷 45 – 52 hab 250/450
– P 595/620.

CANDÁS Oviedo 🄳🄳🄳 ④ – ✪ 985.
Madrid 476 – Avilés 15 – Gijón 12 – **Oviedo 41.**

🏨🏨 **Marsol,** puerto ☎ 87 01 00, ⬕ puerto y mar – ⬅. 🕸
Com 200 – 🍷 50 – **64 hab** 275/520.

en Perlora - carretera de Prendes S : 1,5 km – ⊠ Perlora ☎ Gijón :

✕ **El Carmen** ⌖ con hab, ☎ 87 03 14 – 🎬 ☞ 🍴 🅿
Com 132 – 🍷 35 – 6 hab 130 – P 365/380.

RENAULT   Pedro Herrero 20 ☎ 87 08 23

CANDELARIO Salamanca 990 ⑭ − 1 615 h. alt. 1 200 − ❀ 923.

Ver : Pueblo típico★.

Madrid 222 − Ávila 112 − Plasencia 62 − Salamanca 77.

✗ **Cristi,** pl. de Béjar 1 ☎ 40 29 76 − ✘
julio-septiembre − Com carta 230 a 325.

CA'N FITA Baleares 43 ⑱ − 🏠 ver Baleares (Ibiza) : Santa Eulalia del Río.

CANFRANC-ESTACIÓN Huesca 990 ⑧, 42 ⑦, 43 ②③ − 1 007 h. − ❀ 974 − Ver aduanas p. 14 y 15.

M.I.T. av. Fernando el Católico 3 ☎ 37 31 41.

Madrid 511 − Huesca 114 − Pamplona 133.

🏠 **Ara,** av. Fernando el Católico 1 ☎ 37 30 28 − 📶 ⌲ 🕴wc ⟵ ❷. ✘ hab
cerrado mayo, junio, octubre y noviembre − Com 170/250 − ⌸ 50 − 36 hab 170/425 −
P 450/505.

Ver también *Candanchú* N : 9 km.

CANGAS DE ONÍS Oviedo 990 ④ − 6 922 h. alt. 67 − ❀ 985.

Alred. : Desfiladero de los Beyos★★★ S : 18 km − Mirador del Fito ✳✳ NO : 20 km por Arriondas − Las Estazadas ✳✳ E : 22 km − Gargantas del Ponga★ S : 11 km.

Madrid 417 − Oviedo 74 − Palencia 188 − Santander 147.

🏠🏠 **Ventura,** carret. de Covadonga ☎ 84 82 00 − 📶 📶 ⌲wc 🕴wc 🚗. ✘
Com 190 − ⌸ 50 − 16 hab 200/350 − P 480/505.

🏠 Eladia, av. Covadonga 12 ☎ 84 80 00 − 📶 📶 ⌲ 🕴wc 🚗 − 24 hab.

SEAT av. Castilla 3 ☎ 228

CANILLO Andorra 990 ⑨, 43 ⑥ − 🏠🏠 ver Andorra (Principado de).

CA'N PASTILLA Baleares 43 ⑲ − Ver Baleares (Mallorca) : Palma de Mallorca.

CA'N PICAFORT Baleares 43 ⑳ − 🏠🏠 ver Baleares (Mallorca).

La CANUTA (Urbanización) Alicante − ✕✕✕ ver Calpe.

CANYELLES PETITES Gerona 43 ⑨ − 🏠🏠, 🏠🏠 ver Rosas.

Las CAÑADAS DEL TEIDE Santa Cruz de Tenerife − 🏠🏠, ✗ ver Canarias (Tenerife).

CARBONERAS Almería 990 ㊱ − 3 037 h.

Madrid 530 − Almería 66 − Murcia 155.

🏠 **San Antonio** sin rest y sin ⌸, Castillo ☎ 56 − 📶 ⌲wc 🕴wc
10 julio-10 septiembre − **19 hab** 135/250.

La CAROLINA Jaén 990 ㉕ − 15 771 h. alt. 205 − Plaza de toros − ❀ 953.

Madrid 269 − Córdoba 131 − Jaén 66 − Úbeda 50.

🏠🏠 **Perdiz,** carret. N IV ☎ 66 03 00, Telex 27578, « Bonito conjunto de estilo rústico », ⌇ −
📺 ⟵ ❷. ✘ rest
Com 325 − ⌸ 70 − **89 hab** 620/990 − P 975/1 100.

🏠 **Gran Parada** sin rest y sin ⌸, carret. N IV ☎ 66 02 75 − 📶 ⌲ ⌲wc 🕴wc 🚗 ❷. ✘
24 hab 175/300.

RENAULT carret. N IV km 269 ☎ 66 03 62   SEAT-FIAT carret. N IV km 270,3 ☎ 66 01 02

CARRIL Pontevedra − ✕✕ ver Villagarcía de Arosa.

CARTAGENA Murcia 990 ㊲ − 146 904 h. − Plaza de toros − ❀ 968.

⛴ para Canarias : Cⁱᵃ Aucona, Marina Española 7 ☎ 50 12 00.

Madrid 439 − Alicante 109 − Almería 239 − Lorca 82 − Murcia 48.

🏠🏠 **Cartagonova y Rest. Florida** Ⓜ, Marcos Redondo 3 ☎ 50 42 00 − 📺 ⟵. ✘ rest
Com carta 380 a 670 − ⌸ 65 − **107 hab** 380/1 050.

🏠🏠 **Mediterráneo** sin rest, con snack-bar, puerta de Murcia 11 ☎ 50 74 00 − 📶 📶 ⌲ ⌲wc 🚗.
✘
⌸ 65 − **58 hab** 300/850.

AUSTIN-MG-MORRIS-MINI Ramón y Cajal 21 ☎ 51 26 94
CHRYSLER-SIMCA Bargas Machuca ☎ 51 22 15 Los Dolores
CHRYSLER-SIMCA carret. N 301 Hm 7 ☎ 51 09 05 Los Dolores
CHRYSLER-SIMCA Alonso Vega ☎ 51 21 39 Los Dolores

CITROEN Barrio San Cristóbal ☎ 51 19 48 Los Dolores
PEUGEOT paseo Alfonso XIII 73 ☎ 50 52 18
RENAULT carret. N 332 km 2 ☎ 51 10 25
RENAULT Dr Marañón 4 ☎ 50 39 03
SEAT-FIAT Carmen 50 ☎ 50 51 07
SEAT av. Capitán General Muñoz Grandes ☎ 50 50 15

142

CARVAJAL Málaga – 🏠 ver Fuengirola.

C'AS CATALA Baleares **43** ⑲ – 🏨 ver Baleares (Mallorca) : Palma de Mallorca.

CASTAÑARES Burgos – ✗ con hab, ver Burgos.

CASTELLAR DE NUCH Barcelona **43** ⑦ – 197 h. alt. 1 395.
Madrid 661 – Manresa 83 – Ripoll 33.

🏠 Les Fonts ⤸, SO : 3 km 🅿 8, ≼ montaña, ⬛ – 🏨wc ℗
temp. – 42 hab.

CASTELL ARNAU (Urbanización) Barcelona – ✗✗✗ ver Sabadell.

CASTELLCIUTAT Lérida **43** ⑥ – 🏨 ver Seo de Urgel.

CASTELLDEFELS Barcelona **990** ⑲, **43** ⑦ – 13 219 h. – Playa – ⊙ 93.
Madrid 618 – Barcelona 24 – Tarragona 71.

barrio de la playa :

🏨 **Neptuno** ⤸, paseo Garbi 74 🅿 365 14 50, Telex 52211, « Entre los pinos », ✗✗, ⬛ climatizada – ▣ rest ℗, ⬛. ✗ rest
Com 350 – ⬚ 60 – **40 hab** 550/800 – P 1 100/1 250.

🏨 **Rancho** ⤸, paseo de la Marina 212 🅿 365 19 00, « Terraza con arbolado », ✗✗, ⬛ –
📶 ▥ ⬛ 🏨wc 🏨wc 🏨. ⬛. ✗ rest
Com 300 – ⬚ 75 – **60 hab** 540/1 250 – P 940/1 110.

🏨 **Playafels** ⤸, ribera de San Pedro 1 🅿 305 12 50, ≼ playa – ▥ ⬛ 🏨wc 🏨wc 🏨 🚗 ℗.
✗ rest
Com 350 – ⬚ 80 – **31 hab** 490/845 – P 1 085/1 150.

🏨 **Vilumar** ⤸, paseo Marítimo 249 🅿 365 17 50, ≼ playa – 📶 ▥ ⬛ 🏨wc 🏨 ℗. ✗ rest
abril-10 octubre – Com 200 – ⬚ 50 – **34 hab** 350/500 – P 610/710.

🏨 Bel-Air ⤸, paseo Marítimo 169 🅿 365 16 00, ≼ playa, ⬛ – 📶 ▥ ⬛ 🏨wc 🏨wc 🏨 ℗
38 hab.

🏨 **Catite** ⤸, paseo Garbi 134 🅿 365 17 00, ⬛ – ▥ ⬛ 🏨wc 🏨 ℗. ✗ rest
abril-septiembre – Com 230 – ⬚ 50 – **31 hab** 260/445 – P 655/695.

🏠 **Luna** ⤸, paseo de la Marina 153 🅿 365 21 50, ⬛ – ▥ ⬛ 🏨wc 🏨. ✗ rest
abril-octubre – Com 209 – ⬚ 50 – 29 hab 225/495 – P 625/648.

🏠 **Mediterráneo** ⤸, paseo Marítimo 294 🅿 365 21 00 – ▥ ⬛ 🏨wc 🏨wc 🏨 ℗. ✗ rest
abril-20 octubre – Com 210 – ⬚ 50 – 12 hab 290/520 – P 655/685.

en la carretera de Gavá C 245 NE : 1,5 km :

🏠 **Flora Parc,** vía Triunfal ✉ apartado 45 🅿 365 10 47 Castelldefels, ⬛ – ▥ ⬛ 🏨wc ℗.
✗
Com 150 bc – ⬚ 50 – 33 hab 250/300 – P 500.

en la pineda SE : 4 km – ✉ 🅿 Castelldefels :

🏨 **Elvira,** Conchas 13 🅿 365 15 50, « En la pineda » – ▥ ⬛ 🏨wc 🏨wc 🏨 ℗
Com carta 195 – ⬚ 55 – 31 hab 215/375 – P 550/580.

en el cruce de carreteras C 245 y C 246 SO : 2,5 km :

🏨 **G. H. Rey Don Jaime** ⤸, Torre Barona ✉ apartado 74 🅿 365 13 00 Castelldefels,
« Parque con arbolado », ⬛ – ℗. ⬛. ✗ rest
Com 450 – ⬚ 80 – **100 hab** 585/1 170 – P 1 395.

en la carretera de Barcelona C 246 – ✉ 🅿 Castelldefels :

🏨 Riviera, E : 2 km ✉ apartado 87 🅿 365 14 00 – ⬛ 🏨wc 🏨wc 🏨 ℗
temp. – 35 hab.

✗ **Las Botas,** SO : 3 km 🅿 365 18 24, Rest. típico, decoración rústica
cerrado lunes de octubre a mayo – Com carta 265 a 615.

✗ Nou Rals, E : 5 km 🅿 362 00 42, « En un pinar » – ℗.

FIAT-SEAT av. A. Balaguer 🅿 365 18 48

CASTELL DE FERRO Granada 🔲🔲🔲 ㉟.
Alred. : Carretera★★ de Castell de Ferro a Calahonda.
Madrid 525 – Almería 90 – Granada 93 – Málaga 129.

　🏠　**Paredes,** paraje del Sotillo 1 ⊅ 19, ⊥ – 🎔 🚪wc 🎔wc ⊛ ❷
　　　marzo-octubre – Com 170 – � 40 – 27 hab 175/315 – P 420/435.

CASTELL DE GUADALEST Alicante 🔲🔲🔲 ㉘.
Ver : Emplazamiento★.
Madrid 429 – Alcoy 29 – Alicante 67 – Valencia 143.

　✗　Xorta, carret. de Callosa de Ensarriá ✉ Guadalest ⊅ 20 Benimontell, ≼ valle, montaña y
　　　mar – ❷.

CASTELLÓ DE AMPURIAS Gerona 🔲🔲 ⑨ – 2 110 h. alt. 17 – ✪ 972.
Ver : Iglesia de Santa María (retablo★).
Madrid 770 – Figueras 8 – Gerona 42.

　🏠　**Emporium,** carret. de Rosas ⊅ 25 67 74 – 🍴 🚪wc 🎔wc ❷. ⁓ rest
　　　mayo-septiembre – Com 160 – ⊆ 40 – 31 hab 138/318 – P 428/449.

　　　en la urbanización Ampuriabrava – ✉ ⊅ Castelló de Ampurias :

　🏠　Valmar, E : 3 km – 🎔 🎔wc ❷
　　　39 hab.

　✗　Mas Moxó, E : 5 km, Decoración regional – ❷.

P 340 /380	Os preços da pensão são dados no guia a título indicativo. Para uma estadia, informe-se sempre no hotel.

CASTELLÓN DE LA PLANA 🅿 🔲🔲🔲 ㉘ – 93 968 h. alt. 28 – Plaza de toros – ✪ 964.
🆃 Costa de Azahar E : 6 km.
M.I.T. pl. María Agustina 5 – **R.A.C.E.** (Delegación R.A.C. de Valencia) ronda Mijares 123 ⊅ 21 25 61.
Madrid 417 – Tarragona 189 – Teruel 144 – Tortosa 128 – Valencia 71.

　🏛️　**Mindoro,** Moyano 4 ⊅ 22 23 00 – 🍽. ⁓ rest
　　　Com 300 – ⊆ 60 – **101 hab** 525/825 – P 970/1 085.

　🏛️　Myriam, sin rest, Obispo Salinas 1 ⊅ 22 21 00 – 🛗 🎔 🍴 🚪wc ⊛ ⟷
　　　21 hab.

　🏛️　Amat, sin rest y sin ⊆, Temprado 15 ⊅ 22 06 04 – 🛗 🎔 🍴 🚪wc 🎔wc ⊛
　　　25 hab.

　　　en El Grao E : 5 km – ✉ El Grao de Castellón ⊅ Castellón :

　🏛️　Turcosa, Buenavista 1 ⊅ 22 21 50, ≼ puerto – 🛗 🎔 🍴 🚪wc ⊛
　　　52 hab.

　✗✗　**Club Náutico,** 2º piso, Escollera Poniente ⊅ 22 24 90, ≼ puerto – ⁓
　　　Com carta 405 a 900.

　✗　**Brisamar,** Buenavista 26 ⊅ 22 29 22
　　　cerrado miércoles – Com carta 180 a 400.

　　　en la carretera de Alcora NO : 11 km – ✉ Castellón ⊅ San Juan de Moró :

　✗　**Mesón del Cordero,** ⊅ 64, Decoración típica regional – ❷. ⁓
　　　cerrado lunes – Com carta 185 a 405.

AUSTIN-MG-MORRIS-MINI Galicia 6 ⊅ 21 66 89
CHRYSLER-SIMCA carret. N 340-23 ⊅ 21 64 90
CITROEN av. de Valencia ⊅ 21 36 89
FIAT-SEAT Herrero 34 ⊅ 22 43 58
FORD carret. N 340 ⊅ 21 38 48

PEUGEOT ronda Magdalena 22 ⊅ 21 62 86
RENAULT carret. N 340 km 66,5 ⊅ 22 76 00
RENAULT carret. N 340 ⊅ 21 68 05
SEAT pl. Padre Jofre ⊅ 21 37 72

CASTILLO DE ARO Gerona 🔲🔲 ⑨ – 2 473 h. alt. 42 – ✪ 972.
Madrid 730 – Barcelona 100 – Gerona 34.

　✗✗　Mas Sicars, carret. de Santa Cristina ⊅ 32 74 97, Decoración rústica – ❷.

CASTRO URDIALES Santander 🔲🔲🔲 ⑥, 🔲🔲 ②③ – 12 401 h. – Playa – ✪ 944.
Ver : Emplazamiento★.
Madrid 435 – Bilbao 34 – Santander 73.

　🏛️　**Las Rocas,** av. de la Playa ⊅ 86 04 00, ≼ playa – ❷. ⁓
　　　Com 290 – ⊆ 55 – **61 hab** 450/720 – P 900/990.

　🏠　**Miramar,** playa ⊅ 86 02 00, ≼ playa – 🛗 🎔 🚪wc 🎔wc ⊛. ⁓ rest
　　　Com 250 – ⊆ 50 – ⊆ 33 hab 350/500 – P 650/750.

　🏠　**Royal,** Jardines 3 ⊅ 86 10 04 – 🎔 🚪wc 🎔wc. ⁓ hab
　　　abril-octubre – Com 200 bc – ⊆ 50 – **20 hab** 250/400 – P 500/700.

144

XX ✿ **Mesón Marinero,** 1° piso, Correría 23 ☎ 86 00 05 – ▨
cerrado lunes de octubre a junio – Com carta 290 a 580
Espec. Pescados, Mariscos, Tostadas de leche frita.

X **El Peñón,** Queipo de Llano 17 ☎ 86 00 27 – ✂
cerrado miércoles y 7 enero al 1 febrero – Com carta 225 a 360.

SEAT José María de Pereda 7 ☎ 86 09 42

CAYA Badajoz ⑨⑨⓪ ⑳, ㊲ ⑦ – Ver aduanas p. 14 y 15.

CAZORLA Jaén ⑨⑨⓪ ㉘㉘ – 9 367 h. alt. 790 – Plaza de toros.
Alred. : La Iruela (carretera de los miradores* ⩻**) N : 2 km – Carretera del Parador* (⩻**)
SE : 25 km.
Madrid 365 – Jaén 104 – Ubeda 46.

🏠 Cazorla, pl. del Generalísimo 4 ☎ 104 – ▥ 🍽 🛁wc 🛁wc
22 hab.

en la carretera del embalse del Tranco SE : 26 km – ✉ ☎ Cazorla :

🏨 **Parador El Adelantado M.I.T.** ⑤, Lugar Sacejo, alt. 1260, ☎ 295, ⩻ valle y montañas,
« Magnífica situación en un bosque en plena Sierra de Cazorla » – ❷. ✂ rest
Com 280 – ☲ 60 – **22 hab** 300/515.

EL CEBRERO Lugo ⑨⑨⓪ ③.
Madrid 437 – Lugo 71 – Orense 139 – Ponferrada 52.

🏠 **Hospedería del Cebrero** ⑤, ⩻ montañas de Galicia y Castilla. Decoración rústica –
▥ ❷
Com 150 bc/200 bc – ☲ 30 – **6 hab** 90/140 – P 320/360.

CELADA DE LA VEGA León ⑨⑨⓪ ④ – ✪ 987.
Madrid 319 – León 51 – Orense 232.

🏠 **La Paz,** carret. N VI ✉ ☎ 61 52 77 Astorga – ▥ 🛁wc ❷. ✂
Com 150 bc/220 bc – 19 hab 100/260 – P 400/450.

CENIA Tarragona – 4 100 h.
Madrid 535 – Castellón de la Plana 116 – Tarragona 111 – Tortosa 33.

X **El Trull,** San Miguel 14 ☎ 154
Com carta 150 a 330.

CHRYSLER-SIMCA carret. Barcelona 16 ☎ 59

CERCEDA Madrid ⑨⑨⓪ ㊴ – ✪ 91.
Alred. : Manzanares El Real (castillo*) NE : 8 km.
Madrid 52 – Segovia 45.

en la carretera de Becerril NO : 2 km – ✉ Moralzarzal ☎ Cerceda :

X Gamonal, ☎ 857 40 27 – ❷.

CERVERA Lérida ⑨⑨⓪ ⑲, ㊸ ⑯ – 5 773 h. alt. 565 – ✪ 973.
Madrid 526 – Barcelona 104 – Lérida 56 – Tarragona 87.

🏨 **Canciller,** Balmes ☎ 53 08 00, ⩻ campo – 🛗 ▥ 🍽 🛁wc 🛁wc ▨ 🚗
Com 200 – ☲ 50 – 40 hab 225/395 – P 558/585.

AUSTIN-MG-MORRIS-MINI carret. N II km 521 ☎   RENAULT carret. N II km 520 ☎ 53 04 10
53 01 02   SEAT carret. N II km 520 ☎ 53 03 70
CHRYSLER-SIMCA av. Caudillo 65 ☎ 53 08 34

CESTONA Guipúzcoa ⑨⑨⓪ ⑥, ㊷ ④ – 4 384 h. – Balneario – ✪ 943.
Madrid 478 – Bilbao 73 – Pamplona 98 – San Sebastián 31.

🏨 **Arocena,** paseo San Juan 12 ☎ 83 10 40, ✂, ⚲, ☲ – 🚗 ❷. ✂
15 junio-15 octubre – Com 300 – ☲ 60 – **109 hab** 360/595 – P 750/810.

🏨 **G. H. Balneario,** paseo San Juan ☎ 83 11 40, ✂ – 🛗 🍽 🛁wc 🛁wc ▨ 🚗 ❷. ✂
15 junio-septiembre – Com 300 – ☲ 60 – **376 hab** 370/600 – P 750/820.

🏠 **Arteche,** paseo San Juan ☎ 83 11 45 – 🛗 🍽 🛁wc ▨ ❷. ✂
julio-septiembre – Com 200 – ☲ 50 – 39 hab 155/325 – P 495/585.

En haute saison, et surtout dans les stations,
il est prudent de retenir à l'avance.

Es ist empfehlenswert, in der Hauptsaison
und vor allen Dingen in Urlaubsorten, Hotelzimmer im voraus zu bestellen.

CEUTA P 990 ㉝㉞, 169 ⑦ – 67 187 h. – Playa – ☺ 956.

Ver : Monte Hacho★ (Ermita de San Antonio ⩽★★).

🚢 para Algeciras : Cⁱª Aucona, General Franco 6 ☏ 51 24 16 Y.

M.I.T. muelle Cañonero Dato ☏ 51 13 79 – **R.A.C.E.** (Delegación) General Franco 30 ☏ 51 17 52.

CEUTA

Camoens	Y 3	General Franco	Y 9
José Antonio	Y 13	Ingenieros	Y 12
		O'Donnell	Y 15
Cervantes	Y 4	S. Juan	
Colón (Paseo)	Y 6	de Dios (Av.)	Z 17
España (Av.)	Z 7	Sanjurjo	Y 18

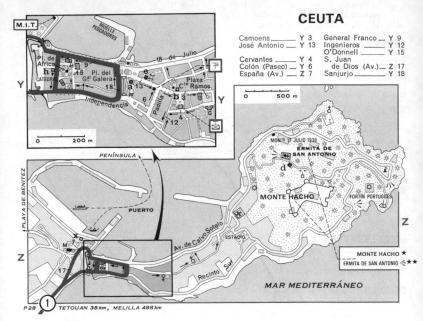

🏨 **La Muralla,** pl. de África 15 ☏ 51 49 40, Telex 72675, ⩽ mar, « Bonito jardín – Hotel instalado parcialmente en la antigua muralla », ⊐ – ▤ 🅿, 🖾. ⅊
Com 375 – ⚏ 75 – **83 hab** 720/900 – P 1 125/1 395. **Y h**

🏨 **Ulises,** Camoens 5 ☏ 51 45 40, ⩽ mar, ⊐ – ▤
Com 390 – ⚏ 85 – **124 hab** 660/910 – P 1 170/1 375. **Y b**

🏨 **Africa,** sin rest, muelle Cañonero Dato ☏ 51 41 40 – ▥ 🕾 ⌷wc ☎ – 39 hab. **Z x**

✗ **La Terraza,** pl. Vieja 30 ☏ 51 40 29 – ▤. **Y a**

✗ **La Campana,** 1º piso, José Antonio 13 ☏ 51 15 08 – ▤. **Y e**

en playa de Benítez O : 2,5 km – ✉ ☏ Ceuta :

✗ **San Marcos,** ☏ 51 63 05, ⩽ mar – ⅊
Com carta 210 a 295.

en el Monte Hacho E : 4 km – ✉ ☏ Ceuta :

✗✗ Mesón de Serafín, ☏ 51 40 03, ⩽ Ceuta, puerto, mar, peñón de Gibraltar y costas de España. **Z d**

CHRYSLER-SIMCA Velarde 2 ☏ 51 24 97
FIAT carret. Calamocarro
FORD Linares 10 ☏ 51 25 28

PEUGEOT Calvo Sotelo 60 ☏ 51 16 60
RENAULT Juan I de Portugal 13 y 15 ☏ 51 19 62
SEAT Muelle Cañonero Dato ☏ 51 27 10

CH... – Ver después de Cuntis.

CINTRUÉNIGO Navarra 990 ⑰, 42 ⑮ – 4 601 h. alt. 391 – ☺ 948.
Madrid 312 – Pamplona 96 – Soria 83 – Zaragoza 98.

🏨 Maher, Ribera 19 ☏ 77 31 50 – ▥ ⌷wc 🛁wc
22 hab.

CIORDIA Navarra 42 ④ – 🏨 ver Alsasua.

CIUDAD DUCAL Ávila 990 ⑮ y ㊳ – 🏨 ver Las Navas del Marqués.

CIUDADELA Baleares 990 ㉚, 43 ⑩ – Ver Baleares (Menorca).

CIUDAD PUERTA DE HIERRO Madrid 990 ㊴ – 🏨 ver Madrid.

CIUDAD REAL P 990 ㉕ – 41 708 h. alt. 635 – Plaza de toros – ❍ 926.
M.I.T. av. de los Mártires 31 ℡ 21 29 25.
Madrid 198 – Cáceres 275 – Córdoba 244 – Jaén 179 – Linares 145 – Talavera de la Reina 190.

🏨 **Castillos,** av. del Rey Santo 8 ℡ 21 36 40 – 🛗 ▥ 🖼 rest 🕾 🛏wc ▥wc ▥ 🚗. 🛥
　Com 225 – ☷ 50 – **133 hab** 360/460 – P 630/760.

🏨 Casas y Rest. Casablanca, Ronda de Granada 23 ℡ 22 17 38 – 🛗 ▥ 🖼 rest ▥wc
　40 hab.

XX **Miami-Park,** Ronda Ciruela 48 ℡ 21 40 31 – 🖼. 🛥
　cerrado domingo y 15 julio al 1 agosto – Com carta 250 a 390.

AUSTIN-MG-MORRIS-MINI carret. de Puertollano 14　　　CITROEN carret. de Valdepeñas km 1 ℡ ℃ 00 07
℡ 21 27 57　　　　　　　　　　　　　　　　　　　　RENAULT carret. de Carrión ℡ 22 08 50
CHRYSLER-SIMCA ronda de Toledo 21 ℡ 22 17 08　　　SEAT-FIAT ronda de Alarcos 52 ℡ 22 32 77

CIUDAD RODRIGO Salamanca 990 ⑬ – 13 320 h. alt. 650 – Plaza de toros – ❍ 923.
Ver : Catedral* (altar*, portada de la Virgen*, claustro*).
M.I.T. Puerta de Amayuelas ℡ 46 05 61.
Madrid 299 – Cáceres 153 – Castelo Branco 168 – Plasencia 124 – **Salamanca 90.**

🏯 **Parador Enrique II M.I.T.** 🛥, pl. del Castillo 1 ℡ 46 01 50, « Instalado en un castillo
　feudal del siglo XV » – 🖼 rest 🅿. 🛥 rest
　Com 280 – ☷ 60 – **28 hab** 340/515.

🏨 Cruce, av. de España 4 ℡ 46 04 50 – ▥ 🛏wc ▥wc ▥
　30 hab.

X Mayton, José Antonio 7 ℡ 76 07 20 – 🖼 🅿.

AUSTIN-MG-MORRIS-MINI cruce carreteras ℡ 46 03 22　　　RENAULT carret. de Salamanca 24 ℡ 46 01 08
CHRYSLER-SIMCA carret. de Salamanca 5 ℡ 46 04 07　　SEAT carret. de Salamanca 25 ℡ 46 09 43
CITROEN carret. de Salamanca km 320,7 ℡ 46 0 29

COCA Segovia 990 ⑮ – 2 196 h. alt. 789 – Plaza de toros.
Ver : Fortaleza**.
Madrid 145 – Segovia 50 – Valladolid 58.

COFRENTES Valencia 990 ㉗ – 966 h. alt. 437 – Balneario.
Madrid 314 – Albacete 92 – Alicante 141 – Valencia 102.

　en la carretera de Casas Ibáñez O : 4 km – ✉ ℡ Hervideros :

🏨 **Hervideros Cofrentes** 🛥, ℡ 1, 🛥, ⤨ – 🕾 🛏wc ▥wc ▥ 🚗 🅿. 🛥 rest
　junio-20 octubre – Com 280 – ☷ 60 – **60 hab** 320/595 – P 820/845.

COLERA Gerona 43 ③ – 506 h. – ❍ 972.
Madrid 794 – Gerona 66 – Port-Bou 6.

🏨 **Gambina** 🛥, rambla del Puerto 6 ℡ 25 42 67, < cala – 🕾 🛏wc ▥wc
　cerrado 18 noviembre al 16 diciembre – Com 175 bc – ☷ 45 – 27 hab 350 – P 525/550.

COLMENAR VIEJO Madrid 990 ⑮ y ㊴ – 12 910 h. – Plaza de toros – ❍ 91.
Madrid 32.

🏨 Nuevo Hostal, Los Frailes ℡ 625 16 00, ⤨ – ▥ 🕾 🛏wc ▥wc ▥ 🅿 – 27 hab.

XX Marbella, carret. Miraflores ℡ 625 03 26 – 🖼 🅿.

X **Mesón Madreña de Oro,** Real 18 ℡ 625 10 11 – 🛥
　cerrado lunes y 1 al 20 agosto – Com carta 260 a 345.

CITROEN carret. Madrid km 30,7 ℡ 625 18 58　　　　　SEAT 18 de Julio ℡ 625 09 64
RENAULT Huerta del Convento 14 ℡ 625 06 06

COLOMBRES Oviedo 990 ⑤ – alt. 110.
Madrid 436 – Gijón 117 – Oviedo 127 – Santander 80.

　en la carretera N 634 NO : 2 km – ✉ ℡ Colombres :

🏯 **San Angel** Ⓜ. ℡ 106, < campo y montaña, ⤨ – 🅿. 🛥
　Com 300 – ☷ 70 – **77 hab** 500/750 – P 925/1 000.

COLONIA DE SAN JORGE Baleares 43 ⑲⑳ – 🏨 ver Baleares (Mallorca).

COLLADO MEDIANO Madrid 990 ㊴ – 1 160 h. alt. 917 – ❍ 91.
Madrid 48 – El Escorial 18 – Segovia 41.

　en la carretera de Navacerrada E : 2 km :

XX **Sapporo's,** ✉ Collado Mediano ℡ 623 81 05 Madrid, < valle y montaña, ⤨ – 🅿. 🛥
　Com carta 250 a 380.

COLLBATÓ Barcelona 43 ⑰ – 451 h. alt. 388 – ✆ 93.
Madrid 587 – Barcelona 45 – Lérida 117 – Manresa 27.

en la carretera N II S : 1,5 km – ✉ Collbató ✆ Barcelona :

XX **Montserrat Exprés,** ✆ 877 02 90, ≤ montaña, 🎾, 🏊 de pago – ▤ Ⓟ
Com carta 265 a 425.

COLLEGATS (Desfiladero de) ** Lérida 990 ⑲, 43 ⑤, 42 ⑳.

COMARRUGA Tarragona 990 ⑲, 43 ⑯⑰ – Playa – ✆ 977.
Madrid 581 – Barcelona 83 – Tarragona 24.

G. H. Europe 🐦, vía Palfuriana ✆ 66 18 50, ≤ mar, 🎾, 🏊 – ▤ Ⓟ. ✂
mayo-15 octubre – Com 300 – ☕ 75 – **162 hab** 550/800 – P 925/1 000.

Casa Martí 🐦, Villafranca 15 ✆ 66 17 50, ≤ mar, 🏊 – |‡| ▥ ☏ ⛀wc ☎ Ⓟ. ✂
15 abril-15 octubre – Com 250 – ☕ 63 – **129 hab** 456/579 – P 700/800.

Velamar 🐦, paseo Marítimo ✆ 66 17 12, ≤ playa, 🎾 – |‡| ▥ ☏ ⛀wc ☎ Ⓟ
temp. – **66 hab.**

COMBARRO Pontevedra 990 ② – alt. 80.
Madrid 623 – Pontevedra 6.

XX Ruada, con hab, carret. de la Toja ✆ 3, ≤ ría de Pontevedra – ☏ ⛀wc
temp. – **16 hab.**

COMILLAS Santander 990 ⑤ – 2 408 h. – Playa.
Madrid 411 – Burgos 169 – Oviedo 152 – Santander 55.

Mary, paseo Antonio Garelly 11 ✆ 64 – ☏ ⛀wc ☎. ✂ rest
15 mayo-15 septiembre – Com 230 – ☕ 50 – 52 hab 195/440 – P 595/620.

Joseín 🐦, sin rest, con snack-bar, Santa Lucía ✆ 306, ≤ mar – ▥ ☏ ⛀wc ☎ Ⓟ
14 hab.

X Colasa, con hab, Antonio López 11 ✆ 13, « Antigua casa de estilo regional » – ⛀wc
11 hab.

☛ *Questa Guida non contiene pubblicità a pagamento.*

CONDADO DE SAN JORGE Gerona 43 ⑨ – 🏨, 🏨 ver Playa de Aro.

CONIL DE LA FRONTERA Cádiz 990 ㉝ – 11 267 h.
Alred. : Vejer de la Frontera ≤* SO : 17 km.
Madrid 660 – Algeciras 88 – Cádiz 40.

en la playa NO : 2,5 km – ✉ ✆ Conil de la Frontera :

Flamenco 🐦, ✆ 510, « Magnífica situación, ≤ playa », 🏊, 🏇 – Ⓟ. ✂
20 marzo-octubre – Com 280 – ☕ 75 – **84 hab** 465/800 – P 910/975.

CORCONTE Santander 990 ⑤, 42 ① – alt. 936 – Balneario.
Madrid 337 – Burgos 95 – Reinosa 21 – Santander 65.

Balneario 🐦, ✆ 1 – |‡| ▥ ☏ ⛀wc 🚗 Ⓟ
temp. – **85 hab.**

CORCUBIÓN La Coruña 990 ① – 1 823 h.
Alred. : Cabo Finisterre (carretera* de acceso, ✳*) SO : 14 km.
Madrid 697 – La Coruña 94 – Santiago de Compostela 89.

El Hórreo, ✉ apartado 8 ✆ 154, ≤ ría, 🏊 – ▥ ☏ ⛀wc ☎ Ⓟ. ✂
Com 350 – ☕ 100 – **40 hab** 445/700 – P 900/995.

CÓRDOBA P 990 ㉔ – 235 632 h. alt. 124 – Plaza de toros – ✆ 957.
Ver : Mezquita*** (mihrab***), Catedral (sillería**, púlpitos**) – Judería** – Alcázar* (mosaicos*, sarcófago*, jardines*) – Museo arqueológico*. **Alred.** : Medina Azahara* (≤*) O : 6 km por C 431.
✈ de Córdoba SO : 7 km ✆ 23 23 00 – Iberia : Av. Generalísimo 3 AY ✆ 22 59 20.
M.I.T. av. Gran Capitán 13 ✆ 37 31 41.
Madrid 400 ② – Badajoz 265 ① – Granada 172 ③ – Málaga 176 ④ – Sevilla 138 ④.

Plano página siguiente

Meliá Córdoba, jardines de la Victoria ✆ 22 63 80, « Agradable terraza con flores », 🏊 – ▤. 🚶 AZ **p**
106 hab.

Gran Capitán, av. de América 3 ✆ 22 19 55 – ▤. ✂ rest AY **c**
Com 400 – ☕ 90 – **94 hab** 770/1 000.

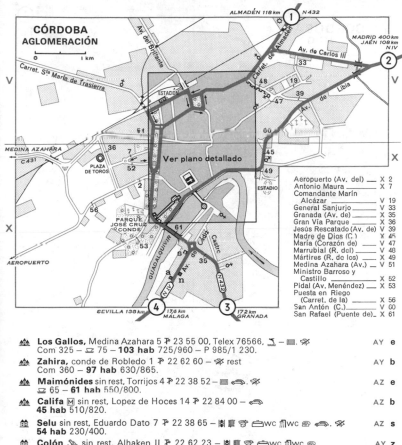

CÓRDOBA
AGLOMERACIÓN

ALMADÉN 118 km ① N 432

MADRID 400 km
JAÉN 108 km
N IV ②

MEDINA AZAHARA
C 431

Ver plano detallado

ESTACIÓN

PLAZA DE TOROS

PARQUE JOSÉ CRUZ CONDE

AEROPUERTO

GUADALQUIVIR

ESTADIO

SEVILLA 138 km ④   176 km MÁLAGA   172 km GRANADA ③

Aeropuerto (Av. del) __ X 2
Antonio Maura _____ X 7
Comandante Marín
  Alcázar _____ V 19
General Sanjurjo _____ V 33
Granada (Av. de) _____ X 35
Gran Vía Parque _____ X 36
Jesús Rescatado (Av. de) V 39
Madre de Dios (C.) ____ X 45
María (Corazón de) ____ V 47
Marrubial (R. del) _____ V 48
Mártires (R. de los) ____ X 49
Medina Azahara (Av.) __ V 51
Ministro Barroso y
  Castillo _____ X 52
Pidal (Av. Menéndez) __ X 53
Puesta en Riego
  (Carret. de la) _____ X 56
San Antón (C.) _____ V 00
San Rafael (Puente de)_ X 61

🏨 **Los Gallos,** Medina Azahara 5 ☎ 23 55 00, Telex 76566, ⅃ – ▤. ⚒   AY **e**
Com 325 – ⇋ 75 – **103 hab** 725/960 – P 985/1 230.

🏨 **Zahira,** conde de Robledo 1 ☎ 22 62 60 – ⚒ rest   AY **b**
Com 360 – **97 hab** 630/865.

🏨 **Maimónides** sin rest, Torrijos 4 ☎ 22 38 52 – ▤ ⇌. ⚒   AZ **e**
⇋ 65 – **61 hab** 550/800.

🏨 **Califa** Ⓜ sin rest, Lopez de Hoces 14 ☎ 22 84 00 – ⇌   AZ **b**
45 hab 510/820.

🏨 **Selu** sin rest, Eduardo Dato 7 ☎ 22 38 65 – ▐ ▥ ☞ ⊖wc ⋔wc ☜ ⇌. ⚒   AZ **s**
54 hab 230/400.

🏨 **Colón** ॐ sin rest, Alhaken II ☎ 22 62 23 – ▐ ▥ ☞ ⊖wc ⋔wc ☜   AY **z**
⇋ 50 – **40 hab** 250/480.

🏨 **Marisa** sin rest, Cardenal Herrero 6 ☎ 22 63 19 – ▥ ⊖wc ⋔wc ☜. ⚒   AZ **a**
⇋ 55 – **16 hab** 250/450.

🏨 Niza Sur, av. de Cádiz 58 ☎ 22 18 25 – ▥ ☞ ⊖wc ☜   X **s**
24 hab.

🏨 **Avenida** sin rest, av. del Generalísimo 26 ☎ 22 39 00 – ▐ ▥ ☞ ⊖wc ☜. ⚒   AY **v**
⇋ 38 – **35 hab** 215/370.

🏨 Andalucía, José Zorrilla 3 ☎ 22 18 55 – ▐ ▥ ▤ rest ☞ ⊖wc ⋔wc ☜. ⚒   AY **n**
40 hab 215/425.

🏨 Oasis, sin rest, con snack-bar, av. de Cádiz ☎ 23 56 00 – ▥ ☞ ⋔wc ☜ ❷   X **a**
31 hab.

🏨 **Niza** sin rest, pl. de Aladreros 7 ☎ 22 18 25 – ▐ ▥ ☞ ⊖wc ⋔wc ☜. ⚒   AY **r**
⇋ 36 – **29 hab** 185/340.

🏨 **Luis de Góngora** sin rest y sin ⇋, Horno de la Trinidad 7 ☎ 22 19 67 – ▥ ⊖wc ⋔wc
☜. ⚒   AZ **x**
23 hab 170/295.

🏨 **Cuatro Naciones,** García Morato 4 ☎ 22 39 25 – ▥ ⊖wc ⋔wc ☜. ⚒   AY **u**
Com 175/300 – ⇋ 50 – 54 hab 250/550 – P 600/625.

🏨 **Granada,** av. de América 21 ☎ 22 18 64 – ▥ ⊖wc ⋔ ☜   AY **h**
Com 165 – ⇋ 50 – 27 hab 175/400 – P 450/475.

🏤 **Serrano** sin rest y sin ⇋, Pérez Galdós 4 ☎ 22 62 98 – ▥ ⊖wc ⋔wc   AY **a**
40 hab 200/345.

sigue →

7

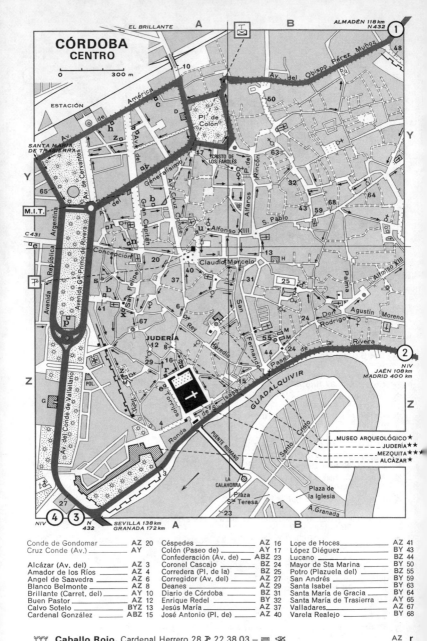

XXX **Caballo Rojo,** Cardenal Herrero 28 ☎ 22 38 03 – 🍽. 🦐 AZ **r**
Com carta 360 a 620.

XX Zoco, Judíos ☎ 22 58 78, Folklore andaluz, « Instalado en una casa del antiguo barrio judío » – 🍽. AZ **z**

X **Coral,** av. de Cádiz 79 ☎ 23 50 25, Pescados y mariscos X **n**
Com carta 150 a 360.

en la carretera de El Brillante – v – ✉ ☎ Córdoba :

⌂⌂⌂⌂ **Parador de la Arruzafa M.I.T.** 🐚, N : 3,5 km ☎ 27 59 00, ⩽ campiña y Córdoba, « Amplia terraza y bonito jardín con flores », 🎾, 🏊 – ▤ 🚗 Ⓟ. 🚫 rest
Com 350 – ☕ 65 – **56 hab** 580/880 – P 790/930.

⌂⌂ **El Brillante,** N : 2,5 km ☎ 27 58 00, « Cortijo andaluz » – ▥ ▤ rest 🛁wc 🚿 ☎ Ⓟ. 🚫
Com 175 – ☕ 50 – 32 hab 200/350 – P 475/500.

✕ **Alay,** N : 3,5 km ☎ 27 17 48, « Terraza florida » – ▤ Ⓟ
Com carta 170 a 265.

en la carretera de Santa María de Trasierra NO : 4 km – v – ✉ ☎ Córdoba :

✕✕ Castillo de la Albaida, ☎ 27 34 93, ⩽ campiña y Córdoba, « Antiguo cortijo andaluz » – ▤ Ⓟ.

AUSTIN-MG-MORRIS-MINI av. de Cádiz 58 ☎ 23 43 01
CHRYSLER-SIMCA carret. Madrid-Cádiz km 404 ☎ 23 46 00
CITROEN carret. Madrid-Cádiz km 405 - Polígono Industrial la Torrecilla ☎ 23 67 00
FIAT carret. Madrid-Cádiz km 405 - Polígono Industrial la Torrecilla ☎ 23 48 00
PEUGEOT final (garaje Alcázar) Dr Fleming ☎ 22 45 20
RENAULT av. América 5 ☎ 22 38 91

CORNELLANA Oviedo [990] ④ – alt. 50 – ⊛ 985.
Madrid 473 – Oviedo 38.

⌂⌂ **La Fuente,** carret. N 634 ☎ 83 40 35 – ▥ 🚗
Com 150 – ☕ 34 – **14 hab** 105/240 – P 335/435.

CORNISA CANTÁBRICA ★★ Vizcaya y Guipúzcoa [990] ⑥, [42] ③④.

CORRALEJO Las Palmas – ⌂⌂ ver Canarias (Fuerteventura).

☛ *Benutzen Sie den Hotelführer des laufenden Jahres.*

La CORUÑA [P] [990] ② – 189 654 h. – Playa – ⊛ 981.
Alred. : Cambre (iglesia Santa María★) 11 km por ②.
⛳12 por ② : 11 km.
✈ de la Coruña por ② : 10 km ☎ 23 22 40 – Iberia ☎ 22 87 30 y Aviaco ☎ 22 53 69 : jardines de Méndez Núñez BY, Kiosco Alfonso – 🚗 ☎ 26 11 79.
⛴ para Canarias : Cía Aucona, pl. de Galicia 2 y 4 AZ ☎ 22 12 18.
M.I.T. Dársena de la Marina ☎ 22 18 22 – **R.A.C.E.** (Auto-Aero Club de Galicia) Cantón Grande 18 ☎ 22 18 30.
Madrid 603 ① – Bilbao 623 ① – Porto 294 ② – Sevilla 952 ① – Vigo 156 ②.

Plano página siguiente

⌂⌂⌂⌂ **Finisterre,** paseo del Parrote ☎ 22 30 75, « Magnífica situación con ⩽ bahía », 🎾, 🏊 climatizada – Ⓟ. 👥. 🚫 — BY **n**
Com 360 – ☕ 69 – **127 hab** 535/880 – P 1 136/1 231.

⌂⌂⌂⌂ **Atlántico y Rest. Abrego** [M], jardines de Méndez Núñez ☎ 22 65 00 – 👥. 🚫 — BY **v**
Com 300 – ☕ 65 – **200 hab** 535/900 – P 1 015/1 100.

⌂⌂⌂ **España** sin rest, con snack-bar, Juana de Vega 7 ☎ 22 45 06 – ⇅ ▥ 📺 🛁wc 🚿wc ☎. 🚫 — AZ **s**
☕ 45 – **80 hab** 250/450.

⌂⌂ Maycar, sin rest, San Andrés 175 ☎ 22 60 00 – ⇅ ▥ 📺 🛁wc 🚿wc ☎ — AY **t**
50 hab.

⌂⌂ **Mar del Plata,** 1º piso, sin rest, paseo de Ronda ☎ 25 79 62, ⩽ mar – ⇅ ▥ 📺 🛁wc 🚫 — AY **f**
☕ 40 – **26 hab** 200/300.

⌂⌂ Santa Catalina, sin rest, travesía Santa Catalina 1 ☎ 22 66 09 – ⇅ ▥ 📺 🛁wc ☎ — AY **a**
32 hab.

⌂ **Navarra,** 1º piso, sin rest, pl. de Lugo 23 ☎ 22 15 75 – ⇅ ▥ 📺 🛁wc 🚿wc ☎. 🚫 — AZ **s**
24 hab 165/300.

⌂⌂ Mara, sin rest y sin ☕, Galera 49 ☎ 22 18 02 – ⇅ ▥ 📺 🛁wc ☎ — BY **z**
19 hab.

✕✕ **Los Porches,** Riego de Agua 17 ☎ 22 58 29 – ▤. 🚫 — BY **c**
Com carta 265 a 430.

✕✕ **Os Arcados,** Andenes Playa Riazo ☎ 25 00 63, ⩽ playa y bahía – 🚫 — AY **u**
Com carta 310 a 460.

✕✕ **Fornos,** Olmos 25 ☎ 22 16 75 — BY **r**
Com carta 350 a 685.

✕ O Mesón, av. de la Marina ☎ 22 70 87, Decoración rústica regional. — BY **y**

✕ Coral, Estrella 5 ☎ 22 10 82 – ▤. — ABY **x**

✕ Naveiro, San Andrés 129 ☎ 22 90 24 – ▤. — AY **a**

sigue →

LA CORUÑA

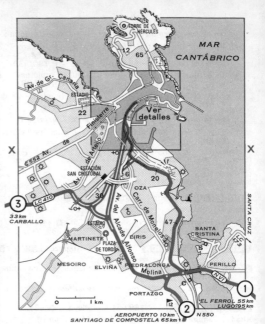

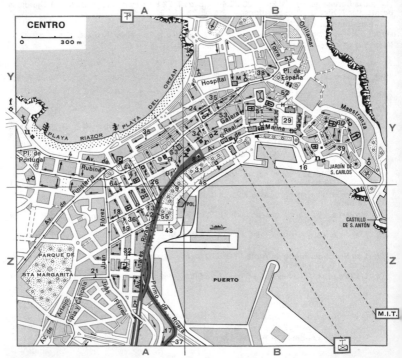

en Fonte Culler – carretera de Santiago por El Burgo S : 4 km :

🏨 Las Arenas, sin rest, ⊠ Fonte Culler 🅟 590 El Burgo, ≤ ría – 🛗 ▥ ☞ 🛁wc ⓕwc 🚗
⟸ 🅿   X c
46 hab.

en la playa de Santa Cristina – X – S : 6 km :

🏨 **Rías Altas** 🦐, ⊠ 🅟 23 67 40 La Coruña, ≤ bahía, 🍴 – ⟸ 🅿. 🍽   X s
Com 275 – 🗄 65 – **103 hab** 410/565 – P 758/885.

en Santa Cruz SE : 9 km :

🏨 **Porto Cobo** 🦐, ⊠ apartado 780 La Coruña 🅟 56 Oleiros, ≤ bahía y La Coruña, 🛝 – 🅿.
🍽
Com 210 – 🗄 60 – **58 hab** 310/500 – P 650/710.

🍴 La Marina, 🖾 Oleiros.

AUSTIN-MG-MORRIS-MINI Médico Rodríguez 8-10 🅟 25 28 87
CHRYSLER-SIMCA Polígono Industrial de Bens-calle A 🅟 25 45 50
CHRYSLER-SIMCA carret. de Madrid km 599 🅟. 167 El Burgo

CITROEN General Sanjurjo 117 🅟 23 46 40
FIAT-SEAT carret. Madrid km 600 🅟 164 El Burgo
PEUGEOT Dr Fleming 6 🅟 23 81 57
RENAULT carret. del Pasaje, Casablanca 🅟 23 13 43
SEAT av. A. Molina km 2 🅟 23 54 47

CORVERA DE TORANZO Santander 990 ⑤, 42 ① – 2 607 h. alt. 300.
Madrid 364 – Burgos 122 – Oviedo 197 – Santander 34.

en Villegar - carret. N 623 S : 5,5 km – ⊠ Villegar 🅟 San Vicente de Toranzo :

🏛 Miralpas, 🅟 7, ≤ valle y montaña – ▥ 🅿 – **8 hab.**

COSTA – Ver a continuación y al nombre propio de la costa (Costa de Bendinat, ver Baleares).

COSTA BRAVA ⋆⋆ Gerona 990 ㉙, 43 ⑨⑩.

COSTACABANA (Urbanización) Almería – 🏨 ver Almería.

COSTA DEL SOL ⋆⋆ Cádiz, Málaga, Granada y Almería 990 ④⑤.

Pour un bon usage des plans de villes, voir les signes conventionnels p. 23.

COVADONGA Oviedo 990 ④ – alt. 260 – 🌣 985.
Ver : Emplazamiento⋆ – Tesoro de la Virgen (corona⋆). Alred. : Mirador de la Reina ≤⋆⋆ SE :
8 km – Lagos Enol y de la Ercina⋆ SE : 12,5 km.
Madrid 427 – Oviedo 84 – Palencia 198 – Santander 157.

🏨 **Pelayo** 🦐, 🅟 84 60 00, ≤ montaña – 🅿. 🍽
Com 250 – 🗄 57 – **55 hab** 325/555.

COVARRUBIAS Burgos 990 ⑤, 42 ⑫ – 978 h. alt. 840.
Ver : Colegiata (tríptico⋆).
Madrid 227 – Burgos 40 – Palencia 94 – Soria 118.

🏨 **Arlanza** (colaborador **M.I.T.**) 🦐, pl. de Doña Urraca 🅟 28, « Estilo rústico castellano »
Com 300 – 🗄 65 – **30 hab** 300/500 – P 850/900.

COVAS Lugo – 🏠 ver Vivero.

CREVILLENTE Alicante 990 ⑦ – 16 901 h. alt. 50 – 🌣 965.
Madrid 412 – Alicante 34 – Murcia 52.

🏨 Sultán, sin rest y sin 🗄, carret. N 340 🅟 40 15 50 – ☞ 🛁wc ⓕwc 🚗
29 hab

Los CRISTIANOS Santa Cruz de Tenerife – 🏨, 🏠 ver Canarias (Tenerife).

CRUZ DE TEJEDA Las Palmas – 🏨 ver Canarias (Gran Canaria).

CUBELLAS Barcelona 43 ⑦ – 1 563 h.
Madrid 588 – Barcelona 54 – Tarragona 41.

🏨 Principat, av. Cataluña 28 🅟 30 – 🛗 ▥ 🍴 rest ☞ 🛁wc 🚗 ⟸ 🅿 – **36 hab.**

CUENCA 🅟 990 ㉘ – 34 485 h. alt. 923 – Plaza de toros – 🌣 966.
Ver : Emplazamiento⋆⋆ – Ciudad Antigua⋆⋆ : Catedral⋆ (rejas⋆, tesoro⋆, puerta⋆ de la sala
capitular) – Casas colgadas⋆ – Museo de Arte abstracto⋆ – Hoz del Huécar ≤⋆ Y.
M.I.T. Calderón de la Barca 26 🅟 21 11 21.
Madrid 165 ② – Albacete 145 ① – Toledo 180 ② – Valencia 201 ① – Zaragoza 326 ①.

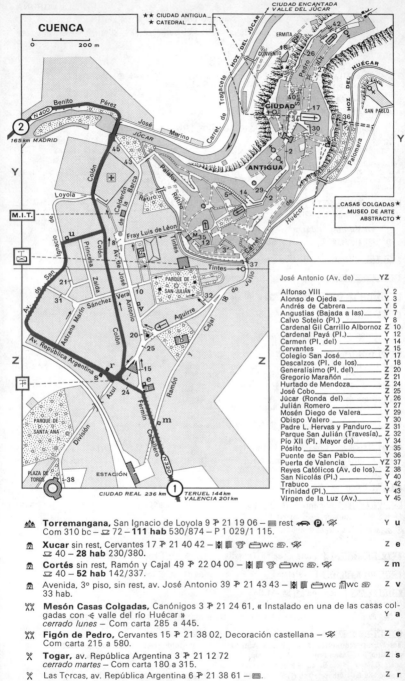

CUENCA

0 — 200 m

★★ CIUDAD ANTIGUA
★ CATEDRAL

CIUDAD ENCANTADA
VALLE DEL JÚCAR

CASAS COLGADAS ★
MUSEO DE ARTE
ABSTRACTO ★

🏨 **Torremangana,** San Ignacio de Loyola 9 ☎ 21 19 06 – 🍴 rest 🚗 🅿. ❄   Y u
Com 310 bc – ⟷ 72 – **111 hab** 530/874 – P 1 029/1 115.

🏨 **Xucar** sin rest, Cervantes 17 ☎ 21 40 42 – 🛗 🏢 🍴 ⌂wc 🅰. ❄   Z e
⟷ 40 – **28 hab** 230/380.

🏨 **Cortés** sin rest, Ramón y Cajal 49 ☎ 22 04 00 – 🛗 🏢 🍴 ⌂wc 🅰. ❄   Z m
⟷ 40 – **52 hab** 142/337.

🏨 **Avenida,** 3º piso, sin rest, av. José Antonio 39 ☎ 21 43 43 – 🛗 🏢 ⌂wc 📶wc 🅰   Z v
33 hab.

🍴🍴 **Mesón Casas Colgadas,** Canónigos 3 ☎ 21 24 61, « Instalado en una de las casas colgadas con ⬅ valle del río Huécar »   Y a
cerrado lunes – Com carta 285 a 445.

🍴🍴 **Figón de Pedro,** Cervantes 15 ☎ 21 38 02, Decoración castellana – ❄   Z e
Com carta 215 a 580.

🍴 **Togar,** av. República Argentina 3 ☎ 21 12 72   Z s
cerrado martes – Com carta 180 a 315.

🍴 Las Torcas, av. República Argentina 6 ☎ 21 38 61 – 🍴.   Z r

AUSTIN-MG-MORRIS-MINI carret. Tarancón-Teruel km 81 ⚏ 21 21 98
CHRYSLER-SIMCA carret. Tarancón-Teruel km 81 ⚏ 21 19 04

CITROEN carret. Alcázar de San Juan km 2 ⚏ 22 10 70
FIAT-SEAT paseo San Antonio 26 ⚏ 22 06 25
RENAULT carret. Valencia 17 ⚏ 22 13 35

CUEVA — Ver al nombre propio de la cueva.

CÚLLAR DE BAZA Granada — 990 ㉟ — 8 041 h. alt. 960.
Madrid 449 — Granada 129 — Murcia 155.

　　🏛 **Venta del Angel,** carret. de Murcia ⚏ 33, ⌧ — ▥ ⋔wc ❿
　　　Com 150 bc — ⌧ 20 — **30 hab** 80/190.

CULLERA Valencia 990 ㉘ — 15 738 h. — Playa — ❀ 963 (6 cifras) ó 96 (7 cifras).
Ver : Ermita de Nuestra Señora del Castillo ⋖*.
Madrid 301 — Alicante 143 — Valencia 41.

　　🏛 **Bolendam** sin rest, con snack-bar, Cabañal 17 ⚏ 152 00 89 — ▨▥ 🍽 ⇔wc ⋔wc ☏ ⇐. ⚿
　　　⌧ 50 — **39 hab** 300/450.

　　🏛 **Carabela,** Cabañal 5 ⚏ 52 02 92 — ▥ ⋔wc ☏. ⚿
　　　Com 135 — ⌧ 28 — 10 hab 315 — P 387.

　　✕ Don Carlos, 1º piso, av. de Castellón 16 ⚏ 52 06 33, ⋖ playa.
　　✕ Cuenca, pasaje Alcira 2 ⚏ 52 06 03 — ▤.

　　en la carretera del faro NE : 4 km — ✉ ⚏ Cullera :

　　🏛 **Sicania** ⚐, Playa del Racó ⚏ 52 01 43, ⋖ playa — ▤ ⇐ ❿. ⚿ rest
　　　cerrado 2 noviembre al 20 diciembre — Com 300 — ⌧ 65 — **117 hab** 470/750 — P 905/1 000.

CITROEN camino de Brosquil ⚏ 52 05 81　　　　　　FIAT-SEAT Pescadores 17 ⚏ 52 06 43

CUNTIS Pontevedra 990 ② — 7 282 h. alt. 163 — Balneario.
Madrid 612 — Orense 100 — Pontevedra 32 — Santiago de Compostela 40.

　　🏛 **Baln. La Virgen,** Calvo Sotelo 2 ⚏ 2 — ▨▥ 🍽 ⇔wc ⋔ ☏. ⚿
　　　Com 325 — ⌧ 75 — 82 hab 400/850 — P 815/900.

CHICLANA DE LA FRONTERA Cádiz 990 ㉝ — 27 337 h. alt. 17.
Madrid 641 — Algeciras 100 — **Cádiz 21** — Sevilla 130.

　　🏛 **Fuentemar** ⚐, av. Fuente Amarga SO : 1,5 km ⚏ 699, ⋖ campo, ⚿. ⌧ — ▤ rest ❿.
　　　⚿ rest
　　　Com 210 — ⌧ 55 — 36 hab 440/572 — P 671/825.

CITROEN carret. Cádiz-Málaga km 5,5 ⚏ 458　　　　RENAULT General Mola 1 ⚏ 606

CHINCHÓN Madrid 990 ⑮ y ㊵ — 4 051 h. alt. 753.
Madrid 54 — Aranjuez 20 — Cuenca 131.

　　✕ **Mesón Cuevas del Vino,** Benito Hortelano 11 ⚏ 101, Instalación rústica en un antiguo molino de aceite
　　　Com carta 310 a 430.

CITROEN Ronda del Mediodía ⚏ 76

CHIPIONA Cádiz 990 ㉝ — 9 974 h.
Alred. : Sanlúcar de Barrameda (Iglesia de Santo Domingo* — Iglesia de Santa María de la O : portada*) NE : 9 km.
Madrid 616 — Cádiz 56 — Jerez de la Frontera 32 — **Sevilla 106.**

　　🏛 Curricán ⚐, av. General Primo de Rivera ⚏ 218, ⋖ playa y desembocadura del río Guadalquivir — ▨▥ 🍽 ⇔wc ⋔wc ☏ — **46 hab,**
　　🏛 Chipiona ⚐, Gómez Ulla 16 ⚏ 163 — ▥ 🍽 ⇔wc ⋔wc. ⚿
　　　cerrado octubre-noviembre — Com 210/240 — ⌧ 40 — 41 hab 210/360 — P 550/630.

CHIVA Valencia 990 ㉗ — 5 394 h. alt. 240.
Madrid 320 — Valencia 30.

　　✕ **Loma del Castillo** con hab, carret. de circunvalación ⚏ 29, ⌧ — 🍽 ⋔wc ❿. ⚿ hab
　　　Com 125 bc — ⌧ 28 — 16 hab 230 — P 385.

　　en la carretera N III E : 10 km — ✉ ⚏ Chiva :

　　🏛 **Motel La Carreta,** ⚏ 293, ⌧ — ▥ ▤ 🍽 ⇔wc ☏ ❿. ⚿
　　　Com carta 425 a 635 — ⌧ 65 — **80 hab** 560/700.

CHORRO (Garganta del) Málaga 990 ㉞.
Ver : Garganta del Chorro*** : Camino del Rey*** — Embalse** del Conde de Guadalhorce — Roca*.

DAIMUZ Valencia 990 ㉘ – 1 277 h. – Playa.
Madrid 422 – Gandía 4 – Valencia 72.

en la playa E : 1 km – ⊠ ⅌ Daimuz :

🔱 **Olímpico** ⅌. ⅌ 31 – sólo agua fría ▥wc. ✖
mayo-octubre – Com 150/200 – ⚬ 40 – **20 hab** 95/200.

DANCHARINEA Navarra 42 ⑥ – Ver aduanas p. 14 y 15.

DARNIUS Gerona 43 ⑨ – 531 h. alt. 193.
Madrid 779 – Gerona 52.

🏨 **Santa Ana** ⅌. Mayor 17 ⅌ 17, 🍲 – ▤ ▥ ⅌ ⊟wc ⊛ ⟵ 🅿. ✖ rest
Com 244 – ⚬ 72 – 30 hab 337/500 – P 725/812.

DAROCA Zaragoza 990 ⑦, 43 ⑪ – 2 904 h. alt. 787.
Ver : Colegiata de Santa María (retablo*, capilla Los Corporales*, retablo* del altar mayor) –
Museo parroquial*.
Madrid 276 – Soria 130 – Teruel 99 – Zaragoza 83.

🏨 Daroca, Mayor 42 ⅌ 253 – ▤ ▥ ⅌ ⊟wc ▥wc ⊛
20 hab.

en la carretera N 330 – ⊠ ⅌ Daroca :

🔱 **Agiria** sin rest, Santo Tomás ⅌ 20 – ▥ ⊟wc 🅿. ✖
⚬ 40 – **31 hab** 125/300.

✖ **Legido** con hab, Santo Tomás ⅌ 103 – ▥ ▥ 🅿. ✖ rest
Com 185 – ⚬ 42 – 14 hab 160/315 – P 505.

RENAULT carret. N 234 ⅌ 337

DENIA Alicante 990 ㉘ – 16 484 h. – Playa – ⦿ 965.
Madrid 448 – Alicante 95 – Valencia 98.

🏠 **Costa Blanca,** Pintor Llorens 3 ⅌ 78 03 36 – ▤ ▥ ▣ rest ⅌ ⊟wc ⊛. ✖
Com 185/270 – ⚬ 45 – 53 hab 225/300 – P 420/475.

✖✖ Club Náutico, carret. de Javea ⅌ 78 11 02, ⟵ puerto deportivo – 🅿.

en la zona de las Rotas – ⊠ ⅌ Denia :

🏠 **Las Rotas** ⅌. SE : 5 km ⅌ 78 03 23, ⟵ mar, ✖ – ▥ ⅌ ⊟wc ▥wc 🅿
Semana Santa-septiembre – Com 230 – ⚬ 55 – 23 hab 275/520 – P 610/650.

✖ El Pegoli, SE : 3,5 km ⅌ 78 10 35, ⟵ mar.

en la playa de Las Marinas – ⊠ ⅌ Denia :

🏠 **Los Angeles** ⅌. NO : 5,5 km ⅌ 78 04 58, ⟵ playa – ⅌ ⊟wc ▥wc ⊛ 🅿. ✖
abril-septiembre – Com 200/300 – ⚬ 50 – 59 hab 220/405 – P 515/535.

✖ Neptuno, NO : 3 km ⅌ 78 10 07, ⟵ playa – 🅿.

CITROEN Diana 40 ⅌ 78 04 11   RENAULT av. Reino de Valencia ⅌ 78 00 62
FIAT-SEAT av. Valencia 17 ⅌ 78 03 00

La DERRASA Orense – ✖✖ ver Orense.

DESFILADERO – Ver al nombre propio del desfiladero.

DEVA Guipúzcoa 990 ⑥, 42 ④ – 4 489 h. – Playa – ⦿ 943.
Alred. : Carretera en cornisa* de Deva a Lequeitio ⟵* – Motrico (emplazamiento*) O : 4 km.
Madrid 435 – Bilbao 66 – San Sebastián 39.

🏨 **Miramar,** José Joaquín Aztiria ⅌ 60 11 44, ⟵ playa – ▤ ▥ ⅌ ⊟wc ▥wc ⊛ ⟵ 🅿.
✖ rest
Com 250 – ⚬ 50 – **60 hab** 325/560 – P 690/735.

CHRYSLER-SIMCA Madrid 2 ⅌ 60 13 47   SEAT carret. Motrico ⅌ 60 12 77
RENAULT Arenal ⅌ 60 11 02

DEYA Baleares 990 ㉙, 43 ⑲ – 🏔 ver Baleares (Mallorca).

DON BENITO Badajoz 990 ㉘ – 26 295 h. alt. 279 – ⦿ 924.
Madrid 307 – Badajoz 111 – Cáceres 77.

✖✖ Gran Maestre, Ramón y Cajal 11 ⅌ 80 10 11 – ▣.

CHRYSLER-SIMCA Canalejas 5 ⅌ 80 00 54   FIAT-SEAT carret. D. Benito Villanueva ⅌ 80 08 04
CITROEN carret. circunvalación ⅌ 80 02 16   RENAULT Ayala 7 ⅌ 80 08 85

☛ *The Michelin man puts no plaque or sign*
on the hotels and restaurants mentioned in this Guide.

DOSBARRIOS Toledo 990 ㉖ − 2 257 h. alt. 711.
Madrid 71 − Cuenca 140 − Toledo 60.

⛩ **Guzmán,** carret. N IV, S : 1,5 km 🅿 37, ⛄, Estilo castellano − 🏭 🖘 🛏wc 🚗 🅿.
🎮 rest
Com 225 bc − ⛭ 45 − 23 hab 310/470 − P 640/715.

DOSRIUS Barcelona 43 ⑱ − 767 h.
Madrid 667 − Barcelona 37.

🍴 **Can Terrades del Molí,** carret. de Argentona 🅿 31 − 🅿
cerrado miércoles y del 10 al 24 noviembre excepto sábados y domingos − Com carta 180
a 470.

DRACH (Cuevas del) Baleares 990 ㉚, 43 ⑳ − Ver Baleares (Mallorca).

ÉCIJA Sevilla 990 ㉙ − 36 066 h. alt. 101 − Plaza de toros − 🅾 954.
Ver : Iglesia de Santiago* (retablo*).
Madrid 451 − Antequera 86 − Cádiz 183 − Córdoba 51 − Granada 184 − Jerez de la Frontera 151 − Ronda 133 − Sevilla 87.

🏠 **Central,** pl. España 23 🅿 83 03 54 − 🏭 🚗
Com 150 bc/250 bc − ⛭ 40 − 20 hab 135/205 − P 378/410.

en la carretera N IV NE : 3 km − ✉ 🅿 Écija :

🏠 **Astigi,** ✉ apartado 6 🅿 83 01 62, 🍴 − 🍽 🖘 🛏wc 🗐wc 🚗 🅿. 🎮
Com 200 bc − ⛭ 40 − 18 hab 400 − P 600.

CHRYSLER-SIMCA carret. N IV km 453 🅿 83 00 50   RENAULT carret. N IV km 453 🅿 83 08 98
CITROEN carret. N IV km 454,8 🅿 83 15 99   SEAT av. Dr Fleming 45 🅿 83 06 99

ECHALAR Navarra 42 ⑤ − 🅾 943 − Ver aduanas p. 14 y 15.
Madrid 480 − Bayonne 55 − Pamplona 72.

en la carretera N 133 O : 5 km − ✉ 🅿 Echalar :

🍴🍴 Venta de Echalar, con hab, 🅿 63 50 00, « Instalada en un edificio del siglo XV », ⛄ − 🏭
🛏wc 🗐wc 🚗 🅿 − 24 hab.

EGUINO Alava − 🍴 con hab, ver Salvatierra.

ÉIBAR Guipúzcoa 990 ⑥, 42 ④ − 37 073 h. alt. 120 − 🅾 943.
Madrid 414 − Bilbao 44 − Pamplona 115 − San Sebastián 52.

⛩ **Arrate** sin rest, O'Donnell 5 🅿 71 72 42 − 🎮
⛭ 65 − **89 hab** 415/765.

🍴 **Chomin,** pl. del 18 de Julio 2 🅿 71 17 18 − 🎮
Com carta 430 a 700.

AUSTIN-MG MORRIS-MINI av. de Balboa 27 🅿   RENAULT Apalategui 🅿 71 35 46
70 01 62   SEAT av. de Bilbao 🅿 71 36 42
CHRYSLER-SIMCA Carmen 52 🅿 71 28 50

EJEA DE LOS CABALLEROS Zaragoza 990 ⑰, 42 ⑯, 43 ①② − 14 163 h. alt. 318 − 🅾 976.
Madrid 377 − Pamplona 115 − Zaragoza 74.

⛩ **Cinco Villas,** General Franco 12 🅿 54 03 00 − 📶 🏭 🍽 rest 🖘 🛏wc 🗐wc 🚗. 🎮
Com 235 − ⛭ 50 − **30 hab** 300/650 − P 750/775.

CHRYSLER-SIMCA José Antonio 🅿 54 07 47   RENAULT General Franco 42 🅿 54 05 50
CITROEN General Mola 7 🅿 54 03 77   SEAT Joaquín Costa 6 🅿 54 09 81
FORD Dr Fleming 24 🅿 54 13 01

ELCHE Alicante 990 ㉗ − 122 663 h. alt. 90 − 🅾 965.
Ver : El Palmeral** − Huerto del Cura** − Parque Municipal*.
C.I.T. parque Municipal 🅿 45 27 47.
Madrid 411 ⑤ − Alicante 24 ① − Murcia 60 ②.

⛩ **Huerto del Cura** (colaborador **M.I.T.**) 🅼 🐾, Federico García Sanchiz 8 🅿 45 80 40,
« Pabellones rodeados de jardines en un magnífico palmeral », ⛄ climatizada − 🍽 🚗   Z c
🅿. 🏖. 🎮
Com 350 bc − ⛭ 80 − **51 hab** 750/1 100 − P 1 225/1 450.

⛩ **Don Jaime I,** Primo de Rivera 5 🅿 45 38 40 − 📶 🏭 🖘 🛏wc 🗐wc 🚗. 🎮   YZ n
Com 200/250 − ⛭ 50 − 64 hab 200/400 − P 560/600.

🏠 Cartagena, General Goded 14 🅿 46 15 50 − 📶 🏭 🖘 🛏wc 🗐wc 🚗 ⬅   Z a
34 hab.

🏠 **Quesada,** Benito Pérez Galdós 2 🅿 46 01 90 − sólo agua fría 🚗. 🎮   Y e
cerrado domingos y festivos − Com 120 bc − ⛭ 25 − 13 hab 105/185.

🍴🍴 **Parque Municipal,** 🅿 45 34 15, « En un parque, amplia terraza bajo las palmeras » − 🎮
Com carta 245 a 455.   Y z

157

ELCHE

0   400 m

Calvo Sotelo _____ Z 5
Reina Victoria _____ YZ

Alfonso XII _____ Z 2
Anselmo Clavé (Pl.) _____ Z 3
Benidorm (Pl.) _____ Y 4
Comandante Fernández_ Y 6
Diagonal Palacio _____ Y 7
Ernesto Martínez _____ Z 8
F. Díaz de Mendoza _ YZ 10

Francos Rodríguez (Pas.) Y 12
Fray Luis de León _____ X 13
Gabriel Ruiz Chorro ___ Z 14
General Yagüe (Av.) ___ X 15
Generalísimo (Pl.) _____ Z 16
Jiménez Díaz _____ YZ 17
Luis Llorente
 de las Casas Pérez _ Y 19
Marqués de Asprillas __ Y 20
Novelda (Av. de) _____ XY 22
Onésimo Redondo ____ Z 23
Puente Ortices _____ YZ 24
Puente Palacio _____ Y 25
Puente Santa Teresa __ Z 28
Puerta Alicante _____ Y 29

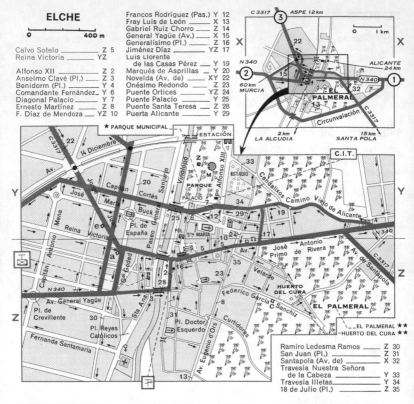

Ramiro Ledesma Ramos ____ Z 30
San Juan (Pl.) _____ Z 31
Santapola (Av. de) _____ X 32
Travesía Nuestra Señora
 de la Cabeza _____ Y 33
Travesía Illetas_____ Y 34
18 de Julio (Pl.) _____ Z 35

AUSTIN-MG-MORRIS-MINI carret. de Alicante-Alta-
bix ☎ 45 22 43
CHRYSLER-SIMCA carret. Alicante km 2 ☎ 45 59 36

CITROEN carret. de Alicante km 2 ☎ 45 81 43
FIAT-SEAT av. General Yagüe 69 ☎ 45 53 49
RENAULT av. General Yagüe 46 ☎ 45 12 88

ELDA Alicante 990 ㉗ – 41 511 h. alt. 395 – Plaza de toros – ◉ 965.
Madrid 382 – Albacete 134 – Alicante 37 – Murcia 80.

  🏨 **Elda** sin rest, av. Chapí 4 ☎ 38 05 56 – ▥ ☞ ➵wc ☎ ⇦. ✻
      🖵 49 – **37 hab** 244/450.

CHRYSLER-SIMCA carret. de Alicante km 377,2
☎ 22 11 48
CITROEN Rey San Fernando 3 ☎ 38 05 50

RENAULT carret. Madrid-Alicante ☎ 37 06 62
SEAT Rosales 5 ☎ 38 15 19

ELIZONDO Navarra 990 ⑦, 42 ⑥ – alt. 196 – ◉ 948.
Madrid 464 – Bayonne 53 – Pamplona 56 – St-Jean-Pied-de-Port 35.

  🏠 Saiskaïtz, sin rest, María Azpilcueta ☎ 58 04 88 – ▥ ➵wc ▥wc
      20 hab.

  en la carretera N 121 SO : 1,5 km – ✉ ☎ Elizondo :

  🏨 **Baztán,** ☎ 58 00 50, ≼ campo y montañas, « Amplio césped con ⌿ » – ▯ ▥ ☞ ➵wc
      ☎ 🅿 ✻ rest
      junio-septiembre – Com 310 – 🖵 70 – **84 hab** 425/700 – P 850/925.

AUSTIN-MG-MORRIS-MINI Santiago ☎ 58 02 30
CITROEN J. Urrutia ☎ 58 04 06

RENAULT carret. N 121 ☎ 58 03 09
SEAT Santiago 68 ☎ 58 03 02

EN BOSSA Baleares 43 ⑰⑱ – ✗ con hab, ver Baleares (Ibiza) : Ibiza.

ENCAMP Andorra 990 ⑨, 43 ⑥ – ▲▲, 🏠 ver Andorra (Principado de).

ERISTE Huesca 42 ⑲, 43 ④ – ☝ ver Benasque.

ERRAZU Navarra 990 ⑦, 42 ⑥ – Ver aduanas p. 14 y 15.

La ESCALA Gerona 990 ②, 48 ⑨ – 3 117 h. – Playa – ❂ 972.

Ver : Paraje*. **Alred.** : Ampurias (ruinas griegas y romanas*) N : 2 km.

Madrid 770 – Barcelona 140 – Gerona 41.

  🏨 **Nieves-Mar,** paseo Marítimo ☎ 31 03 00, ≼ mar, ⚒, ⌁ – ❷
    cerrado 15 noviembre al 15 enero – Com 280 – ⌑ 75 – **80 hab** 375/650 – P 815/865.

  🏨 **Bonaire-Juvinés,** paseo Luis Albert 4 ☎ 31 00 68, ≼ mar, ⌁ – 🛗 ▥ ▤ ☍ ◱wc ▩
    cerrado 16 enero al 15 marzo – Com 175 – ⌑ 58 – **36 hab** 250/450 – P 570/595.

  🏨 **Voramar,** paseo Luis Albert 2 ☎ 31 01 08, ≼ mar, ⌁ – 🛗 ☍ ◱wc ◱wc ▩. ⚒ rest
    23 marzo-30 septiembre – Com 220 – ⌑ 65 – **40 hab** 325/625 – P 737/760.

  🏨 **Marquesado** sin rest, con snack-bar, paseo Luis Albert 1 ☎ 31 01 50, ≼ mar, ⌁ – ☍
    ◱wc ◱wc ▩ ↩
    junio-octubre – ⌑ 60 – **32 hab** 260/425.

  🏚 **Casa Nieves** sin rest, Caídos 29 ☎ 31 01 00, ▥ ☍ ◱wc ◨ ▩
    junio-septiembre – ▬ 50 – **25 hab** 240/490.

  ✗✗ **Rallye H.** con hab, paseo Marítimo ☎ 31 02 45, ≼ mar – ▥ ▤ rest ☍ ◱wc
    Com 175 – ⌑ 60 – **16 hab** 350/450.

AUSTIN-MG-MORRIS-MINI Tramuntana ☎ 31 01 21

ESCALAR (Garganta del) Huesca 42 ⑱.

Ver : Garganta del Escalar** (carretera*).

Les ESCALDES Andorra 990 ⑨, 48 ⑥ – 🏨 a 🏚 ver Andorra (Principado de).

ES CALÓ DE S'OLI Baleares 48 ⑰ – 🏨 ver Baleares (Ibiza) : San Antonio Abad.

El ESCORIAL Madrid 990 ⑮ y ⑲ – 3 839 h. alt. 1 030 – Plaza de toros – ❂ 91.

Ver : Monasterio*** (Iglesia**, Panteón de los Reyes**, Palacios** (tapices*), Nuevos Museos** (El Martirio de San Mauricio y la legion tebana*), Salas Capitulares*, Patio de los Reyes*) – Casita del Príncipe*. **Alred.** : Silla de Felipe II ≼** SO : 7 km.

🛝 La Herrería SO : 3 km por la carretera de la Silla de Felipe II.

M.I.T. Floridablanca 10 ☎ 896 07 09.

Madrid 58 – Ávila 63 – Segovia 55.

  🏨 **Victoria Palace** ⚘, Juan de Toledo 4 ☎ 896 12 00, « Agradable jardín con arbolado »,
    ⌁ – ❷. ⚖. ⚒
    Com 365 – ⌑ 79 – **90 hab** 550/940 – P 1 000/1 160.

  🏨 **Miranda y Suizo,** Floridablanca 20 ☎ 896 00 00 – 🛗 ▥ ☍ ◱wc ▩. ⚒
    Com 250 – ⌑ 60 – 50 hab 360/580 – P 740/810.

  🏚 **Príncipe,** Floridablanca 6 ☎ 896 10 00 – ▥ ☍ ◱wc ▩. ⚒
    Com 180 – ⌑ 45 – 10 hab 400   P 465/530.

  ✗✗ **Mesón la Cueva,** San Antón 4 ☎ 896 00 15, « Antigua posada castellana » – ⚒
    Com carta 265 a 540.

  ✗✗ **Mont-Blanc,** pl. Generalísimo 5 ☎ 896 01 26 – ⚒
    Com carta 275 a 490.

  ✗✗ El Doblón de Oro, pl. Generalísimo ☎ 296 07 41.

  ✗ Parque, pl. Carmen Cabezuelo 1 ☎ 896 11 65, Rest. al aire libre – *temp.*

  ✗ **Alaska,** pl. San Lorenzo 4 ☎ 296 02 41 – ⚒
    Com carta 275 a 395.

  ✗ **Columba** (Mesón Serrano), Floridablanca 4 ☎ 296 00 07
    Com carta 155 a 285.

  ✗ **Castilla,** pl. Generalísimo 2 ☎ 896 10 06 – ⚒
    Com carta 210 a 405.

RENAULT carret. C 505 km 27   Cruz de la Horca ☎   SEAT   carret. C 505 km 28 ☎ 296 15 33
296 10 38   SEAT-FIAT San Francisco 2 ☎ 296 14 37

El ESPINAR Segovia 990 ⑯ – 5 151 h. alt. 1 191.

Madrid 65 – Ávila 46 – Segovia 34.

  ✗✗ Club Rosales, General Mola 13, urbanización Los Rosales ☎ 464, ⚒, ⌁, Decoración
    castellana – ▤.

ESPINILLA Santander 990 ⑤ – alt. 940 – Deportes de invierno en Alto Campóo : 6 ⛷.

Alred. : Pico de Tres Mares ❄**** O : 19 km y telesilla.

Madrid 366 – Palencia 137 – Reinosa 8 – Santander 82.

    en Alto Campóo O : 16 km – ✉ Reinosa :

  🏨 **Corza Blanca** ⚘, alt. 1 660, ☎ 75 10 99 Santander, ≼ montaña – 🛗 ▥ ☍ ◱wc ◱wc ▩ ❷.
    ⚒
    cerrado octubre – Com 265 bc – ⌑ 65 – **40 hab** 280/440 – P 695/753.

ESPLUGA DE FRANCOLI Tarragona 990 ⑲, 43 ⑯ – ⚘, XX con hab, ver Poblet (Monasterio de).

ESPOT Lérida 990 ⑨, 43 ⑥ – 269 h. alt. 1 340 – Deportes de invierno en Super Espot : 3 ⚡.
Alred. : Carretera de acceso a Espot* – O : Parque Nacional de Aigues Tortes**.
Madrid 629 – Lérida 167.

  🏨 **Saurat** ⚓, pl. San Martín ☎ 172, ≼ valle y montaña – ▥ 🕽 ⌂wc 🕽wc ☜ ❷. ✻
    Com 225 – ⚏ 50 – 50 hab 160/355 – P 580.

ES PUJOLS Baleares 43 ⑱ – X, X con hab, ver Baleares (Formentera).

ESQUEDAS Huesca 43 ③ – 147 h. alt. 509.
Madrid 411 – Huesca 14 – Pamplona 149.

  XX Venta del Sotón, carret. N 240 ☎ 25, Interior rústico – ❷.

  en Plasencia del Monte - en la carretera N 240 NO : 3 km :
  X El Cobertizo, ⊠ Plasencia del Monte ☎ 21 Esquedas – ❷.

ESTARTIT Gerona 990 ⑳, 43 ⑨ – Playa – ◉ 972.
Madrid 765 – Figueras 38 – Gerona 36.

  🏨 **Vila,** Santa Ana 34 ☎ 75 81 13 – ⌂wc 🕽wc. ✻ hab
    15 mayo-septiembre – Com 175 – ⚏ 45 – 59 hab 200/400 – P 500/525.

  XX **Eden** con hab, Victor Concas 2 ☎ 75 80 02 Torroella de Montgrí – ▥ 🕽 ⌂wc
    cerrado 22 octubre al 22 enero – Com *(cerrado domingos noche de noviembre a marzo)*
    carta 185 a 255 – ⚏ 55 – **14 hab** 475.

  en la carretera de Torroella de Montgrí O : 3 km :
  XX Torre Gran ⚓, con hab, ⊠ Estartit ☎ 75 81 60 Torroella de Montgrí, « Estilo rústico cata-
    lán », ✻, ⚒ – ▥ 🕽 ⌂wc 🕽wc ☜ ❷
    10 hab.

ESTELLA Navarra 990 ⑥⑦, 42 ⑮ – 10 371 h. alt. 430 – Plaza de toros – ◉ 948.
Ver : Iglesia de San Pedro de la Rúa (portada*, claustro*) – Iglesia de San Miguel (portada
norte* : altorrelieves**). **Alred. :** Monasterio de Irache* (iglesia*) S : 3 km – Monasterio
de Iranzu (garganta*) N : 10 km.
Madrid 383 – Logroño 48 – Pamplona 45 – Vitoria 70.

  🏨 **Tatán** sin rest, paseo de Los Llanos 6 ☎ 55 02 50 – ▥ ⌂wc 🕽wc ☜. ✻
    ⚏ 35 – **19 hab** 130/320.

  XX El Bordón, 1º piso, San Andrés 6 ☎ 55 10 69, Decoración rústica.

  XX **Tatán,** paseo de la Inmaculada ☎ 55 04 82 – ▤. ✻
    cerrado 15 al 31 diciembre – Com carta 260 a 485.

  X **Cepa,** 1º piso, pl. de los Fueros 18 ☎ 55 01 76 – ✻
    cerrado 14 al 30 noviembre – Com carta 345 a 420.

  en la carretera de Logroño SO : 3,5 km – ⊠ ☎ Estella :
  🏨 **Irache** Ⓜ sin rest, con snack-bar, complejo turístico Irache ☎ 55 11 50, ≼ montañas, ✻,
    ⚒, ▨ – ▤ ⇔ ❷. ⚕
    ⚏ 65 – **80 hab** 475/700.

  XX **Irache,** complejo turístico Irache ☎ 55 11 50 – ▤ ❷. ✻
    Com carta 225 a 400.

AUSTIN-MG-MORRIS-MINI paseo de la Inmaculada 25   CITROEN paseo de la Inmaculada 17 ☎ 55 00 89
☎ 55 09 86   RENAULT F. Diego 5 ☎ 55 04 93
CHRYSLER-SIMCA Ocineda ☎ 55 00 76   SEAT-FIAT Carlos VII-2 ☎ 55 08 69

ESTELLENCHS Baleares 43 ⑱ – 🏠, XX ver Baleares (Mallorca).

ESTEPONA Málaga 990 ㉟ – 21 163 h. – Playa – Plaza de toros – ◉ 952.
Madrid 643 – Algeciras 51 – Gibraltar 45 – Málaga 85.

  🏨 Caracas, San Lorenzo 50 ☎ 80 19 40 – ▨ ▥ 🕽 ⌂wc 🕽wc ☜
    40 hab.

  🏨 **Dobar** sin rest, Queipo de Llano 170 ☎ 80 13 45, ≼ mar – ▨ ▥ 🕽 ⌂wc 🕽wc ☜. ✻
    ⚏ 30 – **33 hab** 150/360.

  ⚘ **Buenavista,** paseo Marítimo 228 ☎ 80 10 00 – ▨ ▥ 🕽 ⌂wc ☜
    Com 150/225 bc – ⚏ 30 – **45 hab** 105/235 – P 400.

  ⚘ **Alhambra** sin rest, Veracruz 8 ☎ 80 14 85 – ⌂wc 🕽wc. ✻
    abril-octubre – ⚏ 33 – **18 hab** 140/275.

  en la carretera de Málaga :
  🏨 **Santa Marta** ⚓, NE : 11 km ⊠ apartado 2 Estepona ☎ 81 13 40 Marbella, « Pequeños
    bungalows en un extenso jardín », ⚒ – ▥ ▤ 🕽 ⌂wc ☜ ❷. ✻ rest
    abril-octubre – Com 300 – ⚏ 70 – **37 hab** 450/750 – P 925/1 000.

XXX **Molino,** urbanización El Saladillo NE : 10 km ⊠ Estepona, Cocina francesa, decoración rústica – **℗**
cerrado 7 enero al 12 febrero y martes salvo julio y agosto – Com *(sólo cena de julio a septiembre)* carta 460 a 780.

XX **El Carrusel,** urbanización El Saladillo NE : 10 km ⊠ ☏ 80 17 20 Estepona, Cocina francesa – 🍴 **℗**
cerrado febrero – Com carta 285 a 485.

XX El Alcornocal, urbanización El Paraíso NE : 10,5 km ⊠ ☏ 81 18 40 Estepona, « Bonito conjunto andaluz », ⊒ climatizada, Cocina francesa – **℗**.

XX **El Cid Campeador,** urbanización El Paraíso NE : 10 km ⊠ Estepona – **℗**
cerrado miércoles y del 15 enero al 15 febrero – Com carta 305 a 480.

X Los Llanos, E : 2 km ⊠ ☏ 80 19 16 Estepona – **℗**.

en la carretera de Cádiz :

🏨 Seghers Club, SO : 2 km ⊠ ☏ 80 12 40 Estepona, Telex 77317, ⩽ playa, ✿, ⊒ climatizada, ⚓ – **℗**
81 hab.

XX Le Castel, Bahía Dorada SO : 7 km ⊠ apartado 67 ☏ 80 13 71 Estepona, ⩽ mar, Cocina francesa – **℗**.

XX Bahía Dorada, urbanización Bahía Dorada SO : 7 km ⊠ ☏ 80 16 38 Estepona, ⊒ – **℗**.

AUSTIN-MG-MORRIS-MINI paseo Marítimo ☏ 80 12 59
CHRYSLER-SIMCA carret. N 340 km 163,3 ☏ 80 18 64
RENAULT carret. N 340 km 164 ☏ 80 19 34
SEAT-FIAT carret. N 340 km 162 ☏ 80 18 13

EUGUI Navarra 42 ⑥ – alt. 620 – ✆ 948 – Ver aduanas p. 14 y 15.
Madrid 435 – Pamplona 27 – St-Jean-Pied-de-Port 63.

🏨 **Quinto Real** ⑤, ☏ 32 70 44, ⩽ pantano y montañas – 📺 ⌂wc 🛁wc **℗**. ✼
Com 125 bc – � 40 – 18 hab 270 – P 340.

FANALS Gerona 43 ⑱ – 🏨 ver Lloret de Mar.

EL FERROL DEL CAUDILLO La Coruña 990 ② – 87 736 h. – ✆ 981.
Madrid 613 – La Coruña 55 – Gijón 305 – Oviedo 309 – Santiago de Compostela 94.

🏨 **Parador M.I.T.,** San Francisco 1 ☏ 35 34 00, Reconstrucción de una casa señorial gallega – ⇐ **℗**. ✼ rest
Com 280 – ⊠ 60 – **27 hab** 310/530.

🏨 Almirante, sin rest, Frutos Saavedra 2 ☏ 35 84 46 – ⇐
106 hab.

🏨 Ryal sin rest, Galiano 43 ☏ 35 80 44 – ▐ 📺 ☎ ⌂wc 🛁wc ☎. ✼
⊠ 30 – **40 hab** 210/330.

XXX Beirut, Cantón de Molins 7 ☏ 35 12 77 – 🍴.

X Venancio, Calvo Sotelo 38 ☏ 35 12 05, Decoración regional.

X Moncho, Fernando Villaamil 44 ☏ 35 51 53.

en la carretera C 646 N : 2 km – ⊠ ☏ El Ferrol del Caudillo :

X O Parrulo, carret. Catabois ☏ 35 51 11.

AUSTIN-MG-MORRIS-MINI carret. de Gándara ☏ 31 33 65
CHRYSLER-SIMCA av. Generalísimo 209 ☏ 31 11 00
CITROEN carret. Nueva de Carranza 9-11 ☏ 31 21 22
FIAT-SEAT carret. de San Juan ☏ 31 32 01
RENAULT General Aranda 30 ☏ 35 65 41

FIGOLS DE ORGAÑA Lérida 43 ⑥ – 270 h. alt. 558.
Madrid 582 – Lérida 112 – Seo de Urgel 25.

🏨 Narieda ⑤, ☏ 2, ⩽ montañas, ⊒ – ☎ ⌂wc 🛁wc ☎
temp. – 18 hab.

FIGUERAS Gerona 990 ⑳, 43 ⑨ – 22 067 h. alt. 30 – Plaza de toros – ✆ 972.
M.I.T. pl. del Sol ☏ 28 25 71.
Madrid 762 – Gerona 35 – Perpignan 55.

🏨 **President,** ronda Barcelona ☏ 24 21 22 – 🍴 rest ⇐ **℗**
Com 270 – ⊠ 75 – **75 hab** 400/700 – P 850/900.

🏨 ✿ **Durán,** Lasauca 5 ☏ 24 18 00 – ▐ 📺 🍴 rest ☎ ⌂wc 🛁wc ☎ ⇐
Com carta 300 a 505 – ⊠ 55 – 62 hab 205/515 – P 625/675
Espec. Filetes de lenguado a la naranja, Cazuelita de mariscos a la crema de Oporto, Steak al roquefort.

🏨 Pirineos, ronda Barcelona 1 ☏ 24 10 77 – ▐ 📺 ☎ ⌂wc 🛁wc ☎ ⇐ **℗**
53 hab.

🏨 **Travé,** Balmes ☏ 24 12 66, ⊒ – 📺 🍴 r ⌂wc 🛁wc ⇐ **℗**. ✼ rest
Com 190 – ⊠ 50 – 60 hab 200/365 – P ...5.

sigue → ➤

Ⅹ **Viarnés,** av. General Mola 23 ℡ 24 13 71
cerrado 2ª quincena de octubre y martes de noviembre a marzo – Com carta 225 a 355.

Ⅹ **Dynamic 2,** Monturiol 2 ℡ 24 22 03 – ▤
Com carta 270 a 495.

en la carretera N II :

⌂ ✿ **Ampurdán,** N : 1,5 km ✉ ℡ 24 13 57 Figueras – ▤ rest 🚗 Ⓟ
Com carta 280 a 440 – ☕ 70 – **48 hab** 340/590 – P 795/840
Espec. Lubina o dorada al horno a la pescadora, Solomillo al vino de Rioja, Costillar de ciervo braseado salsa de membrillo (octubre-marzo).

⌂ **Rallye,** S : 1,5 km ✉ ℡ 24 18 14 Figueras – |‡| ▥ ▤ rest ☏ ⌂wc ☎ 🚗 Ⓟ
Com 225 – ☕ 70 – **15 hab** 385/645 – P 750/785.

⌂ Muriscot, N : 3 km ✉ Hostalets de Llers ℡ 24 37 06 Figueras, ⛱ – ▥ ☏ ⌂wc ☎ Ⓟ
58 hab.

AUSTIN-MG-MORRIS-MINI Rutlla 13 ℡ 24 13 07
CHRYSLER-SIMCA carret. Francia km 759 ℡ 24 37 69
CITROEN San Pablo 117 ℡ 24 15 20
FIAT-SEAT Vilallonga 15 ℡ 24 28 46
PEUGEOT pl. Victoria 12 ℡ 24 11 09
RENAULT José Antonio 147 ℡ 24 15 29

FIOBRE La Coruña – alt. 60.
Madrid 585 – **La Coruña 22** – Lugo 77 – Santiago de Compostela 61.

ⅩⅩ A Cabana, carret. del Pedrido ✉ Puente del Pedrido (Bergondo) ℡ 46 Carrio, ≤ ría de Betanzos – Ⓟ.

FITERO Navarra 990 ⑰, 42 ⑮ – 2 303 h. alt. 223 – ✆ 948.
Ver : Monasterio de Santa María la Real*.
Madrid 313 – **Pamplona 102** – Soria 84 – **Zaragoza 104.**

⌂ **Balneario G.A. Bécquer** ⛰, O : 4 km ✉ ℡ 77 61 00 Fitero, 🎾, ⛱ climatizada – |‡| ▥ ☏ ⌂wc ⌂wc ☎ Ⓟ. ✗ rest
15 junio-14 octubre – Com 200 – ☕ 50 – 201 hab 325/500 – P 650/725.

FONTE CULLER La Coruña – ⌂ ver La Coruña.

FONTIBRE Santander 990 ⑤ – alt. 881.
Madrid 362 – Palencia 133 – Reinosa 4 – **Santander 78.**

Ⅹ **Fontibre,** Nacimiento del Ebro ℡ 75 19 40 – Ⓟ. ✗
cerrado noviembre y miércoles en invierno – Com carta 230 a 435.

FORMENTERA Baleares 990 ㉘ ㉙, 43 ⑰ ⑱ – Ver Baleares.

FORMENTOR (Cabo de) Baleares 990 ㉚, 43 ⑳ – ⌂ ver Baleares (Mallorca).

El FORMIGAL Huesca 42 ⑱ – ⌂ a ⌂ ver Sallent de Gállego.

FORNELLS Baleares 990 ㉚, 43 ⑩ – Ⅹ ver Baleares (Menorca).

FORTUNA Murcia 990 ㉗ – 5 564 h. alt. 228.
Madrid 386 – **Alicante 93** – **Murcia 25.**

en la carretera de Pinoso N : 3 km – ✉ ℡ Balneario de Fortuna :

⌂ Balneario ⛰, ℡ 1, 🎾, ⛱ de agua termal – ▥ ☏ ⌂wc ⌂wc ☎ 🚗 Ⓟ
60 hab.

La FOSCA Gerona 43 ⑨⑩ – ⌂ ver Palamós.

FRAGA Huesca 990 ⑱, 43 ⑭ – 10 013 h. alt. 120.
Madrid 443 – Huesca 108 – **Lérida 27** – **Zaragoza 117.**

⌂ **Sorolla,** carret. N II ℡ 8 – ▥ ☏ ⌂wc ☎ Ⓟ
Com 140 bc – ☕ 39 – 30 hab 135/250 – P 375/385.

ⅩⅩ Casanova, carret. N II ℡ 45 – ▤ Ⓟ.

AUSTIN-MG-MORRIS-MINI Huesca ℡ 11 96
CHRYSLER-SIMCA av. de Madrid 46 - carret. N II ℡ 166
CITROEN av. Generalísimo 124 - carret. N II ℡ 285
RENAULT carret. N II km 434 ℡ 219
FIAT-SEAT av. de Madrid 24 - carret. N II ℡ 522

Los hoteles y restaurantes agradables se indican en la guía con un símbolo rojo.

Ayúdenos señalándonos los establecimientos en que, a su juicio, da gusto estar.

⌂ . . ⌂

ⅩⅩⅩⅩⅩ . . . Ⅹ

La FRANCA Oviedo – 𝟿𝟿𝟢 ⑤.

Madrid 437 – Gijón 114 – Oviedo 124 – Santander 81.

en la playa N : 1,2 km – ⊠ ☏ Colombres :

🏠 **Mirador de la Franca** ⟋, ☏ 100, ≼ playa – 🍴 ⌂wc 🄿. ⍝ rest
15 junio-15 septiembre – Com 225 – ⌸ 50 – 58 hab 275/470 – P 595/635.

FRÓMISTA Palencia 𝟿𝟿𝟢 ⑤⑯ – 1 372 h. alt. 780.

Ver : Iglesia de San Martín★★. **Alred.** : Villalcázar de Sirga (iglesia★ : portada★ Sur, sarcófagos★
NO : 13 km – Carrión de los Condes : Monasterio de San Zoilo (claustro★) – Iglesia de Sa
tiago (esculturas★).

Madrid 260 – Burgos 73 – Palencia 31 – Santander 172.

XX Hostería de los Palmeros, pl. Mayor ☏ 67.

FUENCARRAL Madrid 𝟿𝟿𝟢 ⑮ y ㊴ – XX ver Madrid.

FUENGIROLA Málaga 𝟿𝟿𝟢 ㉞
– 20 597 h. – Playa – Plaza
de Toros – ☯ 952.

Madrid 587 ① – Algeciras 110 ② –
Málaga 29 ①.

🏨🏨 **Las Palmeras,** paseo
Marítimo **(x)** ☏ 86 11
40, Telex 77202, ≼ mar,
⍝. ⍆. 🗀 – 🍽 🚗 🄿.
🛆. ⍝ rest
Com 400 – ⌸ 80 – **537
hab** 1 050/1 350 – P
1 415/1 790.

🏨🏨 **Pirámides,** Miguel Már-
quez **(a)** ☏ 86 16 41,
Telex 77315, ≼ mar, ⍝,
⍆ – 🍽 🚗 🄿. 🛆. ⍝
rest
Com 350 – ⌸ 80 – **320
hab** 900/1 150 – P
1 250/1 675.

🏨 **Florida** ⟋, paseo Marítimo **(b)** ☏ 86 18 47, ≼
mar, « Bonito jardín » –
🄿. ⍝
Com 250 – ⌸ 50 – **116
hab** 300/460 – P 655/
725.

🏠 **Sedeño,** Don Jacinto 1
(e) ☏ 86 17 78 – 🏢 🍴
⌂wc 🄸wc. ⍝
Com 120 – ⌸ 30 – 30
hab 160/250 – P 355/
390.

XXXX **Versalles,** paseo Marítimo **(s)** ☏ 86 23 67 –
🍽. ⍝
Com carta 540 a 840.

XX **La Perla,** paseo Marí-
timo 6 **(e)** ☏ 86 25 99,
Imitación del interior de un yate – ⍝
Com carta 480 a 630.

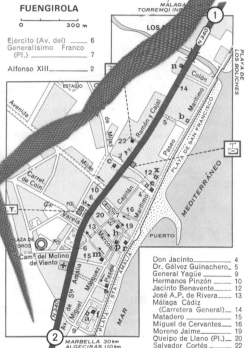

FUENGIROLA

0   300 m

Ejército (Av. del)	6
Generalísimo Franco (Pl.)	7
Alfonso XIII	2

Don Jacinto	4
Dr. Gálvez Guinachero	5
General Yagüe	9
Hermanos Pinzón	10
Jacinto Benavente	12
José A.P. de Rivera	13
Málaga Cádiz (Carretera General)	14
Matadero	15
Miguel de Cervantes	16
Moreno Jaime	19
Queipo de Llano (Pl.)	20
Salvador Cortés	22

XX **Fuengirola Playa,** paseo Marítimo **(t)** ☏ 86 25 45, ≼ mar
cerrado 7 noviembre al 15 diciembre y lunes – Com carta 235 a 345.

X **Casa de Bélgica,** José Moreno Jaime 10 **(h)** ☏ 86 25 83, Rest. belga – ⍝
cerrado 29 diciembre al 28 febrero y lunes – Com *(cena solamente)* carta 375 a 505.

X La Fragua, av. del Ejército **(c)**, edificio El Anda ☏ 86 31 86.

X **Sin Igual,** carret. N 340 **(n)** ☏ 86 20 69
cerrado 1 al 25 diciembre y martes – Com carta 270 a 400.

X El Caserío, pl. Nueva **(m)** ☏ 86 24 74.

X París, paseo Marítimo **(r)** ☏ 86 20 77.

X **Number 10,** Medina 10 **(p)** ☏ 86 18 38
cerrado miércoles – Com *(cena solamente)* carta 300 a 410.

sigue →

FUENGIROLA

en la carretera de Málaga :

en los Boliches – ⊠ ↗ Fuengirola :

🏨 **La Concha,** por ① : 2,5 km ↗ 86 19 48, « Agradable césped con ≼ mar », ⚜ – **ℚ**. ❀
Com carta 185 a 330 – ⌐ 60 – **62 hab** 215/580 – P 635/685.

🏨 **Angela,** paseo Marítimo NE : 2 km ↗ 86 34 45, Telex 77172, ≼ mar, ⚜ ⤢ – ▤ rest
🚗, ❀ rest
Com 250 – ⌐ 65 – **261 hab** 605/970 – P 860/980.

🏛 **Costabella,** General Mola 114 por ① : 1,5 km ↗ 86 16 07 – ▥. ❀
Com 145 – ⌐ 35 – 20 hab 160/290 – P 370/380.

🏛 Nevada, sin rest, Santa Gema 3 por ① : 1,5 km ↗ 86 27 68 – ▥ ☞ ⇔wc ▥wc
19 hab.

XX **Don Bigote,** Calvo Sotelo 39 por ① : 1,5 km ↗ 86 20 63, « Estilo rústico andaluz, bonito patio »
Com carta 300 a 510.

XX El Caballo Vasco, paseo Marítimo NE : 1,5 km ↗ 86 23 76, Cocina vasca.

XX **La Langosta,** Calvo Sotelo 1 por ① : 1,5 km ↗ 86 20 21 – ▤
cerrado diciembre al 10 enero – Com carta 315 a 530.

en Torreblanca por ① : 3 km – ⊠ ↗ Fuengirola :

🏨 **Torreblanca,** ⊠ apartado 24 ↗ 86 25 40, ≼ mar, ⤢ – **ℚ**. ❀ rest
15 marzo-12 diciembre – Com 265 – ⌐ 70 – **198 hab** 390/620 – P 820/900.

XX **Estrella de Torreblanca,** ↗ 86 23 40, ≼ mar, ⤢ – **ℚ**. ❀
15 marzo-15 diciembre – Com carta 230 a 450.

X **Cabaña del Sol,** ↗ 86 20 08, Decoración valenciana – **ℚ**
Com carta 255 a 390.

en Carvajal por ① : 4,5 km – ⊠ ↗ Fuengirola :

🏠 Easo, ↗ 86 13 22, ≼ mar – ▥wc **ℚ** – 29 hab.

en la carretera de Cádiz por ② : 1,5 km – ⊠ ↗ Fuengirola :

🏨 **Mare Nostrum,** ↗ 86 21 40, Telex 77226, ≼ mar, ⚜, ⤢ – ▤ 🚗 **ℚ**. ❀ rest
Com 325 ⤍ ⌐ 70 – **242 hab** 500/800 – P 900/1 000.

en Mijas Costa por ② :

XXX El Campanario ⑆, con hab, urbanización Sitio de Calahonda por ② : 13,5 km y desviación, 1,5 km ⊠ Fuengirola ↗ 83 13 17, « Instalado en un antiguo cortijo », ⚜, ⤢, ⤥ –
▥ ☞ ⇔wc ⌐ **ℚ**. ❀ rest
marzo-diciembre – Com 315 – ⌐ 70 – **10 hab** 745/1 215 – P 1 120/1 260.

X **Los Claveles,** urbanización los Claveles por ② : 8 km ⊠ Fuengirola, ≼ mar – **ℚ**
cerrado febrero y lunes – Com carta 250 a 450.

AUSTIN-MG-MORRIS-MINI Ramón y Cajal 20 ↗
86 16 59
CHRYSLER-SIMCA av. del Ejército ↗ 86 27 08

RENAULT García Morato 49 ↗ 86 11 99
SEAT carret. Cádiz km 218,3 ↗ 86 28 66

*Avise inmediatamente al hotel si no puede Vd. ocupar
la habitación que ha reservado.*

FUENTE DE Santander 🔢🔢🔢 ④⑤ – alt. 1 070.
Ver : Paraje**. Alred. : Mirador del Cable ❄** estación superior del teleférico.
Madrid 427 – Palencia 198 – Potes 25 – Santander 140.

🏨 **Parador del Río Deva M.I.T.** ⑆, alt. 1080, ⊠ Espinama ↗ 7 Camaleño, « Magnífica situación al pie de los Picos de Europa, ≼ valle y montaña » – 🚗 **ℚ**. ❀ rest
Com 315 – ⌐ 65 – **10 hab** 580/760 – P 695/895.

FUENTERRABIA Guipúzcoa 🔢🔢🔢 ⑦, 🔢 ⑤ – 10 471 h. – Playa – Plaza de toros – ◉ 943.
Alred. : Cabo Higuer* (≼*) NE : 4 km – Trayecto** de Fuenterrabía a Pasajes de San Juan por el Jaizkíbel : capilla de Nuestra Señora de Guadalupe ≼**, Hostal del Jaizkíbel ≼*, descenso a Pasajes de San Juan ≼*.
🛳 de San Sebastián, Jaizkíbel SO : 5 km.
✈ : ↗ 64 22 40 – Iberia y Aviaco : ver San Sebastián.
Madrid 489 – Pamplona 95 – St-Jean-de-Luz 18 – San Sebastián 20.

🏨 **Parador El Emperador M.I.T.** ⑆, pl. de Armas ↗ 64 21 40, ≼ estuario del Bidasoa, « Elegantemente instalado en un castillo medieval » – ❀ rest
Com 200 – ⌐ 60 – **16 hab** 455/600 – P 580/735.

🏨 **Guadalupe** ⑆, Ciudad de Peñíscola ↗ 64 16 50, ⤢ – ☞ ⇔wc ▥ ☏ **ℚ**. ❀ rest
15 mayo-septiembre – Com 290 – 35 hab 270/550 – P 765/770.

🏠 **Alvarez Quintero** sin rest, edificio Miramar 7 ↗ 64 22 99 – ☞ ⇔wc. ❀
23 marzo-septiembre – ⌐ 50 – **14 hab** 355/505.

🏛 Franco, av. Javier Ugarte 7 ↗ 64 17 43 – ⇔wc ☏ – temp. – 32 hab.

164

XX Abarka, av. General Mola ☏ 64 19 91, Decoración rústica vasca.

X **Aquarium,** Zuloaga 2 ☏ 64 27 93 – 🍽
abril-12 noviembre y martes excepto en alta temporada – Com carta 340 a 605.

X Kulluxka-zeria, San Pedro 23 ☏ 64 27 80, Decoración rústica vasca, Pescados y mariscos.

en el monte Jaizkíbel SO : 8 km :

XX **Hostal Provincial Jaizkíbel** 🦎 con hab, ⊠ apartado 13 ☏ 64 11 00 Fuenterrabía,
« Gran terraza con ❊ valle, estuario del Bidasoa, mar y montañas » – ▥ 🚽wc 🏧 ℗.
❊ rest
Com carta 375 a 635 – 🖵 55 – 13 hab 325/550 – P 735/785.

Las FUENTES (Urbanización) Castellón de la Plana – ♨♨, XXX ❊ ver Alcocéber.

FUENTES DE OÑORO Salamanca 🔢 ⑬ – 1 069 h. alt. 747 – Ver aduanas p. 14 y 15.

FUERTEVENTURA Las Palmas – Ver Canarias.

GALAPAGAR Madrid 🔢 ⑮ y ㉖ – 4 067 h. alt. 881 – 🔘 91.
Madrid 38 – El Escorial 14.

en la carretera C 505 S : 4,2 km – ⊠ Galapagar ☏ Madrid :

X Trinidad, ☏ 628 00 27, ≼ monte – ℗.

GANDÍA Valencia 🔢 ㉘ – 36 342 h. – Playa – 🔘 963 (6 cifras) ó 90 (7 cifras).
Madrid 418 – Albacete 170 – Alicante (por la costa) 116 – Valencia 68.

🏨 **Rexy,** Mayor 52 ☏ 87 11 51 – ▥ 🍽 🚽wc ▥wc 🏧
Com 175 – 🖵 40 – 33 hab 160/300 – P 450/460.

🏨 **Duque Carlos** sin rest y sin 🖵, Duque Carlos de Borja 38 ☏ 287 28 44 – ▥ 🍽 🚽wc ▥wc.
❊
28 hab 150/305.

🏨 **Vicmar** sin rest, av. Pío XI 55 ☏ 287 31 43 – ▤ ▥ 🍽 ▥wc 🏧. ❊
🖵 33 – **48 hab** 163/341.

X Marisquería As de Oros, Alcira 4 ☏ 87 30 21, Pescados y mariscos – 🍽 🔜 ℗.

en el puerto NE : 4 km – ⊠ Grao de Gandía ☏ Gandía :

X Taberna del Puerto, Reina 3 ☏ 84 04 10.

en la playa NE : 4 km – ⊠ Grao de Gandía ☏ Gandía :

♨♨ **Bayren I,** paseo de Neptuno ☏ 84 03 00, « Gran terraza con ≼ playa », 🏊 – 🍽 ℗. ❊ rest
Com 300 – 🖵 65 – **165 hab** 450/750 – P 950/1 050.

♨♨ **Madrid** 🦎, Castilla la Nueva ☏ 284 15 00, 🏊 – 🍽 rest ℗. ❊ rest
marzo-octubre – Com 300 – **108 hab** 425/675 – P 912/1 000.

♨♨ Los Robles 🦎, Formentera ☏ 84 21 00, ≼ mar y montaña, 🏊 – 🍽 rest 🔜 ℗
240 hab.

♨♨ **Tres Delfines** 🦎, playa del Duque ☏ 284 14 00, ≼ playa y montaña, « Bonito jardín con
césped », 🏊 – 🍽 rest ℗. ❊ rest
abril-octubre – Com 295 – 🖵 65 – **132 hab** 450/750 – P 905/980.

♨♨ Bayren II, sin rest, con snack-bar, Mallorca ☏ 84 03 00 – 🍽
temp. – **125 hab.**

🏨 **San Luis,** paseo Neptuno 6 ☏ 84 08 00, ≼ playa – ▤ ▥ 🍽 🚽wc 🏧 🔜. ❊ rest
Com 270 – 🖵 65 – **72 hab** 360/530 – P 795/890.

🏨 **Gandía Playa** 🦎, Asturias ☏ 84 13 00, 🏊 – ▤ ▥ 🍽 🚽wc 🏧. ❊ rest
marzo-octubre – Com 200 – 🖵 60 – 100 hab 300/600 – P 650/675.

🏨 **Mavi,** Legazpi ☏ 84 00 20 – ▤ ▥ 🍽 ▥wc. ❊
15 marzo-15 octubre – Com 210 – 🖵 45 – 30 hab 420 – P 550.

X Mesón de los Reyes, Mallorca 47 ☏ 84 00 78
temp.

en la carretera de Bárig NO : 14 km – ⊠ ☏ Bárig :

🏨 **Monte Monduber** 🦎, ☏ 29, ≼ valle y montañas, 🏊 – ▤ ▥ 🍽 🚽wc 🏧 ℗. ❊
Com 210 – 🖵 65 – **34 hab** 375/585 – P 743/825.

AUSTIN-MG-MORRIS-MINI, av. Pío XI 49 ☏ 87 45 67
CHRYSLER-SIMCA carret. de Valencia 29 ☏ 87 14 53
CITROEN carret. de Valencia ☏ 87 29 46

FIAT-SEAT San Rafael 22 ☏ 87 31 40
PEUGEOT García Morato 5 ☏ 87 13 26
RENAULT carret. de Valencia ☏ 87 22 19

GARGANTA – Ver al nombre propio de la garganta.

☞ *En esta Guía no hay ninguna publicidad de pago.*

GARRAF Barcelona 🔢🔢🔢 ⑲, 🔢🔢 ⑰ – ✪ 93.
Alred. : Costas de Garraf★ (carretera de Sitges a Castelldefels).
Madrid 612 – Barcelona 30 – Tarragona 65.

  🏠 **Del Mar** 🦐, San José 10 ☎ 894 11 22, ≼ mar – ⊟wc 🛁wc. ❅ rest
  20 mayo-20 octubre – Com 200/300 – ☷ 50 – 16 hab 250/500 – P 750.

GARRAY Soria 🔢🔢🔢 ⑯ – 🏠 ver Soria.

La GARRIGA Barcelona 🔢🔢🔢 ⑳, 🔢🔢 ⑱ – 6 558 h. alt. 258 – Balneario – ✪ 93.
Madrid 664 – Barcelona 34 – Gerona 86.

  🏨 **Baln. Blancafort** 🦐, Baños 55 ☎ 871 46 00, ❦, ⌁ climatizada – ▤ rest ☯. ⌕. ❅
  Com 295 – ☷ 70 – **50 hab** 370/685 – P 722/860.

  ✗ **Cabaña,** Casto Oliver 2 ☎ 871 40 46, ⌁ – ▤ ☯
  cerrado martes y noviembre – Com carta 325 a 550.

GARRUCHA Almería 🔢🔢🔢 ㉟ – 2 929 h. – Playa.
Madrid 510 – Almería 93 – **Murcia 135.**

  🏠 **Costablanca** sin rest y sin ☷, av. José Antonio 101 ☎ 239, ≼ mar – ☞ 🛁wc
  enero-septiembre – **26 hab** 130/295.

☞ *Utilize o Guia do ano corrente.*

GERONA ℗ 🔢🔢🔢 ⑳, 🔢🔢 ⑨ –
50 338 h. alt. 68 – ✪ 972.
Ver : Ciudad antigua★ : Cate-
dral★ (nave★★, retablo mayor★,
claustro★, tesoro★★ : Tapiz de
la Creación★★, comentario del
Apocalipsis★) – Ex colegiata
de San Félix (sarcófagos :
cacería de leones★) – Pasa-
relas ≼★.

🛫 de Gerona - Costa Brava
por ⑤ : 12,5 km ☎ 20 23 50 –
Iberia : Pl. Marqués de Campos 8 (z) ☎ 20 58 00.

M.I.T. Ciudadanos 12 ☎ 20 16 94 –
R.A.C.E. (Delegación del R.A.C. de
Cataluña) carretera de Barcelona 30
☎ 20 06 68.

Madrid 730 ③ – Barcelona 100 ⑤
– Manresa 145 ③ – Mataró 70 ③ –
Perpignan 88 ① – Sabadell 100 ③.

  🏨 **Ultonia** sin rest, Jaime I - 22 ☎ 20 38 50 –
🛗 ▥ ☞ ⊟wc ☎. ❅
☷ 60 – **45 hab** 300/
560.   **Y x**

  🏠 **Peninsular,** General Primo de Rivera 3 ☎
20 38 00 – 🛗 ▥ ⊟wc
🛁wc ☎   **Z u**
68 hab.

  🏠 **Europa** sin rest, Julio
Garreta 23 ☎ 20 27 50
– 🛗 ▥ ☞ ⊟wc 🛁wc
☎. ❅   **Z h**
☷ 50 – **26 hab** 180/380.

  🏠 **Condal** sin rest y sin
☷, Juan Maragall 10 ☎
20 44 62 – 🛗 ▥ ⊟wc
🛁wc. ❅   **Z p**
44 hab 170/275.

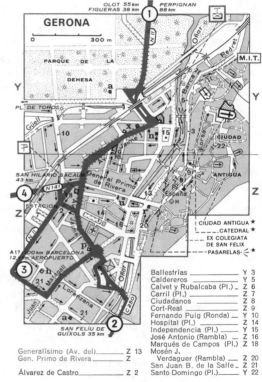

  ✗✗ Saratoga, San Juan Bau-
tista la Salle 15 ☎ 20 10 63 – ▤.   **Z a**

  ✗✗ Rosaleda, paseo de la Dehesa ☎ 20 10 68, ≼ parque – ▤ ☯.   **Y a**

  ✗ Casa Marieta, pl. Independencia 5 ☎ 20 10 16.   **Y n**

  ✗ Jaume I, Jaime I - 8 ☎ 20 50 98 – ▤.   **Y x**

  ✗ **Perich,** subida puente Isabel II - 3 ☎ 20 10 19   **Z r**
  cerrado 22 diciembre al 8 enero y lunes – Com carta 185 a 360.

en la carretera N II por ① : 2 km – ⊠ ⊅ Gerona :

🏨 **Costabella,** ⊅ 20 25 24 – |美| ▥ ▤ rest ☜ 🚾wc ☜ 🚗 **Ⓟ**. 🌿
Com 200 – ⊊ 60 – **22 hab** 200/425 – P 550/562.

en Sarriá de Ter por ① : 4 km – ⊠ Sarriá de Ter ⊅ Gerona :

🏨 Nord Gironi, José Antonio 5 ⊅ 20 74 04 – ▥ ☜ 🚾wc ☜ **Ⓟ**
24 hab.

en la carretera N II por ③ : 5 km – ⊠ Fornells de la Selva ⊅ Gerona :

🏨 **Fornells Park,** ⊅ 20 99 26, « Pinar », ⚓ – ▥ ▤ rest ☜ 🚾wc 🛁wc ☜ **Ⓟ**
Com 220 – ⊊ 65 – **37 hab** 310/510 – P 755/810.

en la carretera del aeropuerto por ③ : 12 km – ⊠ ⊅ Riudellots de la Selva .

🏨 **Ribot,** ⊅ 20, 🌿, ⚓ – ▥ ☜ 🚾wc **Ⓟ**. 🌿 rest
Com 175/225 – ⊊ 45 – 100 hab 180/390 – P 550/600.

AUSTIN-MG-MORRIS-MINI ronda San Antonio Ma
Claret 10 ⊅ 20 43 81
CHRYSLER-SIMCA Francisco Artau 3 - Grupo San
Narciso ⊅ 20 65 35
CITROEN carret. Barcelona 204 ⊅ 20 68 08

FIAT-SEAT carret. Santa Coloma ⊅ 20 91 00
FORD pl. Calvet y Rubalcaba 2 ⊅ 20 12 38
PEUGEOT ronda San Antonio María Claret 10 ⊅
20 28 24
RENAULT Ultonia 7 ⊅ 20 25 89

GIBRALTAR 990 ③④ – 29 000 h.
✈ Gibraltar Airways Ltd, Cloister
Buildings, Irish Town ⊅ 21 51.

Tourist Office Cathedral Square ⊅ 46 23.

Madrid 691 – Algeciras 24 – Málaga 133 –
Ronda 102.

A principios de 1975 no era
posible el acceso a Gibraltar
desde España.

No início de 1975 não era pos-
sível o acesso a Gibraltar a par-
tir de Espanha.

Au début de 1975, l'accès à
Gibraltar n'était pas possible à
partir de l'Espagne.

All'inizio del 1975 non era pos-
sibile accedere a Gibilterra
dalla Spagna.

Anfang 1975 war die Zufahrt
nach Gibraltar von Spanien aus
nicht möglich.

At the beginning of 1975 there
was no free access to Gibraltar
from Spain.

🏨 Rock H., 3 Europa Road (**d**) ⊅
34 56, ≤ puerto, estrecho y costa
española, « Terraza y jardín
con flores » ⚓ – ▤ hab **Ⓟ**
130 hab.

🏨 Caleta Palace 🏖, Catalan Bay
Road (**b**) ⊅ 46 32, ≤ mar, ⚓ –
▤ rest **Ⓟ**
173 hab.

🏨 Montarik, Main Street (**r**) ⊅
46 62 – |美| ▤ rest 🚾wc 🛁wc ☜
71 hab.

🏨 Mediterranean 🏖, Eastern
Beach Road (**a**) ⊅ 46 11, ≤
playa – |美| ▥ ☜ 🚾wc ☜
46 hab.

🏨 Queen's, Boyd Street 1 (**v**) ⊅ 34 38 – |美| ▥ ▤ hab 🚾wc ☜ – **60 hab.**

🏨 Bristol, 10 Cathedral Square (**u**) ⊅ 29 92, ⚓ – |美| ▥ 🚾wc 🛁 ☜
60 hab.

🍴🍴 Lotus House, 292 Main Street (**s**) ⊅ 51 53, Rest. chino – ▤.

🍴 Pizzeria, Main Street 22 (**n**) ⊅ 53 87.

Viage '' fora da época '';
Encontrará alojamento mais fàcilmente e será mais bem servido.

GIBRALTAR

0   500 m.

Main Street . _____ 4

Line Wall Road_____ 3
Prince Edward's Road 5
Queensway _____ 6

🚆 de Castiello SE : 6 km.

⚓ para Canarias : Cⁱᵃ Aucona, Muelle 2 ☎ 35 04 00, Telex 37372.

M.I.T. General Vigón 2 ☎ 34 11 67.

Madrid 464 ③ – Bilbao 289 ① – La Coruña 353 ③ – Oviedo 29 ③ – Santander 195 ①.

GIJÓN

0   300 m

Corrida	AY 10
Fernández Ladreda	AZ 16
Meléndez Valdés	AY 32
Moros	AY 33
San Bernardo	AYZ
Alférez Provisional (Gl.)	AZ 2
Alvarez Garaya	AY 3
Asturias	AY 4
Begoña (Paseo de)	AYZ 6
Campos Valdés	AX 7
Claudio Alvargonzález	AX 8
Covadonga	ABYZ 12
Enrique Cangas	AY 15
Fernández Vallín	AY 17
García Bernardo (Av.)	CY 18

General Aranda	AZ 19
Generalísimo (Pl. del)	AY 20
Instituto	AXY 22
José Antonio (Pl. de)	AY 23
Jovellanos	AY 24
Jovellanos (Pl. de)	AX 25
Liberación	CZ 27
Marqués de San Esteban	AY 28
Mayor (Pl.)	AX 30
Menéndez Pelayo	BYZ 31
Munuza	AY 34
Oscar de Glavarréa	AX 35
Perón (Av. de)	CYZ 36
Salle (Av. de la)	AX 38
San José (Paseo de)	AZ 40
Santa Doradia	BZ 41
Santa Lucía	AY 42
Subida al Cerro	AX 43
Vicaría	AX 44
6 de Agosto (Pl. del)	AYZ 46
18 de Julio	AY 48

🏨 Hernán Cortés, Fernández Vallín 5 ☎ 34 60 00 — AY **a**
109 hab.

🏨 Robledo, sin rest, Alfredo Trúan 2 ☎ 35 59 40 — AZ **u**
132 hab.

🏨 **Castilla,** Corrida 50 ☎ 34 62 00 – 🛗 🖥 🛁wc 🚿 ⚙. 🎬 — AY **r**
Com 180 – 32 hab 285/525 – P 415/430.

🏨 **León** sin rest, av. General Mola 7 ☎ 35 46 41 – 🛗 🖥 🍽 🛁wc 🚽wc ⚙. 🎬 — BZ **z**
🛏 30 – **36 hab** 205/340.

🍴🍴🍴 **Parador del Molino Viejo M.I.T.** 🌳 con hab, Parque Isabel la Católica ☎ 35 49 45,
« Reproducción de un antiguo molino asturiano junto al parque » – 🖥 🍽 🛁wc ⚙ 🅿.
🎬 rest   por av. de Perón CY
Com 280 – 🛏 60 – **6 hab** 515.

🍴🍴 Bella Vista, av. García Bernardo, El Piles ☎ 34 42 38, ← bahía de Gijón – 🅿. — CY **e**

🍴🍴 Faro del Piles, av. García Bernardo, El Piles ☎ 35 30 96, ← bahía de Gijón – 🅿. — CY

🍴🍴 Mirador, Gregorio Marañón 2 ☎ 34 75 21. — CZ **s**

✕ **Mercedes,** 18 de Julio 6 ☏ 35 01 39   AY **x**
Com carta 300 a 475.

✕ **El Trole,** Alvarez Garaya 6 ☏ 35 00 48   AY **n**
Com carta 245 a 445.

AUSTIN-MG-MORRIS-MINI Ezcurdia 78 ☏ 35 72 43
CHRYSLER-SIMCA av. General Mola 58 ☏ 32 07 76
CITROEN av. Galicia 55 ☏ 32 23 00
CITROEN carret. N 630 ☏ 35 59 46

FIAT-SEAT Magnus Blikstad ☏ 35 07 06
PEUGEOT av. F. Ladreda 19 ☏ 34 11 13
RENAULT Mariano Pola 12 ☏ 32 21 50

GOMERA Santa Cruz de Tenerife – Ver Canarias.

GRADO Oviedo 🅟🄶🄾 ④ – 13 990 h. alt. 47 – ⊙ 985.
Madrid 461 – Oviedo 26.

✕✕ **Los Archiduques,** El Parque ☏ 75 00 15
Com carta 195 a 455.

en Vega de Anzo carretera de Oviedo E : 7 km – ⊠ Vega de Anzo ☏ Grado :

✕✕ **Luan,** ☏ 75 00 26, ⇐ valle y montaña – ℗. ✸
cerrado lunes – Com carta 200 a 325.

CHRYSLER-SIMCA paseo Vista Alegre ☏ 75 03 83
RENAULT La Recta ☏ 75 02 78

SEAT av. Galicia 46 ☏ 75 05 07

GRANADA 🅟 🄶🄾🄾 ⊛ – 190 429 h. alt. 682 – Plaza de toros – ⊙ 958 – Deportes de invierno en la Sierra Nevada : 2 ⚞ 7 ⚟.

Ver : Emplazamiento** – Alhambra*** (bosque*, Puerta de la Justicia*) : Alcázar*** (⇐*), jardines y torres de la Alhambra**, Alcazaba* (※**), museo Hispano-musulmán (jarrón*) – Generalife** – Capilla Real** (sepulcros**, sacristía**, reja*, retablo*) – Catedral (capilla Mayor*) – Cartuja* (sacristía**) – San Juan de Dios* – Albaicín (terraza de la iglesia de San Nicolás ※***). **Excurs. :** Sierra Nevada (pico de Veleta**) SE : 55 km.

✈ de Granada por ④ : 13 km ☏ 27 34 00 – Iberia : Gran Vía de Colón 20 AX ☏ 22 59 51.
M.I.T. Casa de los Tiros ☏ 22 10 22.
Madrid 432 ① – Málaga 126 ④ – Murcia 284 ② – Sevilla 257 ④ – Valencia 519 ①.

Planos páginas siguientes

en la ciudad :

🏨 **Luz Granada,** av. Calvo Sotelo 34 ☏ 23 58 00, Telex 78424, ⇐ ciudad, Alhambra y Sierra
Nevada – 🚇 ⇔ ℗. ✸   AU **a**
Com 415 – ☲ 90 – **157 hab** 715/1 065 – P 1 243/1 425.

🏨 Meliá Granada, Angel Ganivet 5 ☏ 22 74 00, Telex 78429 – 🚇   AY **n**
221 hab.

🏨 **Carmen** sin rest. con snack-bar, José Antonio 62 ☏ 25 83 00 – 🚇 ⇔   AZ **a**
☲ 90 – **69 hab** 750/1 200.

🏨 **Brasilia** sin rest, Recogidas 7 ☏ 22 74 48 – 🚇. ✸   AY **r**
☲ 75 – **68 hab** 425/725.

🏨 **Los Angeles,** Escoriaza 17 ☏ 22 14 24, ⤳ – 🚇 ℗   CZ **f**
Com 240 – ☲ 70 – **100 hab** 400/690 – P 895/950.

🏨 **Rallye,** paseo de Ronda 97 ☏ 27 28 00 – 🛗 🏢 🚇 rest 🕾 ⇐wc 🝙wc ☎ ⇔. ✸ rest T **v**
Com 230 – ☲ 58 – **44 hab** 300/485 – P 640/700.

🏨 **Kenia,** Molinos 65 ☏ 22 75 07, « Casa de estilo andaluz, con terraza y jardín » – 🏢 🕾
⇐wc 🝙wc ☎   CZ **p**
Com 265 – ☲ 70 – **19 hab** 295/570 – P 760/770.

🏨 **Montecarlo,** av. José Antonio 44 ☏ 22 55 75 – 🛗 🏢 🚇 rest 🕾 ⇐wc 🝙wc ☎.
✸ rest   AZ **u**
Com 225/300 – ☲ 55 – 63 hab 285/425 – P 575/645.

🏨 **Anacapri** sin rest, Joaquín Costa 7 ☏ 22 55 62 – 🛗 🏢 🕾 ⇐wc 🝙wc ☎. ✸   BX **c**
☲ 60 – **32 hab** 330/500.

🏨 **Macía** sin rest, pl. Nueva 4 ☏ 22 76 36 – 🛗 🏢 🕾 ⇐wc 🝙wc ☎. ✸   BX **a**
☲ 37 – **42 hab** 250/352.

🏨 **Sudán,** av. José Antonio 60 ☏ 22 35 00 – 🛗 🏢 🚇 rest 🕾 ⇐wc 🝙wc ☎ ⇔. ✸ rest
Com 250/300 – ☲ 50 – 73 hab 375/760 – P 700/820.   AZ **v**

🏨 **Inglaterra,** Cetti Merien 4 ☏ 22 15 58 – 🛗 🏢 🕾 ⇐wc 🝙wc ☎. ✸ rest   BX **s**
Com 190 – ☲ 50 – 44 hab 200/400 – P 650.

🏨 **Universal,** Recogidas 16 ☏ 22 34 10 – 🛗 🏢 🚇 rest 🕾 ⇐wc 🝙 ☎   AYZ **m**
Com 215/265 – ☲ 50 – 55 hab 230/400 – P 545/575.

🏨 **Sacromonte** sin rest, pl. del Lino 1 ☏ 22 75 95 – 🛗 🏢 🕾 ⇐wc 🝙wc ☎. ✸   AY **e**
☲ 50 – **60 hab** 205/360.

🏨 **Faisanes,** Gran Capitán 1 ☏ 23 44 08 – 🛗 🏢 🚇 rest 🕾 ⇐wc 🝙wc ☎   AX **q**
Com 200 – ☲ 42 – 36 hab 205/375 – P 563/580.

sigue →

GRANADA

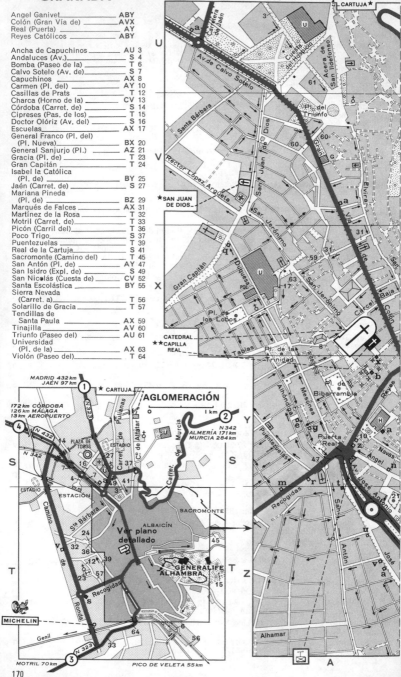

MICHELIN

170

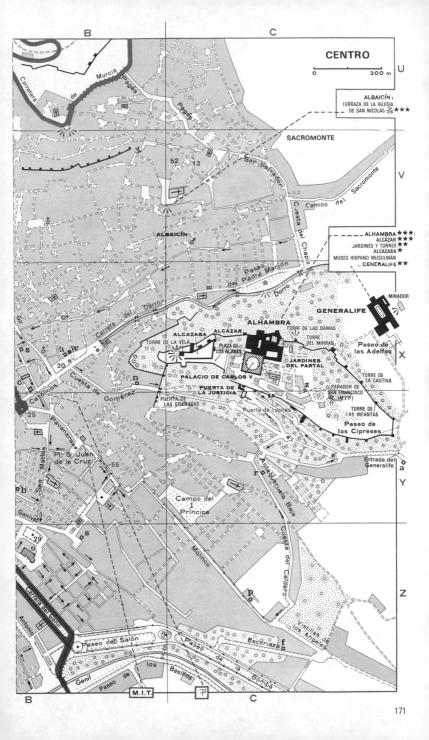

CENTRO

0   200 m

U

B

C

Carretera de Murcia

Pagés

ALBAICÍN:
TERRAZA DE LA IGLESIA
DE SAN NICOLAS ✳ ★★★

SACROMONTE

52   13

San Salvador

Camino del Sacromonte

V

Cuesta del Chapiz

ALBAICÍN

ALHAMBRA ★★★:
ALCÁZAR ★★★
JARDINES Y TORRES ★★
ALCAZABA ★
MUSEO HISPANO MUSULMÁN ★★
GENERALIFE ★★

Paseo del Padre Manjón

Carrera del Darro

Dorro

GENERALIFE

MIRADOR

ALHAMBRA
Torre de las Damas

20

Cuesta de Gomérez

ALCAZABA   ALCÁZAR
TORRE DE LA VELA
PLAZA DE
LOS ALJIBES
PALACIO DE CARLOS V

TORRE
DEL MIHRAB

Paseo de
las Adelfas

X

JARDINES
DEL PARTAL

TORRE DE
LA CAUTIVA

Católicos

25

PUERTA DE
LAS GRANADAS

PUERTA DE
LA JUSTICIA

PARADOR DE
SAN FRANCISCO (M.I.T.)

TORRE DE
LAS INFANTAS

Pevaneres

Puerta de coches

Paseo de
los Cipreses

Pl. S. Juan
de la Cruz

55

San Matías

Ganivet

Antequeruela Baja

Entrada del
Generalife

a

Y

29

Campo del
Príncipe

Cuesta del Caldero

Carrera del Genil

Antonio

Molinos

Vistillas de
los Ángeles

Z

Escoriaza

Paseo del Salón

Paseo de los

Paseo de la Bomba

Genil   Paseo de   Basilios

M.I.T.

B

C

171

- 🏨 **Carlos V,** 4º piso, pl. de los Campos 10 �🕾 22 15 87 – |🕭| ⅢⅡ ➔wc ☎. ⅌ rest   BZ **s**
  Com 180 – ☷ 50 – 29 hab 205/425 – P 527/735.

- 🏨 **Niza,** Navas 16 �🕾 22 54 30 – ⅢⅡ ▤ rest ⬚ ➔wc ▥wc ☎   BY **b**
  Com 200 – ☷ 40 – 25 hab 160/360 – P 480/500.

- 🏨 **Perla,** Reyes Católicos 2 �🕾 22 34 15 – |🕭| ⅢⅡ ⬚ ▥wc ☎. ⅌   AY **z**
  Com 175 – ☷ 39 – 59 hab 205/350 – P 460/490.

- 🏨 **Hispania,** 5º piso, sin rest y sin ☷, Puerta Real 1 �🕾 22 34 25 – |🕭| ⅢⅡ ➔wc ▥wc ☎.
  ⅌   AY **z**
  19 hab 155/310.

- 🏨 **Atenas,** 1º piso, sin rest, Gran Vía de Colón 38 �🕾 27 87 50 – |🕭| ⅢⅡ ➔wc ▥ ☎   AV **a**
  ☷ 35 – **28 hab** 155/360.

- 🍴 **Nieves,** Sierpe Baja 5 �🕾 22 75 85 – ⅢⅡ ➔wc ▥ ☎   AY **g**
  Com 125 – ☷ 25 – 24 hab 125/300 – P 350.

- 🍴 **California,** cuesta de Gomérez 37 �🕾 22 40 56 – ➔ ▥   BX **n**
  cerrado 15 diciembre al 15 enero – Com 140 – ☷ 35 – 10 hab 125/240 – P 380/385.

- 🛇🛇🛇 **Torres Bermejas,** pl. Nueva 5 �🕾 22 24 22 – ▤   BX **w**
  Com carta 360 a 580.

- 🛇🛇 **Sevilla,** Oficios 14 �🕾 22 44 04, Rest. típico andaluz – ▤. ⅌   AXY **x**
  Com carta 305 a 485.

- 🛇🛇 **Alcaicería,** Barrio de la Alcaicería �🕾 22 43 41, Decoración típica – ▤   AY **b**
  Com carta 205 a 385.

- 🛇🛇 **Mesón Las Vidrieras,** Recogidas 59 �🕾 25 27 85 – ▤   T **s**
  Com carta 265 a 425.

- 🛇 **Mariscos,** 1º piso, Escudo del Carmen 25 ⬚ 22 34 26 – ▤   AY **a**
  Com carta 220 a 440.

- 🛇 **Los Leones,** av. José Antonio 10 ⬚ 22 64 38 – ▤   AYZ **t**
  cerrado martes – Com carta 195 a 385.

en la Alhambra :

- 🏰 **Parador de San Francisco M.I.T.** ◐, Alhambra ⬚ 22 14 93, « Instalado en el antiguo
  convento de San Francisco (siglo XV), bonito jardín con ≼ Generalife, Albaicín y Sacromonte » – ▤ ◐. ⅌ rest   CY
  Com 350 – ☷ 65 – **26 hab** 685/880 – P 790/1 035.

- 🏰 **Guadalupe** ◐, Alhambra ⬚ 22 34 23 – ▤ ◐. ⅌ rest
  Com 245 – ☷ 60 – **44 hab** 395/640 – P 787/862.

- 🏨 **América,** Real de la Alhambra 53 ⬚ 22 74 71 – ⅢⅡ ⬚ ➔wc ▥ ☎. ⅌   CXY **z**
  marzo-15 noviembre – Com 175 – ☷ 45 – 15 hab 200/350 – P 490/515.

- 🍴 **Manuel de Falla,** Antequeruela Baja 4 ⬚ 22 75 45 – ⅢⅡ ➔wc ▥wc ☎. ⅌   CY **r**
  15 marzo-octubre – Com 160 – ☷ 40 – 14 hab 160/295 – P 427/440.

en la carretera de Madrid por ① : 3 km – ✉ ⬚ *Granada :*

- 🏨 **Camping Motel Sierra Nevada,** ⬚ 23 25 04, ⅌, ⌇ – ⅢⅡ ▤ rest ⬚ ➔wc ▥wc ◐
  Com *(cerrado lunes de octubre a marzo)* 190 bc – ☷ 20 – **24 hab** 225/475 – P 625/640.

en la carretera de Sierra Nevada SE : 22 km – T *:*

- 🏨 **El Nogal** ◐, alt. 1 680, ✉ ⬚ 21 Sierra Nevada, ≼ montaña, ⌇ – ⅢⅡ ⬚ ➔wc ▥wc ☎ ◐
  Com 190 – ☷ 45 – 37 hab 230/420 – P 550/570.

en la Sierra Nevada – T *– Deportes de invierno : 2 ⋜ 7 ⅌ – ✉ ⬚ Sierra Nevada :*

- 🏰 **Sol y Nieve** ◐, SE : 34,5 km, alt. 2 080, ⬚ 1, ≼ Sierra Nevada y valle, ⅌, ⌇ – ➔ ◐
  Com 300 – ☷ 50 – **70 hab** 495/740 – P 920/1 045.

- 🏰 **Parador Sierra Nevada M.I.T.** ◐, SE : 35,5 km, alt 2500, ⬚ 11, ≼ Sierra Nevada y
  valle – ➔ ◐. ⅌ rest – Com 285 – ☷ 60 – **32 hab** 375/630.

S.A.F.E. Neumáticos MICHELIN, Sucursal, Camino de Ronda 26 ⬚ 25 27 29 y 25 70 62.

AUSTIN-MG-MORRIS-MINI camino de Ronda 93   FIAT-SEAT camino de Ronda 95 ⬚ 23 40 09
⬚ 23 54 48   FIAT-SEAT carret. Pinos-Puente km 439 ⬚ 23 40 03
CHRYSLER-SIMCA camino de Ronda 125 ⬚ 23 48 09   PEUGEOT Cisne 5 ⬚ 23 31 00
CITROEN av. Calvo Sotelo 79 ⬚ 23 42 07   RENAULT camino de Ronda 97 ⬚ 27 28 50
CITROEN carret. N 432 km 3 ⬚ 27 67 50

GRAN CANARIA Las Palmas – Ver Canarias.

La GRANJA (o SAN ILDEFONSO) Segovia 𝟿𝟿𝟶 ⑮ y ㉙ – 4 164 h. alt. 1 192.
Ver : Palacio (museo de tapices★★) – Jardines★★ (surtidores★★).
Madrid 77 – Segovia 11.

- 🛇 **Mesón Mariben,** Cuartel Nuevo 2 ⬚ 301 – ⅌
  Com *(cerrado miércoles)* carta 265 a 345.

GRANOLLERS Barcelona 990 ②, 48 ⑱ – 30 066 h. alt. 148 – ✪ 93.
Madrid 645 – Barcelona 29 – Gerona 77 – Manresa 65.

XX Farín, Gerona 68 ⏚ 870 20 07 – 🍽.
X Layon, pl. Cuartel 23 ⏚ 870 10 18.

en la carretera N 152 SO : 5 km – ⊠ ⏚ Llissá de Vall :

XX Els Xops, ⏚ 64 – 🍴 🅿.

AUSTIN-MG-MORRIS-MINI Poniente 54 ⏚ 870 17 52
CHRYSLER-SIMCA carret. Puigcerdá km 33 ⏚
870 51 50
CITROEN Jorge Camp 40 ⏚ 870 06 66
FORD av. Generalísimo 160 ⏚ 870 53 00

RENAULT Alfonso IV-25 ⏚ 870 24 23
RENAULT carret. Puigcerdá km 25 ⏚ 870 08 00
SEAT-FIAT A. Clavé 65 ⏚ 870 30 54
SEAT-FIAT carret. La Roca ⏚ 870 18 62

GRAUS Huesca 990 ⑱, 48 ④ – 3 335 h. alt. 468.
Alred.: Roda de Isábena (enclave* montañoso – Catedral : sepulcro de San Ramón*) NE : 25 km.
Madrid 484 – Huesca 87 – Lérida 86.

⚒ **Lleida,** arboleda de Joaquín Costa ⏚ 30 – 🏢 🛁wc 🚿wc 🛏. ✺ rest
Com 150 bc/205 bc – 🍷 40 – 27 hab 150/350 – P 495/500.

AUSTIN-MG-MORRIS-MINI carret. de Benasque 1
⏚ 143
CHRYSLER-SIMCA Muro 1 ⏚ 100

CITROEN Mártires 12 ⏚ 160
RENAULT Mártires 4 ⏚ 114
SEAT Mártires 14 ⏚ 61

GREDOS Ávila 990 ⑭ – alt. en el Parador : 1 650.
Ver : Emplazamiento**. Alred. : Hoyos del Collado (carretera del Barco de Ávila ≼*) O :
10 km – Carretera del puerto del Pico* (≼*) SE : 18 km.
Madrid 169 – Ávila 59 – Béjar 78.

EL GROVE Pontevedra 990 ①② – 8 537 h. – ✪ 986.
Madrid 648 – Pontevedra 31 – Santiago de Compostela 71.

🏠 Angelito, sin rest, av. González Besada ⏚ 151 – 🏢 🍴 🛁wc 🚿wc – *temp.* – **20 hab.**
X **Casa Pepe,** av. González Besada ⏚ 73 02 35,´≼ ría, Pescados y mariscos – ✺
Com carta 180 a 325.

en Reboredo SO : 3 km – ⊠ El Grove :

🏠 **Bosque-Mar** ⑊, carret. de San Vicente – 🍴 🛁wc 🅿. ✺
junio-septiembre – Com 250 – 🍷 50 – 18 hab 285/440 – P 640/705.

SEAT Agreira ⏚ 229

GUADALAJARA ℙ 990 ⑯ y ⑩ – 31 917 h. alt. 679 – Plaza de toros – ✪ 911.
R.A.C.E. (Delegación) Marqués de Villaverde 2 - 7° ⏚ 21 13 92.
Madrid 57 – Aranda de Duero 162 – Calatayud 180 – Cuenca 138 – Teruel 246.

🏠 **España** sin rest, Teniente Figueroa 3 ⏚ 21 13 03 – 📶 🏢 🛁wc 🚿wc 🅿. ✺ rest
🍷 45 – **33 hab** 170/340.
XX **El Ventorrero,** López de Haro 10 ⏚ 21 22 51, Interior rústico castellano – 🍽. ✺
cerrado 15 julio al 1 agosto y jueves – Com carta 190 a 385.
X **La Murciana,** Miguel Fluiters 21 ⏚ 21 30 11, Decoración rústica – 🍽
cerrado viernes y del 16 al 30 enero – Com carta 210 a 340.

en la carretera de circunvalación – ⊠ ⏚ Guadalajara :

🏨 **Pax** ⑊, ⏚ 22 18 00, ≼ campo y colinas cercanas, ✿, 🏊, – 🍴 rest 🛏 🅿. 🛁. ✺ hab
Com 280 – 🍷 55 – **61 hab** 275/475 – P 807/845.
XX **Mesón Hernando,** ⏚ 22 27 67, 🏊 de pago, Decoración castellana – 🍴 🅿. ✺
cerrado miércoles – Com carta 290 a 550.
X Los Faroles, ⏚ 21 30 32, Decoración castellana – 🅿.

AUSTIN-MG-MORRIS-MINI carret. Zaragoza 36 ⏚ 22 05 46
CHRYSLER-SIMCA Travesía de Madrid 6 ⏚ 21 31 50
CITROEN Francisco Aritlo 10 ⏚ 21 17 43
FIAT-SEAT Polígono del Balconcillo - parcela 63 ⏚ 21 31 58

PEUGEOT Travesía de Madrid 18 ⏚ 21 17 18
RENAULT Polígono del Balconcillo, Parcela
49 ⏚ 21 17 38

GUADALUPE Cáceres 990 ㉔ – 3 069 h. alt. 640.
Ver : Carretera de subida a Guadalupe ≼* – Pueblo* – Monasterio** : sacristía** (cuadros de
Zurbarán**), camarín*, claustro mudéjar (museo de bordados**, lavabo*).
Madrid 239 – Cáceres 129 – Mérida 129.

🏨 **Parador de Zurbarán M.I.T.** ⑊, Marqués de la Romana 10 ⏚ 75, « Instalado con elegancia en un edificio del siglo XVI, bonito jardín », 🏊 – 🅿. ✺ rest
cerrado provisionalmente hasta el verano – Com 280 – 🍷 60 – **20 hab** 375/515 –
P 537/655.

🏨 **Hospedería Real Monasterio** ⑊, pl. Poniente ⏚ 1, Instalada en el antiguo monasterio –
🏢 🍴 🛁wc 🚿wc 🍽 🅿. ✺ rest
Com 225 – 🍷 50 – **38 hab** 300/450 – P 625/700.

GUADARRAMA Madrid 🏙 ⑮ y ㉝ – 4 312 h. alt. 965 – ✪ 91.
Alred. : Puerto de Guadarrama (o Alto de los Leones) ✽*, ≼* NO : 7 km.
Madrid 48 – Segovia 42.

en la carretera N VI SE : 4,5 km :

XX **Miravalle** con hab, ⊠ Guadarrama ☎ 620 03 00 Villalba – 📶 ☞ ➚wc 🐕 **P**. ✾
Com 200 – ☲ 50 – **12 hab** 220/425 – P 563/570.

AUSTIN-MG-MORRIS-MINI carret. de La Coruña km 48 ☎ 624 11 53

GUADARRANQUE Cádiz – X ver San Roque.

GUADIARO Cádiz 🏙 ㉞ – alt. 107 – ✪ 956.
Madrid 670 – Algeciras 27 – **Cádiz 148** – Málaga 112.

X **Bernardo** con hab, carret. N 340 ⊠ ☎ 79 21 32 Sotogrande – ☞ ➚wc **P**. ✾ hab
Com *(cerrado martes y 1 al 16 octubre)* carta 135 a 325 – ☲ 25 – 8 hab 130/240 –
P 340/350.

en la carretera N 340 E : 3 km – ⊠ Estepona ☎ Sotogrande :

🏨 **Patricia,** Torreguadiaro ☎ 79 23 00, ≼ mar y peñón de Gibraltar – 📶 ☞ ➚wc 🛁wc 🐕
P. ✾ rest
Com 200 – ☲ 50 – **56 hab** 250/500 – P 630.

X Agustino, Torreguadiaro ☎ 79 29 85, ≼ mar y peñón de Gibraltar.

GUADIX Granada 🏙 ㉟ – 19 840 h. alt. 949.
Ver : Catedral* (fachada*) – Barrio de los cuevas*. Alred. : Carretera** de Guadix a Purullena
– Purullena (pueblo troglodita*) NO : 7 km – Lacalahorra (castillo* : patio**) SE : 17 km.
Madrid 438 – Almería 112 – Granada 59 – Murcia 225 – Úbeda 119.

🏠 **Mulhacén,** carret. de Murcia 43 ☎ 42 – 📶 ☞ ➚wc 🛁wc ⟿ **P**
Com 150 – ☲ 30 – **40 hab** 120/300 – P 380/410.

🏠 **Comercio,** Mira de Amezcua 3 ☎ 2 – 📶 ➚wc 🛁 🐕
Com 160/190 – ☲ 44 – 22 hab 175/334 – P 448/460.

CHRYSLER-SIMCA carret. Granada ☎ 331   RENAULT carret. Granada ☎ 380
FIAT-SEAT Granada km 226 ☎ 551

La GUARDIA Pontevedra 🏙 ①, 🚗 ⑪ – 8 501 h. alt. 40.
Alred. : Monte de Santa Tecla* (≼*) S : 3 km – Carretera* de La Guardia a Bayona.
Madrid 641 – Orense 129 – Pontevedra 72 – **Porto 148** – Vigo 53.

en la playa de Camposancos S : 3,7 km.

🏠 Molino ≋, ⊠ La Guardia ☎ 16 Camposancos, ≼ río Miño y Portugal – sólo agua fría
➚wc 🛁wc **P** – *temp.* – 52 hab.

en el monte Santa Tecla S : 3 km – ⊠ ☎ La Guardia :

🏨 **Pazo Santa Tecla** ≋, ☎ 3, ≼ río Miño y Portugal – 📶 ☞ ➚wc
abril-octubre – Com 250 bc – ☲ 45 – 32 hab 300/360 – P 650.

AUSTIN-MG-MORRIS-MINI av. República Domini-   CITROEN prolongación República Dominicana ☎ 151
cana 8 ☎ 115   y 296
                                                SEAT carret. Tuy ☎ 196

GUARROMÁN Jaén 🏙 ㉘ – 3 060 h. alt. 360.
Madrid 283 – Córdoba 117 – Jaén 52 – Valdepeñas 82.

X **Jumá II** con hab, carret. N IV, NE : 2,2 km ☎ 12 – 📶 🍽 rest ☞ ➚wc 🐕 **P**. ✾
Com carta 195 a 380 – ☲ 45 – **23 hab** 135/440 – P 555/640.

GUERNICA Y LUNO Vizcaya 🏙 ⑥, 🚗 ③④ – 14 678 h. alt. 10 – ✪ 944.
Alred. : N : Ría de Guernica* – Cueva de Santimamiñe (formaciones calcáreas*) NE : 5 km –
Balcón de Vizcaya ≼** SE : 18 km – Carretera de Bermeo ≼*.
Madrid 425 – Bilbao 35 – San Sebastián 90 – Vitoria 68.

X **Arrien,** El Ferial 2 ☎ 85 10 07
Com carta 335 a 495.

RENAULT carret. Guernica-Amorebieta km 1,5 ☎ 85 08 15

Para los 🏨🏨, 🏨, 🏨, no detallamos su instalación,   ➚wc 🛁wc
puesto que estos hoteles tienen generalmente   ☞
toda clase de confort.   🐕 🛗

174

GUETARIA Guipúzcoa 🆚 ④ – 2 633 h. – ☉ 943.

Alred. : Carretera en cornisa** de Guetaria a Zarauz.

Madrid 483 – Bilbao 77 – Pamplona 104 – San Sebastián 22.

✗ Kaia, General Arnao 10 ♈ 85 16 93, ≼ mar y costa, Decoración rústica.

al Suroeste : 2 km por carretera N 634 – ⊠ ♈ Guetaria :

⌖ **San Prudencio** ⌂, ♈ 85 10 51, ≼ campo y mar – ℗. ✵ hab
cerrado noviembre al 3 enero – Com 180 – ☲ 49 – 12 hab 180/360 – P 480.

GUIMAR Santa Cruz de Tenerife – 🏨 ver Canarias (Tenerife).

HARO Logroño 🔢 ⑥, 🆚 ⑬ – 8 460 h. alt. 479 – ☉ 941.

Madrid 333 – Burgos 91 – Logroño 42 – Vitoria 43.

🏨 Conde de Haro ⌂, sin rest, con snack bar, paseo del Pardo ♈ 31 17 00, ≼ valle y montañas – 🛗 ▥ ☞ ⌂wc ▥ – 51 hab.

✗ **Terete,** General Franco 26 ♈ 31 00 23, Rest. típico – ✵
cerrado 16 octubre al 13 noviembre – Com carta 290 a 405.

CHRYSLER-SIMCA pl. Calvo Sotelo ♈ 31 06 01   RENAULT av. José Antonio ♈ 31 04 41
CITROEN Santa Lucía 14 ♈ 31 07 46   SEAT-FIAT carret. de Logroño ♈ 31 02 38

HERMIDA (Desfiladero de la)** Santander 🔢 ⑤.

☞ *Neste guia não há publicidade paga.*

La HERRADURA Granada – Playa – ☉ 958.

Alrod. : Carretera** de La Herradura a Nerja ≼**.

Madrid 530 – Almería 140 – Granada 98 – Málaga 78.

en la carretera de Málaga O : 2 km :

🏠 **Buena Vista** sin rest y sin ☲, urbanización San Antonio ⊠ apartado 158 Almuñécar
♈ 64 03 95 Granada, ≼ bahía y La Herradura – ⌂wc ℗
cerrado noviembre – **11 apartamentos** 600.

HERRERA DE PISUERGA Palencia 🔢 ⑤ – 2 693 h. alt. 840.

Madrid 301 – Burgos 68 – Palencia 72 – Santander 131.

en la carretera N 611 – ⊠ ♈ Herrera de Pisuerga :

🏠 **Piedad,** ♈ 111 – ▥ ⌂wc ▦ ℗. ✵
Com 150 bc/225 bc – ☲ 40 – **27 hab** 110/275 – P 450/478.

SEAT carret. de Santander km 81 ♈ 191

HONRUBIA DE LA CUESTA Segovia 🔢 ⑮ – 217 h. alt. 1 001.

Madrid 141 – Aranda de Duero 19 – Segovia 98.

en la carretera N I - en el Miliario del Caudillo S : 4 km – ⊠ ♈ Honrubia de la Cuesta :

✗✗ Mesón Campanas, con bungalows, ♈ 1, Decoración rústica regional – ▥ ☞ ⌂wc ▦ ℗
7 bungalows.

HORCHE Guadalajara 🔢 ⑯ – 1 296 h. alt. 900.

Madrid 68 – Guadalajara 12.

en la carretera de Sacedón NE : 2 km – ⊠ Guadalajara ♈ Horche :

✗ Fuensanta, ⊠ apartado 97 ♈ 22, ≼ valle, ☱ de pago – ℗.

HOSPITALET DEL INFANTE Tarragona 🔢 ⑲, 🆚 ⑮ – ☉ 977.

Madrid 584 – Castellón de la Plana 157 – Tarragona 38 – Tortosa 53.

🏨 **Infante** ⌂, General Mola 24 ♈ 82 30 00, ≼ mar – 🛗 ▥ ☞ ⌂wc ▦ ℗. ✵ rest
15 marzo-septiembre – Com 200 – ☲ 50 – 71 hab 250/400 – P 550/650.

en Miami Playa N : 2 km – ⊠ Miami Playa :

🏨 **Montaña,** ♈ 82 30 01 Hospitalet del Infante – ☞ ⌂wc ▥wc ▦ ℗
abril-octubre – Com 192 – ☲ 55 – 24 hab 242/440 – P 553/605.

🏠 **Tropicana,** av. Generalísimo, ☱ – ▥ ☞ ▥wc ℗. ✵ rest
cerrado noviembre – Com 150 – ☲ 45 – 34 hab 180/270 – P 435/480.

✗ **Montmartre - Chez Gagarine** – ℗
cerrado noviembre y miércoles – Com carta 185 a 410.

✗ **Normandie,** ≼ mar – ✵
mayo-septiembre – Com carta 220 a 430.

FIAT-SEAT carret. Valencia-Miami Playa ♈ 82 30 04   RENAULT carret. Valencia km 217 ♈ 82 30 89

175

HOSTALRICH Gerona **43** ⑱ – 1 912 h. alt. 189.
Madrid 692 – Barcelona 62 – Gerona 41.

XXX **Fortaleza,** El Castillo ⏣ 101, « Instalado en la antigua fortaleza, interior rústico » – **P**. ⛾
Com carta 275 a 550.

HUELVA **P** **990** ⊛, **37** ⑩ – 96 689 h. – Plaza de toros – ◉ 955.
M.I.T. Gran Vía 3 - Gobierno Civil ⏣ 21 52 53.

Madrid 631 – Badajoz 307 – Faro (por Ayamonte) 103 – Mérida 283 – **Sevilla 93.**

Luz Huelva **M** sin rest, av. Sundheim 26 ⏣ 22 00 00, Telex 75527 – ▤. ⛾
☐ 70 – **106 hab** 605/1 010.

Tartessos, sin rest, av. Martín Alonso Pinzón 13 ⏣ 21 67 00 – ▤
82 hab.

Costa de la Luz sin rest, José María Amo 8 ⏣ 21 58 08 – 🛗 ▥ ⛾ ⏣wc 🛁wc ☎. ⛾
☐ 55 – **35 hab** 325/450.

XX La Cinta, General Primo de Rivera 25 ⏣ 21 32 11 – ▤.

XX Montana, Cardenal Cisneros 8 ⏣ 21 62 74 – ▤.

X Victor, Rascón 35 ⏣ 21 70 35.

AUSTIN-MG-MORRIS-MINI paseo de las Palmeras 25 ⏣ 21 64 23
CHRYSLER-SIMCA carret. Sevilla km 637,1 ⏣ 22 12 46
CITROEN carret. Sevilla km 637,5 ⏣ 22 71 00
FIAT-SEAT av. Portugal 4 ⏣ 21 35 44
RENAULT av. Italia 4 ⏣ 21 39 06

HUESCA **P** **990** ⑱, **42** ⑱, **43** ③ – 33 185 h. alt. 466 – Plaza de toros – ◉ 974.
Ver : Catedral* (retablo**) – Museo provincial* (colección de primitivos*) – Iglesia de San Pedro el Viejo (claustro*) – Carretera* de Huesca a Sabiñánigo.
Alred. : Embalse de Arguis* (carretera*) N : 22 km por C 136 – Castillo de Loarre** (❀**) por ③ : 27 km.
M.I.T. Coso Alto 35 ⏣ 21 25 83.

Madrid 397 ② – Lérida 120 ① – Pamplona 163 ③ – Pau 210 ③ – Tortosa 267 ② – Zaragoza 71 ②.

HUESCA
0   200 m

Coso Alto

Ainsa	2
Castilla	3
Cavia	4
Cortes (las)	5
Cuatro Reyes (los)	6
Desengaño	7
Fueros de Aragón (Pl. de los)	8
Galicia (Porches de)	9
General Alsina (Av. del)	10
General Lasheras	12
Goya	13
López Allue (Pl. de)	14
Manuel Artero (Av.)	15
Misericordia (Ronda de la)	16
Monreal (Av.)	17
Moyá	18
Mozárabes (Trav.)	19
Navarra (Pl. de)	20
Palma	21
Pedro IV	22
Peligros	23
Quinto Sertorio	24
San Jorge	25
San Juan Bosco	26
San Pedro (Pl. de)	27
San Salvador	28
Santo Ángel de la Guarda	29
Santo Domingo (Pl. de)	30
Tarbes	31
Unidad Nacional	32
Universidad (Pl. de la)	33
Zaragoza	35
18 de Julio (Pl.)	36

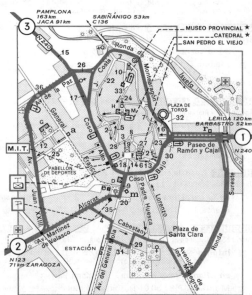

Pedro Iº de Aragón, General Franco 34 (a) ⏣ 22 03 00 – ▤ rest **P**
Com 280 bc – ☐ 55 – **52 hab** 325/515 – P 753/820.

El Pequeñin, Berenguer 6 (m) ⏣ 21 23 63 – ▥ ▤ rest ⛾ ⏣wc 🛁wc ☎ ⇔. ⛾
Com 190 – ☐ 45 – 46 hab 200/350 – P 500/650.

Mirasol, 1º piso, sin rest, paseo Ramón y Cajal 29 (r) ⏣ 22 37 60 – ▥ ⛾ ⏣wc
13 hab.

XX Casino Oscense, pl. de Navarra 7 (e) ⏣ 21 10 28.

176

AUSTIN-MG-MORRIS-MINI Alcampel 10 ☎ 21 11 13
CHRYSLER-SIMCA, FORD zona Industrial - calle
Alcampel 4 - carret. Zaragoza ☎ 21 18 52
CITROEN zona Industrial - calle Alcubierre ☎
21 29 49

FIAT-SEAT pl. San Antonio 41 ☎ 21 11 96
RENAULT zona Industrial calle Almudevar 18 carret.
Zaragoza ☎ 22 01 50

IBI Alicante 990 ⓪ – 13 916 h. alt. 800 – ○ 965.
Madrid 383 – Alcoy 17 – Alicante 57.

   ⌂ **Plata,** San Roque 1 ☎ 55 06 00 – |≡| ▥ ▤ ⇔wc ▥wc ☎. ❄
      Com 130 – ⊒ 40 – 30 hab 130/240 – P 350/360.

SEAT carret. Alcoy-Yecla ☎ 736

IBIZA Baleares 990 ㉙, 43 ⑰⑱ – Ver Baleares.

ICOD DE LOS VINOS Santa Cruz de Tenerife – Ver Canarias (Tenerife).

IGUALADA Barcelona 990 ⑲, 43 ⑰ – 27 941 h. alt. 315 – ○ 93.
Madrid 563 – Barcelona 67 – Lérida 93 – Tarragona 94.

   ✗ **Granja Plá,** 1º piso, tambla San Isidoro 12 ☎ 883 00 10 – ❄
      cerrado última semana de julio y primera semana de agosto – Com carta 255 a 465.

      en la carretera de circunvalación – ⊠ ☎ Igualada :

   ⌂ **América,** ☎ 883 10 00 – |≡| ▥ ▤ ▤ ⇔wc ▥wc ☎ ⓟ. ⚐. ❄ hab
      Com 290 bc – ⊒ 65 – **46 hab** 400/800 – P 950.

   ⌂ **Canaletas,** ☎ 883 27 50 – ▥ ▥wc ☎ ⓟ. ❄
      Com (cerrado miércoles) 150 bc/175 bc – ⊒ 30 – 68 hab 125/270 – P 460/480.

AUSTIN-MG-MORRIS-MINI Torre 75 ☎ 883 29 38
CHRYSLER-SIMCA av. Balmes 5 ☎ 883 18 50
CITROEN travesía exterior km 556,3 ☎ 883 15 50

FIAT-SEAT travesía exterior km 556,5 ☎ 883 06 04
FORD Torre 75 ☎ 883 10 86
RENAULT carret. N II km 556,9 ☎ 883 27 08

IGUELDO (Monte) Guipúzcoa 990 ⑥, 42 ④.
Ver : ❄★★★.
Madrid 476 – San Sebastián 4.

ILLESCAS Toledo 990 ⑮ y ㉙ – 4 246 h. alt. 588.
Ver : Iglesia del convento de la Caridad (cuadros del Greco★).
Madrid 37 – Toledo 33.

      en la carretera N 401 NE : 5 km – ⊠ ☎ Illescas :

   ✗✗✗ José Luis, ☎ 227, « Magnífico conjunto de estilo español » – ▤ ⓟ.

ILLETAS Baleares 43 ⑩ ⌂, ⌂ ver Baleares (Mallorca) : Bendinat (Costa de).

INFIESTO Oviedo 990 ④ – alt. 150.
Madrid 444 – Oviedo 47 – Santander 158.

   ✗ Tamanaco, con hab, Martínez Agostí 10 ☎ 138 – ▥ ⇔wc ▥wc – 10 hab.

CHRYSLER-SIMCA carret. General ☎ 117   SEAT San Miguel ☎ 167

IRÚN Guipúzcoa 990 ⑦, 42 ⑤ – 45 060 h. alt. 20 – ○ 943 – Ver aduanas p. 14 y 15.
Alred. : Ermita de San Marcial ❄★★ SE : 3 km.
   ⌂ ☎ 61 12 56.
M.I.T. Puente Santiago ☎ 61 22 22 y en la estación del Norte ☎ 61 15 24.
Madrid 487 – Bayonne 35 – Pamplona 91 – San Sebastián 17.

   ⌂ **Alcázar y Rest. Jantokia,** av. Francia 11 ☎ 61 18 04 – |≡| ▥ ▤ ⇔wc ☎ ⓟ
      Com 300 – ⊒ 75 – **54 hab** 425/775 – P 825/905.

   ⌂ Lara, paseo de Colón 73 ☎ 61 22 03 – |≡| ▥ ▥ ☎
      19 hab.

   ⌂ **Términus,** Estación del Norte ☎ 61 11 49 – ▥ ▤ ⇔wc ▥wc. ❄ hab
      Com 225 – ⊒ 45 – 18 hab 225/490 – P 600/650.

   ✗ Antxon, pl. San Juan 1 ☎ 61 50 19 – ▤.

AUSTIN-MG-MORRIS-MINI Mártires de Guadalupe 21
☎ 61 74 02
CHRYSLER-SIMCA Alto de Arreche ☎ 61 64 43

CITROEN Pinar 2 ☎ 61 21 61
FIAT-SEAT Mayor 50 ☎ 61 33 35
RENAULT av. Navarra 11 ☎ 61 21 85

ISABA Navarra 990 ⑦, 42 ⑦ – 664 h. alt. 813 – ○ 948 – Ver aduanas p. 14 y 15.
Alred. : S : Valle del Roncal★ – SE : Carretera★ del Roncal a Ansó.
Madrid 478 – Huesca 131 – Pamplona 97.

   ⌂ Isaba ❄, ☎ 89 30 00 Roncal, ≤ montañas – ⓟ – temp. – **50 hab.**

   ✗ Lola, 1º piso, con hab, Mendichaga 17 ☎ 89 30 12 Roncal – ▤ rest – 26 hab.

ISLA – Ver a continuación y al nombre propio de la isla.

ISLA Santander 990 ⑤, 42 ② – Playa – ❸ 942.
Madrid 423 – Bilbao 80 – Santander 46.

> *en la playa* E : 3 km – ⊠ ⚓ Isla :

> 🏠 Beni-Mar 🏖, ⚓ 63 03 47, ≼ cala – 🛏wc 🚿wc ❷
> 18 hab.

> ✗ Astuy y Resid. Rosario 🏖, con hab, ⚓ 63 02 50, ≼ cala – 🛏 🍽 🛏wc ❷
> **16 hab.**

> ✗ Piscina, ⚓ 63 02 50, ⅃
> *temp.*

La ISLA Murcia – 🏠, ✗ ver Puerto de Mazarrón.

ISLA CRISTINA Huelva 990 ②, 37 ⑩ – 14 271 h.
Madrid 676 – Beja 138 – Faro 69 – Huelva 46.

> 🏨 **Mary-Nina** 🏖 sin rest, por la carretera de la playa 1 km ⚓ 58 – 🛏 🍽 🛏wc 🚿wc 🅿️ ❷.
> 🍴 rest
> ⊐ 45 – **24 hab** 320/500.

> 🏠 Gran Vía, sin rest y sin ⊐, Gran Vía 10 ⚓ 421 – 🛏 🚿wc
> 19 hab.

> 🏠 Maty 🏖, sin rest y sin ⊐, Catalanes 7 ⚓ 125
> **17 hab.**

ISTÁN Málaga – 1 546 h. – ❸ 952.
Madrid 639 – Algeciras 94 – Málaga 81.

> ✗ El Barón, ⊠ Istán ⚓ 88 00 39 Marbella, « Terraza con ≼ valle y montañas »

JACA Huesca 990 ⑧, 42 ⑦, 43 ②③ – 11 134 h. alt. 820 – ❸ 974.
Ver : Catedral (capiteles historiados*). **Alred. :** Monasterio de San Juan de la Peña : Paraje** (≼**), Monasterio de Abajo : Claustro* (capiteles**) SO : 28 km – Santa Cruz de la Serós* SO : 13 km.
M.I.T. pl. Calvo Sotelo ⚓ 36 00 98.
Madrid 488 – Huesca 91 – Oloron-Ste-Marie 87 – **Pamplona 110.**

> 🏩 Gran Hotel, paseo del Generalísimo Franco 1 ⚓ 36 09 00, 🍴, ⅃ – 🚗 ❷. 🍴 rest
> **80 hab.**

> 🏠 **Mur,** Santa Orosia 1 ⚓ 36 01 00 – 🛏 🛏wc 🚿 📞. 🍴 rest
> Com 190/240 – ⊐ 45 – 58 hab 180/380 – P 520/550.

> ✗✗ **Somport,** av. Primo de Rivera 1 ⚓ 36 00 46 – 🍽
> *abril-octubre* – Com carta 310 a 420.

AUSTIN-MG-MORRIS-MINI San Marcos ⚓ 36 19 93
CHRYSLER-SIMCA paseo Miral 23 ⚓ 36 08 93
CITROEN av. Regimiento Galicia ⚓ 36 15 95

FIAT-SEAT av. de la Jacetania 3 ⚓ 36 01 42
FORD av. de Francia 9 ⚓ 36 01 91
RENAULT av. Zaragoza 7 ⚓ 36 07 44

JAÉN 🅿 990 ③ – 78 156 h. alt. 574 – Plaza de toros – ❸ 953.
Ver : Museo provincial* (colecciones arqueológicas*, mosaico*) – Catedral (sillería*, museo*) – Alameda de Calvo Sotelo ≼* BZ – Capilla San Andrés (capilla de la Purísima Concepción**).
Alred. : Castillo de Santa Catalina (carretera* de acceso, 🌟*) O : 4 km.
M.I.T. Arquitecto Bergés 3 ⚓ 22 27 37.
Madrid 335 ① – Almería 234 ② – Córdoba 108 ③ – Granada 97 ② – Linares 53 ① – Úbeda 57 ②.

Plano página siguiente

> 🏨 **Rey Fernando,** pl. Coca de la Piñera 5 ⚓ 21 18 40 – 🛗 🛏 🍽 rest 🍽 🛏wc 🚿wc ❷ 🚗. 🍴
> Com 225 – ⊐ 50 – **36 hab** 325/580 – P 715/750.
> BYZ **a**

> 🏨 **Xauen** sin rest, pl. Deán Mazas 3 ⚓ 23 40 91 – 🛗 🛏 🍽 🛏wc 🚿
> ⊐ 70 – **35 hab** 385/620.
> ABZ **s**

> 🏨 **Nervión** sin rest, Madre Soledad Torres Acosta 3 ⚓ 23 46 88 – 🛗 🛏 🍽 🛏wc 🚿wc 🚗. 🍴
> ⊐ 55 – **42 hab** 280/490.
> ABZ **r**

> 🏨 **Reyes Católicos** sin rest, av. de Granada 1 ⚓ 22 22 50 – 🛗 🛏 🍽 🛏wc 🚿wc 🚗. 🍴
> 28 hab 240/420.
> BZ **b**

> 🏨 **Europa** sin rest, con snack-bar, pl. Belén 1 ⚓ 22 27 00 – 🛗 🛏 🍽 🍽 🛏wc 🚿wc 🚗. 🍴
> **36 hab** 330/550.
> BZ **b**

> ✗✗ **Jockey Club,** av. Generalísimo Franco 20 ⚓ 21 10 18 – 🍽
> Com carta 275 a 520.
> BYZ **e**

> ✗ **Mesón Nuyra,** pasaje Nuyra, ⚓ 23 41 17, Decoración rústica
> Com carta 195 a 495.
> BZ **n**

sigue →

en la carretera N 323 :

🏨 **La Yuca** sin rest, por ② : 5 km ⊠ apartado 117 ☎ 23 35 23 Jaén – 🏢 ☞ ⇌wc 🛁wc 🖭 🅿. 🕸 rest
⛱ 55 – **23 hab** 325/500.

✗ **Ruta del Sol,** por ① : 4 km ⊠ ☎ 21 10 02 Jaén – 🍴 🅿. 🕸
Com carta 250 a 285.

AUSTIN-MG-MORRIS-MINI av. Granada 45 ☎ 23 39 52
CHRYSLER-SIMCA carret. de Madrid km 332 ☎ 21 13 30
CITROEN carret. Madrid km 332,6 ☎ 21 21 24
PEUGEOT av. de Madrid 15 ☎ 23 20 27
RENAULT carret. de Granada km 336 ☎ 22 18 37
SEAT-FIAT Polígono Los Olivares

JAIZKIBEL (Monte) Guipúzcoa **42** ⑤ – 🏋 con hab, ver Fuenterrabía.

JARABA Zaragoza **990** ⑯⑰ – 462 h. alt. 759 – Balneario.
Madrid 230 – Calatayud 37 – Zaragoza 126.

🏨 Baln. Sicilia ⥾, ☎ 3, « Gran parque », 🕸, ⚊ – ☞ ⇌wc 🛁wc 🖭
temp. – 70 hab.

JARANDILLA DE LA VERA
Cáceres **990** ⑭ – 3 039 h. alt. 660.
Madrid 212 – Cáceres 133 – Plasencia 54.

🏰 **Parador Carlos V - M.I.T.** ⥾, ☎ 98, « Elegantemente instalado en un castillo feudal » 🖭. 🕸 rest
Com 280 – ⛱ 60 – **23 hab** 310/515.

🏨 Jaranda, prolongación de Calvo Sotelo ☎ 267, ≤ campo – 🏢 ☞ ⇌wc 🛁wc 🖭 – 25 hab.

🏠 **Marbella,** prolongación de Calvo Sotelo ☎ 277, ≤ campo – 🏢 🛁wc 🖭. 🕸
Com 150 bc – ⛱ 25 – 10 hab 125/250 – P 325.

☛ Pas de publicité payée dans ce guide.

JÁVEA Alicante **990** ㉘ – 7 130 h.
Alred. : Cabo de San Antonio★ (≤★) N : 5 km – Cabo de la Nao★ (≤★) SE : 10 km.
Madrid 459 – Alicante 89 – Valencia 109.

en el puerto E : 1,5 km :

🏨 **Jávea** sin rest, Aduanas del Mar 5 ☎ 110 – ☞ ⇌wc 🛁wc 🖭
junio-septiembre – ⛱ 58 – **21 hab** 175/425.

✗ Mediterráneo, Aduanas del Mar 7 ☎ 297.

en la carretera del Cabo de la Nao – ⊠ ☎ Jávea :

🏋🏋🏋 **Club La Guardia,** urbanización El Tosalet SE : 7 km ☎ 78 82 22 – 🍴 🅿. 🕸
Com carta 325 a 550.

🏋🏋 El Faro, urbanización Balcón al Mar SE : 11 km – 🅿.

🏋🏋 **Gourmet de Jávea,** partida Roig SE : 1 km ☎ 778 – 🅿
cerrado miércoles y 1 al 20 noviembre – Com carta 285 a 490.

JAÉN

MADRID 335 km
BAILÉN 39 km

0   300 m

ESTACIÓN

CÓRDOBA 108 km
MARTOS 24 km

GRANADA 97 km
ÚBEDA 57 km

M.I.T.

N 323

CAPILLA DE SAN ANDRÉS
★ MUSEO PROVINCIAL
CASTILLO DE STA CATALINA

PARQUE DE LA VICTORIA

PLAZA DE TOROS

Alameda de Calvo Sotelo

LA ALCANTARILLA

CATEDRAL

Bernabé Soriano	BZ 10		Madre Soledad	
Espartería (Dr. Civera)	AZ 13		Torres Acosta	ABZ 18
Maestra	AZ 19		Martínez Molina	AZ 20
Virgen de la Capilla	BZ 33		Merced Alta	AZ 21
			Muñoz Garnica	BZ 22
Adarves Bajos	BZ 2		Obispo Stúñiga	AY 23
Álamos	AZ 4		Ruiz Jiménez (Av. de)	BY 24
Almendros Aguilar	AZ 6		San Andrés	AY 26
Arquitecto Berges	AY 8		San Clemente	AZ 27
Batallas (Pl. Las)	ABY 9		San Francisco (Pl.)	AZ 28
Coca de la Piñera (Pl.)	BZ 12		San Ildefonso (Empedrada de)	BZ 29
Granada (Avenida de)	BZ 14		Santa María (Pl.)	AZ 30
José Antonio (Plaza de)	BZ 15		Virgen de la Cabeza	BY 32

179

en la playa del Arenal SE : 4 km – ⊠ ☏ Jávea :

🏛 **Parador de la Costa Blanca M.I.T.** ⌕, ☏ 250, ≤ playa y mar, « Hermoso jardín con césped y palmeras », ⤙ – ▤ ⇔ **ℙ**. ※ rest
Com 315 – ⊡ 65 – **60 hab** 580/785 – P 708/895.

✗ **Capricho** – ※
cerrado 6 enero al 6 marzo y martes en invierno – Com carta 235 a 410.

JAVIER Navarra 990 ⑦, 42 ⑯, 43 ① – 173 h. alt. 475 – ✪ 948.

Alred. : Sangüesa (iglesia de Santa María la Real* : portada sur*) SO : 7 km – Sos del Rey Católico (iglesia de San Esteban* : sillería**, coro*) S : 20 km.

Madrid 423 – Jaca 69 – Pamplona 51.

✗ **El Mesón** ⌕ con hab, Explanada ☏ 88 40 35 – ▥ ⌒wc. ※
marzo-10 diciembre – Com carta 250 a 395 – ⊡ 45 – 8 hab 145/282 – P 430/462.

☛ *En la primavera de 1976, esta guía quedará sin vigencia.*
Compre la nueva edición.

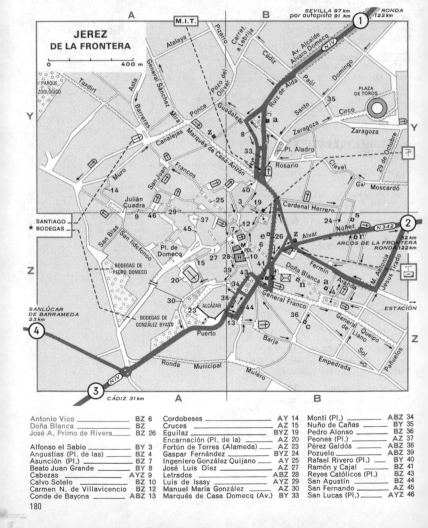

JEREZ DE LA FRONTERA Cádiz 990 ③ – 149 867 h. alt. 55 – Plaza de toros – ● 956.

Ver : Bodegas* – Iglesia de Santiago (portada*).

🏎 de Jerez, por la carretera N IV ① : 11 km – base aérea ☏ 34 55 35.

M.I.T. alameda Cristina ☏ 34 20 37 – **R.A.C.E.** (A.C. de Jerez) zona residentcal "Los Naranjos", bloque 11 ☏ 34 19 21.

Madrid 602 ② – Antequera 214 ② – Cádiz 31 ③ – Écija 151 ② – Ronda 122 ② – Sevilla 91 ①.

Plano página anterior

🏨 **Jerez** Ⓜ 😊, av. Alcalde Álvaro Domecq 41 ☏ 33 06 00, Telex 72698, « Bonito jardín con 🌳 » – 🗐 **Ⓟ**. 🏊 por ①
Com 375 – 🗜 75 – **64 hab** 650/1 000 – P 1 175/1 325.

🏨 **Cisnes** sin rest, José Antonio 25 ☏ 33 28 00, « Jardín y patio con flores » BZ **e**
🗜 50 – **61 hab** 410/700.

🏨 **Mica** sin rest, Higueras 7 ☏ 34 07 00 – 🗐 🍴 🚻wc 🛁wc 🅰. 🏊 BZ **a**
🗜 36 – **38 hab** 235/420.

🏨 **Motel Aloha** sin rest, con snack-bar, carret. de circunvalación ☏ 33 25 00, 🏊 – 🛏 🗐 🍴 🚻wc **Ⓟ** por carret. a Lebrija y av. Municipa BY
🗜 55 – **27 hab** 480/600.

🏨 **El Coloso** sin rest y sin 🗜, Pedro Alonso 13 ☏ 34 90 08 – 🛏 🍴 🚻wc 🛁wc 🅰. 🏊 BZ **c**
25 hab 180/350.

🏨 **Ávila** sin rest y sin 🗜, 18 de Julio 3 ☏ 33 16 62 – 🛏 🍴 🚻wc 🛁 🅰. 🏊 BZ **r**
31 hab 185/310.

🏨 **Garage Centro**, sin rest y sin 🗜, Doña Blanca 10 ☏ 34 34 43 – 🛏 🚻wc 🛁wc 🅰 🚗 – **23 hab.** BZ **n**

🏨 Gover, sin rest y sin 🗜, Honsario 6 ☏ 33 26 00 – 🚻wc 🛁 🅰 BZ **o**
20 hab.

XXX **El Corzo** con snack-bar, av. Ruiz de Alda 12 ☏ 34 34 82 – 🗐. 🏊 BY **a**
Com carta 290 a 375.

XX El Bosque, av. Alcalde Álvaro Domecq por ① : 1,5 km ☏ 34 48 19 – 🗐.

XX **San Francisco** con snack-bar, pl. Esteve 2 ☏ 34 49 14 – 🗐. 🏊 BZ **x**
Com carta 190 a 385.

XX El Colmado, 1º piso, Alvar Muñez 1 ☏ 34 48 48 – 🗐. BZ **z**

X Gaitán, Gaitán 3 ☏ 34 58 59. AY **z**

X El Porvenir, carret. de circunvalación por ① : 3 km ☏ 34 39 09.

AUSTIN-MG-MORRIS-MINI carret. Cádiz ☏ 34 92 00
CHRYSLER-SIMCA carret. Cádiz ☏ 34 90 00
CITROEN av. Fernando Portillo ☏ 34 63 30

FIAT-SEAT carret. Madrid km 633,9 ☏ 34 22 48
PEUGEOT Ronda de Mulero 12 ☏ 34 46 63
RENAULT Martín Ferrador ☏ 33 23 54

JUBIA La Coruña 990 ②.

Madrid 605.– La Coruña 56 – El Ferrol del Caudillo 8 – Lugo 97.

🏨 Tomás, sin rest, carret. N VI ☏ 40 – 🛏 🍴 🚻wc 🅰 🚗.

XX Casa Tomás, carret. N VI ☏ 48, ≤ ría de El Ferrol del Caudillo, Pescados y mariscos – **Ⓟ**.

XX **Casa Paco**, carret. N VI ☏ 39, ≤ ría de El Ferrol del Caudillo – **Ⓟ**. 🏊
Com carta 280 a 660.

La JUNQUERA Gerona 990 ②, 48 ⑨ – 1 964 h. alt. 112 – ● 972 – Ver aduanas p. 14 y 15.

Madrid 779 – Figueras 19 – Gerona 54 – Perpignan 37.

🏨 **Puerta de España**, carret. N II ☏ 54 01 20, ≤ montaña – 🛏 🍴 🚻wc 🅰 **Ⓟ**. 🏊 hab
Com 210 – 🗜 60 – **26 hab** 280/480 – P 645/685.

🏨 **Goya** sin rest, con self-service, carret. N II ☏ 54 00 77, ≤ montaña – 🛏 🍴 🚻wc **Ⓟ**
🗜 39 – **35 hab** 195/345.

en la carretera de circunvalación – ✉ ☏ La Junquera :

🏨 Frontera. ☏ 63 – 🛏 🚻wc 🛁wc 🅰 🚗 **Ⓟ**
28 hab.

🏨 **Junquera** sin rest, con snack-bar, ☏ 54 01 00 – 🛏 🍴 🚻wc 🅰 **Ⓟ**
🗜 49 – **28 hab** 200/345.

en la carretera N II S : 5 km – ✉ ☏ Campmany :

🏨 **Mercé Park H.**, ☏ 23, ≤ río y montaña – 🛗 🛏 🍴 🚻wc 🛁wc 🅰 **Ⓟ**
Com 230 – 🗜 55 – **48 hab** 315/520 – P 695/750.

LAGUARDIA Alava 990 ⑥, 42 ⑭ – 1 696 h. alt. 653 – ● 945.

Alred. : Balcón de la Rioja 🌲* NO : 12 km.

Madrid 351 – Burgos 130 – Logroño 16 – Vitoria 66.

XX Samaniego 😊, con hab, plazuela de San Juan 9 ☏ 10 00 50, « Casa señorial de estilo rústico » – 🛏 🍴 🚻wc 🅰
9 hab.

La LAGUNA Santa Cruz de Tenerife – ※※ ver Canarias (Tenerife).

LANJARON Granada 990 ㉟ – 4 398 h. alt. 720 – Balneario.·
Ver : Emplazamiento*.
Madrid 479 – Almería 131 – Granada 47 – Málaga 145.

 血 **Andalucía,** av. Generalísimo 15 ℡ 15, « Parque florido », 🛌 – 🛗 ☞ 🚾 🎹🚾 ☎.
 ஜ rest
 15 junio-septiembre – Com 250/280 – ⬜ 60 – **61 hab** 250/450 – P 665/690.

 血 **Miramar,** av. Generalísimo 10 ℡ 9 – ☞ 🚾 🎹🚾 ☎ ⇦. ஜ
 julio-septiembre – Com 330 – ⬜ 100 – **47 hab** 420/740 – P 910/960.

 🏠 **Castillo,** General Rodrigo ℡ 120 – ☞ 🎹🚾
 temp. – 40 hab.

 🏠 **Royal,** Cabo Moreno 28 ℡ 16 – ☞ 🚾
 Com 160 – ⬜ 38 – 27 hab 160/286 – P 418/445.

LANZAROTE Las Palmas – Ver Canarias.

LAREDO Santander 990 ⑥, 42 ② – 10 260 h. – Playa – ◎ 942.
Alred. : Santuario de Nuestra Señora la Bien Aparecida ⁂* SO : 18 km.
Madrid 426 – Bilbao 58 – Burgos 184 – Santander 49.

 血 **Cosmopol,** av. Victoria ℡ 60 54 00, ⪅ playa – 🛗 ☞ 🚾 ☎ ℗. ஜ
 Semana Santa-15 septiembre – Com 300 – ⬜ 55 – 60 hab 600/760 – P 915/1 135.

 🏠 **Cortijo** 🐾, González Gallego 3 ℡ 60 56 00 – ☞ 🛏 🎹 ☎. ஜ rest
 15 junio-15 septiembre – Com 190 bc/250 bc – ⬜ 40 – 22 hab 230/380 – P 495/525.

 🏠 **Ramona,** alameda José Antonio 4 ℡ 60 50 80 – 🎵 ☞ 🚾 🎹🚾. ஜ
 cerrado 20 octubre al 30 noviembre – Com 175/215 – ⬜ 45 – 13 hab 140/300 – P 480/500.

 🦪 Rosi 🐾, sin rest y sin ⬜, Marqués de Valdecilla ℡ 60 50 98 – 🎵 🚾 🎹🚾
 24 hab.

 en la carretera de Bilbao S : 1 km – ✉ ℡ Laredo :

 ✕ **Riscó** 🐾 con hab, ℡ 60 50 30, ⪅ Laredo y bahía – 🎵 ☞ 🚾 ℗
 Com carta 330 a 480 – ⬜ 50 – **10 hab** 400/660 – P 880/990.

 CHRYSLER-SIMCA carret. General ℡ 24   SEAT carret. General ℡ 303
 RENAULT carret. General (La Pesquera) ℡ 60 55 58

LASARTE Guipúzcoa 990 ⑥⑦, 42 ⑤ – Hipódromo – ◎ 943.
Madrid 462 – Bilbao 94 – San Sebastián 9 – Tolosa 17.

 血 Txartel, carret. N I ✉ San Sebastián ℡ 36 23 40 Lasarte – 🛗 🎵 ☞ 🚾 🎹🚾 ☎ ℗
 51 hab.

S.A.F.E. Neumáticos MICHELIN, ℡ 36 16 19, Telex 36148.
 RENAULT Iñigo de Loyola 11 ℡ 36 14 32

LECUMBERRI Navarra 990 ⑦, 42 ⑤ – alt. 560 – ◎ 948.
Madrid 444 – Pamplona 35 – San Sebastián 57 – Vitoria 88.

 🏠 **Ayestarán,** San Juan 64 ℡ 50 41 27, 🛌 – 🎵 ☞ 🚾 🎹🚾 ℗. ஜ rest
 Com 130/160 – ⬜ 30 – 120 hab 125/250 – P 340/360.

LEDESMA Salamanca 990 ⑬ – 2 273 h. alt. 780 – Plaza de toros.
Madrid 243 – Salamanca 33 – Zamora 54.

 en la carretera de Salamanca SE : 11 km – ✉ ℡ Ledesma :

 🏠 **Balneario de Ledesma** 🐾, ℡ 18, 🛌 – 🛗 🚾 ℗. ஜ
 junio-septiembre – Com 190 – ⬜ 35 – 233 hab 210/320 – P 475/525.

LEIZA Navarra 990 ⑦, 42 ⑤ – 2 606 h. alt. 450 – ◎ 948.
Madrid 457 – Pamplona 48 – San Sebastián 47.

 en el puerto de Usateguieta E : 5 km – alt. 695 – ✉ ℡ Leiza :

 🏠 **Basa-Kabi** 🐾, ℡ 51 01 25, ⪅ montañas – 🎵 🚾 🎹🚾 ☎ ℗
 Com 80 – ⬜ 40 – 26 hab 170/280 – P 450/485.

 Com este guia, utilize os **Mapas Michelin :**

 n⁰ 990 ESPANHA-PORTUGAL Estradas Principais a 1 /1 000 000,

 n⁰ˢ 42 e 43 ESPANHA (mapas detalhados) a 1 /400 000,

 n⁰ 37 PORTUGAL a 1 /500 000.

LEÓN P 990 ④ – 105 235 h. alt. 822 – Plaza de toros – ☎ 987.

Ver : Catedral★★★ (claustro★★, vidrieras★★, trascoro★, retablo del altar mayor : Deposición del Cuerpo de Cristo★) – San Isidoro★ (panteón real★ y tesoro★ : frescos★★, capiteles★, cáliz de Doña Urraca★) – Antiguo Monasterio de San Marcos (fachada principal★★, museo Arqueológico★ : Cristo de Carrizo★★★, sacristía★).

Alred. : Virgen del Camino (fachada★) 5 km por ④.

M.I.T. pl. Catedral 8 ☏ 21 10 83 – **R.A.C.E.** (Delegación) Sierra Pambley 1 ☏ 21 14 54.

Madrid 317 ② – Burgos 192 ③ – La Coruña 327 ④ – Salamanca 200 ③ – Valladolid 133 ② – Vigo 381 ④.

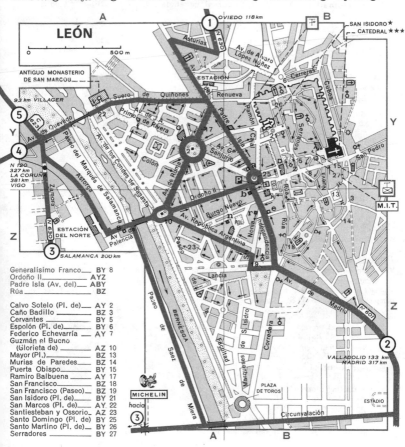

Generalísimo Franco___ BY 8
Ordoño II___ AYZ
Padre Isla (Av. del)___ ABY
Rúa___ BZ

Calvo Sotelo (Pl. de)___ AY 2
Caño Badillo___ BZ 3
Cervantes___ BY 5
Espolón (Pl. de)___ BY 6
Federico Echevarría___ AY 7
Guzmán el Bueno
(Glorieta de)___ AZ 10
Mayor (Pl.)___ BZ 13
Murias de Paredes___ BZ 14
Puerta Obispo___ BY 15
Ramiro Balbuena___ AY 17
San Francisco___ BZ 18
San Francisco (Paseo)___ BZ 19
San Isidoro (Pl. de)___ BY 21
San Marcos (Pl. de)___ AY 22
Santiesteban y Ossorio___ AZ 23
Santo Domingo (Pl. de)___ BY 25
Santo Martino (Pl. de)___ BY 26
Serradores___ BY 27

🏨🏨🏨 **San Marcos** Ⓜ, pl. San Marcos 7 ☏ 22 35 00, « Lujosa instalación en un magnífico monasterio del siglo XVI, mobiliario de estilo » – 🍽 rest. ⚹
Com 500 – ☲ 90 – **258 hab** 1 000/1 500 – P 1 650/1 900.   AY **v**

🏨🏨 **Conde Luna y Rest. El Mesón,** Independencia 5 ☏ 21 67 00, ⚊ climatizada, ⬚ – 🍽 rest. ⚹   BZ **e**
Com 310 – ☲ 75 – **150 hab** 450/840 – P 1 010/1 040.

🏨🏨 **Quindós,** av. José Antonio 24 ☏ 22 12 00 – ⚹ rest   AY **f**
Com 200 bc/230 bc – ☲ 44 – **96 hab** 269/513 – P 718/730.

🏨 **Riosol,** av. de Palencia 3 ☏ 22 36 50 – 🛗🏧☎🛁wc 🕾. ⚹   AZ **s**
Com 190 – ☲ 45 – **141 hab** 230/400 – P 540/570.

🏨 **Oliden** sin rest, pl. Santo Domingo 5 ☏ 22 75 00 – 🛗🏧☎🛁wc 🕾. ⚹   BY **a**
☲ 45 – **50 hab** 225/430.

🏨 **Guzmán El Bueno** sin rest, López Castrillón 6 ☏ 21 64 00 – 🏧   BY **z**
☲ 25 – **29 hab** 105/180.

sigue →

LEÓN

XXX **Novelty,** Independencia 4 ☏ 21 46 00, Decoración moderna – 🍽. ⌘   BZ b
Com carta 340 a 475.

X **Aperitivo,** Fuero 3 ☏ 21 26 33 – ⌘   BZ n
Com carta 215 a 280.

X **Emperador,** Santa Nonia 2 ☏ 21 71 40   BZ r
Com carta 245 a 320.

S.A.F.E. Neumáticos MICHELIN, Sucursal, carret. de Alfageme **(AZ)** – Edificio Leonesa
de Piensos ☏ 22 39 62.

AUSTIN-MG-MORRIS-MINI carret. de circunvalación   CITROEN Padre Isla 23 ☏ 22 43 00
km 1,5 ☏ 22 61 48   FIAT-SEAT Suero de Quiñones 14 ☏ 22 03 04
CHRYSLER-SIMCA carret. de Madrid km 322 ☏   PEUGEOT Lucas de Tuy 15 ☏ 22 28 11
21 21 03   RENAULT Burgo Nuevo 4 ☏ 21 23 04
CHRYSLER-SIMCA av. José Antonio 33 ☏ 22 00 08   SEAT Padre Arintero 6 ☏ 22 48 46

LEPE Huelva 990 ⑳, 37 ⑩ – 11 826 h. alt. 28.
Madrid 661 – Faro 72 – Huelva 31 – Sevilla 123.

en la playa de la Antilla :

🏠 Miramar, S : 6,5 km ⌧ La Antilla ☏ 348 Lepe, ⪪ playa – ⌇ 🛁wc ❷
16 hab.

🏠 Antilla, S : 7 km ⌧ Lepe – ⌇ 🛁wc ❷
20 hab.

LEQUEITIO Vizcaya 990 ⑥, 42 ④ – 6 950 h.
Ver : Iglesia (retablo★). **Alred. :** Carretera en cornisa★ de Lequeitio a Deva ⪪★.
Madrid 438 – Bilbao 58 – San Sebastián 59 – Vitoria 82.

🏠 **Beitia,** av. Abaroa 25 ☏ 23 – 🛗 ⌂wc 🛁wc 🅰. ⌘
abril-septiembre – Com 200 – ⌧ 60 – 33 hab 230/420 – P 550/570.

X Txopi, 1° piso, pl. de España ☏ 577.

☞ *Utilice la Guía del año en curso.*

LÉRIDA P 990 ⑱, 43 ⑮ – 90 884 h. alt. 151 – ✪ 973.
Ver : Seo antigua (claustro : decoración de los capiteles y de los frisos★, iglesia : capiteles★★).
R.A.C.E. (Delegación del R.A.C. de Cataluña) av. José Antonio 31 ☏ 24 12 45.

Madrid 470 ⑤ – Barcelona 160 ② – Huesca 120 ④ – Pamplona 283 ④ – Perpignan 284 ② – Tarbes 278 ① –
Tarragona 93 ② – Tortosa 133 ② – Toulouse 324 ① – **Valencia 347** ② – Zaragoza 144 ③.

Plano página siguiente

🏨 **Principal** sin rest, con snack-bar, pl. Pahería 8 ☏ 24 09 00 – 🛗 ▥ ⌇ ⌂wc 🛁wc 🅰. ⌘   Z n
⌧ 47 – **45 hab** 205/345.

🏨 **Rex** sin rest y sin ⌧, av. Blondel 70 ☏ 22 21 48 – 🛗 ▥ ⌇ ⌂wc 🛁wc 🅰. ⌘   Z a
25 hab 145/300.

🏠 **Agramunt,** pl. España 20 ☏ 24 28 50 – ▥ 🛁wc 🅰. ⌘   YZ r
Com 165/180 – ⌧ 50 – 39 hab 140/310 – P 450/475.

XX **Rada,** av. Blondel 36 ☏ 24 36 34 – 🍽. ⌘   Z m
cerrado viernes – Com carta 205 a 610.

X Moderno, Anselmo Clavé 15 ☏ 23 42 00 – 🍽.   Y a

X Coral, Eduardo Aunós 85 ☏ 23 42 50 – 🍽.   Y e

X Estación Colavidas, con hab, estación RENFE ☏ 23 69 56 – ▥   Y u
11 hab.

en la carretera de Barcelona N II por ② – ⌧ ☏ Lérida :

🏨 Condes de Urgel, por ② : 1 km ☏ 21 29 87 – 🛗 ▥ 🍽 ⌇ ⌂wc 🅰 ⪪ ❷
34 hab.

🏨 **Ilerda,** por ② : 2 km ☏ 21 36 88 – ▥ 🍽 rest ⌇ ⌂wc 🛁wc 🅰 ❷. ⌘
Com 190 – ⌧ 55 – 74 hab 275/450 – P 575/625.

en la carretera de Madrid N II – ⌧ ☏ Lérida :

🏨 **Jamaica,** por ③ : 3 km ☏ 22 15 40 – ▥ 🍽 rest ⌇ ⌂wc 🛁wc 🅰 ⪪ ❷. ⌘
Com 200 – ⌧ 60 – 24 hab 280/420 – P 635/705.

X **Palermo,** por ③ : 1,5 km ☏ 22 00 55 – 🍽 ❷. ⌘
cerrado domingo noche y lunes mediodía – Com carta 310 a 570.

en la carretera de Puigcerdá C 1313 por ② : 10,5 km – ⌧ Vilanova de la Barca
☏ Lérida :

XX **Molí de la Nora,** ☏ 22 26 50, Antiguo molino con terraza a la sombra – ❷. ⌘
cerrado 8 enero al 1 febrero – Com carta 405 a 715.

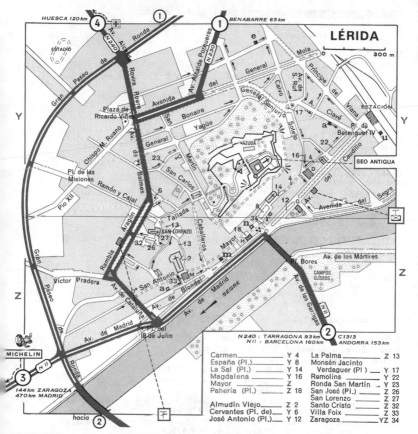

BENABARRE 65 km

LÉRIDA

300 m

ESTADIÓ

Y

SEO ANTIGUA

Z

N 240 : TARRAGONA 93 km   C 1313
N II : BARCELONA 160 km   ANDORRA 153 km

MICHELIN

144 km ZARAGOZA
470 km MADRID

hacia

Carmen	Y 4	La Palma	Z 13
España (Pl.)	Y 8	Monsén Jacinto	
La Sal (Pl.)	Y 14	Verdaguer (Pl)	Y 17
Magdalena	Y 16	Remolins	Y 22
Mayor	Z	Ronda San Martín	Y 23
Paheria (Pl.)	Z 18	San José (Pl.)	Z 26
		San Lorenzo	Z 27
Almudín Viejo	Z 2	Santo Cristo	Z 32
Cervantes (Pl. de)	Y 6	Villa Foix	Z 33
José Antonio (Pl.)	Y 12	Zaragoza	YZ 34

S.A.F.E. Neumáticos MICHELIN, Sucursal, carret. de Zaragoza a Lérida km 461,2 (por ③) ☎ 22 24 28.

AUSTIN-MG-MORRIS-MINI carret. Madrid-Barcelona ☎ 21 33 87
CHRYSLER-SIMCA carret. Zaragoza km 464 ☎ 22 21 43
CITROEN av. Garrigas 40 ☎ 21 31 88
FIAT-SEAT av. Madrid ☎ 22 08 78

FORD av. Garrigas ☎ 21 28 63
PEUGEOT av. Garrigas 38 ☎ 21 16 57
RENAULT carret. N II km 467,3 ☎ 21 37 96
SEAT Academia 24 ☎ 22 56 40

LERMA Burgos 990 ⑮, 42 ⑪ – 2 575 h. alt. 849 – Plaza de toros.
Madrid 205 – Burgos 37 – Palencia 72.

- 🏨 **Alisa,** carret. N I ☎ 233 – 🏭 🛏wc 🗍wc 🕾 🅿. 🎾
  Com 180 bc – 🖵 45 – **34 hab** 220/320 – P 450/490.

- 🏠 **Ducal** sin rest. carret. N I ☎ 107 · 🏭 🕛
  🖵 40 – **20 hab** 125/250.

CHRYSLER-SIMCA carret. N-I km 203 ☎ 222
CITROEN carret. N-I km 201 ☎ 62

RENAULT carret. N-I km 203 ☎ 89

LÉS Lérida 990 ⑨, 42 ⑩ – 734 h. alt. 630 – Ver aduanas p. 14 y 15.
Madrid 625 – Bagnères-de-Luchon 37 – Lérida 185.

- 🏨 **Ysard,** San Jaime 20 ☎ 32, ≼ montaña – 🛗 🏭 🍽 🛏wc 🗍wc 🕾. 🎾
  cerrado 11 enero al 28 febrero – Com 225 bc/275 bc – 🖵 55 – **35 hab** 315/460 – P 585/645.

- 🏠 **Europa,** bajada de San Jaime 8 ☎ 13 – 🏭 🍽 🛏wc 🗍 🚗
  Com 180/260 – 🖵 45 – 45 hab 125/325 – P 445/460.

Prévenez immédiatement l'hôtelier si vous ne pouvez pas occuper la chambre que vous avez retenue.

LEYRE (Monasterio de) Navarra 990 ⑦, 42 ⑯, 43 ① – alt. 750.

Ver : ※★★ – Monasterio★★ (cripta★★, iglesia★, portada oeste★).

Madrid 431 – Jaca 68 – Pamplona 50.

LINARES Jaén 990 ㉘ – 50 516 h. alt. 418 – Plaza de toros – ◐ 953.

Madrid 301 – Ciudad Real 141 – Córdoba 118 – Jaén 53 – Úbeda 26 – Valdepeñas 100.

🏨 **Argüelles,** 1° piso, sin rest y sin ⌧, Argüelles 2 ☎ 65 35 90 – ▥ 🚻wc 🛁 ☜. ⁂
 50 hab 225/355.

🏨 Victoria, sin rest y sin ⌧, Cervantes 7 ☎ 65 27 96 – ▥ 🚻wc 🛁wc ☜
 39 hab.

✕ Lirola, av. de San Sebastián ☎ 65 12 36.

AUSTIN-MG-MORRIS-MINI   Julio Burell   ☎ 65 19 73
CHRYSLER-SIMCA Julio Burell ☎ 65 28 74
CITROEN   Julio Burell 41 ☎ 65 26 80
FORD   Julio Burell ☎ 65 21 80

PEUGEOT   carret. de Baeza 13 ☎ 65 21 80
RENAULT   Bailén 35 ☎ 65 36 83
SEAT-FIAT   Julio Burell 1 ☎ 65 33 93

LINAS DE BROTO Huesca 990 ⑧, 43 ③ – 139 h. alt. 1 215.

Madrid 482 – Huesca 85 – Jaca 47.

🏨 **España,** carret. de Ordesa ☎ 57 Broto – ▥ ☞ 🚻wc 🛁wc ☜ 🅿. ⁂ rest
 abril-15 octubre – Com 175 – ⌧ 39 – 34 hab 175/300 – P 465/475.

🏨 **Jal,** Llano 1 ☎ 54 – ▥ 🛁wc 🚗. ⁂
 Com 150 – ⌧ 40 – 16 hab 110/230 – P 375.

La LÍNEA DE LA CONCEPCIÓN Cádiz 990 ㉝㉞ – 52 127 h. – Plaza de toros – ◐ 956.

🏌 en Sotogrande del Guadiaro NE : 17 km.

Madrid 688 – Algeciras 21 – Cádiz 142 – Gibraltar 3 – Málaga 130.

🏨 Universal, Calvo Sotelo 53 ☎ 76 01 00 – ▥ 🚻wc ☜
 56 hab.

AUSTIN-MG-MORRIS-MINI   Jerez 21 ☎ 76 07 45
RENAULT   av. de la Coruña ☎ 76 29 36

SEAT-FIAT   av. María Guerrero 112 ☎ 76 09 24

LL... Ver después de Lugo.

LOGROÑO 🅿 990 ⑧, 42 ⑭ – 84 456 h. alt. 384 – Plaza de toros – ◐ 941.

Alred. : S : Valle del Iregua★ (contrafuertes★) por N 111.

M.I.T. Miguel Villanueva 10 ☎ 21 54 97.

Madrid 335 – Burgos 116 – Pamplona 92 – Vitoria 85 – Zaragoza 171.

🏨 **Carlton Rioja,** av. Gonzalo de Berceo 5 ☎ 22 26 00 – ▦ rest. 🏛. ⁂ rest
 Com 400 – ⌧ 90 – **120 hab** 770/1 000.

🏨 **Murrieta** Ⓜ, av. Marqués de Murrieta 1 ☎ 22 41 50 – 🛗 ▥ ▦ rest ☞ 🚻wc ☜ 🚗. ⁂
 Com 250 – ⌧ 55 – 104 hab 370/595 – P 772/845.

🏨 **Gran H.,** General Vara de Rey 5 ☎ 21 21 00 – 🛗 ▥ ☞ 🚻wc ☜ 🚗 🅿. ⁂
 Com 300/350 – ⌧ 50 – **76 hab** 350/650 – P 875/900.

🏨 **Cortijo,** carret. de El Cortijo O : 3,5 km ☎ 22 50 50, ⌧ – ▥ ☞ 🚻wc 🛁wc ☜ 🅿. ⁂
 Com 200 – ⌧ 35 – 40 hab 285/450 – P 600/660.

✕✕✕ Mesón de la Merced, Mayor 136 ☎ 22 06 87, « En una bodega ».

✕ **Milán,** General Vara de Rey 16 ☎ 22 00 19
 cerrado miércoles y 15 octubre al 10 noviembre – Com carta 310 a 390.

AUSTIN-MG-MORRIS-MINI   carret.   Burgos   km   2
☎ 22 08 00
CHRYSLER-SIMCA   Vara de Rey 59-61 ☎ 22 02 00
CITROEN   plaza de Europa 1-7 ☎ 23 10 99

FIAT-SEAT   General Franco 83-87 ☎ 23 11 77
PEUGEOT   Doctor Castroviejo 40 ☎ 23 18 60
RENAULT   Milicias 7 ☎ 23 32 11

LORCA Murcia 990 ㉗ – 60 609 h. alt. 331 – Plaza de toros – ◐ 968.

Madrid 437 – Almería 157 – Cartagena 82 – Granada 222 – Jaén 285 – Murcia 62.

🏨 **Alameda** sin rest, con snack-bar, Musso Valiente 8 ☎ 46 75 00 – 🛗 ▥ ☞ 🚻wc 🛁wc ☜ 🅿.
 ⁂
 ⌧ 55 – **43 hab** 250/405.

🏨 **Félix,** carret. de Murcia 140 ☎ 46 76 50 – ▥ 🚻wc 🛁wc ☜ 🅿. ⁂
 cerrado octubre – Com 180 – ⌧ 35 – 27 hab 160/300 – P 450/460.

AUSTIN-MG-MORRIS-MINI   carret.   de   Granada   ☎
46 79 19
CHRYSLER-SIMCA · carret. de Granada ☎ 46 63 12
CITROEN   carret. de Aguilas ☎ 46 71 49

CITROEN   carret. de Granada ☎ 46 67 17
RENAULT   carret. de Granada ☎ 46 73 61
SEAT   carret. de Granada 10 ☎ 46 62 77

LOYOLA Guipúzcoa 990 ⑥, 42 ④ – ✕✕ con hab, ver Azpeitia.

Non viaggiate oggi con una carta stradale di ieri.

LUARCA Oviedo 990 ③ − 19 599 h. − Playa − ✪ 985.

Ver : Paraje* − ≼* desde la carretera del faro.

Excurs. : SO : Valle del Navia : Recorrido de Navia a Boal (Embalse de Arbón ❅**, Vivedro ❅**, confluente** del Navia y del Río Frío).

Madrid 536 − La Coruña 223 − Gijón 97 − Oviedo 101.

  🏨 Resid. Gayoso, sin rest, paseo de Gómez 4 ☎ 10 − 🛗 📶 ☎ 📞wc 📶wc 🚗
   26 hab.

  🏨 Gayoso, Parque ☎ 10 − 📶 📶wc 📶wc 🚗
   24 hab.

  🍴 **Oria,** Crucero 7 ☎ 64 03 85 − 📶 📞wc. ❀ rest
   Com 140/175 − 🖵 40 − 16 hab 130/275 − P 450.

  🍴🍴 **Leonés,** Parque 3 ☎ 64 00 07, Pescados y mariscos
   Com carta 305 a 530.

CHRYSLER-SIMCA Nicanor del Campo ☎ 60   RENAULT av. Galicia ☎ 308
FIAT-SEAT barrio nuevo ☎ 92

LUCENA Córdoba 990 ㉞ − 27 920 h. alt. 485 − Plaza de toros − ✪ 957.

Madrid 473 − Antequera 56 − Córdoba 73 − Granada 123.

  🏨 **Baltanás,** 1° piso, sin rest y sin 🖵, av. José Solís ☎ 50 05 71 − 📶 📞wc 📶wc 🚗
   32 hab 215/395.

AUSTIN-MG-MORRIS-MINI Hoya del Molino 9 ☎   CITROEN carret. Madrid-Málaga ☎ 50 07 62
50 10 43   RENAULT av. José Solís 8 ☎ 50 05 37
CHRYSLER-SIMCA carret. N 331 km 474 ☎ 50 08 57   SEAT-FIAT av. José Solís 14 ☎ 50 04 47

Avenida	Si el nombre de un hotel figura en pequeños caracteres, a su llegada convenga el precio con el hotelero.

LUGO 🅿 990 ②③ − 63 830 h. alt. 485 − ✪ 982.

Ver : Catedral* (Cristo en majestad*) − Murallas*.

M.I.T. pl. España 27 ☎ 21 13 61.

Madrid 508 − **La Coruña 95** − Orense 97 − **Oviedo 241** − Santiago de Compostela 99.

  🏨 Méndez Núñez, Reina 1 ☎ 21 57 40 − 🅰
   96 hab.

  🍴🍴🍴 Portón do Recanto, Catedral 20 ☎ 21 74 11 − 🖵.

  🍴🍴 La Barra, San Marcos 27 ☎ 21 45 27.

  🍴 Covadonga, Cruz 20 ☎ 21 24 66.

  🍴 Verruga, Cruz 12 ☎ 21 45 46.

  en la carretera N VI SE : 3 km − ✉ ☎ Lugo :

  🏨 **Miño,** Tolda de Castilla 2 ☎ 22 01 50, ≼ valle y río Miño, 🏊 − 🛗 📶 ☎ 📞wc 📶wc 🚗 🚙
   🅿. ❀
   Com 200 − 🖵 50 − 50 hab 260/460 − P 590/620.

AUSTIN-MG-MORRIS-MINI carret. de la Coruña 442   CITROEN carret. de la Coruña 588 ☎ 21 30 94
☎ 21 26 02   FIAT-SEAT Montero Ríos 14 ☎ 21 12 63
CHRYSLER-SIMCA carret. de la Coruña km 552 ☎   RENAULT carret. de Santiago 346 - Arieiras ☎ 21 61 46
21 37 95   SEAT av. de la Coruña 402 ☎ 21 61 20

LLAFRANCH Gerona 43 ⑨ − 🏨, 🏨 ver Palafrugell.

LLANES Oviedo 990 ⑤ − 15 509 h. − Playa.

Alred. : Las Estazadas ❅** SO : 30 km.

Madrid 455 − Gijón 96 − Oviedo 106 − Santander 99.

  🏨 Don Paco, Posada Herrera ☎ 532 − 🅿
   temp. − 42 hab.

  🏨 Montemar ☽, sin rest, con snack-bar, Genaro Riestra ☎ 737 − 🛗 📶 ☎ 📞wc 🚗 🅿
   40 hab.

  🏨 **Peñablanca** sin rest, Pidal 1 ☎ 697 − 📶 ☎ 📞wc 📶wc 🚗. ❀
   20 mayo-20 septiembre − 🖵 50 − **27 hab** 285/450.

  🍴🍴 **Venecia,** Pidal 14 ☎ 434 − ❀
   Com carta 185 a 345.

  en la playa de Barro O : 7 km − ✉ Llanes :

  🏨 **Kaype** ☽, ≼ playa − 📶 ☎ 📞wc 📶wc 🅿. ❀
   abril-octubre − Com 265 − 🖵 55 − 32 hab 325/525 − P 727/790.

CITROEN Gutiérrez de la Gandara 9 ☎ 433   SEAT carret. N 634 km 96 (San Roque del Acebal)
RENAULT Marqués Canillejas 5 ☎ 55   ☎ 743

Los LLANOS DE ARIDANE Santa Cruz de Tenerife − 🏨, 🍴 ver Canarias (La Palma).

LLANSÁ Gerona 990 ⑳, 43 ⑨ – 2 682 h. – ✆ 972.

Alred. : San Pedro de Roda (paraje**) S : 15 km.

Madrid 786 – Banyuls 31 – Gerona 59.

en la carretera de Port-Bou – ✉ ✆ **Llansá :**

Gri-Mar, N : 1 km ✆ 25 41 67, ≤ mar – ▥ ⛲ ⛀wc Ⓟ
abril-septiembre – Com 215 – ☕ 50 – **45 hab** 210/400 – P 565/570.

Grifeu, N : 2 km ✆ 25 40 50, ≤ mar – ⛲ ⛀wc ☎ Ⓟ
temp. – 38 hab.

en el puerto **NE : 1,5 km** – ✉ ✆ **Llansá :**

Berna 🐌, ✆ 25 41 50, ≤ mar – ⛲ ⛀wc ⛆wc ☎. ✂ rest
15 mayo-15 septiembre – Com 160 – ☕ 40 – 38 hab 200/340 – P 470/500.

Goleta, Pintor Terruella 12 ✆ 25 41 25 – ▥ ⛆wc Ⓟ
temp. – 45 hab.

Can Manel, pl. del Puerto 9 ✆ 25 41 12, ≤ bahía – ✂
Com carta 210 a 500.

LLES Lérida 990 ⑲, 43 ⑦ – 474 h. alt. 1 471.

Ver : Carretera de acceso a Lles* – ≤*.

Madrid 636 – Lérida 166 – Puigcerdá 36 – Seo de Urgel 33.

Sanillés 🐌, S : 8 km, alt. 1 060, ✉ ✆ 2 Martinet, ≤ montaña, ✗ – ⛲ ⛀wc ⛆wc ☎ 🚗 Ⓟ
temp. – **40 hab.**

Mirador 🐌, pl. San Pedro 4 ✆ 7, ≤ montaña, ✗, 🏊 – ▥ ⛀wc ⛆wc ☎ 🚗 Ⓟ
Com 165 – ☕ 45 – 51 hab 150/300 – P 450/550.

P 340/380	**Les prix de pension sont donnés, dans le guide, à titre indicatif. Pour un séjour consultez toujours l'hôtelier.**

LLIVIA Gerona 990 ⑨ ⑲, 43 ⑦ – 856 h. alt. 1 224 – ✆ 972.

Madrid 660 – Gerona 157 – Puigcerdá 6.

Llivia Ⓜ 🐌, ✆ 89 60 00, ≤ montaña, ✗, 🏊, 🏇 – ▤ rest 🚗 Ⓟ. ✂
Com 300 – **63 hab** 465/880 – P 920/980.

LLORET DE MAR Gerona 990 ⑳, 43 ⑲ – 7 064 h. – Playa – ✆ 972.

Alred. : Carretera en cornisa** de Lloret de Mar a Tossa de Mar 12 km por ②.

Madrid 698 ③ – Barcelona 68 ③ – Gerona 39 ①.

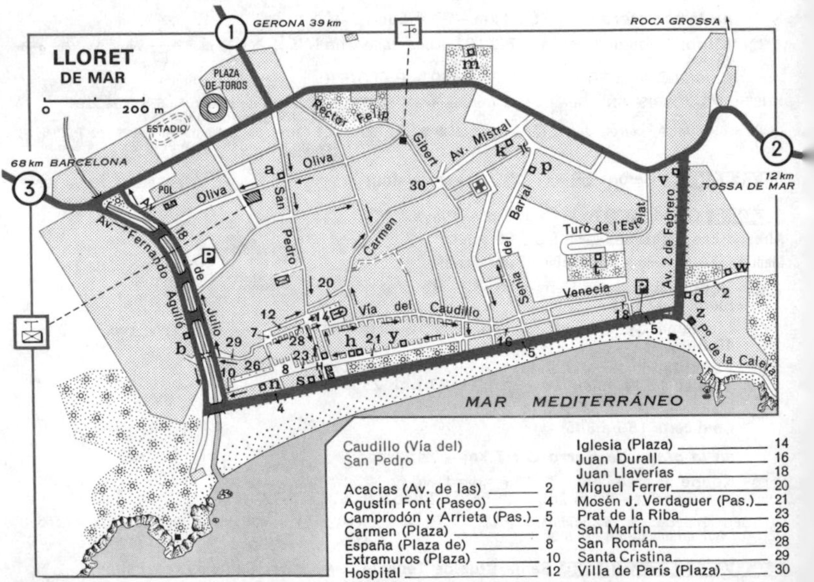

Caudillo (Vía del)
San Pedro

Acacias (Av. de las) 2
Agustín Font (Paseo) 4
Camprodón y Arrieta (Pas.) 5
Carmen (Plaza) 7
España (Plaza de) 8
Extramuros (Plaza) 10
Hospital 12
Iglesia (Plaza) 14
Juan Durall 16
Juan Llaverías 18
Miguel Ferrer 20
Mosén J. Verdaguer (Pas.) 21
Prat de la Riba 23
San Martín 26
San Román 28
Santa Cristina 29
Villa de París (Plaza) 30

en la población :

🏨 **Rosamar,** av. Dos de Febrero 2 (**d**) ⊤ 33 46 50, ← mar, ⊿ – 🍴 rest ⇦. ※
mayo-octubre – Com 250 – ☲ 70 – **169 hab** 380/750 – P 835.

🏨 **Cluamarsol** Ⓜ, paseo Mosén Jacinto Verdaguer (**h**) ⊤ 33 57 50 – 🍴 rest. ※
Com 290 – ☲ 70 – **87 hab** 460/820 – P 930/980.

🏨 **Mercedes,** av. Mistral 16 (**k**) ⊤ 33 43 12, ⊿ – 🛗 🏧 ⊏wc 🛁wc 🖭 ⇦. ※
15 mayo-10 octubre – Com 215 – ☲ 75 – **80 hab** 300/515.

🏨 Carolina, camino de las Cabras (**p**) ⊤ 33 50 58, ⊿ – 🛗 ▥ 🍴 rest 🏧 ⊏wc 🖭 Ⓟ
temp. – 65 hab.

🏨 Solterra Playa, rambla Barnés 3 (**n**) ⊤ 33 44 62, ← playa – 🛗 ▥ 🏧 ⊏wc 🖭
53 hab.

🏨 Metropol, pl. de la Torre 2 (**f**) ⊤ 33 41 62 – 🛗 ▥ 🏧 ⊏wc 🛁
Com 200 – ☲ 40 – **88 hab** 260/500 – P 590.

🏨 **Alexis,** av. Dos de Febrero 17 (**v**) ⊤ 33 46 00, ⊿ – 🛗 ▥ 🏧 ⊏wc 🛁wc 🖭. ※ rest
20 abril-20 octubre – Com 240/340 – ☲ 65 – **100 hab** 300/520 – P 710/760.

🏨 **Guitart Rosa,** San Pedro 59 (**a**) ⊤ 33 51 00, « Terraza con arbolado », ⊿ – 🛗 🏧
⊏wc. ※ rest
abril-octubre – Com 160 – ☲ 45 – 152 hab 170/325 – P 445/460.

🏨 **Lloretblau,** Fernando Agulló 12 (**b**) ⊤ 33 45 08 – 🛗 ▥ 🏧 ⊏wc 🛁wc 🖭. ※
junio-septiembre – Com 165 – ☲ 50 – **61 hab** 190/310 – P 500/535.

🏨 **Excelsior,** paseo Mosén J. Verdaguer 16 (**y**) ⊤ 33 41 37, ← playa – 🛗 ▥ 🏧 ⊏wc
🛁wc. ※ rest
abril-octubre – Com 200 – **45 hab** 220/450 – P 600/610.

🏨 Clua Hostal, paseo de Agustín Font 3 (**s**) ⊤ 33 44 54 – 🛗 ▥ 🏧 ⊏wc 🛁wc 🖭
temp. – 49 hab.

🏨 **Acacias,** av. de las Acacias 7 (**w**) ⊤ 33 41 50, ※, ⊿ – 🛗 🏧 ⊏wc 🖭 Ⓟ. ※ rest
mayo-15 octubre – Com 150 – ☲ 50 – 45 hab 170/280 – P 420/450.

🏨 **Miramar,** paseo Mosén J. Verdaguer 6 (**h**) ⊤ 33 47 62 – 🛗 ▥ 🏧 ⊏wc 🖭
mayo-septiembre – Com 200 – ☲ 40 – 36 hab 200/400 – P 530.

✗✗ **Forquilla,** paseo de la Caleta (**z**) ⊤ 33 50 02, Decoración regional – 🍴
mayo-octubre – Com carta 360 a 615.

en la carretera de Tossa de Mar – ✉ ⊤ Lloret de Mar :

🏨 **Monterrey, (m)** ⊤ 33 40 50, « Amplio jardín », ※, ⊿ – 🍴 Ⓟ. ※
mayo-15 octubre – Com 325 – ☲ 65 – **220 hab** 460/885 – P 1 042/1 060.

🏨 Roger de Flor ⌂, (**t**) ⊤ 33 48 00, « Grandes terrazas con ← mar », ⊿ – 🍴 rest Ⓟ
temp. – **94 hab.**

en la carretera de Blanes por ③ : 1,5 km – ✉ ⊤ Lloret de Mar :

🏨 **Fanals,** ⊤ 33 41 12, « Jardín con flores », ※, ⊿ – 🛗 🏧 ⊏wc 🛁wc 🖭 Ⓟ. ※ rest
mayo-6 octubre – Com 220 – ☲ 50 – **81 hab** 255/490 – P 660/670.

en la playa de Fanals por ③ : 2 km – ✉ ⊤ Lloret de Mar :

🏨 **Rigat Park H.** ⌂, ⊤ 33 52 00, ← playa, « Parque con arbolado », ※, ⊿ – 🍴 rest Ⓟ.
※ rest
20 marzo-octubre – Com 400 – ☲ 75 – **100 hab** 600/1 200 – P 1 250/1 300.

en la urbanización Roca Grossa N : 2,5 km – ✉ ⊤ Lloret de Mar :

✗✗ Roca Grossa, ⊤ 33 51 09, ← Lloret de Mar y mar, ⊿.

en la playa de Santa Cristina por ③ : 3 km – ✉ ⊤ Lloret de Mar :

🏨 **Santa Marta** ⌂, ⊤ 33 49 04, ← colina arbolada y mar, « Gran pinar », ※ – 🍴 rest Ⓟ.
※ rest
22 marzo-octubre – Com 440 – ☲ 85 – **80 hab** 645/1 145 – P 1 400/1 475.

AUSTIN-MG-MORRIS-MINI San Pedro 102 ⊤ 33 53 97   FIAT-SEAT   carret. Blanes ⊤ 33 44 43
CITROEN carret. Tossa ⊤ 33 44 70   FORD   carret. Blanes ⊤ 33 40 21

Esta guía no es un repertorio de todos los hoteles y restaurantes
ni siquiera de todos los buenos hoteles y restaurantes de España y Portugal.

Como nos interesa prestar servicio a todos los turistas
nos vemos sujetos a indicar establecimientos
de todas clases y citar solamente algunos de cada clase.

MADRID Ⓟ 🔲🔲🔲 ⑮ y ㉟ – 3 146 071 h. alt. 646 – Plaza de toros – ✿ 91.

Ver : Museo del Prado★★★ – Palacio Real★★ : Museo de Carruajes Reales★★, Real Armería★, Habitaciones particulares (salón del Trono★) – Museo Lázaro Galdiano★★ (colección de esmaltes y marfiles★★★) – Museo Arqueológico Nacional★★ (antigüedades ibéricas y clásicas★★, artes suntuarias medievales y del Renacimiento★) – Convento de las Descalzas Reales★★ (tapices★★) – El Retiro★★ JY – Museo de América★ (sección precolombina★, sala de artesanía hispanoamericana y de Filipinas★) – Convento de la Encarnación★ (relicario★) – Museo del Pueblo Español★ – Museo Colón★ – Capilla del Obispo★ – Plaza Mayor★ – Casa de Campo★ (parque zoológico★★) DVX – Ciudad Universitaria★ ABQ – Museo de Arte Contemporáneo★ AQ **M**²⁰ – San Antonio de la Florida (frescos★) – Museo Cerralbo (colección de cuadros★) – Museo municipal (portada★) GU **M**¹⁶.

Alred. : El Pardo (Casita del Príncipe★ – Convento de Capuchinos : Cristo yacente★) NO : 13 km.

Hipódromo de la Zarzuela AQ – ⏢₁₈, ⏢₁₈ Puerta de Hierro AQ – ⏢₉, ⏢₁₈ Club de Campo AQ – ⏢₉ Club Mariano Barberán por ⑥ : 12 km – ⏢₉, ⏢₁₈ Las Lomas - El Bosque por ⑥ : 18 km – ⏢₁₈ Real Automóvil Club de España por ① : 26 km – ⏢₁₈ Las Matas por ⑦ : 26 km.

✈ de Madrid-Barajas por ② : 13 km 𝄞 222 11 65.

🚂 Atocha 𝄞 227 21 60 (3174) – Chamartín 𝄞 215 53 40 (43) – Príncipe Pío 𝄞 247 00 00 (2128).

M.I.T. Princesa 1 𝄞 241 23 25, Duque Medinaceli 2 𝄞 221 12 68, y aeropuerto de Barajas 𝄞 205 42 22.
R.A.C.E. General Sanjurjo 10 𝄞 447 32 00.

París (por Irún) 1265 ① – Barcelona 630 ② – Bilbao 401 ① – La Coruña 603 ⑦ – Lisboa 629 ⑥ – Málaga 558 ④ – Porto 602 ⑦ – Sevilla 538 ④ – Valencia 350 ③ – Zaragoza 326 ②.

Planos : Madrid p. 4 a 9

1º **Centro :** Paseo del Prado, Puerta del Sol, Gran Vía José Antonio, Cibeles, Alcalá, Paseo Calvo Sotelo, Plaza de Colón, Plaza Mayor, Palacio Real, Plaza de España, Serrano.

🏨 **Ritz,** pl. de la Lealtad 5 𝄞 221 28 57 – 🗔 ⟺ (del Hotel Palace). ❦ rest   HX **k**
Com carta 975 a 1 775 – ⌧ 125 – **165 hab** 2 400/3 300.

🏨 **Villa Magna** Ⓜ, paseo de la Castellana 22 𝄞 261 49 00, Telex 22914 – 🗔 ⟺ 🅿. 🛁.
❦   HU **x**
Com (ver Rest. Rue Royale) – ⌧ 130 – **200 hab** 2 500/3 125 – P 2 610/3 545.

🏨 **Palace,** pl. de las Cortes 7 𝄞 232 63 00, Telex 22272 – 🗔 ⟺. 🛁. ❦ rest   GXY **e**
Com 550 – ⌧ 110 – **526 hab** 2 080/2 600 – P 2 475/2 820.

🏨 **Meliá Madrid** Ⓜ, Princesa 27 𝄞 241 82 00, Telex 22537 – 🗔 ⟺. 🛁 – **248 hab.**   DU **e**

🏨 **Plaza,** pl. España 8 𝄞 247 12 00, Telex 27383, ≼ Madrid y alrededores, 🛋 – 🗔 ⟺. ❦
Com 500 – ⌧ 100 – **450 hab** 2 500/3 000 – P 2 435/3 435.   EU **q**

🏨 **Fenix,** Hermosilla 2 𝄞 276 17 00, Telex 27301 – 🗔. ❦ rest   HU **a**
Com 450 – ⌧ 100 – **200 hab** 1 250/2 000.

🏨 **Sideral** Ⓜ, Casado del Alisal 14 𝄞 467 12 00 – 🗔 ⟺. ❦   HY **t**
Com 400 – ⌧ 70 – **50 hab** 880/1 815 – P 1 570/1 590.

🏨 **Washington,** av. José Antonio 72 𝄞 247 02 00 – 🗔 – **116 hab.**   EU **u**

🏨 **Sanvy,** Goya 3 𝄞 276 08 00, 🛋 – 🗔 ⟺   HU **r**
109 hab.

🏨 **Emperador,** av. José Antonio 53 𝄞 247 28 00, 🛋 – 🗔. ❦   EV **n**
Com 400 – ⌧ 65 – **230 hab** 865/1 330 – P 1 325/1 525.

🏨 **Apart. Torre de Madrid,** pl. de España 18 𝄞 241 46 00, ≼ ciudad y alrededores – 🗔. ❦
Com carta 400 a 625 – ⌧ 75 – **122 apartamentos** 1 375.   EU

🏨 **Menfis,** av. José Antonio 74 𝄞 247 09 00 – 🗔. ❦   EU **u**
Com 400 – ⌧ 80 – **122 hab** 880/1 100 – P 1 300/1 630.

🏨 **Liabeny,** Salud 3 𝄞 232 53 06 – 🗔 ⟺. ❦   FX **e**
Com 300 – ⌧ 75 – **151 hab** 700/1 000.

🏨 **El Prado** sin rest, con snack-bar, Prado 11 𝄞 445 71 00 – 🗔 ⟺. ❦   GY **z**
⌧ 65 – **45 hab** 660/1 100.

🏨 **Suecia y Rest. Bellman,** Marqués Casa Riera 4 𝄞 231 69 00, Telex 22313 – 🗔. ❦
Com carta 565 a 825 – ⌧ 75 – **64 hab** 1 080/1 350 – P 1 610/2 015.   GX **b**

🏨 **Príncipe Pío,** paseo Onésimo Redondo 16 𝄞 247 08 00 – 🗔. ❦ rest   DV **d**
Com 265 – ⌧ 58 – **157 hab** 430/725 – P 813/880.

🏨 **G. H. Victoria,** pl. del Angel 7 𝄞 231 45 00 – 🗔   FGY **u**
114 hab.

🏨 **Casón del Tormes** sin rest, Río 7 𝄞 241 97 45 – ❦   EV **v**
⌧ 60 – **55 hab** 600/870.

🏨 **El Coloso,** sin rest, con snack-bar, Leganitos 13 𝄞 248 76 00 – 🗔   EV **y**
53 hab.

🏨 **Lope de Vega,** 9º piso, sin rest, av. José Antonio 59 𝄞 247 70 00, ≼ Madrid y alrededores – ❦   EV **b**
⌧ 50 – **50 hab** 350/550.

🏨 **Carlos V** sin rest, Maestro Vitoria 5 ☏ 231 41 00 – 🛗 📺 🍴 🕾 ⛱wc 🛁wc ⊛. ⚇   FX   **f**
⚞ 66 – **67 hab** 654/867.

🏨 **Arosa** sin rest, con snack-bar, Salud 21 ☏ 232 16 00 – 🛗 🍴 🕾 ⛱wc ⊛   EV   **a**
⚞ 75 – **120 hab** 850/1 300.

🏨 **Montesol** sin rest, Montera 25 ☏ 231 76 00 – 🛗 🍴 🕾 ⛱wc ⊛. ⚇   FX   **n**
⚞ 60 – **52 hab** 640/714.

🏨 **Embajada**, sin rest, Joaquín Garcia Morato 5 ☏ 447 33 00 – 🛗 📺 🕾 ⛱wc ⊛   GU   **r**
71 hab.

🏨 **Madrid**, sin rest, Carretas 10 ☏ 221 65 20 – 🛗 📺 🍴 🕾 ⛱wc 🛁wc ⊛   FX   **r**
71 hab.

🏨 **Cortezo** sin rest, con snack-bar, Dr Cortezo 3 ☏ 239 38 00 – 🛗 📺 🍴 🕾 ⛱wc ⊛. ⚇   FY   **f**
⚞ 35 – **90 hab** 350/650.

🏨 **Italia**, 2° piso, Gonzalo Jiménez de Quesada 2 ☏ 222 47 90 – 🛗 📺 🕾 ⛱wc ⊛. ⚇
Com 300 – ⚞ 50 – **50 hab** 700 – P 960.   FV   **k**

🏨 **Alexandra** sin rest, San Bernardo 29 ☏ 242 04 00 – 🛗 📺 🕾 ⛱wc 🛁wc ⊛. ⚇   EU   **z**
⚞ 50 – **66 hab** 400/600.

🏨 **Lar**, sin rest, Valverde 14 ☏ 221 65 92 – 🛗 📺 🍴 🕾 ⛱wc ⊛ ⇔   FV   **w**
80 hab.

🏨 **Anaco** sin rest, Tres Cruces 3 ☏ 222 46 04 – 🛗 🍴 🕾 ⛱wc 🛁wc ⊛. ⚇   FX   **a**
⚞ 70 – **37 hab** 415/800.

🏨 **Francisco I**, Arenal 15 ☏ 248 02 04 – 🛗 📺 🍴 🕾 ⛱wc 🛁wc ⊛. ⚇   EX   **e**
Com 260 – ⚞ 55 – **59 hab** 420/750 – P 835/880.

🏨 **Inglés** sin rest, Echegaray 8 ☏ 221 10 30 – 🛗 📺 🍴 ⛱wc ⊛ ⇔. ⚇   GX   **f**
⚞ 50 – **58 hab** 270/490.

🏨 **Cliper** sin rest, Chinchilla 6 ☏ 231 17 00 – 🛗 📺 🍴 🕾 ⛱wc 🛁wc ⊛. ⚇   FV   **p**
58 hab 360/650.

🏠 **Fontela**, 2° piso, sin rest, José Antonio 11 ☏ 221 64 00 – 🛗 🍴 🕾 ⛱wc 📺 ⊛   GV   **v**
⚞ 50 – **66 hab** 330/525.

🏠 **Amberes**, 7° piso, sin rest, av. José Antonio 68 ☏ 247 61 00 – 🛗 📺 🍴 🕾 ⛱wc 🛁wc ⊛. ⚇
⚞ 60 – **48 hab** 580.   EUV   **x**

🏠 **Santander** sin rest, Echegaray 1 ☏ 221 28 73 – 🛗 📺 🍴 🕾 ⛱wc ⊛. ⚇   GX   **z**
⚞ 50 – **38 hab** 340/530.

🏠 **Galicia**, 4° piso, sin rest, Valverde 1 ☏ 222 10 13 – 🛗 📺 🍴 🕾 ⛱wc ⊛. ⚇   FV   **s**
⚞ 45 – **39 hab** 190/565.

🏠 **Atlántico**, 3° piso, av. José Antonio 38 ☏ 222 64 80 – 🛗 📺 🍴 rest ⛱wc 🛁wc ⊛. ⚇ rest
Com 225/350 – ⚞ 45 – **49 hab** 350/600 – P 700/750.   FV   **e**

🏠 **California**, 1° piso, av. José Antonio 38 ☏ 222 47 03 – 🛗 📺 🍴 rest 🕾 ⛱wc 🛁wc ⊛.
⚇   FV   **e**
Com 175 – ⚞ 40 – **25 hab** 300/500 – P 500/550.

🏠 **Lisboa** sin rest, Ventura de la Vega 17 ☏ 222 83 45 – 🛗 📺 🍴 🕾 ⛱wc 🛁wc ⊛. ⚇ rest
23 hab 245/650.   GXY   **v**

🏠 **Kosmos**, 4° piso, sin rest, pl. Santa Bárbara 1 ☏ 446 18 00 – 🛗 📺 🍴 🕾 ⛱wc ⊛. ⚇   GU   **g**
⚞ 50 – **57 hab** 300/500.

🏠 **Mónaco** sin rest, Barbieri 5 ☏ 222 46 30 – 🛗 📺 🍴 🕾 ⛱wc 🛁wc ⊛. ⚇   GV   **x**
⚞ 50 – **28 hab** 240/400.

🏠 **Venecia**, 4° piso, sin rest, av. José Antonio 6 ☏ 222 46 54 – 🛗 📺 🍴 🕾 ⛱wc 🛁wc ⊛. ⚇
⚞ 40 – **38 hab** 345/580.   GV   **d**

🏠 **Trianón**, 3° piso, sin rest, pl. de las Cortes 3 ☏ 231 36 05 – 🛗 📺 🍴 🕾 ⛱wc 🛁wc ⊛   GX   **x**
36 hab.

🏠 **Capri** sin rest, Conchas 7 ☏ 241 99 90 – 🛗 📺 🍴 🕾 ⛱wc 🛁wc ⊛. ⚇   EX   **a**
⚞ 45 – **18 hab** 360/552.

Restaurantes de lujo

🏵🏵🏵🏵🏵 **Puerta de Moros**, Don Pedro 10 ☏ 265 77 77, « Antigua casa señorial » – ▤. ⚇   EY   **e**
cerrado domingo – Com carta 625 a 920.

🏵🏵🏵🏵🏵 **Rue Royale**, Marqués de Villamagna 1 ☏ 275 36 26, « Decoración elegante » – ▤. ⚇
Com carta 690 a 1 200.   HU   **v**

🏵🏵🏵🏵 ✿ **Jockey**, Amador de los Ríos 6 ☏ 419 24 35, « Decoración elegante » – ▤. ⚇   HU   **k**
cerrado agosto – Com carta 790 a 1 075
Espec. Crêpes de mariscos blanc de blanc, Pollitos de leche rellenos Périgord, Soufflé glacé.

🏵🏵🏵🏵 ✿ **Horcher**, Alfonso XII - 6 ☏ 222 07 31, Decoración clásica elegante – ▤. ⚇   HX   **n**
cerrado julio y domingo – Com carta 900 a 1 500
Espec. Ragoût de homard, Faisán a la prensa (octubre a febrero), Crêpes '' Sir Holden ''.

🏵🏵🏵🏵 **Parrilla Plaza**, 25° piso, pl. de España 2 ☏ 247 12 00, Telex 27383, ⩽ Madrid y alrededores, Cena baile – ▤. ⚇   EU   **q**
Com carta 700 a 950.

LISTA ALFÁBETICA DE HOTELES Y RESTAURANTES

Para os seus passeios e excursões nos arredores de Madrid,
utilize o Mapa de Espanha n° **990** a 1/1 000 000
e particularmente o quadro " **ARREDORES DE MADRID** "
a 1/400 000, nas dobras ㊳, ㊴, ㊵ do mapa.

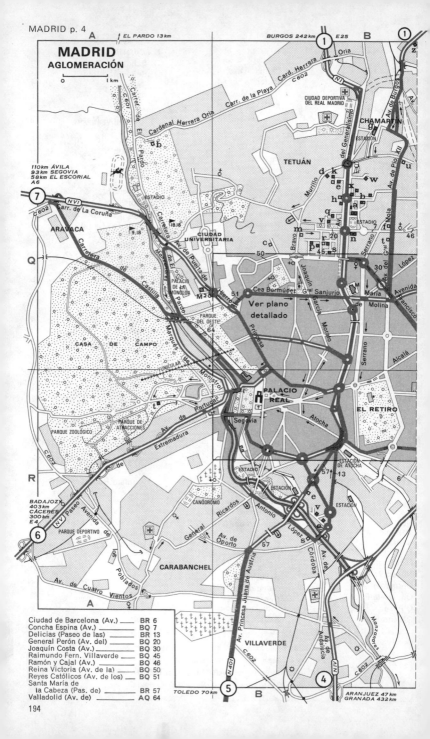

MADRID
AGLOMERACIÓN

0   1 km

EL PARDO 13 km

BURGOS 242 km   E25

110 km ÁVILA
93 km SEGOVIA
58 km EL ESCORIAL
A 6

CIUDAD DEPORTIVA
DEL REAL MADRID

CHAMARTÍN

ESTACIÓN

TETUÁN

Carr. de la Playa

Cardenal Herrera Oria

Carr. de La Coruña

ARAVACA

CIUDAD
UNIVERSITARIA

ESTADIO

PALACIO
DE LA
MONCLOA

PARQUE
DEL OESTE

Ver plano
detallado

Cea Bermúdez

Gral. Sanjurjo

Joaquín García

CASA   DE   CAMPO

FUNICULAR

PARQUE DE
ATRACCIONES

PARQUE ZOOLÓGICO

PALACIO
REAL

EL RETIRO

Segovia

Atocha

BADAJOZ
403 km
CÁCERES
300 km
E 4

ESTACIÓN

ESTACIÓN

ESTACIÓN
DE ATOCHA

CANÓDROMO

PARQUE DEPORTIVO

CARABANCHEL

Av. de Cuatro Vientos

VILLAVERDE

TOLEDO 70 km

ARANJUEZ 47 km
GRANADA 432 km

194

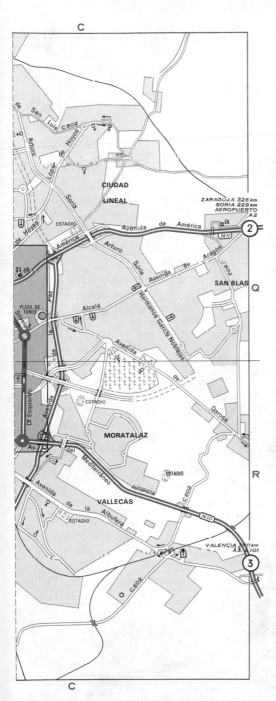

Continuación Madrid p. 8

Environs de Madrid
Voir carte Michelin n° 990
agrandissement
plis 38, 39, 40.

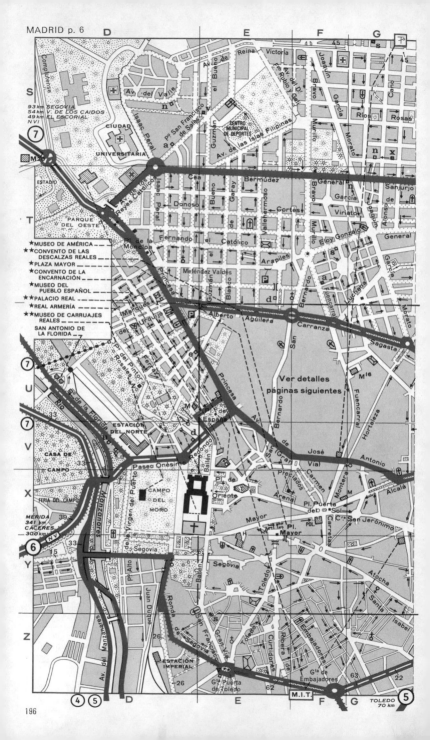

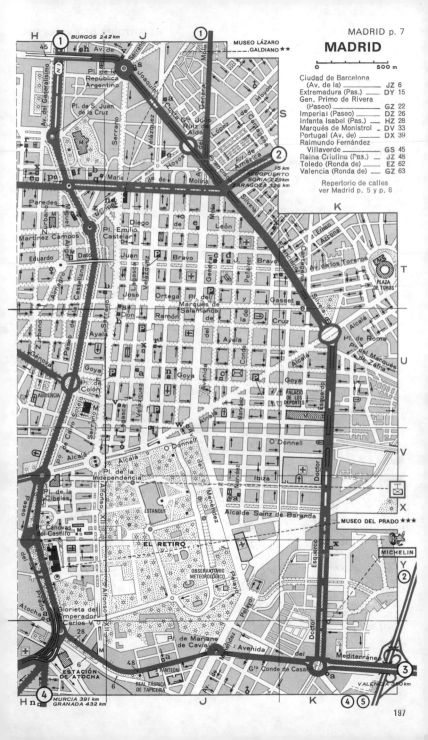

MADRID

0   500 m

Ciudad de Barcelona (Av. de la)	JZ 6
Extremadura (Pas.)	DY 15
Gen. Primo de Rivera (Paseo)	GZ 22
Imperial (Paseo)	DZ 26
Infanta Isabel (Pas.)	HZ 28
Marqués de Monistrol	DV 33
Portugal (Av. de)	DX 39
Raimundo Fernández Villaverde	GS 45
Reina Cristina (Pas.)	JZ 48
Toledo (Ronda de)	EZ 62
Valencia (Ronda de)	GZ 63

Repertorio de calles
ver Madrid p. 5 y p. 8

MUSEO LÁZARO GALDIANO ★★

BURGOS 242 km

15 km
AEROPUERTO
SORIA 229 km
ZARAGOZA 326 km

MUSEO DEL PRADO ★★★

MICHELIN

VALENCIA 360 km

MURCIA 391 km
GRANADA 432 km

MADRID
CENTRO
0 200 m
★ MUSEO DEL PUEBLO ESPAÑOL
★★ PALACIO REAL
★ REAL ARMERÍA
MUSEO CERRALBO
E
F
G
U
V
X
Y
Gta Ruiz Jiménez
Alberto Aguilera
Carranza
Gta de Bilbao
Luchana
Nicasio Gallego
Joaquín G. Morato
Sta Cruz de Marcenado
Divino Pastor
Sagasta
Pl. Alonso Martínez
Pl. de Sta Bárbara
Princesa
Conde Duque
Amaniel
Palma
San Bernardo
Pl. 2 de Mayo
Fuencarral
Apodaca
Barceló
Mejía Lequerica
Fernando VI
San Mateo
Hortaleza
Barquillo
M.I.T.
TORRE DE MADRID
Reyes
Pez
Pl. de España
Ferraz
Leganitos
Av. de (Gran Vía)
Augusto Figueroa
Valverde
Puebla
Infantas
Bailén
JARDINES DE SABATINI
Pl. Sta Domingo
Preciados
Pl. Callao
Av. de José Antonio (Gran Vía)
Bola
Arrieta
Carmen
Montera
Alcalá
PALACIO REAL
ARMERÍA
Pl. de Oriente
Pl. de Isabel II
Vergara
Arenal
Mayor
Pl. Puerta del Sol
Pl. de Canalejas
Cra de San Jerónimo
Pl. de las Cortes
Plaza Mayor
Carretas
Cruz
Príncipe
Pl. de Sta Ana
Prado
Sacramento
Segovia
Toledo
Pl. J. Benavente
Concepción Jerónima
Atocha
Huertas
Colegiata
Pl. Tirso de Molina
Magdalena
Moratín
Cava Baja
Cava Alta
Don Pedro
Pl. Pta de Moros
Cra S. Francisco
Duque de Alba
Pl. de Cascorro
Sta Isabel
CONVENTO DE LAS DESCALZAS REALES ★★
CONVENTO DE LA ENCARNACIÓN ★
PLAZA MAYOR ★
CAPILLA DEL OBISPO ★

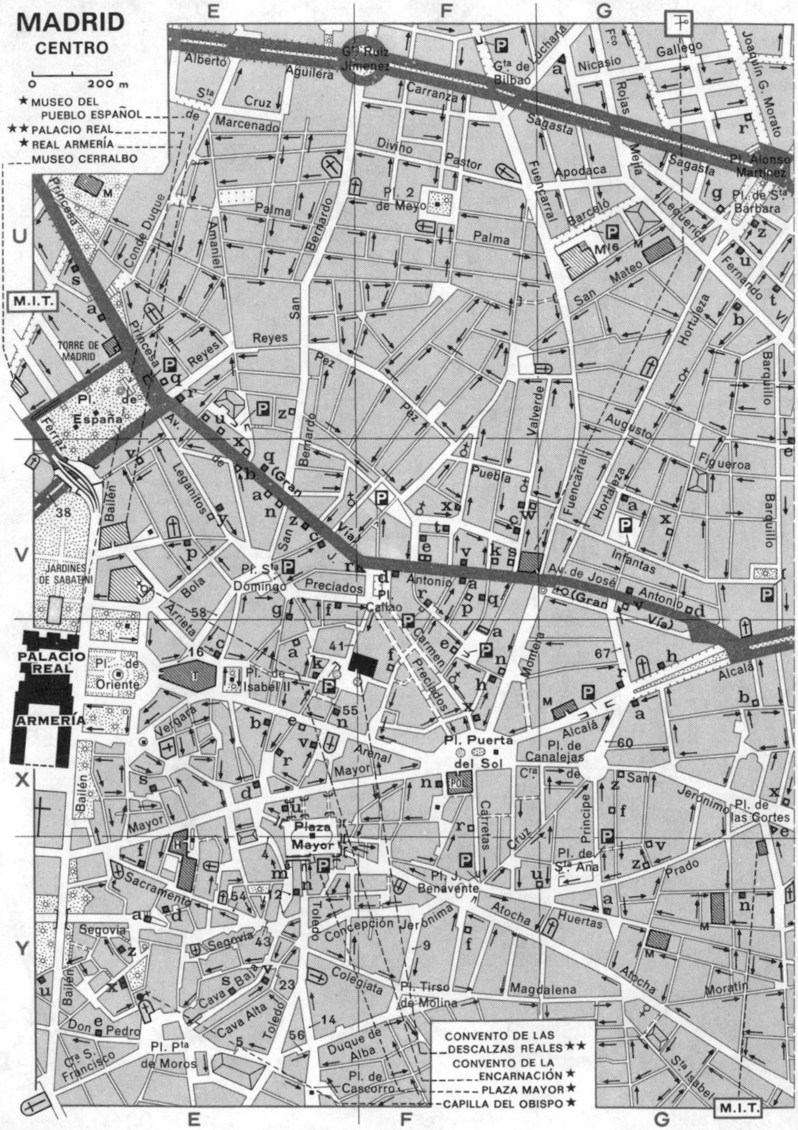

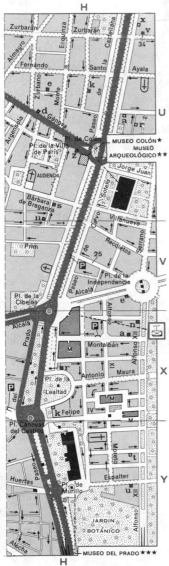

Restaurantes clásicos o modernos

XXX **Clara's,** Arrieta 2 ☎ 242 09 45, « Decoración elegante » – 📋. ⚮ — EX c
cerrado agosto – Com carta 610 a 1 255.

XXX ❀ **Club 31,** Alcalá 58 ☎ 231 00 92, Decoración moderna elegante – 📋. ⚮ — HV e
cerrado agosto – Com carta 605 a 855
Espec. Langostinos de Huelva al Champagne, Faisán del Real Sitio a las uvas, Soufflé.

XXX **Bajamar,** av. José Antonio 78 ☎ 248 48 18, Decoración moderna, Pescados y mariscos –
📋. ⚮ — EU r
Com carta 660 a 930.

XXX ❀ **Escuadrón,** Tamayo y Baus 8 ☎ 419 50 02 – 📋 — HU s
Com carta 540 a 690
Espec. Merluza Cibeles, Tournedos Escuadrón, Medallones de corzo a la Vodka salsa arándanos.

XXX **Las Lanzas,** Espalter 8 ☎ 228 00 77 – 📋. ⚮ — HY u
cerrado agosto – Com carta 715 a 1 000.

XXX **Pinto,** Montalbán 9 ☎ 231 75 45 – 📋 — HX a
Com carta 400 a 640.

XXX **Poncio Pilato,** Almirante 5 ☎ 221 74 22 – 📋. ⚮ — GUV e
cerrado domingo y agosto – Com carta 270 a 830.

XX **Postillón,** Princesa 15 ☎ 241 28 62 – 📋. ⚮ — EU s
cerrado domingo y agosto – Com carta 450 a 700.

XX Tres Encinas, 1º piso, Preciados 33 ☎ 232 20 34, Pescados y mariscos – 📋. — EV f

XX **Moaña,** Hileras 4 ☎ 248 29 14, Rest. gallego – 📋 🚗. ⚮ — EX r
cerrado domingo noche – Com carta 395 a 670.

XX **Horno de San Miguel,** Santa Teresa 4 ☎ 410 24 36 – 📋. ⚮ — GU u
cerrado domingo y 10 julio al 10 septiembre – Com carta 530 a 810.

XX **Valentín,** 1º piso, San Alberto 3 ☎ 231 85 85 – 📋. ⚮ — FX h
Com carta 520 a 675.

XX **Baviera,** Alcalá 33 ☎ 221 55 39 – 📋 — GX h
Com carta 360 a 510.

XX **Horno de Santa Teresa,** Santa Teresa 12 ☎ 419 02 45 – 📋. ⚮ — GU t
cerrado domingo noche y 10 julio al 10 septiembre – Com carta 480 a 820.

XX Pessoa, Silva 16 ☎ 247 01 17, Decoración moderna – 📋. — EV c

XX **Trabuco,** Mesonero Romanos 19 ☎ 222 56 34 – 📋. ⚮ — FV t
Com carta 519 a 652.

XX **La Toja,** 7 de Julio 3 ☎ 266 46 64, Rest. gallego – 📋. ⚮ — EX u
Com carta 405 a 725.

XX **Casa Gallega,** Bordadores 11 ☎ 241 90 55, Rest. gallego – 📋. ⚮ — EX v
Com carta 320 a 555.

XX **Pazo de Gondomar,** San Martín 2 ☎ 232 00 35, Rest. gallego – 📋. ⚮ — EX n
Com carta 340 a 550.

XX **El Caldero,** Huertas 15 ☎ 232 75 65, Espec. de Murcia – 📋. ⚮ — GY a
cerrado domingo y 15 agosto al 15 septiembre – Com carta 360 a 505.

XX **Burbujas,** pl. de la Cruz Verde 3 ☎ 247 30 65 – 📋. ⚮ — EY a
cerrado domingo noche – Com carta 425 a 595.

XX **Zarauz,** Fuentes 13 ☎ 247 30 66, Rest. vasco – 📋 — EX b
cerrado 15 julio al 15 septiembre – Com carta 300 a 400.

XX **Riesgo,** en sótano, con snack-bar, Peligros 1 ☎ 221 66 79 – 📋. ⚮ — GX r
cerrado agosto – Com carta 385 a 760.

XX Gure-Etxea, pl. de la Paja 12 ☎ 265 61 49, Rest. vasco – 📋. — EY x

XX **El Taco,** Tamayo y Baus 1 ☎ 232 71 25 – 📋 — HUV n
cerrado domingo y agosto – Com carta 330 a 540.

X **Gran Tasca,** Ballesta 1 ☎ 231 00 44 – ⚮ — FV x
cerrado domingo y julio al 10 septiembre – Com carta 450 a 675.

X **Gran Taberna,** Valverde 5 ☎ 231 29 51 – 📋. ⚮ — FV c
cerrado domingo y julio-agosto – Com carta 315 a 435.

X **Berrio,** costanilla de los Capuchinos 4 ☎ 221 20 35 – 📋. ⚮ — GV a
cerrado domingo – Com carta 225 a 540.

X **El Schotis,** Cava Baja 11 ☎ 265 32 30 – 📋. ⚮ — EY v
cerrado agosto – Com carta 305 a 550.

X Mesón del Conde, Pelayo 82 ☎ 419 60 08 – 📋. — GU b

X **Hogar Gallego,** pl. Comandante Las Morenas 3 ☎ 242 48 26, Rest. gallego – 📋 ⚮ — EX d
cerrado 1 al 29 agosto – Com carta 330 a 540.

X **Hostería Piamontesa,** costanilla de los Angeles 18 ☎ 248 34 14, Cocina italiana – 📋 — EV g
cerrado lunes no festivos y agosto – Com carta 260 a 360.

X **Bistroquet,** Conde 4 ℡ 247 10 75, Espec. francesas – ⚞   EY **d**
cerrado domingo – Com carta 335 a 665.

X **Valencia,** 1º piso, av. José Antonio 44 ℡ 232 01 50 – ▣. ⚞   FV **n**
cerrado lunes – Com carta 210 a 260.

X Pessoa, Luchana 12 ℡ 447 61 23 – ▣.   GU **a**

X **Quinta del Sordo,** Sacramento 10 ℡ 248 18 52   EY **f**
Com carta 185 a 325.

X Alejandro, Mesonero Romanos 7 ℡ 231 51 04 – ▣.   FV **r**

X **Ingenio,** Leganitos 10 ℡ 247 30 03 – ▣. ⚞   EV **y**
Com carta 200 a 375.

X Villa de Luarca, Concepción Arenal 6 ℡ 232 01 75 – ▣.   FV **e**

Ambiente típico

XXX **Café de Chinitas,** Torija 7 ℡ 248 51 35, Tablao flamenco – ▣. ⚞   EV **p**
cerrado Jueves Santo, Viernes Santo y 24 diciembre – Com (cena solamente) carta 685 a
985 (suplemento espectáculo 350).

XX **Las Reses,** Orfila 3 ℡ 419 33 15 – ▣   HU **e**
cerrado agosto – Com carta 440 a 640.

XX Sixto Gran Mesón, 1º piso, Cervantes 28 ℡ 468 66 02, Decoración castellana – ▣. GY **n**

XX **Botín,** Cuchilleros 17 ℡ 266 42 17, Decoración viejo Madrid, bodega típica – ▣ EY **n**
Com carta 340 a 535.

XX **Corral de la Morería,** Morería 17 ℡ 265 84 46, Tablao flamenco – ▣. ⚞   EY **u**
cerrado Jueves Santo y Viernes Santo – Com carta 825 a 1 025.

XX Mesón de San Isidro, costanilla de San Andrés 16 ℡ 265 11 64, Decoración castellana
– ▣.   EY **x**

XX **Las Cuevas de Luis Candelas,** Cuchilleros 1 ℡ 266 54 28, Decoración viejo Madrid -
Camareros vestidos como los antiguos bandoleros – ▣. ⚞   EY **m**
Com carta 340 a 520.

XX Fado, pl. San Martín 2 ℡ 231 89 24, Rest. portugués, Fados – ▣.   EX **k**

XX **Vihara,** pl. de Santa Bárbara 8 ℡ 419 07 45, Rest. hindú – ⚞   GU **z**
cerrado agosto – Com carta 290 a 380.

XX **El Cosaco,** Alfonso VI - 4 ℡ 265 35 48, Rest. ruso   EY **z**
cerrado mediodía excepto domingos y festivos de octubre a mayo – Com carta 200 a 430.

X **China,** Valverde 9 ℡ 232 31 15, Rest. chino – ▣   FV **w**
cerrado agosto – Com carta 280 a 455.

X Viejo Madrid, Cava Baja 32 ℡ 266 19 34, Decoración viejo Madrid – ▣.   EY **s**

Cafeterías, « Snack-bars », Restaurantes rápidos

XX **Manila,** Montera 25 ℡ 232 80 58, Decoración moderna – ▣. ⚞   FX **n**
Com carta 290 a 380.

XX Zahara, av. José Antonio 31 ℡ 221 84 24 – ▣.   FV **a**

XX Vips, Princesa 5 ℡ 241 16 22 – ▣.   EU **a**

XX **Nebraska,** av. José Antonio 55 ℡ 247 16 35 – ▣. ⚞   EV **n**
Com carta 326 a 754.

XX **Riofrio,** Génova 28 ℡ 419 29 77 – ▣. ⚞   HU **z**
Com carta 360 a 615.

XX **Manila,** av. José Antonio 41 ℡ 221 71 37 – ▣. ⚞   EFV **r**
Com carta 290 a 380.

XX **Nebraska,** av. José Antonio 32 ℡ 222 63 08 – ▣. ⚞   FV **v**
Com carta 326 a 757.

XX **Manila,** Carmen 4 ℡ 232 34 44 – ▣. ⚞   FX **x**
Com carta 290 a 380.

XX **Manila,** av. José Antonio 16 ℡ 222 98 10 – ▣. ⚞   GV **v**
Com carta 290 a 380.

XX Pick, av. José Antonio 62 ℡ 247 39 10 – ▣.   EV **q**

X **Manila,** Génova 21 ℡ 419 38 96 – ▣. ⚞   HU **d**
Com carta 290 a 380.

X **Nebraska,** Alcalá 18 ℡ 221 19 27 – ▣. ⚞   GX **a**
Com carta 326 a 757.

X **California,** av. José Antonio 49 ℡ 247 11 26 – ▣. ⚞   EV **z**
Com carta 300 a 370.

X **California 39,** av. José Antonio 39 ℡ 231 51 51 – ▣. ⚞   FV **d**
Com carta 300 a 370.

X **California,** Salud 21 ℡ 231 51 35 – ▣. ⚞   FV **q**
Com carta 300 a 370.

2º **Fuera del centro :** Paseo de la Castellana, Avenida del Generalísimo Franco, El Retiro, Plaza República Argentina, Plaza de Roma, Ciudad Universitaria, Casa de Campo, Estación de Atocha.

🏨🏨 **Eurobuilding y Rest. La Taberna** M, Padre Damián 23 ☎ 457 78 00, Telex 22548, 🔦, 🖾 – 🔳 🕿. 🏖. 🎉 rest   BQ **b**
Com 600/850 – 🖾 120 – **555 hab** 1 550/2 100 – P 2 160/2 660.

🏨🏨 Meliá Castilla y Grill « El Hidalgo » M, Capitán Haya 37 ☎ 270 81 00, Telex 23142, 🔦 – 🔳 🕿. 🏖   BQ **e**
935 hab.

🏨🏨 **Mindanao y Rest. Domayo** M, San Francisco de Sales 15 ☎ 449 55 00, Telex 22631, 🔦 🖾 – 🔳 🕿 🅿. 🏖. 🎉   DS **a**
Com carta 560 a 710 – 🖾 90 – **300 hab** 1 350/2 100 – P 1 940/2 240.

🏨🏨 **IFA H. Madrid** M, av. del Valle 13 ☎ 459 38 00, Telex 23180, 🔦 – 🔳 🕿 🚗 🅿. 🏖. 🎉 rest
Com 510 – 🖾 90 – **150 apartamentos** 1 675/2 900 – P 2 375/2 600.   DS **n**

🏨🏨 **Wellington,** Velázquez 8 ☎ 275 44 00, Telex 22700, 🔦 – 🔳 🕿. 🎉   JUV **t**
Com 500 – 🖾 90 – **325 hab** 1 250/2 250 – P 2 000/2 125.

🏨🏨 **Luz Palacio,** paseo de la Castellana 67 ☎ 253 28 00, Telex 27207 – 🔳 🕿. 🏖. 🎉   HT **p**
Com 575 – 🖾 115 – **200 hab** 1 715/2 530 – P 2 340/2 675.

🏨🏨 **Castellana,** paseo de la Castellana 57 ☎ 410 02 00, Telex 27686 – 🔳 🕿. 🏖. 🎉 rest
Com 490 – 🖾 90 – **278 hab** 1 680/2 100 – P 1 930/2 560.   HT **a**

🏨🏨 **Cuzco** sin rest, con snack-bar, av. Generalísimo 55 ☎ 279 15 00, Telex 22464 – 🔳 🕿 🅿   BQ **h**
🖾 71 – **331 hab** 710/985.

🏨🏨 **G. H. Colón,** Pez Volador 1 ☎ 273 08 00, Telex 22984, 🔦 – 🔳 🕿. 🏖. 🎉   KY **x**
Com 400 – 🖾 70 – **400 hab** 900/1 125 – P 1 435/1 770.

🏨🏨 **Florida Norte** M, paseo de la Florida 5 ☎ 241 61 90, Telex 23675 – 🔳 🕿. 🏖. 🎉 rest
Com carta 360 a 550 – 🖾 70 – **338 hab** 770/1 100.   DV **v**

🏨🏨 **Don Quijote** M, av. Doctor Federico Rubio y Galí 145 ☎ 459 21 00, « Gran terraza con 🔦 climatizada », 🖾 – 🔳 🅿. 🏖. 🎉 rest   BQ **c**
Com 425 – 🖾 80 – **101 hab** 750/1 100 – P 1 340/1 540.

🏨🏨 Agumar M, sin rest, con snack-bar, paseo Reina Cristina 7 ☎ 252 69 00, Telex 22814 – 🔳 🕿. 🏖   JZ **a**
252 hab.

🏨🏨 Alcalá y Rest. Basque, Alcalá 66 ☎ 225 16 50 – 🔳 🚗   JU **w**
153 hab.

🏨🏨 **Pintor** sin rest, con snack-bar, Goya 79 ☎ 225 45 21, Telex 23281 – 🔳 🕿. 🎉   JU **c**
🖾 70 – **176 hab** 640/940.

🏨🏨 **Emperatriz,** López de Hoyos 4 ☎ 276 19 10 – 🔳 🅿. 🎉   HT **z**
Com 360 – 🖾 60 – **170 hab** 715/1 100 – P 1 175/1 340.

🏨🏨 **Gran Atlanta** M, Commandante Zorita 34 ☎ 450 18 00, 🔦 – 🔳 🚗. 🏖. 🎉   BQ **r**
Com 350 – **180 hab** 900/1 300.

🏨🏨 **Aramo** sin rest, con snack-bar, paseo Santa María de la Cabeza 73 ☎ 468 44 00 – 🔳 🚗. 🏖. 🎉   BR **e**
🖾 60 – **105 hab** 625/990.

🏨🏨 **Carlton,** paseo de las Delicias 26 ☎ 230 92 00 – 🔳. 🎉   HZ **n**
Com 310 – 🖾 70 – **133 hab** 560/880 – P 980/1 100.

🏨🏨 **Claridge,** pl. del Conde de Casal 6 ☎ 251 94 00 – 🔳 🚗. 🏖. 🎉 rest
Com 325 – 🖾 70 – **150 hab** 610/1 040 – P 1 050/1 140.   KZ **a**

🏨🏨 **Puerta de Toledo,** puerta de Toledo 2 ☎ 265 84 00, Telex 22291 – 🔳 🚗. 🏖. 🎉   EZ **v**
Com (ver Rest. Urvi) – 🖾 60 – **152 hab** 465/760.

🏨🏨 **Conde Duque,** pl. Conde Valle de Suchil 5 ☎ 447 70 00, Telex 22058 – 🔳 rest. 🎉 rest
Com 250 – **159 hab** 300/600 – P 680/705.   ET **d**

🏨🏨 **Serrano** sin rest, Marqués de Villamejor 8 ☎ 225 75 64 – 🔳. 🎉   JT **b**
🖾 75 – **34 hab** 645/1 060.

🏨🏨 **Richmond** sin rest, pl. República Argentina 8 ☎ 261 80 00 – 🔳 🚗   JS **s**
🖾 65 – **24 apartamentos** 1 550/1 950.

🏨🏨 **Ecuestre,** Zurbano 79 ☎ 253 94 00, Telex 27578 – 🔳 🚗   HT **e**
Com 325 – 🖾 70 – **126 hab** 650/950 – P 1 000/1 175.

🏨🏨 **Bretón** sin rest, con snack-bar, Bretón de los Herreros 29 ☎ 254 74 00 – 🔳. 🎉   GS **n**
🖾 65 – **57 hab** 460/760.

🏨 **Mercator** sin rest, con snack-bar, Atocha 123 ☎ 239 26 00 – 🛗 🎬 🔳 🍽 ⌂wc 🕿 🅿
🖾 65 – **90 hab** 440/660.   HYZ **a**

🏨 **Reyes Católicos** sin rest, Angel 18 ☎ 265 86 00 – 🛗 🔳 ⌂wc 🕿   EYZ **s**
🖾 65 – **38 hab** 525/780.

🏨 **San Antonio de la Florida,** paseo de la Florida 13 ☎ 247 14 00 – 🛗 🎬 🔳 🍽 ⌂wc 🕿 🚗. 🎉   DV **u**
Com 275 bc – 🖾 60 – **96 hab** 408/656 – P 888/968.

🏨 **Sace**, av. General Sanjurjo 8 ☎ 447 40 00 – |🛗| 🎢 🖿 rest 🕾 🛏wc 🏖   FGT **n**
72 hab.

🏨 **Nacional**, paseo del Prado 48 ☎ 227 30 10 – |🛗| 🎢 🖿 🕾 🛏wc 🗄wc 🏖. 🛠   HYZ **a**
Com 290 – ⊆ 60 – **189 hab** 450/700 – P 870/970.

🏨 **Tirol** sin rest, con snack-bar, Marqués de Urquijo 4 ☎ 248 19 00 – |🛗| 🎢 🖿 🕾 🛏wc
🕮 🚗. 🛠   DTU **r**
⊆ 50 – **92 hab** 500/700.

🏨 **Zurbano**, Zurbano 81 ☎ 253 82 00, Telex 27578 – |🛗| 🎢 🖿 🕾 🛏 wc 🏖 🚗   HST **x**
Com 300 – ⊆ 65 – **112 hab** 650/800 – P 875/1 125.

🏨 **Aristos** sin rest, av. Pío XII - 34 ☎ 457 04 50, ☴ – |🛗| 🎢 🖿 🕾 🛏wc 🏖. 🛠   BQ **u**
⊆ 60 – **25 hab** 500/790.

🏨 **Trafalgar** sin rest, con snack-bar, Trafalgar 35 ☎ 445 62 00 – |🛗| 🖿 🕾 🛏wc 🗄wc 🏖. 🛠
⊆ 50 – **45 hab** 460/785.   FT **s**

🏨 **Don Diego**, 5° piso, sin rest, Velázquez 45 ☎ 225 10 40 – |🛗| 🎢 🕾 🛏wc 🏖. 🛠   JU **x**
⊆ 75 – **58 hab** 400/600.

🏛 Baltimore, sin rest, Bravo Murillo 160 ☎ 234 80 00 – |🛗| 🎢 🛏wc 🗄wc 🏖 🅿   BQ **m**
25 hab.

🛋 **Riomiera**, Antonio López 108 ☎ 469 03 00 – |🛗| 🎢 🏖. 🛠   BR **s**
Com 135 bc – ⊆ 34 – **54 hab** 135/205 – P 358/390.

Restaurantes de lujo

XXXXX ❀ **Zalacain**, Álvarez de Baena 4 ☎ 261 48 40, « Decoración elegante » – 🖿 🚗. 🛠
cerrado domingo y agosto – Com carta 820 a 1 250   HST **b**
Espec. Vieiras Albariño (octubre a abril), Ragoût de salmón al pistache (febrero a junio), Perdiz a la española (noviembre a marzo).

XXXX ❀ **Balthasar**, Juan Ramón Jiménez 8 ☎ 457 91 91, « Elegante decoración clásica » –
🖿. 🛠   BQ **b**
cerrado agosto – Com carta 725 a 1 250
Espec. Tosta de caviar Gran Canaria, Vieiras Noilly Prat, Tournedos Peña.

XXXX ❀ **O'Pazo**, Reina Mercedes 20 ☎ 253 23 33, Espec. gallegas, « Bonita decoración» – 🖿.
🛠   BQ **r**
cerrado domingo y agosto – Com carta 525 a 825
Espec. Merluza con vieiras, Pimientos marinera, Lacón con grelos (noviembre a marzo).

XXXX **Mayte Commodore**, pl. República Argentina 5 ☎ 261 86 06, « Decoración elegante » –
🖿. 🛠   JS **v**
Com carta 510 a 875.

XXXX **Valentín Club**, av. del Generalísimo 87 ☎ 270 39 47 – 🖿   BQ **e**
Com carta 525 a 680.

XXXX ❀ **Ruperto de Nola**, 22° piso, Corazón de María 2 ☎ 416 45 21, ≼ Madrid y alrededores,
Decoración moderna – 🖿 🅿. 🛠   CQ **n**
cerrado agosto, Jueves Santo y Viernes Santo – Com carta 585 a 1 135
Espec. Crêpes de salmón ahumado, Tortilla de mariscos con salsa de cangrejos, Solomillo de corzo a la austríaca.

XXXX **Nuevo Valentín**, Concha Espina 8 ☎ 259 10 24 – 🖿. 🛠   BQ **n**
Com carta 525 a 675.

XXXX ❀ **El Bodegón**, Pinar 15 ☎ 410 40 28, Decoración de estilo español – 🖿. 🛠   HT **q**
cerrado agosto – Com carta 500 a 1 500
Espec. Cocochas al pil-pil, Rodaballo '' Punto y Coma '', Tournedos Sanfeliu.

Restaurantes clásicos, modernos o típicos

XXX **La Fragua**, José Ortega y Gasset 6 ☎ 276 94 74 – 🖿. 🛠   JTU **s**
cerrado domingo y agosto – Com carta 585 a 860.

XXX **José Luis**, Rafael Salgado 11 ☎ 457 50 36 – 🖿. 🛠   BQ **a**
cerrado domingo y agosto – Com carta 600 a 965.

XXX **Rreda**, paseo de la Castellana 78 ☎ 261 92 13 – 🖿. 🛠   HST **f**
cerrado domingo – Com carta 585 a 860.

XXX **Ondarreta Félix**, Alberto Alcocer 1 ☎ 457 16 96 – 🖿. 🛠   BQ **x**
cerrado domingo y agosto – Com carta 450 a 890.

XXX **Lúculo**, Marqués de Villamejor 8 ☎ 276 41 01, Decoración moderna – 🖿. 🛠   HJT **b**
cerrado domingo y agosto – Com carta 625 a 850.

XXX **Nicolasa**, Velásquez 150 ☎ 261 99 85 – 🖿. 🛠   JS **a**
cerrado domingo y agosto – Com carta 690 a 875.

XXX **Charlot**, Serrano 70 ☎ 225 65 77, « Decoración original inspirada en los antiguos cafés parisinos » – 🖿. 🛠   JU **b**
cerrado domingo y agosto – Com carta 580 a 930.

XXX **Mariscal**, Ayala 46 ☎ 226 77 45 – 🖿. 🛠   JU **r**
Com carta 435 a 570.

XXX **Los Porches**, paseo Pintor Rosales 1 ☎ 248 51 97, Rest. al aire libre – 🖿   DU **z**
Com carta 510 a 675.

XXX **Príncipe de Viana,** Manuel de Falla 5 ℡ 259 14 48 – ▣. 𝕊
cerrado julio, agosto y domingo – Com carta 720 a 1 095.   BQ a

XXX **Señorío de Bertiz,** Comandante Zorita 6 ℡ 233 27 57 – ▣. 𝕊
cerrado domingo y julio-agosto – Com carta 460 a 835.   GS s

XXX **Da Renzo,** Pedro Muguruza 8 ℡ 259 30 00, Rest. italiano – ▣. 𝕊
Com carta 280 a 460.   BQ w

XXX **Club Mayte,** pl. República Argentina 5 ℡ 261 21 81 – ▣. 𝕊
Com carta 410 a 675.   JS s

XXX **Hostal Mayte,** prolongación General Mola 285 ℡ 259 08 74 – ▣. 𝕊
cerrado domingo y agosto – Com carta 410 a 675.   BQ f

XXX **Sarracín,** Paso Castellana 55 ℡ 419 85 32, Telex 27686 – ▣. 𝕊
Com carta 355 a 685.   HT a

XXX Gracciliano, General Mola 211 ℡ 457 09 70 – ▣.   BQ t

XX **House of Ming,** paseo de la Castellana 74 ℡ 261 98 27, Rest. chino – ▣. 𝕊
Com carta 335 a 575.   HST f

XX **El Buscón,** Panamá 4 ℡ 457 30 43 – ▣. 𝕊
cerrado domingo y 3 al 29 agosto – Com carta 270 a 520.   BQ a

XX **Fogón,** Villanueva 34 ℡ 275 44 00, Estilo rústico español – ▣. 𝕊
Com carta 490 a 885.   JUV t

XX **Marisquería Aymar,** Fuencarral 138 ℡ 445 57 67, Pescados y mariscos – ▣. 𝕊 FT a
Com carta 405 a 680.

XX **La Grillade,** Calatrava 32 ℡ 265 30 47, Espec. carnes – ▣
Com carta 435 a 660.   EYZ s

XX Dario's 37, Comandante Zorita 37 ℡ 253 51 32, Pescados y mariscos – ▣.   BQ p

XX **Rugantino,** Velásquez 136 ℡ 261 02 22, Rest. italiano – ▣
Com carta 395 a 490.   JS e

XX **Chalet Suizo,** Fernández de la Hoz 80 ℡ 234 50 78 – ▣. 𝕊
Com carta 400 a 450.   HS r

XX Estación Chamartín, Augustín de Foxa (final) ℡ 215 97 18 – ▣.   BQ g

XX **La Marmite,** pl. San Amaro 8 ℡ 279 30 18, Cocina francesa – ▣. 𝕊
cerrado domingo y agosto – Com carta 385 a 750.   BQ v

XX La Walkyria, Juan Bravo 66 ℡ 401 30 06 – ▣.   JKT r

XX **O'xeito,** paseo de la Castellana 57 ℡ 419 83 87, Decoración de estilo gallego, Pescados
y mariscos – ▣. 𝕊   HT a
Com carta 500 a 1 120.

XX **Basarri,** López de Hoyos 16 ℡ 276 60 41 – ▣. 𝕊
cerrado domingo en junio, julio y agosto – Com carta 360 a 560.   JT n

XX **Combarro,** Reina Mercedes 12 ℡ 254 78 15, Pescados y mariscos – ▣. 𝕊
cerrado domingo noche y agosto – Com carta 300 a 550.   BQ p

XX **Urvi,** Puerta de Toledo 2 ℡ 265 12 69 – ▣. 𝕊
Com carta 350 a 530.   EZ v

XX Brio's, Concha Espina 4 ℡ 259 07 02 – ▣.   BQ n

XX **Jai-Alai,** 1º piso, Balbina Valverde 2 ℡ 261 27 42 – ▣
Com carta 300 a 400.   HS h

XX Las Reses, pl. General Maroto 2 ℡ 239 00 63, Espec. carnes – ▣.   BR v

XX **Ondarreta,** Doctor Fleming 44 ℡ 457 09 88 – ▣. 𝕊
Com carta 380 a 700.   BQ x

XX ✿ **Alkalde,** Jorge Juan 10 ℡ 276 33 59, En una bodega – ▣. 𝕊
Com carta 420 a 810   JU v
Espec. Sopa de pescado, Revoltillo Gramajo, Zancarrón estofado a la bilbaína.

XX Nankin, Alberto Alcocer 27 ℡ 457 75 23, Rest. chino – ▣.   BQ b

XX **Sakuskiya,** Juan Bravo 41 ℡ 402 08 14 – ▣. 𝕊
Com carta 260 a 310.   JT d

XX Mesón Txistu, Rosa de Silva 25 ℡ 270 96 51, Decoración rústica – ▣.   BQ d

XX **Le Châtelet,** Estébanez Calderón 5 ℡ 270 14 49 – ▣. 𝕊
Com carta 435 a 690.   BQ e

XX Mesón Castellano, parque de atracciones ℡ 463 79 45, Edificio y decoración típicamente
castellanos.   AR t

X Mesón El Caserío, Capitán Haya 41 ℡ 270 96 29, Decoración rústica – ▣.   BQ k

X **Bodegón Navarro,** Generalísimo 51, entrada por Pintor Juan Gris, ℡ 279 31 29 –
▣. 𝕊   BQ h
cerrado domingo – Com carta 425 a 575.

X **Casa Félix,** 1º piso, Bretón de los Herreros 39 ℡ 253 76 28 – ▣. 𝕊
Com carta 305 a 465.   GS x

✗ **Rafa,** Narváez 68 ⌖ 273 82 98 – 🍽. 🎇 JX **a**
Com carta 455 a 710.

✗ Blanca de Navarra, General Yagüe 11, esquina av. de Brasil ⌖ 270 11 31, Cocina navarra –
🍽. BQ **q**

✗ **Samuel,** Lagasca 46 ⌖ 276 00 75 – 🍽. JU **a**

✗ Sixto, José Ortega y Gasset 83 ⌖ 401 10 13 – 🍽. KTU **e**

✗ La Panocha, Alonso Heredia 4 ⌖ 245 10 32 – 🍽. JT **x**

✗ Mesón Auto, paseo de la Chopera 71 ⌖ 239 66 00, Decoración rústica regional – 🍽
🚗. BR **e**

Cafeterías

✗✗ **California 47,** Goya 47 ⌖ 276 40 86 – 🍽 🎇 JU **n**
Com carta 200 a 370.

✗✗ **Manila,** Juan Bravo 37 ⌖ 275 51 79 – 🍽. 🎇 JT **c**
Com carta 290 a 380.

✗ **Manila,** Basílica 17 ⌖ 233 66 18 – 🍽. 🎇 BQ **s**
Com carta 260 a 440.

✗ **Manila,** Diego de León 41 ⌖ 262 12 62 – 🍽. 🎇 JT **e**
Com carta 290 a 380.

✗ **Vips,** Velázquez 136 ⌖ 262 84 38 – 🍽. 🎇 JS **e**
Com carta 250 a 400.

✗ Vips, Julián Romea 4 ⌖ 253 51 55 – 🍽. ES **v**

Alrededores

en Ciudad Puerta de Hierro : 8 km por N VI y por carretera de El Pardo – ⊠ ⌖ Madrid :

🏨 **Monte Real** Ⓜ 🦢, Arroyofresno 17 ⌖ 216 21 40, Telex 22089, « Decoración elegante,
bonito jardín », 🛝 – 🍽 🚗. 🏛. 🎇 AQ **b**
Com 615 – 🖵 145 – **84 hab** 1 500/2 480 – P 2 405/2 665.

por Chamartín : 7,5 km por N I – ⊠ ⌖ Madrid :

✗✗ **Bilibio,** av. de Burgos ⌖ 202 34 27, Decoración castellana – 🅟 BQ **z**
Com carta 380 a 530.

en El Pardo : 13 km por N VI y por carretera de El Pardo – ⊠ El Pardo ⌖ Madrid :

✗✗ Pedro's, av. de La Guardia ⌖ 736 08 83 – 🍽.
✗✗ **La Cigüeña,** S : 1 km ⌖ 736 08 60 – 🅟
Com carta 295 a 465.

✗ Gamo, av. de La Guardia 6 ⌖ 736 03 27.
✗ Montes, pl. Caudillo 1 ⌖ 736 03 29.

Por la salida ① :

en Fuencarral : 13,5 km por N I – ⊠ Fuencarral ⌖ Madrid :

✗✗ El Mesón, carret. de Colmenar Viejo ⌖ 734 10 19, Rústica instalación – 🍽 🅟.

en Alcobendas : 15 km por N I – ⊠ ⌖ Alcobendas :

✗✗✗ **Swissair,** ⌖ 259 66 33, Decoración moderna – 🍽 🅟. 🎇
Com carta 410 a 1 110.

en San Sebastián de los Reyes por N I – ⊠ San Sebastián de los Reyes :

🏨 Pamplona, carret. N I por ① : 25 km – 🎽 🍽 🛏wc 🚿wc 🅟
16 hab.

✗✗✗ **Mesón Tejas Verdes,** por ① : 17,5 km ⌖ 849 10 00 Madrid, « Casa de campo castellana,
jardín con arbolado » – 🍽
cerrado domingo noche y 11 al 30 noviembre – Com carta 385 a 555.

✗✗ Don Camilo, por ① : 23,5 km, carret. de Algete ⌖ 11 03 San Sebastián de los Reyes –
🍽 🅟.

Por la salida ② :

en la carretera N II – ⊠ ⌖ Madrid :

🏨 **Motel Osuna,** Luis de la Mata 30 por ② : 8 km ⌖ 205 05 40, 🛝 – 🎽 🍽 🛏wc 🚗
🅟. 🎇 rest CQ **a**
Com carta 310 a 600 – 🖵 75 – **169 hab** 500/850 – P 1 175/1 180.

sigue →

en el aeropuerto de Barajas : 15 km por N II – ⊠ ℔ Madrid :

🏨 **Barajas** Ⓜ, ℔ 205 42 96, Telex 22255, 🏊 climatizada – 🖿 Ⓟ. ♨. 🎇 rest
Com 470 – ♨ 95 – **230 hab** 1 100/1 850 – P 1 800/1 975.

🍴 **Aeropuerto** sin rest, ℔ 205 59 28 – 🏭 ☞ 🛏wc ⊛. 🎇
♨ 30 – **17 hab** 235/425.

Por la salida Ⓐ :

en la carretera N IV : 12,5 km – ⊠ Getafe ℔ Madrid :

🏨 **Motel Los Olivos** ⚲, ℔ 695 67 00, 🏊 – 🏭 🖿 ☞ 🛏wc ⊛ Ⓟ. 🎇 rest
Com *(cerrado sábado)* 300 bc – ♨ 40 – **100 hab** 360/500 – P 890/1 000.

Por la salida Ⓢ :

en la carretera de Toledo N 401 : 17,7 km – ⊠ Getafe :

XX Los Álamos – Ⓟ.

Hacia la salida Ⓖ :

en Boadilla del Monte : 15 km – ⊠ ℔ Boadilla del Monte :

XX **La Cañada,** carret. de Madrid, ℔ 127, ◄ campo – 🖿 Ⓟ. 🎇
cerrado domingo noche en invierno – Com carta 450 a 625.

Por la salida Ⓖ :

en Aravaca : 10,5 km por N VI – ⊠ ℔ Madrid :

XX **Portonovo,** ℔ 207 01 73, Espec. gallegas – 🖿 ◄⊟ Ⓟ. 🎇
cerrado domingo noche – Com carta 395 a 670.

en El Plantío : 13 km por N VI – ⊠ ℔ Madrid :

XX **Parque Moroso,** ℔ 207 72 30, « Agradable terraza » – 🖿 Ⓟ. 🎇
Com carta 337 a 680.

S.A.F.E. Neumáticos MICHELIN, Dirección Comercial, av. Dr Esquerdo 157 (KU)
℔ 252 60 00, Telex 27582.

AUSTIN-MG-MORRIS-MINI Antonio López 88 ℔ 269 88 06
AUSTIN-MG-MORRIS-MINI av. Mediterráneo 33 ℔ 252 71 00
AUSTIN-MG-MORRIS-MINI López de Hoyos 171 ℔ 415 05 00
AUSTIN-MG-MORRIS-MINI Paseo de la Habana 86 ℔ 457 55 54
AUSTIN-MG-MORRIS-MINI Galileo 104 ℔ 253 34 00
CHRYSLER-SIMCA Ayala 89 ℔ 401 20 50
CHRYSLER-SIMCA Carvajales 1 ℔ 230 34 04
CHRYSLER-SIMCA av. de la Paz 4 ℔ 404 50 80
CHRYSLER-SIMCA Blasco de Garay 14 ℔ 445 87 54
CITROEN General Palanca 31 ℔ 230 90 13

CITROEN Dr Esquerdo 62 ℔ 273 76 00
FIAT av. de la Habana 74 ℔ 259 82 00
FIAT carret. N II km 11,7 ℔ 205 11 40
FORD Jorge Juan 33 ℔ 225 84 54
PEUGEOT av. de los Toreros 8 ℔ 255 84 33
RENAULT General Yagüe 6 ℔ 279 78 05
RENAULT av. Ciudad de Barcelona 208 ℔ 251 26 02
RENAULT carret. de Aragón km 9,4 ℔ 205 19 40
RENAULT carret. de Alcobendas km 5,5 ℔ 202 09 40
RENAULT Valencia 21 ℔ 228 63 05
RENAULT General Martínez Campos 39 ℔ 419 94 74
RENAULT Oca 3-5 ℔ 472 14 00
SEAT Valderribas 75 ℔ 251 48 00
SEAT av. Generalísimo 146 ℔ 215 31 40

Os hotéis e restaurantes agradáveis são
assinalados no guia por um símbolo vermelho.

🏨🏨 ... 🏚

Ajude-nos, indicando-nos os estabelecimentos que, na sua
opinião, podem proporcionar uma estadia agradável.

XXXXX ... X

MAGALUF Baleares 🆖 ⑱, ⑲ – 🏨, 🏚 ver Baleares (Mallorca).

MAHÓN Baleares 🆖🆖🆖 ㉚, 🆖 ⑳ – 🏨, X ver Baleares (Menorca).

MÁLAGA Ⓟ 🆖🆖🆖 ㉞ – 374 452 h. – Playa – Plaza de toros – ⊛ 952.

Ver : Catedral* – Museo de Bellas Artes* – Alcazaba* (museo*) – Gibralfaro ⋇**. **Alred. :**
Finca de la Concepción* por Ⓢ : 7 km – Carretera* de Málaga a Antequera ◄** por Ⓓ.

Excurs. : Garganta del Chorro*** (Camino del Rey*** – Pantano del Conde de Guadalhorce** – Acantilado*) 62 km por Ⓓ y por Alora.

🏌 Club de Campo de Málaga por Ⓢ : 10 km – 🏌 de El Candado por Ⓓ : 7 km.

⚲ de Málaga por Ⓢ : 9 km ℔ 21 05 91 – 🚗 ℔ 22 26 74.

🚢 para Tánger : Cⁱᵃ Limadet-Ferry, Muelle Heredia 8 cz **B** ℔ 22 33 05, Telex 77013.
para Melilla y Barcelona : Cⁱᵃ Aucona, Juan Díaz 4 cyz ℔ 22 26 00, Telex 77042.

M.I.T. Larios 5 ℔ 21 34 45 y en el aeropuerto ℔ 31 20 44 – **R.A.C.E.** (Delegación) Horacio Lengo 1 ℔ 21 59 83.

Madrid 558 Ⓢ – **Algeciras** 139 Ⓓ – **Córdoba** 176 Ⓢ – **Sevilla** 207 Ⓢ – **Valencia** 645 Ⓓ.

centro :

- **Málaga Palacio,** av. Cortina del Muelle 1 ☎ 21 15 71, Telex 77021, ≤ puerto, – ▤. – Com 450 – ☕ 100 – **224 hab** 990/1 600 – P 1 650/1 840. — CZ **r**
- **Casa Curro,** Sancha de Lara 7 ☎ 22 72 00 – ▤. – Com 240 – ☕ 55 – **92 hab** 400/660 – P 780/850. — CZ **e**
- **Bahía Málaga** sin rest, Somera 6 ☎ 22 43 05 – ▤ – ☕ 55 – **44 hab** 395/500. — CZ **d**
- **Lis** sin rest, Córdoba 7 ☎ 22 73 00 – wc wc. – ☕ 44 – **53 hab** 220/630. — CZ **f**
- **Niza,** Larios 2 ☎ 22 77 04 – wc. rest – Com 190 – ☕ 45 – 53 hab 165/400 – P 485/515. — CY **k**

sigue →

MÁLAGA

Granada	CY	
José Antonio (Pl. de)	CY	29
Marqués de Larios	CYZ	34
Nueva	CY	
Santa Lucía	CY	54
Aduana (Pl. de la)	DY	2
Arriola (Pl. de la)	CZ	5
Atocha (Pasillo)	CZ	6
Calderería	CY	8
Canales	ABV	9
Cánovas del Castillo (Paseo)	BV	10
Cárcer	CY	12
Casapalma	CY	13
Compañía	CY	14
Compás de la Victoria	DX	16
Condesa de Parcent	CZ	17
Cortina del Muelle	CZ	18
Cuarteles	AV	20
Dr Gálvez Ginachero (Av.)	AU	21
Emilio Díaz	BU	22
Eslava	AV	23
Especerías	CY	24
Gordón	DX	25
Guerrero Strachan	BU	26
Huerto del Conde	DY	27
Jorge Silvela (Av. de)	BU	28
Jovellanos	AV	30
Mariblanca	CY	31
Marítimo (Paseo)	BU	32
Martínez	CZ	35
Martínez Barrinuevo	CX	36
Martínez Maldonado	AU	37
Martiricos (Paseo de)	AU	38
Matadero (Pasillo del)	CZ	40
Mendívil	AV	41
Molina Larios	CYZ	42
Morales Villarrubia	AU	43
Postigo de los Abades	CDY	45
Pries (Av. de)	BU	46
Reding (Paseo de)	BU	47
Roger de Flor	AV	48
Sancha (Paseo de)	BU	50
San Patricio	DX	51
Santa Isabel (Pasillo de)	CY	52
Santa María	CY	55
Santa Rosa (Av. de)	AU	56
Sebastián Souvirón	CZ	57
Strachan	CY	59
Teatro (Pl. del)	CY	60
Tejón y Rodríguez	CY	61
Tetuán (Puente de)	CZ	63
Vieja	ABV	66
Virgen de la Cabeza	AV	67

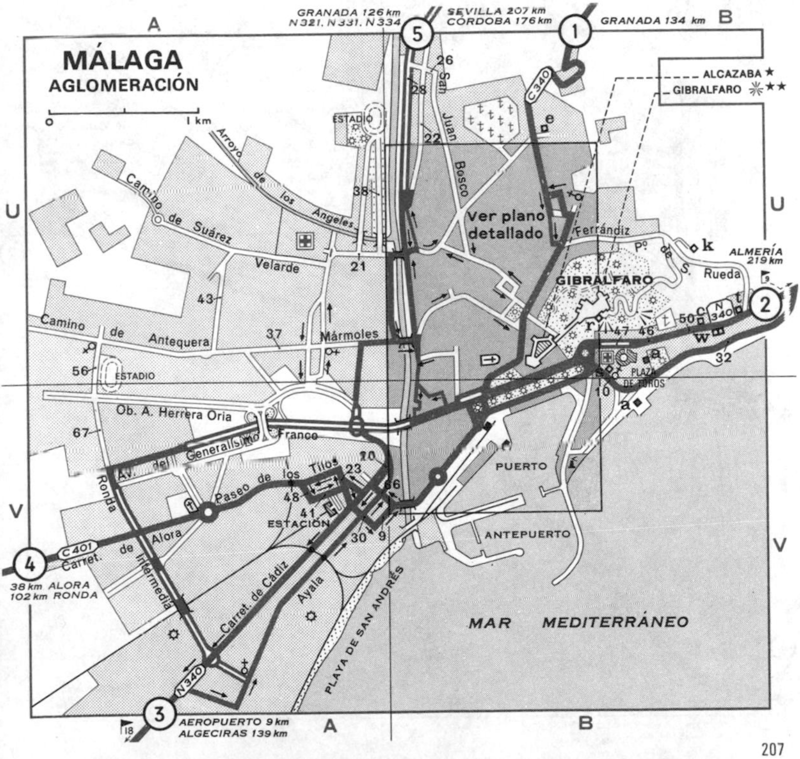

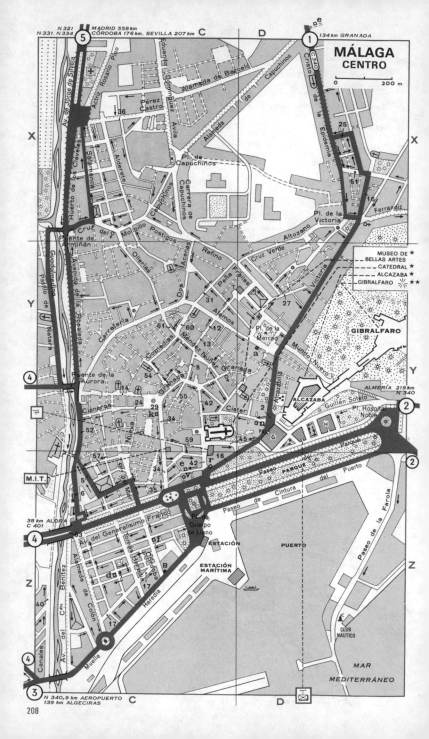

🏨 **Carlos V** sin rest y sin 🍽, Cister 6 🕿 21 11 98 – 🛗 📺 🖤 ⌂wc 🅿   DY n
54 hab 190/400.

🏨 **Derby,** 4º piso, San Juan de Dios 1 🕿 22 14 26 – 🛗 📺 🛋wc 🅿. 🍴   CZ v
Com 150 – 🍽 45 – 16 hab 185/345 – P 415/425.

✗ **Cortijo de Pepe,** pl. de la Merced 2 🕿 22 40 71, Decoración andaluza – 📺   DY a
Com carta 150 a 285.

fuera del centro :

🏯 Emperatriz, sin rest, paseo de Sancha 34 🕿 21 15 51, ≤ mar, « Bonito jardín », 🏊 – 📺 🅿   BU w
65 hab.

🏯 **Maestranza** sin rest, con snack-bar, av. Cánovas del Castillo 🕿 21 36 54, ≤ puerto   BU s
121 apartamentos 585/650.

🏯 **Las Vegas,** paseo de Sancha 28 🕿 21 77 12, ≤ mar, 🏊 – 🅿 🍴 rest   BU W
Com 290 – 🍽 65 – **73 hab** 600/010 – P 870/1 085.

🏯 Los Naranjos, sin rest, paseo de Sancha 29 🕿 22 15 24 – 📺 🆎   BU t
38 hab.

🏨 **Olletas** sin rest, Cuba 1 🕿 25 20 00 – 🛗 📺 🖤 ⌂wc 🅿. 🍴   BU e
🍽 50 – **66 hab** 280/475.

🏨 **Parador de Gibralfaro M.I.T.** 🦌, 🕿 22 19 02, « Magnífica situación con ≤ bahía
y ciudad » – 📺 🖤 ⌂wc 🅿 🅿. 🍴 rest   BU r
Com 280 – 🍽 60 – **12 hab** 375/530 – P 545/655.

🏨 **Gaviota** 🦌, paseo Salvador Rueda 🕿 25 01 50, « Terrazas con flores », 🏊 – 🛗 📺 🖤
⌂wc 🛋wc 🅿 🅿. 🍴 rest   BU k
Com 200/250 – 🍽 45 – 24 hab 360/490 – P 600/690.

🏨 **California,** paseo de Sancha 13 🕿 21 51 61 – 🛗 📺 🖤 ⌂wc 🛋wc 🅿. 🍴 rest   BU c
Com 195 – 🍽 55 – 28 hab 287/414 – P 569/649.

✗✗✗ **Brasa,** Fernando Camino 4 🕿 21 64 65 – 📺. 🍴   BU a
cerrado julio y domingo en verano – Com carta 355 a 715.

✗✗ **Antonio Martín,** paseo Marítimo 🕿 21 10 18, ≤ mar – 🅿. 🍴   BV a
Com carta 250 a 350.

por la carretera de Cádiz por ① : 10 km :

🏯 **Holiday Inn** Ⓜ 🦌, urbanización Guadalmar ✉ apartado 402 🕿 21 76 12 Málaga, Telex
77099, ≤ playa, 🍴, 🏊 climatizada – 📺 🅿. 🎿. 🍴 rest
Com 400 – 🍽 100 – **200 hab** 1 150/1 670 – P 1 600/1 915.

en la playa de El Palo por ② : 5 km – ✉ El Palo 🕿 Málaga :

✗✗ Don Carlos, carret. Almería, urbanización El Candado, ✉ apartado 35 El Palo 🕿 29 06 00
Málaga, 🏊 – 🅿.

✗ **Casa Pedro,** 🕿 29 00 13, ≤ mar – 📺 🅿
Com carta 176 a 270.

en la carretera de Cádiz por ③ : 11 km : 🏯 Parador del Golf M.I.T. ver Torremolinos.

AUSTIN-MG-MORRIS-MINI La Unión 🕿 22 29 40
CHRYSLER-SIMCA carret. de Cádiz km 242 🕿 21 51 89
CHRYSLER-SIMCA alameda Colón 28 🕿 22 35 89
CITROEN carret. de Cádiz 100 🕿 21 15 96
FIAT-SEAT carret. de Cádiz km 242 🕿 22 16 40
FORD carret. de Cádiz km 243 🕿 21 77 39
PEUGEOT alameda de Capuchinos 98 🕿 25 00 00

RENAULT carret. de Cádiz 31 🕿 22 24 12
RENAULT carret. de Cádiz 178 🕿 21 05 81
RENAULT Cristo de la Epidemia 85 🕿 25 24 88
RENAULT condesa de Parcent 2 🕿 21 80 99
RENAULT Sevilla 8 🕿 23 48 04
SEAT-FIAT Ayala 25 🕿 22 42 60

MALGRAT DE MAR Barcelona 🔢 ⓩ, 🔢 ⑱ – 9 174 h. – 🅾 93.
Madrid 687 – Barcelona 57 – Gerona 44.

🏨 **Mare Nostrum** sin rest, Esclapers 4 🕿 861 04 38 – ⌂wc 🛋. 🍴
15 junio-15 septiembre – **30 hab** 300.

en la carretera N II SO : 1,5 km – ✉ 🕿 Malgrat de Mar :

🏨 **Malgrat,** 🕿 861 02 16 – 📺 🖤 ⌂wc 🛋 🅿 🅿
Com 195 – 🍽 65 – 24 hab 400/500 – P 625/775.

CITROEN av. Costa Brava 🕿 861 06 37   SEAT av. Tarragona 5 🕿 861 06 40

MALLORCA Baleares 🔢 ⓩⓩ, 🔢 ⑱⑲⑳ – Ver Baleares.

Pour les 🏯, 🏯, 🏯, nous ne donnons pas le détail
de l'installation,
ces hôtels possédant, en général, tout le confort.

⌂wc 🛋wc
🖤
🅿 🛗

LA MANGA DEL MAR MENOR Murcia 990 ㉗ – ⊠ Cabo de Palos – ✿ 968 – 🔟₈. 🔟₈.
Madrid 470 – Cartagena 31 – **Murcia 79.**

🏨 **Galúa** ⤫, Hacienda Dos Mares ₸ 56 32 00, Telex 67119, « Sobre un promontorio con ⪕ costa y mar », 💥, ⚒ climatizada, ⤪ – 🍽 **Ɵ**. 🏊. 🍴 rest
Com 370 – ⨌ 90 – **170 hab** 775/1 100 – P 1 250/1 475.

🏨 **Entremares,** ₸ 56 31 00, Telex 68003, ⪕ mar, 💥, ⚒ climatizada – 🍽 **Ɵ**. 🍴 rest
Com 270 – ⨌ 70 – **245 hab** 515/860 – P 970/1 055.

XX **Dos Mares,** 1º piso, Hacienda Dos Mares ₸ 56 30 93, ⪕ mar – **Ɵ**
Com carta 260 a 410.

X **Don Pedro,** Hacienda Dos Mares ₸ 56 32 89, ⚒ – **Ɵ**
Com carta 200 a 325.

MANRESA Barcelona 990 ⑲, 43 ㉗ – 57 846 h. alt. 205 – Plaza de toros – ✿ 93.
Madrid 586 – Barcelona 70 – Lérida 116 – Perpignan 230 – Tarragona 119 – Sabadell 45.

🏨 **Pedro III,** av. del Caudillo 89 ₸ 872 26 00 – ⪘ **Ɵ**. 🍴
Com 210 – ⨌ 55 – **113 hab** 325/600 – P 650/675.

X **Miami,** 1º piso, av. del Caudillo 17 ₸ 872 36 20 – 🍴
cerrado viernes – Com carta 290 a 645.

AUSTIN-MG-MORRIS-MINI carret. Sampedor 123
₸ 873 21 00
CHRYSLER-SIMCA, FORD carret. Puente Vilumara 23
₸ 873 42 00

CITROEN Alcalde Armengou 30 ₸ 873 25 00
FIAT-SEAT Acequia 20 ₸ 873 23 00
RENAULT carret. Vich 287 ₸ 873 70 09
SEAT paseo del Río ₸ 873 66 78

MANZANARES Ciudad Real 990 ㉕ – 15 692 h. alt. 645 – Plaza de toros – ✿ 926.
Madrid 174 – Alcázar de San Juan 45 – Ciudad Real 50 – Jaén 161.

en la carretera de circunvalación :

🏨 **Cruce,** carret. N IV ₸ 61 19 00, « Amplio jardín con césped », ⚒ – 🍽 **Ɵ**. 🍴 rest
Com 250 – ⨌ 50 – **37 hab** 300/650 – P 750/775.

🏨 **Manzanares** sin rest, carret. N IV ₸ 61 08 00 – 🎬 🍽 🍸 🛁wc 🕿 **Ɵ**. 🍴
⨌ 55 – **18 hab** 250/440.

XX **Albergue M.I.T.** con hab, carret. N IV ₸ 61 04 00 – 🎬 🍽 rest 🍸 🛁wc 🕿 **Ɵ**. 🍴 rest
Com 260 – ⨌ 50 – **37 hab** 295/470.

AUSTIN-MG-MORRIS-MINI carret. N IV km 171 ₸
61 11 92
CHRYSLER-SIMCA carret. N IV km 171 ₸ 61 14 85

CITROEN carret. N IV km 171
FIAT-SEAT carret. N IV km 173 ₸ 61 08 61
RENAULT carret. de Madrid 19 ₸ 61 19 20

MANZANERA Teruel 990 ㉗ – 995 h. alt. 700.
Madrid 351 – Teruel 48 – **Valencia 110.**

🔱 Marco, Tomás María Ariño 112 ₸ 3
28 hab.

en la carretera de Abejuela S : 4 km – ⊠ ₸ Manzanera :

🏛 **Baln. El Paraíso** ⤫, ₸ 1, ⚒ – 🍸 🎬wc ⪘ **Ɵ**. 🍴 rest
20 junio-15 septiembre – Com 200 – ⨌ 50 – **62 hab** 200/350 – P 580/730.

MAQUEDA Toledo 990 ⑮ – 509 h. alt. 483.
Madrid 73 – Talavera de La Reina 43 – Toledo 42.

🏛 **Cazador,** carret. de Badajoz ₸ 20, ⚒ – 🎬 🍽 rest 🍸 🛁wc 🕿 **Ɵ**
Com 200/250 – ⨌ 50 – **30 hab** 330/575 – P 757/800.

🏛 **Hostal Castellano** sin rest, con snack-bar, carret. de Badajoz ₸ 25 – 🎬 🍸 🛁wc 🕿 **Ɵ**. 🍴
⨌ 30 – **10 hab** 190/330.

X Mesón Castellano, con hab, carret. de Badajoz ₸ 14 – 🎬 🍽 rest 🍸 🛁wc **Ɵ** – 5 hab.

Las MARAVILLAS Baleares – Ver Baleares (Mallorca) : Palma de Mallorca.

MARBELLA Málaga 990 ㉔ – 33 203 h. – Playa – Plaza de toros – ✿ 952.
🔟₈ Río Real-Los Monteros por ① : 5,5 km – 🔟₈ Nueva Andalucía por ② : 5 km.
Oficina Municipal de Turismo av. Miguel Cano 3 ₸ 82 51 00.
Madrid 617 ① – Algeciras 80 ② – Málaga 59 ①.

Plano página siguiente

🏨 **Fuerte** ⤫, Castillo San Luis ₸ 83 35 90, ⪕ playa, « Jardín con palmeras », 💥, ⚒ clima- tizada – 🍽 rest **Ɵ**. 🍴 rest — AB e
Com 305 – ⨌ 65 – **110 hab** 500/800 – P 925/1 025.

🏨 **Skol** ⤫, La Fontanilla ₸ 82 33 85, ⪕ mar, ⚒ – **Ɵ**. 🍴 rest — A a
Com 250 – ⨌ 70 – **300 hab** 800/900 – P 975/1 325.

🏨 **San Cristóbal** sin rest, Ramón y Cajal 18 ₸ 82 43 43 – 🍽. 🍴 — A t
⨌ 55 – **102 hab** 355/710.

MARBELLA

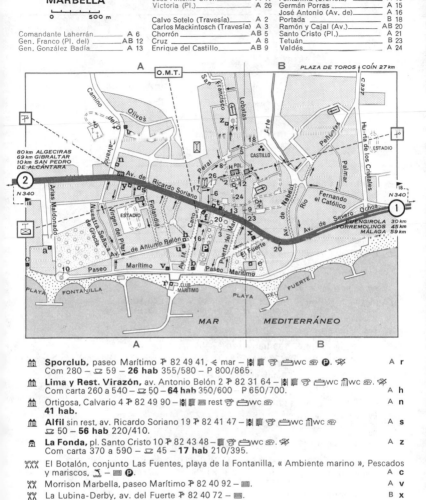

🏨 **Sporclub,** paseo Marítimo ☎ 82 49 41, ⇐ mar – 📶 🛎 ☞ ⇔wc 🅿️. 🎇   A r
Com 280 – 🍽 59 – **26 hab** 355/580 – P 800/865.

🏨 **Lima y Rest. Virazón,** av. Antonio Belón 2 ☎ 82 31 64 – 📶 🎕 ☞ ⇔wc 📶wc ☎. 🎇   A h
Com carta 260 a 540 – 🍽 50 – **64 hab** 350/600   P 650/700.

🏨 Ortigosa, Calvario 4 ☎ 82 49 90 – 📶 🎕 🍽 rest ☞ ⇔wc ☎   A n
41 hab.

🏨 **Alfil** sin rest, av. Ricardo Soriano 19 ☎ 82 41 47 – 📶 🎕 ☞ ⇔wc 📶wc ☎   A s
🍽 50 – **56 hab** 220/410.

🏠 **La Fonda,** pl. Santo Cristo 10 ☎ 82 43 48 – 🎕 ☞ ⇔wc ☎. 🎇   A z
Com carta 370 a 590 – 🍽 45 – **17 hab** 210/395.

XXX El Botalón, conjunto Las Fuentes, playa de la Fontanilla, « Ambiente marino », Pescados
y mariscos, 🔆 – 🍽 🅿️.   A c

XX Morrison Marbella, paseo Marítimo ☎ 82 40 92 – 🍽.   A v

XX La Lubina-Derby, av. del Fuerte ☎ 82 40 72 – 🍽.   B x

XX **Gran Marisquería Santiago,** paseo Marítimo ☎ 82 40 83, Pescados y marsicos – 🍽. 🎇   A b
Com carta 270 a 650.

XX **Miraflores,** av. del Calvario 10 ☎ 82 40 75, Decoración andaluza, Cena-baile en   A k
verano
cerrado noviembre y lunes – Com carta 320 a 570.

XX Madrid, Ramón y Cajal 18 ☎ 82 33 02 – 🍽.   A t

X **Mesón Farina,** Ramón y Cajal ☎ 82 40 26 – 🎇   A f
cerrado miércoles y noviembre – Com carta 310 a 410.

X **Metropol,** av. Ricardo Soriano 29 ☎ 82 56 71 – 🍽   A y
Com carta 315 a 485.

X **Gran Marisquería Santiago,** av. Antonio Belón 5 ☎ 82 39 00, Pescados y mariscos –
🍽. 🎇   A u
Com carta 260 a 560.

en la carretera de Cádiz :

🏨🏨 Meliá Don Pepe Ⓜ 🐾, por ② : 1 km ☎ 82 39 80, Telex 77055, ⇐ mar y montaña, « Bonito
césped con vegetación subtropical », 🎇, 🔆 climatizada – 🍽 🅿️. 🏛
226 hab.

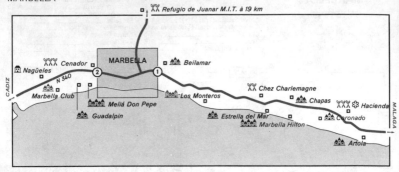

Refugio de Juanar M.I.T. à 19 km

Nagüeles — Cenador — MARBELLA — Bellamar — Chez Charlemagne — Chapas — Hacienda — Marbella Club — Los Monteros — Meliá Don Pepe — Guadalpin — Estrella del Mar — Coronado — Marbella Hilton — Artola

CADIZ — N 340 — MALAGA

Marbella Club ⤳, por ② : 3 km ☎ 82 35 93, Telex 77319, « Confortable finca en un agradable jardín florido », ⌇ climatizada – ℗
Com 390 – ⌷ 90 – **55 hab** 1 700 – P 1 575.

Guadalpin, por ② : 1,5 km ☎ 82 32 94, ⌇ – ℗. ⁂ rest
Com 235 – ⌷ 55 – **103 hab** 375/525 – P 687/800.

Nagüeles, por ② : 3,5 km ☎ 82 36 98 – ⌷ ⌷wc ⌷wc ⌷ ℗. ⁂ hab
cerrado noviembre al 15 diciembre – Com 160 – ⌷ 40 – 17 hab 190/310 – P 435/470.

Cenador, urbanización La Merced por ② : 1 km ☎ 82 46 05 Marbella, « Alegre restaurante entre plantas y flores »
Com carta 390 a 560.

en la carretera de Málaga :

Marbella Hilton Ⓜ ⤳, por ① : 10 km ⌷ ☎ 83 11 40 Marbella, Telex 77015, ≼ mar y montaña, « Bonito césped », ⁂, ⌇ climatizada – ⌷ ℗. ⌷. ⁂ rest
Com 480 – **248 hab** 1 600/2 150 – P 1 975/2 500.

Los Monteros ⤳, por ① : 5,5 km ⌷ ☎ 82 70 90 Marbella, Telex 77059, ≼ mar y montaña, « Bonito jardín subtropical », ⁂, ⌇ climatizada, ⌷, ⌷ – ⌷ ℗. ⁂
Com 800 – ⌷ 140 – **168 hab** 1 050/2 600 – P 2 500/2 750.

Coronado ⤳, por ① : 11 km ⌷ ☎ 83 15 31 Marbella, Telex 77241, ≼ mar, ⁂, ⌇ – ⌷ ℗. ⁂ rest
Com 225 – ⌷ 75 – **139 hab** 450/600 – P 745/895.

Chapas, por ① : 10,5 km ⌷ ☎ 83 13 75 Marbella, « En un pinar » plaza de toros particular, ⁂, ⌇ – ⌷ ℗.
Com 325 – ⌷ 75 – **117 hab** 582/1 040 – P 1 037/1 097.

Estrella del Mar ⤳, por ① : 9 km ⌷ 83 12 75 Marbella, ≼ mar y montaña, « Bonito césped », ⁂, ⌇ – ⌷ rest ℗
98 hab.

Artola, por ① : 12 km ⌷ ☎ 83 13 90 Marbella, « Bonito césped », ⁂, ⌇, ⌷ – ⌷ ℗. ⁂ rest
Com 290 – ⌷ 60 – **50 hab** 470/750 – P 915/1 010.

Bellamar, por ① : 1,5 km ⌷ ☎ 82 37 89 Marbella, ≼ mar y montaña, ⁂, ⌇ – ℗. ⁂
Com 225 – ⌷ 50 – **70 hab** 250/475 – P 665/675.

Hacienda, por ① : 11,5 km, y desviación 1,5 km ☎ 83 12 67 Marbella, « Decoración rústica, agradable patio » Cocina francesa – ℗
cerrado 18 noviembre al 20 diciembre, lunes de octubre a junio y para almuerzo de julio a octubre – Com carta 365 a 625
Espec. Croqueta de langosta, Pintada a la crema y pasas, Chuleta de Ávila en ''papillote''.

Chez Charlemagne, por ① : 8 km ⌷ ☎ 83 11 05 Marbella, Cocina francesa – ℗. ⁂
cerrado 6 enero al 15 febrero y miércoles de octubre a abril – Com carta 300 a 570.

en la Sierra Blanca N : 19 km por C 337 y carretera particular – alt. 800 :

Refugio de Juanar M.I.T. ⤳ con hab. coto nacional ⌷ Ojén ☎ 82 61 40 Marbella, « Refugio de caza, decoración regional » – ⌷ ⌷ ⌷wc ⌷ ℗. ⁂ rest
Com 280 – ⌷ 60 – **9 hab** 315/515.

Ver también *San Pedro de Alcántara* por ② : 13 km.

AUSTIN-MG-MORRIS-MINI carret. N 340 km 188,8 ☎ 82 36 42
CITROEN carret. N 340 km 190 ☎ 82 59 18

RENAULT carret. N 340 km 189 ☎ 82 36 63
SEAT carret. N 340 km 189 ☎ 82 35 43

*Los nombres de las principales calles comerciales están indicados en rojo
al principio del repertorio de calles de los planos de ciudades.*

MARENY DE VILCHES Valencia 🔟🔟🔟 ㉘ – Playa – ○ 963.
Madrid 378 – Alicante 151 – Valencia 28.

🏨 **Ariane** ⑤, playa ⊠ 🅟 81 42 22 Sueca, ⋦ playa – 🍽 ⌐wc ⋔wc 🅟. ⅏
junio-septiembre – Com 214 – ⌑ 51 – 36 hab 272/504 – P 635/655.

Las MARINAS Alicante 🔟🔟🔟 ㉘ – 🏨, ✗ ver Denia.

MARMOLEJO Jaén 🔟🔟🔟 ㉙ – 8 141 h. alt. 245 – Balneario.
Madrid 333 – Andújar 10 – Córdoba 73 – Jaén 74.

🏨 **Balneario** ⑤, Calvario 101 🅟 21, « Bonito jardín con flores » – ⋔ 🍽 ⌐wc ⋔wc 🅟. ⅏ rest
15 abril-mayo y septiembre-octubre – Com 200 – ⌑ 40 – 55 hab 225/365 – P 482/525.

🏩 **Central,** pl. José Antonio 3 🍴 1b – 🍽 ⋔wc
Com 140 – ⌑ 35 – 28 hab 190/200 – P 310/360.

✗ Alava, con hab, carret. N IV, S : 2,5 km 🅟 120, ⌿ – ⋔ 🅟
9 hab.

MARTORELL Barcelona 🔟🔟🔟 ⑲, 🟥🟥 ⑰ – 13 086 h. alt. 58 – ○ 93.
Madrid 600 – Barcelona 28 – Lérida 130 – Tarragona 02.

✗ El Plá, carret. N II, cruce carret. de Capellades 🅟 875 10 07 – ▤ 🅟.

CITROEN av. Montserrat 8 🅟 875 15 69
RENAULT av. José Antonio 30 A 🅟 875 07 82

SEAT-FIAT av. Conde Llobregat 🅟 875 10 20

Benutzen Sie auf Ihren Reisen in Europa die Michelin-Karten
Hauptverkehrsstraßen 1 : 1 000 000.

MASNOU Barcelona 🔟🔟🔟 ⑳, 🟥🟥 ⑱ – 10 410 h. – ○ 93.
Madrid 644 – Barcelona 14 – Gerona 84.

🏩 **Vilamar** ⑤, Bilbao 29 🅟 395 06 55 – ⋔ 🍽 ⌐wc 🅟. ⅏ rest
20 mayo-10 octubre – Com 200 bc – ⌑ 50 – 19 hab 220/360 – P 500/570.

RENAULT República Argentina 11 🅟 395 19 89

SEAT Angel Guimerá 13 🅟 395 01 57

MAS NOU (Urbanización) Gerona – 𝕏𝕏𝕏 ver Playa de Aro.

MASPALOMAS Las Palmas – 🏨 ver Canarias (Gran Canaria).

La MASSANA Andorra 🟥🟥 ⑥ – 🏨, 🏨, 🏩 ver Andorra (Principado de).

MASSANET DE LA SELVA Gerona 🟥🟥 ⑨ – 1 525 h. alt. 100.
Madrid 702 – Barcelona 72 – Gerona 30.

𝕏𝕏 Casal del Cavaller, pl. de la Iglesia 🅟 53 – ▤ 🅟.

en la autopista A 17 – ⊠ 🅟 Massanet de la Selva :

𝕏𝕏 **Massanet,** 🅟 43, ⋦ campo, Rest. moderno – ▤ 🅟. ⅏
Com carta 300 aprox.

MATARÓ Barcelona 🔟🔟🔟 ⑳, 🟥🟥 ⑱ – 73 129 h. – ○ 93.
🏌 de Llavaneras NE : 5 km.
Madrid 658 – Barcelona 28 – Gerona 70 – Sabadell 40.

𝕏𝕏𝕏 Clavel, carret. de Argentona O : 2 km 🅟 396 00 07 – ▤ 🅟.

en la carretera N II – ⊠ 🅟 Mataró ·

🏨 **Castell de Mata,** NE : 2 km 🅟 390 37 44, ⋦ mar, « Valiosas obras de arte », ⌿ – ▤ rest
🅟. ⅏ rest
Com 350 – ⌑ 80 – **52 hab** 445/900 – P 1 025/1 475.

✗ **El Delfín,** NE : 2,5 km ⊠ apartado 171 🅟 390 32 65 Mataró, ⋦ mar – 🅟
cerrado miércoles y 25 septiembre al 11 octubre – Com carta 240 a 370.

AUSTIN-MG-MORRIS-MINI av. Maresme 30-40 🅟 398 11 12
CHRYSLER-SIMCA Tolou 🅟 396 16 12
CITROEN av. Maresma 65 🅟 390 19 71

FIAT-SEAT paseo Marítimo 🅟 390 38 40
FORD Unión 33 🅟 398 44 35
RENAULT av. Maresma 8 🅟 398 22 00
RENAULT carret. Argentona km 1,400 🅟 398 33 35

MAZAGÓN Huelva 🔟🔟🔟 ㉘.
Madrid 642 – Huelva 24 – Sevilla 104.

🏨 **Parador Cristóbal Colón M.I.T.** ⑤, playa de Mazagón ⊠ Moguer 🅟 303 Mazagón,
⋦ mar, « Bonita terraza », ⌿ – 🅟. ⅏ rest
Com 315 – ⌑ 65 – **20 hab** 586/760 – P 685/895.

9

213

EL MÉDANO Santa Cruz de Tenerife – 🏠 ver Canarias (Tenerife).

MEDINACELI Soria **990** ⑯ – 1 442 h. alt. 1 201.
Ver : Arco de triunfo★.
Madrid 154 – Soria 76 – Zaragoza 178.

  🏛 Medinaceli y Rest. Mesón del Arco Romano 🦐, Portillo 1 🅿 53, ≤ valle y salinas – 🏢 🅼wc
  14 hab.

  en la carretera N II SE : 3,5 km – ✉ 🅿 Medinaceli :

  🏛 **Nico-H. 70,** 🅿 37 – 🏢 🖳 🖳wc 📤 ⇔ 🅿. 🛞
    Com 210 – ➯ 50 – **17 hab** 270/467 – P 619/649.

  ✗ **Duque de Medinaceli** con hab, 🅿 58 – 🏢 🖳wc 📤 ⇔. 🛞
    Com 200 bc/285 bc – ➯ 40 – **13 hab** 110/242 – P 550/560.

MEDINA DEL CAMPO Valladolid **990** ⑭ – 16 528 h. alt. 721 – Plaza de toros – ✪ 983.
Ver : Castillo de la Mota★.
Madrid 159 – Salamanca 79 – Valladolid 53.

  🏛 **La Mota** sin rest y sin ➯, Fernando el Católico 4 🅿 80 04 50 – 🛗 🏢 🖳 🖳wc 📤 ⇔ 🅿. 🛞
  20 hab 260/380.

  🏠 **Reina Isabel** sin rest, Isabel la Católica 3 🅿 80 02 50 – 🏢 🖳wc 🅼 📤. 🛞
  ➯ 50 – **14 hab** 300.

AUSTIN-MG-MORRIS-MINI carret. N-VI km 160
🅿 80 05 45
CHRYSLER-SIMCA av. Lope de Vega 43 🅿 80 08 29

CITROEN Gamazo 24 🅿 80 06 27
RENAULT Cereros 4 🅿 80 00 80
SEAT Valladolid 3 🅿 80 00 45

No viaje hoy con un mapa de ayer.

Não viage hoje com um mapa de ontem.

Ne voyagez pas aujourd'hui avec une carte d'hier.

MEDINA DE RIOSECO Valladolid **990** ⑭ – 4 919 h. alt. 735 – Plaza de toros.
Ver : Iglesia de Santa María (capilla de los Benavente★).
Madrid 222 – León 91 – Palencia 50 – Valladolid 42 – Zamora 80.

  🏛 **Los Almirantes,** paseo de San Francisco 2 🅿 290, ⍓ – 🏢 🖳 🖳wc 📤 🅿. 🛞
    Com 250 – ➯ 75 – **31 hab** 330/550 – P 565/675.

AUSTIN-MG-MORRIS-MINI carret. N 601 km 232 🅿
250
CHRYSLER-SIMCA carret. N 601 km 231 🅿 30

CITROEN carret. N 601 km 232,4 🅿 249
RENAULT Cantareros 8 🅿 5
SEAT carret. N 601 km 230 🅿 484

MEDIÑA Gerona **43** ⑨ – 446 h. alt. 84.
Madrid 738 – Barcelona 108 – Gerona 9.

  en la carretera N II – ✉ 🅿 Mediña :

  🏠 **Mediña,** 🅿 2 – 🏢 🖳wc 🅼wc 📤 🅿
    Com 215 – ➯ 50 – 26 hab 200/375 – P 538/550.

MELILLA 🅿 **169** ⑧ ⑨ – 64 942 h. – Playa – Plaza de toros – ✪ 952.
Ver : Ciudad Antigua★ (⚜★) BZ
🚢 para Almería y Málaga : Cia Aucona : General Marina 1 🅿 68 12 45, Telex 77084 AY
M.I.T. av. General Macías 1 🅿 68 14 94 – **R.A.C.E.** (Delegación) Grupo General Orgaz, bloque 2 n. 7 🅿 68 32 18.

Plano página siguiente

  🏰 **Parador Nacional D. Pedro de Estopiñán** Ⓜ 🦐, av. Cándido Lobera 🅿 68 34 86,
  ≤ mar, Melilla y monte Gurugú, ⍓ – 🗏 🅿. 🛞 rest   **AY n**
  Com 350 – ➯ 65 – **27 hab** 585/860 – P 790/935.

  🏛 **Rusadir-San Miguel** sin rest, Pablo Vallescá 3 🅿 68 12 40 – 🏢 🖳 🖳wc 📤 🅿. 🛞
  27 hab 250/425.   **AY b**

  🏠 Nacional, sin rest y sin ➯, José Antonio Primo de Rivera 10 🅿 68 45 40 – 🖳 🖳wc 🅼wc
  📤   **AY a**
  30 hab

  🏠 Miramar, sin rest, General Macías 🅿 68 36 42, ≤ puerto pesquero   **BZ x**
  16 hab.

  ✗ **Metropol,** pl. de España 🅿 68 36 18 – 🍽. 🛞   **AY e**
  cerrado febrero – Com carta 330 aprox.

  ✗ Nacional, José Antonio Primo de Rivera 10 🅿 68 46 27.   **AY a**

AUSTIN-MG-MORRIS-MINI Conde de Alcaudete 4
🅿 68 21 62
CHRYSLER-SIMCA Alfonso XII 1 🅿 68 17 38
CITROEN General Astillero 28 🅿 68 22 16

FORD Actor Tallavi 20 🅿 68 43 34
PEUGEOT General Astillero 3 y 5 🅿 68 20 35
RENAULT carret. Hidum 55 🅿 68 19 27
SEAT-FIAT General Chafel 2 🅿 68 13 80

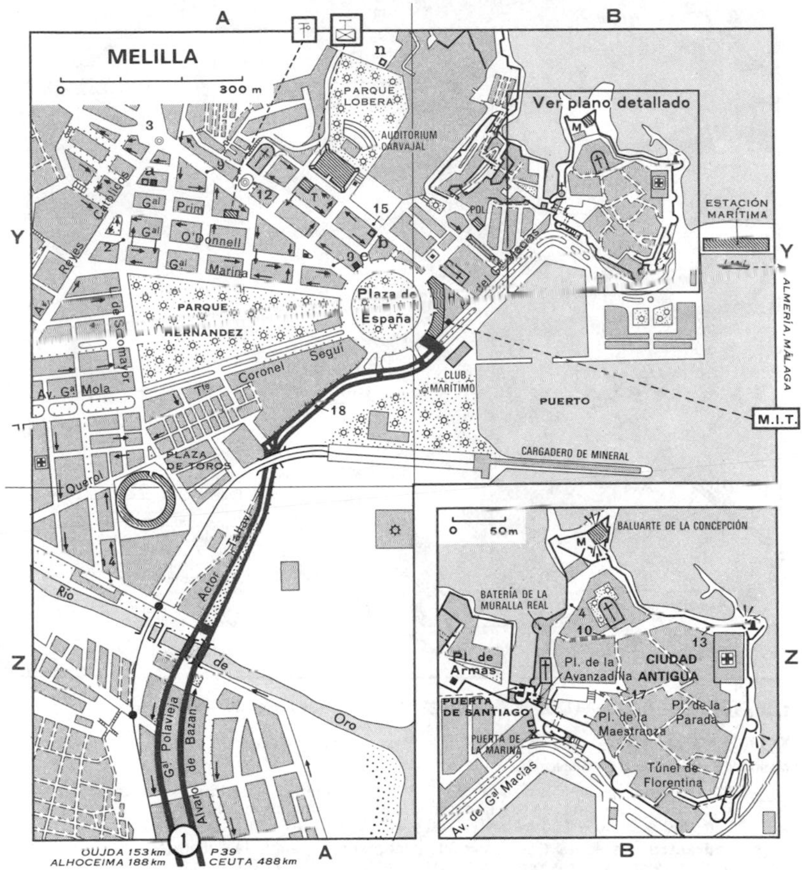
MELILLA
0 300 m
A
B
Y
Z
PARQUE LOBERA
AUDITORIUM CARVAJAL
Ver plano detallado
ESTACIÓN MARÍTIMA
ALMERÍA, MÁLAGA
Plaza de España
PARQUE HERNANDEZ
Coronel Seguí
CLUB MARÍTIMO
PUERTO
M.I.T.
CARGADERO DE MINERAL
PLAZA DE TOROS
Av. Gal Mola
Reyes Católicos
Gal Prim
Gal O'Donnell
Gal Marina
Querol
Río de Oro
Actor Tallavi
Gal Polavieja
Alvaro de Bazan
0 50m
BALUARTE DE LA CONCEPCIÓN
BATERÍA DE LA MURALLA REAL
Pl. de Armas
PUERTA DE SANTIAGO
PUERTA DE LA MARINA
Pl. de la Avanzadilla
CIUDAD ANTIGUA
Pl. de la Parada
Pl. de la Maestranza
Túnel de Florentina
Av. del Gal Macías
OUJDA 153 km
ALHOCEIMA 188 km
P 39
CEUTA 488 km

Generalísimo Franco (Av. del)	AY 9	Concepción	BZ 4	Músico Granados	AZ 14
		Iglesia	BZ 10	Pablo Vallescá	AY 15
Castillejos	AY 2	Menéndez y Pelayo (Pl.)	AY 12	San Miguel	BZ 17
Comandante Benítez (Pl.)	AY 3	Miguel Acosta	BZ 13	Tte. Gen. García-Valiño	AY 18

MENORCA Baleares 990 ㉚, 43 ⑩⑳ – Ver Baleares.

MÉRIDA Badajoz 990 ㉓ – 40 059 h. alt. 221 – Plaza de toros – ✆ 924.

Ver : Teatro romano★★ – Anfiteatro romano★ – Puente romano★ AZ.

M.I.T. Teniente Coronel Asensio 9 ☎ 30 21 61.

Madrid 341 ② – **Badajoz 62** ③ – **Cáceres 70** ① – **Ciudad Real 242** ② – **Córdoba 241** ③ – **Sevilla 199** ③.

Plano página siguiente

- **Parador Vía de la Plata M.I.T.,** pl. Queipo de Llano 3 ☎ 30 15 40, « Elegantemente instalado en un antiguo convento » – ▤ Ⓟ. ✻ rest — AY **a**
  Com 315 – ☕ 65 – **45 hab** 580/785 – P 708/895.
- **Emperatriz,** pl. de España 19 ☎ 30 26 40 – ▥ ☏ ⊟wc ☎. ✻ rest — AZ **e**
  Com 225/240 – ☕ 60 – **42 hab** 275/450 – P 650/700.
- **Texas** sin rest, carret. de Madrid ☎ 30 29 40 – ▥ ▤ ⊟wc ⊓wc ☎ Ⓟ. ✻ — BZ **s**
  ☕ 60 – **40 hab** 285/430.
- **Calderón,** José Antonio 3 ☎ 30 12 40 – ▥ ⊟wc ⊓ ☎. ✻ — ABY **n**
  Com 195 – ☕ 40 – 18 hab 190/355 – P 540/555.

CHRYSLER-SIMCA carret. de Madrid km 340 ☎ 30 12 44
CITROEN carret. de circunvalación ☎ 30 21 15
RENAULT carret. de Madrid ☎ 30 20 40
SEAT carret. de Madrid - Lisboa km 342 ☎ 30 12 21

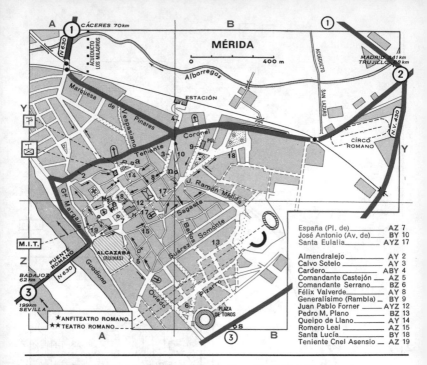

España (Pl. de)_____ AZ 7
José Antonio (Av. de)_____ BY 10
Santa Eulalia_____ AYZ 17

Almendralejo_____ AY 2
Calvo Sotelo_____ AY 3
Cardero_____ ABY 4
Comandante Castejón_____ AZ 5
Comandante Serrano_____ BZ 6
Félix Valverde_____ AY 8
Generalísimo (Rambla)_____ BY 9
Juan Pablo Forner_____ AYZ 12
Pedro M. Plano_____ BZ 13
Queipo de Llano_____ AY 14
Romero Leal_____ AZ 15
Santa Lucía_____ BY 18
Teniente Cnel Asensio_____ AZ 19

MIAMI PLAYA Tarragona 𝟿𝟿𝟶 ⑲, 𝟦𝟥 ⑮ – 🏨, 🏠, ✗ ver Hospitalet del Infante.

MIJAS Málaga 𝟿𝟿𝟶 ㉔ – 9 319 h. alt. 475 – Plaza de toros – **Ver :** ≤★.
Madrid 588 – Algeciras 116 - Málaga 30.

🏨 **Mijas,** urbanización Tamisa 🕾 86 05 80, ≤ montañas, Fuengirola y mar, « Elegante
decoración - Conjunto de estilo regional », ❀, ⌇ climatizada – 🅿. ⟱ rest
Com 300 – ⛌ 60 – **106 hab** 400/700 – P 900/950.

✗✗ **Padrastro,** paseo del Compás 🕾 36, ≤ montañas, Fuengirola y mar, ⌇ – ⟱
cerrado viernes y 7 enero al 7 febrero – Com carta 360 a 760.

✗✗ **Escudo de Mijas,** Pescadores 🕾 121, ≤ valle, Fuengirola y mar – ▤
cerrado martes y diciembre al 18 enero – Com carta 300 a 510.

✗ **La Alegría de Mijas,** pasaje del Compás 🕾 253 – ⟱
cerrado jueves – Com carta 220 a 430.

en la carret. de Fuengirola S : 4 km – ⊠ 🕾 Mijas :

✗✗ Valparaíso, 🕾 435, ≤ Fuengirola y mar – 🅿.

✗✗ La Sierra, ⌇ climatizada – 🅿.

MIJAS COSTA Málaga – ✗✗✗ con hab, ✗ ver Fuengirola.

MILIARIO DEL CAUDILLO Segovia – ✗✗ con bungalows, ver Honrubia de la Cuesta.

MINGLANILLA Cuenca 𝟿𝟿𝟶 ㉗ – 2 953 h. – alt. 850.
Alred. : Carretera de Valencia (≤★ embalse de Contreras) E : 8 km.
Madrid 234 – Cuenca 85 – Valencia 116.

🕾 Miralles, carret. N III 🕾 101 – ▥ sólo agua fría 🅿 – 20 hab.

MIRADOR DE DON MARTÍN Santa Cruz de Tenerife – 🏨 ver Canarias (Tenerife) : Güimar.

MIRAFLORES DE LA SIERRA Madrid 𝟿𝟿𝟶 ⑮ y ㉙ – 1 994 h. alt. 1 150 – 🕿 91.
Madrid 53 – El Escorial 51.

🏨 Refugio ⬙, sin rest, carret. de Madrid 🕾 625 51 25, ≤ valle, ⌇ – ▯ ▥ ⟱ ⌂wc ▥wc ⟰
🅿 – **47 hab.**

✗ Mesón Maito, Calvo Sotelo 5 🕾 94, Decoración castellana.

216

MIRANDA DE EBRO Burgos 990 ⑥, 42 ⑬ – 33 905 h. alt. 463 – ❀ 947.

Alred. : Embalse de Sobrón★★ NO : 15 km.

Madrid 323 – Bilbao 88 – Burgos 81 – Vitoria 33.

  🏨 **Don César,** carret. N I ☏ 31 18 43, Telex 23652 – ▤ rest ⇌ ❷. ⅏ rest
    Com 200 bc – ⬡ 50 – **124 hab** 280/495.

AUSTIN-MG-MORRIS-MINI Santa-Lucía 53 ☏ 31 01 12
CITROEN carret. N I km 318 ☏ 31 05 69
RENAULT Carlos III - 6 ☏ 31 02 03

SEAT-FIAT carret. N I km 317 ☏ 31 07 40
SIMCA carret. N I km 317 ☏ 31 01 31

MOGUER Huelva 990 ㉘, 37 ⑩ – 8 068 h. alt. 50.

Ver : Iglesia del convento de Santa Clara (sepulcros★).

Madrid 622 – Huelva 19 – Sevilla 84.

  🏠 **Fuentepiña,** pl. General Franco 14 ☏ 448 – ▥ 🕽 🛁wc ㉘. ⅏
    Com 175 bc – ⬡ 34 – 20 hab 217/375 – P 493/522.

  🏠 **Platero,** Calvo Sotelo 2 ☏ 8 – ▥ 🕽 🛁wc ㈹ ❷. ⅏
    Com 125/150 – 19 hab 150/190 – P 355/420.

MOJÁCAR Almería 990 ㉕ – 1 812 h. alt. 175.

Ver : Paraje★.

Madrid 518 – Almería 91 – Murcia 143.

  🏨 **El Moresco,** ☏ 106, ≼ montañas, valle y mar, 🏊 climatizada – ⅏
    Com 245 – ⬡ 60 – **147 hab** 535/690 – P 785/975.

  al Sureste : 2,5 km – ✉ ☏ Mojácar :

  🏨 **Parador de los Reyes Católicos M.I.T.** Ⓜ ⅌, ☏ 26, ≼ mar, 🏊 – ▤ ❷. ⅏ rest
    cerrado por obras hasta el verano – Com 315 – ⬡ 65 – **24 hab** 580/760 – P 695/895.

EL MOLAR Madrid 990 ㊵ – 1 914 h. alt. 817.

Madrid 41 – Aranda de Duero 119.

  🏠 **Mingo,** carret. N I ☏ 37 – ▥ 🕽 🛁wc ㈹ ❷
    Com 150 – ⬡ 25 – 28 hab 150/350 – P 400/425.

  🏠 El Molar, carret. N I ☏ 1 – ▥ 🕽 🛁wc ❷
    38 hab.

RENAULT carret. N 1 km 42,3 ☏ 32

La MOLINA Gerona 990 ⑲㉘, 43 ⑦ – alt. 1 300 a 1 700 – ❀ 972 – Deportes de invierno :
2 ⛷ 15 ⅃.

Madrid 650 – Barcelona 148 – Gerona 131 – Lérida 180.

  🏩 **Palace H.** Ⓜ ⅌, alt. 1 700, ☏ 89 20 16, ≼ montaña, ⅏, 🏊 – ▤ ❷. ⅏ rest
    Com 475 – ⬡ 90 – **33 hab** 750/1 200 – P 1 475/1 625.

  🏠 **Solana** ⅌, alt. 1 650, ☏ 89 20 00, ≼ montaña – 🛗 ▥ 🕽 🛁wc 🚿wc ㈹ ❷. ⅏
    Com 250 – ⬡ 60 – 52 hab 250/450 – P 700.

  🏠 **Adserá** ⅌, alt. 1 600, ☏ 89 20 01, ≼ montaña, 🏊 – 🛗 ▥ 🕽 🛁wc 🚿wc ㈹ ⇌ ❷. ⅏ rest
    Com 270 – ⬡ 65 – 40 hab 350/700 – P 850/900.

  🏠 **Club Tenis Barcino** ⅌, alt. 1 600, ☏ 89 20 26, ≼ montaña – ▥ 🛁wc 🚿wc ❷
    diciembre-25 abril – Com 220 – ⬡ 50 – **38 hab** 300 – P 525.

  🏠 **Roc Blanc** ⅌, alt. 1 450, ☏ 89 20 75, ≼ montaña – 🛗 ▥ 🕽 🛁wc ⇌ ❷. ⅏ rest
    Com 220 – ⬡ 55 – 22 hab 255/450 – P 650/700.

  🏠 **Solineu** ⅌, alt. 1 700, ☏ 89 20 16, ≼ montaña, ⅏, 🏊 – ▥ 🕽 🛁wc 🚿wc ㈹ ❷. ⅏ rest
    15 julio-15 septiembre y 15 diciembre-15 abril – Com 300 – ⬡ 60 – 54 hab 300/600 –
    P 860.

  🏠 La Molina ⅌, alt. 1 550, ☏ 32, ≼ valle y montaña – ▥ 🛁wc 🚿wc ㈹ ❷
    temp. – **35 hab.**

MOLINA DE ARAGÓN Guadalajara 990 ⑦ – 3 204 h. alt. 1 050.

Madrid 199 – Guadalajara 142 – Teruel 104 – Zaragoza 144.

  🏠 Rosanz, av. General Franco 8 ☏ 490 – ▥ 🕽 🛁wc ㈹
    31 hab.

CHRYSLER-SIMCA San Juan 14 ☏ 526
CITROEN carret. Teruel ☏ 154

RENAULT carret. Teruel km 198,6 ☏ 431
SEAT Carmen 12 ☏ 85

MOLLET DEL VALLÉS Barcelona 990 ㉘, 43 ⑱ – 20 212 h. alt. 65 – ❀ 93.

Madrid 647 – Barcelona 17 – Gerona 85 – Vich 49.

  ✕✕ Can Prat, av. Pío XII ☏ 293 05 00, 🏊, Decoración regional – ▤ ❷.

AUSTIN-MG-MORRIS-MINI Ronda Oriente 2 ☏
293 12 97

CITROEN Félix Ferrán 4 ☏ 293 09 98
RENAULT Cayetano Vinzia 68 ☏ 293 13 76

MONASTERIO – Ver a continuación y al nombre propio del monasterio.

MONASTERIO DE RODILLA Burgos 990 ⑤, 42 ⑫ – 327 h. alt. 876.
Madrid 267 – Burgos 25 – Vitoria 89.

en la carretera N I - en el puerto de la Brújula SO : 2,8 km :

🏨 **Brújula,** ⌷ ⴹ 1 Monasterio de Rodilla, ≼ campo y colina – 🛗 ▥ ☞ 🛏wc 🛁wc ☎ 🄿
Com 200 bc/250 bc – 🛏 50 – **66 hab** 250/500 – P 650.

MONDARIZ-BALNEARIO Pontevedra 990 ② – 646 h. alt. 174 – Balneario.
Madrid 588 – Orense 76 – Pontevedra 55.

🏨 Avelino ⬩, Ramón Peinador 16 ⴹ 102 – ☞ 🛏wc 🛁wc ⇐ 🄿 – 45 hab.
🏨 América ⬩, Ramón Peinador ⴹ 104 – ☞ 🛏wc 🛁 🄿
temp. – 31 hab.

MONDRAGÓN Guipúzcoa 990 ⑥, 42 ④ – 22 421 h. alt. 211 – ✪ 943.
Madrid 391 – San Sebastián 68 – Vergara 9 – Vitoria 35.

✗✗ Aquarium, 1º piso, carret. de Santa Águeda ⴹ 79 20 86.
✗ Toki-Ona, Resusta 11 ⴹ 79 20 60.

en la carretera de Santa Águeda O : 3,5 km – ⌷ ⴹ Mondragón :

🏨 **Txirrita,** barrio Guesalibar ⴹ 79 10 35, ≼ montañas – ▥ 🛁wc ☎. ⚿. ✇
Com 190 – 🛏 75 – 16 hab 275/350 – P 705/780.

RENAULT Bidecruce ⴹ 79 15 70   SEAT Barrio Musacola ⴹ 79 18 80

MONGAT Barcelona 43 ⑱ – 5 020 h.
Madrid 641 – Barcelona 11 – Gerona 87 – Mataró 17.

✗✗ El Quijote, con bungalows, carret. N II ⴹ 223, ≼ mar – ▥ ▤ rest 🛁wc 🄿
10 bungalows.

MONREAL DEL CAMPO Teruel 990 ⑰ – 2 773 h. alt. 939.
Madrid 247 – Teruel 56 – Zaragoza 126.

en la carretera N 234 – ⌷ ⴹ Monreal del Campo :

🏨 El Botero, José Antonio 11 ⴹ 98 – ▥ 🛏wc 🛁wc ⇐ 🄿 – 20 hab.
RENAULT carret. N 234 ⴹ 117

MONTAÑA DEL FUEGO Las Palmas – ✗✗ ver Canarias (Lanzarote).

MONTBLANCH Tarragona 990 ⑲, 43 ⑯ – 5 021 h. alt. 333.
Ver : Iglesia de Santa María (interior★).
Madrid 527 – Barcelona 122 – Lérida 57 – Tarragona 36.

🏨 **Ducal,** av. General Mola ⴹ 160 – ▥ ☞ 🛏wc 🛁wc ☎ 🄿. ✇
Com 170 – 🛏 40 – 40 hab 350 – P 450/475.

en la carretera N 240 – en el puerto de Lilla SE : 7,5 km – ⌷ ⴹ Montblanch :

✗ **Coll de Lilla** con hab, ⴹ 145, ≼ llanura de Valls – ▥ 🛏wc 🛁wc 🄿
Com carta 195 a 335 – 🛏 30 – 13 hab 135/245 – P 373/385.

AUSTIN-MORRIS-MG-MINI Arrabal de Santa Ana 45   RENAULT carret. de Reus ⴹ 320
ⴹ 17   SEAT carret. N 340-1 ⴹ 32
CITROEN Muralla Santa Ana 2 ⴹ 47

MONTE – Ver al nombre propio del monte.

MONTE HACHO Ceuta – ✗✗ ver Ceuta.

MONTEMAYOR Cáceres – Ver Baños de Montemayor.

MONTERROSO Lugo 990 ② – 4 938 h. alt. 489.
Madrid 543 – Lugo 40 – Orense 66 – Pontevedra 103.

🏨 Rivas, sin rest, General Salgado 14 ⴹ 22, ≼ valle y montañas – ▥ 🛏wc 🛁wc ⇐
22 hab.

MONTILLA Córdoba 990 ㉞ – 22 059 h. alt. 400 – ✪ 957.
Madrid 446 – Córdoba 46 – Jaén 116 – Lucena 29.

🏨 **Don Gonzalo** Ⓜ, carret. N 331 SO : 2,5 km ⴹ 65 06 58, « 🏊 rodeada de un magnifico
césped », ✇ – 🛗 ▤ ☞ 🛏wc ☎ 🄿. ✇ rest
Com 150 bc – 🛏 60 – **28 hab** 400/600.

✗✗ **Camachas,** carret. N 331 ⴹ 65 00 04 – ▤ 🄿
Com carta 275 a 490.

CITROEN av. Rafael Cabello de Alba 30 ⴹ 65 01 87   SEAT-FIAT carret. N 331 km 446 ⴹ 65 07 90
RENAULT carret. N 331 km 445 ⴹ 65 06 41

MONTORO Córdoba 990 ㉔ – 11 928 h. alt. 195 – ⊙ 957.
Madrid 356 – Córdoba 44 – Granada 174 – Úbeda 100.

⌂ **Montoro,** carret. N IV ☂ 16 02 97 – 𝍬 ⊟wc 𝍬wc **Ⓟ**. 🍽
Com 150 bc – ☲ 27 – 23 hab 140/240 – P 350/370.

MONTSENY Barcelona 990 ⑳, 43 ⑧ ⑱ – 307 h. alt. 522.
Madrid 689 – Barcelona 59 – Gerona 73 – Vich 36.

🛖 **Montserrat** 🦌, ☂ 3, ⋞ montaña – 𝍬 🍴 **Ⓟ**. 🍽
Com 175 – ☲ 35 – 16 hab 150/300 – P 425/450.

en la carretera de Tona – ✉ ☂ Montseny :

🏨 **San Bernat** 🦌, NO : 8 km ☂ 8, ⋞ montaña, ⚶ – 🚗 **Ⓟ**. 🍽 rest
Com 350 – ☲ 75 – **18 hab** 625/825 P 1 087/1 300.

✕✕ **Can Bessa,** NO : 1,5 km ☂ 15 ⋞ montaña **Ⓟ**. 🍷
cerrado martes – Com carta £45 a 380.

MONTSENY (Sierra de) ★★ Barcelona 990 ⑳, 43 ⑧ ⑱.
Ver : Recorrido★★ de San Celoni a Santa Fé – Carretera★ de Tona a San Celoni por el Norte –
Itinerario★ de San Celoni a Tona por el Sur.

MONTSERRAT Barcelona 990 ⑱, 43 ⑦ – alt. 725.
Ver : Paraje★★★. **Alred. :** Carretera de acceso ⋞★★.
Madrid 593 – Barcelona 62 – Lérida 123 – Manresa 28.

🏨 **Abat Cisneros** 🦌, ☂ 16 – 📶 𝍬 ▤ rest 🍴 ⊟wc 𝍬wc 🖂 **Ⓟ**
Com 285 – **41 hab** 410/665 – P 830/910.

✕✕ **Montserrat,** pl. Terminal ☂ 265 – **Ⓟ**
Com carta 325 a 575.

en la carretera de Casa Masana NO : 3,5 km – ✉ ☂ Montserrat :

✕ **Santa Cecilia,** ☂ 121, ⋞ valle y montaña – **Ⓟ**
23 marzo-2 noviembre – Com (almuerzo solamente) carta 195 a 370

Avise inmediatamente al hotel si no puede Vd. ocupar
la habitación que ha reservado.

Previna imediatamente o hoteleiro
se não puder ocupar o quarto que reservou.

MONZÓN Huesca 990 ⑱ – 14 089 h. alt. 368 – ⊙ 974.
Madrid 450 – Huesca 70 – Lérida 50.

🏨 **Vianetto,** carret. N 240 ☂ 40 19 00 – 📶 𝍬 🍴 ⊟wc. 🍽 hab
Com 175/200 – ☲ 45 – 84 hab 200/380 – P 570/595.

MORAIRA Alicante 990 ㉘ – 246 h.
Alred. : Carretera★ de Moraira a Calpe.
Madrid 483 – Alicante 75 – Gandía 65.

⌂ **Lasa** 🦌, carret. de Calpe ☂ 210 Teulada, ⋞ pinar – 📶 𝍬 🍴 ⊟wc 🖂 **Ⓟ**. 🍽 rest
Com 150 – ☲ 42 – 39 hab 205/380 – P 466/480.

⌂ **Moradix** 🦌, O : 1,5 km ☂ 200 Teulada, ⋞ pinar, 🍷 – 📶 𝍬 🍴 ⊟wc 𝍬wc 🖂 **Ⓟ**. 🍽
cerrado 20 octubre al 1 noviembre – Com 190 – ☲ 55 – 33 hab 170/360 – P 495/505.

MORELLA Castellón de la Plana 990 ⑱ – 3 652 h. alt. 1 004 – Plaza de toros.
Ver : Emplazamiento★ – Basílica de Santa María la Mayor★ – Castillo ⋞★.
Madrid 442 – Castellón de la Plana 98 – Teruel 139.

🏨 **Cardenal Ram,** Cuesta Suñer 1 ☂ 90, « Casa señorial del siglo XIV » – 𝍬 🍴 ⊟wc 𝍬wc
🖂
Com 175/300 – ☲ 45 – 19 hab 265/400 – P 465/515.

AUSTIN-MG-MORRIS-MINI   Travesía Exterior 1 ☂ 165   RENAULT   Hostal Nou ☂ 295
CITROEN   Castellón 2 ☂ 77   SEAT   Puerta San Mateo 2 ☂ 49

MORRO BESUDO Las Palmas – 🏨 ver Canarias (Gran Canaria) : San Agustín.

MORRO JABLE Las Palmas – 🏨 ver Canarias (Fuerteventura).

MOTA DEL CUERVO Cuenca 𝟿𝟿𝟶 ㉖ – 5 130 h. alt. 750.

Alred. : Belmonte (castillo : artesonados* mudéjares – Antigua colegiata : sillería*) NE : 14 km.

Madrid 140 – Albacete 108 – Alcázar de San Juan 36 – Cuenca 113.

🏠 **Mesón de Don Quijote,** carret. N 301 ☎ 21, 🏊 – 🏢 🖫 rest 🕾 🖆wc ☎ 🅿. 🎿 rest
Com 220 bc – 🖙 50 – **36 hab** 275/500 – P 665/690.

CITROEN carret. Madrid-Alicante ☎ 254

MOTILLA DEL PALANCAR Cuenca 𝟿𝟿𝟶 ㉖㉗ – 4 268 h. alt. 900 – Plaza de toros.

Madrid 204 – Cuenca 68 – **Valencia 146.**

🏠 **Sol,** carret. N III ☎ 28 – 🏢 🖆wc 🛏wc ☎ 🚗 🅿. 🎿
Com 205 – 🖙 45 – 36 hab 200/340 – P 530/560.

✗ **Catasús** con hab, carret. N III ☎ 23 – 🏢 🖆wc 🛏wc ☎ 🚗 🅿
Com 150 bc – 🖙 40 – 16 hab 210/325 – P 588/605.

CHRYSLER-SIMCA carret. N III km 196,7 ☎ 271
CITROEN carret. N III km 197 ☎ 105
RENAULT carret. N III km 198 ☎ 93
SEAT-FIAT Sacerdote Fernando Pastor 9 ☎ 103

MOTRIL Granada 𝟿𝟿𝟶 ㉟ – 31 716 h. alt. 65 – Plaza de toros – ⚙ 958.

Madrid 502 – Almería 113 – Antequera 153 – **Granada 70** – Málaga 106.

🏠🏠 **Costa Nevada,** carret. N 323 ☎ 60 05 00, 🍴, 🏊 – 🏢 🕾 🖆wc ☎ 🅿. 🎿
Com 220 bc – 🖙 60 – **52 hab** 350/500 – P 675/775.

🏠 Los Angeles, sin rest y sin 🖙, Hernández Velasco 1 ☎ 60 11 50 – 🛗 🏢 🕾 🛏wc ☎
45 hab.

AUSTIN-MG-MORRIS-MINI Rodríguez Acosta 11 ☎ 60 12 96
CHRYSLER-SIMCA carret. Almería ☎ 60 12 62
CITROEN av. Salobreña 94 ☎ 60 04 62
RENAULT Rodríguez Acosta 11 ☎ 60 11 66
SEAT carret. Málaga ☎ 60 12 00

MURCIA

MOYA Barcelona 𝟡𝟡𝟘 ⑳, 𝟜𝟛 ⑦ – 2 897 h. alt. 776.

Alred. : Estany (iglesia : capiteles★★) N : 8 km.

Madrid 612 – Barcelona 71 – Manresa 26.

☎ **Remei,** av. del Caudillo 25 �🌪 17 – 🏢 ☙ 🏠wc 🅿
Com 200 – ☷ 40 – **35 hab** 175/400 – P 550/625.

CITROEN carret. Manresa �🌪 24
RENAULT carret. Manresa 10 �🌪 21

SEAT-FIAT carret. Manresa �🌪 55

MULA Murcia 𝟡𝟡𝟘 ⑳ – 13 922 h. alt. 160.

Madrid 385 – Cartagena 80 – Lorca 62 – Murcia 33.

✗ Nuestra Sra. de Los Angeles, con hab. carret. de Murcia �🌪 427, ⅃ – 🏢 ☙ 🏠wc ☎ 🅿
9 hab.

CITROEN carret. Murcia-Caravaca �🌪 98
RENAULT Murcia �🌪 297

SEAT-FIAT carret. Murcia-Caravaca �🌪 91

carta	In den Hotels und Restaurants, für die ein Menü zu festem Preis angegeben ist, kann man jedoch im allgemeinen auch nach der Karte essen.

MURCIA 🅿 𝟡𝟡𝟘 ⑳ – 243 759 h. alt. 43 – Plaza de toros – ✪ 968.

Ver : Catedral★ (fachada★, museo diocesano : San Jerónimo★ – Campanario ※★) – Museo Salzillo★.

Alred. : Cresta del Gallo★ (※★) SE : 18 km por ② y por La Alberca.

✈ de Murcia-San Javier por ② : 50 km �🌪 57 00 73 – Iberia : av. Ciudad Almería 35 �🌪 21 77 21.

M.I.T. glorieta de España 1 �🌪 21 77 80 – **R.A.C.E.** (A. C. de Murcia) pl. de Ceballos 17 �🌪 21 42 62.

Madrid 391 ④ – Albacete 143 ④ – Alicante 84 ① – Cartagena 48 ② – Lorca 62 ③ – Valencia 225 ①.

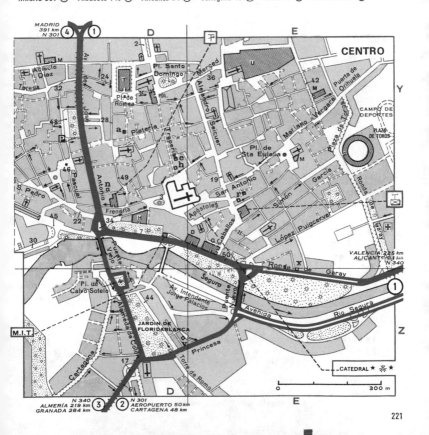

🏨🏨 7 Coronas Meliá y Grill « Murcia », ronda de Garay 3 ☎ 21 77 71 – 📺 ❸ **121 hab.** EYZ x

🏨🏨 Conde de Floridablanca, Corbarán 7 ☎ 21 46 24, Bonita decoración – 📺 60 hab. DZ v

🏨🏨 **Rincón de Pepe** sin rest, pl. Apóstoles 34 ☎ 21 22 39 – 📺. 🔬. ❄ ☲ 65 – **122 hab** 425/650. EY r

🏨 **Fontoria** sin rest, Madre de Dios 4 ☎ 21 77 89 – 🛗 ▥ 📺 ☂ ☐wc ▥wc ⊕. ❄ ☲ 60 – **127 hab** 440/550. DY n

🏨 **Hispano** sin rest, Trapería 8 ☎ 21 45 61 – ▥ 📺 ☐wc ▥wc ⊕ ☲ 35 – **52 hab** 160/350. DY h

🏨 **El Churra**, Obispo Sancho Dávila ☎ 23 84 00 – 🛗 ▥ 📺 ☂ ☐wc ▥wc ⊕. ❄ hab Com 150 bc – ☲ 30 – **48 hab** 140/280. AY z

XXX **Rincón de Pepe**, Sancho 1 ☎ 21 22 39 – 📺. ❄ *cerrado domingo en junio, julio y agosto* – Com carta 275 a 645. EY r

XX **Hispano**, Lucas 7 ☎ 21 12 17 – 📺 Com carta 260 a 615. DY e

X Paco's, Alfaro 7 ☎ 21 94 00 – 📺. DY a

X **El Soto**, paseo del Malecón 29 ☎ 21 68 26 – 📺 ❸. ❄ *cerrado lunes y 1 al 20 agosto, domingos y festivos en julio y agosto* – Com carta 225 a 305. AY s

en Algezares por Torre de Romo – BY : 6 km – ✉ Algezares ☎ Murcia :

🏨 **Fuensanta** 🐾, ☎ 84 02 00, ≤ huerta de Murcia y montaña – ▥ 📺 rest ☂ ☐wc ▥wc ⊕ ❸. ❄ Com 273 – ☲ 75 – **29 hab** 364/598 – P 812/877.

AUSTIN-MG-MORRIS-MINI carret. de Madrid km 382,4 - Cabrezo Cortado ☎ 83 08 34
CHRYSLER-SIMCA carret. de Alicante 117 ☎ 23 04 50
CITROEN San Antón 27 ☎ 23 49 50
FIAT-SEAT General Queipo de Llano 3 ☎ 21 61 84
FIAT-SEAT Floridablanca 63-69 ☎ 23 17 54
PEUGEOT Torre de Romo 68 ☎ 21 08 61
RENAULT av. Ministro Solís A ☎ 23 46 50
RENAULT Cartagena 45 ☎ 21 56 39

MURGUIA Alava 🖳🖳🖳 ⑥, 🄸🄸 ③ – alt. 620 – ⊙ 945.
Madrid 373 – Bilbao 61 – Vitoria 17.

🏨 **Zuya Hostal**, Domingo Sautu 32 ☎ 43 00 27 – ▥ ▥wc ❸. ❄ Com 200 bc – ☲ 50 – 15 hab 250/350 – P 525/600.

NAJERA Logroño 🖳🖳🖳 ⑥, 🄸🄸 ⑬ – 5 034 h. alt. 435.
Ver : Monasterio de Santa María la Real* (claustro*, iglesia : panteón real*, sepulcro de Doña Blanca de Navarra*, coro alto*, sillería*).
Alred. : San Millán de la Cogolla (monasterio de Suso*, monasterio de Yuso : marfiles**) SO : 7 km.
Madrid 332 – Burgos 90 – Logroño 26 – Vitoria 77.

🏨 San Fernando, paseo Martín Gamero 1 ☎ 390 – ▥ ☐wc ▥wc ⊕ ❸ 40 hab.

NARON La Coruña 🖳🖳🖳 ② – 21 491 h. alt. 20.
Madrid 607 – La Coruña 58 – El Ferrol del Caudillo 6 – Lugo 99.

🍴 **Excelsior**, pl. del Ayuntamiento ✉ Jubia ☎ 53 Piñeiros – sólo agua fría Com 150 bc/200 bc – ☲ 25 – 12 hab 110/190 – P 450.

NAVACERRADA Madrid 🖳🖳🖳 ⑮ y ㉙ – 830 h. alt. 1 203 – ⊙ 91.
Madrid 53 – El Escorial 23 – Segovia 37.

🏨 **Arcipreste de Hita**, carret. N 601 NO : 1,5 km ☎ 856 01 25, ≤ Navacerrada, valle y montaña. ❄, ☇ – 🛗 ▥ ☂ ☐wc ▥wc ⊕ ❸. ❄ Com 300 – ☲ 50 – **30 hab** 425/750 – P 875/925.

🏨 **Las Postas**, carret. N 601 SO : 1 km ☎ 856 02 50, ≤ valle y montaña – ▥ ☂ ☐wc ⊕ ❸ Com 200 – ☲ 35 – **21 hab** 225/400.

XXX **Fonda Real**, carret. del Puerto NO : 2 km ☎ 626 03 05, Decoración castellana del siglo XVIII, Espec. de las dos Castillas – ❸. ❄ Com carta 270 a 650.

en el valle de la Barranca NE : 3,5 km – ✉ Navacerrada ☎ Madrid :

🏨🏨 **La Barranca** 🐾, alt. 1 470, ☎ 626 00 00, ≤ valle y montaña, ❄, ☇, ☒ – ❸. 🔬. ❄ Com 260 – ☲ 57 – **54 hab** 475/700 – P 850/975.

NAVACERRADA (Puerto de) Madrid-Segovia 990 ⑮ y ㊴ – alt. 1 860 – ⊠ Cercedilla ⊤ Puerto de Navacerrada – Deportes de invierno : 10 ⚡.
Ver : Puerto* (⋖*).
Madrid 60 – El Escorial 28 – **Segovia 28.**

- 🏨 Venta Arias ⑤, carret. N 601 ⊤ 622 14 32, ⋖ montañas – ▥ ☞ ⊟wc ☎ 🄿
  15 hab.
- 🏠 **Pasadoiro** ⑤, carret. N 601 ⊬ 852 14 27, ⋖ valle y montañas – ▥ ☞ ⊟wc ▥wc ⟺. ❄
  Com 270 – � 60 – 36 hab 500 – P 705.
- ✗ El Corzo ⑤, con hab, carret. N 601 ⊬ 10, ⋖ montañas – ▥ ☞ ⊟wc ▥wc ☎ ⟺ 🄿
  10 hab.

NAVALCARNERO Madrid 990 ⑮ y ㊴ – 6 212 h. alt. 671.
Madrid 30 – El Escorial 43 – Talavera de la Reina 88.

- ✗✗ Felipe IV, carret. N V - E : 3 km ⊤ 419 – ▤ 🄿.
- ✗ Serrano, carret. N V ⊤ 10 – ▤ 🄿.

CHRYSLER-SIMCA carret. N V km 30,8 ⊤ 356
CITROEN carret. N V km 30,75 ⊤ 394

RENAULT Sebastián Muñoz 13
SEAT carret. N V km 29,8 ⊤ 88

Avenida

Si le nom d'un hôtel figure en petits caractères,
demandez à l'arrivée
les conditions à l'hôtelier.

NAVALMORAL DE LA MATA Cáceres 990 ㉔ – 9 706 h. alt. 514.
Madrid 179 – Cáceres 121 – Plasencia 87.

- 🏠 **Almanzor y Rest. Gredos,** José Antonio 43 ⊤ 368 – ▥ ▤ rest ⊟wc ▥ ☎. ❄
  Com 175/300 – ⊠ 40 – **36 hab** 135/260 – P 517/525.

  en la carretera de circunvalación – ⊠ ⊤ Navalmoral de la Mata :

- 🏠 **Moya,** ⊤ 53 05 00 – ▥ ▤ rest ⊟wc ▥wc ☎ ⟺ 🄿. ❄ rest
  Com 160 bc – ⊠ 45 – 31 hab 130/270 – P 400/420.
- ✗✗ **Brasilia,** ⊤ 844, ⚘ de pago – ▤ 🄿. ❄
  Com carta 225 a 400.

  en la carretera N V SO : 23 km :

- 🏠 **Motel Moya,** ⊠ apartado 110 Navalmoral de la Mata ⊤ 8 Romangordo, ⋖ lago artificial,
  ⚘ – ▥ ▤ rest ☞ ⊟wc ▥wc ☎ 🄿. ❄ rest
  Com 160 bc – ⊠ 45 – **13 hab** 150/270.

AUSTIN-MG-MORRIS-MINI carret. Madrid-Lisboa
km 179 ⊤ 462
CHRYSLER-SIMCA carret. Madrid-Lisboa km 179 ⊤ 869

RENAULT carret. Madrid-Lisboa km 180 ⊤ 319
SEAT carret. Madrid-Lisboa km 181 ⊤ 219

Las NAVAS DEL MARQUÉS Avila 990 ⑮ y ㊳ – 3 930 h. alt. 1 318.
Madrid 82 – Ávila 40 – El Escorial 24.

  en Ciudad Ducal O : 4,5 km – ⊠ ⊤ Las Navas del Marqués :

- 🏠 **San Marcos** ⑤, ⊤ 28, « En el centro de un pinar », ❄ – ▥ ☞ ⊟wc ▥wc ☎ 🄿. ❄
  Com 175 – ⊠ 45 – **16 hab** 225/300 – P 425/500.

SEAT carret. Villalba-Avila km 37 ⊤ 234

NAVIA (Valle de) Oviedo 990 ③.
Ver : Recorrido de Navia a Boal : Embalse de Arbón ❄**, Vivedro ❄**, confluencia** del Navia y del río Frío.

NA XAMENA (Urbanización) Baleares – 🏨 ver Baleares (Ibiza) : San Miguel.

NERJA Málaga 990 ㉕ – 8 572 h. – ⊙ 952.
Alred. : Cuevas de Nerja** NE : 4,5 km – Carretera** de Nerja a La Herradura ⋖**.
Madrid 556 – Almería 167 – Granada 124 – Málaga 52.

- 🏨 **Parador M.I.T.** ⑤, playa de Burriana - Tablazo ⊤ 52 00 50, ⋖ mar, « Original edificio
  rodeado de jardines », ⚘ – ▤ ⟺ 🄿. ❄ rest
  Com 315 – ⊠ 65 – **40 hab** 580/785 – P 708/895.
- 🏨 **Balcón de Europa,** ⊤ 52 08 00, ⋖ mar – ▤▥ ▥ ☞ ⊟wc ☎. 🆚. ❄ rest
  Com 300/350 – ⊠ 50 – **105 hab** 400/620 – P 860/950.
- 🏠 **Portofino,** Puerta del Mar 4 ⊤ 52 01 50, ⋖ mar – ▥ ☞ ⊟wc ▥wc ☎
  Com 225 – ⊠ 50 – **12 hab** 265/550 – P 622/665.
- ✗ Cala Bella, con hab, Puerta del Mar 8 ⊤ 52 01 03, ⋖ mar – ▥ ☞ ⊟wc
  10 hab.

sigue →

en la carretera N 340 – ⊠ ᵀᵖ Nerja :

🏛 **Avalon,** O : 2 km ᵀᵖ 52 12 43, ⟨ mar, campo y montaña – ▥ ☞ ⌂wc ▥wc ▩ **Ⓟ**. ❀ rest
cerrado febrero y 1 al 20 junio – Com 150 – � 45 – **8 hab** 300 – P 495.

🏛 **Luna,** E : 1,5 km ᵀᵖ 52 01 00 – ▥ ☞ ⌂wc ▥wc ▩ **Ⓟ**. ❀
Com 130 – � 40 – 24 hab 500 – P 425/510.

junto a la cueva de Nerja NE : 4,5 km – ⊠ Nerja :

✕✕ Cueva de Nerja, ᵀᵖ 52 06 33, ⟨ mar – **Ⓟ**.

NEVADA (Sierra) Granada 𝟿𝟿𝟶 ③ – 🏔 ver Granada.

NOJA Santander 𝟺𝟸 ② – 1 170 h. – Playa – ◉ 942.
Madrid 421 – Bilbao 79 – Santander 44.

en la playa de Ris NO : 2 km – ⊠ Noja ᵀᵖ Santander :

🏛 **Montemar** ⟋, ᵀᵖ 63 03 20 – ☞ ⌂wc **Ⓟ**.
15 junio-15 septiembre – Com 175 – ⊕ 45 – 58 hab 200/340 – P 480/510.

🏛 **La Encina** ⟋, ᵀᵖ 63 01 41, ⟨ campo – ☞ ⌂wc **Ⓟ**. ❀
mayo-septiembre – Com 190 – ⊕ 55 – 36 hab 215/360 – P 500/535.

NOYA La Coruña 𝟿𝟿𝟶 ② – 11 990 h.
Ver : Iglesia de San Martín★. **Alred. :** Ría de Muros y Noya★ (orilla Norte★★).
Madrid 642 – La Coruña 100 – Pontevedra 62 – Santiago de Compostela 35.

🏛 **Ceboleiro,** General Franco 15 ᵀᵖ 31 – ▥ ☞ ⌂wc
cerrado noviembre – Com 175 – ⊕ 40 – **22 hab** 150/340.

CITROEN av. San Lázaro ᵀᵖ 273   SEAT San Bernardo ᵀᵖ 86
RENAULT av. República Argentina ᵀᵖ 190

NUEVA ANDALUCÍA (Urbanización) Málaga – 🏠, 🏔 ver San Pedro de Alcántara.

NUÉVALOS Zaragoza 𝟿𝟿𝟶 ⑦ – ✕ ver Piedra (Monasterio de).

OCHAGAVÍA Navarra 𝟿𝟿𝟶 ⑦, 𝟺𝟸 ⑥ – 839 h. – ◉ 948 – Ver aduanas p. 14 y 15.
Madrid 465 – Pamplona 76 – St-Jean-Pied-de-Port 68.

⚘ Orialde ⟋, Urrutía 6 ᵀᵖ 89 00 27 – ▥ sólo agua fría ▥
13 hab.

✕ **Laspalas,** 1º piso, Urrutía ᵀᵖ 89 00 15 – ❀
Com carta 180 a 275.

OLABERRÍA Guipúzcoa 𝟺𝟸 ④ – 🏔 ver Beasain.

OLAVE Navarra 𝟺𝟸 ⑤ – alt. 483 – ◉ 948.
Madrid 420 – Bayonne 108 – Pamplona 12.

🏛 Olaibar Ⓜ, carret. N 121 ᵀᵖ 33 03 19, ✕✕, ⤫ – ▥ ☞ ⌂wc ▩ ⟸ **Ⓟ**
20 hab.

✕ Ibaiondo, con hab, carret. N 121 – ▥ ☞ ⌂wc ▥wc **Ⓟ**
8 hab.

OLITE Navarra 𝟿𝟿𝟶 ⑦, 𝟺𝟸 ⑮ – 2 922 h. alt. 380 – ◉ 948.
Ver : Fortaleza de los Reyes de Navarra★ – Iglesia de Santa María la Real (fachada★). **Alred. :**
Ujué★ NE : 19 km.
Madrid 366 – Pamplona 42 – Soria 137 – Zaragoza 134.

🏛 **Parador del Príncipe de Viana M.I.T.** ⟋, ᵀᵖ 74 00 00, « Instalado en el antiguo castillo
de los reyes de Navarra » – ▥ ☞ ⌂wc ▩ **Ⓟ**. ❀ rest
Com 280 – ⊕ 60 – **10 hab** 375/515 – P 537/655.

OLIVA Valencia 𝟿𝟿𝟶 ㉘ – 16 772 h. – ◉ 963 (6 cifras) ó 96 (7 cifras).
Madrid 426 – Alicante 108 – Gandía 8 – Valencia 76.

en la carretera de Valencia NO : 1,5 km – ⊠ ᵀᵖ Oliva :

✕ Las Barracas, ᵀᵖ 86 00 18 – ▤ **Ⓟ**.

en la playa E : 2 km – ⊠ ᵀᵖ Oliva :

🏛 **Pau-Pi** ⟋, ᵀᵖ 285 12 02 – ▥ ▤ rest ☞ ⌂wc ▥wc ▩ **Ⓟ**. ❀ rest
marzo-15 octubre – Com 185 – ⊕ 40 – 37 hab 200/370 – P 530.

SEAT Juanot Martorell 3 ᵀᵖ 85 07 65

☛ *There is no paid publicity in this Guide.*

La OLIVA (Monasterio de) Navarra 990 ⑰, 42 ⑯, 43 ①.

Ver : Monasterio** (iglesia**, claustro*).

Madrid 370 – Pamplona 74 – Zaragoza 115.

OLMEDO Valladolid 990 ⑭⑮ – 2 982 h. alt. 870 – Plaza de toros.

Madrid 145 – Salamanca 99 – Valladolid 39.

 🏨 **Pledras Blancas,** carret. de Madrid 148 ☎ 244, 🏊 – ▥ ⌂wc ⌂wc ☎ **℗**. ⅙
   Com 200 – 🍴 55 – 24 hab 175/335 – P 498/505.

SEAT carret. N 403 km 148 ☎ 246

OLOT Gerona 990 ㉙, 43 ⑧ – 21 244 h. alt. 443 – Plaza de toros – ✆ 972.

Alred. : Castellfullit de la Roca (emplazamiento*) NE : 7 km – Carretera* de Olot a San Juan de las Abadesas.

Madrid 702 – Barcelona 129 – Gerona 55.

 🏨 Montsacopa, Mulleras ☎ 26 07 62 – 🛗 ▥ 🍽 rest ☞ ⌂wc ⌂wc ☎
   73 hab.

 🏠 **La Perla,** carret. La Deu 9, S : 1 km ☎ 26 23 26 – ▥ ⌂wc ⟲ **℗**. ⅙ hab
   Com 125/150 – 🍴 40 – 27 hab 100/220 – P 330/340.

 🏠 Estrella, Ferrarons 5 ☎ 26 00 99 – ▥ ⌂wc
   31 hab.

   en la carretera de Gerona NE : 2 km – ✉ ☎ Olot :

 ✗ Les Tries, ☎ 26 24 05 – **℗**.

   por el Camino de la Font Moixina S : 2 km – ✉ ☎ Olot :

 ✗ Font Moixina S : 2 km – ✉ ☎ Olot.

AUSTIN-MG-MORRIS-MINI av. de Gerona 7 ☎ 26 15 75
CHRYSLER-SIMCA av. Gerona 23 ☎ 26 05 72
CITROEN Fluvlá 3 ☎ 26 13 00

RENAULT Nonito Escubós ☎ 26 08 70
SEAT Padre Roca 7 ☎ 26 01 98

ONDARA Alicante 990 ㉘ – 3 868 h. alt. 35.

Madrid 443 – Alicante 91 – Valencia 88.

 🏨 Ramis, Mariano Benlliure 6 ☎ 247 – ▥ ⌂wc **℗**
   35 hab.

ONDARROA Vizcaya 990 ⑥, 42 ④ – 9 812 h.

Ver : Pueblo típico*. **Alred. :** Carretera en cornisa* de Ondárroa a Deva ⩽* – Motrico (emplazamiento*) E : 4 km – Carretera en cornisa* de Ondárroa a Lequeitio ⩽*.

Madrid 426 – Bilbao 63 – San Sebastián 47 – Vitoria 70.

 ✗ Vega, con hab, av. Antigua 8 ☎ 79, ⩽ puerto – ▥ ☞
   31 hab.

 ✗ **Ametza,** Primo de Rivera 24 ☎ 83 00 29
   cerrado lunes – Com carta 285 a 480.

ONTENIENTE Valencia 990 ㉗ – 23 685 h. alt. 400 – ✆ 963.

Madrid 370 – Albacete 122 – Alicante 91 – Valencia 86.

 🏨 Fontana, Mayans 67 ☎ 48 12 00 – 🛗 ▥ 🍽 rest ☞ ⌂wc ⌂wc ☎ **℗**
   34 hab.

 🏠 **Monterrey,** av. Almansa 23 ☎ 248 12 93 – ▥ ⌂wc **℗**. ⅙
   Com 135 – 18 hab 90/190 – P 320/325.

AUSTIN-MG-MORRIS-MINI av. Valencia 10-12 ☎ 48 13 00
CITROEN av. Ramón y Cajal

RENAULT José Simó Marín 20-22 ☎ 48 05 37
SEAT av. Valencia 9 ☎ 48 06 18

OÑATE Guipúzcoa 990 ⑥, 42 ④ – 10 645 h. alt. 231 – ✆ 943.

Madrid 402 – San Sebastian 71 – Vitoria 46.

   en la carretera de Aránzazu SO : 4 km – ✉ ☎ Oñate :

 ✗ Urtiagaiñ, 1° piso, ☎ 78 18 28 – **℗**.

ORDESA (Parque Nacional de) Huesca 990 ⑧, 42 ⑱, 43 ③ – alt. 1 320.

Ver : Parque Nacional*** – Torla (paisaje**) SO : 8 km.

Madrid 497 – Huesca 100 – Jaca 62.

ORENSE Ⓟ 990 ② – 73 379 h. alt. 125 – ✆ 988.

Ver : Catedral* (pórtico del Paraíso**) – Museo Arqueológico y de Bellas Artes (Camino del Calvario*).

Alred. : Celanova (iglesia : claustro barroco**) SO : 26 km – Gargantas del Sil* 26 km por ① – Ribas del Sil (monasterio de San Esteban* : paraje*) 27 km por ② y por Luintra.

M.I.T. Curros Enríquez 1 ☎ 21 50 75.

Madrid 512 ② – El Ferrol del Caudillo 179 ⑤ – La Coruña 164 ⑤ – Santiago de Compostela 114 ⑤ – Vigo 106 ④.

San Martín Ⓜ, Curros Enríquez 1 (**a**) ☎ 21 67 42, ※ ciudad y alrededores (de la cafetería: 17° piso) – ▤ 🚗. ⚔ rest
Com 375 – ☕ 70 – **60 hab** 550/900 – P 1 145/1 245.

Sila, av. de la Habana 61 (**e**) ☎ 21 77 30 – |‡| ▥ ☎ ⛀wc ⛆wc ☎
62 hab.

Padre Feijóo sin rest, pl. Eugenio Montes 1 (**p**) ☎ 22 31 00 – |‡| ▥ ☎ ⛀wc ⛆wc ☎. ⚔
☕ 55 – **53 hab** 299/529.

Barcelona, av. Pontevedra 13 (**m**) ☎ 22 08 00 – |‡| ▥ ▤ rest ☎ ⛀wc ⛆wc ☎. ⚔ rest
Com 215 – ☕ 50 – 47 hab 160/400 – P 485/525.

Parque sin rest, San Lázaro 24 (**n**) ☎ 21 32 00 – |‡| ▥ ⛀wc ⛆wc ☎. ⚔
☕ 40 – **50 hab** 185/400.

Riomar sin rest, Accesos Puente Novísimo 15 ☎ 22 07 00 – ▥ ☎ ⛀wc ⛆wc 🚗 Ⓟ. ⚔. por calle Ervedelo
36 hab 165/335.

Sanmiguel, San Miguel 12 (**s**) ☎ 22 12 45 – ⚔
Com carta 260 a 580.

en la carretera N 120 - en La Derrasa por ②: 10 km – ✉ La Derrasa :

Caracoles – Ⓟ.

AUSTIN-MG-MORRIS-MINI av. Santiago 92 ☎ 21 18 40
CHRYSLER-SIMCA Río Camba ☎ 21 22 26
CITROEN A. Sáenz Díez 18 ☎ 21 68 39
FIAT-SEAT Capitán Cortés 46 ☎ 21 23 05
PEUGEOT Sáenz Díez 56 ☎ 21 67 31
RENAULT carret. de Vigo km 556 ☎ 21 61 47
SEAT carret. de Zamora ☎ 22 39 50

ORENSE

0 — 300 m

Bedoya 4
Calvo Sotelo 6
Capitán Eloy
Cardenal Quiroga 8
Ceano 9
Generalísimo Franco (Av. del)
José Antonio 17
Lamas Carvajal 18
La Paz 19
Marañón 21
Mayor (Plaza) 22
Santo Domingo 28

Barrera 3
Cruz Roja 12
Hierro (Plaza del) 15
Magdalena (Plazuela de la) 20
Padre Feijóo 23
Parada Justel 24
San Miguel 27
Trigo (Plaza del) 31

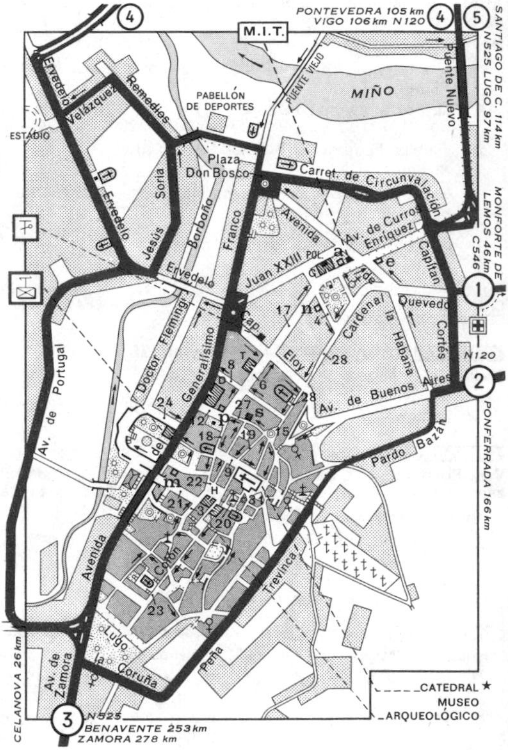

ORGAÑÁ Lérida 43 ⑥ – 1 142 h. alt. 558.
Alred. : N : Garganta de Orgañá★ – Grau de la Granta★ S : 6 km.
Madrid 580 – Lérida 110 – Seo de Urgel 23.

La Cabana, ☎ 36, ← valle y montañas – ▥ ⛀wc 🚗. ⚔ hab
Com 200 bc/250 bc – ☕ 40 – 13 hab 150/300 – P 500.

ORIENT Baleares 43 ⑲ – ver Baleares (Mallorca).

ORIHUELA Alicante 990 ㉗ – 44 938 h. alt. 24 – Plaza de toros – ☎ 965.
Ver : Palmeral★.
Madrid 416 – Alicante 59 – Murcia 25.

Rey Teodomiro, 1° piso, sin rest y sin ☕, av. Teodomiro 10 ☎ 30 03 48 – |‡| ▥ ⛀wc ☎
30 hab.

Casa Corro, con hab, Palmeral de San Antón NE : 1,5 km ☎ 30 10 46 – ⛆wc Ⓟ
16 hab.

AUSTIN-MG-MORRIS-MINI Duque de Tamames 7 ☎ 30 11 22
CHRYSLER-SIMCA Escorratel ☎ 30 01 19
CITROEN carret. de Murcia km 1 ☎ 30 06 52
FIAT-SEAT Duque de Tamames 5 ☎ 30 04 98
RENAULT Escorratell ☎ 30 07 58

OROPESA Toledo 990 ㉔ – 3 582 h. alt. 420.

Madrid 148 – Cáceres 152 – Mérida 193 – Toledo 106.

- **Parador Virrey Toledo M.I.T.** 🐦, ☎ 172, « Elegantemente instalado en un imponente castillo feudal » – ▤ Ⓟ. 🚫🐕 rest
  Com 315 – ☕ 65 – **47 hab** 580/785 – P 708/895.

OROPESA DEL MAR Castellón de la Plana 990 ㉘ – 1 580 h. alt. 16 – Playa – ✆ 964.

Madrid 441 – Castellón de la Plana 22 – Tortosa 106.

- **Motel Neptuno Stop,** carret. N 340 ☎ 31 03 75, 🏊 – ▥ ▤ rest 🍷 🚿wc ☎ 🚗 Ⓟ
  Com carta 255 a 415 – ☕ 45 – **20 hab** 450/605.
- Sancho Panza, carret. N 340 ☎ 31 04 94 – 🍷 🛁wc Ⓟ – 15 hab.

en la zona de la playa – ✉ ☎ Oropesa del Mar :

- **Oropesa Sol,** carret. del Faro 97 ☎ 31 01 50 – 🛗 ▥ 🍷 🛁wc ☎ Ⓟ. 🚫🐕
  19 marzo-septiembre – Com 220 – ☕ 60 – 60 hab 275/407 – P 000/650.
- **El Ancla,** playa ☎ 31 02 38 – ▤ rest 🍷 🛁wc Ⓟ. 🚫🐕
  16 junio-15 septiembre – Com 200 – ☕ 50 – 26 hab 150/240.
- **Caribe** 🐦, paseo Marítimo ☎ 31 00 75, ≤ mar – 🍷 🛁wc 🚿wc Ⓟ. 🚫🐕 rest
  marzo-septiembre – Com 175 bc – **22 hab** 200/300

La OROTAVA Santa Cruz de Tenerife – ver Canarias (Tenerife).

ORUÑA DE PIÉLAGOS Santander 42 ① – alt. 20.

Madrid 395 – Oviedo 190 – Santander 15.

- **Puente Arce,** barrio del Puente ✉ Renedo de Piélagos ☎ 1, Decoración rústica – Ⓟ. 🚫🐕
  Com carta 210 a 515.

OSEJA DE SAJAMBRE León 990 ④ – 687 h. alt. 760.

Alred. : Mirador ≤** N : 2 km – Desfiladero de los Beyos*** NO : 5 km – Puerto del Pontón* (≤*) S : 11 km – Puerto de Panderruedas** (mirador de Piedrafitas ≤** 15 mn a pie) SE : 17 km.

Madrid 383 – León 120 – Oviedo 108 – Palencia 154.

- Pontón 🐦, ☎ 16, ≤ montaña – ▥ 🚿wc Ⓟ
  16 hab.

OSERA DE EBRO Zaragoza 990 ⑱, 43 ⑫⑬ – 351 h. alt. 174 – ✆ 976.

Madrid 360 – Lérida 110 – Zaragoza 34.

en la carretera N II :

- Portal de Monegros, ✉ Osera de Ebro ☎ 21 59 72 Zaragoza, 🎾, 🏊 – ▥ ▤ rest 🛁wc 🚿 ☎ Ⓟ
  ☕ 60 – **48 hab** 100/255.

OSORNO Palencia 990 ⑤ – 1 909 h.

Madrid 280 – Burgos 58 – Palencia 51 – Santander 152.

- **Tierra de Campos** 🐦, La Fuente ☎ 216 – 🛗 ▥ 🍷 🛁wc ☎ Ⓟ. 🚫🐕
  Com 200 bc – ☕ 60 – **30 hab** 168/325 – P 542/585.

OVIEDO P 990 ④ – 154 117 h. alt. 236 – Plaza de toros – ✆ 985.

Ver : Catedral* (Cámara Santa** : estatuas-columnas**, tesoro** – Interior : retablo*).

Alred. : Santuarios del Monte Naranco* (Santa María de Naranco ☀*, San Miguel de Lillo) NO : 4 km – Ermita de Carbayo ☀** SE : 28 km por C 635.

✈ de Asturias por ① : 45 km ☎ 56 52 46 – Iberia : Uría 21 ☎ 24 02 50.

M.I.T. Cabo Noval 5 ☎ 21 33 85 – **R.A.C.E.** (R.A.C. de Asturias) Pelayo 4 ☎ 21 25 52.

Madrid 435 ③ – Bilbao 299 ② – La Coruña 324 ④ – Gijón 28 ① – León 118 ⑤ – Santander 205 ②.

Plano página siguiente

- **De la Reconquista** M, Gil de Jaz ☎ 24 11 00, Telex 37328, « Lujosa instalación en un magnífico edificio del siglo XVIII » – ▤ 🚗. 🏋. 🚫🐕 — AY e
  Com 350 – ☕ 70 – **141 hab** 800/1 200 – P 1 250/1 450.
- **Ramiro I** M sin rest, con snack-bar, Calvo Sotelo 13 ☎ 23 28 50 – 🚗. 🚫🐕 — AZ a
  ☕ 70 – **83 hab** 550/800.
- Regente M, sin rest, Jovellanos 31 ☎ 22 23 43 – Ⓟ. 🏋 — BY a
  88 hab.
- **Jirafa** sin rest, Pelayo 6 ☎ 22 22 44 – 🚫🐕 — AY v
  82 hab 500/800.
- Principado, San Francisco 8 ☎ 21 77 92 — BZ e
  100 hab.

sigue →

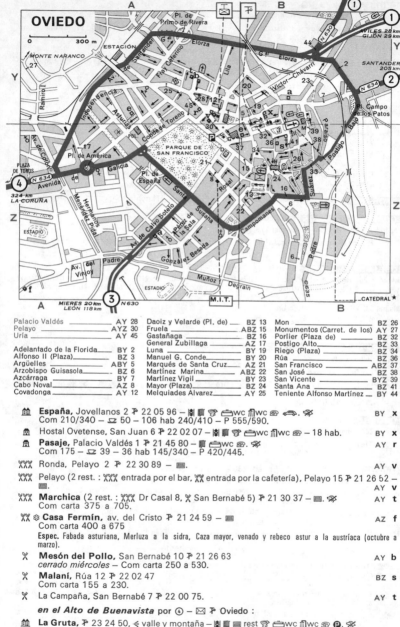

🏨 **España,** Jovellanos 2 ☎ 22 05 96 – 📶 ▥ ☎ ➡wc ▥wc ☜ ⇔. ⌖   BY **x**
Com 210/340 – ⥮ 50 – 106 hab 240/410 – P 555/590.

🏨 Hostal Ovetense, San Juan 6 ☎ 22 02 07 – 📶 ▥ ☎ ➡wc ▥wc ☜ – 18 hab.   BY **x**

🏨 **Pasaje,** Palacio Valdés 1 ☎ 21 45 80 – ▥ ➡wc ☜. ⌖   AY **r**
Com 175 – ⥮ 39 – 36 hab 145/340 – P 420/445.

XXX Ronda, Pelayo 2 ☎ 22 30 89 – ▤.   AY **v**

XXX Pelayo (2 rest. : XXX entrada por el bar, XX entrada por la cafetería), Pelayo 15 ☎ 21 26 52 –
▤.   AY **v**

XXX **Marchica** (2 rest. : XXX Dr Casal 8, X San Bernabé 5) ☎ 21 30 37 – ▤. ⌖   AY **t**
Com carta 375 a 705.

XX ✿ **Casa Fermín,** av. del Cristo ☎ 21 24 59 – ▤   AZ **f**
Com carta 400 a 675
Espec. Fabada asturiana, Merluza a la sidra, Caza mayor, venado y rebeco astur a la austríaca (octubre a marzo).

X **Mesón del Pollo,** San Bernabé 10 ☎ 21 26 63   AY **b**
cerrado miércoles – Com carta 250 a 530.

X **Malaní,** Rúa 12 ☎ 22 02 47   BZ **s**
Com carta 155 a 230.

X La Campaña, San Bernabé 7 ☎ 22 00 75.   AY **t**

en el Alto de Buenavista por ④ – ✉ ☎ Oviedo :

🏨 **La Gruta,** ☎ 23 24 50, ≤ valle y montaña – 📶 ▥ ▤ rest ☎ ➡wc ▥wc ☜ ℗. ⌖
Com *(cerrado martes)* carta 340 a 570 – ⥮ 55 – **55 hab** 344/510.

AUSTIN - MG - MORRIS - MINI av. del Cristo 71 ☎ 23 18 66
CHRYSLER-SIMCA carret. N 634 km 2 - Cerdeño ☎ 21 57 82
CITROEN Bermúdez de Castro 23 ☎ 28 05 00

CITROEN Azcárraga 12 ☎ 21 41 51
FIAT-SEAT Tenderina 75 ☎ 22 13 94
RENAULT Campomanes 24 ☎ 22 26 47
SEAT carret. N 630 km 2 La Corredoria ☎ 28 02 50

OYARZUN Guipúzcoa **990** ⑦, **42** ⑤ – 6 704 h. alt. 81 – ✿ 943.
Madrid 480 – Bayonne 42 – Pamplona 98 – San Sebastián 11.

en la carretera de Irún NE : 2 km – ⊠ ℡ Oyarzun :

XX ✿ **Gurutze-Berri** ⅏ con hab, ℡ 35 45 11, ⋖ campo – ▥ ☞ ⊟wc ⊞ ⊕. ⅏
cerrado febrero – Com *(cerrado lunes)* carta 425 a 610 – ⊡ 50 – 18 hab 370
Espec. Terrina de pato al Armagnac, Supremos de rodaballo Dugléré, Ciervo a la austríaca (15 octubre-15 marzo).

OYEREGUI Navarra **42** ⑤ – alt. 135 – ✿ 948.
Alred. : N : Valle del Bidasoa★.
Madrid 457 – Bayonne 71 – Pamplona 49.

⌂ **Mugaire**, ⊠ ℡ 59 20 50 Oronoz Mugaire – ▥ ☞ ⊟wc ⊕. ⅏
cerrado 16 octubre al 15 noviembre – Com 250 – ⊻ 60 – 14 hab 225/380 – P 578/605.

OYÓN Alava **990** ⑮, **42** ⑯ – 1 907 h. alt. 440 – ✿ 011.
Madrid 339 – Logroño 4 – Pamplona 90 – Vitoria 89.

⌂ **Felipe IV**, av. Navarra 30 ℡ 11 00 56, ⊐ – ▥ ☞ ⊟wc ☞ ⇔ ⊕. ⅏
cerrado 7 diciembre al 8 enero – Com 205 bc – ⊡ 45 – 26 hab 205/365 – P 515/540.

XX **Mesón La Cueva**, Concepción 15 ℡ 11 00 22, « Instalado en una antigua bodega »
cerrado festivos por la noche – Com carta 180 a 450.

PADRÓN La Coruña **990** ② – 8 102 h.
Madrid 624 – La Coruña 85 – Orense 112 – Pontevedra 37 – Santiago de Compostela 20.

⌂ Cuco, Calvo Sotelo 15 ℡ 32 – ▥ ☞ ⊟wc ☞ – 17 hab.

AUSTIN-MG-MORRIS-MINI carret. La Coruña-Vigo
km 80,900 ℡ 327
CHRYSLER-SIMCA Calvo Sotelo ℡ 58

CITROEN carret. La Coruña-Vigo ℡ 94
RENAULT av Calvo Sotelo 49 ℡ 83
SEAT carret. La Coruña-Vigo km 80,800 ℡ 75

PAGUERA Baleares **990** ㉙, **43** ⑱ – 🏨, 🏨 ver Baleares (Mallorca).

PAJARES (Puerto de) León – Oviedo **990** ④ – alt. 1 364 – Deportes de invierno : 6 ⚡.
Ver : Puerto★★ – Carretera del puerto★★ – Colegiata de Santa María de Arbás (capiteles★) SE :
1 km.
Madrid 376 – León 59 – Oviedo 59.

🏨 **Parador Puerto de Pajares M.I.T.**, carret. N 630 ⊠ Busdongo ℡ 47 36 25 Puerto de
Pajares, ⋖ valle y montañas – ▥ ☞ ⊟wc ⊞ ☞ ⇔ ⊕. ⅏ rest
Com 280 – ⊡ 60 – **10 hab** 295/515.

PALAFRUGELL Gerona **990**
㉙, **43** ⑨ – 12 256 h. alt. 87 –
Playas : Calella, Llafranch y
Tamariu – ✿ 972.
Alred. : Cabo Roig (jardín bo-
tánico★★) SE : 5 km.
Madrid 750 ② – Barcelona 120 ②
– Gerona 41 ① – Port-Bou 106 ①.

⌂ Costa Brava, San Se-
bastián 6 **(v)** ℡ 30 05
58 – ▥ ≣ rest ☞ ⊟wc
▥wc ☞ ⇔
45 hab.

X **Reig**, Torres Jonama 47
(a) ℡ 30 00 04
cerrado domingo noche
– Com carta 350 a 500.

X **Xaloc**, Luna 58 **(n)** ℡
30 09 49
Com carta 230 a 465.

en la playa de Calella
SE : 3,5 km – ⊠ ℡ Pala-
frugell :

🏨 **Alga** ⅏, ℡ 30 00 58, ⋖
mar, « Bonito jardín »,
⅏, ⊐ – ≣ rest ⊕. ⅏
rest
Com 430 – ⊡ 90 – **54
hab** 600/900 – P 1 260/
1 410.

sigue →

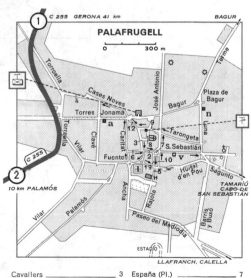

Cavallers	3	España (Pl.)		7
		Generalísimo (Pl.)		8
Calvo Sotelo	2	General Mola		9
Cementerio	4	Margarita		10
Cervantes	5	San Antonio		12
Cuatro Casas	6	San Martín		13

PALAFRUGELL

🏨 **Mestral y Rest. La Siesta,** ℡ 30 02 58, %. ⌕ – |≋| Ⓜ ☞ ⌂wc ☜ Ⓟ. % rest
15 mayo-septiembre – Com 200 bc – ☲ 70 – **59 hab** 325/530.

🏨 **Garbi** ⌕ Mirto ℡ 30 01 00, ‹ población y mar, « En el centro de un pinar » ⌕ – |≋| Ⓜ
☞ ⌂wc ☜ Ⓟ. % rest
20 marzo-septiembre – Com carta 235 a 390 – ☲ 60 – **30 hab** 300/500.

🏨 **Sant Roc** ⌕, barrio San Roque ℡ 30 05 00, « Hermosas terrazas dominando la costa
con ‹ mar » – ☞ ⌂wc ⋔wc ☜ Ⓟ
mayo-septiembre – Com 210/290 – ☲ 50 – **60 hab** 275/470 – P 650/700.

🏨 Gelpi, Francisco Estrabau 4 ℡ 30 01 54, ‹ bahía – Ⓜ ☞ ⌂wc ⋔wc ☜ ⌕
temp. – **35 hab.**

🏨 **Port Bo** ⌕, Gelpi 6 ℡ 30 02 50, %. – |≋| ☞ ⌂wc ⋔wc ☜ Ⓟ. % rest
mayo-septiembre – Com 215 – ☲ 60 – **46 hab** 360/460 – P 600/650.

🏨 Torre ⌕, ℡ 30 03 00, ‹ bahía – ☞ ⌂wc ⋔wc ☜ Ⓟ
temp. – **54 hab.**

✗ **Mesón El Golfet,** camino Cap Roig, urbanización El Golfet ℡ 30 09 75, Decoración
rústica
20 mayo-25 septiembre –
Com carta 215 a 470.

en la playa de Llafranch
SE : 3,5 km – ⊠ ℡ Pala-
frugell :

🏨 **Terramar,** ℡ 30 02 00, ‹
cala – ▤ rest. %
Semana Santa - octubre –
Com 300 – ☲ 70 – **56 hab**
500/900 – P 850/900.

🏨 Paraíso ⌕, ℡ 30 04 50,
« Rodeado de pinos », %. ⌕
climatizada – |≋| Ⓜ ☞ ⌂wc
⋔wc ☜ Ⓟ
temp. – **56 hab.**

en el cabo de San Sebas-
tián SE : 4,5 km – ⊠ ℡
Palafrugell :

✗ San Sebastián, ℡ 30 05 86,
❄ mar, costa y campo – Ⓟ
temp.

en la playa de Tamariu E :
4,5 km – ⊠ ℡ Palafrugell :

🏨 **Hostalillo** ⌕, Riera 8 ℡
30 01 58, « Terrazas con ‹
cala » – ▤ rest ⌕. % rest
mayo-septiembre – Com 285 – ☲ 66 – **72 hab** 410/680 – P 880/950.

🏨 **Tamariu,** paseo del Mar 3 ℡ 30 01 08 – ☞ ⋔wc ⌕. %
15 abril-septiembre – Com 200/250 – ☲ 50 – 54 hab 160/320 – P 460.

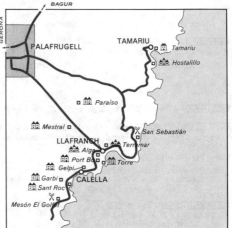

CITROEN Bagur 19 ℡ 30 02 48
FORD, AUSTIN-MG-MORRIS-MINI Bagur 18 ℡ 30 06 53

RENAULT Torres Jonama 84 ℡ 30 00 77
SEAT-FIAT Clavé 1 ℡ 30 06 82

PALAMÓS Gerona 🟦🟦🟦 ⓐ, 🟥🟥 ⓓ – 10 088 h. – Playa – Ⓞ 972.
Madrid 740 – Barcelona 110 – Gerona 53.

🏨 **Trías,** paseo del Mar ℡ 31 41 00, ‹ playa y puerto, ⌕ climatizada – ▤ rest Ⓟ. % rest
marzo-octubre – Com 340 – ☲ 75 – **70 hab** 370/980 – P 950/1 180.

🏨 **Marina,** av. Generalísimo 48 ℡ 31 42 50 – |≋| Ⓜ ▤ rest ☞ ⌂wc ⋔wc ☜. % rest
cerrado 20 diciembre al 8 enero – Com 215/250 – ☲ 40 – **62 hab** 275/415 – P 565/645.

🏨 **Nauta,** av. del Generalísimo 40 ℡ 31 48 33 – |≋| Ⓜ ⋔wc. %
Com 150/200 – ☲ 40 – 43 hab 120/235 – P 450.

✗✗ **Plaça Murada,** pl. Murada 5 ℡ 31 53 76, ‹ puerto pesquero y playa
mayo-octubre – Com carta 300 a 520.

✗ **Delfín,** av. del Generalísimo 93 ℡ 31 40 24
15 marzo-octubre – Com carta 210 a 390.

✗ **L'Art,** paseo 18 de Julio 7 ℡ 31 55 32, ‹ mar – %
Domingo de Ramos-septiembre – Com carta 250 a 350.

✗ Shanghai, paseo 18 de julio 4 ℡ 31 51 66, Rest. chino – *temp.*

✗ María de Cadaqués, Notarías 39 ℡ 31 40 09.

✗ **Xivarri,** Rueda 22 ℡ 31 49 54
Com carta 310 a 735.

✗ **La Gamba,** pl. San Pedro 1 ☎ 31 46 33
abril-septiembre – Com carta 260 a 450.

✗ **Vostra Llar,** José Antonio 16 ☎ 31 42 62
mayo-septiembre – Com carta 150 a 305.

en la playa de la Fosca NE : 2 km – ⊠ ☎ Palamós :

🏠 **Bellafosca** ⚓, ☎ 31 43 58 – 🍽 🚿wc 🛁wc ☎ ❻
20 mayo-10 septiembre – Com 170 – ⊊ 45 – **59 hab** 185/370 – P 540/555.

en San Antonio de Calonge SO : 2,5 km – ⊠ San Antonio de Calonge ☎ Palamós :

🏨 **Rosa dels Vents** ⚓, paseo del Mar ☎ 31 42 16, ≤ playa – 📶 🍽 🚿wc ☎ ❻. 🍴
18 mayo-30 septiembre – Com 250 – ⊊ 60 – **60 hab** 400/700 – P 800/850.

🏨 **Reymar** ⚓, paraje Torre Valentina ☎ 31 53 04, ≤ playa, 🍴 – 🍽 🚿wc ☎ ❻ 🍴 rest
15 mayo-septiembre – Com 230 – ⊊ 55 – 50 hab 225/460 – P 600/610.

🏨 **Rosamar** ⚓, paseo del Mar 33 ☎ 31 41 65, ≤ playa – 📶 🛏 🍽 🚿wc ☎ ❻. 🍴
abril-10 octubre – Com 190/250 – ⊊ 60 – **68 hab** 400/700 – P 675/700.

🏠 **Stella Maris** ⚓, paseo del Mar 43 ☎ 31 42 32, ≤ playa – 📶 🍽 🚿wc 🛁wc ❻. 🍴 rest
20 mayo-septiembre – Com 300 – ⊊ 60 – 40 hab 160/300 – P 600.

🏠 María Teresa ⚓, Pesca 15 ☎ 31 47 30, ≤ playa – 📶 🛏 🍽 🛁wc ❻. 🍴
12 mayo-3 octubre – 35 hab.

✗ **Refugi de Pescadors,** paseo del Mar 44 ☎ 31 40 49, Pescados y mariscos, Imitación del
interior de un barco – 🍽. 🍴
Com carta 365 a 690.

AUSTIN-MG-MORRIS-MINI carret. Palafrugell   ☎
01 45 29
CITROEN carret. San Felíu 2 ☎ 31 43 30

FORD carret, San Felíu 2 ☎ 31 50 45
RENAULT carret. San Esteban de la Fosca ☎ 31 47 00
SEAT-FIAT carret. San Antonio Calonge ☎ 31 44 66

PALENCIA 🅿 🄿🄿🄿 ⑯ – 58 370 h. alt. 781 – Plaza de toros – ✪ 988.

Ver : Catedral★★ (interior★★, museo★ : tapices★). **Alred. :** Baños de Cerrato (Basílica de San
Juan Bautista★) S : 14 km.

M.I.T. Mayor 153 ☎ 72 07 77.

Madrid 229 – Aranda de Duero 85   Burgos 84 – León 120 – Santander 203 – Valladolid 45.

🏨 Rey Sancho de Castilla Ⓜ, sin rest. av. Ponce de León ☎ 72 53 00
100 hab.

🏨 **Jorge Manrique,** Burgos 10 ☎ 72 28 00 – 📶 🍽 🚿wc ☎. 🍴
Com 275 – ⊊ 70 – **70 hab** 500/700 – P 875/1 025.

🏨 **Monclús** Ⓜ, Menéndez Pelayo 3 ☎ 72 38 50 – 📶 🛏 🚿wc 🛁wc ☎. 🍴 hab
Com 180 – ⊊ 44 – **40 hab** 270/460.

✗✗ **Mesón del Concejo,** Martínez de Azcoitia 5 ☎ 71 41 46, Decoración castellana
cerrado miércoles – Com carta 300 a 455.

✗✗ Carlos V, Don Sancho 2 ☎ 72 20 78.

✗ **Casa Damián,** Martínez de Azcoitia 9 ☎ 71 36 16 – 🍴
Com carta 240 a 375.

AUSTIN-MG-MORRIS-MINI pl. de España 2 ☎ 72 07 91
CHRYSLER-SIMCA av. de Madrid 2 ☎ 72 14 00
CITROEN Mayor Principal 178 ☎ 72 21 50

FIAT-SEAT av. Cuba 8 ☎ 72 42 35
RENAULT Cardenal Cisneros 1 ☎ 72 00 50

La PALMA Santa Cruz de Tenerife – Ver Canarias.

PALMA DE MALLORCA Baleares 🄿🄿🄿 ㉙, 🄸🄸 ⑲ – 🏨🏨🏨, 🏨🏨 a 🏨, ✗✗✗✗ a ✗ ver Baleares
(Mallorca).

PALMA NOVA Baleares 🄸🄸 ⑲ – 🏨🏨 a 🏠 ver Baleares (Mallorca).

Las PALMAS DE GRAN CANARIA Las Palmas – 🏨🏨🏨 a 🏛, ✗✗✗ a ✗ ver Canarias (Gran
Canaria).

PALMONES Cádiz – 🏨 ver Algeciras.

El PALO Málaga – ✗✗, ✗ ver Málaga.

PALOS (Cabo de) Murcia 🄿🄿🄿 ㉗.
Madrid 465 – Alicante 107 – Cartagena 26 – Murcia 74.

en la carretera de Cartagena O : 8 km :

✗✗ **Mar de Cristal,** 1° piso, urbanización Mar de Cristal ⊠ Los Nietos ☎ 56 33 00 La Manga
del Mar Menor, ≤ Mar Menor y La Manga – ❻. 🍴
Com carta 280 a 460.

PAMPLONA 🅿 Navarra 990 ⑦, 42 ⑮ – 147 168 h. alt. 415 – Plaza de toros – ☎ 948.

Ver : Catedral* (claustro*, interior : sepulcro*) – Museo de Navarra* (planta baja : mosaicos*, capiteles*, segundo piso : pinturas murales*).

🏌 de Ulzama por ① : 22 km.

M.I.T. Duque de Ahumada 3 ☏ 21 12 87.

Madrid 408 ② – Barcelona 443 ② – Bayonne 120 ① – Bilbao 160 ④ – San Sebastián 92 ④ – Zaragoza 176 ②.

PAMPLONA

0 _____ 400 m

Carlos III (Av. de)	BYZ
Chapitela	BY 4
García Castañón	ABY 9
San Ignacio (Av. de)	BYZ 24
Zapatería	AY 28

Ansoleaga	AY 2
Blanca de Navarra	BY 3
Ciudadela	AY 5
Conde Oliveto (Av. del)	AZ 6
Cortes de Navarra	BY 7
Cruz (Pl. de la)	BZ 8
Juan de Labrit	BY 10
Leyre	BYZ 12
Mártires de la Patria	BZ 13
Navarrería	BY 15

Navarro Villoslada	BZ 16
Paulino Caballero	BZ 17
Príncipe de Viana (Pl. del)	BZ 18
Roncesvalles (Av. de)	BY 19
San Fermín	BZ 20
San Francisco	AY 21
San Francisco (Pl. de)	AY 22
Sangüesa	BZ 23
Santo Domingo	AY 25
Sarasate (Paseo de)	AY 26

🏨🏨🏨 **Tres Reyes,** jardines de la Taconera ☏ 22 66 00, Telex 36720, ⌁ climatizada – 🍽 rest 🚗 AY **x**
🅿. 🏋. 🦌
Com 450 – ⌑ 90 – **180 hab** 1 140/1 560 – P 1 620/1 980.

🏨🏨 **Maisonnave,** Nueva 20 ☏ 22 26 00 – 🍽 rest. 🦌 AY **e**
Com 280/380 – ⌑ 60 – **164 hab** 400/700 – P 590/850.

🏨 **Orhi** sin rest, Leyre 7 ☏ 24 58 00 – 🛗 📺 ☎ 🚿wc 🚽wc ⌨. 🦌 BZ **c**
⌑ 60 – **55 hab** 320/550.

🏨 **Yoldi,** av. San Ignacio 11 ☏ 22 48 00 – 🛗 📺 ☎ 🚿wc 🚽wc ⌨. 🦌 BZ **n**
Com 230 – ⌑ 50 – 50 hab 255/530 – P 645/655.

🏨 **Eslava** sin rest, pl. Virgen de la O - 7 ☏ 22 22 70 – 🛗 📺 ☎ 🚿wc 🚽wc ⌨. 🦌 AY **r**
⌑ 45 – **28 hab** 220/420.

🏠 **Valerio,** av. Zaragoza 5 ☏ 24 54 66 – 🛗 📺. 🦌 BZ **w**
cerrado 15 al 31 octubre – Com 175/225 – ⌑ 50 – 16 hab 175/350 – P 525/550.

XXXX **Hostal del Rey Noble « Las Pocholas »,** paseo Sarasate 6 ℙ 21 17 29, « Decoración
elegante » – 🍽. ⚿ ABY **g**
cerrado domingo noche – Com carta 390 a 720.

XX Mesón Rodero, Carmen 36 ℙ 22 20 95 – 🍽. BY **f**

XX **Grill Tres Reyes,** en sótano, jardines de la Taconera ℙ 22 66 00, ⤲ – 🍽 🅿. ⚿ AY **x**
Com carta 195 a 440.

XX ✿ **Josetxo,** 1º piso, Estafeta 73 ℙ 22 20 97 – 🍽. ⚿ BY **d**
cerrado domingo y festivos por la noche – Com carta 470 a 670
Espec. Pochas (julio a octubre), Zarzuela de mariscos, Carbonada de ternera.

XX **Castillo de Javier,** 1º piso, bajada de Javier 2 ℙ 22 18 94 BY **z**
Com carta 250 a 395.

XX **Mesón del Caballo Blanco,** pl. del Redín 1 ℙ 22 21 02, « Mesón del siglo XIV » –
⚿ BY **v**
Com carta 300 a 610.

XX **Aralar,** 1º piso, San Nicolás 12 ℙ 21 27 40 – 🍽. ⚿ AY **b**
Com carta 200 a 310.

XX **Vista Bella,** jardines de la Taconera ℙ 25 05 81, En un parque – 🍽 🅿. ⚿ AY **a**
Com carta 300 a 550.

X **Iruña-Zarra,** en sótano, Blanca de Navarra 15 ℙ 22 21 92 – 🍽. ⚿ BY **a**
cerrado lunes – Com carta 325 a 425.

X Sarasate, 1º piso, García Castañón 12 ℙ 22 70 80 – 🍽. ABY **t**

X **Maitena,** 2º piso, pl. Castillo 12 ℙ 21 48 18 – ⚿ BY **k**
cerrado domingo noche, lunes noche y febrero – Com carta 280 a 520.

en la carretera de San Sebastián :

🏨 **Del Toro,** por ④ : 6 km ⌗ ℙ 30 01 25 Pamplona, Telex 27578, ≼ campo y montaña,
« Hotel rústico de gran turismo » – ⌂ – 🅿 880/935.
Com 330 – ⇌ 75 – **88 hab** 440/770 – 🅿 880/935.

🏨 **Maitena,** por ④ : 4 km ⌗ Ainzoain ℙ 30 02 25 Pamplona – 🏢 🍽 rest ⇌wc 🚿wc 🈂 🅿.
⚿
Com 225 – ⇌ 35 – **24 hab** 265/455 – 🅿 578/625.

S.A.F.E. Neumáticos MICHELIN, Sucursal, Basilio Armendáriz 3-5 – Burlada (por ①)
ℙ 23 43 12 y 23 83 30.

AUSTIN-MG-MORRIS-MINI carret. Zaragoza km 1 ℙ
23 61 42
CHRYSLER-SIMCA av. Guipúzcoa 5 ℙ 25 42 81
CITROEN carret. Zaragoza km 3 ℙ 23 36 66

FIAT-SEAT Aralar 38 ℙ 23 35 50
PEUGEOT carret. de Zaragoza 14 ℙ 23 57 46
RENAULT Mayor-Burlada ℙ 23 48 00
SEAT av. Guipúzcoa km 4 ℙ 30 03 00 Ainzoain

La PANADELLA Barcelona 990 ⑩, 43 ⑯ – ✿ 93.
Madrid 540 – Barcelona 90 – Lérida 70.

🏨 **Bayona,** carret. de Barcelona 10 ⌗ Calaf ℙ 883 29 70 – 🏢 ⇌wc 🚿wc 🈂 ⌂ 🅿
Com carta 195 a 335 – ⇌ 45 – **66 hab** 175/275 – 🅿 455/555.

PANCORBO Burgos 990 ⑥, 42 ⑬ – 749 h. alt. 635.
Ver : Paraje* – Desfiladero*.
Madrid 307 – Bilbao 94 – Burgos 65 – Vitoria 49.

🏨 Pancorbo, carret. N I ℙ 4 – 🏢 🍴 ⇌wc 🚿wc 🈂 ⌂ 🅿 – 39 hab.

en la carretera N I N : 3 km – ⌗ ℙ Pancorbo :

🏨 **El Molino,** ℙ 18, ⚿, ⤲ – 🏢 🍽 rest 🍴 ⇌wc 🈂 ⌂ 🅿
Com 245 – ⇌ 55 – **46 hab** 315/515 – 🅿 658/715.

PANES Oviedo 990 ⑤ – alt. 50.
Alred. : Desfiladero de la Hermida** SO : 12 km – O : Gargantas del Cares* – Valle Alto del
Cares (desfiladero**, desfiladero*) 30 km por Arenas de Cabrales.
Madrid 428 – Oviedo 128 – Santander 89.

X Covadonga ⚓, con hab, Virgilio Linares ℙ 29 – 🏢 🍴 ⇌wc
10 hab.

PANTICOSA Huesca 990 ⑧, 42 ⑱ – 448 h. alt. 1 185 – ✿ 974 – Deportes de invierno : 5 ⚐.
Alred. : N : Garganta del Escalar** (carretera*).
Madrid 483 – Huesca 86.

🏨 **Escalar,** La Cruz ℙ 48 70 08, ≼ montañas – 🏢 🍴 ⇌wc 🚿wc. ⚿
Com 200 – ⇌ 50 – 27 hab 380 – 🅿 500.

🏨 **Panticosa** ⚓, La Cruz ℙ 48 70 00 – 🏢 🚿wc
cerrado noviembre – Com 200 – ⇌ 50 – 34 hab 210/375 – 🅿 525/560.

El PARDO Madrid 990 ⑮ y ㉕ – XX, X ver Madrid.

PAREJA Guadalajara 990 ⑯ – 638 h. alt. 760.
Alred. : Carretera de Brihuega ≤★★ NO : 12 km.
Madrid 122 – Guadalajara 65.

en la carretera C 204 NO : 4 km, y a la izquierda 2 km – ⊠ ⇥ Pareja :

🏛 **Las Anclas** ⬙, ⇥ 11, ≤ lago artificial, ⊒ – 🍽 🅿. ❀
abril-15 octubre – Com 400 – ⊆ 75 – **28 hab** 575/900 – P 1 275.

PASAJES DE SAN JUAN Guipúzcoa 990 ⑦, 42 ⑤ – 21 130 h. – ✿ 943.
Ver : Localidad pintoresca★. **Alred.** : Trayecto★★ de Pasajes de San Juán a Fuenterrabía por El Jaizkíbel : Subida al Jaizkíbel ≤★, Hostal del Jaizkíbel ≤★, capilla de Nuestra Señora de Guadalupe ≤★★.
⚓ para Canarias : Cⁱᵃ Aucona, edificio de Consignatarios ⇥ 35 18 38.
Madrid 478 – Pamplona 98 – St-Jean-de-Luz 27 – San Sebastián 9.

XX **Cámara,** San Juan 79 ⇥ 35 66 02, ≤ puerto – ❀
Com carta 500 a 630.

PAS DE LA CASA Andorra 43 ⑦ – 🏛 ver Andorra (Principado de).

El PAULAR (Monasterio de) Madrid 990 ⑮ y ㉙ – alt. 1 163.
Ver : Monasterio★ (retablo★★).
Madrid 87 – Segovia 55.

🏛 **Santa María de El Paular** ⬙, ⊠ ⇥ 64 Rascafría, « Antigua cartuja del siglo XVIII », ❀, ⊒ – 🅿. 🏖. ❀
Com 375 – ⊆ 75 – **42 hab** 475/900 – P 1 150/1 175.

PEDRAZA DE LA SIERRA Segovia 990 ⑮ – 546 h. alt. 750.
Ver : Pueblo histórico★★. – Madrid 128 – Aranda de Duero 85 – Segovia 35.

XXX **Hostería Pintor Zuloaga M.I.T.,** ⇥ 15, ≤ valle y colina, « Casa señorial de estilo castellano » – Com 300.

PEGALAJAR Jaén – 4 118 h.
Madrid 356 – Granada 86 – Jaén 21.

X Mesón Caribe, Calvo Sotelo 79 ⇥ 29.

PEÑA DE FRANCIA Salamanca 990 ⑬ – alt. 1 723.
Ver : ✳★★.
Madrid 283 – Béjar 73 – Salamanca 75.

PEÑAFIEL Valladolid 990 ⑮ – 5 061 h. alt. 778.
Ver : Castillo★. – Madrid 182 – Aranda de Duero 38 – Valladolid 55.

🏠 **Infante D. Juan Manuel,** carret. N 122 ⇥ 291 – 🏭 🛁wc 🚿wc 🅿. ❀
Com 145 bc – ⊆ 45 – 40 hab 150/250 – P 370/385.

RENAULT carret. de Soria ⇥ 543

PEÑARANDA DE BRACAMONTE Salamanca 990 ⑭ – 6 094 h. alt. 730.
Madrid 167 – Ávila 56 – Salamanca 43.

X **Las Cabañas,** Carmen 10 ⇥ 22 – ❀
Com carta 365 a 605.

AUSTIN-MG-MORRIS-MINI carret. N 501 km 167,9 ⇥ 692
CITROEN carret. N 501 km 170 ⇥ 680
RENAULT paseo Estación ⇥ 293
SEAT carret. Madrid 84 ⇥ 248

PEÑISCOLA Castellón de la Plana 990 ⑱ – 2 724 h. – Playa.
Ver : Ciudad vieja★★ (castillo ≤★).
Madrid 491 – Castellón de la Plana 72 – Tarragona 123 – Tortosa 58.

🏠 Playa, Primo de Rivera 33 ⇥ 6, ≤ mar – 🏭 🍴 🛁wc 🚿wc 🅿. ❀ – 36 hab.

🏠 **Prado,** carret. de Benicarló ⇥ 289, ≤ mar y Peñíscola – 🏭 🛁wc 🚿wc. ❀
abril-septiembre – Com 178 – ⊆ 45 – 18 hab 190/334 – P 510/530.

🏠 Ciudad de Gaya y Rest. Brisa-Mar, carret. de Benicarló ⇥ 24, ≤ mar – 🚿wc 🅿 – 32 hab.

🏠 **Dos Bahías,** carret. estación ⇥ 79 – 🍴 🛁wc 🚿wc 🅿
mayo-septiembre – Com 125 – ⊆ 40 – 17 hab 100/240 – P 340.

🏠 **Llangosta,** av. Primo de Rivera 12 ⇥ 7, ≤ playa – 🏭 🛁wc 🚿wc. ❀
cerrado 24 noviembre al 2 enero – Com 150 bc – ⊆ 35 – **11 hab** 300.

🏠 **Tío Pepe,** av. José Antonio 32 ⇥ 440 – 🏭 🍴 🛁wc 🚿wc – ❀ rest
Com 150 – ⊆ 50 – 10 hab 200/300 – P 550/600.

🏠 **Simó,** Porteta 5 ⇥ 50, ≤ playa – 🏭 🍴 🛁wc. ❀
Com 150 bc – **9 hab** 115/250.

en la carretera de Benicarló :

🏨 **Hostería del Mar** (colaborador **M.I.T.**), N : 1 km ⌧ Peñíscola ☏ 47 00 74 Benicarló, ⩽ mar y Peñíscola, « Interior castellano », %, ⌁ climatizada – 🗐 **ⓟ**. ⅍ rest
Com 300 – ⌸ 60 – **85 hab** 560/860 – P 990/1 120.

✕ **Granja,** 1° piso, Torre de Hirta ⌧ ☏ 153 Peñíscola, ⩽ mar y Peñíscola – ⅍
15 junio-15 septiembre – Com carta 175 a 375.

✕ **Les Doyes,** ⌧ ☏ 95 Peñíscola – **ⓟ**
abril-septiembre – Com carta 200 a 425.

PERALES DE TAJUNA Madrid 🄹🄹🄾 ⑮ y ⑭ – 1 931 h. alt. 585.
Madrid 40 – Aranjuez 44 – Cuenca 125.

✕✕✕ **Las Vegas,** carret. N III ☏ 53 – 🗐 **ⓟ**. ⅍
Com carta 330 a 500.

CITROEN carret. N III km 38.500 ☏ 128

PERAMOLA Lérida 🄸🄹 ⑥ – 517 h. alt. 566.
Madrid 568 – Lérida 98 – Seo de Urgel 47.

🏠 **Can Boix** ⑳, NO : 2,5 km ⌧ Oliana ☏ 4 Peramola, ⩽ valle y montaña, %, ⌁ – 🎞 ⌾
🚿wc **ⓟ**. ⅍ rest
abril-octubre y sólo festivos de noviembre a marzo – Com 160 – ⌸ 40 – 26 hab 130/300
– P 380.

El PERELLO Valencia 🄹🄹🄾 ㉘.
Madrid 375 – Gandía 38 – **Valencia 25.**

🏠 **Antina** ⑳, Buenavista 20 ☏ 27 – ▐ 🎞 ⌾ 🚿wc 🚿wc 📷. ⅍
junio-septiembre – Com 235 – ⌸ 60 – 45 hab 290/530 – P 685/710.

en la carretera de la Albufera N : 2 km – ⌧ ☏ Valencia :

🏨 **Recati** ⑳, ⌧ apartado 683 ☏ 23 38 25, ⩽ playa, ⌁ – 🎞 ⌾ 🚿wc 🚿wc 📷 **ⓟ**. ⅍
Com 290 – ⌸ 70 – **44 hab** 430/750 – P 925/980.

PERLORA Oviedo – ✕ con hab, ver Candás.

Le PERTHUS Gerona 🄹🄹🄾 ⑩㉘, 🄸🄹 ⑨ – alt. 290 – Ver aduanas p. 14 y 15.
Madrid 787 – Gerona 60 – **Perpignan 31.**

✕✕ **Durán,** carret. N II-10 ⌧ ☏ 54 02 40 La Junquera
Com carta 220 a 400.

PICOS DE EUROPA ★★★ León – Oviedo – Santander 🄹🄹🄾 ④⑤.

PIEDRA (Monasterio de) Zaragoza 🄹🄹🄾 ⑰ – alt. 720.
Ver : Parque y cascadas★★.
Madrid 231 – Calatayud 29 – Zaragoza 118.

🏨 **Monasterio de Piedra** ⑳, ⌧ ☏ 2 Nuévalos, « Instalado en el antiguo monasterio »
%, ⌁ – 🎞 ⌾ 🚿wc 📷 **ⓟ**. ⅍ rest
abril-octubre – Com 225 – ⌸ 55 – **61 hab** 300/475 – P 638/700.

en la carretera de Nuévalos N : 1 km – ⌧ ☏ Nuévalos :

🏠 **Las Truchas** ⑳, ☏ 10, %, ⌁ – 🎞 ⌾ 🚿wc 🚿wc **ⓟ**
Com 175 bc – ⌸ 50 – **39 hab** 210/275.

en Nuévalos N : 3 km – ⌧ ☏ Nuévalos :

✕ Mirador, ☏ 18 – **ⓟ**.

PIEDRALAVES Avila 🄹🄹🄾 ⑭ – 2 133 h. alt. 730.
Madrid 93 – Ávila 83 – Plasencia 162.

🏨 **Almanzor** ⑳, Progreso 9 ☏ 11, « Parque y gran terraza con arbolado y ⌁ » – 🎞 ⌾ 🚿wc
🚿wc 📷 **ⓟ**. ⅍
Com 200 – ⌸ 50 – 55 hab 200/380 – P 490/520.

PIEDRAS ALBAS Cáceres 🄹🄹🄾 ⑩㉘, 🄷🄷 ⑤ – Ver aduanas p. 14 y 15.

PILES Valencia 🄹🄹🄾 ㉘ – 1 925 h.
Madrid 428 – Alicante 110 – Gandía 10 – **Valencia 78.**

en la playa E : 2 km – ⌧ ☏ Piles :

⌖ **Gloria Mar** ⑳, ☏ 17, ⩽ playa – sólo agua fría ⌾ 🚿wc 🛏
marzo-septiembre – Com 160/200 – ⌸ 30 – **13 hab** 100/210 – P 350/355.

PINEDA Tarragona **43** ⑯ – 🏨, ✗✗ ver Salou.

PINEDA DE MAR Barcelona **990** ⑳, **43** ⑲ – 7 776 h. – ✪ 93.
Madrid 682 – Barcelona 52 – Gerona 46.

🏠 **Mont Palau,** Roig y Jalpi 1 🕿 862 33 87 – |拿| 🍴 🖐wc. ✿ rest
23 marzo-15 octubre – Com 145/200 – ⊑ 45 – 82 hab 140/260 – P 400/415.

AUSTIN-MG-MORRIS-MINI av. Mediterráneo 101 🕿 899 14 48
SEAT av. Mediterráneo 103 🕿 899 09 62

PINTO Madrid **990** ⑮ y ㊴ – 9 761 h. alt. 604.
Madrid 21 – Aranjuez 27.

✗ Don Mendo, carret. N IV 🕿 42 – 🅿.

RENAULT Raso de Rodela 5 🕿 691 05 81

El PLANTÍO Madrid **990** ㊴ – ✗✗ ver Madrid.

PLASENCIA Cáceres **990** ⑬ – 27 174 h. alt. 355 – Plaza de toros – ✪ 927.
Ver : Catedral★ (retablo★, sillería★).
Madrid 259 – Ávila 149 – Cáceres 79 – Ciudad Real 308 – Salamanca 131 – Talavera de la Reina 150.

🏠🏠 **Alfonso VIII,** Alfonso VIII - 32 🕿 41 02 50 – ▤. ✿
Com 250 – ⊑ 60 – **56 hab** 390/680 – P 790/840.

🕌 **Eloy,** Marqués de la Constancia 9 🕿 41 03 00 – ▥ 🖐. ✿ rest
Com 150 – ⊑ 35 – 23 hab 132/235 – P 357/405.

🕌 **Iberia,** Marqués de la Constancia 25 🕿 41 00 00 – ▥ 🖐wc ⚓. ✿
Com 150 – ⊑ 35 – 24 hab 120/270 – P 350/370.

✗ Mi Casa, con hab, Maldonado 13 🕿 41 14 50 – |拿| ▥ 🖐wc ⚓ – 45 hab.

en la carretera de Salamanca N : 1,5 km – ✉ 🕿 Plasencia :

🏠 Real, 🕿 41 29 00 – ▥ 🖐wc ▥wc ⚓ 🅿
30 hab.

en la carretera N 630 SO : 1,5 km – ✉ 🕿 Plasencia :

🏠 Alamos, 🕿 41 15 50 – ▥ 🖐wc ▥wc ⚓ 🅿 – 18 hab.

AUSTIN-MG-MORRIS-MINI av. de Cáceres 23 🕿 41 18 36
CHRYSLER-SIMCA av. de Cáceres 🕿 41 06 00
CITROEN av. de Cáceres 🕿 41 24 10
RENAULT av. de Cáceres km 131 🕿 41 13 00
SEAT-FIAT av. de Cáceres 🕿 41 03 87

PLASENCIA DEL MONTE Huesca **43** ③ – ✗ ver Esquedas.

PLAYA BLANCA Las Palmas – 🏠🏠 ver Canarias (Fuerteventura) : Puerto del Rosario.

PLAYA DE ARO Gerona **990** ⑳, **43** ⑨ – Playa – ✪ 972.
📷 Costa Brava, Santa Cristina de Aro O : 6 km.
Madrid 733 – Barcelona 103 – Gerona 37.

🏠🏠 **Colombus** ⚘, paseo del Mar 🕿 32 71 66, Telex 57162, ≼ playa, ✿✿, ⌇ climatizada – 🅿. ✿
22 marzo-octubre – Com 300 – ⊑ 70 – **110 hab** 495/850 – P 990/1 060.

🏨 **Costa Brava** ⚘, carret. de Palamós 🕿 32 73 08, « Terraza con flores, ≼ playa y costa » – 🍴 🖐wc ▥wc ⚓ 🅿. ✿ rest
15 mayo-13 octubre – Com 260 – ⊑ 55 – 46 hab 245/455 – P 666/684.

🏨 **S'Agoita,** carret. de Palamós 🕿 32 71 54, ⌇ climatizada – |拿| ▥ 🍴 🖐wc ⚓. ✿ rest
15 marzo-octubre – Com 225 – ⊑ 65 – **70 hab** 385/725 – P 748/770.

🏨 **Cosmopolita,** pinar del Mar 1 🕿 32 73 50, ≼ playa – |拿| 🍴 🖐wc ⚓. ✿ rest
mayo-octubre – Com 250 – ⊑ 55 – **95 hab** 365/685 – P 842/865.

🏨 **Xaloc** ⚘, playa de Rovira 🕿 32 73 00, ≼ mar – 🍴 🖐wc ▥wc ⚓ 🅿. ✿ rest
mayo-octubre – Com 215 – ⊑ 50 – 43 hab 225/400 – P 610/635.

🏨 **Rosamar,** pl. de los Mártires 🕿 32 73 04 – |拿| ▥ 🍴 🖐wc ⚓. ✿
mayo-10 octubre – Com 230/265 – ⊑ 50 – **62 hab** 265/530 – P 730.

🏨 **Miramar** sin rest, Virgen del Carmen 12 🕿 32 71 50, ≼ playa – |拿| 🍴 🖐wc ▥wc ⚓. ✿
mayo-septiembre – ⊑ 45 – 46 hab 185/330.

🏠 **Bell Repos** ⚘, Virgen del Carmen 21 🕿 32 71 00 – 🍴 🖐wc ⚓ 🅿. ✿ rest
20 mayo-15 octubre – Com 265 – ⊑ 50 – 41 hab 265/770 – P 740/775.

🏠 **Japet,** carret. de Palamós 🕿 32 73 66 – 🍴 🖐wc ▥wc ⚓ 🅿
cerrado 15 octubre al 30 noviembre – Com 210 – ⊑ 60 – 47 hab 210/370 – P 585/610.

🏠 Bellavista, Carmen 1 🕿 32 71 12, ≼ playa – 🍴 🖐wc ⚓
temp. – 26 hab.

🏠 **La Nau,** Calvo Sotelo 🕿 32 73 58 – 🍴 🖐wc ▥wc ⚓ 🅿. ✿ rest
junio-septiembre – Com 220 – ⊑ 55 – 28 hab 385 – P 550.

🕌 **Roura** ⚘, General Mola 6 🕿 32 70 66 – 🍴 ▥wc. ✿ rest
abril-octubre – Com 150 – ⊑ 45 – 17 hab 135/275 – P 425/440.

XX **Chalet Suisse,** carret. de San Felíu 13 ⌕ 32 72 17 – ⌕
Com carta 300 a 450.

X La Grillade, Pinar del Mar 12 ⌕ 32 73 33, Rest. francés
temp.

X **Cafet. Montbar,** Pinar del Mar ⌕ 32 74 29 – ⌕
cerrado lunes a viernes del 15 octubre a marzo excepto festivos y vísperas – Com carta
400 a 485.

X **L'Entrecôte,** Pinar del Mar ⌕ 32 81 37, Rest. al aire libre
15 mayo-15 septiembre – Com carta 235 a 370.

en Condado de San Jorge NE : 2 km – ⌂ ⌕ Playa de Aro :

⌂ Park H. San Jorge ⌂, ⌕ 31 52 54, « Agradable terraza con arbolado, ⌕ rocas y mar »,
⌕ climatizada – ⚑. ⌕ rest
15 marzo 15 octubre – Com 425 – **85 hab.**

⌂ **Cap-Roig** ⌂, ⌕ 31 52 16, ⌕ rocas y mar, ⌕, ⌕ climatizada – ⌸ rest ⌕ ⚑. ⌕ rest
10 marzo-31 octubre – Com 345 – ⌕ 60 – **150 hab** 560/730 – P 990/1 070.

⌂ Condado San Jorge, ⌕ 32 71 17, ⌕ – ⌕⌕wc ⌕ ⚑. ⌕ rest
junio-septiembre – Com 465 – **36 hab.**

en la urbanización Mas Nou N : 4 km por carretera de Santa Cristina :

XXX Mas Nou, ⌂ ⌕ 32 78 53 Playa de Aro, ⌕, ⌕ – ⚑.

PLAYA DE LAS AMÉRICAS Santa Cruz de Tenerife – ⌂ ver Canarias (Tenerife).

PLAYA DEL INGLÉS Las Palmas – ⌂ a ⌂ ver Canarias (Gran Canaria) : San Agustín.

PLAYA DE SAN JUAN Alicante – ⌂, XX ver Alicante.

PLAYA MITJORN Baleares – ⌂ ver Baleares (Formentera).

With this guide use **Michelin Maps** :

no. **990** SPAIN-PORTUGAL Main Roads (1 inch : 16 miles),

nos. **42** and **43** SPAIN (sectional maps) (1 inch : 6.30 miles),

no. **37** PORTUGAL (1 inch : 8 miles).

PLENCIA Vizcaya **990** ⑥, **42** ③ – 2 766 h. – ⚙ 944.
Madrid 427 – Bilbao 26.

X **Txurrua,** El Puerto 1 ⌕ 77 00 11, ⌕ mar – ⌕
Com carta 240 a 390.

POBLET (Monasterio de) Tarragona **990** ⑲, **43** ⑯ – alt. 490.
Ver : Monasterio** (claustro** : capiteles*, iglesia**, panteón real**, retablo del altar mayor**).
Madrid 521 – Barcelona 132 – Lérida 51 – Tarragona 46.

X Fonoll ⌂, con hab, ⌂ ⌕ 60 Espluga de Francolí – solo agua fría
17 hab.

en Espluga de Francolí NE : 2,5 km – ⌂ ⌕ Espluga de Francolí :

⌂ **Fonda Garrell,** paseo de Cañellas 4 ⌕ 34, ⌕ – ⌸ sólo agua fría. ⌕
Com 165/210 – ⌕ 35 – 19 hab 100/248 – P 400.

XX **Senglar** ⌂ con hab, carret. Poblet ⌕ 263, « Bonito de jardín, Rest. típico » – ⌸ ⌕ ⌕wc
⌸wc ⌕ ⚑. ⌕
Com carta 260 a 340 – ⌕ 50 – **20 hab** 330/530 – P 665/730.

Los POCILLOS Las Palmas – ⌂ ver Canarias (Lanzarote) : Puerto del Carmen.

POLA DE SIERO Oviedo **990** ④ – 35 896 h. alt. 209.
Alred. : Ermita de Carbayo ⌕** S : 18 km – Valdediós* (monasterio, iglesia de San Salvador)
NE : 20 km.
Madrid 451 – Oviedo 16 – Santander 189.

⌂ Santa Cruz, sin rest, con snack-bar, Florencio Rodríguez 12 ⌕ 404 – ⌸ ⌸wc – **15 hab.**
RENAULT Marquesa de Cahuejos ⌕ 1   SEAT Celleruelo 60 ⌕ 343

POLINYÁ Barcelona **43** ⑱ – 1 168 h.
Madrid 635 – Barcelona 26 – Gerona 94 – Vich 56.

XX Polinyá y grill Els Pepitus, carret. de Nollet S : 1 km ⌂ Polinyá ⌕ 296 73 26 Sabadell – ⌸ ⚑.

POLOP DE LA MARINA Alicante 𝟿𝟿𝟢 ㉘ – 1 554 h. alt. 230.
Madrid 437 – Alicante 51 – Gandía 67.

  🏨 **Sant Yago** ⌂, carret. de Benidorm ⌀ 90, ≼ población, valle y montaña, ℀, ⌁ – **ⓟ**.
     ⌂ rest
     Com 250 – ⌂ 65 – **85 hab** 310/550 – P 620/680.

  🏨 **Les Fonts,** av. Sagi-Barba 32 ⌀ 23, ≼ valle y montaña, ℀, ⌁ – |≣| ▥ ☞ ⌂wc ⌂wc ☎.
     ⌂ rest
     20 marzo-septiembre – Com 185 – ⌂ 55 – 56 hab 182/320 – P 490/515.

  🏠 **Polmar,** av. Sagi-Barba 31 ⌀ 3, ⌁ – ▥ ☞ ⌂wc ☎. ℀
     10 abril-octubre – Com 175 – ⌂ 40 – 42 hab 175/300 – P 400/425.

POLLENSA Baleares 𝟿𝟿𝟢 ㉙, 𝟺𝟹 ⑲ – Ver Baleares (Mallorca).

PONFERRADA León 𝟿𝟿𝟢 ③ – 45 257 h. alt. 543 – ✪ 987.
Madrid 385 – Benavente 125 – **León 109** – Lugo 123 – Orense 166 – **Oviedo 227.**

  🏨 **Del Temple,** av. de Portugal 2 ⌀ 41 00 58, « Decoración original evocadora de la época
     de los Templarios » – ▤ rest ⇔ **ⓟ**. ⌂ rest
     Com carta 300 a 380 – ⌂ 65 – **114 hab** 375/660.

  🏨 **Madrid,** José Antonio 46 ⌀ 41 15 50 – |≣| ▥ ▤ rest ☞ ⌂wc ⌂wc ☎. ℀
     Com 200 – ⌂ 45 – 54 hab 300/500 – P 600/650.

  🏨 **Conde Silva** sin rest, con snack-bar, carret. N VI - 2 ⌀ 41 04 07 – |≣| ▥ ⌂wc ⌂wc ☎.
     🚗 **ⓟ**. ℀
     ⌂ 50 – **60 hab** 250/475.

  🏛 **Marán,** 1º piso, sin rest, Antolín López Peláez 29 ⌀ 41 18 00 – ▥ ⌂ ☎. ℀
     cerrado 23 diciembre al 7 enero – ⌂ 35 – **24 hab** 138/288.

  ✕ **Virginia,** con hab, Juan de Lama 6 ⌀ 41 10 03 – |≣| ▥ ⌂
     14 hab.

AUSTIN-MG-MORRIS-MINI La Cemba ⌀ 41 23 72   FIAT-SEAT av. Capitán Losada 25 ⌀ 41 00 09
CHRYSLER-SIMCA Montearenas ⌀ 41 06 18   PEUGEOT av. 501 nº 48 ⌀ 41 21 99
CITROEN Montearenas ⌀ 41 19 16   RENAULT av. del Bierzo - El Plantío ⌀ 41 08 19

PONS Lérida 𝟿𝟿𝟢 ⑱, 𝟺𝟹 ⑥ – 2 045 h. alt. 363.
Madrid 534 – Barcelona 131 – Lérida 64.

  🏨 **Pedra Negra,** carret. de Seo de Urgel NE : 1 km ⌀ 46 00 27 – ▥ ▤ rest ☞ ⌂wc ☎. ℀
     Com 155/175 – ⌂ 55 – 19 hab 175/325 – P 588/600.

  🏠 **Ventureta,** carret. de Seo de Urgel 2 ⌀ 143 – ▥ ☞ ⌂wc
     Com 150 bc – ⌂ 45 – 14 hab 125/275 – P 500/538.

  🏛 **Jardí,** pasaje Piñolá ⌀ 38 – ▥ ⌂
     Com 150 – ⌂ 30 – **16 hab** 90/205.

CHRYSLER-SIMCA av. Liberación 10 ⌀ 23   SEAT-FIAT carret. Andorra ⌀ 134
FORD carret. Barcelona ⌀ 281

PONT DE SUERT Lérida 𝟿𝟿𝟢 ⑨, 𝟺𝟹 ⑤ – 2 982 h. alt. 838.
Alred. : Embalse de Escales★ S : 5 km.
Madrid 564 – Lérida 124 – Viella 40.

  🏛 **Canigó,** 1º piso, av. Victoriano Muñoz 6 ⌀ 78 – ▥ ⌂wc. ℀
     cerrado domingo por la noche y 10 diciembre al 10 enero – Com 175 – ⌂ 45 – 13 hab
     150/300 – P 435/450.

CHRYSLER-SIMCA Victoriano Muñoz 14 ⌀ 40

PONTEVEDRA ⟤ 𝟿𝟿𝟢 ② – 52 452 h. – Plaza de toros – ✪ 986.
Ver : Santa María la Mayor★ (fachada occidental★). **Alred. :** Mirador de Coto Redondo ⋇★★
14 km por ⑤ – Carretera★★ de Pontevedra a La Cañiza ⋇★★ por C 531 ②.
M.I.T. General Mola 1 ⌀ 85 08 14.
Madrid 617 ② – Lugo 154 ① – Orense 105 ② – Santiago de Compostela 57 ① – **Vigo 34** ③.

  🏨 **Parador Casa del Barón M.I.T.** ⌂, pl. Maceda ⌀ 85 58 00, « Antiguo pazo acondicio-
     nado » – **ⓟ**. ℀ rest   **Y a**
     Com 280 – ⌂ 60 – **47 hab** 315/515.

  🏨 **Rías Bajas,** Daniel de la Sota 7 ⌀ 85 51 00, Rest. rústico – |≣| ▥ ☞ ⌂wc ⌂wc ☎ **ⓟ**. ℀
     Com 250/350 – ⌂ 50 – **100 hab** 325/600.   **Z n**

  🏨 **Universo,** sin rest, con snack-bar, Benito Corbal 30 ⌀ 85 10 88 – |≣| ▥ ☞ ⌂wc ⌂wc ☎
     62 hab.   **Z e**

  🏠 **Virgen del Camino,** 1º piso, sin rest y sin ⌂, Virgen del Camino 59 ⌀ 85 59 00 – ▥ ☞
     ⌂wc ⌂wc ☎. ℀   **Z v**
     18 hab 190/290.

  en San Salvador de Poyo por ⑤ : 2 km – ✉ ⌀ Pontevedra :

  ✕ Casa Solla, carret. C 550 ⌀ 85 26 78, Decoración rústica, Pescados y mariscos – **ⓟ**.

238

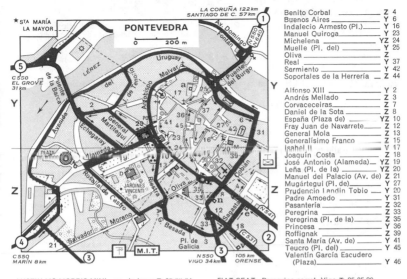

AUSTIN-MG-MORRIS-MINI av. de Lugo ⍚ 85 30 04
CHRYSLER-SIMCA carret. de La Coruña (Lerez) ⍚ 85 20 05
CITROEN carret. de Orense (Mourente) ⍚ 85 13 53

FIAT-SEAT Peregrina-carret. Vigo ⍚ 85 35 80
PEUGEOT Benito Corbal 68 ⍚ 85 27 22
RENAULT Campo de la Feria 23 ⍚ 85 21 47

PONZANO Huesca 42 ⑱, 43 ③ – alt. 533.
Alred. : Alquézar (paraje★★) NE : 26 km.
Madrid 434 – Huesca 37 – Lérida 87.

en la carretera N 240 NE : 2 km – ⊠ ⍚ Ponzano :

⌂ San Román, ⍚ 7, ⌧ – ▥ ⏥wc ⚲wc ℗
12 hab.

PORRIÑO Pontevedra 990 ② – 10 044 h. alt. 29.
Madrid 603 – Orense 91 – Pontevedra 34 – **Porto 138** – Vigo **15.**

⌂ Internacional, Antonio Palacios 87 ⍚ 659 – ▥ ⏥wc ⚲wc ℗
18 hab.

SEAT Ramiranes 16 ⍚ 445

PORTALS NOUS Baleares – ⌂ ver Baleares (Mallorca).

PORT-BOU Gerona 990 ⑳, 43 ⑨ – 2 360 h. – ✪ 972 – Ver aduanas p. 14 y 15.
M.I.T. Estación internacional ⍚ 25 00 81.
Madrid 800 – Banyuls 17 – Gerona 73.

⌂ **Miramar,** General Goded 16 ⍚ 25 00 16, ≤ cala – 🍽 ⚲wc
mayo-septiembre – Com 150 – ⊑ 50 – 27 hab 125/250 – P 500.

⌂ **Comodoro,** Méndez Núñez 1 ⍚ 25 01 87 – ▥ 🍽 ⚲wc ℗. ⌘ hab
abril-octubre – Com 230 – ⊑ /5 – 18 hab 380 – P 600/650.

⌘ Costa Brava, José Antonio 26 ⍚ 25 00 03
temp. – 34 hab.

XX **L'Ancora,** General Goded 3 ⍚ 25 00 25, Decoración rústica
cerrado noviembre – Com carta 225 a 375.

XX La Masía, General Goded 1 ⍚ 25 03 72.

PORTIXOL Baleares 43 ⑲ – X con hab, ver Baleares (Mallorca) : Palma de Mallorca.

PORTO CRISTO Baleares 43 ⑳ – ⌂, ⌂, XX, X ver Baleares (Mallorca).

PORTONOVO Pontevedra – ⌂, ⌘ ver Sangenjo.

PORTO PETRO Baleares 43 ⑳ – ⌘ ver Baleares (Mallorca).

PORT SALVI Gerona – ⌂ ver San Felíu de Guixols.

POTES Santander 990 ⑤ − 1 206 h. alt. 291.

Ver : Paraje*. Alred. : Desfiladero de la Hermida** N : 18 km − Puerto de San Glorio (Mirador de Llesba ⁂**) SO : 27 km y 30 mn a pie − Santo Toribio de Liébana ⩽* SO : 3 km.

Madrid 402 − Palencia 173 − **Santander 115.**

 🏨 **Picos de Valdecoro,** Roscabado 🅿 232, ⩽ montañas − 📶 ▥ 🍴 🛁wc 🛁wc 🐾 **P.** ⁂
  Com 200 − 🍴 45 − **24 hab** 300/525.

PRATS DE CERDAÑA Lérida 43 ⑦ − alt. 1 100 − Deportes de invierno en Masella E : 9 km : 5 ⑇.

Madrid 640 − **Lérida 170** − Puigcerdá 14.

 🏨 **Moixaró** ⑊, ✉ Bellver de Cerdaña 🅿 89 02 38 Das, ⩽ campo, 🛌 − ▥ 🍴 🛁wc 🛁wc 🐾 **P.** ⁂
  Com 250/325 − 🍴 60 − **32 hab** 350/595 − P 730/755.

PRAVIA Oviedo 990 ④ − 11 915 h. alt. 17 − ✪ 985.

Alred. : Cudillero (típico pueblo pesquero*) N : 15 km − Ermita del Espíritu Santo ⩽* N : 15 km. − Madrid 477 − Gijón 47 − **Oviedo 42.**

 🏨 **Sagrario,** Valdés Bazán 🅿 82 00 38 − ▥. ⁂
  cerrado 10 septiembre al 10 octubre − Com 140 − 🍴 20 − 22 hab 110/180 − P 360/375.

RENAULT Augustín Bravo 🅿 82 06 55   SEAT Prahna 🅿 82 01 01

PREMIÁ DE MAR Barcelona 990 ㉘, 43 ⑱ − 11 284 h. − ✪ 93.

Madrid 650 − **Barcelona 20** − Gerona 80.

 🏨 **Hostal Bellamar** sin rest, carret. N II 🅿 391 00 45 − 🍴 🛁wc 🛁wc. ⁂
  junio-septiembre − 🍴 45 − **23 hab** 175/350.

 ✕✕ **Premiá,** Paseo del Caudillo 129 🅿 391 03 27 − ▤
  Com carta 245 a 410.

 ✕ **Bellamar,** carret. N II 🅿 391 00 45, ⩽ mar − ⁂
  junio-septiembre − Com carta 210 a 310.

PRULLÁNS Lérida 990 ⑯, 43 ⑦ − 265 h. alt. 1 096.

Madrid 633 − **Lérida 163** − Puigcerdá 22.

 🏤 **Montaña** ⑊, Puig 3 🅿 6, ⩽ valle y montañas − 🛁wc **P.** ⁂
  15 marzo-15 octubre − Com 190 − 🍴 45 − 40 hab 125/220 − P 385/400.

PUEBLA DE SANABRIA Zamora 990 ③⑬ − 1 588 h. alt. 898 − ✪ 988.

Alred. : NO : Valle de Sanabria (carretera de Puebla de Sanabria a San Martín de Castañeda ⩽*).

Madrid 344 − León 154 − **Zamora 110.**

 ✕✕ **Albergue M.I.T.** ⑊ con hab, carret. del lago 🅿 62 00 01 − ▥ 🍴 🛁wc 🐾 **P.** ⁂ rest
  Com 280 − 🍴 60 − **24 hab** 315/485.

SEAT carret. Nacional VI km 387 🅿 62 01 27

PUENTE ARCE Santander 42 ① − alt. 21.

Madrid 398 − **Santander 12** − Torrelavega 15.

 ✕✕ ✿ **El Molino,** carret. N 611 ✉ Renedo de Piélagos 🅿 24 Oruña, « Antiguo molino acondicionado, decoración original »
  Com carta 260 a 480
  Espec. Salmón del río Pas, Alubias con caza mayor, Quesada pasiega.

PUENTE BARJAS Orense − Ver aduanas p. 14 y 15.

PUENTE CESURES Pontevedra 990 ② − 2 560 h.

Madrid 626 − Orense 114 − **Pontevedra 35** − Santiago de Compostela 22.

 ✕ **Casa Castaño,** carret. N 550 🅿 72 − **P.** ⁂
  cerrado domingo noche y 20 diciembre al 10 enero − Com carta 215 a 465.

PUENTE DE LA REINA Huesca 42 ⑦ − alt. 707.

Alred. : Valle de Ansó* (Hoz de Biniés*) NO : 15 km.

Madrid 469 − Huesca 72 − Jaca 19 − **Pamplona 91.**

 ✕ Mesón de la Reina, carret. N 240 ✉ 🅿 3 Santa Engracia, Decoración rústica − **P.**

PUENTEDEUME La Coruña 990 ② − 8 107 h. − ✪ 981.

Madrid 603 − **La Coruña 40** − El Ferrol del Caudillo 15 − Lugo 95 − Santiago de Compostela 79.

 en Cabañas − ✉ 🅿 Cabañas :

 🏨 **Sarga,** carret. N VI 🅿 43 10 00, 🛌 − 📶 ▥ 🍴 🛁wc 🐾 **P.**
  Com 225 − 🍴 65 − **73 hab** 350/500 − P 800/950.

SEAT carret. N VI Cabañas

240

PUENTE LA REINA Navarra 990 ⑦, 42 ⑮ – 1 962 h. alt. 346 – ✪ 948.

Ver : Iglesia del Crucifijo (Cristo★) – Iglesia Santiago (portada★). **Alred.** : Ermita de Eunate★
E : 5 km – Cirauqui★ (iglesia de San Román : portada★) O : 6 km.

Madrid 403 – Logroño 68 – Pamplona 24.

XX **Mesón del Peregrino** con hab. carret. de Pamplona NE : 1 km ☎ 34 00 75, Decoración
rústica, ⌁ – ▥ ⓦⓒ ⊛ ⒫. ✻
cerrado 7 enero al 20 febrero – Com carta 315 a 500 – ☲ 50 – 14 hab 190/350 – P 490/600.

PUENTES DE GARCÍA RODRÍGUEZ La Coruña 990 ②③ – 7 916 h. alt. 348.

Madrid 570 – La Coruña 73 – El Ferrol del Caudillo 43 – Lugo 62.

☂ Fornos, av. Generalísimo 72 ☎ 299 – ▥ ⌂ⓦⓒ ▥ – 25 hab.

CITROEN av. de Lugo ☎ 54   SEAT carret. de Ortigueira ☎ 51

PUENTE VIESGO Santander 990 ⑤, 42 ① – 2 550 h. alt. 71 – Balneario.

Alred. . Cueva del Castillo★ NO : 1,5 km.

Madrid 368 – Bilbao 116 – Burgos 126 – Santander 30.

X Terraza, con hab. carret. N 623 ☎ 2 – sólo agua fría – 18 hab.

PUERTO – Puerto de montaña, ver al nombre propio del puerto.

PUERTO – Puerto de mar, ver a continuación.

PUERTO DE ALCUDIA Baleares 990 ㉚, 43 ⑳ – ⋒⋒, ⋒⋒, XX ver Baleares (Mallorca).

PUERTO DE ANDRAITX Baleares 990 ㉙, 43 ⑱ – ⋒⋒, XX, X ver Baleares (Mallorca).

PUERTO DE LA CRUZ Santa Cruz de Tenerife – ⋒⋒⋒ a ⋒, XX, X ver Canarias (Tenerife).

PUERTO DE LA SELVA Gerona 990 ㉙, 43 ⑨⑩ – 958 h.

Madrid 795 – Banyuls 40 – Gerona 68.

⋒ **Amberes** ⤳, Selva de Mar ☎ 54 – ▥ ⒫
22 abril-septiembre – Com 165/190 – ☲ 50 – 18 hab 155/275 – P 460/476.

PUERTO DEL CARMEN Las Palmas – ⋒⋒⋒, XX ver Canarias (Lanzarote).

PUERTO DEL ROSARIO Las Palmas – ⋒⋒, ⋒ ver Canarias (Fuerteventura).

PUERTO DE MAZARRÓN Murcia 990 ㉗ – ✪ 968.

Madrid 460 – Cartagena 34 – Murcia 69 – Lorca 55.

en la playa de la Isla O : 1 km – ✉ ☎ Puerto de Mazarrón :

⋒ **Durán,** ☎ 59 40 50, ≼ mar – ☞ ⌂ⓦⓒ ▥ⓦⓒ ⊛ ⒫. ✻
abril-15 octubre – Com 210 – ☲ 60 – 30 hab 280/480 – P 640/680.

X **Miramar,** ☎ 59 40 50, ≼ playa – ⒫. ✻
abril-15 octubre – Com carta 210 a 400.

en la playa de la Reya O : 1,5 km – ✉ ☎ Puerto de Mazarrón :

⋒⋒⋒ **Dos Playas** ⤳, ☎ 59 41 00, ≼ mar, ⌁ – ▤ ⒫. ✻
julio-agosto – Com 290 – ☲ 70 – **100 hab** 500/865 – P 967/1 035.

PUERTO DE POLLENSA Baleares 990 ㉘㉚, 43 ⑳ – ⋒⋒⋒ a ☂, X ver Baleares (Mallorca).

El PUERTO DE SANTA MARÍA Cádiz 990 ㉝ – 42 111 h. – Plaza de toros – ✪ 956.

Madrid 614 – Cádiz 19 – Jerez de la Frontera 12 – Sevilla 103.

en la carretera de Cádiz S : 2,5 km – ✉ ☎ El Puerto de Santa María :

⋒⋒⋒ Meliá Caballo Blanco, ☎ 86 37 45, « Bungalows alrededor de un bonito jardín », ⌁ –
▤ rest ⒫ – **69 hab.**

en la playa de Valdelagrana S : 3 km por la carretera de Cádiz – ✉ ☎ El Puerto de
Santa María :

⋒⋒⋒ **Puertobahía** ⤳, ☎ 86 29 40, ≼ mar, ⌁⌁, ⌁ – ▤ rest ⒫. ✻
Com 225 – ☲ 50 – **330 hab** 520/675 – P 762/945.

en la carretera de Rota O : 7 km – ✉ ☎ El Puerto de Santa María :

⋒⋒⋒ Fuentebravia ⤳, ☎ 86 27 27, ≼ mar y Cádiz, ⌁ – ▤ rest ⒫ – **90 hab.**

X Mesón Jerezano, ✉ apartado 31 ☎ 86 27 27, Rest. típico, plaza de toros particular
– ⒫.

AUSTIN-MG-MORRIS-MINI Fernando Zamacola 5 ☎   FORD carret. de Rota km 4 ☎ 86 29 39
86 38 44   RENAULT Enrique Martínez ☎ 86 11 77
CITROEN Rivera del Río 15 ☎ 86 15 31   SEAT Espíritu Santo 33 ☎ 86 18 47

PUERTO DE SANTIAGO Santa Cruz de Tenerife – 🏨 ver Canarias (Tenerife).

PUERTO DE SÓLLER Baleares 990 ⊗, 43 ⑲ – 🏨, 🏠, ✗✗, ✗ ver Baleares (Mallorca).

PUERTO LAPICE Ciudad Real 990 ⊗ – 1 296 h. alt. 676.
Madrid 136 – Alcázar de San Juan 25 – Ciudad Real 62 – Toledo 85.

🏨 Puerto, carret. N IV ⊅ 27 – ▥ 🍽 rest ☜ ➪wc ▥wc ☞ ❶
37 hab.

🏠 **Aprisco** con hab. carret. N IV - N : 1 km ⊅ 37, « Conjunto de estilo manchego », ⬛ – ▥
🍽 rest ☜ ➪wc ▥wc ☞ ❶. ✗✗
Com 150 – ☲ 50 – **17 hab** 160/255.

✗✗ Venta del Quijote, Encinar 4 ⊅ 44, « Antigua venta manchega ».

CHRYSLER-SIMCA carret. N IV km 137 ⊅ 33   SEAT carret. N IV km 135 ⊅ 69

PUERTO LUMBRERAS Murcia 990 ⊗⊗ – 7 986 h. alt. 333 – ⊙ 968.
Madrid 455 – Almería 139 – Granada 204 – Murcia 80.

🏨 **Riscal**, av. García Rubio ⊅ 40 20 50 – ▥ ☜ ➪wc ▥wc ☞ ❶. ✗✗
Com 200 – ☲ 50 – 27 hab 195/350 – P 505/545.

🏠 **Salas**, carret. N 340 ⊅ 40 21 00 – ▥ 🍽 rest ➪wc ▥wc ☞ ❶
Com 175 – ☲ 40 – 26 hab 170/280 – P 440/470.

✗✗ **Albergue M.I.T.**, con hab. carret. N 340 ⊅ 40 20 25 – ▥ ☜ ➪wc ☞ ❶. ✗✗ rest
Com 260 – ☲ 50 – **13 hab** 265/450.

CITROEN carret. Almería ⊅ 40 22 03

Für die 🏨🏨, 🏨🏨, 🏨🏨, geben wir keine Einzelheiten   ➪wc ▥wc
über die Einrichtung an,   ☜
da diese Hotels im allgemeinen jeden Komfort besitzen.   ☞ 🛗

PUERTOLLANO Ciudad Real 990 ⊗ – 53 001 h. – ⊙ 926.
Madrid 236 – Ciudad Real 38.

🏨 León, Alejandro Prieto 6 ⊅ 41 17 40 – 🛗 ▥ 🍽 rest ☜ ➪wc ▥wc ☞
104 hab.

✗ Cabañas, av. José Antonio 55 ⊅ 41 10 62 – 🍽.

AUSTIN-MG-MORRIS-MINI Asdrúbal 30 ⊅ 41 23 38   CITROEN av. de los Mártires 69 ⊅ 41 13 85
CHRYSLER-SIMCA glorieta Virgen de Gracia 6 ⊅   RENAULT carret. Almodóvar 7 ⊅ 42 03 79
41 29 19   SEAT-FIAT av. de los Mártires 75 ⊅ 41 14 88

PUERTOMARÍN Lugo 990 ②③ – 2 961 h. alt. 324.
Ver : Iglesia*.
Madrid 517 – Lugo 24 – Orense 83 – Ponferrada 132.

🏨 **Parador M.I.T.** ⌂, ⊅ 20, ≼ embalse y colinas cercanas – ▥ ☜ ➪wc ☞ ❶. ✗✗ rest
Com 280 – ☲ 60 – **10 hab** 375/515 – P 537/655.

PUERTO REAL Cádiz 990 ⊗ – 19 569 h.
Madrid 620 – Algeciras 120 – Cádiz 13 – Sevilla 110.

en la autopista A 4 NE : 8 km – ✉ ⊅ Puerto Real :

✗ Restop (Las Yeguas), ⊅ 83 00 08 – 🍽 ❶.

PUIGCERDÁ Gerona 990 ⑲, 43 ⑦ – 5 526 h. alt. 1 152 – ⊙ 972 – Ver aduanas p. 14 y 15.
🚠 de Puigcerdá SO : 4 km.
Madrid 654 – Barcelona 168 – Gerona 151 – Lérida 184.

🏨 **María Victoria**, Florenza 8 ⊅ 88 03 00, ≼ valle de Cerdaña y montaña – 🛗 ▥ ☜ ➪wc
▥wc ☞
Com 275 – ☲ 50 – **30 hab** 280/430 – P 585/650.

🏨 **Martínez** ⌂ sin rest, carret. de Llivia 1 km ⊅ 88 02 50 – ▥ ☜ ➪wc ☞ ❶. ✗✗
☲ 50 – **15 hab** 395/500.

🏨 Prado ⌂, carret. de Llivia 1 km ⊅ 230, ⬛ – ▥ ☜ ➪wc ▥wc ☞ ➾ ❶.
29 hab.

🏩 **Alfonso**, España 5 ⊅ 88 02 46 – ▥ ☜ ➪wc. ✗✗ hab
Com 135/200 – 28 hab 150/235 – P 363/395.

🏩 Estación, pl. Calvo Sotelo 2 ⊅ 330 – ▥ ➪wc ☞ – 28 hab.

🏩 **Internacional**, la Baronía ⊅ 88 01 58 – ▥ ▥ ☞ ➾
Com 175/250 – ☲ 40 – 30 hab 125/260 – P 425.

en la carretera de Barcelona N 152 S : 1,5 km – ✉ ☎ Puigcerdá :

🏨 **Park Hotel,** ≼ valle de Cerdaña y montaña – 📶 📺 ☎ ⌂wc ☜ ☞ 🅿. ❄ rest
Com 250 – ☲ 60 – **54 hab** 300/500 – P 800/850.

en la carretera de Seo de Urgel SO : 4 km :

🏨 Chalet del Golf 🦌, ✉ Puigcerdá ☎ 17 San Martín de Arabó, ≼ campo y montaña, « Chalet rústico frente al golf », ᠍ᡃ – 📺 ☎ ⌂wc ☜ 🅿
16 hab.

CITROEN av. General Tella ☎ 402   SEAT-FIAT General Mola 3 ☎ 153
RENAULT rambla J.M. Martí 6 ☎ 140

PUNTA PRIMA Baleares 🤍 ⑳ – ❄ ver Baleares (Menorca) : San Luis.

PUNTA UMBRIA Huelva 🆖 ㉒ – 6 606 h. – Playa – ⊙ 955.
Madrid 652 – Huelva 21.

🏨 **Ayamontino,** av. del Océano ☎ 31 00 44 – 📺 ☎ ⌂wc ⫢wc ☜ 🅿. ❄
Com 200 – ☲ 40 – **45 hab** 200/360 – P 525/550.

🏨 Emilio, Ancha 23 ☎ 31 18 00 – 📺 ☎ ⌂wc ☜
temp. – 36 hab.

XX La Pequeña Alhambra, Ancha ☎ 31 00 25, « Bonita decoración de estilo morisco inspirada en la Alhambra de Granada ».

X El Ayamontino, Ría 33 ☎ 31 07 89, ≼ ría.

PUZOL Valencia 🆖 ⑳ – 9 647 h. – ⊙ 963.
Madrid 364 – Castellón de la Plana 55 – **Valencia** 14.

🏩 **Monte Picayo** 🦌, N : 1 km ✉ Puzol ☎ 25 31 59 Valencia, Telex 62087, « En la ladera de un monte con ≼ naranjales valencianos, Puzol y mar », ❄, ⌁ climatizada, ☞ – 🍴 🅿.
🅰. ❄
Com 550 bc – ☲ 125 – **82 hab** 1 500/2 000 – P 2 100/2 600.

QUERALT (Nuestra Señora de) Barcelona 🤍 ⑦ – alt. 1 024.
Ver : ❄ᴬ ᴬ.
Madrid 632 – Barcelona 124 – Lérida 162.

QUINTANAR DE LA ORDEN Toledo 🆖 ⑳ – 7 764 h. alt. 691 – Plaza de toros.
Madrid 121 – Albacete 127 – Alcázar de San Juan 24 – Toledo 98.

🏨 **Castellano,** carret. N 301 ☎ 10 – 📺 🍴 rest ☎ ⌂wc ⫢wc ☜ 🅿. ❄
Com 170 – ☲ 42 – 27 hab 170/380 – P 535/555.

🏨 **Santa Marta,** carret. N 301 ☎ 152 – 📺 🍴 rest ☎ ⌂wc ⫢wc ☜ 🅿. ❄
Com carta 190 a 360 – ☲ 35 – **19 hab** 150/350.

X Costa Blanca, carret. N 301 ☎ 519 – 🍴 🅿.

AUSTIN-MG-MORRIS-MINI carret. N 301 km 120   CITROEN carret. N 301 km 122 ☎ 207
☎ 577   RENAULT carret. N 301 km 122 ☎ 248
CHRYSLER-SIMCA carret. N 301 km 121 ☎ 227   SEAT carret. N 301 km 120 ☎ 81

QUINTANAR DE LA SIERRA Burgos 🆖 ⑯ – 2 971 h. alt. 1 220.
Alred. : Laguna Negra de Neila** (carretera**) NO : 15 km.
Madrid 243 – Burgos 76 – Soria 70.

🏨 Sanza, sin rest y sin ☲, General Mola ☎ 242, ≼ montañas – 📶 📺 ☎ ⌂wc
5 hab y 12 apartamentos.

☂ Domingo, General Jordana 20 ☎ 97 – 📺 ⫢wc ☜
35 hab.

X Casa Ramón, 1° piso, con hab, Las Rozas 2 ☎ 7 – 📺 sólo agua fría
7 hab.

La RÁBIDA (Monasterio de) Huelva 🆖 ㉒, 🗐 ⑩.
Madrid 634 – Huelva 7 – Sevilla 96.

🏨 Santa María, NE : 1 km ✉ Moguer ☎ 77 Palos de la Frontera, ≼ río Tinto y Huelva, ⌁ –
📺 ☎ ⫢wc ☜ 🅿
39 hab.

La RÁBITA Granada 🆖 ㉟.
Madrid 545 – Almería 70 – **Granada** 113 – Málaga 149.

🏨 **Conchas,** carret. N 340 ☎ 17, ≼ mar – 📺 ☎ ⌂wc ⫢wc ☜ 🅿. ❄
abril-septiembre – Com 160 – ☲ 39 – 27 hab 160/310 – P 440/445.

☞ *Utilisez le guide de l'année.*

El RACÓ (Urbanización) Barcelona 🆔 ⑰ – 💥 ver San Felíu del Racó.

REBOREDO Pontevedra – 🏛 ver El Grove.

El RECÓ Tarragona 🆔 ⑯ – 🏛 ver Salou.

RÉGIL Guipúzcoa 🆔 ④ – 1 162 h. alt. 304.
Madrid 460 – Bilbao 80 – Pamplona 80 – San Sebastián 42.

> *en la carretera de Tolosa* SE : 4,5 km :

※ Hostal Provincial de Régil 🦪, con hab, ✉ Régil ℙ 2 Vidania, « Amplia terraza, ≼ valle y montañas » – 🛏 🚿wc 🛁wc 🕿 🅿
6 hab.

REINOSA Santander 🆔 ⑤, 🆔 ① – 10 863 h. alt. 850 – Deportes de invierno.
Alred. : Cervatos* (colegiata* : decoración escultórica*) S : 5 km – Pico de Tres Mares ❄*** O : 26 km y telesilla.
Madrid 358 – Burgos 116 – Palencia 129 – Santander 74.

SEAT prolongación General Mola 70, carret. Santander ℙ 334

RENTERÍA Guipúzcoa 🆔 ⑦, 🆔 ⑤ – 34 369 h. alt. 11 – ⊙ 943.
Madrid 476 – Bayonne 46 – Pamplona 96 – San Sebastián 7.

🏛 **Lintzirin,** carret. de Irún E : 1,5 km ℙ 35 44 40 – 📶 🛏 🚿wc 🛁wc 🕿 🅿. ❄ rest
Com 250 – 🍽 50 – 49 hab 280/500 – P 645/700.

💥 **Panier Fleuri,** av. de Lecuona 1 ℙ 35 61 29 – 🍽. ❄
Com carta 375 a 700.

CITROEN Irún 3 ℙ 51 21 43   SEAT Mª de Lezo 26 bajo ℙ 51 21 46
RENAULT Alfonso XI-11 ℙ 51 18 98

REUS Tarragona 🆔 ⑲, 🆔 ⑯ – 59 095 h. alt. 134 – ⊙ 977.
Madrid 556 – Barcelona 119 – Castellón de la Plana 183 – **Lérida** 86 – Tarragona 14.

🏛 **Gaudí,** arrabal Robuster 49 ℙ 30 55 45 – 🏛. ❄ rest
Com 200 – 🍽 60 – 73 hab 250/450 – P 625/650.

🏛 **Francia** 🦪, carret. de Salou 3 ℙ 30 42 40 – 📶 🛏 🍽 🚿wc 🛁wc 🕿 🅿. ❄
Com 200/300 – 🍽 50 – 28 hab 325/425 – P 595/628.

※ **Masía Típica Crusells,** carret. N 420 - SE : 1,5 km ℙ 30 40 60 – 🍽 🅿. ❄
Com carta 195 a 500.

※ **San Remo,** carret. de Salou ℙ 31 10 20 – 🍽 🅿. ❄
cerrado 10 al 30 septiembre – Com carta 400 a 800.

AUSTIN-MG-MORRIS-MINI, FORD Verdaguer 13 ℙ   CITROEN av. Jaime I-97 ℙ 31 27 91
31 16 65   FIAT-SEAT av. Pedro IV 3-7 ℙ 30 33 64
CHRYSLER-SIMCA carret. de Salou km 1 ℙ 30 70 40   PEUGEOT av. 15 de Enero 25 ℙ 30 22 69
CITROEN av. 15 de Enero 67 ℙ 30 63 45   RENAULT carret. de Tarragona 25 ℙ 30 38 28

LA REYA Murcia – 🏛 ver Puerto de Mazarrón.

RIALP Lérida 🆔 ⑥ – 656 h. alt. 725.
Alred. : O : Valle de Llesúy**.
Madrid 603 – Lérida 141 – Sort 4.

🏛 **Condes del Pallars** 🦪, carret. de Sort ℙ 20, ≼ montaña, ❄, 🏊 climatizada – 🅿. 🏛.
❄ rest
cerrado 5 octubre al 14 diciembre – Com 310 – 🍽 60 – **98 hab** 545/1 100 – P 1 158/1 170.

RIAZA Segovia 🆔 ⑮ – 1 321 h. alt. 1 100 – Deportes de invierno en La Pinilla S : 19 km : 6 🎿.
Madrid 121 – Aranda de Duero 60 – Segovia 69.

🏛 La Trucha 🦪, av. Doctor Tapia 17 ℙ 71, ≼ montaña, 🏊 – 🛏 🚿wc 🛁wc 🕿 🅿
31 hab.

🐾 **Casaquemada,** Isidro Rodríguez 18 ℙ 35 – 🛏 🚗
Com 125 – 🍽 25 – 18 hab 95/165 – P 293/300.

RIBADEO Lugo 🆔 ③ – 8 974 h. alt. 146 – Plaza de toros – ⊙ 982.
Alred. : Carretera* de Ribadeo a Vegadeo ≼*.
Madrid 594 – La Coruña 155 – Lugo 86 – Oviedo 169.

🏛 **Parador M.I.T.** 🦪, ℙ 11 08 25, ≼ ría del Eo y montañas – 🚗 🅿. ❄ rest
Com 315 – 🍽 65 – **49 hab** 680/785 – P 708/895.

🏛 **Eo** 🦪 sin rest, av. de Asturias 5 ℙ 11 07 50, ≼ ría del Eo y montañas, 🏊 – 🛏 🍽 🚿wc
🕿
abril-septiembre – 🍽 55 – **20 hab** 330/450.

🏛 **Ribanova** sin rest, San Roque 8 ♈ 11 06 25 – 🛏wc 🛁wc ☜ ⬅. ❄
   ⌷ 45 – **32 hab** 150/355.

🏛 **Presidente,** Virgen del Camino 3 ♈ 11 00 92 – 🛏wc. ❄ rest
   Com 160 – ⌷ 30 – 20 hab 115/300 – P 400/435.

🏛 **Comercio** sin rest y sin ⌷, Rodríguez Murias 11 ♈ 11 06 75 – ❄
   23 hab 120/260.

XX **Riberas del Eo,** Muelle del Porcillán ♈ 11 01 85, ⬱ ría del Eo y montañas, ♨ – ❄
   julio-15 septiembre – Com carta 340 a 430.

XX **Voar,** carret. de La Coruña O : 1 km ♈ 11 03 27 – ⊕
   cerrado del 4 al 21 noviembre – Com carta 230 a 430.

X **El Porrón,** Reinante 9 ♈ 11 07 60 – ❄
   Com carta 180 a 295.

AUSTIN-MG-MORRIS-MINI   La Devesa ♈ 12 30 55   RENAULT   San Roque 56 ♈ 11 00 00
CHRYSLER-SIMCA   carret. San Sebastián - La Coruña   SEAT   carret. San Sebastián - La Coruña km 381 ♈
km 381 ♈ 11 06 81   11 02 43
CITROEN   Ramón González 39 ♈ 11 06 48

RIBADESELLA Oviedo 🔲🔲🔲 ④ – 7 108 h. – Playa.
Ver : Cueva Tito Bustillo* (pinturas rupestres*). **Alred. :** Mirador del Fito ⃰⃰** SO : 28 km.
Madrid 484 – Gijón 67 – Oviedo 84 – Santander 128.

🏨 **Marina,** Generalísimo 28 ♈ 51 – 🛁 ☞ 🛏wc ☜
   Com 225 bc – ⌷ 40 – **44 hab** 250/475 – P 630/650.

   en la playa :

🏨 G. H. del Sella ⬯, ♈ 278, ⬱ playa, ♨ – ⊕
   temp. – **73 hab.**

🏨 Playa ⬯, ♈ 147, ⬱ playa – 🛁 ☞ 🛏wc ☜ ⊕
   temp. – **12 hab.**

SEAT   Manuel Caso de la Villa 15 ♈ 105

   Pour un bon usage des plans de villes,
   voir les signes conventionnels, p. 23.

RIBAS DE FRESER Gerona 🔲🔲🔲 ⑳, 🔲🔲 ⑧ – 3 133 h. alt. 920 – Balneario – ☎ 972.
Deportes de invierno en Nuria (trajecto 1 h por ferrocarril de cremallera) : 1 ⬱ 4 ⬱.
Alred. : N : Nuria (⬱* del ferrocarril de cremallera) trayecto 1 h.
Madrid 690 – Barcelona 117 – Gerona 100.

🏨 **Cataluña Park H.** ⬯, paseo Mauri 9 ♈ 72 10 98, ⬱ montaña, ♨ – ☞ 🛏wc 🛁wc ⬅
   julio-septiembre – Com 210 – ⌷ 55 – 41 hab 220/410 – P 505/515.

🏨 **Cataluña,** San Quintín 37 ♈ 72 70 17, ♨ – 🛎 🛁 ☞ 🛏wc 🛁wc ⬅. ❄
   Com *(sin rest de julio a septiembre y jueves)* 205 – ⌷ 45 – 26 hab 205/390 – P 460/475.

   en la carretera de Barcelona S : 3 km :

🏨 **Baln. Montagut,** ✉ Aguas de Ribas ♈ 72 70 21 Ribas de Freser, « Gran parque », ❄ –
   🛏wc 🛁wc ⊕. ❄ rest
   julio-15 septiembre – Com 200 – ⌷ 50 – 100 hab 220/420 – P 485/510.

   en El Baiell S : 6 km por la carretera de Campellas – ✉ ♈ Ribas de Freser :

🏨 **Terralta** ⬯, alt. 1 300, ♈ 72 73 50, ⬱ montañas – 🛁🛏wc ⊕. ❄ hab
   Com 175 – ⌷ 65 – 22 hab 185/370 – P 600.

RIBERA DE CARDÓS Lérida 🔲🔲🔲 ⑨, 🔲🔲 ⑥ – 639 h. alt. 920.
Alred. : Valle de Cardós*.
Madrid 620 – Lérida 168 – Sort 21.

🏨 **Cardós** ⬯,♈ 2, ⬱ valle y montañas, ♨ – 🛁 ☞ 🛏wc 🛁wc ☜ ⬅. ❄ rest
   marzo-octubre – Com 175/250 – ⌷ 48 – 60 hab 280/400 – P 450/500.

🏛 **Sol i Neu** ⬯, ♈ 10, ⬱ montañas – 🛁 🛁wc ⊕. ❄ rest
   Com 160 – ⌷ 40 – 29 hab 160/290 – P 445/460.

RIOFRIO Granada.
Madrid 493 – Antequera 37 – Granada 61.

🏛 Riofrío, ✉ ♈ 32 00 10 Loja, Vivero de truchas – 🛁 🛁wc ⊕
   13 hab.

RIPOLL Gerona 🔲🔲🔲 ⑳, 🔲🔲 ⑦⑧ – 10 033 h. alt. 682 – ☎ 972.
Ver : Antiguo Monasterio de Santa María* portada**, claustro*). **Alred. :** San Juan de las Aba-
desas (iglesia de San Juan : descendimiento policromo**, claustro*) NE : 10 km.
Madrid 676 – Barcelona 103 – Gerona 86 – Puigcerdá 65.

RIPOLL

🏨 **Monasterio,** pl. General Mola 4 ⌚ 70 01 50 – 📶 ☝ 🚻wc 📶wc 🐾 **❷**
Com 200 – 🍴 45 – 39 hab 210/370 – P 560/585.

🍽 **Payet,** pl. Nueva 2 ⌚ 70 02 50 – 📶 ☝ 🚻wc 🐾. 🌼
Com 175 bc/250 bc – 🍴 45 – 22 hab 175/300 – P 455/475.

en la carretera N 152 S : 2 km – ✉ ⌚ Ripoll :

🏩 **Solana del Ter,** ⌚ 70 10 62, 🌺, 🛁 – 📶 ☝ 🚻wc 🐾 ⬅ **❷**. 🌼
Com 235 – 🍴 60 – 28 hab 345/575 – P 738/795.

CHRYSLER-SIMCA M.J. Verdaguer 29 ⌚ 70 00 98   FIAT-SEAT carret. de Barcelona 68 ⌚ 70 01 71
CITROEN carret. de Barcelona 33 ⌚ 70 08 64   RENAULT carret. de Barcelona 64 ⌚ 70 06 40

RIS Santander **42** ② – 🏨 ver Noja.

ROCA GROSSA (Urbanización) Gerona **43** ⑲ – 🍽🍽 ver Lloret de Mar.

La RODA Albacete **990** ㉘ – 11 663 h. alt. 716.
Madrid 211 – Albacete 37.

🏨 **Juanito,** carret. N 301 ⌚ 400 – 📶 🍴 rest ☝ 🚻wc 📶wc 🐾 ⬅ **❷**
Com 175 bc – 🍴 44 – 28 hab 188/300 – P 455/493.

🏨 **Flor de la Mancha,** carret. N 301 ⌚ 13 – 📶 📶wc 🐾 **❷**
26 hab.

🍽 **Blanco,** carret. N 301 ⌚ 8 – 📶 📶 🐾 **❷** – 10 hab.

AUSTIN-MG-MORRIS-MINI carret. N 301 ⌚ 145   RENAULT Mártires 112 - carret. N 301 ⌚ 588
CITROEN Mártires 139 - carret. N 301 ⌚ 386   SEAT-FIAT Mártires 106 - carret. N 301 ⌚ 570

El ROMANI Valencia – 🏨 ver Sollana.

RONCESVALLES Navarra **990** ⑦, **42** ⑥ – 92 h. alt. 952.
Ver : Monasterio (Colegiata real: tesoro*).
Madrid 455 – Pamplona 47 – St-Jean-Pied-de-Port 29.

🍽 Casa Sabina, con hab, ⌚ 76 00 12 Burguete – 📶
6 hab.

RONDA Málaga **990** ㉞ – 30 080 h. alt. 750 – Plaza de toros – ◐ 952.
Ver : Enclave* – Ciudad* – Camino de los Molinos ≼* – Puente Nuevo ≼*. **Alred. :** Cueva de la Pileta* (carretera de acceso ≼**, ≼*) SO : 27 km. **Excurs. :** Serranía de Ronda** : Carretera** de Ronda a San Pedro de Alcántara (cornisa**) – Carretera* de Ronda a Ubrique – Carretera* de Ronda a Algeciras.
M.I.T. pl. España 1 ⌚ 87 12 72.
Madrid 584 – Algeciras 100 – Antequera 98 – Cádiz 154 – Málaga 102 – Sevilla 121.

🏨🏨 Reina Victoria �－, Jerez 25 ⌚ 87 12 40, « Gran jardín al borde del tajo, 🌼 valle y serranía de Ronda », 🛁 – 🍴 **❷**
89 hab.

🏩 **Polo** sin rest, Mariano Souvirón 8 ⌚ 87 24 47 – 🛗 📶 ☝ 🚻wc 🐾. 🌼
🍴 40 – **33 hab** 330/450.

🏨 **Royal** sin rest y sin 🍴, Virgen de la Paz 40 ⌚ 87 11 41 – 📶 ☝ 🚻wc 🐾
25 hab 215/380.

🍽🍽 **Polo,** Mariano Souvirón 8 ⌚ 87 30 16
Com carta 195 a 475.

🍽 **Pedro Romero,** Pedro Romero 3 ⌚ 87 10 27
cerrado lunes – Com carta 215 a 325.

🍽 Jerez, 1º piso, pl. Teniente Arce 2 ⌚ 87 10 14 – 🍴.

AUSTIN-MG-MORRIS-MINI Virgen de la Paz 19 ⌚   CITROEN Espinel 17 ⌚ 87 24 92
87 12 81   RENAULT Sevilla ⌚ 87 26 66
CHRYSLER-SIMCA Espinel 141 ⌚ 87 14 74   SEAT-FIAT R. Robledo 14 ⌚ 87 26 85

ROSAL DE LA FRONTERA Huelva **990** ㉒, **37** ⑨ – Ver aduanas p. 14 y 15.

ROSAS Gerona **990** ㉚, **43** ⑨ – 6 186 h. – Playa – ◐ 972.
Alred. : San Pedro de Roda (paraje**) N : 16 km.
Madrid 779 – Gerona 52.

🏨🏨 **Coral Playa,** playa Rastrillo ⌚ 25 62 50, ≼ playa y bahía – **❷**. 🌼 rest
Domingo de Ramos-10 octubre – Com 225 – 🍴 70 – **125 hab** 375/700 – P 760/785.

🏩 **Monterrey** �－, Santa Margarita ⌚ 25 66 76, ≼ playa, 🛁 – 🛗 📶 ☝ 🚻wc 📶wc **❷**. 🌼 rest
abril-octubre – Com 230 – 🍴 65 – **138 hab** 250/480 – P 675/685.

🏩 **Terraza,** playa Rastrillo ⌚ 25 61 54, ≼ playa y bahía, 🛁 climatizada – 🛗 📶 ☝ 🚻wc 📶wc 🐾 **❷**. 🌼 rest
cerrado noviembre al 15 marzo – Com 250 – 🍴 65 – **85 hab** 300/600 – P 800.

246

🏤 **Moderno,** General Mola 15 ☎ 25 65 58, ≤ mar – 🛗 🎢 🍽 🛏wc 🛁wc ☯
Com carta 275 a 555 – 🍴 50 – **57 hab** 350/650 – P 645/670.

🏤 **Marian Platja** 🦅, playa Salatá ☎ 25 61 08, ≤ playa – 🛗 🎢 🍽 🛏wc 🛁wc ☯ 🅟. 🕸 rest
abril-septiembre – Com 205 – 🍴 60 – **145 hab** 240/505 – P 615/630.

🍴🍴 Del Moll, muelle Comercial ☎ 25 70 73, ≤ puerto y bahía – 🅟
temp.

🍴🍴 El Cazador, pl. San Pedro 8 ☎ 25 60 33 – 🍽
temp.

en la urbanización Santa Margarita O : 2 km :

🏤 **Goya Park** 🦅 sin rest, ☎ 25 60 95, ≤ mar y montaña, 🏊 – 🛗 🎢 🍽 🛏wc ☯ 🅟. 🕸
abril-15 octubre – 🍴 50 – **224 hab** 375/700.

en la playa de Canyelles Petites SE : 2,5 km – ⌂ ☎ Rosas :

🏤 **Canyelles Platja,** ☎ 25 65 00, ≤ playa – 🍽 rest 🛥. 🕸
abril-septiembre – Com 300 – 🍴 65 – **113 hab** 322/610 – P 755/760.

🏤 **Vistabella** 🦅, ☎ 25 62 00, ≤ mar – 🎢 🍽 🛏wc ☯ 🅟
15 mayo-septiembre – Com 235 – 🍴 70 – **43 hab** 340/555 – P 778/840.

en la playa de la Almadraba SE : 4 km – ⌂ ☎ Rosas :

🏤 **Almadraba Park H.** Ⓜ 🦅, ☎ 25 65 50, ≤ mar – 🍽 🛥 🅟. 🕸 rest
26 marzo-12 octubre – Com 330 – 🍴 75 – **66 hab** 335/825 – P 935/1 000.

en Cala Montjoy SE : 7 km – ⌂ ☎ Rosas :

🍴🍴 **Hacienda El Bulli,** ⌂ apartado 30 ☎ 25 63 16, ≤ playa, Decoración rústica – 🅟
cerrado lunes y 16 octubre al 15 marzo – Com carta 445 a 935.

AUSTIN-MG-MORRIS-MINI av. Mariano Vicen 15-17   FORD Ramón y Cajal ☎ 25 61 68
☎ 21 31 42

ROTA Cádiz 🇪🇸🇪🇸🇪🇸 ☯ – 23 885 h. – ✪ 956.
Madrid 632 – Cádiz 41 – Jerez de la Frontera 30 – **Sevilla 121.**

🏤 **Playa de la Luz** 🦅, carret. de Chipiona O : 2 km ☎ 81 05 00, Telex 76063, 🏊 – 🎢 🛏wc
🛁wc 🅟. 🕸
Com 190 – 🍴 45 – **295 hab** 220/400 – P 540/560.

SEAT-FIAT carret. Rota-Chipiona km 1 ☎ 81 27 46

Las ROTAS Alicante – 🏠, 🍴 ver Denia.

La RUA Orense 🇪🇸🇪🇸🇪🇸 ③ – 5 242 h. alt. 371 – ✪ 988.
Madrid 446 – Lugo 112 – Orense 105 – Ponferrada 61.

🏤 **Espada,** carret. N 120 ☎ 31 00 75, ≤ campo y montaña – 🎢 🛏wc 🛁wc ☯ 🅟. 🕸
Com 210 – 🍴 50 – 38 hab 250/450 – P 625/650.

AUSTIN-MG-MORRIS-MINI carret. Ponferrada ☎ 31 06 72   SEAT Progreso 54-58 ☎ 31 02 54
CITROEN pl. de Galicia 2 ☎ 31 04 24

RUBENA Burgos 🇪🇸🇪🇸🇪🇸 ⑤, 🆔 ⑫ – 193 h. alt. 800.
Madrid 254 – Burgos 12 – Vitoria 102.

🏤 Santiago Apóstol, carret. N-I ☎ 5, ≤ campiña – 🍽 🅟
86 hab.

🍴 Fuente del Rey, con hab, carret. N-I ☎ 1 – 🎢 🍽 🛏wc 🅟
9 hab.

RUIDERA Ciudad Real 🇪🇸🇪🇸🇪🇸 ㉘ – alt. 610.
Madrid 224 – Albacete 94 – Ciudad Real 100.

en Lagunas de Ruidera SE : 5 km – ⌂ ☎ Ruidera :

🏠 **La Colgada** 🦅, ☎ 23, ≤ las lagunas – 🎢 🍽 rest 🍽 🛏wc 🅟. 🕸 rest
cerrado 10 febrero al 2 marzo – Com 150 bc – 🍴 35 – 48 hab 200/250 – P 400/425.

SABADELL Barcelona 🇪🇸🇪🇸🇪🇸 ⑳, 🆔 ⑰⑱ – 159 408 h. alt. 188 – ✪ 93.
Alred. : San Cugat del Vallés : Monasterio* (claustro*) S : 9 km.
R.A.C.E. (Delegación del R.A.C. de Cataluña) Rda. Poniente 31 ☎ 296 22 65.
Madrid 628 – Barcelona 19 – **Lérida 158** – Mataró 40 – Tarragona 107 – Terrasa 10.

🏤 Creu Alta, Martí Trías 2 ☎ 296 75 48 – 🍽 🛥. 🛅
104 hab.

🏠 **Urpí,** av. Ejército Español 38 ☎ 296 05 00 – 🛗 🎢 🍽 rest 🛏wc 🛁wc 🅟
Com 165/185 – 70 hab 149/358 – P 500/550.

sigue →

SABADELL

por la carretera de Tarrasa - en la urbanización Castell Arnau O : 4 km :

XXX **Castell Arnau,** ⊠ ☏ 296 29 63 Sabadell, « Antigua masía catalana » – 🖃 **🅿.** ⌖
  cerrado domingo – Com carta 500 a 775.

AUSTIN-MG-MORRIS-MINI Mª Cristina 203 ☏ 296 06 16
CHRYSLER-SIMCA carret. Tarrasa 183 ☏ 296 24 08
CITROEN Salenques 29-31 ☏ 296 16 67

FIAT-SEAT carret. Tarrasa 101 ☏ 296 04 08
RENAULT . paseo del Comercio 102 ☏ 296 70 00

SABANELL Gerona **43** ⑲ – 🔬 a 🏠 ver Blanes.

SABIÑANIGO Huesca **990** ③, **42** ⑱, **43** ③ – 8 608 h. alt. 798 – ✿ 974.
Alred. : Carretera* de Sabiñánigo a Huesca.

Madrid 450 – Huesca 53 – Jaca 18.

🏨 **La Pardina** ⑊, carret. de Jaca ☏ 48 09 75, ⌇ – 🎞 ☜ ⌸wc 🚿wc 🅿. ⌖
  Com 250 – ⌸ 50 – 64 hab 300/540 – P 710/740.

🏠 **Mi Casa,** av. del Ejército 32 ☏ 48 04 00 – |⌖| 🎞 🖃 rest ☜ ⌸wc 🚿 ⟵. ⌖
  Com 150 bc – ⌸ 40 – **72 hab** 180/335.

AUSTIN-MG-MORRIS-MINI General Franco 141 ☏ 54
CITROEN General Franco 183 ☏ 388

FIAT-SEAT General Franco 184 ☏ 571
RENAULT General Franco 153 ☏ 43

SACEDON Guadalajara **990** ⑯ – 1 928 h. alt. 740.
Alred. : Carretera de Brihuega ⪪** NE : 22 km.

Madrid 106 – Guadalajara 51.

🏨 **Mar de Castilla** ⑊, carret. de Buendía S : 1 km ☏ 69, ⌇ – 🎞 ☜ ⌸wc 🚿 🅿. ⌖ rest
  Com *(cerrado jueves)* 200 bc – ⌸ 63 – **35 hab** 345/570.

🏠 **Mariblanca,** Glorieta Mártires 2 ☏ 19 – 🎞 ⌸wc 🚿wc
  27 hab.

✗ **Pino,** carret. de Cuenca ☏ 75, ⪪ lago artificial – 🅿. ⌖
  cerrado 20 diciembre al 20 enero – Com carta 190 a 320.

SADA La Coruña **990** ② – 7 047 h.
Madrid 585 – La Coruña 20 – El Ferrol del Caudillo 35.

🦐 Miramar, av. General Franco 32 ☏ 41 – 🎞
  21 hab.

✗ Molino, av. de la Playa 14.

S'AGARO Gerona **990** ⑳, **43** ⑲ – Playa – ✿ 972.
Ver : Centro veraniego* (⪪*).

🚈 Costa Brava, Santa Cristina de Aro O : 6 km.

Madrid 735 – Barcelona 105 – Gerona 38.

🏨🏨 **La Gavina** ⑊, ⊠ ☏ 32 11 00 San Felíu de Guixols, Telex 57132, ⪪ mar, « Lujosa instalación, mobiliario de gran estilo », ⌖, ⌇ – 🖃 rest 🅿. ⌖ rest
  Com 900 – ⌸ 180 – **74 hab** 3 000/4 000 – P 3 400/4 400.

🏠 **Sibill,** carret. de Palamós ☏ 32 08 67 – ⌸wc 🚿wc 🅿. ⌖ hab
  abril-septiembre – Com carta 220 a 330 – **32 hab** 150/290 – P 435/445.

SAGUNTO Valencia **990** ㉘ – 47 026 h. alt. 45 – ✿ 963.
Ver : Ruinas* (Acrópolis ✵*).

Madrid 371 – Castellón de la Plana 49 – Teruel 128 – **Valencia 21.**

en la carretera N 340 N : 6 km – ⊠ ☏ Faura :

✗ **Los Valles** con hab, ☏ 114 – 🎞 ⌸wc 🚿wc 🅿
  Com carta 215 a 315 – ⌸ 45 – 10 hab 140/275 – P 430/478.

en la carretera N 234 O : 5 km – ⊠ Sagunto ☏ Valencia :

XX La Pinada, con apartamentos, ☏ 46 04 50, ⌇ – 🎞 ☜ 🚿wc 🚿 🅿
  Com carta 250 a 550 – ⌸ 50 – 43 apartamentos.

AUSTIN-MG-MORRIS-MINI carret. N 340 km 24,3
☏ 46 19 00
CHRYSLER-SIMCA carret. Valencia 67 ☏ 46 02 25

CITROEN av. Generalísimo 59 ☏ 46 12 80
FIAT-SEAT carret. N 340 km 23,7 ☏ 46 04 04
RENAULT av. Generalísimo 59 ☏ 46 03 22

SAHAGUN León **990** ④ – 2 661 h. alt. 829.
Madrid 284 – Burgos 124 – **León 68** – Palencia 60 – Zamora 124.

✗ **Sergio,** pl. del Generalísimo 7 ☏ 6 – ⌖
  Com carta 160 a 245.

SALAMANCA ⓟ 990 ⑭ – 125 220 h. alt. 800 – Plaza de toros – ☎ 923.

Ver : Patio de las Escuelas★★★ (Universidad : fachada★★★, Escuelas Menores : patio★, Cielo de Salamanca★) – Plaza Mayor★★ – Catedral Nueva★★ (fachada occidental★★) – Catedral Vieja★ (retablo★★, sepulcro del obispo Anaya★★) – Casa de las Conchas★ (Museo provincial★) – Convento de San Esteban★ (medallones★ del claustro) – Colegio Fonseca o de los Irlandeses (patio★, capilla★) AY **V** – Convento de las Dueñas (claustro★★) – Palacio de Fonseca (Diputación) : patio★ – Iglesia de la Purísima Concepción (Inmaculada Concepción★ de Ribera) – Convento de las Úrsulas (sepulcro de Alonso de Fonseca★).

M.I.T. Gran Vía 11 ☎ 21 37 30 – **R.A.C.E.** (Delegación) Gran Vía 6 ☎ 21 29 25.

Madrid 210 ② – Ávila 100 ② – Cáceres 210 ③ – Valladolid 113 ① – Zamora 63 ⑤.

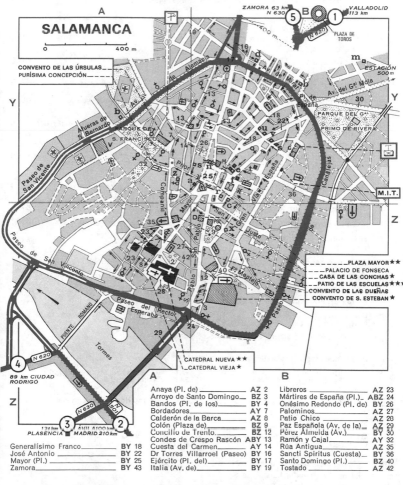

Anaya (Pl. de)	AZ 2	Libreros	AZ 23
Arroyo de Santo Domingo	BZ 3	Mártires de España (Pl.)	ABZ 24
Bandos (Pl. de los)	BY 4	Onésimo Redondo (Pl. de)	BY 26
Bordadores	AY 7	Palominos	AZ 27
Calderón de la Barca	AZ 8	Patio Chico	AZ 28
Colón (Plaza de)	BZ 9	Paz Española (Av. de la)	AZ 29
Concilio de Trento	BZ 12	Pérez Almeida (Av.)	BY 30
Condes de Crespo Rascón	ABY 13	Ramón y Cajal	AY 32
Cuesta del Carmen	AY 14	Rúa Antigua	AZ 35
Dr Torres Villarroel (Paseo)	BY 16	Sancti Spíritus (Cuesta)	BY 36
Ejército (Pl. del)	BY 17	Santo Domingo (Pl.)	BZ 40
Italia (Av. de)	BY 19	Tostado	AZ 42

Generalísimo Franco	BY 18	
José Antonio	BY 22	
Mayor (Pl.)	BY 25	
Zamora	BY 43	

🏨 **Gran Hotel y Rest. Feudal,** pl. Poeta Iglesias 3 ☎ 21 35 00 – ▤ 🚗 🅿. ⚘ BY **r**
Com carta 240 a 450 – ☲ 70 – **94 hab** 700/1 000.

🏨 **Monterrey,** José Antonio 13 ☎ 21 44 00, ♨ – ▤ 🚗. ⚘ BY **u**
Com 325 – ☲ 70 – **89 hab** 650/900 – P 1 100/1 300.

🏨 **Condal** sin rest y sin ☲, pl. Hermanos Jerez 2 ☎ 21 84 00 – 🛗 ▥ 📶 ➪wc 🚿wc 📷. ⚘ BY **v**
70 hab 300/450.

🏨 **Alfonso X** sin rest, Generalísimo Franco 48 ☎ 21 44 01, ♨ – 🛗 ▥ 📶 ➪wc 📷. ⚘ BY **u**
☲ 60 – **66 hab** 420/600.

sigue →

🏛 **Pasaje,** Espoz y Mina 11 ☎ 21 20 03 – |箋| ▥ 🗎 rest 🍽 🛁wc 🛁wc 🅿. 🛠 rest   ABY **s**
Com 220/350 – 🍽 45 – **62 hab** 258/475 – P 530/595.

🏛 **Emperatriz,** Compañía 4 ☎ 21 92 00 – |箋| ▥ 🍽 🛁wc 🅿. 🛠   AY **z**
Com 165 bc – 🍽 34 – 23 hab 240/350 – P 455/520.

🏛 **Ceylán,** pl. del Peso 10 ☎ 21 26 03 – |箋| ▥ 🍽 🛁wc 🛁wc 🅿. 🛠   BYZ **c**
Com 250 – 🍽 54 – 32 hab 364/500 – P 677/750.

🏛 **Clavero,** Consuelo 15 ☎ 21 81 08 – ▥ 🍽 🛁wc 🛁wc 🅿. 🛠   BZ **x**
Com 175 – 🍽 50 – 32 hab 308/556 – P 618/648.

🏛 **Las Torres,** pl. Mayor 47 ☎ 21 21 00 – ▥ 🗎 rest 🛁wc 🅿. 🛠   BY **n**
Com 135/225 bc – 33 hab 185/325 – P 415/435.

🏛 **Castellano** sin rest, con snack-bar, av. de Portugal! 15 ☎ 22 85 16 – ▥ 🛁wc 🅿 🚗. 🛠   BY **m**
🍽 40 – **22 hab** 150/310.

🏛 **Orly,** sin rest, Pozo Amarillo 3 ☎ 21 38 95 – |箋| ▥ 🛁wc   BY **e**
21 hab.

🏨 **Mindanao,** av. del Líbano 2 ☎ 21 77 81 – |箋| ▥ 🍽 🛁wc 🛁. 🛠 rest   AY **b**
Com 135/150 – 🍽 35 – 25 hab 135/300 – P 435/450.

🏨 **Gabriel y Galán,** 1º piso, sin rest, pl. de Gabriel y Galán 1 ☎ 22 10 82 – |箋| ▥ 🅿   BY **d**
23 hab.

🏨 **Torio,** 1º piso, sin rest, María Auxiliadora 13 ☎ 22 66 01 – ▥ ▥🛁wc. 🛠   BY **b**
🍽 50 – **11 hab** 150/350.

XX **Zaguán,** 1º piso, Ventura Ruiz Aguilera 3 ☎ 21 26 80, Rest. clásico y snack-bar – ▤.   BY **e**

XX **Candil Nuevo,** pl. de la Reina 2 ☎ 21 50 58, Decoración castellana – ▤. 🛠   BY **t**
Com carta 340 a 600.

X **Posada,** Aire y Azucena 1 ☎ 21 73 74 – ▤.   BY **s**

X **Viuda de Fraile,** pl. del Corrillo 15 ☎ 21 85 00 – 🛠   BY **a**
cerrado febrero – Com carta 365 a 485.

X **Venecia,** 1º piso, pl. del Mercado 5 ☎ 21 73 76 – ▤   BY **f**
Com carta 280 a 440.

X **Roma,** Ventura Ruiz Aguilera 8 ☎ 21 72 67.   BY **e**

en la carretera N 620 por ① : 2,5 km – ✉ ☎ Salamanca:

X **El Quinto Pino,** con hab, ☎ 22 10 98 – ▥ 🅿
15 hab.

en la carretera N 501 por ② : 6 km – ✉ ☎ Santa Marta de Tormes :

🏨 **Jardín Regio y Rest. Lazarillo de Tormes,** ☎ 6, ⚓ – ▤ 🅿. 🛠 rest
Com 300 – 🍽 70 – **118 hab** 450/750 – P 975/1 050.

en la carretera de Béjar por ③ :

🏛 **Lorenzo,** por ③ : 1,5 km ✉ ☎ 21 43 06 Salamanca – ▥ 🍽 🛁wc 🛁wc 🅿 🚗 🅿. 🛠
Com 165 bc – 🍽 45 – 22 hab 210/370 – P 500/525.

🏛 **Arapiles,** por ③ : 7,5 km ✉ apartado 383 Salamanca ☎ 8 Mozarbez – ▥ 🍽 🛁wc 🅿
26 hab.

AUSTIN-MG-MORRIS-MINI, PEUGEOT av. Italia 11
☎ 22 57 04
CHRYSLER-SIMCA av. de Portugal 52 ☎ 22 32 00
CITROEN av. Pérez Almeida 8 ☎ 22 24 50

FIAT-SEAT Ramón y Cajal 9-11 ☎ 21 41 06
RENAULT paseo Dr Torres Villarroel 33 ☎ 22 20 96
SEAT carret. Valladolid km 2,6 ☎ 22 01 00
SEAT av. Italia 3 ☎ 22 65 79

SALARDÚ Lérida 🗺 ⑨, 🗺 ⑳ – 288 h. alt. 1 267 – Deportes de invierno en Baqueira Beret
E : 6 km : 10 🎿.
Madrid 613 – Lérida 173 – Viella 9.

🏨 **Garona,** ☎ 4, ⚓ valle y altas montañas – ▥ 🍽 🛁wc 🛁wc 🅿
Com 180 – 🍽 45 – 28 hab 180/325 – P 525/535.

El SALER Valencia 🗺 ⑳ – Playa – ⊙ 963.
🏌 Club Escorpión, Parador Luis Vives S : 7 km.
Madrid 359 – Gandía 54 – **Valencia 9.**

🏨 Patilla, sin rest, Los Pinos 10 ☎ 67 15 58 – |箋| ▥ ▤ 🍽 🛁wc 🅿
28 hab.

al Sur : 7 km – ✉ ☎ El Saler :

🏨 **Parador Luis Vives M.I.T.** 🦌, ☎ 23 68 50, ⚓ dunas y mar, « En un pinar, en el centro
del campo de golf », 🏊, 🏌 – ▤ 🅿. 🛠 rest
Com 315 – 🍽 65 – **40 hab** 580/785 – P 708/895.

SALINAS Oviedo 🗺 ④ – 🏨, 🏛, XX ver Avilés.

250

SALINAS DE SIN Huesca 🔟 ④.

Madrid 543 – Huesca 146.

　🏚 Mesón de Salinas 🦪, cruce carret. de Bielsa 🖂 Salinas de Sin ⏍ 39 Lafortunada. ≼ montañas y río Cinca – 🎞 🅿
　　16 hab.

SALOBREÑA Granada 🔟🔟🔟 ㊱ – 8 426 h. alt. 100.

Ver : Paraje*.

Madrid 510 – Almería 121 – Granada 78 – Málaga 98.

　　en la playa SE : 2 km – 🖂 Salobreña :

　🍽🍽 **Salomar 2000,** urbanización Salomar 2000 ⏍ 346, Cocina francesa, ⤜ – 🅿
　　Com carta 150 a 320.

　　en la carretera de Málaga 🖂 ⏍ Salobreña .

　🏨 **Salobreña** 🦪, O : 4 km ⏍ 276, ≼ mar, 🍴, ⤜ – 🅿. 🎗 rest
　　Com 375 – ⤶ 75 – **80 hab** 450/650 – P 1 025/1 150.

　🏩 **Salambina,** O : 1 km ⏍ 86, ≼ plantaciones de caña de azúcar y mar – 🎞 🍷 🛁wc 🅿. 🎗
　　Com 145 – ⤶ 35 – 13 hab 200/265 – P 383/450.

SALOU Tarragona 🔟🔟🔟 ㉙, 🔟 ⑯ – 4 700 h. – Playa – 🅾 977.

Alred. : Cabo de Salou (paraje*) E : 3 km.

Madrid 565 – Lérida 95 – Tarragona 10.

　🏨 **Salou Park,** Bruselas 35, cala Capellans ⏍ 38 02 08, ≼ playa, ⤜ – 🍷 rest 🅿. 🎗
　　mayo-septiembre – Com 350 – ⤶ 85 – **102 hab** 500/800 – P 950/1 050.

　🏩 President, Barcelona 5 ⏍ 38 02 58, ⤜ – 🛗 🍷 rest 🍷 🛁wc 🚿wc 🐾
　　temp. – **60 hab.**

　🏩 **Planas,** pl. Bonet 2 ⏍ 38 01 08, « Terraza con arbolado » – 🛗 🎞 🍷 🛁wc 🚿wc 🐾. 🎗
　　abril-octubre – Com 215 – ⤶ 45 – 100 hab 275/490 – P 610/640.

　🏩 **Picnic,** carret. de Reus ⏍ 38 01 58, ⤜ – 🍷 🛁wc 🚿wc 🐾 🅿. 🎗 rest
　　junio-septiembre – Com 185 – ⤶ 55 – 43 hab 205/400 – P 540/545.

　🏩 **Gaviotas,** pl. de España ⏍ 38 03 62 – 🎞 🍷 🛁wc 🐾. 🎗
　　cerrado 21 al 31 diciembre – Com 250 – ⤶ 60 – 18 hab 260/550 – P 700/710.

　🍽🍽 **Miramar,** espolón del Muelle ⏍ 38 00 29 – 🍽
　　cerrado 15 diciembre al 15 enero y lunes de noviembre a febrero – Com carta 235 a 490.

　🍽🍽 **Casa Soler,** Virgen del Carmen ⏍ 38 04 63 – 🅿
　　cerrado miércoles – Com carta 245 a 485.

　🍽 La Paz, paseo Miramar 15 ⏍ 38 00 27.

　🍽 **Casa Font,** Colón, edificio Els Pilons ⏍ 38 04 35, ≼ mar
　　cerrado lunes en invierno – Com carta 235 a 565.

　　en la playa del Recó E : 5 km – 🖂 ⏍ Salou :

　🏨 **Sol d'Or,** ⏍ 38 11 00, « En un pinar », ⤜ – 🅿. 🎗 rest
　　Com 235 – ⤶ 55 – **84 hab** 350/670 – P 735/750.

　　en la playa de la Pineda E : 7 km :

　🏩 **Carabela Roc,** 🖂 apartado 177 Tarragona ⏍ 38 01 66 Salou, ≼ playa, « Bajo los pinos » –
　　🛗 🎞 🍷 🛁wc 🚿wc 🐾 🅿. 🎗
　　mayo-septiembre – Com 260 – ⤶ 60 – **80 hab** 300/600 – P 760.

　🍽🍽 **Reymar,** 🖂 apartado 16 Tarragona ⏍ 38 04 90 Salou, ≼ playa, « Bajo los pinos » – 🅿
　　Semana Santa-septiembre – Com carta 245 a 515.

AUSTIN-MG-MORRIS-MINI, FORD av. Principado de 　　SEAT-FIAT carret. Tarragona-Salou
Andorra 11-13 ⏍ 38 07 41

SALVATIERRA Alava 🔟🔟🔟 ⑥, 🔟 ④ – 2 736 h. alt. 600 – 🅾 945.

Alred. : Gaceo (iglesia : frescos románicos*) O : 3 km.

Madrid 381 – Pamplona 70 – San Sebastián 91 – Vitoria 25.

　🏚 **El Puente,** carret. N I ⏍ 30 01 00 – 🛗 🎞 🚿wc 🚗 🅿
　　Com 155 – ⤶ 35 – 30 hab 100/280 – P 360/400.

　　en la carretera N I NO : 3 km – 🖂 Salvatierra :

　🏚 **Iruraiz,** ⏍ 30 01 02 – 🛁wc 🚿wc 🅿
　　junio-septiembre – Com 165 – ⤶ 40 – 35 hab 120/350 – P 450/515.

　　en Eguino - en la carretera N I E : 10 km – 🖂 Araya ⏍ Eguino :

　🍽 Asparrena, con hab. ⏍ 30 41 28, ≼ montaña – 🎞 🅿
　　14 hab.

Los precios	**Para precisiones sobre los precios indicados en esta guía, referirse página 17.**

SALLENT DE GÁLLEGO Huesca 990 ⑧, 42 ⑱ − 776 h. alt. 1 305 − Deportes de invierno en El Formigal − Ver aduanas p. 14 y 15.
Madrid 488 − Huesca 90 − Jaca 53 − Pau 77.

en El Formigal NO : 4 km − alt. 1 480 − Deportes de invierno : 1 ⚡ 11 ⚡ − ⊠ ⅌ Sallent de Gállego :

🏨 Formigal ⤜, ⅌ 26, ≼ montañas − **Ⓟ**
112 hab.

🏨 **Eguzki-Lore** ⤜, ⅌ 57, ≼ montañas − ▥ ⌂wc ⋔wc ⊛ **Ⓟ**
cerrado 14 abril al 28 junio y del 15 septiembre al 7 diciembre − Com 270 − ⌼ 60 − 32 hab 300/500 − P 770/820.

🏠 **Tirol** ⤜, ⅌ 36, ≼ montañas − ▥ 🍽 ⌂wc ⋔ **Ⓟ**. ⚜
cerrado 5 abril al 5 mayo − Com 200 − ⌼ 45 − 10 hab 300 − P 470.

SAMIL Pontevedra − 🏨 ver Vigo.

SAN AGUSTÍN Baleares 43 ⑲ − 🏨 ver Baleares (Mallorca) : Palma de Mallorca.

SAN AGUSTÍN Las Palmas − 🏨, 🏨, ✗✗✗, ✗✗✗ ver Canarias (Gran Canaria).

SAN AGUSTÍN Madrid 990 ㉟ ㊵ − 877 h. alt. 648.
Madrid 32 − Aranda de Duero 129.

en la carretera N I NE : 2 km − ⊠ ⅌ El Molar :

✗✗✗ **Le Normandie**, ⅌ 39, Cocina francesa, « En un verde paraje » − **Ⓟ**. ⚜
cerrado domingo noche − Com carta 465 a 880.

✗✗ **Monte Viejo**, ⅌ 51, ⣕ de pago − ▤ **Ⓟ**. ⚜
cerrado martes de noviembre a abril − Com carta 315 a 520.

SAN ANDRÉS DE LLAVANERAS Barcelona 990 ㉙, 43 ⑱ − 2 575 h. alt. 114 − ✿ 93 − 🆖.
Madrid 663 − Barcelona 33 − Gerona 68.

🏨 **Parque** ⤜, av. de la Victoria 15 ⅌ 392 60 00, Telex 52910, ≼ campo y mar, « Hermosa villa en un gran parque », ⣕, 🆖 − **Ⓟ**. ⚜ rest
Com 350 − ⌼ 85 − **48 hab** 700/1 200 − P 1 225/1 325.

SAN ANTONIO ABAD Baleares 990 ㉘㉙, 43 ⑰⑱ − 🏨 a 🏠, ✗✗, ✗ ver Baleares (Ibiza).

SAN ANTONIO DE CALONGE Gerona 990 ㉙, 43 ⑨ − 🏨, 🏠, ✗ ver Palamós.

SAN BAUDILIO DE LLUSANÉS Barcelona 990 ㉙, 43 ⑧ − 484 h. alt. 750.
Madrid 662 − Barcelona 89 − Vich 24.

🏠 **Montcel** ⤜, SE : 3 km ⅌ 17, « En un pinar », ⣕ − ▥ ⋔wc ⟵➤ **Ⓟ**. ⚜ rest
cerrado 2 enero al 14 marzo − Com 175 − ⌼ 50 − 40 hab 150/250 − P 435/465.

SAN CARLOS DE LA RÁPITA Tarragona 990 ⑱⑲ − 8 964 h.
Madrid 527 − Castellón de la Plana 101 − Tarragona 88 − Tortosa 27.

🏨 **Miami Park** sin rest, av. Generalísimo 33 ⅌ 245 − 🛗 ▥ 🍽 ⌂wc ⋔wc ⊛ ⟵➤
⌼ 50 − **80 hab** 350/600.

🏨 **Marina**, pl. Carlos III-27 ⅌ 200 − 🛗 ▥ 🍽 ⌂wc ⋔wc ⊛. ⚜ rest
Com 180 − ⌼ 55 − 49 hab 150/300 − P 450.

🏨 **Blau**, Gobernador Labadie 3 ⅌ 77 − 🛗 ▥ 🍽 rest 🍽 ⌂wc ⋔wc ⊛
Com 160 bc − ⌼ 50 − 32 hab 200/380 − P 480/510.

✗ **Miami** con hab, av. Generalísimo 37 ⅌ 85 − ▥ ▤ rest ⌂wc ⋔ ⟵➤ **Ⓟ**. ⚜ rest
Com 165/200 − ⌼ 40 − 23 hab 165/355 − P 500.

✗ **Casa Ramón**, Pou de les Figueretes 5 ⅌ 124.

Ver también **Alcanar** SO : 13 km.

AUSTIN-MG-MORRIS-MINI   San Isidro 158 ⅌ 167   SEAT-FIAT   prolongación Alcázar de Toledo ⅌ 419
CHRYSLER-SIMCA   av. Generalísimo 51 ⅌ 309

SAN CELONI Barcelona 990 ㉙, 43 ⑱ − 9 297 h. alt. 152 − ✿ 93.
Alred. : N : Recorrido** de San Celoni a Santa Fé − Carretera* de San Celoni a Tona por el Norte − Itinerario* de San Celoni a Tona por el Sur.
Madrid 679 − Barcelona 49 − Gerona 58.

CHRYSLER-SIMCA   General Mola 1   ⅌ 867 00 47   RENAULT   av. Caudillo 141 ⅌ 867 01 46
CITROEN   Santa Rosa 32 ⅌ 867 08 44   SEAT-FIAT   General Mola 50 ⅌ 867 03 95

SAN CLEMENTE Baleares 43 ⑳ − Ver Baleares (Menorca).

SAN CRISTÓBAL Baleares 43 ⑩ − Ver Baleares (Menorca).

252

SAN ELMO Gerona 43 ⑨ – 🏨, 🏨 ver San Felíu de Guixols.

SAN EMILIANO León 990 ④ – 1 685 h. alt. 1 179.
Madrid 388 – León 71 – Oviedo 68 – Ponferrada 91.

🏨 Babia 🅂, Real ☎ 20 – 🏢 ☞ 🏠wc 🅿 – **16 hab.**
CITROEN ☎ 6

SAN ESTEBAN DE GORMAZ Soria 990 ⑯ – 4 421 h. alt. 754.
Madrid 172 – Aranda de Duero 53 – Soria 69.

✗ Moreno, con hab, carret. de Soria ☎ 278 – 🏢 🖿 rest ☞ 🏠wc 🅿 – 9 hab.

SAN FELÍU DE GUIXOLS Gerona 990 ⑳, 43 ⑨ – 12 508 h. – Playa – Plaza de toros – ☎ 972.
Alred. : Recorrido en cornisa*** de San Felíu de Guixols a Tossa de Mar (calas*) 23 km por ②.
🏌 Costa Brava, Santa Cristina de Aro por ③ : 4 km.
Madrid 731 ③ – Barcelona 101 ③ – Gerona 35 ③.

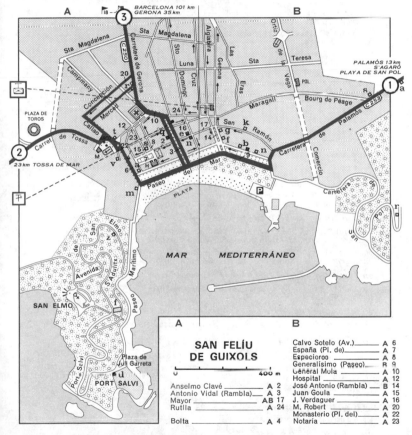

SAN FELÍU DE GUIXOLS

0 _____ 400 m

Anselmo Clavé	A 2
Antonio Vidal (Rambla)	A 3
Mayor	AB 17
Rutlla	A 24
Bolta	A 4

Calvo Sotelo (Av.)	A 6
España (Pl. de)	A 7
Especioroo	A 8
Generalísimo (Paseo)	B 9
General Mola	A 10
Hospital	A 12
José Antonio (Rambla)	B 14
Juan Goula	A 15
J. Verdaguer	A 16
M. Robert	A 20
Monasterio (Pl. del)	A 22
Notaría	A 23

🏨 Reina Elisenda, sin rest, paseo del Generalísimo 6 ☎ 32 07 00   **B b**
temp. – **70 hab.**

🏨 **Murlá Park H.,** paseo del Generalísimo 21 ☎ 32 04 50, ≤ bahía y San Elmo, ⌇ climatizada – 🖿 rest. ✸ rest   **B n**
cerrado noviembre – Com 300 – 🖵 60 – **91 hab** 425/850 – P 925.

🏨 Gacela 🅂, sin rest, Monasterio 2 ☎ 32 01 50, « Bonito jardín »   **A v**
temp. – **41 hab.**

sigue →

SAN FELÍU DE GUIXOLS

🏨 **Rex,** av. José Antonio 18 ☎ 32 03 12 – |誊| 𝕀𝕀 🚂 rest ☞ ⌂wc 🏛wc 🅿. ⚵ rest   **B g**
mayo-5 octubre – Com 200/300 – 🗺 50 – **70 hab** 300/500 – P 600/650.

🏨 **Les Noies,** av. José Antonio 10 ☎ 32 04 00 – |誊| 𝕀𝕀 ☞ ⌂wc 🏛wc 🅿. ⚵ rest   **B f**
abril-octubre – Com 225 – 🗺 60 – 47 hab 300/500 – P 680/730.

🏨 **Nautilus,** pl. San Pedro 5 ☎ 32 05 16, ⟨ playa – |誊| ☞ ⌂wc 🏛wc 🅿. ⚵   **A m**
15 mayo-septiembre – Com 195 – 🗺 50 – 22 hab 280/500 – P 625/655.

🏨 **Jecsalis,** carret. de Gerona 9 ☎ 32 02 58 – |誊| ⌂wc 🏛wc 🅿 ⟨⟩. ⚵   **A r**
15 mayo-septiembre – Com 220 – 🗺 55 – 65 hab 325/625 – P 600/650.

🏨 **Bahía,** paseo del Mar 30 ☎ 32 07 58 – |誊| 𝕀𝕀 ☞ ⌂wc 🏛wc 🅿   **A a**
cerrado 16 noviembre al 28 febrero – Com 192/290 – 🗺 50 – 36 hab 210/360 – P 535/565.

🏨 **Gesoría** sin rest, pl. Monasterio 1 ☎ 32 03 50 – |誊| ☞ ⌂wc 🅿   **A t**
15 junio-septiembre – 🗺 50 – **40 hab** 230/420.

🏨 **Del Sol** sin rest, carret. de Palamós 60 ☎ 32 01 93, ⅃ – ☞ ⌂wc 🏛wc 🅿 🅿. ⚵   **B a**
15 junio-15 septiembre – 🗺 45 – **41 hab** 245/440.

🏨 **Ideal,** Especieros 6 ☎ 32 06 12 – ☞ ⌂wc 🅿   **A s**
mayo-septiembre – Com 150 – 🗺 40 – 24 hab 220/350 – P 460/500.

🏨 **Turist H.,** San Ramón 39 ☎ 32 08 41 – ⌂wc ⟨⟩. ⚵ rest   **B k**
20 marzo-10 octubre – Com 155 bc – 🗺 50 – 20 hab 120/275 – P 400/425.

🏨 Allegretto, sin rest, carret. de Palamós 23 ☎ 32 04 37 – ☞ 🏛wc   **B s**
temp. – **24 hab.**

✕✕ **Eldorado Petit,** Rambla Vidal 11 ☎ 32 10 29 – ⚵   **A q**
cerrado 10 al 25 noviembre y jueves de noviembre a abril – Com carta 300 a 595.

✕✕ **S'Adolitx,** Mayor 13 ☎ 32 18 53   **A e**
Pascua y 18 mayo a septiembre – Com carta 320 a 515.

✕ **Casa Buxó** con hab de marzo al 15 noviembre, Mayor 18 ☎ 32 01 87 – ☞ ⌂wc 🏛.
⚵ hab   **A n**
cerrado 23 diciembre a enero – Com (almuerzo solamente en febrero y del 16 noviembre
al 22 diciembre) carta 250 a 610 – 🗺 45 – 21 hab 300/510 – P 450/475.

✕ **Fenners,** paseo Generalísimo 11 ☎ 32 10 96   **B b**
Com carta 335 a 625.

en la playa de San Pol – ✉ ☎ San Felíu de Guixols :

🏨 **Alábriga** ⟨⟩, ☎ 32 09 00, ⟨ playa y bahía de S'Agaró, « Villa rodeada de pinos », ⅃
climatizada – 🅿. ⚵ rest   **B r**
7 mayo-septiembre – Com 310 – 🗺 70 – **70 hab** 470/865 – P 1 000/1 050.

🏨 **Roca** ⟨⟩, por ① : 1,2 km ☎ 32 09 50, ⟨ mar – |誊| ☞ ⌂wc 🏛wc 🅿 ⟨⟩ 🅿. ⚵ rest   **A ...**
15 mayo-septiembre – Com 250 – 🗺 60 – **70 hab** 300/570 – P 720/725.

en San Elmo – A – ✉ ☎ San Felíu de Guixols :

🏨 **Montjoi** ⟨⟩, ☎ 32 03 00, ⟨ mar y ciudad, « Agradables terrazas », ⅃ – ⟨⟩ 🅿. ⚵   **A z**
26 marzo-septiembre – Com 300 – 🗺 70 – **64 hab** 396/742 – P 755/780.

🏨 **Montecarlo** ⟨⟩, ☎ 32 00 00, ⟨ mar y ciudad – |誊| 𝕀𝕀 ☞ ⌂wc 🅿 🅿. ⚵ rest   **A f**
junio-septiembre – Com 205 – 🗺 70 – **62 hab** 320/500 – P 640/710.

en Port Salvi – A – ✉ ☎ San Felíu de Guixols :

🏨 Piscina ⟨⟩, ☎ 32 01 00, ⟨ cala, ⅃ – |誊| ☞ ⌂wc 🅿 🅿   **A d**
temp. – **92 hab.**

en la carretera de Tossa por ② : 4 km – ✉ ☎ San Felíu de Guixols :

✕✕ **Sotavento,** ☎ 32 05 82, ⟨ mar, Decoración rústica catalana, « Bonito jardín con ⅃ »
✕ – 🅿
20 junio-20 septiembre – Com carta 425 a 550.

Ver también *S'Agaró* por ① : 3,5 km.

AUSTIN-MG-MORRIS-MINI, PEUGEOT carret. Pala-
móst 56 ☎ 32 06 24
CHRYSLER-SIMCA General Mola 45 ☎ 32 00 92
CITROEN carret. Palamós 1 ☎ 32 02 95

FIAT-SEAT carret. Gerona 99 bis ☎ 32 00 58
FORD rambla Vidal 45 ☎ 32 00 92
RENAULT Gerona 7 ☎ 32 09 82

SAN FELÍU DEL RACÓ Barcelona 𝟺𝟹 ⑰ – ✪ 93.
Madrid 628 – Barcelona 27 – Manresa 48.

en la urbanización El Racó :

✕✕ Hostal del Cim, ✉ San Felíu del Racó ☎ 294 59 39 Castellar del Vallés, Decoración castellana, « En un pinar » – 🅿.

Si vous écrivez à un hôtel étranger,
joignez à votre lettre un coupon-réponse international.

Wenn Sie an ein ausländisches Hotel schreiben,
fügen Sie Ihrem Brief einen internationalen Antwortschein bei.

SAN FERNANDO Cádiz 990 ㉚ – 60 187 h. – ✪ 956.
Madrid 637 – Algeciras 108 – Cádiz 13 – Sevilla 126.

🏨 Sal y Mar, sin rest. pl. del Ejército 32 🕾 88 34 40 – 🛗 ▥ 🕾 🚻wc ⅏wc 🚗
48 hab.

✕ Venta de Vargas, carret. N IV km 677 🕾 88 16 22 – 🅿.

CHRYSLER-SIMCA Juan de Mariana 32 🕾 88 27 48   SEAT-FIAT General Serrano 15 🕾 88 17 13

SAN FRANCISCO JAVIER Baleares 990 ㉙, 48 ⑰⑱ – ✕ ver Baleares (Formentera).

SANGENJO Pontevedra 990 ①② – 11 804 h. – Playa.
Madrid 635 – Orense 123 – Pontevedra 18 – Santiago de Compostela 75.

🏨 **Marycielo,** av. del Generalísimo 26 🕾 41 – ▥ 🕾 🚻wc 🚗. 🍴
cerrado 1 al 15 noviembre – Com 250 – ⇌ 45 – 29 hab 250/425 – P 600/625.

🏨 **Minge** sin rest. av. del Mar 🕾 163, ≼ ría, playa y Portonovo – 🛗 ▥ 🕾 🚻wc ⅏wc
⇌ 75 – **21 hab** 325/525.

en Portonovo O : 1,5 km – ✉ 🕾 Portonovo :

🏨 Altariño 🏊, playa de Caneliñas 🕾 35, ≼ playa y ría de Pontevedra – 🕾 🚻wc
temp. – 36 hab.

🏨 Siroco 🏊, carret. playa Caneliñas 🕾 43, ≼ ría de Pontevedra – 🕾 ⅏wc
temp. – 12 hab.

🏨 **Canelas** 🏊, playa de Canelas 🕾 67, ≼ mar – 🕾 🚻wc 🅿. 🍴
mayo-octubre – Com 250 – ⇌ 60 – 10 hab 300/425 – P 662/750.

🏨 **Cachalote,** Marina 🕾 52 – 🕾 🚻wc. 🍴
Com 200   ⇌ 38 – 30 hab 167/378 – P 450.

♨ **Solymar** 🏊, playa Caneliñas 🕾 48 – 🕾 🚻wc
15 junio-15 septiembre – Com 150 bc – ⇌ 35 – 12 hab 160/290 – P 395/450.

en Villalonga NO : 5,5 km – ✉ Villalonga 🕾 Vilar :

🏨 Pazo El Revel 🏊, camino de la Iglesia 🕾 20, « Antiguo pazo », 🍴, ⤲ – 🕾 🚻wc 🚗
🚗 🅿
temp. – **21 hab.**

SAN HILARIO SACALM Gerona 990 ㉙, 48 ⑧ – 3 900 h. alt. 801 – Balneario.
Madrid 664 – Barcelona 91 – Gerona 43 – Vich 34.

🏨 Solterra, av. del Generalísimo Franco 22 🕾 37, ⤲
temp. – **42 hab.**

🏨 Suizo, pl. Verdaguer 8 🕾 10 – 🛗 🕾 🚻wc 🚗
temp. – 39 hab.

🏨 **Ripoll,** Vich 26 🕾 27 – 🕾 🚻wc. 🍴
abril-septiembre – Com 178/250 – ⇌ 50 – 45 hab 192/303 – P 505/545.

🏨 **Brugués,** Valls 4 🕾 18 – 🛗 ▥ 🚻wc ⅏wc. 🍴
cerrado 15 octubre al 15 noviembre – Com 160/185 – 50 hab 150/275 – P 440/465.

🏨 Del Grevol, av. del Generalísimo Franco 5 🕾 57 – 🚻wc ⅏wc
14 hab.

✕✕ Can Pere, carret. de Vich 🕾 344, 🍴, ⤲ – 🅿
temp.

RENAULT pasaje Sala 🕾 228

SAN ILDEFONSO Segovia – Ver La Granja.

SAN JUAN (Balneario de) Baleares 48 ⑲ – 🏨 ver Baleares (Mallorca).

SAN LORENZO DE EL ESCORIAL Madrid – Ver El Escorial.

SAN LUIS Baleares 990 ㉚, 48 ㉒ – Ver Baleares (Menorca).

SAN MARCOS Santa Cruz de Tenerife – ✕ ver Canarias (Tenerife) : Icod de los Vinos.

SAN MARTÍN DE VALDEIGLESIAS Madrid 990 ⑮ y ㉘ – 4 254 h. alt. 668 – Plaza de toros.
Alred. : Pantano de San Juan ≼* N : 6 km.
Madrid 67 – Ávila 60 – El Escorial 46.

🏨 Don Alvaro de Luna, sin rest y sin ⇌, Fraguas 4 🕾 175 – 🛗 ▥ 🚻wc ⅏wc 🚗 – **14 hab.**
CHRYSLER-SIMCA carret. Alcorcón-Plasencia km   SEAT carret. C 501 km 54,9
55,7 🕾 36

SAN MIGUEL Baleares 48 ⑱ – Ver Baleares (Ibiza).

SAN MIGUEL DE ARALAR (o Excelsis) Navarra 🔢 ⑤.

Ver : Santuario de San Miguel Excelsis* (iglesia : frontal** de altar).

Madrid 459 – Pamplona 50 – San Sebastián 72.

- 🏛 Hospedería San Miguel de Aralar ⌖, ✉ Lecúmberri ☎ 57 40 32 Huarte-Araquil, ⟨ La Barranca y montaña – 🕮 ⌂wc ⌂wc ❷ – 30 hab.

SAN PEDRO DE ALCÁNTARA Málaga 🔢 ㉞ – ❸ 952 – ⓝ, ⓕ.

Alred. : Carretera** de San Pedro de Alcántara a Ronda (cornisa**).

Madrid 627 – Algeciras 70 – Málaga 69.

- 🏨 **Atalaya Park** ⌖, carret. N 340 - O : 3,5 km ✉ Estepona ☎ 81 16 44, Telex 77210, ⟨ mar, « Extenso jardín con arbolado », ⚒, ⌅, ⌶, ⓝ, ⚒ – ▤ ❷, ⚒. ⚒ rest
  Com 475 – ⚒ 80 – **500 hab** 1 400/1 750 – P 1 675/2 200.

- 🏨 **Cortijo Blanco,** carret. N 340 - E : 1 km ☎ 81 14 40, « Confortable cortijo, amplio jardín » ⚒, ⌅ – ❷. ⚒ rest
  Com 275 – ⚒ 70 – **119 hab** 325/550 – P 795/845.

- 🏨 **Golf H. Guadalmina** ⌖, carret. N 340 - O : 3 km ☎ 81 17 44, Telex 77058, « ⌅ climatizada rodeada de amplias terrazas con ⟨ mar », ⚒, ⓝ, ⓕ – ▤ rest ❷. ⚒ rest
  Com 370 – ⚒ 50 – **55 hab** 920/1 150 – P 1 245/1 590.

- 🏨 **Nuevo Marbella Club,** carret. N 340, Las Fuentes del Rodeo E : 3 km ✉ Marbella ☎ 81 15 40, Telex 77319, « Bonito jardín », ⚒, ⌅, ⚒ – ❷. ⚒ rest
  Com 350 – ⚒ 75 – **90 hab** 450/1 100 – P 1 075/1 175.

- 🏨 **Alcántara,** Marqués del Duero 80 ☎ 81 21 42, ⌅ – ▤. ⚒
  Com 235 – ⚒ 60 – **62 hab** 500/700 – P 770/870.

- 🏛 El Cid ⌖, sin rest, Extremadura 11 ☎ 81 16 64 – ⌂wc – 22 hab.

- ✕✕ **Los Duendes,** Lagasca 44 ☎ 81 18 56, « Agradable patio », Cocina francesa – ⚒
  Com carta 390 a 655.

- ✕✕ **Benamara,** carret. N 340 - O : 4 km ✉ Estepona ☎ 81 11 20, Espec. marroquíes – ❷
  cerrado lunes – Com carta 240 a 370.

  en el puerto Banús E : 3,5 km – ✉ Marbella ☎ San Pedro de Alcántara :

- ✕✕ Beni, ☎ 81 16 25, ⟨ puerto – ▤.

- ✕✕ Antonio, ☎ 81 21 90, ⟨ puerto.

  en la urbanización Nueva Andalucía :

- 🏨 **Golf H. Nueva Andalucía** Ⓜ ⌖, NE : 7 km ✉ apartado 2 Nueva Andalucía ☎ 81 11 45 San Pedro de Alcántara, « Villa dominando el golf, decoración elegante » ⟨ golf, ⌅ climatizada, ⓝ – ▤ ❷. ⚒
  Com 500 – ⚒ 75 – **21 hab** 1 150/2 100 – P 1 962/2 062.

- 🏨 **Andalucía Plaza,** carret. N 340 - E : 3,5 km ✉ apartado 21 Nueva Andalucía ☎ 81 20 40 San Pedro de Alcántara, Telex 77086, ⚒, ⌅, ⌶, ⓝ – ❷. ⚒. ⚒
  Com 360 – ⚒ 70 – **422 hab** 750/1 210 – P 1 280/1 425.

- 🏨 **Torre de Andalucía** ⌖, NE : 5 km ✉ apartado 75 Marbella ☎ 81 12 45 San Pedro de Alcántara, Telex 77082, ⟨ mar, San Pedro de Alcántara y montaña, ⚒, ⌅, ⓝ – ❷. ⚒
  Com 225 – ⚒ 45 – **135 hab** 560/720 – P 760/960.

CITROEN   Calvo Sotelo 10 ☎ 81 14 67   SEAT-FIAT carret. N 340 km 178 ☎ 81 18 33

SAN PEDRO DE RIBAS Barcelona 🔢 ⑰ – 5 291 h. alt. 44.

Madrid 599 – Barcelona 46 – Sitges 4 – Tarragona 52.

- ✕✕ **La Clau,** carret. de Sitges ☎ 254 – ❷. ⚒
  cerrado lunes y noviembre-diciembre – abierto de enero a octubre todos los sábados y festivos, así como noches en semana a partir de Pascua – Com carta 360 a 615.

SAN PEDRO DE RODA Gerona 🔢 ⑳, 🔢 ⑨.

Ver : Paraje**.

SAN POL Gerona 🔢 ⑳, 🔢 ⑨ – 🏨, 🏛 ver San Felíu de Guixols.

SAN POL DE MAR Barcelona 🔢 ⑱⑲ – 2 041 h. – ❸ 93.

Madrid 675 – Barcelona 45 – Gerona 53.

- 🏛 **Gran Sol** ⌖, carret. N II ☎ 890 50 50, ⟨ mar, ⚒, ⌅ climatizada – 🛗 🕮 ⚒ ⌂wc ☎ ❷. ⚒ rest
  Com 250 – ⚒ 65 – **45 hab** 380/625 – P 813/880.

- 🏛 **La Costa,** José Antonio 32 ☎ 890 52 50, ⟨ mar – 🛗 🕮 ⚒ ⌂wc ☎ ⌷. ⚒
  mayo-septiembre – Com 225 – ⚒ 60 – **11 hab** 300/550 – P 640/660.

- 🏛 Re ⌖, av. del Dr Furest 12 ☎ 27, ⟨ mar – ⚒ ⌂wc ⌂wc ❷ – *temp.* – 29 hab.

  en la carretera N II O : 2,5 km – ✉ ☎ San Pol de Mar :

- 🏛 **Torre Martina** ⌖, ☎ 890 51 25, ⟨ mar, ⌅ – 🕮 ▤ rest ⚒ ⌂wc ☎ ❷. ⚒ rest
  15 mayo-15 septiembre – Com 250 – ⚒ 50 – 35 hab 430/630 – P 715/850.

SAN QUIRICO DE BESORA Barcelona 𝟵𝟵𝟬 ⑳, 𝟰𝟯 ⑧ – 2 033 h. alt. 550.
Madrid 663 – Barcelona 89 – Puigcerdá 79.

※ **El Tunel,** carret. N 152 – S : 1 km ⴶ 102, ⩽ montañas – ℗. ⅏
    cerrado martes excepto festivos y vísperas – Com carta 195 a 380.

SAN QUIRICO SAFAJA Barcelona 𝟵𝟵𝟬 ⑳, 𝟰𝟯 ⑱ – 280 h. alt. 627.
Madrid 623 – Barcelona 54 – Tona 21.

por la carretera de Castelltersol, y camino particular : 2,5 km – ⊠ ⴶ San Quirico
Safaja :

🏨 **Mas Badó** ⌂, ⴶ 9, ⅏ – ▥ ⬒ ⇔wc ⋔wc ⋘ ℗
    Com 265 – ⌷ 70 – 47 hab 275/500 – P 725/750.

en la carretera C 1413 SE : 3,5 km – ⊠ ⴶ San Quirico Safaja :

※ La Masía, urbanización Las Clotas ⴶ 44, ⩽ valle y pinar – ℗.

SAN RAFAEL Segovia 𝟵𝟵𝟬 ⑮ y ㊳ – alt. 1 260.
Madrid 63 – Ávila 51 – Segovia 32.

🏛 Lucía, av. Capitán Perteguer 5 ⴶ 23 – ▥ ⇔wc ⋔wc
    18 hab.
🏛 Avenida, av. Capitán Perteguer 31 ⴶ 201 – ▥
    35 hab.
※ Polo, carret. de Coruña 6 ⴶ 20.

en la carretera de Segovia N : 8 km :

※※ Los Angeles, ⊠ Los Angeles de San Rafael ⴶ 250 San Rafael, ⩽ valle y montaña – ℗

SAN RAFAEL Baleares 𝟰𝟯 ⑱ – ※※ ver Baleares (Ibiza).

SAN ROQUE Cádiz 𝟵𝟵𝟬 ㊷ – 17 727 h. alt. 110 – ◉ 956.
🏌 Sotogrande del Guadiaro NE : 12 km.
Madrid 682 – Algeciras 15 – Cádiz 136 – Gibraltar 9 – Málaga 124.

en la carretera de Málaga NE : 4 km – ⊠ ⴶ San Roque :

🏨 **Camping Motel San Roque,** ⴶ 78 01 00, ⩽ colinas, ⌧ – ▥ ⇔wc ⋔wc ☞ ℗
    Com 180 – ⌷ 35 – **37 hab** 440.

en Guadarranque SO : 5 km – ⊠ ⴶ San Roque :

※ **Los Remos,** playa Carteya ⴶ 78 07 48, ⩽ mar, Pescados y mariscos – ⅏
    cerrado domingo noche en invierno – Com carta 295 a 700.

SEAT carret. San Roque-La Linea km 7,630 ⴶ 78 00 59

SAN SALVADOR Baleares 𝟵𝟵𝟬 ㉚, 𝟰𝟯 ⑳ – Ver Baleares (Mallorca).

SAN SALVADOR Tarragona 𝟰𝟯 ⑰ – 🏨, 🏨 ver Vendrell.

SAN SALVADOR DE POYO Pontevedra – ※ ver Pontevedra.

SAN SEBASTIÁN ℗ Guipúzcoa 𝟵𝟵𝟬 ⑥⑦, 𝟰𝟮 ④⑤ – 165 829 h. – Playa – ◉ 943.
Hipódromo de Lasarte por ② : 9 km – 🏌 de San Sebastián, Jaizquíbel por ① : 11 km.
Ver : Emplazamiento★★★ – Monte Urgull ⅍★★. **Alred. :** Monte Igueldo ⅍★★★ – Monte Ulía
⩽★ NE : 7 km.
✈ de San Sebastián, Fuenterrabía por ① : 20 km ⴶ 64 22 40 – Iberia y Aviaco : Hotel María
Cristina, paseo República Argentina ⴶ 42 28 92 – 🚍 ⴶ 42 96 90 (32).
M.I.T. Andía 13 ⴶ 41 17 74 – Centro de Atracción y Turismo (C.A.T.) Teatro Victoria Eugenia ⴶ 41 31 80.
R.A.C.E. (R.A.C. Vasco-Navarro) pl. Oquendo ⴶ 41 15 29.
Madrid 472 ② – Bayonne 53 ① – Bilbao 95 ② – Pamplona 92 ② – Vitoria 116 ②.

Planos páginas siguientes

🏨 **San Sebastián y Rest. Or Konpon,** Zumalacárregui 20 ⴶ 21 44 00, Telex 36302, ⌧ –
    ▥ rest ⋘. ⅏   **A r**
    Com carta 290 a 750 – ⌷ 65 – **94 hab** 575/950 – P 1 225/1 325.
🏨 **María Cristina,** paseo República Argentina ⴶ 44 40 71, ⩽ ría – ℗. ⅏   **DY g**
    Com 390 – ⌷ 65 – **267 hab** 750/1 110 – P 1 265/1 465.
🏨 De Londres y de Inglaterra, Zubieta 2 ⴶ 44 41 33, ⩽ playa y bahía – 🏊   **CZ z**
    165 hab.
🏨 Orly sin rest, pl. Zaragoza 4 ⴶ 42 36 10, ⩽ bahía y ciudad – ⋘. ⅏   **CZ a**
    ⌷ 70 – **60 hab** 645/1 100.

sigue →

🏨 Hispano Americano, San Martín 1 🕿 41 13 61 – ▮▮ ▥ ⌷ ⇌wc ⋔ ☎ – 80 hab. **DZ r**

🏨 Niza, Zubieta 56 🕿 44 41 70, ⩽ bahía – ▮▮ ▥ ⌷ ⇌wc ⋔wc ☎ temp. – **40 hab.** **CZ b**

🏨 **Parma** sin rest, General Jauregui 11 🕿 42 88 93 – ▥ ⌷ ⇌wc ⋔wc ☎. ⅍ ⊷ 60 – **21 hab** 350/750. **CDY u**

🏠 **Codina,** Zumalacárregui 21 🕿 21 22 00 – ▮▮ ▥ ⇌wc ⋔ ☎. ⅍ Com 200 – ⊷ 50 – 80 hab 200/500 – P 525/565. **A p**

🏠 **Record** sin rest, av. de Navarra 🕿 41 18 91 – ▥ ⇌wc ⋔wc ☎ 🅿 ⊷ 39 – **12 hab** 225/365. **B r**

🏠 Itxas Gain, Miraconcha 19 🕿 41 86 35, ⩽ bahía – ▥ ⌷ ⇌wc – 18 hab. **A v**

🏠 **Términus,** av. de Francia, estación del Norte 🕿 41 03 66 – ▥. ⅍ Com 200 – ⊷ 44 – 18 hab 165/370 – P 505/525. **DZ n**

XXX **Casa Nicolasa,** 1º piso, Aldamar 4 🕿 41 14 76 – ⅍ *cerrado domingo noche en invierno* – Com carta 525 a 825. **DY w**

XX **Salduba,** Pescadería 6 🕿 41 88 16 *cerrado domingo de octubre a junio* – Com carta 425 a 680. **CY k**

XX **Aita Mari,** Puerto 23 🕿 41 57 26 – ⅍ *cerrado martes* – Com carta 345 a 475. **CY b**

X **Eguía,** Fermín Calbetón 28 🕿 42 11 23 – ▤ *cerrado lunes excepto en verano* – Com carta 435 a 645. **CY f**

X **Mesón Carlos I,** av. Carlos I - 16 🕿 45 63 94, Decoración rústica Com carta 370 a 590. **B s**

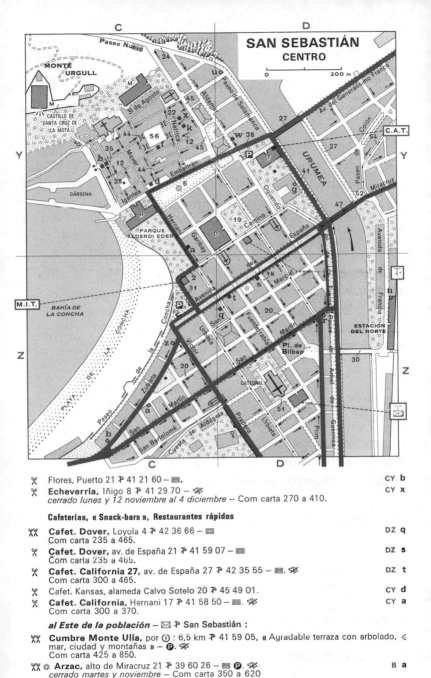

✕	Flores, Puerto 21 ☎ 41 21 60 – 🍽.	CY **b**
✕	**Echeverría,** Iñigo 8 ☎ 41 29 70 – 🕸	CY **x**
	cerrado lunes y 12 noviembre al 4 diciembre – Com carta 270 a 410.	

Cafeterías, « Snack-bars », Restaurantes rápidos

✕✕	**Cafet. Dover,** Loyola 4 ☎ 42 36 66 – 🍽	DZ **q**
	Com carta 235 a 465.	
✕	**Cafet. Dover,** av. de España 21 ☎ 41 59 07 – 🍽	DZ **s**
	Com carta 235 a 465.	
✕	**Cafet. California 27,** av. de España 27 ☎ 42 35 55 – 🍽. 🕸	DZ **t**
	Com carta 300 a 465.	
✕	Cafet. Kansas, alameda Calvo Sotelo 20 ☎ 45 49 01.	CY **d**
✕	**Cafet. California,** Hernani 17 ☎ 41 58 50 – 🍽. 🕸	CY **a**
	Com carta 300 a 370.	

al Este de la población – ✉ ☎ San Sebastián :

✕✕	**Cumbre Monte Ulía,** por ① : 6,5 km ☎ 41 59 05, « Agradable terraza con arbolado, ≤	
	mar, ciudad y montañas » – 🅿. 🕸	
	Com carta 425 a 850.	
✕✕ ✿	**Arzac,** alto de Miracruz 21 ☎ 39 60 26 – 🍽 🅿. 🕸	B **a**
	cerrado martes y noviembre – Com carta 350 a 620.	
	Espec. Paté de la casa, Foie gras fresco con uvas, Cogote de merluza asado.	

sigue →

al Oeste de la población – ⊠ ⁊ San Sebastián :

🏨🏨 **Monte Igueldo** Ⓜ ⤜, O : 5 km ⁊ 21 02 11, ≼ mar, bahía y ciudad, « Magnífica situación dominando la bahía de San Sebastián », ⤳ ▤ rest ℗. ⚐. ⅍   A a
Com 350 – 立 65 – **121 hab** 590/1 050 – P 1 110/1 175.

🏨 Gudamendi ⤜, O : 6 km por carret. barrio de Igueldo ⁊ 21 40 00, « Amplia terraza con ≼ mar, ciudad y montaña » – ▥ 🕾 ⇌wc 🐾 ℗   A
temp. – **30 hab.**

🏨 **Lasarmendi Bungalows** ⤜, O : 6 km por carret. barrio Igueldo ⁊ 21 02 07, ⤳ – ▥ 🕾 ⇌wc 🐾 ℗. ⅍   A
15 junio-15 septiembre – Com 350 – 立 75 – **24 hab** 488/975 – P 1 113.

🏠 **Buena Vista** ⤜, carret. al Tiro de Pichón O : 5 km por carret. barrio de Igueldo ⁊ 21 06 00, ≼ mar – ▥ 🕾 ⇌wc 🐾 ℗. ⅍   A
cerrado febrero – Com carta 475 a 675 – 立 44 – **14 hab** 255/375.

XX **Akelarre**, O : 7,5 km por carret. barrio de Igueldo ⁊ 21 20 52, ≼ mar – ▤ ℗. ⅍   A
cerrado lunes en invierno – Com carta 325 a 530.

X **Leku-Eder** ⤜, con hab, O : 4 km ⁊ 21 01 07, ≼ mar y montaña – ▥ 🕾 ⇌wc ℗. ⅍ hab   A e
cerrado enero y febrero – Com carta 290 a 350 – 立 30 – **17 hab** 250/375.

S.A.F.E. Neumáticos MICHELIN, en Lasarte por ② : 9 km ⁊ 36 16 19, Telex 36148.

AUSTIN-MG-MORRIS-MINI Peña y Goñi ⁊ 41 21 52
CHRYSLER-SIMCA av. Generalísimo 2 ⁊ 44 42 50
CITROEN barrio Ibaeta-Infierno ⁊ 21 41 60
CITROEN P° Duque de Mandas 3 ⁊ 41 86 36
FIAT-SEAT av. Tolosa ⁊ 21 34 00

FORD Amara 25 ⁊ 42 22 39
PEUGEOT Gloria 3 ⁊ 41 02 35
RENAULT av. Tolosa ⁊ 21 69 12
SEAT paseo Colón 31 ⁊ 44 42 03

SAN SEBASTIÁN (Cabo de) Gerona 🗝 ⑩ – X ver Palafrugell.

SAN SEBASTIÁN DE LA GOMERA Santa Cruz de Tenerife – 🏨🏨 ver Canarias (Gomera).

SAN SEBASTIÁN DE LOS REYES Madrid – 🟧🟧🟧 ㉓ – 🏠, XXX, XX ver Madrid.

SANTA COLOMA Andorra 🗝 ⑥ – 🏨🏨, 🏠 ver Andorra (Principado de).

SANTA COLOMA DE FARNÉS Gerona 🟧🟧🟧 ⑳, 🗝 ⑨ – 5 754 h. alt. 104 – Balneario – ◉ 972. Madrid 717 – Barcelona 87 – Gerona 30.

🏨 **Termas Orión** ⤜, S : 2 km ⁊ 84 00 65, « Gran parque con arbolado », ⅍, ⤳ – 🛗 🕾 ⇌wc ▥wc 🐾 ⟺ ℗. ⅍ rest
junio-septiembre – Com 225 – 立 40 – 44 hab 285/430 – P 610/680.

🏠 **Central Park,** Verdaguer 2 ⁊ 84 00 71, ⤳ – ▥ 🕾 ⇌wc ℗. ⅍ rest
Com 150/225 – 立 40 – 40 hab 200/300 – P 420/440.

CHRYSLER-SIMCA Camprodón 30 ⁊ 34
SEAT-FIAT José Antonio 9 ⁊ 21

RENAULT carret. de Sils ⁊ 340

SANTA CRISTINA La Coruña – 🏨🏨 ver La Coruña.

SANTA CRISTINA Gerona 🗝 ⑲ – 🏨🏨 ver Lloret de Mar.

SANTA CRISTINA DE ARO Gerona 🗝 ⑨ – 980 h. – 🏠.
Madrid 727 – Barcelona 97 – Gerona 31.

en el golf O : 2 km – ⊠ ⁊ Santa Cristina de Aro :

🏨🏨 **Costa Brava Golf H.** ⤜, ⁊ 32 19 00, Telex 57163, ≼ campo y colinas, ⅍, ⤳ climatizada, 🏠 – ▤ ℗. ⅍ rest
20 marzo-septiembre – Com *(cerrado lunes)* 350 – 立 100 – **91 hab** 800/1 000 – P 1 230/1 580.

XX La Masía, ⁊ 31, ⅍, ⤳ – ℗.

en la carretera C 250 NO : 2 km :

XX **Les Panolles,** ⊠ Santa Cristina de Aro ⁊ 32 12 02 San Felíu de Guixols, « Típica masía decorada al estilo rústico de la región » – ℗
Com carta 245 a 410.

SANTA CRUZ La Coruña – 🏨🏨, X ver La Coruña.

SANTA CRUZ DE LA PALMA Santa Cruz de Tenerife – 🏨🏨, 🏠, X ver Canarias (La Palma).

SANTA CRUZ DE TENERIFE – 🏨🏨🏨 a 🏠, XXXX, XX, X ver Canarias (Tenerife).

Benutzen Sie den Hotelführer des laufenden Jahres.

SANTA ELENA Jaén 990 ㉕ − 1 266 h. alt. 742.
Madrid 257 − Córdoba 143 − Jaén 78.

X **Mesón** con hab, carret. N IV ⁊ 2, ≤ valle y montañas − ▥ ☞ ⌂wc ☜ ⊷ ⊕
Com 145 bc − ⌷ 39 − 13 hab 145/325.

SANTA EULALIA Teruel 990 ⑰ − 1 974 h.
Madrid 276 − Teruel 33 − Zaragoza 155.

en la carretera N 330 E : 2 km − ⊠ ⊋ Santa Eulalia :

▥ **Suvesa,** ⊋ 100 − ▥ ⌂wc ▥wc ☜ ⊕. ⅍ rest
Com 160 bc − ⌷ 45 − 16 hab 195/340 − P 530/555.

SANTA EULALIA DEL RIO Baleares 990 ㉓, 48 ⑱ − ▥, ▥, XX ver Baleares (Ibiza).

SANTA MARGARITA (Urbanización) Gerona − ▥ ver Rosas.

SANTA MARGARITA Y MONJOS Barcelona 990 ⑲, 48 ⑰ − 2 450·h. alt. 161.
Madrid 591 − Barcelona 59 − Tarragona 44.

▥ **Del Panadés,** carret. N 340 ⊠ Santa Margarita y Monjos ⊋ 221 Els Monjos − ▥ ▤ rest
☞ ⌂wc ▥wc ☜ ⊕. ⅍
Com 150 − ⌷ 45 − 32 hab 150/300 − P 425.

SANTA MARIA DE HUERTA (Monasterio de) Soria 990 ⑯ − alt. 764.
Ver : Monasterio* (refectorio**, claustro de los caballeros*).
Madrid 182 − Soria 86 − Zaragoza 144.

en la carretera N II NE : 1 km − ⊠ ⊋ Santa María de Huerta :

XXX **Albergue M.I.T.** M con hab. ⊋ 20 − ▥ ▤ ☞ ⌂wc ☜ ⊷ ⊕. ⅍ rest
Com 315 − ⌷ 65 − **40 hab** 580/760 − P 695/895.

Benachrichtigen Sie sofort das Hotel,
wenn Sie ein bestelltes Zimmer nicht belegen können.

SANTANDER ℗ 990 ⑤, ⑫ ①② − 149 704 h. − Playas en el Sardinero − Plaza de toros − ⊕ 942.
Ver : Museo Provincial de Prehistoria y Arqueología* (bastones de mando*) − El Sardinero*.
Alred. : Peña Cabarga ⅍·** S : 20 km por ②.
▥ de Pedreña por ② : 18 km.
⬱ de Santander por ② : 7 km ⊋ 25 09 00 − Iberia : avenida de Alfonso XIII ⊋ 22 76 25.
⬱ para Canarias : C⃔ª Aucona, Paseo de Pereda 13 ⊋ 22 72 88, Telex 35834 BY.
M.I.T. pl. de Velarde ⊋ 21 14 17 − **R.A.C.E.** (Delegación) Rualásal 23 ⊋ 21 26 43.
Madrid 398 ① − Bilbao 107 ② − Burgos 156 ① − León 265 ① − Oviedo 205 ① − Valladolid 248 ①.

Plano página siguiente

▥ **Bahía,** av. Alfonso XIII - 6 ⊋ 22 98 10 − ⅍ rest   AZ **s**
Com 320 − ⌷ 63 − **181 hab** 570/955 − P 1 048/1 140.

▥ **México** sin rest, Méndez Núñez 2 ⊋ 21 24 50 − ▤ ▥ ☞ ⌂wc ▥wc ☜. ⅍   AZ **w**
⌷ 45 − **35 hab** 345/540.

▥ **La Mexicana,** 3º piso, Juan de Herrera 3 ⊋ 22 59 62 − ▤ ▥ ⌂wc ▥wc ☜. ⅍ rest AY **h**
Com 200 − ⌷ 40 − 31 hab 220/400 − P 600/625.

⅍ **Rivero** sin rest, 2º piso, Rualasal 23 ⊋ 22 07 88 − ▤ ▥ ▥. ⅍   AY **n**
cerrado 21 diciembre al 6 enero − ⌷ 35 − **24 hab** 150/360.

XX Vivero, Puerto Pesquero ⊋ 23 01 21, ≤ puerto pesquero.   AX **z**

XX **Puerto,** 1º piso, Hernán Cortés 63 ⊋ 27 10 00, Pescados y mariscos − ▤. ⅍   BY **m**
Com carta 300 a 550.

XX Casa Valentín, Isabel II - 19 ⊋ 22 09 24   AZ **t**

X **Cafet. Lago,** Príncipe 2 ⊋ 21 15 96, Decoración moderna − ▤. ⅍   AY **f**
Com carta 220 a 320.

en el Sardinero NE : 3,5 km − BX − ⊠ ⊋ Santander :

▥ **Real** ⅍, paseo Pérez Galdós 20 ⊋ 27 25 50, « Magnífica situación, ≤ bahía » − ⊷ ⊕.
⅍ rest   BX **v**
julio-septiembre − Com 500 − ⌷ 85 − **123 hab** 1 200/1 900 − P 1 900/2 150.

▥ **Sardinero** sin rest, pl. Italia 1 ⊋ 27 11 00, ≤ mar − ▤ ▥ ☞ ⌂wc ☜. ⅍   BX **d**
⌷ 55 − **113 hab** 525/810.

▥ María Isabel, sin rest, av. García Lago, ⊋ 27 18 50, ≤ playa, ⌷ − ▤ ▥ ☞ ⌂wc ▥wc
☜ ⊕   por av. de Castañeda   BX
56 hab.

▥ **Rhin** sin rest, av. Reina Victoria 153 ⊋ 27 43 00, ≤ playa − ▤ ▥ ☞ ⌂wc ☜. ⅍   BX **k**
⌷ 52 − **95 hab** 335/530.

sigue →

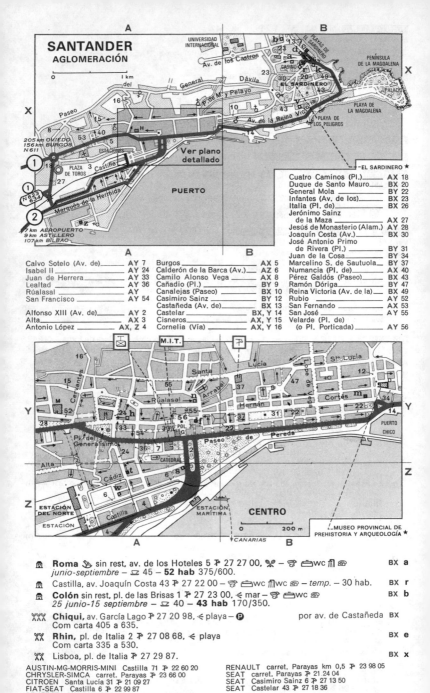

SANTANDER AGLOMERACIÓN

UNIVERSIDAD INTERNACIONAL

PLAYA DE EL SARDINERO

PENÍNSULA DE LA MAGDALENA

Av. de los Castros

General Dávila

CASINO

EL SARDINERO

Pº de M. y Pelayo

PLAYA DE LA MAGDALENA

Paseo

Av. de la Reina Victoria

PLAYA DE LOS PELIGROS

205 km OVIEDO
156 km BURGOS
N 611

ESTACIONES

Ver plano detallado

Castilla

PLAZA DE TOROS

N 623
634

PUERTO

Marqués de la Hermida

7 km AEROPUERTO
9 km ASTILLERO
107 km BILBAO

EL SARDINERO ★

Cuatro Caminos (Pl.)	AX 18
Duque de Santo Mauro	BX 20
General Mola	BY 22
Infantes (Av. de los)	BX 23
Italia (Pl. de)	BX 26
Jerónimo Sainz de la Maza	AX 27
Jesús de Monasterio (Alam.)	AY 28
Joaquín Costa (Av.)	BX 30
José Antonio Primo de Rivera (Pl.)	BY 31
Juan de la Cosa	BY 34
Marcelino S. de Sautuola	BY 37
Numancia (Pl. de)	AX 40
Pérez Galdós (Paseo)	BX 43
Ramón Dóriga	BY 47
Reina Victoria (Av. de la)	BX 49
Rubio	AY 52
San Fernando	AY 53
San José	AY 55
Velarde (Pl. de) (o Pl. Porticada)	AY 56

Calvo Sotelo (Av. de)	AY 7	Burgos	AX 5	
Isabel II	AY 24	Calderón de la Barca (Av.)	AZ 6	
Juan de Herrera	AY 33	Camilo Alonso Vega	AX 8	
Lealtad	AY 36	Cañadío (Pl.)	BY 9	
Rúalasal	AY	Canalejas (Paseo)	BX 10	
San Francisco	AY 54	Casimiro Sainz	BY 12	
		Castañeda (Av. de)	BX 13	
Alfonso XIII (Av. de)	AY 2	Castelar	BX, Y 14	
Alta	AX 3	Cisneros	AX, Y 15	
Antonio López	AX, Z 4	Cornelia (Vía)	AX, Y 16	

M.I.T.

Sta. Lucía

Santa Lucía

Cervantes

Rúalasal

Arrabal

Hernán Cortés

Cádiz

Pl. del Generalísimo

Paseo de Pereda

PUERTO CHICO

CATEDRAL

Alta

ESTACIÓN DEL NORTE

Castilla

ESTACIÓN

ESTACIÓN MARÍTIMA

CENTRO

0   200 m

CANARIAS

MUSEO PROVINCIAL DE PREHISTORIA Y ARQUEOLOGÍA ★

🏠 **Roma** 🦢 sin rest. av. de los Hoteles 5 ℱ 27 27 00, ✖ – ⌫ ➪wc ▥ ☎ – junio-septiembre – 🖙 45 – **52 hab** 375/600.   **BX a**

🏠 Castilla, av. Joaquín Costa 43 ℱ 27 22 00 – ⌫ ➪wc ▥wc ☎ – temp. – 30 hab.   **BX r**

🏠 **Colón** sin rest. pl. de las Brisas 1 ℱ 27 23 00, ≤ mar – ⌫ ➪wc ☎ – 25 junio-15 septiembre – 🖙 40 – **43 hab** 170/350.   **BX b**

✕✕✕ **Chiqui**, av. García Lago ℱ 27 20 98, ≤ playa – 🅿   por av. de Castañeda **BX** Com carta 405 a 635.

✕✕ **Rhin,** pl. de Italia 2 ℱ 27 08 68, ≤ playa   **BX e** Com carta 335 a 530.

✕✕ Lisboa, pl. de Italia ℱ 27 29 87.   **BX x**

AUSTIN-MG-MORRIS-MINI Castilla 71 ℱ 22 60 20
CHRYSLER-SIMCA carret. Parayas ℱ 23 66 00
CITROEN Santa Lucía 31 ℱ 21 09 27
FIAT-SEAT Castilla 6 ℱ 22 99 87
PEUGEOT Alta 64 ℱ 23 31 07

RENAULT carret. Parayas km 0,5 ℱ 23 98 05
SEAT carret. Parayas ℱ 21 24 04
SEAT Casimiro Sainz 6 ℱ 27 13 50
SEAT Castelar 43 ℱ 27 18 36

SANTA OLALLA Toledo 990 ⑭⑮ – 2 100 h. alt. 487.
Madrid 80 – Talavera de la Reina 36 – Toledo 38.

Recio, carret. N V ☎ 209 – ▤ ☎ ⇔wc ☎ Ⓟ
40 hab.

SANTA POLA Alicante 990 ㉗㉘ – 9 198 h. – Playa.
Madrid 426 – Alicante 19 – Cartagena 90 – Murcia 75.

Patilla, General Mola 29 ☎ 402 – |♦| ☎ ⇔wc ⋒wc. ✻
Com 150/255 – ☐ 40 – 72 hab 160/300 – P 420/430.

Espinosa, Santa Isabel 20 ☎ 10 33 – |♦| ▥ ▤ rest ☎ ⇔wc ⋒wc. ✻
Com 200 bc – ☐ 40 – 40 hab 150/260 – P 370.

XX **Batiste,** playa de Poniente ☎ 178, ≤ puerto – Ⓟ
Com carta 280 a 630.

XX Bahía, Francisco Santamaría ☎ 954 – ▤ Ⓟ.

X Miramar, Pérez Ojeda 4 ☎ 13, ≤ puerto – Ⓟ.

FIAT-SEAT av. de Elche ☎ 719
RENAULT pl. Diputación ☎ 292

SANTA PONSA Baleares 43 ⑱ – a ver Baleares (Mallorca).

SANTA TECLA (Monte) Pontevedra 990 ① – ver La Guardia.

SANTA ÚRSULA Santa Cruz de Tenerife – XX ver Canarias (Tenerife) : Puerto de la Cruz.

SANTES CREUS (Monasterio de) Tarragona 990 ⑲, 43 ⑯ – alt. 340.
Ver : Monasterio** (gran claustro**, iglesia* : rosetón* – claustro de la enfermería* : patio* – sala capitular*). Madrid 561 – Barcelona 102 – Lérida 91 – Tarragona 32.

SANTIAGO DE COMPOSTELA La Coruña 990 ② – 70 893 h. alt. 264 – ☎ 981.
Ver : Catedral*** (fachada del Obradoiro***, interior** : pórtico de la Gloria***, puerta de las Platerías**, claustro*, museo : tapices**) – Ciudad Vieja** : Plaza de España** (Palacio Gelmírez : salón sinodal*, Hostal de los Reyes Católicos : fachada*) – Colegiata Santa María del Sar (arcadas*) BZ S – Paseo de la Herradura ≤* AYZ. **Alred. :** Pazo de Oca** (jardín**) 25 km por ③.

✈ de Santiago de Compostela, Labacolla por ② : 12 km ☎ 58 14 02 – Iberia : General Pardiñas 24 ☎ 59 23 04 ABZ.

M.I.T. rúa del Villar 43 ☎ 58 11 32.

Madrid 607 ② – La Coruña 65 ① – El Ferrol del Caudillo 94 ① – Orense 114 ③ – Vigo 91 ④.

Plano página siguiente

Reyes Católicos y Rest. Le Relais, pl. de España 1 ☎ 58 22 00, Telex 86004, « Lujosa instalación en un magnífico edificio del siglo XVI, mobiliario de gran estilo » – . ✻ — BY r
Com carta 500 a 905 – ☐ 80 – **157 hab** 700/1 500 – P 1 600/1 650.

Peregrino, av. Rosalía de Castro ☎ 59 18 50, ≤ valle y montañas, ⛱ – Ⓟ. ✻ rest — AZ n
Com 300 – ☐ 70 – **126 hab** 470/675 – P 888/1 020.

Gelmírez sin rest, General Franco 92 ☎ 59 11 00 – |♦| ▥ ☎ ⇔wc ⋒wc ☎. ✻ — BZ a
☐ 50 – **78 hab** 245/440.

Universal sin rest, Dr Teijeiro B ☎ 59 22 50 – |♦| ▥ ☎ ⇔wc ⋒wc ☎. ✻ — BZ u
☐ 45 – **54 hab** 225/375.

Maycar sin rest, Dr Teijeiro 15 ☎ 59 05 12 – |♦| ▥ ⇔wc ⋒wc ☎ — BY f
☐ 33 – **40 hab** 110/260.

Guiadol sin rest, General Mola 8 ☎ 59 49 00 – |♦| ▥ ☎ ⇔wc ⋒ ☎. ✻ — BZ x
☐ 40 – **21 hab** 250/350.

Galicia, 5° piso, sin rest, Alférez Provisional 3 ☎ 59 20 54 – ▥ ⇔wc ⋒wc ☎. ✻ rest — AZ g
☐ 33 – **25 hab** 208/358.

XX **El Franco,** del Franco 28 ☎ 58 24 07 – ✻ — BYZ c
Com carta 220 a 415.

X **Alameda,** 1° piso, av. Figueroa 15 ☎ 59 20 01 – ✻ — BZ e
Com carta 335 a 575.

X **Tacita de Oro,** av. del General Franco 31 ☎ 59 20 41 – ▤ — BZ s
Com carta 350 a 650.

X **Vilas,** Rosalía de Castro 88 ☎ 59 10 00 — AZ z
Com carta 400 a 650.

X **Caserío,** 1° piso, Bautizados 13 ☎ 59 59 80 – ✻ — BZ v
Com carta 290 a 590.

X **Victoria,** Bautizados 5 ☎ 59 48 21 – ✻ — BZ v
Com carta 275 a 390.

AUSTIN-MG-MORRIS-MINI av. Romero Donallo 84 ☎ 59 14 00
CHRYSLER-SIMCA Doctor Teijiero 33 ☎ 59 27 62
CITROEN carret. N 550 km 59 ☎ 58 28 16
SEAT-FIAT Rocha 8 - carret. N 550 km 66,5 ☎ 59 21 25
RENAULT av. Rosalía de Castro 158 ☎ 59 19 94

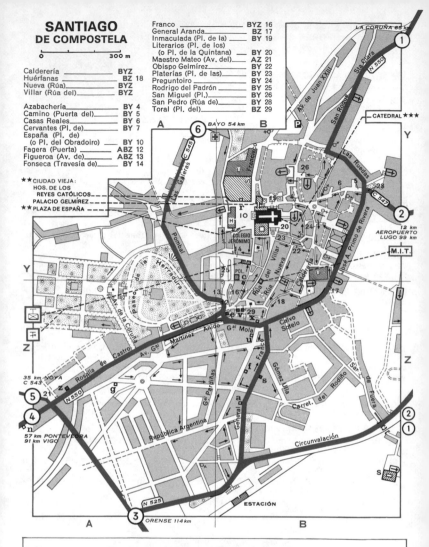

SANTIAGO
DE COMPOSTELA

0 _____ 300 m

Calderería _____ BYZ
Huérfanas _____ BZ 18
Nueva (Rúa) _____ BYZ
Villar (Rúa del) _____ BYZ

Azabachería _____ BY 4
Camino (Puerta del) _____ BY 5
Casas Reales _____ BY 6
Cervantes (Pl. de) _____ BY 7
España (Pl. de)
  (o Pl. del Obradoiro) _____ BY 10
Fagera (Puerta) _____ ABZ 12
Figueroa (Av. de) _____ ABZ 13
Fonseca (Travesía de) _____ BY 14

Franco _____ BYZ 16
General Aranda _____ BZ 17
Inmaculada (Pl. de la) _____ BY 19
Literarios (Pl. de los)
  (o Pl. de la Quintana) _____ BY 20
Maestro Mateo (Av. del) _____ AZ 21
Obispo Gelmírez _____ BY 22
Platerías (Pl. de las) _____ BY 23
Preguntoiro _____ BY 24
Rodrigo del Padrón _____ BY 25
San Miguel (Pl.) _____ BY 26
San Pedro (Rúa de) _____ BY 28
Toral (Pl. del) _____ BZ 29

★★ CIUDAD VIEJA:
    HOS. DE LOS
    REYES CATÓLICOS _____
    PALACIO GELMÍREZ _____
★★ PLAZA DE ESPAÑA _____

CATEDRAL ★★★

Per viaggiare in Europa, utilizzate le Carte Michelin
Le Grandi Strade scala 1/1 000 000.

SANTIAGO DE LA RIBERA Murcia 990 ㊲ – ✪ 968.
Madrid 438 – Alicante 79 – Cartagena 36 – **Murcia 47.**

🏨 **Los Arcos,** paseo de Colón 54 ℡ 57 00 50, ≼ Mar Menor, ☐ – 📶 ▥ 🍽 🛏wc ☎ 🅿. ⛿
   marzo-septiembre – Com 275 – ☑ 70 – **82 hab** 345/625 – P 932/965.

🏨 **Lido,** Conde Campillo 1 ℡ 57 07 00, ≼ Mar Menor – 📶 ▥ 🍽 rest 🍽 🛏wc 🗍wc ☎. ⛿
   Com 175 bc – ☑ 44 – **32 hab** 225/400 – P 600/625.

🏨 **Ribera,** explanada de Barnuevo 10 ℡ 57 02 00, ≼ Mar Menor – 📶 ▥ 🍽 🛏wc 🗍wc ☎.
   ⛿ rest
   marzo-octubre – Com 180 – ☑ 40 – 38 hab 175/340 – P 470/495.

CHRYSLER-SIMCA carret. Balsicas-Estación Servicio

CITROEN carret. San Javier (Est. Servicio Mar
Menor) ℡ 57 00 40

SANTILLANA DEL MAR Santander 990 ⑤, 42 ① − 3 917 h. alt. 82.

Ver : Pueblo pintoresco** : Colegiata* (interior : cuatro Apóstoles*, retablo* ; claustro* : capiteles**). **Alred. :** Cueva prehistórica de Altamira** (bóveda**) SO : 2 km.

Madrid 392 − Bilbao 130 − Oviedo 171 − Santander 30.

🏨 **Parador de Gil Blas M.I.T.** 🦐, pl. Ramón Pelayo 11 ☎ 1, « Antigua casa señorial » − 🛏 🅿. ⚘ rest
Com 280 − ⌖ 60 − **24 hab** 375/530 − P 515/655.

🏨 **Altamira** 🦐, Cantón 1 ☎ 2, « Casa señorial del siglo XVI » − 🍴 🛁wc 🖨. ⚘ hab
abril-octubre − Com 190 − ⌖ 45 − 24 hab 280/390 − P 545/662.

🏨 **Los Infantes** sin rest, con snack-bar, L'Dorat ☎ 107, « Bonita fachada de época » − 📺 🍴
🛁wc 🚿wc 🖨 🅿. ⚘
⌖ 45 − **20 hab** 415/660.

SANT JULIA DE LORIA Andorra 990 ⑨, 43 ⑥ − 🏨, 🏠 ver Andorra (Principado de).

SANTO DOMINGO DE LA CALZADA Logroño 990 ⑥, 42 ⑬ − 5 638 h. alt. 639.

Ver : Catedral* (retablo*).

Madrid 311 − Burgos 69 − Logroño 47 − Vitoria 62.

🏨 **Parador M.I.T.**, pl. del Santo 3 ☎ 295, Instalado en el antiguo hospicio para peregrinos
− 📺 🍴 🛁wc 🖨. ⚘ rest
Com 280 − ⌖ 60 − **27 hab** 315/530.

✗ Mesón El Peregrino, Zumalacárregui 18 ☎ 193, Decoración rústica, ✂ − 🅿.

RENAULT av. Cuerpo Obras Públicas ☎ 75   SEAT av. Cuerpo Obras Públicas ☎ 349

SANTO DOMINGO DE SILOS (Monasterio de) Burgos 990 ⑤⑯.

Ver : Monasterio** (claustro**). **Alred. :** Garganta de la Yecla* E : 5 km.

Madrid 203 − Burgos 58 − Soria 99.

SANTOÑA Santander 990 ⑤⑥, 42 ② − 10 633 h. − ⊙ 942.

Madrid 423 − Bilbao 72 − Santander 46.

en la playa de Berria NO : 2,5 km − ✉ ☎ Santoña :

🏨 **Juan de la Cosa**, ☎ 66 01 00, ≼ playa − 🛁wc 🚿wc 🖨 🅿. ⚘ rest
29 junio-15 septiembre − Com 250 − ⌖ 55 − 30 hab 310/515 − P 707/760.

SANTO TOMAS Baleares 43 ⑩⑳ − 🏨 ver Baleares (Menorca) : San Cristóbal.

SANTURCE Vizcaya 990 ⑥, 42 ③ − 46 194 h. − ⊙ 944.

Madrid 420 − Bilbao 19 − Santander 98.

✗ Kai-Alde, Capitán Mendizábal 7 ☎ 25 10 63 − 🅿.

SAN VICENTE DE LA BARQUERA Santander 990 ⑤ − 4 016 h. − Playa.

Ver : Centro veraniego*. **Alred. :** Carretera de Unquera ≼*.

Madrid 420 − Gijón 131 − Oviedo 141 − Santander 64.

🏠 **Miramar** 🦐, La Barquera ☎ 69, ≼ mar, población y Picos de Europa − 📺 🍴 🛁wc 🖨 🅿
Com 200 − ⌖ 40 − 15 hab 260/425 − P 625/700.

🏠 **Luzón,** av. Miramar ☎ 45, ≼ puerto y playa − 📺 🛁wc 🚿wc 🖨. ⚘
Com 215 − ⌖ 45 − 44 hab 150/350 − P 485/585.

✗ **Maruja,** av. Generalísimo ☎ 77 − ⚘
cerrado miércoles de octubre a mayo − Com carta 240 a 365.

El SARDINERO Santander 42 ① − 🏨, 🏨, 🏠, ✗✗✗, ✗✗ ver Santander.

S'ARGAMASA (Urbanización) Baleares − 🏨 ver Baleares (Ibiza) : Santa Eulalia del Río.

SA RIERA Gerona − 🏠 ver Bagúr.

SARRIÁ Lugo 990 ③ − 12 052 h. alt. 420.

Madrid 495 − Lugo 32 − Orense 81 − Ponferrada 110.

✗ Litmar, av. Calvo Sotelo ☎ 96.

CHRYSLER-SIMCA Barrio Nuevo ☎ 137   SEAT Matías López ☎ 86

SARRIÁ DE TER Gerona 990 ⑳, 43 ⑨ − 🏠 ver Gerona.

☞ *Free garage-space at the hotel is often reserved for users
of the Michelin-Guide of the current year.
Show your 1975 Guide.*

SAUCA Guadalajara 990 ⑯ – 164 h. alt. 1200.

Madrid 132 – Calatayud 105 – Guadalajara 75 – Soria 97.

en la carretera de Madrid N II SO : 3 km – ⊠ ⌖ Saúca :

🏠 Motel Saúca, ⌖ 2 – ⊞ ⌤wc ⌥wc ⊛ 🅿
50 hab.

SEGOVIA 🅿 – 990 ⑮ y ㉖ – 41 880 h. alt. 1 005 – Plaza de toros – ✆ 911.

Ver: Emplazamiento★★ – Catedral★★ (claustro★, tapices★) – Acueducto romano★★ – Alcázar★ – Monasterio de El Parral★ – Plaza San Martín★ (iglesia San Martín★). **Alred. :** Palacio de Riofrío★ S : 11 km por ⑤.

M.I.T. pl. General Franco 8 ⌖ 41 16 02.

Madrid 93 ④ – Ávila 65 ⑤ – Burgos 199 ② – Valladolid 110 ①.

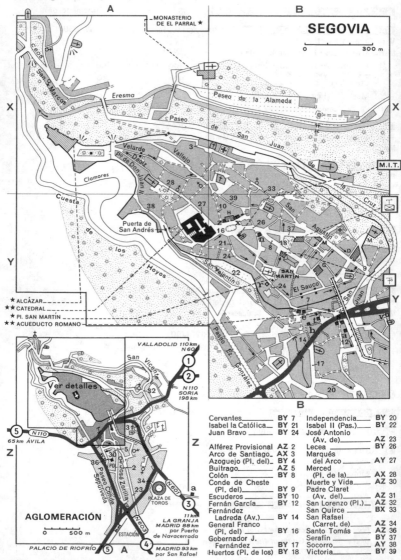

Cervantes	**BY** 7	Independencia	**BY** 20
Isabel la Católica	**BY** 21	Isabel II (Pas.)	**BY** 22
Juan Bravo	**BY** 24	José Antonio (Av. de)	**AZ** 23
Alférez Provisional	**AZ** 2	Lecea	**BY** 26
Arco de Santiago	**AX** 3	Marqués del Arco	**AY** 27
Azoguejo (Pl. del)	**BY** 4	Merced (Pl. de la)	**AX** 28
Buitrago	**AZ** 5	Muerte y Vida	**AZ** 30
Colón	**BY** 8	Padre Claret (Av. del)	**AZ** 31
Conde de Cheste (Pl. del)	**BY** 9	San Lorenzo (Pl.)	**AZ** 32
Escuderos	**BY** 10	San Quirce	**BX** 33
Fernán García	**BY** 12	San Rafael (Carret. de)	**AZ** 34
Fernández Ladreda (Av.)	**BY** 14	Santo Tomás	**AZ** 36
General Franco (Pl. del)	**BY** 16	Serafín	**BY** 37
Gobernador J. Fernández	**BY** 17	Socorro	**AY** 38
Huertos (Pl. de los)	**BY** 18	Victoria	**BY** 39

266

🏠 **Sirenas,** Juan Bravo 30 ☎ 41 18 97 – 🔲. 🕸   BY **r**
Com 300 – 🖙 65 – **52 hab** 400/750 – P 875/950.

🏨 **Acueducto,** av. del Padre Claret 10 ☎ 41 48 90 – 📳 🏧 🍽 🚿wc 📶wc ☎   BY **v**
Com 275 – 🖙 50 – **72 hab** 300/475 – P 635/700.

XXX **Mesón de Cándido,** pl. Azoguejo 5 ☎ 41 30 10, « Casa del siglo XV, decoración segoviana » – 🔲   BY **s**
Com carta 275 a 460.

XX **Duque,** Cervantes 12 ☎ 41 17 07, Decoración segoviana – 🔲. 🕸   BY **e**
Com carta 310 a 470.

XX **Orly,** Bajada del Carmen 2 ☎ 41 50 41 – 🔲. 🕸   BY **t**
Com carta 335 a 475.

XX **Señorío de Castilla,** pl. del General Franco 11 ☎ 41 30 01 – 🔲   BY **z**
Com carta 250 a 375.

X **Oficina,** Cronista Lecea 10 ☎ 41 14 88, Decoración segoviana   BY **n**
Com carta 185 a 270.

X **El Cordero,** Carmen 4 ☎ 41 50 68 – 🔲. 🕸   BY **b**
Com carta 255 a 425.

X **Bernardino,** Cervantes 2 ☎ 41 31 75   DY **e**
Com carta 220 a 310.

X **Taurina,** pl. del General Franco 8 ☎ 41 30 08, Decoración segoviana – 🕸   BY **x**
Com carta 240 a 310.

X **Criolla,** Ruiz de Alda 4 ☎ 41 30 51   BY **a**
cerrado martes – Com carta 275 a 385.

X **Ricardo,** 1º piso, pl. Azoguejo 5 ☎ 41 30 33 – 🕸   BY **s**
cerrado martes – Com carta 150 a 340.

X **Lago,** pl. de Franco 4 ☎ 41 30 85 – 🕸   BY **x**
Com carta 270 a 420.

X **Solaire-2,** carret. de Palazuelos ☎ 42 24 20 – 🅿   AZ **a**
Com carta 240 a 440.

en la carretera N 110 por ② : 2,5 km – ✉ ☎ Segovia :

X **Venta Magullo** 🦌 con hab, ☎ 41 20 85 – 🏧 📶wc 🚗 🅿. 🕸
Com 200 bc – 🖙 35 – 13 hab 250 – P 500.

AUSTIN-MG-MORRIS-MINI av. José Antonio 44 ☎   FIAT-SEAT Siete Picos 18 - Polígono Industrial del
42 01 92   Cerro ☎ 42 24 74
CHRYSLER-SIMCA carret. de San Rafael 64 ☎   RENAULT Peñalara 2 - Polígono Industrial del Cerro
42 16 26   ☎ 42 26 81
CITROEN Guadarrama ☎ 42 14 05

SELLÉS Lérida 🆖 ⑤ – alt. 325 – ☎ 973.
Madrid 552 – Lérida 82.

🏝 Del Lago, carret. C 147 ☎ 65 03 50, ≤ embalse y montañas, 🏊 – 🏧 🚿wc 📶wc – 🅿
20 hab.

SEO DE URGEL Lérida 🆖 ⑨, 🆖 ⑥ – 8 007 h. alt. 700 – ☎ 973 – Ver aduanas p. 14 y 15.
Ver : Catedral de Santa María** (claustro*, museo diocesano : Beatus*).
Madrid 603 – Andorra la Vella 20 – Barcelona 200 – Lérida 133.

🏠 **Mundial,** San Odón 2 ☎ 35 00 00 – 📳 🏧 🍽 🚿wc 📶wc ☎. 🕸
cerrado lunes y 2 al 23 enero – Com 200 – 🖙 45 – 75 hab 180/300 – P 435/450.

🏠 **Cadi,** Duque de Seo de Urgel 4 ☎ 35 01 50 – 📳 🏧 🍽 📶wc ☎
Com 250/280 – 🖙 45 – 42 hab 170/300 – P 450/480.

🏠 **Andría,** av. José Antonio 1 ☎ 35 03 00 – 🏧 🍽 🚿wc ☎ 🚗 🅿
Com 195/230 – 🖙 46 – 25 hab 230/368 – P 519/565.

🏝 Avenida, av. del Generalísimo Franco 18 ☎ 35 01 04 – 📳 🏧 🍽 📶wc
40 hab.

en Castellciutat SO : 1 km – ✉ ☎ Seo de Urgel :

🏨 **Castell Motel** Ⓜ sin rest, con snack-bar, carret. C 1313 ☎ 35 07 04, ≤ valle, Seo de Urgel
y montañas – 🏧 🍽 🚿wc ☎ 🅿. 🕸 rest
🖙 70 – **40 hab** 550/700.

AUSTIN-MG-MORRIS-MINI av. Guillermo Graell 5 ☎   FIAT-SEAT carret. Lérida-Puigcerdá ☎ 35 00 12
35 05 70   RENAULT av. Guillermo Graell 22 ☎ 35 03 22
CHRYSLER-SIMCA, CITROEN av. Valira 15 ☎ 35 05 40

SEPÚLVEDA Segovia 🆖 ⑮ – 1 887 h. alt. 1 014.
Ver : Emplazamiento*.
Madrid 126 – Aranda de Duero 50 – Segovia 54 – Valladolid 103.

X **Cristóbal,** Conde Sepúlveda 9 ☎ 86 – 🕸
Com carta 225 a 645.

EL SERRAT Andorra 🔢🔢🔢 ⑨, 🔢🔢 ⑥ – 🏠 ver Andorra (Principado de).

SES FIGUERES Baleares – 🏠 ver Baleares (Ibiza) : Ibiza.

SES FIGUERETAS Baleares – 🏠🏠 a 🏠, ✗ ver Baleares (Ibiza) : Ibiza.

SES FONTANELLES Baleares 🔢🔢 ⑰ – 🏠🏠, ✗ ver Baleares (Ibiza) : San Antonio Abad.

S'ESTANYOL Baleares 🔢🔢 ⑰ – 🏠🏠, 🏠 ver Baleares (Ibiza) : San Antonio Abad.

No viaje hoy con un mapa de ayer.

SEVILLA 🅿 🔢🔢🔢 ⑬ – 548 072 h. alt. 12 – Plaza de toros – ☎ 954.

Ver : Catedral★★★ – Giralda★★★ (≼★★) – Reales Alcázares★★★, sala de exposiciones : retablo de la Virgen de los Navegantes★) – Parque de María Luisa★★ – Museo de Bellas Artes★★ – Barrio de Santa Cruz★ – Casa de Pilatos★ – Museo Arqueológico (colecciones romanas★) s **M. Alred. :** Itálica ≼★ 9 km por ⑤.
Hipódromo y 🏇 del Club Pineda por ⑤ : 3 km.

✈ de Sevilla-San Pablo por ① : 12 km ☎ 25 98 90 – Iberia : Almirante Lobo 2 ☎ 22 89 01.
🚗 ☎ 22 03 70.

⛴ para Canarias : Cⁱᵃ Aucona, Niebla 12 ☎ 27 05 03, Telex 72338 ᴀх **A.**

M.I.T. av. Queipo de Llano 9 B ☎ 22 14 04 – **R.A.C.E.** (R.A.C. de Andalucía) av. Eduardo Dato 22 ☎ 63 13 50.

Madrid 538 ① – La Coruña 952 ⑤ – Lisboa 417 ⑤ – Málaga 207 ② – Valencia 677 ①.

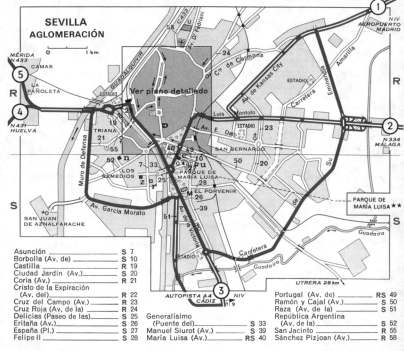

Asunción	S 7
Borbolla (Av. de)	S 10
Castilla	R 19
Ciudad Jardín (Av.)	S 20
Coria (Av.)	R 21
Cristo de la Expiración (Av. del)	R 22
Cruz del Campo (Av.)	R 23
Cruz Roja (Av. de la)	R 24
Delicias (Paseo de las)	S 25
Eritaña (Av.)	S 26
España (Pl.)	S 27
Felipe II	S 28

Generalísimo (Puente del)	S 33
Manuel Siurot (Av.)	S 39
María Luisa (Av.)	RS 40

Portugal (Av. de)	RS 49
Ramón y Cajal (Av.)	S 50
Raza (Av. de la)	S 51
República Argentina (Av. de la)	S 52
San Jacinto	R 55
Sánchez Pizjoan (Av.)	R 58

🏠🏠🏠 **Luz Sevilla** Ⓜ, Martín Villa 2 ☎ 22 29 91, Telex 72112 – 🍽 🚗. 🅿. 🛁. 🎾   BCU **f**
Com 520 – 🖵 97 – **142 hab** 1 125/1 870 – P 1 890/2 080.

🏠🏠🏠 **Alfonso XIII** (Andalucía Palace), San Fernando 2 ☎ 22 28 50, Telex 72191, « Suntuoso patio andaluz », 🏊 – 🍽 🚗 🅿. 🎾   CX **a**
Com 450 – 🖵 100 – **180 hab** 1 500/2 000.

🏠🏠 **Colón,** Canalejas 1 ☎ 22 29 00 – 🍽. 🎾   AV **m**
cerrado domingo – Com 260 – 🖵 55 – **262 hab** 415/890 – P 1 098/1 144.

🏠🏠 **Cristina,** Almirante Lobo 4 ☎ 22 66 80, Telex 72116 – 🍽 🅿   BCX **x**
124 hab.

🏨 **Macarena,** San Juan de Ribera 2 ☏ 37 57 00, Telex 72015, ≼ murallas almohades,
 🔟 – 🔲 🚐. 🛁. 🅟. ⌖ rest   **CDT a**
Com 300 – ⌸ 70 – **305 hab** 700/1 000 – P 1 050/1 250.

🏨 **Inglaterra** Ⓜ, pl. Nueva 7 ☏ 22 49 70, Telex 72244 – 🔲 🚐. ⌖   **BV a**
Com 325 – ⌸ 75 – **120 hab** 750/1 200 – P 1 200/1 350.

🏨 **Pasarela** Ⓜ sin rest, con snack-bar, av. de la Borbolla 11 ☏ 23 19 80 – 🔲 🚐. ⌖ **S u**
⌸ 74 – **82 hab** 512/856.

🏢 Fernando III, San José 21 ☏ 21 77 08, 🔟 – 🔲 🚐. ⌖   **CV z**
⌸ 60 – **156 hab** 475/780.

🏢 María Luisa Park Ⓜ, Ronda de los Remedios 1 ☏ 27 73 00 – 🔲 🚐 – **119 hab.** **S r**

🏢 **Bécquer** sin rest, Reyes Católicos 4 ☏ 22 89 00 – 🔲 🚐. ⌖   **AV s**
⌸ 55 – **126 hab** 450/800.

🏢 **Nuevo Lar,** pl. Carmen Benítez 3 ☏ 25 62 00 – 🔲 🚐 🛁. ⌖   **DUV v**
Com 290 – ⌸ 72 – **139 hab** 560/900 – P 980/1 090.

🏢 **Alcázar,** Menéndez Pelayo 10 ☏ 23 19 91, Telex 72153 – 🔲. ⌖   **DX u**
Com 265 – **101 hab** 455/775 – P 920/985.

🏢 **Fleming,** Sierra Nevada 3, Puerta de Carmona ☏ 25 23 00 – 🔲 🅟. ⌖   **DV y**
Com 260 – ⌸ 60 – **84 hab** 360/685 – P 843/860.

🏢 **Doña María** sin rest, Don Remondo 19 ☏ 22 49 90, « Decoración clásica elegante,
terraza con ≼ Giralda » 🔟 – 🔲. ⌖   **CV b**
61 hab 520/850.

🏢 **Don Paco,** pl. Padre Jerónimo de Córdoba 4 ☏ 22 49 31, Telex 72331, 🔟 – 🔲 🚐.
⌖ rest   **DU p**
Com 265 – ⌸ 60 – **220 hab** 460/805 – P 902/960.

🏦 **Venecia** sin rest, Trajano 31 ☏ 22 08 86 – 🛗 🔲 🍴 ⌂wc 🚿wc 🕭 🚐   **BU n**
⌸ 50 – **24 hab** 280/580.

🏦 **Tartessos** Ⓜ sin rest, pl. Molviedro 1 ☏ 22 09 39 – 🛗 🔲 🍴 ⌂wc 🕭 🚐. ⌖ **BV e**
⌸ 55 – **33 hab** 435/750.

🏦 **Murillo** sin rest, Lope de Rueda 9 ☏ 21 60 95 – 🛗 🔲 🍴 ⌂wc 🚿 🕭. ⌖   **CV e**
⌸ 45 – **61 hab** 265/450.

🏦 **La Rábida,** Castelar 24 ☏ 22 09 60 – 🛗 🔲 🍴 ⌂wc 🚿wc 🕭. ⌖ rest   **BV d**
Com 215 – ⌸ 50 – 90 hab 300/570 – P 605/620.

🏦 **Ducal** sin rest, pl. Encarnación 19 ☏ 21 51 05 – 🛗 🔲 🍴 ⌂wc 🕭. ⌖   **CU b**
⌸ 50 – **51 hab** 265/455.

🏦 **Reyes Católicos** sin rest, Gravina 57 ☏ 21 12 00 – 🛗 🔲 🍴 ⌂wc 🕭. ⌖   **AV n**
⌸ 55 – **26 hab** 335/585.

🏠 **Sudán,** Abad Gordillo 5 ☏ 22 28 10 – 🍴 🍴 ⌂wc 🚿wc 🕭. ⌖   **AU s**
Com 160 – ⌸ 35 – 30 hab 225/310 – P 555/625.

🏠 **Internacional,** Aguilas 17 ☏ 21 32 07 – 🍴 🍴 hab 🍴 ⌂wc 🚿wc 🕭. ⌖   **CV t**
Com 215 – ⌸ 55 – 25 hab 200/400 – P 600/660.

🏠 **Montecarlo,** Gravina 51 ☏ 21 75 03 – 🛗 🍴 🍴 ⌂wc 🚿wc 🕭. ⌖   **AV e**
Com 220 – ⌸ 50 – 25 hab 260/470 – P 605/630.

🏠 **Biarritz** sin rest y sin ⌸, Daoiz 5 ☏ 22 08 53 – 🛗 🍴 🍴 ⌂wc 🍴 🕭   **BCU w**
30 hab 220/460.

XXX Las Bridas, Betis 61 ☏ 27 51 32, Decoración elegante – 🔲.   **BX b**

XXX ⚙ **Burladero,** Canalejas 1 ☏ 22 29 00, Decoración típica – 🔲. ⌖   **AV m**
cerrado domingo – Com carta 410 a 760
Espec. Gazpacho andaluz, Fritura andaluza, Chuleta de ternera Canigó.

XXX **Río Grande,** Betis ☏ 27 39 56, ≼ Torre del Oro, « Amplias terrazas a la orilla del río »
– 🔲. ⌖   **BX r**
Com carta 300 a 450.

XXX Parrilla del Cristina, Almirante Lobo 4 ☏ 22 66 80, « Ambiente andaluz, flamenco » – 🔲
🅟.   **CX x**

XX **Raza,** Parque María Luisa ☏ 23 20 24, ≼ parque de María Luisa, Rest. al aire libre –
🔲. ⌖   **RS e**
Com carta 355 a 555.

XX **Rincón de Curro,** Virgen de Luján 45 ☏ 27 20 95, « Decoración castellana » – 🔲. ⌖
Com carta 415 a 525.   **S z**

XX **Mesón La Fragua,** av. José María Martínez y Sánchez Arjona 41 ☏ 27 50 75, « Decoración típica » – 🔲. ⌖   **RS n**
cerrado julio y agosto – Com carta 200 a 300.

X **Hostería del Laurel,** 1º piso, pl. de los Venerables 5 ☏ 22 38 66, Decoración típica –
🔲. ⌖   **CVX r**
cerrado lunes – Com carta 290 a 550.

X **Hostería del Prado,** pl. de San Sebastián 1 ☏ 23 31 16 – 🔲. ⌖   **DX z**
Com carta 230 a 330.

sigue →

SEVILLA

❌ **Isla,** Arfe 23 ☎ 21 20 28 – 🍽. ✠   BV u
   cerrado miércoles y 5 al 31 agosto – Com carta
   175 a 350.

❌ **Doña Julia,** 1° piso, Niebla 13 ☎ 27 36 41 –
   🍽.   AX m

❌ **Nuria,** av. Málaga 1 ☎ 23 52 73 – 🍽. ✠   DX s
   Com carta 450 a 880.

❌ **Punta Diamante,** av. José Antonio 11 ☎
   21 20 56 – 🍽. ✠   CV s
   Com carta 200 a 405.

❌ **Alcázares,** Miguel Mañara 10 ☎ 21 31 03 –
   🍽   CX s
   Com carta 260 a 385.

   en la carretera de Málaga por ② : 4 km – ⊠
   ☎ Sevilla :

🏨 **Acuarium,** ☎ 25 84 09 – 🍽 🅿. ✠ rest
   Com 275 – 🍴 65 – **44 hab** 400/700 – P 875/925.

   en la carretera de Cádiz por ③ : 4 km – ⊠
   ☎ Sevilla :

❌ Venta Ruiz, ☎ 61 00 88 – 🍽 🅿.

   en la carretera de Madrid por ① : 5 km :

❌❌ **Venta de los Reyes,** carret. del Aeropuerto ⊠
   apartado 237 ☎ 25 92 39 Sevilla – 🍽 🅿. ✠
   Com carta 300 a 385.

S.A.F.E. Neumáticos MICHELIN, Sucursal, Arjona
7 (AV) ☎ 21 74 05.

AUSTIN-MG-MORRIS-MINI Autopista de Cádiz km 550, 630
☎ 69 04 00
AUSTIN-MG-MORRIS-MINI Polígono Industrial Store, parcela 64
☎ 35 12 58
CHRYSLER-SIMCA Virgen de Setefilla 3 ☎ 27 33 18
CHRYSLER-SIMCA Autopista de San Pablo ☎ 35 04 50
CITROEN Polígono Industrial - carret. Amarilla Parcela 172
☎ 25 37 04
FIAT Gonzalo Bilbao 29 ☎ 25 13 00
FORD Almadén de la Plata 19 ☎ 35 46 93
PEUGEOT P. Méndez Casariego 19 ☎ 25 13 07
RENAULT Sto. Domingo de la Calzada 5 accesorio ☎ 25 73 02
RENAULT carret. de Su Eminencia ☎ 61 04 50
RENAULT Pages del Corro 167 ☎ 27 93 03
RENAULT av. Kansas City ☎ 25 39 00
SEAT Gaspar Alonso 1 ☎ 23 19 51

| carta | Os hotéis e restaurantes citados com um menú a preço fixo, geralmente também servem à lista. |

SIERRA – Ver al nombre propio de la sierra.

SIGÜENZA Guadalajara 990 ⑯ – 6 006 h. alt. 1 070.
Ver : Catedral** : Interior (puerta*, crucero : conjunto
escultórico** ; presbiterios : púlpitos* ; capilla del
Doncel : sepulcro del Doncel**; girola : Cristo*) –
Sacristía (techo*, capilla de las Reliquias : cúpula*).
Madrid 132 – Guadalajara 75 – Soria 96 – Zaragoza 207.

❌ **Motor,** Calvo Sotelo 12 ☎ 97 – ✠
   Com carta 240 a 450.

RENAULT carret. Madrid ☎ 221
SEAT-FIAT Santa Bárbara ☎ 446

SILS Gerona 990 ⑳, 48 ⑨ – 1 923 h. alt. 75.
Madrid 706 – Barcelona 76 – Gerona 24.

   en la carretera N II – ⊠ ☎ Sils :

🏨 **Touring H.,** N : 3,5 km ☎ 20, ≼ bosque – 🎐 ☞
   🎐wc 🕿 ⇆ 🅿
   Com 170 – 🍴 40 – 15 hab 155/350 – P 460/490.

❌ **La Granota,** E : 1,5 km ☎ 39, « Ambiente rústico
   catalán » – 🍽 🅿. ✠
   Com carta 285 a 510.

270

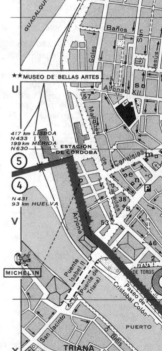

SEVILLA CENTRO
0   200 m

Francos	CV 29
Sierpes	BUV
Tetuán	BV 62
Adriano	ABV 2
Alemanes	CV 3
Almirante Apodaca	CU 4
Almirante Lobo	BX 6
Caballerizas	CV 12
Cabeza Rey Don Pedro	CV 13
Calvo Sotelo (Pl.)	CX 15
Campana	BU 16
Fray Ceferino González	CX 30
García de Vinuesa	BV 32
Gerona	CU 34
Julio César	AV 38

★★MUSEO DE BELLAS ARTES

417 km LISBOA
N433
199 km MERIDA
N630

ESTACIÓN
DE CÓRDOBA

N 431
93 km HUELVA

MICHELIN

TRIANA

PUERTO

PLAZA
DE TOROS

Martín Villa	BU 42
O'Donnell	BU 45
Pastor y Landero	AV 46
Peñuelas	DU 48
Reyes Católicos	AV 53
Rioja	BUV 54
San Laureano	AU 57
Santa María la Blanca	DV 59
Santo Tomás	CX 61
Triunfo (Pl. del)	CX 63
Velázquez	BU 65

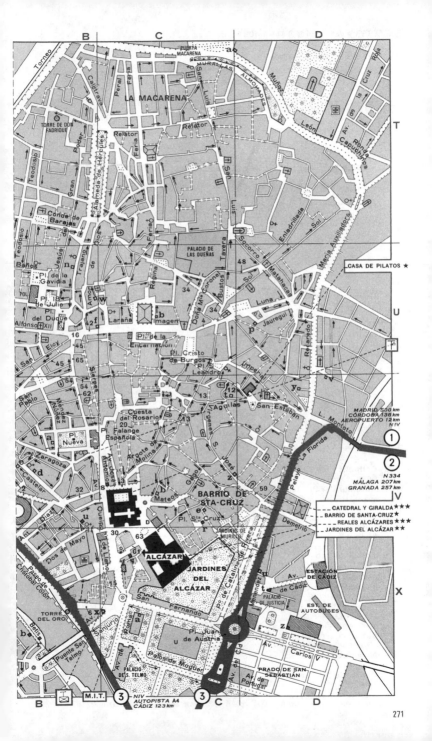

SIMANCAS Valladolid **990** ⑭ – 1 408 h. alt. 727.

Ver : Castillo (colección* de archivos).

Madrid 195 – Salamanca 102 – Valladolid 11.

en la carretera de Tordesillas N 620 SO : 4 km – ⊠ ℡ Simancas :

🏨 **Garden Park** 🦕, ℡ 42, ≼ campo, « Decoración elegante », ⌐, ⚹ – ▤ ⓟ. ⚗
Com 320 bc – 🍽 70 – **18 hab** 470/900 – P 1 010/1 030.

SITGES Barcelona **990** ⑲, **48** ⑰ – 11 451 h. – Playa – ✪ 93.

Ver : Localidad veraniega*.

🏌 del Club Terramar A

Madrid 600 ③ – Barcelona 42 ② – Lérida 130 ③ – Tarragona 53 ③.

SITGES

Jesús	B 15	Enrique Morera	A 9
Mayor	B 18	España	B 10
Parelladas	B 22	General Mola (Plaza)	B 12
San Francisco	B 28	José Antonio (Av.)	B 14
2 de Mayo	B 31	Juan Maragall	B 17
		Nuestra Señora	
Alfonso Carlos	A 2	del Vinyet (Av.)	A 19
Antonio Cartró	A 3	Puerto Alegre	B 23
Bernardo Fernández (Pas.)	B 4	Rafael Llopart	B 24
Calvo Sotelo (Av.)	A 5	Reverendo Juan Llopis	AB 26
Cap de la Vila	B 6	Ribera (Paseo de la)	B 27
Capellans (Av. dels)	B 7	Socias	A 29

🏨 **Calípolis y Grill « La Brasa »,** paseo Marítimo ℡ 894 15 00, ≼ mar – ▤. ⚗ rest B **a**
Com 355 – 🍽 80 – **160 hab** 600/1 030 – P 1 140/1 250.

🏨 **Antemare** Ⓜ 🦕, Tercio Nuestra Señora de Montserrat ℡ 894 06 00, ⌐ climatizada –
🛗 ▥ 🍴 🚾 ☎ ⓟ. ⚗ rest A **h**
Com 300 – 🍽 60 – **72 hab** 525/870 – P 985/1 075.

🏨 **Los Pinos** 🦕, av. Benapres ℡ 894 15 50, ≼ mar, « Bonito césped con ⌐ » – 🛗 ▥ 🍴 🚾
☎ ⓟ A **n**
45 hab.

🏨 **Galeón,** San Francisco 44 ℡ 894 06 12, ⌐ – 🛗 🍴 🚾 ☎ B **u**
temp. – **43 hab.**

🏨 **Platjador,** paseo de la Ribera 35 ℡ 894 03 12 – 🛗 ▥ 🍴 🚾 ☎. ⚗ B **m**
15 marzo-30 octubre – Com 210 – 🍽 50 – 44 hab 290/520 -- P 645/675.

🏨 **Miramar** 🦕 sin rest, Devallada 10 ℡ 894 04 50, ≼ mar – 🛗 ▥ 🍴 🚾 ☎. ⚗ B **v**
mayo-septiembre – 🍽 57 – **38 hab** 407/774.

🏨 **Reserva** 🦕, Calvo Sotelo ℡ 894 18 33, ≼ mar, « Jardín con arbolado », ⌐ – ▥ 🍴
🍴🚾 ☎ ⓟ. ⚗ rest A **z**
mayo-septiembre – Com 260 – 🍽 55 – **24 hab** 400/500 – P 750/900.

🏨 **Subur** sin rest, España 1 ℡ 894 00 66, ≼ playa – 🛗 ▥ 🍴 🚾 🍴🚾 ☎ B **x**
abril-octubre – 🍽 60 – **86 hab** 265/500.

🏨 **Arcadia** 🦕 sin rest, Socias ℡ 894 09 00 – 🛗 🍴 🚾 ☎ ⓟ. ⚗ rest A **r**
10 mayo-10 octubre – 🍽 50 – **38 hab** 310/500.

🏠 **Romantic** 🦕, San Isidro 23 ℡ 894 06 43, « Jardín con arbolado » – 🚾 🍴🚾 B **b**
27 abril-6 octubre – Com 180 – 🍽 50 – 55 hab 175/315 – P 480/505.

🏠 **Mediterránea** 🦕, San Bartolomé 2 ℡ 894 05 50 – 🛗 ▥ 🍴 🚾 🍴🚾 ☎ B **f**
junio-septiembre – Com 210 – 🍽 45 – 33 hab 260/400 – P 590/650.

Brabo, paseo Bernardo Fernández ✆ 894 16 12 – wc wc — B t
20 marzo-20 octubre – Com 195 – 45 – 52 hab 200/400 – P 570/635.

Bella Vista, San Crispín 7 ✆ 894 15 39 – wc — A k
15 marzo-octubre – Com 160 – 60 – 15 hab 160/325 – P 450.

XXX **El Greco,** paseo Bernardo Fernández ✆ 894 29 06, « Interior de estilo inglés » – .
Com carta 430 a 760. — B y

XXX **Fragata,** paseo de la Ribera 1 ✆ 894 10 86 – . — B p
Com carta 340 a 650.

XX **Mare Nostrum,** Bernardo Fernández 14 ✆ 894 10 10 – — B t
Com carta 340 a 470.

XX **Alex de Sitges,** San Buenaventura 28 ✆ 894 23 49, Decoración rústica, Espec. carnes
cerrado 5 noviembre al 31 diciembre – Com (cenas solamente) carta 355 a 540. — B d

X **Vivero,** playa San Sebastián ✆ 894 10 28, « En un promontorio rocoso con mar »
Pescados y mariscos – P — B z
cerrado 4 octubre al 5 diciembre y martes del 6 diciembre al 15 abril – Com carta 450 a 680
Espec. Langostada, Paella de arroz, Mariscos.

X **Rafecas « La Nansa »,** Carreta 20 ✆ 894 19 27 – — B w
cerrado lunes de noviembre al 15 marzo – Com carta 250 a 425.

X **D'Angelo,** Santa Barbara 2 ✆ 894 17 97, Rest. italiano — B c
cerrado 10 enero al 15 febrero y lunes en invierno – Com carta 260 a 345.

en la carretera de Villanueva por ③ 3,5 km : ✉ San Pedro de Ribas :

X **Els Cards** – P
Com carta 205 a 300.

FIAT-SEAT av. Ferrocarril ✆ 894 03 54
FORD, CITROEN paseo Villanueva 31 ✆ 894 15 70

SOLSONA Lérida 990 ⑲, 43 ⑥ – 5 346 h. alt. 664 – 93.
Ver : Museo diocesano (pinturas románicas y góticas) – Catedral (Virgen del Claustro*).**
Madrid 577 – Lérida 107 – Manresa 52.

en la carretera de Manresa SE : 5 km :

El Pi de Sant Just, ✉ Solsona ✆ 811 07 00 Manresa, – wc P. hab
Com 160/200 – 40 – 14 hab 170/300 – P 600/650.

AUSTIN-MG-MORRIS-MINI carret. Manresa ✆ 811 02 04
CHRYSLER-SIMCA carret. San Lorenzo ✆ 811 06 00
CITROEN pl. Pío XII ✆ 811 01 34
RENAULT Puente ✆ 811 01 20
SEAT-FIAT carret. Basella 11 ✆ 811 08 60

SOLLANA Valencia 990 ㉘ – 4 017 h.
Madrid 375 – Alicante 159 – Valencia 25.

en El Romani SE : 3 km – ✉ ✆ Sollana :

El Romani, carret. N 332 ✆ 279 – wc wc P
22 hab.

SÓLLER Baleares 990 ㉙, 43 ⑲ – Ver Baleares (Mallorca).

SON SERVERA Baleares 990 ㉚, 43 ⑳ – Ver Baleares (Mallorca).

SON VIDA Baleares 43 ⑲ – , ver Baleares (Mallorca) : Palma de Mallorca.

SOPELANA Vizcaya 42 ③ – 2 373 h.
Madrid 421 – Bilbao 20.

en la playa N : 1 km – ✉ ✆ Sopelana :

Gorospar, av. Achabiribil 72 ✆ 50 – wc P. rest
Com 175 bc – 45 – **7 hab** 190/300 – P 450/490.

SORIA P 990 ⑯ – 25 030 h. alt. 1 050 – Plaza de toros – 975.
Ver : Iglesia de Santo Domingo* (portada**) – San Juan de Duero (claustro*) – Catedral de San Pedro (claustro*). **Alred.** : Laguna Negra de Urbión*** (carretera**) NO : 46 km.
M.I.T. pl. Ramón y Cajal ✆ 21 20 52.
Madrid 229 – Burgos 145 – Calatayud 91 – Guadalajara 172 – **Logroño 106 – Pamplona 179.**

Parador Antonio Machado M.I.T. parque del Castillo ✆ 21 34 45, valle del Duero y montañas – wc P. rest
Com 280 – 60 – **14 hab** 390/515 – P 537/670.

Caballero, Eduardo Saavedra 4 ✆ 22 01 00 – rest wc P.
Com 225 – 53 – **96 hab** 350/570 – P 660/725.

SORIA

🏨 **Alfonso VIII,** Alfonso VIII-10 ☎ 21 32 47 – 🛗 📶 🕿 🛏wc ⋔wc 🅰 ⇔. ❄️
Com 210 bc – 🖵 50 – 55 hab 235/450 – P 600/775.

🏨 Mesón Leonor ⊗, Paseo del Mirón ☎ 22 02 50, ≼ valle del Duero, ciudad y montañas
– 📶 🕿 🛏wc 🅰 ⇔ 🅿
32 hab.

en la carretera N 122 E : 6 km – ⊠ ☎ Soria :

XX **Cadosa** con hab, ☎ 21 15 02 – 📶 🕿 🛏wc 🅰 ⇔ 🅿. ❄️
Com 198 – 🖵 45 – 12 hab 370 – P 550/660.

en Garray N : 7,5 km – ⊠ ☎ Garray :

🏠 **Numantia,** carret. N 111 ☎ 21, 🏊 – 📶 🕿 🛏wc ⋔wc 🅰 ⇔ 🅿. ❄️
cerrado miércoles – Com 225 bc – 🖵 50 – 18 hab 210/340 – P 520/560.

AUSTIN-MG-MORRIS-MINI Eduardo   Saavedra ☎   CITROEN Eduardo Saavedra ☎ 21 12 04
21 31 42   FIAT-SEAT Mariano Vicent 1 ☎ 21 33 50
CHRYSLER-SIMCA Eduardo Saavedra ☎ 21 51 80   RENAULT av. de Valladolid ☎ 22 04 50

SORPE Lérida 🗺 ⑤ – alt. 1 113.
Madrid 637 – Lérida 175.

en la carretera del Puerto de Bonaigua O : 4,5 km – ⊠ ☎ Sorpe :

🏨 Los Abetos ⊗, alt. 1 500, ☎ 3, ≼ valle y montaña – ⇔ 🅿
28 hab.

SORT Lérida 🗺 ⑲, 🗺 ⑥ – 1 835 h. alt. 720 – Deportes de invierno en Llesuy NO : 12 km :
3 🎿.

Alred. : NO : Valle de Llesuy** – SO : Desfiladero** de Collegats.
Madrid 599 – Lérida 137.

🏨 **Pessets** ⊗, av. Diputación ☎ 109, ≼ montaña, 🏊 – 🛗 📶 🕿 🛏wc ⋔wc 🅰 ⇔ 🅿
Com 200 – 🖵 45 – 80 hab 200/350 – P 540/565.

RENAULT Dr Pol Aleu 15 ☎ 62   SEAT carret. Rialp 5 ☎ 37

SOTOGRANDE Cádiz 🗺 ㊹ – ✆ 956 – 📇.
Madrid 673 – Algeciras 24 – Cádiz 145 – Gibraltar 18 – Málaga 115.

🏨 **Tenis H.** ⊗, carret. N 340 km 133 ⊠ apartado 1 ☎ 79 21 00, Telex 78013, ✗, 🏊, 📇, 📇.
🏌 – 🍽 🅿. ❄️ rest
Com 425 – 🖵 85 – **46 hab** 1 120/1 400 – P 1 490/1 910.

SUANCES Santander 🗺 ⑤, 🗺 ① – 5 053 h.
Madrid 393 – Bilbao 131 – Oviedo 188 – Santander 31.

en la playa N : 1,5 km :

🏠 **Lumar** ⊗, carret. de Tagle ☎ 214 – 🛏wc ⋔wc 🅿. ❄️ rest
20 junio-15 septiembre – Com 175/250 – 🖵 50 – 31 hab 240/410 – P 505/520.

SURIA Barcelona 🗺 ⑲, 🗺 ⑦ – 6 869 h. alt. 280.
Madrid 599 – Barcelona 85 – Lérida 129 – Manresa 15.

X **Guilá,** 1° piso, Salvador Vancells 19 ☎ 869 51 52 – ❄️
Com carta 205 a 405.

RENAULT Pío Macia 37 ☎ 240

TAFALLA Navarra 🗺 ⑦, 🗺 ⑮ – 8 858 h. alt. 426 – Plaza de toros – ✆ 948.
Ver : Iglesia de Santa María (retablo*). **Alred. :** Ujué* E : 19 km.
Madrid 373 – Logroño 86 – Pamplona 35 – Zaragoza 141.

🏠 Quiñón, sin rest, av. Severino Fernández 42 ☎ 70 01 00 – 🛗 📶 🛏wc ⋔wc 🅰
50 hab.

X **Tubal,** 1° piso, pl. de Navarra 2 ☎ 70 00 01
Com carta 180 a 230.

en la carretera de Zaragoza N 121 S : 3 km – ⊠ ☎ Tafalla :

🏨 Tafalla, ☎ 70 03 00 – 📶 🍽 rest 🕿 🛏wc ⋔wc 🅰 ⇔ 🅿
30 hab.

AUSTIN-MG-MORRIS-MINI Panueva ☎ 70 01 47   RENAULT carret. de Zaragoza ☎ 70 00 98
CHRYSLER-SIMCA Mauro Urroz ☎ 70 04 49   SEAT carret. de Pamplona 7 ☎ 70 08 89
CITROEN Espronceda 24 ☎ 70 06 85

TAFIRA ALTA Las Palmas – XX ver Canarias (Gran Canaria).

TALAMANCA Baleares 🗺 ⑱ – 🏨, 🏠 ver Baleares (Ibiza) : Ibiza.

TALAVERA DE LA REINA Toledo 990 ⑭ – 45 327 h. alt. 371 – Plaza de toros – ❀ 925.
Madrid 116 – Ávila 119 – Cáceres 184 – Córdoba 423 – Mérida 225.

- 🏨 **Talavera,** av. Gregorio Ruiz 1 🕿 80 02 00 – |≋| Ⅲ ☞ 👛wc 🛏wc ☎
  Com 170 – � 50 – 80 hab 200/360 – P 560/580.

- 🏨 **Del Río,** Prado 16 🕿 80 23 50 – |≋| Ⅲ ▤ rest ☞ 👛wc 🛏wc ☎. ⚘
  Com 170 bc – ⊒ 40 – 30 hab 210/380 – P 550/650.

- 🏠 **Auto-Estación,** av. Toledo 1 🕿 80 03 00 – Ⅲ 👛wc ☎. ⚘
  Com 150 – ⊒ 35 – 19 hab 130/250 – P 415/420.

  en la carretera NV O : 4,5 km – ✉ 🕿 Talavera de la Reina:

- 🏨 **León,** 🕿 80 29 00, ≾ – |≋| Ⅲ ☞ 👛wc 🛏wc ☎ ❶. ⚘
  Com 225 – ⊒ 50 – **30 hab** 310/610 – P 730/735.

AUSTIN-MG-MORRIS-MINI carret. N V km 118 🕿
80 46 60
CHRYSLER-SIMCA carret. N V km 115.5 🕿 80 06 00

CITROEN carret. N V km 118 🕿 80 11 54
RENAULT carret. San Román km 64 🕿 80 29 16
SEAT-FIAT carret. N V km 116 🕿 00 07 00

TAMARINDA (Urbanización) Baleares – 🏨 ver Baleares (Menorca) : Ciudadela.

TAMARIU Gerona 43 ⑩ – 🏨, 🏠 ver Palafrugell.

TAO Las Palmas – ⅩⅩ ver Canarias (Lanzarote).

TARAJALEJO Las Palmas – 🏨 ver Canarias (Fuerteventura).

TARANCÓN Cuenca 990 ㉘ – 8 238 h. alt. 806.
Madrid 83 – Cuenca 82 – **Valencia 267.**

- 🏠 Sur, carret. de circunvalación 🕿 268 – Ⅲ ☞ 👛wc 🛏wc ☎ ❶
  33 hab.

- ⅩⅩ Cruce, carret. de circunvalación 🕿 309 – ❶.

- Ⅹ Mesón del Cantarero, carret. de circunvalación 🕿 533 – ❶.

CHRYSLER-SIMCA carret. Valencia km 82 🕿 649
CITROEN carret. Valencia km 81 🕿 166

FIAT-SEAT carret. Valencia km 81 🕿 541
RENAULT carret. Valencia km 83 🕿 855

TARAZONA Zaragoza 990 ⑦ – 11 745 h. alt. 480.
Ver : Catedral* (capilla*, claustro*).
Madrid 298 – Pamplona 117 – Soria 69 – Zaragoza 89.

- 🏠 Brujas de Bécquer Ⓜ, carret. de Zaragoza SE : 1 km 🕿 554 – |≋| Ⅲ ▤ rest 👛wc 🛏wc ☎ – ❶
  60 hab.

- Ⅹ **Angelillo,** pl. San Francisco 1 🕿 152 – ⚘
  Com carta 130 a 310.

CITROEN carret. Zaragoza 🕿 232
RENAULT av. Navarra 7 🕿 209

SEAT carret. Zaragoza 🕿 784

TARIFA Cádiz 990 ㉝ – 15 833 h. – ❀ 956.
Ver : Castillo de Guzmán el Bueno ⩻*.
Madrid 719 – Algeciras 22 – **Cádiz 99.**

  en la carretera de Cádiz :

- 🏨 **Balcón de España** ⟋, NO : 8 km ✉ apartado 57 🕿 68 43 26 Tarifa, ⩻ mar, ≾ – ☞ 👛wc
  ☎ ❶
  25 abril-octubre – Com 290 – ⊒ 55 – 38 bungalows 350/490 – P 670/775.

- 🏠 **Dos Mares** ⟋, NO : 6 km ✉ apartado 80 🕿 68 41 17 Tarifa, ⩻ playa, ⥹ – ☞ 👛wc ❶
  abril-octubre – Com 200 – ⊒ 45 – **19 hab** 300/400 – P 550/650.

  en la carretera de Málaga NE : 11 km :

- 🏨 **Mesón de Sancho,** ✉ apartado 25 🕿 68 49 00 Tarifa, ⩻ montaña, Con 7 bungalows en
  un bosque de alcornoques, ⅩⅩ, ≾, plaza de toros particular – Ⅲ ☞ 👛wc 🛏wc ☎ ❶.
  ⚘ rest
  Com 250/300 – ⊒ 50 – **50 hab** 480/600 – P 800/980.

TARRAGONA ℗ 990 ⑲, 43 ⑯ – 78 238 h. alt. 49 – Playa – Plaza de toros – ❀ 977.
Ver : Epoca romana : Museo Arqueológico** (cabeza de Medusa**), paseo Arqueológico*,
necrópolis paleocristiana (sarcófago de los leones*) – Epoca medieval : Catedral* (retablo
mayor**), claustro*. Alred. : Acueducto de las Ferreras* 4 km por ④ y 30 mn a pie – Mausoleo
de Centcelles* (mosaicos*) NO : 5 km por Constantí.

🚢 para Canarias : Cⁱᵃ Aucona, Real 24 🕿 21 11 04, Telex 56428 AY.

M.I.T. rambla del Generalísimo 50 🕿 20 18 59.

Madrid 563 ④ – Barcelona 109 ④ – Castellón de la Plana 189 ⑤ – **Lérida 93** ④ – Sabadell 107 ④.

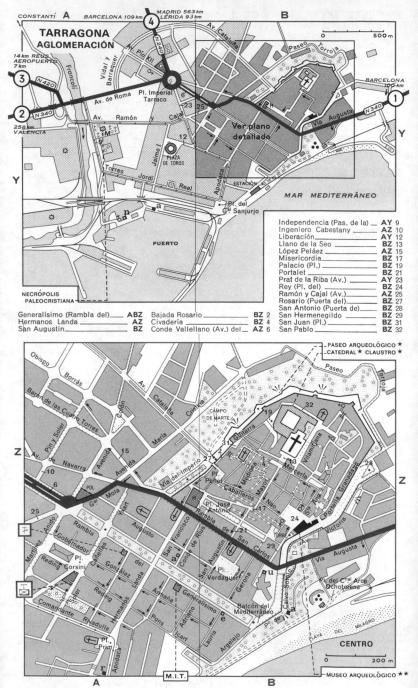

CONSTANTÍ A BARCELONA 109 km MADRID 563 km LÉRIDA 93 km B

TARRAGONA
AGLOMERACIÓN

14 km REUS
AEROPUERTO 7 km N 420 ③

258 km N 340 ②
VALENCIA

BARCELONA 100 km ①

Francolí
Av. de Roma
Pl. Imperial Tarraco
Av. Ramón y Cajal
Pío XII
Vidal y Barraquer

Ver plano
detallado

PLAZA
DE TOROS

Torres Jordi
Real
Apodaca
ESTACIÓN

Pl. del G.ª Sanjurjo

MAR MEDITERRÁNEO

PUERTO

NECRÓPOLIS
PALEOCRISTIANA

Independencia (Pas. de la)	AY	9
Ingeniero Cabestany	AZ	10
Liberación	AY	12
Llano de la Seo	BZ	13
López Peláez	AZ	15
Misericordia	BZ	17
Palacio (Pl.)	BZ	19
Portalet	BZ	21
Prat de la Riba (Av.)	AY	23
Rey (Pl. del)	BZ	24
Ramón y Cajal (Av.)	AZ	25
Rosario (Puerta del)	BZ	27
San Antonio (Puerta de)	BZ	28
San Hermenegildo	BZ	29
San Juan (Pl.)	BZ	31
San Pablo	BZ	32

Generalísimo (Rambla del)	ABZ	Bajada Rosario	BZ 2
Hermanos Landa	AZ	Civadería	BZ 4
San Augustín	BZ	Conde Vallellano (Av.) del	AZ 6

PASEO ARQUEOLÓGICO ★
CATEDRAL ★ CLAUSTRO ★

Obispo
Borrás
Barón de las Cuatro Torres
Colón
Av. Cataluña
Cristina
CAMPO DE MARTE
Paseo
Torola

Z

Av. de Navarra
G.ª Mola
POL
Gobernador
Rambla
Augusto
Pl. González
Reding Corsini
Smith
Reding
Comandante Rivadulla
Pons
Hermanos
Pl. Prim.
Apodaca

María
Avenida
Vía del Imperio
Pl. Pallol
Pl. Caballeros
Pl. José Antonio
San Francisco
Conde de Rius
Rambla de San Carlos
San Augustín
Gerona
Pl. Verdaguer
Generalísimo
Adriano
Lauria
Icart
Argelejo
Balcón del Mediterráneo

Granada
Mercería
Mayor
Nao
Victoria
Vía Augusta
Pk del C.ial Arce Ochotorena
PLAYA DEL MILAGRO

CENTRO

M.I.T.

MUSEO ARQUEOLÓGICO ★★

276

🏨 **Imperial Tarraco,** Rambla San Carlos 2 ℱ 20 30 40, Telex 56441, ≼ mar, ﹪, ⌁ – BZ **u**
⊟ ⇐ 🅿. ﹪
Com 330 – 🍽 80 – **170 hab** 650/1 100 – P 1 140/1 240.

🏨 **Lauria,** rambla Generalísimo 20 ℱ 20 37 40, ⌁ – ⊟ rest. ﹪ BZ **e**
Com 275 – 🍽 65 – **72 hab** 450/675 – P 860/972.

🏠 **Internacional,** Conde de Rius 17 ℱ 20 14 46 – 🏢 🕾. ﹪ rest AZ **a**
cerrado diciembre al 15 enero – Com 165 – 🍽 45 – 25 hab 130/240 – P 410/420.

XXX Roger de Lauria, 1° piso, rambla Generalísimo 20 ℱ 20 38 61 – ⊟. BZ **e**

XX Club Náutico, Puerto ℱ 21 00 62, ≼ puerto – ⊟ 🅿. AY **a**

XX **Las Palmeras,** parque del Milagro ℱ 20 32 04, ≼ mar BZ **a**
cerrado enero – Com carta 510 a 800.

XX Els Arcs, Cartagena 1 ℱ 21 10 71, Decoración rústica. AZ **r**

X **La Puda,** muelle Pescadores 25 ℱ 21 15 11, ≼ puerto, Pescados y mariscos – ﹪ AY **n**
Com carta 265 a 436.

en la carretera de Barcelona por ① – ✉ ℱ Tarragona :

🏨 **Astari,** vía Augusta 95 por ① : 0,5 km ℱ 20 38 40, ≼ mar, ⌁ – 🛗 ➾wc 🏢wc 🕾 ⇐ 🅿.
﹪ rest
abril-octubre – Com 160 – 🍽 45 – 83 hab 300/500 – P 550/600.

🏨 **Nuria,** vía Augusta 217 por ① : 1,8 km ℱ 20 28 40 – 🛗 🏢 🕾 ➾wc 🏢wc 🕾 ⇐ 🅿.
﹪ rest
15 marzo-15 noviembre – Com 190 – 🍽 45 – 61 hab 225/335 – P 490/545.

XX **Sol Ric,** vía Augusta 227 por : ① 1,9 km ℱ 20 32 01, « Terraza con arbolado » – ⊟ 🅿. ﹪
cerrado 7 enero al 7 febrero – Com carta 315 a 625.

X **Mesón del Mar,** playa Larga por ① : 4 km ℱ 20 71 44, ≼ mar – 🕾 🏢wc 🅿. ﹪
cerrado lunes, martes y miércoles en enero y febrero – Com carta 320 a 390.

X **Anterman** con hab, vía Augusta 221 por ① : 1,8 km ℱ 20 36 15 – 🏢 🏢wc 🅿
cerrado diciembre – Com carta 180 a 280 – 🍽 45 – 6 hab 130/260 – P 430.

AUSTIN-MG-MORRIS-MINI Hernández Sanahuja 15 FIAT-SEAT Padre Palau 8 ℱ 21 13 29
ℱ 20 59 08 FIAT-SEAT Conde Vallellano 12 ℱ 21 22 17
CHRYSLER-SIMCA Rámon y Cajal 40 ℱ 21 23 82 FORD Liberación 14 ℱ 21 12 09
CITROEN camino viejo de Rabasada 2 ℱ 20 21 36 RENAULT carret. de Valencia km 248 ℱ 20 24 17

TARRASA Barcelona 🔢 🌀, 🔢 ⑦ – 138 697 h. alt. 277 – ✪ 93.
Ver : Ciudad de Egara★★ (iglesia de Santa María : retablos de San Abdón y San Senen★★) –
Museo Textil★.
Madrid 615 – Barcelona 27 – Lérida 145 – Manresa 40.

XX **Hostal del Fum,** carret. de Moncada 19 ℱ 298 57 79 – ⊟ 🅿. ﹪
cerrado lunes y 18 julio al 8 agosto – Com carta 280 a 525.

AUSTIN-MG-MORRIS-MINI carret. Tarrasa - Sabadell FORD carret. Tarrasa - Sabadell (grupos de Montserrat)
(grupos de Montserrat) ℱ 297 15 08 ℱ 297 52 53
CHRYSLER-SIMCA carret. Moncada 475 ℱ 297 52 02 PEUGEOT av. Padre Alegre 56-62 ℱ 298 48 90
CITROEN Martínez Anido 88 ℱ 297 20 26 RENAULT carret. Moncada 202 ℱ 297 12 07
FIAT-SEAT Cervantes 83-85 ℱ 298 23 62

TENERIFE Santa Cruz de Tenerife – Ver Canarias.

TERRENO Baleares 🔢 🌀 – 🏨, 🏨, XXX, XX ver Baleares (Mallorca) : Palma de Mallorca.

TERUEL 🅿 🔢 ⑦ – 21 638 h. alt. 916 – Plaza de toros – ✪ 974.
Ver : Emplazamiento★ – Torres mudéjares★ – Catedral (techo artesonado★).
M.I.T. Tomás Nougues 1 ℱ 60 22 79.
Madrid 303 – Albacete 225 – Cuenca 144 – Lérida 326 – Valencia 145 – Zaragoza 182.

🏨 **Civera,** av. de Sagunto 23 ℱ 60 23 00 – 🛗 🏢 ➾wc 🏢wc 🕾 🅿. ﹪
Com 200 – 🍽 50 – 45 hab 185/320 – P 480/505

🏠 **Goya** sin rest, Tomás Nougues 4 ℱ 60 14 50 – 🛗 🏢 ➾wc 🕾 🅿. ﹪
🍽 40 – **25 hab** 180/370.

X **Goya,** en sótano, Ramón y Cajal 4 ℱ 60 10 01 – ﹪
Com carta 175 a 495.

en la carretera N 234 NO : 2 km – ✉ ℱ Teruel :

🏨 **Parador M.I.T.,** ℱ 60 18 00 – ⇐ 🅿. ﹪ rest
Com 280 – 🍽 60 – **40 hab** 395/530 – P 545/675.

AUSTIN-MG-MORRIS-MINI av. de Sagunto 15 ℱ CITROEN carret. de Alcañiz ℱ 60 16 80
60 10 61 FIAT-SEAT paseo Estación 2 ℱ 60 23 06
CHRYSLER-SIMCA av. de Sagunto 38 ℱ 60 18 46 RENAULT Polígono La Paz ℱ 60 13 50

☞ *Im Frühjahr 1976 wird dieser Hotelführer veraltet sein.*
Kaufen Sie sich daher die neue Ausgabe.

11 277

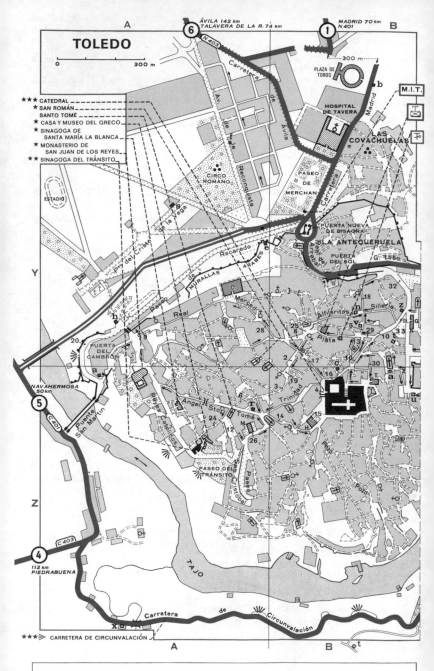

TOLEDO

0   300 m

★★★ CATEDRAL
★ SAN ROMÁN
SANTO TOMÉ
★ CASA Y MUSEO DEL GRECO
★ SINAGOGA DE
SANTA MARÍA LA BLANCA
★ MONASTERIO DE
SAN JUAN DE LOS REYES
★★ SINAGOGA DEL TRÁNSITO

ESTADIO

CIRCO
ROMANO

PLAZA DE
TOROS

M.I.T.

HOSPITAL
DE TAVERA

LAS COVACHUELAS

PASEO
DE
MERCHAN

PUERTA NUEVA
DE BISAGRA

LA ANTEQUERUELA

PUERTA
DEL SOL

NAVAHERMOSA
50 km

PUERTA
DEL
CAMBRÓN

PUERTA
DEL CRISTO

MURALLAS
ÁRABES

Paseo de Recaredo

Paseo de la Vega

Paseo Real

Merced

Alfileritos

Sillería

Plata

Reyes Católicos

Angel

Sto. Tomé

Trinidad

PASEO DEL
TRÁNSITO

Puente San Martín

C 401

TAJO

C 403

112 km
PIEDRABUENA

★★★≫ CARRETERA DE CIRCUNVALACIÓN

Ne voyagez pas aujourd'hui avec une carte d'hier.

TIBIDABO Barcelona 🔟🔟🔟 ⑲⑳, 🔢 ⑰⑱ – 🏨, ✕ con hab, ver Barcelona.

EL TIEMBLO Ávila 🔟🔟🔟 ⑮ – 3 732 h. alt. 680.

Alred.: Embalse de Burguillo* NO : 7 km.

Madrid 77 – Ávila 50.

en la carretera de Ávila NO : 7 km – ☒ ⌖ El Tiemblo :

🏨 **Mesón del Alberche** ⟆, ⌖ 23, « Agradable terraza con arbolado a la orilla del lago, ≤ montaña » – ▥ ⌘ ➿wc ☎ 🄿. ✻ *junio-septiembre* – Com 240 – ☷ 60 – **17 hab** 400/600 – P 750/850.

RENAULT San Sebastián ⌖ 73

TOJA (Isla de la) Pontevedra 🔟🔟🔟 ①② – Playa – ☻ 986 – ⌗.

Ver : Paraje** – Carretera* de la Toja a Canelas.

Madrid 650 – Pontevedra 33 – Santiago de Compostela 73,

🏨🏨 **Gran Hotel** ⟆, ⌖ 73 00 25 El Grove, « Imponente edificio, magnífica situación en un verde paraje con ≤ ría de Arosa », ✻, ☴ climatizada, ⌗ – ➿ 🄿. ✻ Com 650 – ☷ 100 – **195 hab** 1 300/1 900 – P 2 050/2 400.

🏨 **Louxo** ▥ ⟆, sin rest, con snack-bar, ⌖ 73 02 00 El Grove, « Magnífica situación en un verde paraje », ≤ ría de Arosa, ✻, ☴, ⌗ – ➿ 🄿. ✻ *15 junio-septiembre* – ☷ 75 – **96 hab** 490/975.

🏨 **Balneario** ⟆, sin rest, ⌖ 73 01 50 El Grove, « Magnífica situación en un verde paraje con ≤ ría de Arosa », ✻, ☴, ⌗ – ⌘ ➿wc ▥wc ☎ ➿ 🄿. ✻ *28 junio-agosto* – ☷ 50 – **43 hab** 310/540.

✕✕ **La Toja,** ⌖ 73 02 00 El Grove, ≤ ría de Arosa – 🄿. ✻ *28 junio-agosto* – Com carta 390 aprox.

TOLEDO 🄿 🔟🔟🔟 ㉕ – 44 382 h. alt. 529 – Plaza de toros – ☻ 925.

Ver : Emplazamiento*** – Catedral*** : Coro (sillería***), Capilla mayor (retablo**), tesoro (custodia**), sala capitular (artesonado mudéjar*), sacristía (cuadros del Greco*) – Sinagoga del Tránsito** (decoración mudéjar**) – Museo de Santa Cruz** (fachada*, colección de pintura de los siglos XVI y XVII*, 22 cuadros del Greco*, primitivos*, retablo de la Asunción*, patio plateresco*) – Hospital de Tavera* (residencia*, Bautismo de Cristo*) BY – Monasterio de San Juan de los Reyes* (iglesia : decoración escultórica*) – Casa y museo del Greco* – Sinagoga de Santa María la Blanca** – Iglesia de San Román* – Iglesia de Santo Tomé (cuadro del Greco : El Entierro del Conde de Orgaz***).

M.I.T. Puerta de Bisagra ⌖ 22 08 43.

Madrid 70 ① – Ávila 142 ⑥ – Ciudad Real 116 ③ – Talavera de la Reina 74 ⑥.

Intramuros :

🏨 **Alfonso VI** ▥ sin rest, General Moscardó 2 ⌖ 22 26 00 – 📶 ▤ ⌘ ➿wc ☎. ✻   BZ **u** ☷ 65 – **65 hab** 410/700.

🏨 **Carlos V,** pl. Horno Magdalena 1 ⌖ 22 21 00 – 📶 ▥ ⌘ ➿wc ☎   BZ **a** Com 230 – ☷ 65 – **55 hab** 420/690 – P 715/790.

🏨 **Maravilla,** Barrio Rey 7 ⌖ 22 33 00 – 📶 ▥ ▤ rest ⌘ ➿wc ▥wc   BY **t** Com 220 – ☷ 50 – 20 hab 225/490 – P 675/695.

🏨 **Tres Carabelas** sin rest y sin ☷, pl. San Nicolás 1 ⌖ 22 16 00 – ▥ ⌘ ➿wc ▥wc ☎   BY **n** *cerrado 15 diciembre al 15 enero* – **21 hab** 175/350.

🏨 **Imperio** sin rest, Cadenas 7 ⌖ 22 76 50 – ▥ ➿wc ▥wc ☎   BY **v** ☷ 45 – **19 hab** 165/310.

sigue →

TOLEDO

XX **Túbal,** 1º piso, con snack-bar, Armas 1 ☎ 22 46 66 – 🍽. ❊   BY z
Com carta 325 a 460.

X **Plácido,** Santo Tomé 6 ☎ 22 26 03   AZ r
Com carta 175 a 290.

X **Casa Aurelio,** Sinagoga 6 ☎ 22 20 97 – 🍽. ❊   BYZ c
cerrado noviembre y miércoles – Com carta 175 a 360.

Extramuros :

🏛 **Parador del Conde de Orgaz M.I.T.** ⬙, cerro del Emperador ☎ 22 18 50, « Construcción de estilo regional », ⬱ Tajo y ciudad – 🍽 🅟. ❊ rest   BZ t
Com 315 – ⊑ 65 – **22 hab** 435/760 – P 695/750.

🏠 **Los Cigarrales,** carret. de circunvalación 12 ☎ 22 00 53, ⬱ Tajo y ciudad – 🕮 🍴 🛏wc
🛏wc 🅟. ❊   AZ x
Com 185 – ⊑ 35 – 20 hab 125/320 – P 455/490.

XXX **Hostal del Cardenal** con hab, paseo Recaredo 24 ☎ 22 49 00, « Instalado en la antigua
residencia del Cardenal Lorenzana, jardín con arbolado » – 🕮 🍽 rest 🍴 🛏wc 🅿 🅟   AY e
Com carta 320 a 575 – ⊑ 70 – **27 hab** 400/700.

XXX **Chirón,** paseo Recaredo 1 - frente a Puerta de Cambrón ☎ 22 01 50, ⬱ Tajo y valle –
🍽 🅟   AY h
Com carta 315 a 550.

XXX **Mesón de la Ronda,** Bajada de San Martín 2 ☎ 22 18 44 – 🍽 🅟. ❊   AZ a
Com carta 340 a 450.

XX **Venta de Aires,** Circo Romano 25 ☎ 22 05 45, « Amplia terraza con arbolado » – 🍽 🅟
Com carta 445 a 615.   AY s

XX **Venta El Greco,** Circo Romano 23 ☎ 22 20 56, Decoración castellana   AY s
cerrado 22 diciembre al 16 enero – Com carta 320 a 480.

XX Hostal de Castilla, Marqués de Mendigorría 4 ☎ 22 08 42 – 🍽 🅟.   BY b

X **Trocadero,** av. de la Reconquista 10 ☎ 22 00 02   AY f
cerrado 16 enero al 28 febrero – Com carta 195 a 335.

X **La Cubana,** paseo de la Rosa 2 ☎ 22 00 88, Decoración típica – 🅟   CY r
Com carta 160 a 290.

en la carretera de Piedrabuena por ④ – ✉ ☎ Toledo :

🏛 **La Almazara** ⬙ sin rest, por ④ : 3,5 km ✉ apartado 6 ☎ 22 38 66 – 🕮 🍽 🛏wc 🅿 🅟.
❊
20 marzo-octubre – ⊑ 45 – **20 hab** 275/450.

🏠 **Monte-Rey** ⬙, por ④ : 3 km ☎ 22 69 50, ⬱ valle del Tajo y Toledo – 🕮 🛏wc 🅿 🅟. ❊
Com 250 – ⊑ 50 – 19 hab 350/500 – P 800/900.

AUSTIN-MG-MORRIS-MINI carret. N 401 km 63,2
☎ 65 Olias del Rey
AUSTIN-MG-MORRIS-MINI carret. Madrid 40 ☎
22 07 00
CHRYSLER-SIMCA carret. N 401 km 66,6

CITROEN Marqués de Ahumada ☎ 22 08 46
FIAT-SEAT Cervantes 5 ☎ 22 13 24
RENAULT N 401 km 64 ☎ 22 30 60 Olias del Rey
SEAT av. General Villalba 8 ☎ 22 57 00

TOLOSA Guipúzcoa 🅆🅆🅆 ⑥⑦, 🅸🅸 ④⑤ – 18 766 h. alt. 77 – Plaza de toros – 🛆 943.
Madrid 445 – Pamplona 65 – San Sebastián 27 – Vitoria 89.

XX Mesón Idiaquez, pl. Idiaquez 1 ☎ 66 14 66, « Casa señorial del Siglo XVI » – 🍽.

X **Venta Aundi,** carret. N I - S : 1,5 km ☎ 65 18 39 – 🅟
Com carta 240 a 440.

AUSTIN-MG-MORRIS-MINI paseo Belate 8 ☎ 65 10 11
CHRYSLER-SIMCA carret. N 1 ☎ 65 17 75
CITROEN carret. N 1 km 442 - Barrio Andeta ☎ 66 19 33

RENAULT carret. N 1 km 442 - Barrio Andeta ☎
66 18 43
SEAT barrio San Esteban ☎ 66 19 38

TONA Barcelona 🅆🅆🅆 ㉚, 🅸🅸 ⑧ – 4 383 h. alt. 600 – 🛆 93.
Alred. : Carretera★ de Tona a San Celoni por el Norte – Itinerario★ de Tona a San Celoni por el Sur.
Madrid 628 – Barcelona 55 – Manresa 42.

🏛 **4 Carreteras,** carret. de Barcelona ☎ 887 04 00 – 🕮 🍽 🍴 🛏wc 🅿 ⬱ 🅟. ❊
Com 210 bc – ⊑ 50 – 22 hab 230/400 – P 555/585.

🏠 **Prat,** Antonio Bayés 45 ☎ 887 00 18 – 🕮 🍴 🛏wc 🛏wc 🅟. ❊
15 junio-15 septiembre – Com 170 – ⊑ 50 – **34 hab** 140/320 – P 490/510.

X Ferrería, carret. de Vich ☎ 62, Interior rústico catalán – 🅟.

SEAT Dr Bayés 21 ☎ 887 05 60

*Los nombres de las principales calles comerciales están indicados en rojo
al principio del repertorio de calles de los planos de ciudades.*

*Les noms des principales rues commerçantes sont inscrits en rouge
au début de la légende des plans de villes.*

TORDESILLAS Valladolid 990 ⑭ – 6 604 h. alt. 702.

Ver : Monasterio de Santa Clara* (artesonado**, patio*).

Madrid 182 – Ávila 105 – Benavente 78 – León 131 – Salamanca 83 – Segovia 118 – Valladolid 30 – Zamora 66.

en la carretera de Valladolid E : 5 km :

🏨 **El Montico** Ⓜ ॐ, ✉ apartado 12 ☎ 223 Tordesillas, « Al lindero de un pinar », ℀, ⌇ –
🚗 🅟. ☆ rest
Com 300 – ⌷ 65 – **34 hab** 410/575 – P 837/960.

AUSTIN-MG-MORRIS-MINI carret. N VI km 182 ☎ 391   RENAULT carret. N VI km 182 ☎ 261
CHRYSLER-SIMCA carret. N VI km 182 ☎ 221   SEAT camino de San Vicente ☎ 151
CITROEN Calvo Sotelo ☎ 95   SEAT-FIAT N 620 km 151 ☎ 434

TORLA Huesca 990 ⑧, 43 ③ – 287 h. alt. 1 113.

Ver : Paisaje**. **Alred. :** Parque Nacional de Ordesa*** NE : 8 km.

Madrid 489 – Huesca 92 – Jaca 54.

🏨 Ordesa ॐ, N : 1,5 km ☎ 12, ≼ alta montaña, ⌇ – 🅟
temp. – **63 hab.**

🏠 **Edelweiss** ॐ, av. de Ordesa 1 ☎ 21, ≼ valle y alta montaña – ▥ ⌁wc ▥wc 🅟. ☆ rest
15 mayo-septiembre – Com 200 – ⌷ 50 – 33 hab 175/325 – P 513/525.

🏠 **Bella Vista** ॐ, av. Ordesa 6 ☎ 2, ≼ valle y alta montaña – ▥wc 🅟. ☆
abril-15 octubre – Com 175/225 – ⌷ 40 – 22 hab 125/300.

TORO Zamora 990 ⑭ – 9 768 h. alt. 745 – Plaza de toros – ✪ 988.

Ver : Colegiata* (portada occidental**).

Madrid 215 – Salamanca 65 – Valladolid 63 – Zamora 33.

🏨 **Juan II** ॐ, paseo del Espolón 1 ☎ 69 03 00, « Terraza con ≼ vega del Duero », ⌇ –
🛗 ▥ ⌁ ⌁wc ▥wc 🚗. ☆ rest
Com 150 – ⌷ 50 – **42 hab** 290/510.

CHRYSLER-SIMCA Luis Rodríguez de Miguel 18 ☎ 69 06 49   SEAT Luis Rodríguez de Miguel 22-30 ☎ 69 01 24

Além dos estabelecimentos classificados com
℀℀℀℀℀ ... ℀,
há vários hotéis
que possuem um bom restaurante.

TORREBLANCA Málaga – 🏨, ℀℀, ℀ ver Fuengirola.

TORRECABALLEROS Segovia.

Madrid 103 – Segovia 10.

℀ **Mesón de los Caballeros,** carret. N 110 ☎ 2 – 🅟
Com carta 255 a 370.

TORRE DEL MAR Málaga 990 ㊱ – ✪ 952.

Madrid 577 – Almería 188 – Granada 145 – Málaga 31.

℀ **El Jardín,** Antillas 8, playa ☎ 54 06 36
cerrado noviembre y jueves en invierno – Com carta 260 a 700.

en Benajarafe O : 8 km – ✉ Benajarafe ☎ Torre del Mar :

🏨 **Los Laureles,** carret. N 340 ☎ 51 33 00, ≼ mar, ℀℀, ⌇ climatizada – 🚗 🅟. ☆ rest
Com 245 – ⌷ 45 – **57 hab** 640/800 – P 810/1 050.

CITROEN carret. N 340 ☎ 68   FIAT-SEAT carret. N 340 km 275,5 ☎ 141

TORREDEMBARRA Tarragona 990 ⑲, 43 ⑯ – 3 753 h.

Madrid 576 – Barcelona 92 – Lérida 106 – Tarragona 12.

🏨 **Morros** sin rest, Pérez Galdós 8 ☎ 122 – 🛗 ▥ ⌁ ⌁wc 🚗
⌷ 65 – **52 hab** 355/600.

🏨 **Costa Fina** ॐ, av. Montserrat ☎ 71 – 🛗 ⌁ ⌁wc ▥wc 🚗 🚗. ☆
10 mayo-septiembre – Com 210 – ⌷ 55 – 48 hab 281/414 – P 592/666.

🏠 **Líder,** carret. N 340 ☎ 64 00 50 – ⌁ ⌁wc ▥wc 🚗 🚗. ☆ rest
20 mayo-25 septiembre – Com 175 – ⌷ 55 – 66 hab 180/325 – P 490/505.

℀℀ Le Brussels, Antonio Roig 60 ☎ 346
temp.

℀ Casa Morros, paseo Colón 38 ☎ 41, ≼ playa, Pescados y mariscos.

℀ **Torredembarra** con hab, carret. de Barcelona ☎ 63 – ⌁wc ▥ 🅟
Com carta 200 a 480 – ⌷ 40 – **12 hab** 320 – P 460.

281

TORRELAVEGA Santander 𝟿𝟿𝟶 ⑤, 𝟺𝟸 ① – 42 945 h. alt. 23 – ❊ 942.

Alred. : Cueva prehistórica de Altamira★★ (techo★★) NO : 11 km.

Madrid 383 – Bilbao 121 – Oviedo 178 – Santander 27.

- ⛫ **Saja** sin rest, Alcade del Río ☏ 89 27 50 – ✖
  ⌂ 50 – **45 hab** 300/500.

- ⛫ **Regio,** 1º piso, sin rest, José María Pereda 34 ☏ 88 15 05 – 🛗 ⫿ 🕾 🚳wc 🛁wc ☎. ✖
  ⌂ 40 – **24 hab** 220/380.

- ⛫ **Besaya,** 1º piso, sin rest, Pablo Garnica 5 ☏ 89 17 00 – 🛗 ⫿ 🕾 🚳wc ☎. ✖
  ⌂ 40 – **18 hab** 200/360.

- ✖✖ **Regio,** José María Pereda 34 ☏ 89 00 33 – 🍽. ✖
  Com carta 285 a 535.

- ✖ Saja, José María Pereda 41 ☏ 88 30 51.

AUSTIN-MG-MORRIS-MINI Juan XXIII-13 ☏ 88 24 72
CHRYSLER-SIMCA paseo del Norte ☏ 88 16 30
FIAT Joaquín Cayón-paso a nivel ☏ 88 11 33

RENAULT Ceferino Calderón 77 ☏ 88 22 16
SEAT av. de Oviedo 5 ☏ 88 17 15

TORRELODONES Madrid 𝟿𝟿𝟶 ⑮ y ㉙ – 1 836 h. alt. 845 – ❊ 91.

Madrid 30 – El Escorial 21.

en la colonia de Torrelodones NO : 2,5 km :

- ⛫ **Peña Grande** ✎, av. del Rosario 21 ⊠ colonia de Torrelodones ☏ 859 02 67 Madrid,
  Jardín con arbolado, ⫶ – ⫿ 🕾 🚳wc ☎. ✖
  Com 200 – ⌂ 50 – 24 **hab** 175/450 – P 600/625.

TORREMOLINOS Málaga 𝟿𝟿𝟶 ㉞ – alt. 40 – Playa – ❊ 952.

📑 Club de Campo de Málaga por ① : 5,5 km.

M.I.T. bajos de la Nogalera 517 ☏ 38 15 78.

Madrid 572 ① – Algeciras 125 ② – Málaga 14 ①.

- ⛫ Cervantes Ⓜ, Las Mercedes ☏ 38 33 95, Telex 77154, ⫷ mar, ⫶ climatizada – 🍽 ⟵ ☎. ⛫ 398 hab. Y **k**

- ⛫ **Don Pablo,** paseo Marítimo ☏ 38 38 88, Telex 77252, ⫷ playa y mar, ✖, ⫶ climatizada – 🍽 ☎. ⛫
  Com 275 – **401 hab** 600/900 – P 900/1 050. Y **s**

- ⛫ **El Griego,** av. Imperial ☏ 38 54 55, Telex 77176, ⫶ – 🍽 rest ☎. ✖
  Com 250 – ⌂ 60 – **238 hab** 420/620 – P 785/895. Y **g**

- ⛫ **Don Pedro,** av. del Lido ☏ 38 68 44, ✖, ⫶ climatizada – ☎. ✖ rest
  Com 220 – **272 hab** 450/650 – P 600/725. Y **p**

- ⛫ **Torrevigía 2 y Rest. Taberna Roja,** Cauce 6 ☏ 38 42 33, ⫶ – 🍽. ✖
  Com carta 520 a 710 – ⌂ 75 – **42 hab** 690/1 000 – P 1 075/1 265. Y **d**

- ⛫ **Alta Vista,** María Barrabino ☏ 38 76 00 – ✖
  Com 220 – ⌂ 50 – **106 hab** 280/440 – P 590/650. Y **e**

- ⛫ **Isabel,** paseo Marítimo ☏ 38 17 44, ⫷ playa, ⫶ – 🍽 ☎. ✖ Y **h**
  cerrado 16 noviembre al 19 diciembre – Com 240 – ⌂ 60 – **40 hab** 425/600 – P 760/885.

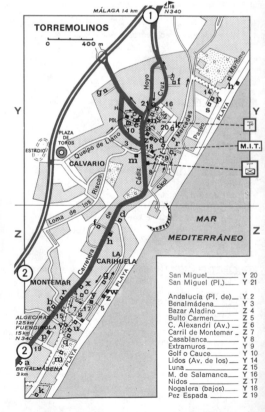

San Miguel	Y 20
San Miguel (Pl.)	Y 21
Andalucía (Pl. de)	Y 2
Benalmádena	Y 3
Bazar Aladino	Z 4
Bulto Carmen	Z 5
C. Alexandri (Av.)	Z 6
Carril de Montemar	Z 7
Casablanca	Y 8
Extramuros	Y 9
Golf o Cauce	Y 10
Lidos (Av. de los)	Y 14
Luna	Z 15
M. de Salamanca	Y 16
Nidos	Z 17
Nogalera (bajos)	Y 18
Pez Espada	Z 19

🏨 El Pozo, sin rest, Casablanca ☎ 38 06 02 – |🛗| ▥ ☜ 🛏wc 🛁wc 🅿   Y d
29 hab.

🏨 San Miguel, sin rest, San Miguel 1 ☎ 38 78 66 – |🛗| ▥ ☜ 🛏wc 🅿   Y n
41 hab.

🏨 **Blasón** sin rest, av. de los Manantiales 1 ☎ 38 66 55 – |🛗| ▥ ☜ 🛏wc 🅿   Y e
abril-octubre – ⌑ 50 – **48 hab** 260/450.

🏨 **Panorama,** Mercedes 14 ☎ 38 62 77, ≤ playa, ⌇ – |🛗| ▥ ☜ 🛏wc 🅿 🅟. ⅏ rest   Y r
cerrado enero y febrero – Com 200 – ⌑ 40 – 53 hab 320/470 – P 595/680.

🏠 **Coral** sin rest, Centurión y Córdoba 6 ☎ 38 17 42, ≤ mar, ⌇ – |🛗| ▥ ☜ 🛏 wc ⟺ ⅏   Y f
⌑ 35 – **40 hab** 345.

🏠 Tres Coronas, sin rest, pasaje Pizarro – Edificio Aries ☎ 38 28 21 – |🛗| ▥ ☜ 🛏wc   Y c
70 hab.

🕱🕱 La Chalana, paseo Marítimo ☎ 38 17 44.   ⱡ h

🕱🕱 **Zagora Palace,** carret. de Benalmádena 1 ☎ 38 21 69, Cocina marroquí, « Decoración
arabesca » – ▤ 🅟. ⅏   Y m
cerrado lunes – Com carta 250 a 360.

🕱🕱 Victoria, 1° piso, Doña María Barrabino 4 ☎ 38 76 29 – ▤.   Y e

🕱🕱 **Hong-Kong,** Cauce ☎ 38 41 29, Rest. chino – ▤   Y z
cerrado del 1 al 21 febrero – Com carta 210 a 340.

🕱 **Bodegón,** Cauce 4 ☎ 38 03 21, Rest. francés – ▤. ⅏   Y a
cerrado domingo mediodía, 7 enero al 28 febrero y 11 noviembre al 22 diciembre – Com
carta 230 a 310.

en la carretera de Málaga por ①

✉ ☎ Torremolinos :

🏨🏨 **Torremora,** por ① : 1,8 km ☎ 38 72 33, Telex 77172, « Gran jardín con ⌇ climatizada » –
▤ rest 🅟. ⅏ rest
Com 265 – ⌑ 65 – **105 hab** 515/780 – P 885/945.

🕱🕱 **Parrilla,** urbanización La Colina por ① : 2 km ☎ 38 33 25, ⅍, ⌇ de pago – ⅏
Com carta 275 a 425.

🕱🕱 **Casa París** (Chez Lucien), por ① : 1 km ☎ 38 05 84, Rest. francés – ▤ 🅟
febrero-octubre – Com (cena solamente) carta 445 a 845.

🕱 Frutos, por ① : 3 km ☎ 38 14 50 – 🅟.

junto al golf por ① : 5,5 km :

🏨🏨 **Parador del Golf M.I.T.,** ✉ apartado 324 Málaga ☎ 38 12 55 Torremolinos, ≤ mar,
« Situado junto al campo de golf », ⌇, ⌗ – ▤ 🅟. ⅏ rest
Com 315 – ⌑ 65 – **40 hab** 580/785 – P 708/895.

en la carretera de Cádiz – barrios de La Carihuela y de Montemar – Z – ✉
☎ Torremolinos :

🏨🏨 Meliá Torremolinos, av. de Montemar ☎ 38 05 00, Telex 77060, ≤ jardín y mar, « Gran
jardín tropical », ⅍, ⌇ climatizada – ▤ 🅟. 🏊   Z a
182 hab.

🏨🏨 Al-Andalus, ✉ apartado 63 ☎ 38 12 00, Telex 77100, ≤ mar « Gran jardín », ⌇ – ▤ 🅟.
🏊   Z f
175 hab.

🏨🏨 Carihuela Palace, Carlota Alessandri 29 ☎ 38 02 00, Telex 77124, « Gran jardín con
césped », ⅍, ⌇ – ▤ 🅟. 🏊   Z x
107 hab.

🏨🏨 **Pez Espada** ⅋, av. de Montemar ☎ 38 03 00, Telex 77047, ≤ mar, « Gran jardín con
⌇ climatizada » ⅍ – ▤ 🅟. 🏊. ⅏ rest   Z m
Com 600 – ⌑ 90 – **149 hab** 1 400/1 950 – P 1 950/2 400.

🏨🏨 **Nautilus** ⅋, vía Imperial 17 ☎ 38 52 00, Telex 77032, ≤ mar, ⅍, ⌇, ⌑ – ▤ 🅟. ⅏ rest
Com 425 – ⌑ 90 – **116 hab** 900/1 150 – P 1 525/1 700.   Z k

🏨🏨 **Palomas,** ☎ 38 50 00, ⅍, ⌇ climatizada – ▤ rest 🅟. ⅏   Z d
Com 285 – ⌑ 65 – **298 hab** 498/805 – P 837/925.

🏨🏨 **Amaragua,** Los Nidos ☎ 38 46 33, Telex 77151, ≤ mar, ⅍, ⌇ – 🅟. 🏊. ⅏   Z u
Com 235 – ⌑ 50 – **198 hab** 340/575 – P 705/760.

🏨🏨 **Sidi Lago Rojo,** Miami 1 ☎ 38 76 66, ⌇ climatizada – ▤ 🅟. ⅏ rest   Z g
Com 210 – ⌑ 50 – **144 hab** 400/675 – P 682/745.

🏨🏨 **Tropicana,** Trópico 2 ☎ 38 66 00, Telex 77107, ≤ playa, ⌇ climatizada – ⅏ rest   Z q
Com 375 – **86 hab** 800/1 100 – P 885/1 450.

🏨🏨 San Antonio, La Luna ☎ 38 66 11, ⌇ – ⟺   Z v
80 hab.

sigue →

益 **Nidos** sin rest, Los Nidos ☎ 38 04 00, Telex 77151, ☏, ☒ – ▥ ☞ ☐wc ☎ ❷. ⚹ **Z u**
☲ 50 – **70 hab** 330/530.

益 **Prammelinos**, av. Carlota Alessandri 62 ☎ 38 18 48, « Jardín con arbolado », ☒ – ▨ ▥ **Z r**
☞ ☐wc ⓜwc ☎. ⚹
Com 195 – ☲ 50 – 34 hab 275/400 – P 550/625.

益 Los Arcos, av. Carlota Alessandri 70 ☎ 38 08 22, ☒ – ▨ ▥ ☞ ☐wc ⓜwc ☎ **Z b**
51 hab.

益 **Miami** ⓢ sin rest, Aladino 10 ☎ 38 52 55, ☒ – ▨ ▥ ☞ ☐wc ☎ ❷ **Z c**
☲ 40 – **26 hab** 280/445.

XXX **Siete Mares**, urbanización Eurosol ☎ 38 19 36 – ▤ **Z p**
Com carta 270 a 600.

XX Trocadero, Trocadero ☎ 38 09 97, Decoración rústica. **Z y**

X **Charly's**, av. Carlota Alessandri 9 ☎ 38 20 19 – ⚹ **Z h**
Com carta 345 a 500.

X **Portofino** (Casa Marco),
Playa Montemar ☎ 38 33 32,
≼ playa, Pescados y mariscos, Terraza instalada en la
playa – ❷ **Z s**
Com carta 370 a 450.

X El Cangrejo, Bulto 25 ☎
38 04 79, ≼ mar. **Z z**

X Casa Prudencio, Carmen 43
☎ 38 14 52, ≼ mar. **Z w**

en Benalmádena Costa –
Z – ☒ Benalmádena Costa ☎
Málaga :

益益 **Tritón**, por ② : 3,7 km ☎ 85
11 75, Telex 77061, ≼ mar,
« Gran jardín tropical », ☏,
☒ climatizada – ▤ ☎ ❷.
瘟. ⚹ rest
Com 525 – ☲ 110 – **196 hab** 1 310/2 020 – P 1 850/2 150.

益益 **Riviera**, av. Doña Carlota Tettamanzy por ② : 4 km ☎ 85 12 40, Telex 77041, ≼ mar,
« Terrazas escalonadas hasta la playa », ☏, ☒ climatizada – ▤ ❷. ⚹ rest
Com 400 – ☲ 75 – **190 hab** 1 415/1 590 – P 2 155/2 330.

益益 **Alay** Ⓜ, por ② : 3,5 km ☎ 85 14 40, Telex 77034, ≼ mar, ☒ climatizada – ▤ ❷.瘟. ⚹
Com 300 – ☲ 75 – **265 hab** 725/1 020 – P 990/1 275.

益益 **Aparthotel Uto-Ring Torremar**, por ② : 3,5 km ☎ 85 13 82, Telex 77142, ≼ mar, ☒ –
▤ ❷. ⚹ rest
Com 300 – ☲ 50 – **171 hab** 1 135 – P 1 785.

益益 **Maite 2 y Maite 3**, por ② : 5 km ☎ 85 18 40, Telex 77253, ≼ mar, ☒ – ▤ ❷. ⚹
Com 225 – ☲ 50 – **542 hab** 660/900 – P 725/830.

益益 **Los Patos** ⓢ, por ② : 5,3 km ☎ 85 19 90, Telex 77228, ☏, ☒ climatizada – ▤ rest ❷. ⚹
Com 285 – ☲ 65 – **270 hab** 450/695 – P 848/950.

益益 **Siroco** ⓢ, por ② : 3,8 km ☎ 85 10 75, Telex 77135, ≼ mar, « Gran jardín tropical », ☏, ☒
– ❷. ⚹ rest
Com 290 – ☲ 65 – **252 hab** 460/745 – P 835/920.

益 **Roca**, por ② : 4,5 km ☎ 85 17 40, ≼ mar, ☒ – ▨ ▥ ☞ ☐wc ☎ ❷. ⚹ rest
Com 170 – ☲ 50 – **70 hab** 240/385 – P 500/525.

益 **Delfín**, por ② : 3,5 km ☎ 85 16 40, Telex 77004, ☒ – ▨ ▥ ▤ rest ☞ ☐wc ☎ ❷. ⚹ rest
Com 250 – ☲ 45 – **78 hab** 350/550 – P 600/700.

X Torremuelle, por ② : 9 km ☎ 85 11 08, ≼ bahía de Fuengirola – ❷.

en Arroyo de la Miel SO : 5,5 km por la carretera de Benalmádena – ☒ ☎ Benalmádena :

益 **Sol y Miel**, Generalísimo 20 ☎ 85 11 14 – ▨ ▥ ☞ ⓜwc. ⚹ rest
Com 160 – ☲ 45 – 40 hab 160/300 – P 480/490.

AUSTIN-MG-MORRIS-MINI La Nogalera ☎ 38 04 93   SEAT-FIAT Aladino ☎ 38 06 25
CHRYSLER-SIMCA carret. N 340 - 229 ☎ 82 23 36

Les hôtels ou restaurants agréables
sont indiqués dans le guide par un signe rouge.

益益益 ... 益

Aidez-nous en nous signalant les maisons où,
par expérience, vous savez qu'il fait bon vivre.

XXXXX ... X

TORREVIEJA Alicante 990 ⑦ – 9 726 h. – ◉ 965.
🏨 Club Villa Martín SO : 7,5 km.
Madrid 445 – Alicante 50 – Cartagena 59 – Murcia 54.

🏨 **Madrid,** Villa Madrid 15 ☏ 71 13 50 – 🏢 ☎ 🛏wc 🛁wc. 🎇 hab
Com 165 bc – ☲ 50 – 28 hab 150/300 – P 500.

🏨 **La Cibeles,** carret. de Cartagena 10 ☏ 71 00 12 – ☎ 🛏wc 🛁wc. 🎇
Com 150 – ☲ 45 – 16 hab 300 – P 41 5.

XX Club Náutico, av. José Antonio ☏ 71 01 08, ≼ puerto deportivo.

en la carretera de Cartagena :

🏨 **Montepiedra,** S : 11 km ⊠ ☏ 32 03 00 Dehesa de Campoamor, Telex 67138, ⌁ – 🍽 rest
🅿. 🎇
Com 244 bc – ☲ 50 – **64 hab** 529/730 – P 778/942.

XXX **Montepiedra,** S : 11 km ⊠ ☏ 32 00 00 Dehesa de Campoamor, ≼ mar, Decoración castellana – 🍽 🅿. 🎇
Com carta 420 a 520.

XXX **Cabo Roig,** S: 8,5 km ⊠ Torrevieja ☏ 32 02 90 Dehesa de Campoamor,   mar – 🍽 🅿. 🎇
Com carta 375 a 755.

SEAT carret. Alicante-Cartagena ☏ 71 09 41   RENAULT carret. Alicante km 47 ☏ 71 08 43

TORRIJOS Toledo 990 ⑤㉕ y ㊳ – 6 362 h. alt. 529 – ◉ 925.
Madrid 86 – Ávila 113 – Toledo 29.

🏨 **Mesón Ruta del Alcázar,** carret. de Toledo ☏ 76 04 00 – 🏢 🍽 rest ☎ 🛏wc 🖭 🚗 🅿.
🎇 rest
Com 225/350 – ☲ 40 – 26 hab 250/400 – P 725/750.

🍴 **Ideal,** av. del Generalísimo 12 ☏ 76 01 00 – 🏢 🛁 🖭 🚗. 🎇
Com 160 – ☲ 30 – 12 hab 120/240 – P 420/460.

AUSTIN - MG - MORRIS - MINI carret. Gerindote 5   CITROEN carret. de Toledo ☏ 76 02 97
☏ 76 02 93   RENAULT carret. de Madrid 18 ☏ 76 03 64
CHRYSLER-SIMCA carret. Toledo-Avila km 28 ☏   SEAT-FIAT carret. Toledo-Avila km 27 ☏ 76 05 83
76 02 42

TORROELLA DE MONTGRI Gerona 990 ㉒, 43 ④ – 5 175 h. alt. 20 – ◉ 972.
Madrid 758 – Barcelona 128 – Gerona 31.

🏨 **Vila Vella** sin rest, José Sabriá 38 ☏ 75 80 54 – ☎ 🛏wc 🛁wc 🖭
15 junio-15 septiembre – ☲ 40 – **26 hab** 165/290.

🍴 Marín, sin rest, pl. Quintana 11 ☏ 75 80 20 – 🛁wc – 15 hab.

X Elías, con hab, General Mola 33 ☏ 75 80 09 – sólo agua fría – 16 hab.

AUSTIN-MG-MORRIS-MINI carret. Palafrugell 3 ☏   CITROEN General Orgaz 64 ☏ 30 82 41
30 83 36

TORTOSA Tarragona 990 ⑱ – 46 376 h. alt. 10 – ◉ 977.
Ver : Catedral* (tríptico*, púlpitos*) – Colegio de San Luis o San Matías (patio*).
Madrid 500 – Castellón de la Plana 128 – **Lérida** 133 – Tarragona 85 – **Zaragoza** 196.

🏨 **Berenguer IV,** Cervantes 23 ☏ 44 08 16 – 🛗 🏢 🍽 rest ☎ 🛏wc 🛁wc 🖭. 🎇 rest
Com 218/325 – ☲ 50 – **48 hab** 280/450 – P 500/600.

AUSTIN-MG-MORRIS-MINI Berenguer IV-1 ☏ 44 14 68   RENAULT Alicante 16-24 ☏ 44 17 15
CHRYSLER-SIMCA carret. Valencia ☏ 44 06 56   SEAT-FIAT Alcañiz 6 ☏ 44 05 60   \
CITROEN Ulldecona 11 ☏ 44 18 94

TOSAS (Puerto de) Gerona 43 ⑦ – alt. 1 800.
Madrid 676 – Gerona 125 – Puigcerdá 26.

en la carretera N 152 – ⊠ ☏ La Molina :

X Collada, alt. 1 800, ☏ 53, ≼ montaña – 🅿.

TOSSA DE MAR Gerona 990 ㉒, 43 ⑲ – 2 515 h. – Playa – ◉ 972.
Ver : Localidad veraniega*. Alred. : Recorrido en cornisa*** de Tossa de Mar a San Felíu de
Guixols (calas*) 23 km por ② – Carretera en cornisa** de Tossa de Mar a Lloret de Mar 12 km
por ③.
Madrid 710 ③ – Barcelona 80 ③ – Gerona 39 ①.

Plano página siguiente

🏨 **G. H. Reymar** 🐾, playa de Mar Menuda ☏ 34 03 12, ≼ playa y bahía, ⌁ – 🍽 rest 🅿.
🎇 rest   BY x
20 mayo-septiembre – Com 330 – ☲ 70 – **130 hab** 470/880 – P 1 030/1 060.

🏨 **Florida,** av. de la Palma 21 ☏ 34 03 08, 🎇 – 🅿. 🎇   BY d
mayo-15 octubre – Com 210 – ☲ 60 – **45 hab** 280/490 – P 625/660.

sigue →

285

TOSSA DE MAR

0   300 m

🏨 **Mar Menuda** ⌘, playa de Mar Menuda ☏ 34 10 00, ≤ playa y bahía, %, ∑ – ⬢ ▥ ⬒ ⇌wc ⋔wc ☜ **🅿**. ✻ rest   **BY w**
mayo-septiembre – Com 290 – ⇌ 75 – **40 hab** 355/710 – P 930.

🏨 **Vora la Mar,** av. de la Palma 19 ☏ 34 03 54 – ⬢ 🕾 ⇌wc ⋔wc ☜. ✻ rest   **BY h**
mayo-10 octubre – Com 250 – ⇌ 65 – **63 hab** 350/600 – P 750/800.

🏨 **Ancora,** av. de la Palma 25 ☏ 34 02 99, « Patio-terraza con arbolado », %, – ▥ 🕾 ⇌wc ⋔wc ☜ ⇌. ✻ rest   **BZ r**
10 mayo-septiembre – Com 210 – ⇌ 50 – **60 hab** 190/530 – P 490/640.

🏨 **Alaska,** av. de la Palma 13 ☏ 34 00 62 – ⬢ 🕾 ⇌wc ⋔wc ☜ **🅿**. ✻ rest   **BY p**
junio-septiembre – Com 210 – ⇌ 52 – 54 hab 373/746 – P 605.

🏨 **Flor Tossa,** av. del Pelegrí 12 ☏ 34 10 74 – ⬢ 🕾 ⇌wc ⋔wc ☜ AY **k**
temp. – 45 hab.

🏨 Neptuno ⌘, Flechas Azules 52 ☏ 34 01 43, ∑ – ⬢ 🕾 ⇌wc ⋔wc **🅿**   AZ **g**
temp. – 51 hab.

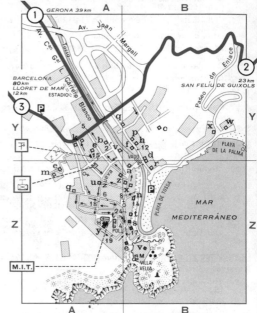

🏨 **Avenida,** av. de la Palma 16 ☏ 34 01 62 – ⬢ 🕾 ⇌wc ☜ **🅿**. ✻ rest   **BY f**
Pascua-septiembre – Com 200 – ⇌ 52 – 56 hab 336/672 – P 550.

🏨 **Mar d'Or,** av. Costa Brava 8 ☏ 34 03 62 – ⬢ 🕾 ⇌wc ⋔wc. ✻ rest   AY **v**
mayo-septiembre – Com 210 – ⇌ 50 – 51 hab 245/450 – P 565/585.

🏨 **Corisco,** José Antonio 8 ☏ 34 01 74, ≤ playa – ⬢ ▥ 🕾 ⇌wc ⋔wc ☜. ✻ rest   BZ **x**
abril-15 octubre – Com 215 – ⇌ 50 – 28 hab 290/555 – P 652/665.

🏨 **Delfín,** av. Costa Brava 2 ☏ 34 02 50 – ⬢ ▤ rest 🕾 ⇌wc ☜. ✻ rest   BZ **a**
15 marzo-15 octubre – Com 215 – ⇌ 75 – **63 hab** 315/595 – P 688/710.

🏨 **Mar Bella,** av. de la Costa Brava 30 ☏ 34 01 12 – ⇌wc ☜ ⇌   AY **b**
mayo-septiembre – Com 180/220 – ⇌ 45 – 36 hab 170/320 – P 480/490.

🏨 **Sant March** ⌘, Nueva 9 ☏ 34 00 78 – 🕾 ⇌wc ⋔wc ☜ **🅿**. ✻ rest   AZ **u**
mayo-10 octubre – Com 135 – ⇌ 38 – 37 hab 165/250 – P 375/415.

🏨 **Simeón,** José Antonio 2 ☏ 34 00 79 – ⇌wc ⋔wc. ✻ rest   ABZ **x**
mayo-septiembre – Com 150 – ⇌ 45 – 50 hab 200/310 – P 435/480.

🏨 **Atlanta,** av. de la Palma ☏ 34 02 31 – 🕾 ⇌wc ⋔wc ☜. ✻ rest   ABY **q**
junio-septiembre – Com 190 – ⇌ 50 – 27 hab 230/390 – P 535/570.

🏨 **Villa Romana** ⌘, sin rest, ☏ 34 02 58, ≤ ciudad, mar y montaña – ▥ 🕾 ⇌wc ⋔wc ☜
15 mayo-15 octubre – **28 hab** 500/700.   AZ **m**

🏨 **Acacias,** paseo del Mar 2 ☏ 34 00 85, ≤ playa – ▥ 🕾 ⇌wc   BZ **n**
junio-septiembre – Com 175 – ⇌ 50 – 20 hab 190/340 – P 495/515.

🏨 **Hostalet** sin rest, pl. Iglesia 5 ☏ 34 00 88 – ▥ 🕾 ⇌wc ⋔wc. ✻   AZ **t**
10 mayo-3 octubre – ⇌ 60 – **34 hab** 170/500.

🏨 **Casa Delgado,** Pola 7 ☏ 34 02 91 – ⇌wc ⋔wc. ✻   ABZ **z**
mayo-septiembre – Com 240 – ⇌ 40 – 46 hab 156/275 – P 350/375.

🏨 Lourdes, San Sebastián 6 ☏ 34 03 43 – 🕾 ⋔wc   AY **e**
temp. – 38 hab.

🏨 **Coq Hardi** ⌘, paraje Villa Romana ☏ 34 01 69, ≤ ciudad, mar y montaña – 🕾 ⇌wc ⋔wc **🅿**. ✻ rest   AZ **e**
Pascua-septiembre – Com 185 – 13 hab 195/355 – P 547/565.

🏠 **Casa Zügel** sin rest, av. de la Palma 23 🅟 34 02 92 – ⌂wc ⋔wc. ⁂ hab   **BYZ d**
mayo-septiembre – ⌧ 50 – **14 hab** 210/370.

🏠 **Horta Rosell** sin rest, carret. de San Felíu 🅟 34 04 32 – ⋔wc 🅿   **AY k**
25 mayo-septiembre – ⌧ 50 – **30 hab** 350.

🏠 **Bungalow** ⟲, carret. de San Felíu 🅟 34 02 16 – ▥ ⋔wc ⟐. ⁂   **BY c**
15 abril-10 octubre – Com (cena solamente) 170 – ⌧ 60 – 1 b hab 350/420.

🏠 **Victoria,** paseo del Mar 8 🅟 34 01 66, ⇚ playa – ⟇ ⋔wc ⟐   **BZ t**
abril-septiembre – Com 170/220 – ⌧ 40 – 21 hab 185/330 – P 455/475.

🍴🍴 **Posada María Angela,** Portal 14 🅟 34 02 97, Decoración rústica – ▤   **BZ e**
cerrado 15 noviembre al 15 diciembre – Com carta 300 a 485.

🍴🍴 **Capri** con hab, paseo del Mar 🅟 34 03 58, ⇚ playa – ▤ rest ⟇ ⌂wc ⋔wc ⟐. ⁂ hab
Com carta 255 a 470 – ⌧ 60 – 23 hab 270/550 – P 610/735.   **BZ s**

🍴 **Castell-Vell,** pl. Roig y Soler 1 🅟 34 10 30, « Rest. de estilo regional en el recinto de la
antigua ciudad amurallada »   **BZ v**
marzo-noviembre – Com carta 335 a 530.

🍴 **Bahía,** Socorro 4 🅟 34 03 22, ⇚ playa – ⁂   **BZ s**
cerrado lunes en invierno – Com carta 340 a 590.

🍴 **L'Ham.** San José 22 🅟 34 02 81 – ⁂   **AZ y**
mayo-septiembre – Com carta 210 a 415.

FORD Fco. de Pablo Rissech Samada 3 🅟 34 03 77

TOTANA Murcia 𝟿𝟿𝟶 ㊲ – 16 107 h. alt. 250 – ⦿ 968.
Madrid 433 – Almería 177 – Cartagena 62 – Murcia 42.

en la carretera de Lorca N 340 SO : 2,5 km – ⊠ 🅟 Totana :

🍴 **Mesón La Paloma** con hab, 🅟 42 06 09, ⁂, ⫪ – ▥ 🅿
cerrado noviembre – Com *(cerrado miércoles no festivos de diciembre a abril)* carta 155
a 265 – ⌧ 40 – **3 hab** 180/220.

TRAGACETE Cuenca 𝟿𝟿𝟶 ㊲ – 607 h. alt. 1 283.
Alred. : Nacimiento del Cuervo* (cascadas*) NO : 12 km y 15 mn a pie.
Madrid 235 – Cuenca 70.

🏠 **La Trucha** ⟲, Juan Pita 🅟 11, ⫪ – ▥ ⌂wc ⋔wc 🅿
temp. – **15 hab.**

TREMP Lérida 𝟿𝟿𝟶 ⑲, ㊷ ⑳, ㊸ ⑤ – 5 077 h. alt. 432 – ⦿ 973.
Alred. : NE : Desfiladero** de Collegats.
Madrid 555 – Huesca 158 – Lérida 93.

🏨 **Siglo XX,** Cruz 32 🅟 65 00 00, ⫪ – ▤ ▥ ⌂wc ⋔wc ⟐. ⁂
Com 200 – ⌧ 45 – **46 hab** 200/410 – P 550/575.

🏠 **Alegret,** Cruz 15 🅟 65 01 00 – ▥ ⋔wc ⟐ ⟞
Com 170 – ⌧ 45 – 25 hab 145/315 – P 425/450.

🍴 La Canonja, pl. de la Cruz 9 🅟 65 02 00 – ▥ ⋔wc ⟞ – 31 hab.

AUSTIN-MG-MORRIS-MINI av. Obispo Iglesias 35   FORD Seix y Faya 11 🅟 65 01 11
🅟 65 06 12   RENAULT Seix y Faya 🅟 65 08 63
CITROEN Aragón 🅟 65 03 39   SEAT av. España 24 🅟 65 09 14

TRES MARES (Pico de) Santander 𝟿𝟿𝟶 ⑤ – alt. 2 175.
Madrid 383 – Palencia 154 – Santander 99.
Ver : ⁂ ★★★.

TRIJUEQUE Guadalajara 𝟿𝟿𝟶 ⑯ – 404 h. alt. 997.
Madrid 80 – Guadalajara 23 – Soria 149 – Zaragoza 246.

🏠 **Liébana,** carret. N II 🅟 10 – ▥ ⌂wc ⋔wc ⟞ 🅿. ⁂
Com 175 bc/200 bc – ⌧ 45 – 22 hab 170/280 – P 550/580.

SEAT carret. N II km 79 🅟 8

TRUJILLO Cáceres 𝟿𝟿𝟶 ㉓ – 10 587 h. alt. 513 – Plaza de toros – ⦿ 927.
Ver : Plaza Mayor* (palacio de los Marqueses de la Conquista : balcón de esquina*) – Iglesia
de Santa María* (retablo*).
Madrid 253 – Cáceres 47 – Mérida 88 – Plasencia 80.

en la carretera N V – ⊠ 🅟 Trujillo :

🏨 Cigüeñas, NE : 1 km 🅟 32 06 50 – ▥ ⟇ ⌂wc ⋔wc ⟐ 🅿 – 34 hab.

AUSTIN-MG-MORRIS-MINI carret. de Guadalupe 🅟   CITROEN Cruces 🅟 32 08 90
32 05 40   RENAULT Cruces 🅟 32 07 08
CHRYSLER-SIMCA av. Calvo Sotelo 🅟 32 02 15   SEAT av. Calvo Sotelo 🅟 32 06 33

TUDELA Navarra 📖⑨⑨⓪ ⑦, 🄰🄱 ⑮, 🄰🄱 ① – 20 942 h. alt. 275 – Plaza de toros – ⊙ 948.

Ver : Catedral* (claustro**, portada del Juicio Final*, interior : capilla de Nuestra Señora de la Esperanza*).

Madrid 320 – Logroño 91 – Pamplona 95 – Soria 91 – Zaragoza 81.

🏨 **Navarra,** Blas Morte 7 🕿 82 14 00 – |🕭| 🏛 🗐 rest ☞ 🛏wc 🏚wc ☎
  Com 160 – 🖵 30 – 49 hab 170/325.

🏚 **De Tudela,** carret. de Zaragoza 🕿 82 05 58 – 🏛 ☞ 🛏wc 🏚 ☎ 🅿
  Com 200 – 🖵 45 – 18 hab 175/410.

☲ **Nueva Parrilla,** junto Plaza de Toros 🕿 82 24 00 – 🏛 ☎. ⌘
  Com 135 – 🖵 30 – 22 hab 110/180 – P 380/480.

en la carretera de Zaragoza N 232 SE : 11 km :

🏨 Sancho el Fuerte, ✉ apartado 83 🕿 86 40 25 Tudela, ⌘, ⤓ – |🕭| 🏛 🗐 ☞ 🛏wc 🏚wc ☎
  🚗 🅿
  145 hab.

AUSTIN-MG-MORRIS-MINI av. Instituto 🕿 82 02 09
CHRYSLER-SIMCA F. Portoles 46 🕿 82 07 69
CHRYSLER-SIMCA Blas Morte 10 🕿 82 09 26
CITROEN av. Instituto 🕿 82 18 67

RENAULT Blas Morte 14 🕿 82 01 43
SEAT carret. Zaragosa 1 🕿 82 29 95
SEAT-FIAT carret. Logroño 🕿 82 02 58

TUY Pontevedra 📖⑨⑨⓪ ②, 🄳🄷 ⑪ – 12 600 h. alt. 44 – Ver aduanas p. 14 y 15.

Ver : Catedral*.

M.I.T. edificio de la aduana 🕿 252.

Madrid 617 – Orense 105 – Pontevedra 48 – Porto 124 – Vigo 29.

🏨 **Parador San Telmo M.I.T.** ⌘, av. de Portugal 🕿 296, ⤓ Túy, río Miño y Portugal, « Reconstitución de una casa señorial gallega », ⤓ – 🅿. ⌘ rest
  Com 280 – 🖵 60 – **16 hab** 375/515 – P 537/655.

AUSTIN-MG-MORRIS-MINI carret. Vigo 🕿 434

RENAULT Travesía de la Feria 🕿 36

UBEDA Jaén 📖⑨⑨⓪ ㉘ – 30 186 h. alt. 757 – Plaza de toros – ⊙ 953.

Ver : Plaza Vázquez de Molina** : Iglesia El Salvador** (sacristía**, interior*), iglesia de Santa María (capillas*, rejas*) – Iglesia de San Pablo** (capillas**, portada sur*).

M.I.T. pl. de los Caídos 🕿 75 08 97.

Madrid 319 – Albacete 207 – Almería 231 – Granada 124 – Linares 26 – Lorca 282.

🏨 **Parador del Condestable Dávalos M.I.T.** ⌘, pl. Vázquez de Molina 1 🕿 75 03 45,
  « Instalado en un antiguo palacio del siglo XVI, patio elegante » – 🚗. ⌘ rest
  Com 280 – 🖵 60 – **25 hab** 375/530 – P 545/655.

🏚 **Consuelo,** av. Ramón y Cajal 12 🕿 75 08 40 – 🏛 🛏wc 🏚 ☎ 🚗. ⌘ rest
  Com 155 – 🖵 39 – 59 hab 185/300 – P 425/460.

🏚 **La Paz,** 1° piso, sin rest, Andalucía 1 🕿 75 08 49 – 🏛 🛏wc 🏚 ☎
  🖵 40 – **35 hab** 150/400.

AUSTIN-MG-MORRIS-MINI Virgen del Pilar 6 🕿 75 05 07
CHRYSLER-SIMCA carret. circunvalación 🕿 75 04 15

CITROEN av. Ramón y Cajal 11-13 🕿 75 05 40
RENAULT Redonda de Santiago 9 🕿 75 12 42
SEAT-FIAT av. de los Mártires 18 🕿 75 01 47

UBRIQUE Cádiz 📖⑨⑨⓪ ㊸ – 13 166 h. alt. 337 – Plaza de toros.

Alred. : Carretera* de Ubrique a Ronda.

Madrid 585 – Cádiz 111 – Ronda 46.

🏚 **Ocurris,** av. Dr Solís Pascual 49 🕿 150 – 🏛 ☞ 🏚wc. ⌘
  Com 150 – **20 hab** 150/220.

URBASA (Sierra) Navarra 📖⑨⑨⓪ ⑥, 🄰🄱 ⑭ – ✗ ver Alsasua.

URBIÓN (Sierra de) ** Soria 📖⑨⑨⓪ ⑯ – alt. 2 228.

Ver : Laguna Negra de Urbión*** (carretera**) – Laguna Negra de Neila** (carretera**).

USATEGUIETA (Puerto de) Navarra – 🏚 ver Leiza.

UTEBO Zaragoza 📖⑨⑨⓪ ⑦, 🄰🄱 ⑫ – 🏚 ver Zaragoza.

VALCARLOS Navarra 📖⑨⑨⓪ ⑦, 🄰🄱 ⑥ – 661 h. alt. 365 – ⊙ 948 – Ver aduanas p. 14 y 15.

Madrid 473 – Pamplona 65 – St-Jean-Pied-de-Port 11.

✗ **Maitena** ⌘ con hab, Elizaldea 🕿 76 20 10, ⤓ montaña – 🏛 ☞ 🚗. ⌘
  Com carta 155 a 235 – 🖵 25 – 4 hab 190/250 – P 315.

✗ Pedro Mary ⌘, con hab, Elizaldea 4 🕿 76 20 12 – ☞ – 5 hab.

Do not use yesterday's maps for today's journey.

288

VALDEMORO Madrid 990 ⑮ y ㊴ – 6 263 h. alt. 616 – ✪ 91.
Madrid 27 – Aranjuez 20.

🏨 **Maguilar,** carret. N IV, NE : 1 km ☏ 891 50 00, ⤳ – 🛗 🖭 ⇲ 🗃wc 🛁wc 🐦 ⇌ 🅿. 🛁. 🎾
Com 230/275 – ⚏ 45 – **45 hab** 340/600.

VALDEPEÑAS Ciudad Real 990 ㉘ – 24 397 h. alt. 720 – Plaza de toros – ✪ 926.
Alred. : San Carlos del Valle★ (plaza Mayor★) NE : 22 km.

Madrid 201 – Albacete 173 – Alcázar de San Juan 90 – Aranjuez 154 – Ciudad Real 59 – **Córdoba 199** – Jaén 134 –
Linares 100 – Toledo 150 – Úbeda 118.

🏨 **Paris H.,** Seis de Junio 40 ☏ 31 17 40 – 🏢 🖭 rest ⇲ 🛁wc 🐦 ⇌
Com 210 – ⚏ 45 – 36 hab 195/350 – P 565/585.

🏨 **Cervantes,** Seis de Junio 46 ☏ 31 14 42 – 🏢 🗃wc 🐦 ⇌. 🎾
Com 200 – ⚏ 40 – 40 hab 250/400 – P 555/605.

🍴 Mesón del Vino, Seis de Junio 26 ☏ 31 10 68 – 🖭.

en la carretera de circunvalación – ✉ ☏ Valdepeñas :

🏨 **Vista Alegre,** ☏ 31 20 40 – 🏢 ⇲ 🗃wc 🐦 🅿. 🎾 hab
Com 190 – ⚏ 55 – 17 hab 395 – P 568.

en la carretera N IV N : 7 km – ✉ ☏ Valdepeñas :

🏨 Motel Meliá El Hidalgo, ☏ 31 16 40, ⤳ – 🖭 🅿.
54 hab.

AUSTIN-MG-MORRIS-MINI Torrecillas 7 ☏ 32 03 13   RENAULT av. Gregorio Prieto 7 ☏ 32 09 55
CHRYSLER-SIMCA carret. N IV-desviación ☏ 31 12 45   SEAT-FIAT carret. N IV km 199 ☏ 31 19 61
CITROEN 6 de Junio 62 ☏ 31 12 22

VALDELAGRANA Cádiz – 🏨 ver El Puerto de Santa María.

VALENCIA ℗ 990 ㉘ – 653 690 h. alt. 13 – Plaza de toros – ✪ 963 (6 cifras) ó 96 (7 cifras).
Ver : Museo Provincial de Bellas Artes★★ FX **M**¹ – Catedral★ (Miguelete★) – Palacio de la Genera-
lidad★ (techos artesonados★) – Lonja★ (sala de contratación★, sala del Consulado del Mar :
artesonado★) – Colegio del Patriarca★ – Museo Nacional de Cerámica★ – Torres de Serranos★
EX **A** – Convento de Santo Domingo (capilla de los Reyes★) FY **P.**

🛫 de Manises por ④ : 9,5 km.

✈ de Valencia, Manises por ④ : 9,5 km ☏ 25 63 90 – Iberia : Alberique 17 ☏ 25 85 44.
🚂 ☏ 21 00 43.

🛳 para Baleares y Canarias : Cⁱᵃ Aucona, av. Ingeniero Manuel Soto 15 ☏ 67 07 04,
Telex 62648 CV

M.I.T. Paz 43 ☏ 321 25 85 – **R.A.C.E.** (R.A.C. de Valencia) av. Jacinto Benavente 25 ☏ 33 94 03.

Madrid 350 ④ – Albacete 188 ⑤ – Alicante (por la costa) 184 ③ – Barcelona 363 ① – Bilbao 630 ① – Castellón
de la Plana 71 ① – Málaga 645 ⑤ – Sevilla 677 ③ – Zaragoza 327 ①.

Planos páginas siguientes

🏨 **Astoria Palace,** pl. Rodrigo Botet 5 ☏ 322 95 90, Telex 62733 – 🖭. 🎾   EY **p**
Com 410 – ⚏ 80 – **208 hab** 900/1 125 – P 1 385/1 720.

🏨 **Reina Victoria,** Barcas 4 ☏ 321 13 60 – 🖭. 🎾 rest   EY **s**
Com 315 – ⚏ 80 – **92 hab** 545/915 – P 910/995.

🏨 **Excelsior,** Hermanas Chabás 5 ☏ 321 30 40 – 🖭. 🎾   EY **e**
Com 310 – ⚏ 66 – **65 hab** 415/665 – P 888/970.

🏨 Oltra, sin rest, con snack-bar, pl. del Caudillo 4 ☏ 22 31 90 – 🖭. 🎾   EY **t**
93 hab.

🏨 **Renasa** sin rest, av. Cataluña 5 ☏ 369 24 50 – 🛗 🏢 🖭 ⇲ 🗃wc 🛁wc 🐦 ⇌   CU **x**
⚏ 57 – **73 hab** 400/595.

🏨 **Llar** sin rest, con snack-bar, Colón 46 ☏ 22 72 96 – 🛗 🏢 ⇲ 🗃wc 🐦. 🎾 rest   EZ **u**
⚏ 65 – **51 hab** 550/736.

🏨 **Inglés,** Marqués Dos Aguas 6 ☏ 322 60 95 – 🛗 🏢 🖭 ⇲ 🗃wc 🐦. 🎾 rest   EY **m**
Com 280 – ⚏ 60 – **63 hab** 405/605 – P 755/935.

🏨 **Alhambra,** Convento de San Francisco 2 ☏ 321 72 50 – 🛗 🏢 🖭 ⇲ 🗃wc 🐦. 🎾 rest   EY **c**
Com 325 – ⚏ 70 – **52 hab** 475/1200 – P 1 015/1 263.

🏨 **Sorolla** sin rest, Convento de Santa Clara 5 ☏ 322 31 45 – 🛗 🏢 ⇲ 🗃wc 🛁wc 🐦. 🎾   EZ **z**
⚏ 50 – **50 hab** 340/510.

sigue →

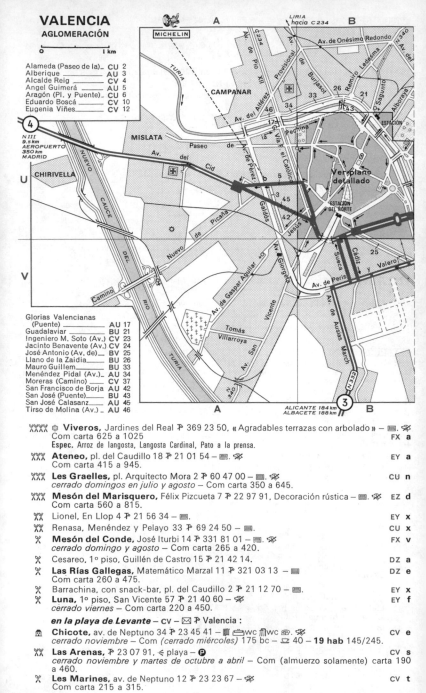

🟫🟫🟫🟫 ❀ **Viveros,** Jardines del Real ☎ 369 23 50, «Agradables terrazas con arbolado » – 🍽. ✤   FX a
Com carta 625 a 1025
Espec. Arroz de langosta, Langosta Cardinal, Pato a la prensa.

🟫🟫🟫 **Ateneo,** pl. del Caudillo 18 ☎ 21 01 54 – 🍽. ✤   EY a
Com carta 415 a 945.

🟫🟫🟫 **Les Graelles,** pl. Arquitecto Mora 2 ☎ 60 47 00 – 🍽. ✤   CU n
cerrado domingos en julio y agosto – Com carta 350 a 645.

🟫🟫🟫 **Mesón del Marisquero,** Félix Pizcueta 7 ☎ 22 97 91, Decoración rústica – 🍽. ✤   EZ d
Com carta 560 a 815.

🟫🟫 Lionel, En Llop 4 ☎ 21 56 34 – 🍽.   EY x

🟫🟫 Renasa, Menéndez y Pelayo 33 ☎ 69 24 50 – 🍽.   CU x

🟫 **Mesón del Conde,** José Iturbi 14 ☎ 331 81 01 – 🍽. ✤   FX v
cerrado domingo y agosto – Com carta 265 a 420.

🟫 Cesareo, 1º piso, Guillén de Castro 15 ☎ 21 42 14.   DZ a

🟫 **Las Rías Gallegas,** Matemático Marzal 11 ☎ 321 03 13 – 🍽   DZ e
Com carta 260 a 475.

🟫 Barrachina, con snack-bar, pl. del Caudillo 2 ☎ 21 12 70 – 🍽.   EY x

🟫 **Luna,** 1º piso, San Vicente 57 ☎ 21 40 60 – ✤   EY f
cerrado viernes – Com carta 220 a 450.

en la playa de Levante – CV – ⊠ ☎ Valencia :

🏛 **Chicote,** av. de Neptuno 34 ☎ 23 45 41 – 🏢 🚪wc 🏠wc 🅰. ✤   CV e
cerrado noviembre – Com (cerrado miércoles) 175 bc – 🛏 40 – **19 hab** 145/245.

🟫🟫 **Las Arenas,** ☎ 23 07 91, ≼ playa – 🅿   CV s
cerrado noviembre y martes de octubre a abril – Com (almuerzo solamente) carta 190
a 460.

🟫 **Les Marines,** av. de Neptuno 12 ☎ 23 23 67 – ✤   CV t
Com carta 215 a 315.

continuación p. 293

REPERTORIO DE CALLES DE VALENCIA

Calvo Sotelo	EZ
Caudillo (Pl. del)	EY
Pascual y Genís	EYZ
Paz	EY
San Vicente	EY
Alameda (Paseo de la)	CU 2
Albacete	DZ
Alberique	AU 3
Alboraya	BU
Alcalde Reig	CV 4
Alférez Provisional (Av. de)	AU
Alfonso el Magnánimo (Pl.)	FY
Alicante	DZ
Almirante Cadarso	FZ
Almudín	EX
Alta	DEX
América (Pl.)	FZ
Angel Custodio (Puente del)	CV
Angel Guimerá	AU 5
Aragón (Pl. y Pte).	CU 6
Astilleros (Puente)	CV
Ausias March (Av. de)	BV
Bailén	DZ
Barcas	EY
Barón de Cárcer (Av.)	DY
Blanquerías	EX
Bolsería	EX
Burjasot (Av.)	BU
Caballeros	EX
Cádiz	BV
Calvo Sotelo	EZ
Camino Reina	CUV
Cánovas del Castillo (Pl.)	FZ
Carda	DX
Cardenal Benlloch (Av.)	CU
Castellón	EZ
Cataluña (Av. de)	CU
Caudillo (Pl. del)	EY
Cavanilles (Av. de)	CU
Cid (Av. del)	AU
Cirilo Amorós	FZ
Ciscar	FZ
Ciudadela (Paseo)	FY
Collado (Pl. del)	EX
Colón	FY
Conde de Altea	FZ
Conde Salvatierra	FYZ
Conde de Trénor	EX
Convento Jerusalem	ZD
Cuarte	DX

---

en la carretera del aeropuerto por ④ : 9,5 km – ⊠ ☏ Manises :

 Azafata Club, ☏ 54 61 00 – ▤ **ⓟ**.

en El Vedat de Torrente por ④ y a la izquierda – SO : 13 km – ⊠ ☏ Torrente :

 Lido ⑤, ☏ 55 15 00, ≤ huerta, « Jardín con flores y ⚊ » – ▤ rest **ⓟ**
60 hab.

Ver también *El Saler* por ② : 15 km.
 El Perelló por ② : 25 km.
 Puzol por ① : 15 km.
 Sagunto por ① : 25 km.

S.A.F.E. Neumáticos MICHELIN, Sucursal, av. Pérez Galdós 86-88 (AU) ☏ 25 88 05.

AUSTIN-MG-MORRIS-MINI Camino Moreras 16 ☏ 23 69 07
AUSTIN-MG-MORRIS-MINI Ayora 23 ☏ 25 20 07
CHRYSLER-SIMCA av. Peris y Valero 31 ☏ 34 37 00
CHRYSLER-SIMCA av. del Real Monasterio Sta. Ma. de Poblet km 345 - Cuart de Poblet ☏ 26 86 09
CITROEN av. del Generalísimo - Alboraya ☏ 60 13 00
CITROEN Salamanca 19 ☏ 27 17 30
CITROEN Padre Tomás Montañana 14 ☏ 69 39 00
FIAT-SEAT San Vicente 81 ☏ 21 45 81
FIAT-SEAT Dama de Elche 19 ☏ 67 33 50
FORD av. Ausias March 122 ☏ 34 66 00
PEUGEOT Ciscar 18 ☏ 27 06 11

RENAULT Argenters ☏ 79 75 50
RENAULT Mestre Racional 19 ☏ 33 15 90
RENAULT av. Germanías 43 ☏ 27 55 07
RENAULT av. Primado Reig 123 ☏ 69 02 71
RENAULT González Martí 5 ☏ 25 55 47
RENAULT Lérida 10 ☏ 65 11 99
RENAULT Conde Salvatierra de Alava 41 ☏ 21 20 39
RENAULT Caravaca 20 ☏ 69 11 13
RENAULT carret. Ademuz km 2,9 ☏ 63 16 50
RENAULT Amadeo de Saboya 28 ☏ 60 44 15
SEAT av. del Cid 152 ☏ 79 34 00
SEAT-FIAT Micer Mascó 41 ☏ 60 20 00

☞ *Die Benutzung der Hotelgarage ist oft nur*
für Leser des Michelin-Führers kostenlos.
Lassen Sie daher den Hotelier wissen, daß Sie einen Hotelführer 1975 haben.

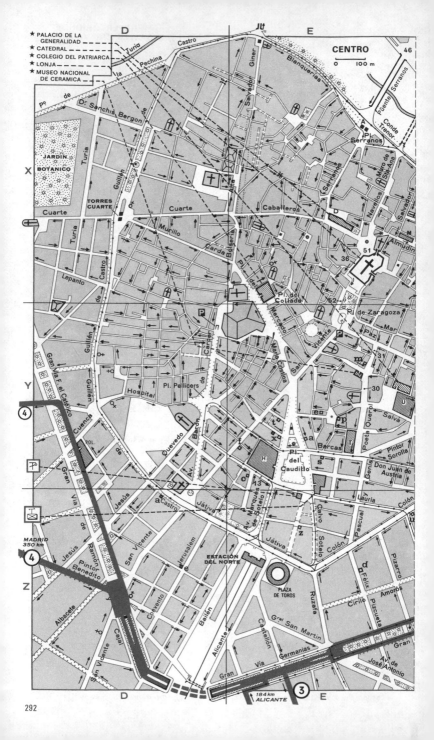

VALENCIA

REPERTORIO DE CALLES (fin)

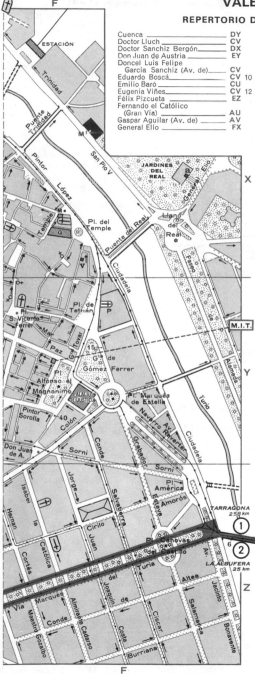

VALENCIA DE ALCÁNTARA Cáceres 990 ②, 37 ⑥ – Ver aduanas p. 14 y 15.

VALENCIA DE ANEU Lérida 42 ②, 43 ⑥ – alt. 1 075.
Madrid 632 – Lérida 170.

 ☼ Cortina ⬙, ⽮ 44 Esterri de Aneu, ⪬ valle y montaña – ▥ ⽤wc ❷
 35 hab.

VALTIERRA Navarra 42 ⑮ – 2 714 h. alt. 265 – ◉ 948.
Madrid 335 – Pamplona 79 – Soria 106 – Zaragoza 97.

 en la carretera de Pamplona N 121 NO : 3 km – ⊠ ⽮ Valtierra :

 🏨 **Los Abetos** Ⓜ, ⽮ 86 70 00, ⪬ campo – ▥ ⽳ ⊐wc ⽤wc ⽥ ❷
 cerrado 3 al 24 noviembre – Com 170 – ⯊ 45 – **31 hab** 240/420 – P 500/530.

VALVERDE DE CERVERA Logroño.
Madrid 298 – Pamplona 110 – Soria 69.

 ✕ Mojón de los Tres Reyes, con hab, carret. N 101 ⽮ 182 Cervera del Río Alhama – ▥ ❷
 16 hab.

VALLADOLID 🅿 990 ④⑮ – 236 341 h. alt. 694 – Plaza de toros – ◉ 983.
Ver : Colegio de San Gregorio** (museo Nacional de Escultura policromada***, portada**,
patio**, capilla*) – Museo Arqueológico* AV **M** – Catedral* – Iglesia de San Pablo (fachada**)
– Iglesia de Las Angustias (Virgen de los 7 Cuchillos*) BX **L.**

 ⫫ de Valladolid 11 km por ⑥.

M.I.T. pl. de Zorrilla 3 ⽮ 22 16 29 – **R.A.C.E.** (A.C. de Castilla) General Mola 8 ⽮ 22 13 31.

Madrid 184 ④ – Burgos 122 ① – León 133 ⑥ – Salamanca 113 ⑤ – Zaragoza 373 ②.

Plano página siguiente

 🏨 Olid Meliá Ⓜ, pl. San Miguel 10 ⽮ 22 99 71, Telex 26312 – ▤ ⪡. 🏛   AV **v**
 237 hab.

 🏨 **Felipe IV,** Gamazo 16 ⽮ 22 77 35 – ▤ ⪡. ⿻   ABY **z**
 Com 250 – ⯊ 60 – **124 hab** 560/920 – P 875/975.

 🏨 **Conde Ansúrez** sin rest, María de Molina 9 ⽮ 22 22 78 – ▤. ⿻   AY **e**
 ⯊ 71 – **76 hab** 490/775.

 🏨 **Inglaterra,** María de Molina 2 ⽮ 22 22 19 – |🛗| ▥ ▤ rest ⽳ ⊐wc ⽤ ⽥ ⪡. ⿻ rest AXY **u**
 Com 225/270 – ⯊ 50 – 48 hab 200/425 – P 540/553.

 🏨 **Roma,** Héroes del Alcázar de Toledo 8 ⽮ 22 23 18 – |🛗| ▥ ⽳ ⊐wc ⽤wc ⽥. ⿻   AX **a**
 Com 235 – ⯊ 60 – 40 hab 360/425 – P 760/810.

 🏨🏨🏨🏨 El Cardenal, pl. Tenerías 18 ⽮ 23 50 95 – ▤.   AY **n**

 ✕✕ **Feria de Muestras,** av. Ramón Pradera ⽮ 27 03 12 – ▤ ❷. ⿻   BZ **f**
 Com carta 370 a 600.

 ✕✕ ⊛ **Mesón La Fragua,** paseo de Zorrilla 10 ⽮ 23 20 08, « Interior típico » – ▤. ⿻   AY **t**
 Com carta 500 a 1 000
 Espec. Rape del Cantábrico Gran Mesón, Centros de ternera Gran César, Cochinillo asado al estilo de Arévalo.

 ✕✕ **Oscar,** Ferrari 1 ⽮ 22 90 23 – ▤. ⿻   AX **x**
 cerrado domingo – Com carta 480 a 695.

 ✕ La Goya, puente Colgante 79 ⽮ 23 20 16, « Bajo los porches de un simpático patio
 castellano » – ❷.   BZ **b**

 ✕ **Paco,** Manzana 2 ⽮ 22 80 88 – ⿻   AX **s**
 Com carta 400 a 580.

 ✕ **Mateo,** Pasión 13 ⽮ 22 82 07   AX **n**
 cerrado del 1 al 16 julio – Com carta 200 a 315.

 ✕ **Valentín,** Marina Escobar 1 ⽮ 22 82 06 – ▤. ⿻   AY **c**
 carrado domingo y 28 julio al 28 agosto – Com carta 255 a 405.

 ✕ **Achuri,** pl. del Val 1 ⽮ 22 73 21 – ❷. ⿻   AX **b**
 25 agosto-15 julio – Com carta 260 a 335.

 ✕ **Astur-Vasco,** Atrio de Santiago 7 ⽮ 22 82 30 – ▤. ⿻   AXY **r**
 Com carta 180 a 450.

 en la carretera de Burgos :

 🏨 **Covatra,** av. de Burgos 120 ⊠ ⽮ 27 14 00 Valladolid – ▥ ▤ rest ⊐wc ⽤wc ⽥ ❷. ⿻
 Com 250 – 18 hab 225/400.   BZ **a**

 en la carretera de Madrid por ④ : 8,5 km – ⊠ ⽮ Laguna de Duero :

 ✕ Pato de Oro, Laguna de Duero ⽮ 229 – ▤ ❷.

sigue →

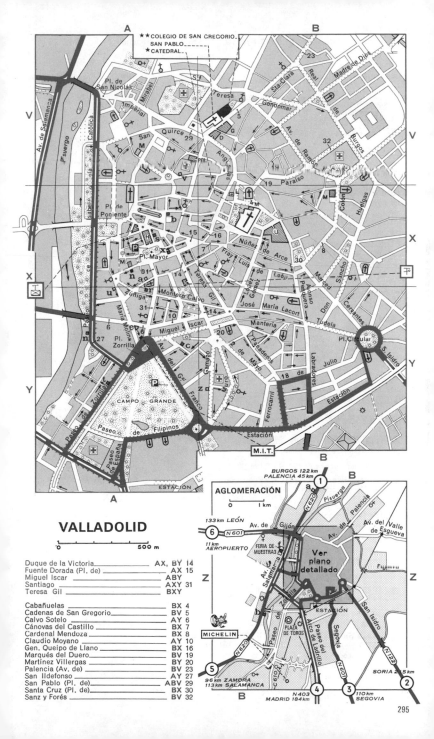

VALLADOLID

★★COLEGIO DE SAN GREGORIO.
SAN PABLO.
★CATEDRAL

AGLOMERACIÓN

0   1 km

BURGOS 122 km
PALENCIA 45 km

133 km LEÓN

11 km
AEROPUERTO

Ver
plano
detallado

96 km ZAMORA
113 km SALAMANCA

MADRID 184 km

110 km
SEGOVIA

SORIA 205 km

MICHELIN

295

VALLADOLID

en la carretera del Pinar C 610 SO : 14 km – ⊠ ⅋ Simancas :

XXX **El Bohío,** ⅋ 33, « Lindando un pinar al borde del Duero », ◣ – ▤ **ᴾ.** ⅋
Com carta 425 a 700.

S.A.F.E. Neumáticos MICHELIN, Sucursal, Polígono de Argales – Fernández Ladreda
(BZ) ⅋ 23 56 80.

AUSTIN-MG-MORRIS-MINI Polígono de Argales, par-
cela 46 ⅋ 23 91 77
CHRYSLER-SIMCA carret. N 403 km 187 ⅋ 23 41 00
CITROEN General Solchaga 63 ⅋ 23 40 03
CITROEN Perú 9 ⅋ 22 23 34
FIAT Independencia 5 ⅋ 22 76 76

FIAT av. Burgos km 120,4 ⅋ 23 23 99
PEUGEOT av. Gijón ⅋ 27 18 75
RENAULT carret. N 403 km 186 ⅋ 23 73 12
RENAULT García Morato 31 ⅋ 23 24 03
SEAT paseo Arco de Ladrillo 65 ⅋ 23 11 00

VALLDEMOSA Baleares 𝟿𝟿𝟶 ㉙, 𝟺𝟹 ⑲ – XX, X ver Baleares (Mallorca).

VALLE – Ver al nombre propio del valle.

VALLFOGONA DE RIUCORP Tarragona 𝟺𝟹 ⑯ – 180 h. alt. 698.
Madrid 534 – Lérida 64 – Tarragona 75.

🏨 **Balneario** ⚲, ⅋ 4, « Parque con arbolado », ⅋, ◣ – ▤ ▥ ⇩ ⌂wc ⊛ ⟵ **ᴾ.** ⅋
15 junio-15 septiembre – Com 300 – ⊑ 60 – **96 hab** 360/625 – P 820/920.

VALLIRANA Barcelona 𝟺𝟹 ⑦ – 2 632 h. alt. 205 – ❋ 93.
Madrid 617 – Barcelona 25 – Tarragona 78.

XX **Xipreret,** carret. N 340 ⅋ 360 00 18, Decoración rústica – ▤ **ᴾ**
Com carta 270 a 445.

VALLS Tarragona 𝟿𝟿𝟶 ⑲, 𝟺𝟹 ⑯ – 15 091 h. alt. 215 – ❋ 977.
Madrid 544 – Barcelona 105 – Lérida 74 – Tarragona 19.

🏠 Her-Mar, Abad Llort 23 ⅋ 60 03 08 – ▥ ▥ ⇩ ⌂wc ⊛
108 hab.

XX **Casa Félix,** carret. de Tarragona S : 1,5 km ⅋ 60 13 50 – **ᴾ.** ⅋
Com carta 210 a 340.

AUSTIN-MG-MORRIS-MINI carret. Pla Sta. María
10-12 ⅋ 60 14 13
CHRYSLER-SIMCA carret. Pla Sta. María 14 ⅋ 60 13 53
CITROEN Arrabal del Castillo 25 ⅋ 60 09 20

FORD Arrabal San Francisco 2 ⅋ 60 03 84
RENAULT av. Andorra 2 ⅋ 60 01 65
SEAT Reverendo Martí 3 ⅋ 60 01 63

El VEDAT DE TORRENTE Valencia 𝟿𝟿𝟶 ㉘ – 🏔 ver Valencia.

VEGA DE ANZO Oviedo – XX ver Grado.

VELATE (Puerto de) Navarra 𝟿𝟿𝟶 ⑦, 𝟺𝟸 ⑤ – alt. 847.
Madrid 442 – Bayonne 85 – Pamplona 34.

en la carretera N 121 S : 2 km :

XX **Venta Ulzama** con hab, ⊠ Puerto de Velate ⅋ 31 31 38 Pamplona, ≼ praderas y montañas – ▥ ⌂wc ▥wc ⟵ **ᴾ.** ⅋ rest
Com carta 280 a 485 – ⊑ 45 – 15 hab 140/275 – P 390.

VENDRELL Tarragona 𝟿𝟿𝟶 ⑲, 𝟺𝟹 ⑯⑦ – 8 903 h. alt. 35 – ❋ 977.
Madrid 574 – Barcelona 75 – Lérida 104 – Tarragona 27.

X La Muga, Dr Robert 26.

X **Pi,** Generalísimo 2 ⅋ 66 00 02 – ⅋
cerrado 14 octubre al 6 noviembre – Com carta 250 a 460.

en la carretera de Tarragona N 340 – ⊠ ⅋ Vendrell :

🏠 **Blasca y Rest. Jordi,** S : 1 km ⅋ 66 01 00 – ▥ ▥ ⇩ ⌂wc ⊛ **ᴾ.** ⅋
Com 200 bc – ⊑ 55 – **98 hab** 200/340 – P 570/600.

X Jem, ⅋ 66 00 35 – **ᴾ.**

en la playa de San Salvador S : 3,5 km – ⊠ San Vicente de Calders ⅋ Comarruga :

🏨 **Playa San Salvador** ⚲, ⅋ 66 22 00, ◣ – ▥ ▤ rest ⇩ ⌂wc ▥wc ⊛ **ᴾ.** ⅋ rest
mayo-octubre – Com 210 – ⊑ 55 – **145 hab** 330/525 – P 678/745.

🏠 **L'Ermita,** ⅋ 66 19 48 – ⇩ ⌂wc ▥wc. ⅋
mayo-septiembre – Com 150 bc – ⊑ 45 – 25 hab 175/300 – P 450/500.

AUSTIN-MG-MORRIS-MINI av. San Vicente ⅋
66 11 05
CHRYSLER-SIMCA carret. N 340 ⅋ 66 15 00
CITROEN carret. N 340 ⅋ 66 04 41

FORD av. Diputación 82 ⅋ 66 07 93
RENAULT San Vicente ⅋ 66 06 72
SEAT-FIAT carret. N 340 km 277 ⅋ 66 07 54

VENTAS DE ARRAIZ Navarra 🗺 ⑤ – alt. 588 – ● 948.
Madrid 435 – Bayonne 92 – Pamplona 27.

🏠 Juan Simón, carret. N 121 ✉ Arraiz ☎ 31 30 52 Pamplona – 🏢 🛁wc 🛁wc ⓟ
14 hab.

VENTAS DE URRIZA Navarra – alt. 604 – ● 948.
Madrid 437 – Pamplona 28 – San Sebastián 64.

🏠 Amaixi, carret. N 240 ✉ Urriza – 🏢 🛁wc ⓟ
20 hab.

VERA Almería 🗺 ㊳ – 4 943 h.
Madrid 501 – Almería 93 – Murcia 126.

en la carretera de Garrucha SE : 8 km – ✉ ☎ Vera :

✕ Posada Real, urbanización Puerto Rey ☎ 28, 🏊, 🎾 – ⓟ.

RENAULT carret. Murcia ☎ 7　　　　　　　SEAT carret. Murcia ☎ 202

VERA DE BIDASOA Navarra 🗺 ⑦, 🗺 ⑤ – Ver aduanas p. 14 y 15.

En haute saison, et surtout dans les stations,
il est prudent de retenir à l'avance.

Es ist empfehlenswert, in der Hauptsaison
und vor allen Dingen in Urlaubsorten Hotelzimmer im voraus zu bestellen.

During the season, particularly in resorts,
it is wise to book in advance.

In alta stagione, e soprattutto nelle stazioni turistiche,
è prudente prenotare con congruo anticipo.

VERGARA Guipúzcoa 🗺 ⑥, 🗺 ④ – 15 148 h. alt. 155 – ● 943.
Madrid 400 – Bilbao 53 – San Sebastián 59 – Vitoria 44.

🏠 **Ariznoa,** Ariznoa ☎ 76 18 46 – 🛗 🏢 🛁wc 📺
Com 185 bc – 🍽 40 – 26 hab 160/350 – P 485/535.

CHRYSLER-SIMCA Goembolu ☎ 76 19 73　　　　RENAULT Polígono San Lorenzo ☎ 76 18 37
CITROEN barrio Ola-carret. Mondragón ☎ 76 17 91　　SEAT Polígono San Lorenzo ☎ 76 20 11

VERIN Orense 🗺 ②③ – 8 870 h. alt. 612 – Balneario – ● 988 – Ver aduanas p. 14 y 15.
Alred. : Castillo de Monterrey (🌲*, iglesia · portada*) NO : 6 km.
Madrid 440 – Orense 72 – Vila Real 93.

🏨 **Dos Naciones,** Luis Espada 38 ☎ 41 01 00 – 🏢 🍽 🛁wc 🛁wc 📺 🚗. 🏊
Com 225 – 🍽 50 – 25 hab 250/500 – P 650.

junto al castillo NO : 4 km – ✉ ☎ Verín :

🏛 **Parador de Monterrey** 🐟, ☎ 41 00 75, ≼ castillo y valle, « Reconstitución de
una casa señorial gallega », 🍽 – 🚗 ⓟ. 🏊 rest
Com 280 – 🍽 60 – **23 hab** 375/515 – P 537/655.

AUSTIN-MG-MORRIS-MINI carret. Zamora-Santiago　　RENAULT av. Laureano Peláez
km 482 - Pazos ☎ 41 00 12

VERUELA (Monasterio de) Zaragoza 🗺 ⑰.
Ver : Monasterio** (iglesia abacial**, claustro* : sala capitular*).
Madrid 315 – Soria 80 – Zaragoza 02.

VICH Barcelona 🗺 ⑳, 🗺 ⑧ – 25 906 h. alt. 494 – Plaza de toros – ● 93.
Ver : Museo episcopal** – Catedral* (pinturas**, retablo*, sepulcro*).
Madrid 638 – Barcelona 65 – Gerona 77 – Manresa 52.

✕✕ ⊛ **Anec Blau,** Verdaguer 21 ☎ 889 26 06 – 🍽. 🏊
cerrado lunes excepto festivos y del 1 al 16 julio – Com carta 295 a 700
Espec. Sopa de pescadores, Lobarro Cadaqués, Entrecôte flambée salsa Crema.

por la carretera de Roda de Ter NE : 15 km :

🏨 **Parador M.I.T.** Ⓜ 🐟, ✉ apartado oficial de Vich ☎ 309 Roda de Ter, ≼ pantano de
Sau y montañas – 🍽 🚗 ⓟ. 🏊 rest
Com 350 – 🍽 65 – **31 hab** 590/785 – P 742/940.

AUSTIN-MG-MORRIS-MINI carret. Barcelona - Puig-　　CITROEN Montserrat 38 ☎ 889 13 69
cerdá ☎ 889 24 77　　　　　　　　　　　　　RENAULT carret. de Manlleu ☎ 889 27 92
CHRYSLER-SIMCA Obispo Estranch ☎ 885 03 88　　SEAT 1° de Febrero 6 ☎ 889 35 98

VIDRERAS Gerona 𝟵𝟵𝟬 ⑳, 𝟰𝟯 ⑨ – 2 677 h. alt. 93 – Plaza de toros.
Madrid 704 – Barcelona 74 – Gerona 24.

× **Casa Pou** con hab, General Sanjurjo 11 🕿 16, Decoración regional – 𝕀𝕀𝕀 ☞ ⌂wc ❷
  Com carta 315 a 445 – ⌸ 30 – **14 hab** 150/250 – P 350/375.

  al Noroeste : 1 km – ⊠ 🕿 Vidreras :

×× **Mas Flassiá,** 🕿 97, « Masía catalana », ⚙, ⌇ – ❷
  Com carta 245 a 490.

  en la carretera N II SO : 2,5 km – ⊠ 🕿 Vidreras :

🏠 **Margarita,** 🕿 76 – 𝕀𝕀𝕀 ☞ ⌂wc 🚗 ❷. ⚙
  cerrado 15 al 30 octubre – Com *(cerrado lunes excepto festivos y en verano)* 150 – ⌸ 40 –
  12 hab 225/350 – P 430/475.

VIELLA Lérida 𝟵𝟵𝟬 ⑨, 𝟰𝟮 ⑳, 𝟰𝟯 ⑤ – 2 142 h. alt. 971.
Alred. : N : Valle de Arán**.
Madrid 604 – Lérida 164 – St-Gaudens 70.

🏨 **Urogallo,** av. José Antonio 7 🕿 8 – 🛗 𝕀𝕀𝕀 ☞ ⌂wc 🅼wc ☎ 🚗. ⚙
  Com 220/250 – ⌸ 55 – 37 hab 250/500 – P 645/650.

🏨 **Resid. D'Arán** 🞧 sin rest, carret. del Tunel 🕿 138, < valle y montañas – 🛗 𝕀𝕀𝕀 ☞ ⌂wc
  ☎ ❷. ⚙
  ⌸ 50 – 36 hab 275/450.

🏨 **Baricauba,** sin rest, San Nicolás 3 🕿 127 – 🛗 𝕀𝕀𝕀 ☞ ⌂wc 🅼wc ☎
  24 hab.

🏨 **Arán,** av. José Antonio 5 🕿 26 – 🛗 𝕀𝕀𝕀 ☞ ⌂wc ☎. ⚙ rest
  Com 200 bc/250 bc – ⌸ 50 – 40 hab 250/400 – P 535/565.

🏠 **Delavall** sin rest, av. General Mola 34 🕿 237, < montaña – 🛗 𝕀𝕀𝕀 ⌂wc 🅼wc ☎. ⚙
  ⌸ 40 – **28 hab** 185/400.

🏠 **Riu Nere,** sin rest, Mayor 🕿 127 – 𝕀𝕀𝕀 ☞ ⌂wc ☎
  25 hab.

  en la carretera N 230 O : 2,5 km – ⊠ 🕿 Viella :

🏛 **Parador del Valle de Arán M.I.T.** 🞧, 🕿 108, < valle y montañas, ⌇ – ❷. ⚙ rest
  Com 315 – ⌸ 65 – **85 hab** 480/785.

FORD, RENAULT Santa María del Villar 3 🕿 85   SEAT carret. N 230 🕿 118

VIGO Pontevedra 𝟵𝟵𝟬 ② – 197 144 h. alt. 31 – ✪ 986.
Ver : Emplazamiento* – Castillo del Castro <** . **Alred. :** Ría* de Vigo.
🛧 Aero Club de Vigo por ① : 14 km.
🛫 de Vigo por ② : 14 km 🕿 27 05 50 – Iberia : Marqués de Valladares 17 🕿 22 70 04 – Aviaco :
García Barbón 16 🕿 22 64 02 – 🚲 🕿 22 35 97.
🚢 para Canarias : Cᶦᵃ Aucona, Luis Taboada 6 🕿 21 53 10, Telex 83071.
M.I.T. Jardines de Elduayen 🕿 21 30 57 – **R.A.C.E.** (Delegación) García Barbón 19 🕿 21 30 23.
Madrid 616 ② – La Coruña 156 ① – Orense 106 ② – Pontevedra 34 ① – Porto 153 ②.

Plano página siguiente

🏨 **Bahía de Vigo** Ⓜ, av. Cánovas del Castillo 5 🕿 22 67 00, < ría y puerto – ▤ rest 🚗. ⚙   AY **n**
  Com 370 – ⌸ 75 – **106 hab** 565/970 – P 1 145/1 225.

🏨 **Lisboa,** José Antonio 50 🕿 21 12 29 – 🛗 𝕀𝕀𝕀 ☞ ⌂wc 🅼wc ☎. ⚙   BZ **p**
  Com 250 – ⌸ 50 – 93 hab 300/550 – P 715/740.

🏨 **Ensenada,** sin rest, Alfonso XIII-35 🕿 22 61 00 – 🛗 𝕀𝕀𝕀 ☞ ⌂wc 🅼wc ☎   BZ **b**
  71 hab.

🏨 **Galicia,** Colón 11 🕿 21 27 04 – 🛗 𝕀𝕀𝕀 ☞ ⌂wc 🅼wc ☎. ⚙   BY **a**
  Com 150 bc – ⌸ 44 – 47 hab 260/470.

🏨 **Nilo** sin rest, Marqués de Valladares 26 🕿 21 35 19 – 🛗 𝕀𝕀𝕀 ☞ 🅼wc ☎. ⚙   AY **v**
  ⌸ 60 – **52 hab** 300/515.

🏨 **Celta,** sin rest, Capitán Cortés 22 🕿 21 58 58 – 🛗 𝕀𝕀𝕀 ⌂wc 🅼wc ☎   BZ **t**
  22 hab.

🏨 **Estación,** sin rest, Alfonso XIII - 43 🕿 21 56 13 – 🛗 𝕀𝕀𝕀 ☞ ⌂wc ☎   BZ **b**
  22 hab.

🏠 **Universal,** Carral 34 🕿 21 57 00 – 🛗 𝕀𝕀𝕀 ⌂wc ☎. ⚙   AY **e**
  Com 245 – ⌸ 55 – 58 hab 270/450 – P 615/660.

🏠 **Estoril** sin rest, Lepanto 12 🕿 21 56 28 – 🛗 𝕀𝕀𝕀 ☞ ⌂wc 🅼 ☎. ⚙   BZ **r**
  ⌸ 50 – **48 hab** 200/350.

×× **El Castro,** Manuel Olibie 31 🕿 22 21 79, « En un parque »   AZ **x**
  Com carta 270 a 540.

× **Mosquito,** pl. Villavicencio 4 🕿 22 21 87, Pescados y mariscos – ▤. ⚙   AY **u**
  cerrado domingo – Com carta 275 a 900.

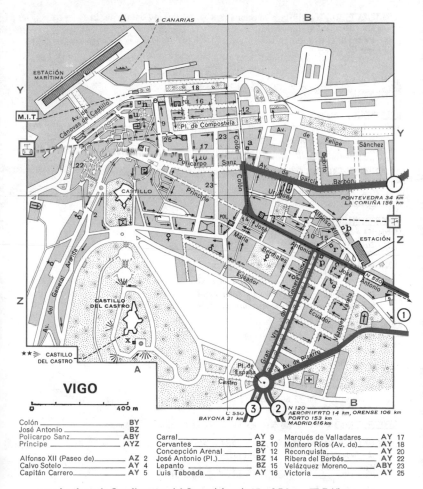

VIGO

0 ——— 400 m

Colón	BY
José Antonio	BZ
Policarpo Sanz	ABY
Príncipe	AYZ

Alfonso XII (Paseo de)	AZ 2		
Calvo Sotelo	AY 4		
Capitán Carrero	AY 5		

Carral	AY 9			Marqués de Valladares	AY 17
Cervantes	BZ 10			Montero Ríos (Av. de)	AY 18
Concepción Arenal	BY 12			Reconquista	AY 20
José Antonio (Pl.)	BZ 14			Ribera del Berbés	AY 22
Lepanto	BZ 15			Velázquez Moreno	ABY 23
Luis Taboada	AY 16			Victoria	AY 25

en la playa de Samil por av. del General Aranda AZ : 6,5 km – ⊠ ⏻ Vigo :

🏨 Samil Playa, ⏻ 23 25 30, ≼ playa, ℀, ⌁ – 🚗 🅿. 🎢
127 hab.

AUSTIN-MG-MORRIS-MINI av. de Madrid ⏻ 29 11 92
CHRYSLER SIMCA av. de Madrid 193 ⏻ 27 21 04
CHRYSLER-SIMCA José Antonio 93 ⏻ 27 33 33
CITROEN av. de Madrid 149 ⏻ 27 20 00
FIAT-SEAT Pontevedra 6 ⏻ 22 29 01
FIAT-SEAT av. de Madrid 205 ⏻ 27 05 08

FORD Cantabria 48 ⏻ 27 38 45
PEUGEOT Pontevedra 18 ⏻ 21 34 34
RENAULT av. de Madrid 25 ⏻ 22 17 70
SEAT av. de la Coruña 123 ⏻ 23 17 04
SEAT García Barbón 50 ⏻ 21 34 07

VILADRAU Gerona 990 ⑳, 43 ⑧ – 787 h. alt. 821.
Madrid 646 – Barcelona 73 – Gerona 61.

🏨 **De la Gloria** ⑤, Torreventosa 12 ⏻ 16 – 🏢 🍽 🛁wc 🚿wc 🚗. ℀ rest
Com 220 – ⊆ 60 – 28 hab 190/320 – P 480/510.

🏨 **Masía del Montseny** ⑤, paseo de la Piedad 14 ⏻ 55 – 🏢 🍽 🛁wc 🚿wc 🚗 🅿.
℀ rest
cerrado jueves y 5 al 20 noviembre – Com 200/250 – ⊆ 50 – 19 hab 250/500 – P 450/550.

P 340/380	**I prezzi di pensione** che figurano nella guida sono indicativi. Per un soggiorno, consultate sempre l'albergatore.

VILAFRANCA DEL PENEDÉS Barcelona 🔟🔟🔟 ⑲, 🔢🔢 ⑰ − 17 546 h. alt. 218 − ✪ 93.
Madrid 595 − Barcelona 54 − Tarragona 55.

🏨 **Pedro III El Grande,** pl. Ejército Español 2 🕿 892 13 07 − 🛗 ▥ 🗔 rest 🕿 ⌷wc 🚿wc 🐦 −
🚗 🅿. 🍴 rest
Com 200 − 🖵 60 − **52 hab** 275/575 − P 655/815.

✕ Pepe, 1º piso, rambla Nuestra Señora 22 🕿 892 10 25.

AUSTIN-MG-MORRIS-MINI Duque de la Victoria 29
🕿 892 03 46
CHRYSLER-SIMCA Comercio 3 🕿 892 12 00

FIAT-SEAT av. Tarragona 77 🕿 892 01 50
FORD General Mola 29 🕿 892 04 97
RENAULT carret. N 340 km 301 🕿 892 19 50

VILALLER Lérida 🔟🔟🔟 ⑧ ⑨, 🔢🔢 ⑳, 🔢🔢 ⑤ − 892 h.
Madrid 573 − Huesca 176 − Lérida 133 − Viella 31.

en la carretera N 230 S : 3 km − ✉ Vilaller :

✕ Ribagorça − 🅿.

VILANOVA DE MEYA Lérida 🔢🔢 ⑤ − 1 345 h. alt. 633 − ✪ 973.
Madrid 535 − Barcelona 156 − Lérida 65.

🏨 Pisse 🦢, Fuente 16 🕿 41 50 14, ≼ montañas − 🕿 🚿wc
28 hab.

VILASAR DE MAR Barcelona 🔢🔢 ⑱.
Madrid 654 − Barcelona 24 − Gerona 76.

✕✕ **Doyen,** carret. N II 🕿 411, ≼ mar, 🛆 de pago − 🅿
Com carta 290 a 530.
✕ **Atlántida,** carret. de Cabrils 🕿 147 − ▤
Com carta 285 a 515.

━ *Michelin não coloca placas de propaganda*
nos hotéis e restaurantes mencionados no Guia.

VILLABONA Guipúzcoa 🔟🔟🔟 ⑦, 🔢🔢 ⑤ − 3 817 h. alt. 61 − ✪ 943.
Madrid 452 − Pamplona 72 − San Sebastián 20 − Vitoria 96.

en la carretera N I S : 1,5 km − ✉ Tolosa 🕿 Villabona :

🏨 Lasquíbar, 🕿 69 11 38 − 🛗 ▥ 🕿 ⌷wc 🐦 🅿
46 hab.

en Amasa E : 1 km − ✉ Villabona 🕿 Azpeitia :

✕ **Arantzabi,** 🕿 69 12 55, ≼ montaña, « Típico caserío vasco » − 🅿
cerrado 16 diciembre al 16 enero − Com carta 280 a 510.

VILLACARLOS Baleares 🔢🔢 ⑳ − 🏨 ver Baleares (Menorca) : Mahón.

VILLACASTÍN Segovia 🔟🔟🔟 ⑮ y ⑯ − 1 734 h. alt. 1 000.
Madrid 82 − Ávila 29 − Segovia 36 − Valladolid 102.

🏨 **Hostería El Pilar,** carret. N VI 🕿 39 − ▥ ⌷wc 🚗 🅿. 🍴
Com 175 − 🖵 34 − 22 hab 145/300 − P 445/450.
✕✕✕ **Albergue M.I.T.** con hab, carret. N VI 🕿 41, « Bonito edificio castellano, jardín con
arbolado » − ▥ 🕿 ⌷wc 🐦 🚗 🅿. 🍴 rest
Com 280 − 🖵 60 − **13 hab** 310/515.

en la carretera N VI :

🏨 **Mirasierra,** E : 2 km 🕿 18 Villacastín, 🛆 − ▥ 🕿 ⌷wc 🅿. 🍴 hab
Com 175 − 🖵 34 − 30 hab 145/300 − P 445/450.
✕ Montesol, con hab, E : 4 km ✉ Navas de San Antonio 🕿 226 Villacastín − ▥ ⌷wc 🚗 🅿
11 hab.

FIAT-SEAT carret. N VI km 84 🕿 96   RENAULT carret. N VI km 81,4 🕿 73

VILLAFRANCA DE EBRO Zaragoza 🔢🔢 ⑫ − 729 h. alt. 176.
Madrid 353 − Lérida 117 − Zaragoza 27.

🏨 **Pepa,** carret. Zaragoza - Barcelona 🕿 17 − ▥ ▤ rest 🕿 ⌷wc 🚿wc 🐦 🅿
Com 200 bc − 🖵 45 − **39 hab** 220/380 − P 640.

VILLAFRANCA DEL BIERZO León 🔟🔟🔟 ③ − 6 124 h. alt. 511 − ✪ 987.
Madrid 406 − León 130 − Lugo 102 − Ponferrada 21.

✕✕ **Albergue M.I.T.** con hab, av. de Calvo Sotelo 🕿 54 01 75, Albergue de gran turismo −
▥ 🕿 ⌷wc 🚿wc 🐦 🚗 🅿. 🍴 rest
cerrado provisionalmente hasta el verano − Com 280 − 🖵 60 − **21 hab** 295/485.

VILLAGARCÍA DE AROSA Pontevedra 🏤🏤 ② − 24 076 h. − Playa − ❀ 986.
Alred. : Mirador de Lobeira★ S : 4 km.
Madrid 633 − Orense 121 − Pontevedra 25 − Santiago de Compostela 42.

   en Carril N : 2 km − ✉ Carril 🏯 Villagarcía de Arosa :
XX **Galloufa,** pl. Generalísimo 🏯 50 17 27 − 🍽
   Com carta 420 a 690.

   en Villajuán de Arosa SO : 2 km − ✉ Villajuán de Arosa 🏯 Villagarcía de Arosa :
X Chocolate, 🏯 50 11 99 − ❷.

CHRYSLER-SIMCA Santa Enlaha 13 🏯 50 19 86   RENAULT   General Mola Ferrazo 🏯 50 05 74
CITROEN General Mola Ferrazo 🏯 50 10 35   SEAT   Plaza Juan XXIII 4 y 7 🏯 50 02 73

VILLAJOYOSA Alicante 🏤🏤 ㉘ − 16 258 h. − ❀ 965.
Madrid 451 − Alicante 32 − Gandía 84.

🕿 **Jonia,** Cervantes 4 🏯 89 01 87 − ▥ 🛁wc 🚿wc 🚗. 🎇
   cerrado noviembre − Com 150 − 🍴 40 − 21 hab 135/265 − P 400.

X **Ribetes** con hab, av. Generalísimo 🏯 89 04 50, < mar − 🛗 ▥ 🛁wc 🚿wc ☎ ❷
   Com carta 200 a 310 − 16 hab 155/300.

   en la carretera de Alicante SO : 3 km :
🏛 **Montíboli** ⤸ ✉ apartado 8 🏯 89 02 54 Villajoyosa, < mar, « Sobre un promontorio
   rocoso », ⌇ − 🍽 ❷. 🎇 rest
   Com 465 − 🍴 90 − **49 hab** 880/1 300 − P 1 520/1 750.

SEAT carret. N 332 🏯 89 13 99

VILLAJUÁN DE AROSA Pontevedra − X ver Villagarcía de Arosa.

VILLALBA Lugo 🏤🏤 ②③ − 17 301 h. alt. 492.
Madrid 544 − La Coruña 84 − Lugo 36.

🏛 **Parador de los Condes de Villalba M.I.T.,** Valeriano Valdesuso 🏯 296, « Elegantemente instalado en una antigua torre del castillo medieval » − ❷. 🎇 rest
   Com 280 − 🍴 60 − **6 hab** 570.

AUSTIN-MG-MORRIS-MINI José Mariacha 🏯 80   CITROEN José Antonio 27 🏯 261
CHRYSLER-SIMCA carret. C 641 km 544,5 Guadalupe   RENAULT General Francó 120 🏯 477
🏯 468

VILLALBA Madrid 🏤🏤 ⑮ y ㊴ − alt. 917 − ❀ 91.
Madrid 40 − Ávila 70 − Segovia 53.

   en la autopista A 6 NO : 3 km − ✉ 🏯 Villalba :
XX Restop, 🏯 620 06 66, < campo y montaña, Decoración moderna, ⌇ − 🍽 ❷.
RENAULT carret. N VI 🏯 620 08 80   SEAT carret. N VI km 37,8 🏯 620 05 00

VILLALBA DE LA SIERRA Cuenca 🏤🏤 ⑯ − 695 h. alt. 950.
Alred. : Ventano del Diablo (< garganta del Júcar★) E : 5 km.
Madrid 186 − Cuenca 21.

X **Mesón Nelia,** carret. de Cuenca 🏯 21 − ❷
   cerrado 20 diciembre al 10 enero − Com carta 190 a 405.

VILLALONGA Pontevedra − 🏛 ver Sangenjo.

VILLANUA Huesca 🏤 ⑰, 🏤 ②③ − 321 h. alt. 953 − ❀ 974.
Madrid 503 − Huesca 106 − Jaca 15.

🏠 **Collarada y Resid. Roca Nevada,** carret. N 330 - SO : 1 km 🏯 37 80 35, < montaña, 🎇,
   ⌇ − ▥ 🛁wc 🚿wc ❷. 🎇
   cerrado 10 septiembre al 18 octubre − Com 150 bc/180 bc − 🍴 35 − 46 hab 150/300.

🏠 **Reno,** Arrabal 🏯 37 80 66 − ▥ 🛁 🚿wc ❷. 🎇
   Com 150 − 🍴 35 − 18 hab 165/280 − P 400/425.

VILLANUEVA DEL FRESNO Badajoz 🏤🏤 ㉒, 🏤 ⑧ − Ver aduanas p. 14 y 15.

VILLANUEVA Y GELTRÚ Barcelona 🏤🏤 ⑲, 🏤 ⑦ − 35 714 h. alt. 22 − ❀ 93.
Ver : Casa Papiol★ (Museo Romántico).
Madrid 593 − Barcelona 49 − Lérida 123 − Tarragona 46.

🏠 **Universo Park H.,** paseo Antonio Ferrer Pí 35 🏯 893 04 50, < mar − 🛗 🍴 🛁wc ☎ ❷.
   🎇 rest
   mayo-septiembre − Com 200 − 🍴 50 − 43 hab 200/500 − P 440/485.

🏠 **César** ⤸, paseo Antonio Ferrer Pí 9 🏯 893 07 04 − ▥ 🍴 🛁wc 🚿wc ❷. 🎇 rest
   cerrado diciembre-enero − Com (cerrado viernes) 225 − 🍴 40 − 38 hab 200/300 − P 425.

sigue →

🏛 **Solvi 70,** paseo Antonio Ferrer Pí 1 ☎ 893 32 43, ⇐ mar – ▥ ☞ ➪wc ᠗wc ⇦. ⚘
cerrado 8 octubre al 8 noviembre – Com 180/225 – ⌁ 45 – 31 hab 175/300 –
P 420/440.

🏛 **Mare Nostrum,** rambla José Antonio 66 ☎ 893 10 60 – ▥ ☞ ➪wc ᠗wc. ⚘ hab
Com 200 bc – ⌁ 50 – 20 hab 175/340 – P 470/475.

✕ ✿ **Chez Bernard et Marguerite** ⌿ con hab, Ramón Llull 4 ☎ 893 10 66, Rest. francés –
▥▥ ☞ ➪wc ᠗. ⚘ hab
cerrado miércoles fuera de temporada y 8 enero al 15 febrero – Com carta 300 a 525 –
⌁ 55 – 14 hab 155/330 – P 500/550
Espec. Caracoles de Bourgogne, Choucroute spéciale Colmar (invierno), Pato con ciruelas.

✕ **Peixerot,** paseo Fernández Ladreda 56 ☎ 893 01 91, Pescados y mariscos – ▤. ⚘
cerrado lunes de octubre a Semana Santa – Com carta 320 a 620.

✕ **Cossetania,** paseo Fernández Ladreda 92 ☎ 893 10 37 – ⚘
Com carta 270 a 520.

✕ Monterrey, rambla Ventosa 25 ☎ 893 10 11.

AUSTIN-MG-MORRIS-MINI Gas 11 y 15 ☎ 893 15 16
CHRYSLER-SIMCA rambla Ventosa 10 ☎ 893 02 37
CHRYSLER-SIMCA carret. Barcelona-Santa Cruz de
Calafell km 42 ☎ 893 12 69

CITROEN rambla Calvo Sotelo 36 ☎ 893 02 45
RENAULT rambla Vidal 24 ☎ 893 02 60
SEAT-FIAT av. Balmes ☎ 893 27 00

VILLARCAYO Burgos 𝟿𝟿𝟢 ⑤, 𝟺𝟸 ② – 2 570 h. alt. 615.
Madrid 320 – Bilbao 88 – Burgos 78 – Santander 100.

🏛 **Rivabela H.** ⌿, pl. del Soto ☎ 330 – ▥ ☞ ➪wc ᠗wc ☏. ⚘ rest
cerrado 20 diciembre al 5 enero – Com 160 – ⌁ 45 – 24 hab 210/400 – P 475/485.

AUSTIN-MG-MORRIS-MINI San Roque 44 ☎ 529   CITROEN av. A. Rodríguez de Valcárcel 17 ☎ 103

VILLARREAL DE LOS INFANTES Castellón de la Plana 𝟿𝟿𝟢 ㉘ – 33 218 h. alt. 42 – ● 964.
Alred. : Onda (museo de Ciencias Naturales « El Carmen »★) O : 14 km.
Madrid 410 – Castellón de la Plana 8 – **Valencia 60.**

🏛🏛 **Cristal,** pl. Bayarri 5 ☎ 52 11 50 – 𝄎▥ ▤ ☞ ➪wc ᠗wc ☏. ⚘ rest
Com 200 bc – ⌁ 50 – **15 hab** 320/650 – P 700/825.

en la carretera N 340 : Alquería del Niño Perdido S : 4 km – ⊠ ☎ Burriana :

🏛🏛 **Motel Ticasa,** ☎ 51 02 00, ⏚ – ▥ ▤ rest ☞ ➪wc ☏ ❶. ⚘
Com 300 bc – ⌁ 60 – **26 hab** 550.

AUSTIN-MG-MORRIS-MINI Padre Luis Marín 14
☎ 52 01 66
CITROEN Carlos Sarthou 17 ☎ 52 14 39

RENAULT carret. N 340 km 57 ☎ 52 15 00
SEAT Cruces Viejas 31 ☎ 52 01 53

VILLATOYA Albacete 𝟿𝟿𝟢 ㉗ – 252 h. alt. 600 – Balneario.
Madrid 300 – Albacete 69 – Valencia 102.

en la carretera de Requena N : 1,5 km – ⊠ ☎ Villatoya :

🏛 Baln. Fuente Podrida ⌿, ☎ 6, ⏚ – ᠗wc ❶
temp. – 44 hab.

VILLEGAR Santander 𝟺𝟸 ① – ⌂ ver Corvera de Toranzo.

VINAROZ Castellón de la Plana 𝟿𝟿𝟢 ⑱ – 13 727 h. – Plaza de toros – ● 964.
Madrid 499 – Castellón de la Plana 80 – Tarragona 109 – Tortosa 44.

🏛 **Miramar,** paseo Marítimo 5 ☎ 45 14 00, ⇐ mar – ▥ ☞ ➪wc ᠗wc ☏. ⚘ hab
cerrado 22 diciembre al 10 enero – Com 200 – 16 hab 230/390 – P 600/640.

🏛 **Pino** sin rest, San Pascual 49 ☎ 45 05 53 – ▥ ☞ ᠗wc. ⚘
8 hab 200/250.

✕ **Voramar,** av. Colón 34 ☎ 45 00 37, ⇐ mar – ▤
Com carta 185 a 420.

en la carretera N 340 – ⊠ ☎ Vinaroz :

🏛🏛 **Europa II** sin rest, S : 2 km ☎ 45 12 58, ⚘, ⏚ climatizada – 𝄎▥ ☞ ➪wc ☏ ❶
cerrado 15 octubre al 30 noviembre – ⌁ 45 – **60 hab** 280/385.

🏛 **Roca,** S : 2 km ☎ 45 03 50, ⚘ – ▥ ☞ ➪wc ᠗wc ☏ ⇦ ❶
Com 185 – ⌁ 50 – 36 hab 215/350 – P 490/530.

🏛 **Europa,** S : 2 km ☎ 45 12 58, ⚘, ⏚ climatizada – ▥ ▤ rest ➪wc ᠗wc ❶. ⚘ rest
cerrado 15 octubre al 30 noviembre – Com 200 bc – ⌁ 45 – **24 hab** 130/265 – P 450/580.

🏛 Motel Le Versailles, S : 3 km ☎ 45 07 00 – ▥ ☞ ᠗wc ❶.

Ver también **Alcanar** N : 9 km.

CHRYSLER-SIMCA carret. N 340 ☎ 45 10 52
CITROEN pl. San Agustín 11 ☎ 45 08 93

RENAULT carret. N 340 km 143 ☎ 45 04 99
SEAT San Francisco 88 ☎ 45 18 98

VIRGEN DE LA CABEZA Jaén 🔲🔲🔲 ㉕.

Madrid 355 – Córdoba 109 – Jaén 96.

Ver : ≤★★.

VITORIA 🄿 Alava 🔲🔲🔲 ⑥, 🔲🔲 ③④ – 136 873 h. alt. 524 – Plaza de toros – ❍ 945.

Ver : Museo de Arqueología y Armas★ (estela del jinete★), iglesia de San Pedro (portada★) – Diputación (Cristo★ de Ribera) AZ **D**.

🏌 do Vitoria por ② 2 km ☏ 21 20 24.

M.I.T. parque de la Florida ☏ 22 02 40.

Madrid 356 ③ – Bilbao 65 ① – Burgos 114 ③ – Logroño 85 ③ – Pamplona 95 ② – San Sebastián 116 ②.

VITORIA

```
o        400 m
```

		Postas	BZ	Machete (Pl. del)	BZ 10
				Ortiz de Zárate	BZ 12
		Becerro de Bengoa	AZ 3	Pascual de Andagoya (Pl. de)	AY 13
		Cadena y Eleta	AZ 4	Portal del Rey	BZ 14
		Diputación	AZ 5	San Francisco	BZ 15
Dato	BZ	España (Pl. de)	BZ 6	Santa María (Cantón de)	BY 17
Generalísimo Franco (Av. del)	AYZ	Herrería	AY 7	Siervas de Jesús	AY 18
Independencia	BZ 8	José A. Primo de Rivera	AZ 9	Virgen Blanca (Pl. de la)	BZ 20

🏨 **Canciller Ayala,** Ramón y Cajal 1 ☏ 22 08 00, Telex 32471 – 🍽 rest. 🏊. 🎾 rest **AZ n**
Com 350 – 😐 75 – **184 hab** 650/950 – P 1 125/1 300.

🏨 **General Alava,** av. del Generalísimo 53 ☏ 22 22 00 – 🍽 rest 🚗. 🏊. 🎾 **AY c**
Com 270 – 😐 60 – **105 hab** 450/750 – P 855/930.

🏨 Bilbaina, Prudencio María Verástegui 2 ☏ 21 44 00 – 🛗 🔳 🛁wc 🛁wc 🕿 **BY r**
31 hab.

🏨 **Frontón** sin rest, San Prudencio 2 ☏ 21 14 00 – 🛗 🔳 🛁wc 🔳 🕿. 🎾 **ABZ e**
😐 45 – **36 hab** 225/425.

🏠 **Francia,** 1° piso, Dato 39 ☏ 21 51 03 – 🔳 🛁wc 🔳wc 🕿. 🎾 **BZ s**
Com 200 – 😐 55 – 28 hab 145/365 – P 510/548.

sigue →

XXX **Carey,** Manuel Iradier 20 ☏ 21 62 74, Decoración moderna – ▣. ⌘   **BZ v**
cerrado lunes y del 10 al 30 agosto – Com carta 435 a 725.

XXX Portalón, Correría 151 ☏ 22 49 89, « Casa del siglo XV ».   **ABY u**

XX Elguea, Cruz Blanca 8 ☏ 22 50 40 – ▣.   **AY n**

XX Cafet. Cento, en sótano, Fueros 20 ☏ 23 00 58, Decoración moderna – ▣.   **BZ t**

XX Gar-Del, Basoa 16 ☏ 22 30 36.   **AY a**

XX **Dos Hermanas,** Postas 35 ☏ 21 18 52 – ▣. ⌘   **BZ a**
cerrado martes de octubre a mayo y domingo de julio a septiembre – Com carta 265 a 645.

XX **Naroki,** 1° piso, Carlos VII - 24 ☏ 23 00 00, Decoración rústica vasca – ▣. ⌘   **BZ n**
Com carta 345 a 645.

XX **Lagardere,** en sótano, Chile 1 ☏ 22 30 64, Asador típico – ▣. ⌘   **AY c**
cerrado domingo y 15 agosto al 30 septiembre – Com carta 425 a 615.

X **Mesón Nacional,** Dato 29 ☏ 21 21 11   **BZ f**
Com carta 290 a 490.

X Berriz, Siervas de Jesús 17 ☏ 21 20 16 – ▣.   **AY t**

X **Dake Dai,** Canciller Ayala 5 ☏ 23 02 46 – ▣   **BZ x**
cerrado miércoles – Com carta 210 a 460.

en la carretera N I por ② : 3 km – ⊠ ☏ Vitoria :

🏨 **Iradier,** ☏ 21 71 00, ⌦ – 🛗 ▥ ☺ 🛁wc 🛁wc 🅰 🚗 🅿
cerrado 23 diciembre al 24 enero – Com 250 – ⛟ 50 – **48 hab** 300/650 – P 700/800.

junto al embalse del Zadorra por ① NE : 13 km por Betoño :

XX **Club Náutico de Alava,** ⊠ apartado 220 ☏ 20 00 02 Vitoria, ← embalse, ⌘, ⌦ – 🅿. ⌘
Com carta 310 a 525.

AUSTIN-MG-MORRIS-MINI av. Santiago 27 ☏ 21 72 06   FORD Manuel Iradier 17 ☏ 21 19 00
CHRYSLER-SIMCA Alto Armentia 7 ☏ 22 24 50   PEUGEOT Castilla 2 ☏ 22 15 00
CITROEN carret. San Sebastián km 1 ☏ 21 76 88   RENAULT Alto Armentia 18 ☏ 22 16 00
FIAT-SEAT Alto Armentia 4 ☏ 22 24 87

VIVERO Lugo 𝟿𝟿𝟶 ③ – 12 942 h. – ☺ 982.
Madrid 606 – La Coruña 116 – El Ferrol del Caudillo 88 – Lugo 98.

🏨 **Tebar** ⌗ sin rest, Nicolás Cora 70 ☏ 56 01 00 – ▥ ☺ 🛁wc 🅰 🚗. ⌘
⛟ 45 – **27 hab** 250/440.

X Serra, con hab, Antonio Bas 2 ☏ 56 03 74 – ▥ 🛁wc 🛁wc – **7 hab.**

en la playa de Covas NO : 2 km – ⊠ ☏ Vivero :

🏠 **Cociña,** ☏ 56 00 78 – 🛁wc 🅿. ⌘ rest
junio-septiembre – Com 200 – ⛟ 50 – 60 hab 175/350 – P 550/575.

AUSTIN-MG-MORRIS-MINI carret. Ribadeo ☏ 56 05 39   SEAT Misericordia 6 ☏ 56 04 32
RENAULT Misericordia 7 ☏ 56 03 33

YAIZA Las Palmas – XX ver Canarias (Lanzarote).

YESA Navarra 𝟿𝟿𝟶 ⑦, 𝟺𝟸 ⑯ – 294 h. alt. 492 – ☺ 948.
Alred. : Hoz de Arbayún ←★★ N : 27 km.
Madrid 427 – Jaca 64 – Pamplona 46.

🏠 El Jabalí, carret. N 240 ☏ 88 40 42, ⌦ – ▥ ☺ 🛁wc 🅿 – 24 hab.

XX **Mirador de Yesa,** con bungalows, complejo turístico Mirador de Yesa E : 1,5 km ⊠ Yesa
☏ 88 40 30 Javier, ← pantano de Yesa y montañas, ⌦ – ▥ ☺ 🛁wc 🅰 🅿. ⌘
Com carta 345 a 710 – ⛟ 40 – **20 bungalows** 700.

YESTE Albacete 𝟿𝟿𝟶 ㉘ – 7 787 h. alt. 878.
Madrid 376 – Albacete 128 – Hellín 69 – Murcia 153.

🏠 Bienvenido ⌗, carret. Hellin 1 ☏ 233 – ▥ 🛁wc 🛁wc 🅰
13 hab.

YURRE Vizcaya 𝟺𝟸 ③ – 2 688 h. alt. 91 – ☺ 944.
Madrid 400 – Bilbao 21 – San Sebastián 87 – Vitoria 44.

🏨 **Aránzazu,** carret. de Vitoria ☏ 33 16 55, Telex 32164 – ▥ ☺ 🛁wc 🛁wc 🅰 🅿. ⌘
Com 165 – ⛟ 40 – **22 hab** 180/380 – P 480/490.

ZADORRA (Embalse del) Alava 𝟿𝟿𝟶 ⑥, 𝟺𝟸 ④ – XX ver Vitoria.

| Die Preise | Einzelheiten über die in diesem Reiseführer angegebenen Preise siehe S. 21. |

ZAFRA Badajoz 990 ㉓ – 11 977 h. alt. 509 – ✿ 924.
Madrid 401 – Badajoz 76 – Mérida 60 – Sevilla 147.

🏨 **Parador Hernán Cortés M.I.T.** ⊗, pl. María Cristina ℡ 55 02 00, « Elegantemente instalado en el castillo del siglo XV, patio de estilo renacentista », ⌁ – ▤ 🅿. 🍽 rest
  Com 315 – ⊊ 65 – **28 hab** 580/785 – P 708.

CITROEN Pasaje de Feria ℡ 55 11 60   SEAT edificio Alcázar 2 ℡ 55 04 02
RENAULT av. de los Santos 10 ℡ 55 04 89

ZAHARA DE LOS ATUNES Cádiz 990 ㉝ – 2 742 h.
Madrid 692 – Algeciras 62 – Cádiz 72.

a la orilla del mar SE : 4 km – ✉ ℡ Zahara de los Atunes :

🏨 **Cortijo de la Plata** ⊗, ℡ 1, ≼ playa, « Instalado en un antiguo cortijo andaluz » – ☟
  ⌂wc 🛁wc 🅿. 🍽
  20 marzo-20 octubre – Com 320 – ⊊ 65 – **16 hab** 430/750 – P 935/990.

Para los 🏨🏨🏨, 🏨🏨, 🏨🏨, no detallamos su instalación,   ⌂wc 🛁wc
puesto que estos hoteles tienen generalmente   ☟
toda clase de confort.   🚗 🅱

ZAMORA 🅿 990 ⑭ – 49 029 h. alt. 650 – Plaza de toros – ✿ 988.
Ver : Catedral* (sillería**, cúpula*, Museo Episcopal*).
M.I.T. Santa Clara 20 ℡ 51 18 45 – **R.A.C.E.** (Delegación) Héroes de Toledo 39 ℡ 25 73.
Madrid 248 – Benavente 66 – Orense 278 – **Salamanca 64** – Tordesillas 66.

🏨 **Parador Condes de Alba y Aliste M.I.T.,** pl. de Cánovas ℡ 44 97, « Elegantemente instalado en un antiguo palacio señorial », ⌁ – ⇦. 🍽 rest
  Com 280 – ⊊ 60 – **19 hab** 375/600 – P 580/655.

🍴🍴 **Rueda,** Ronda de la Feria 19 ℡ 51 27 91, Decoración castellana – ▤ 🅿
  Com carta 230 a 490.

🍴 **Pozo,** Ramón Alvarez 3 ℡ 51 25 94 – ▤
  Com carta 215 a 375.

AUSTIN-MG-MORRIS-MINI ronda de la Feria 7   CITROEN carret. N 525 km 277,6 ℡ 51 22 84
℡ 51 25 78   FIAT-SEAT Salamanca 40 ℡ 51 22 89
CHRYSLER-SIMCA carret. de Tordesillas km 63 ℡   RENAULT ronda de la Feria 21 ℡ 51 49 95
52 07 50

EL ZAPILLO Almería – 🏨 ver Almería.

ZARAGOZA 🅿 990 ⑦⑧, 48 ⑫ – 479 845 h. alt. 200 – Plaza de toros – ✿ 976.
Ver : La Seo** (tesoro**, museo de tapices**, retablo* del altar mayor, cúpula* de la Parroquieta) – Basílica de Nuestra Señora del Pilar* (retablo*) – Aljafería* (artesonado* de la sala del trono) – Lonja*.
📍 Aero Club de Zaragoza por ⑤ : 12 km – 📍 La Peñaza por ⑤ : 15 km.
✈ de Zaragoza por ⑥ : 12 km ℡ 21 82 60.
M.I.T. pl. Pío XII, Torreón de la Zuda ℡ 23 00 27.
Madrid 326 ⑤ – Barcelona 304 ② – Bilbao 327 ⑥ – Lérida 144 ② – Valencia 327 ④.

Planos página siguiente

🏨🏨🏨 ⊛ **Corona de Aragón y Rest. del Bearn** Ⓜ, vía Imperial ℡ 22 49 45, Telex 58067, ⌁   Y **r**
  – ▤ 🅿. 🏋. 🍽 rest
  Com carta 470 a 705 – ⊊ 80 – **233 hab** 1 100/1 800 – P 1 700/1 900
  Espec. Mignon de ternera de Ávila " Corona de Aragón ", Costillar de ternasco " Sarladaise ", Tentación de Eva al fuego del Averno (octubre a marzo).

🏨🏨 **Gran Hotel,** Costa 5 ℡ 22 19 01, Telex 58010 – ▤. 🍽 rest   Z **u**
  Com 350 – ⊊ 75 – **169 hab** 530/900 – P 1 095/1 175.

🏨 **Goya,** Requeté Aragonés 5 ℡ 22 93 31 – ▤ ⇦. 🍽 rest   Y **e**
  Com 300 – ⊊ 70 – **150 hab** 435/720 – P 860/935.

🏨 **Rey Alfonso I** Ⓜ, Coso 17 ℡ 21 82 90, Telex 58226 – ▤. 🍽   Y **v**
  Com carta 390 a 550 – ⊊ 75 – **117 hab** 525/930.

🏨 **Don Yo** Ⓜ sin rest, con snack-bar, Bruil 6 ℡ 22 67 41 – ▤ ⇦. 🍽   Z **d**
  ⊊ 65 – **173 hab** 445/825.

🏨 **Oriente,** Coso 11 ℡ 22 19 60 – 🍽   Y **n**
  Com 225 – ⊊ 50 – **87 hab** 310/560 – P 680/710.

🏨 **Ramiro I** Ⓜ sin rest, con snack-bar, Coso 123 ℡ 29 82 00 – ▤ ⇦. 🍽   Y **m**
  ⊊ 74 – **89 hab** 405/690.

sigue →

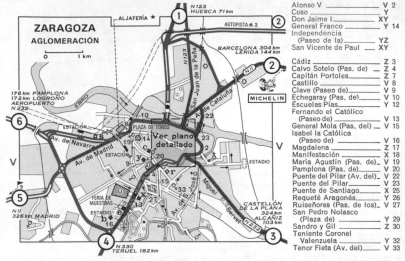

ZARAGOZA
AGLOMERACIÓN

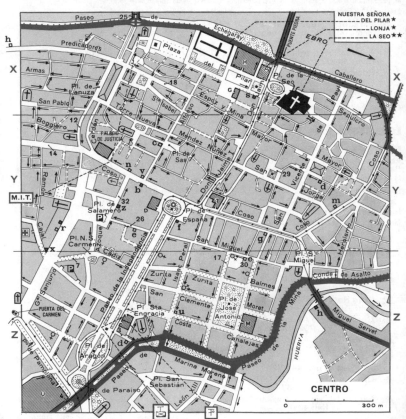

CENTRO

0   300 m

🏨 **Europa** sin rest, Alfonso I - 19 ☎ 22 49 01 – 🛞   **Y c**
   � 50 – **54 hab** 310/560.

🏨 **Conde Blanco** sin rest, con snack-bar, Predicadores 84 ☎ 23 86 00 – 🛗 📶 🖭 ☕ ⌂wc   **X h**
   🛋 ⇦. 🛞
   ⊟ 45 – **83 hab** 220/460.

🏨 **París,** Pedro María Ric 14 ☎ 23 65 37 – 🛗 📶 🖭 ☕ ⌂wc 📶wc 🅿. 🛞   **V r**
   Com 230 – ⊟ 55 – **62 hab** 325/545 – P 733/785.

🏨 **Los Molinos y cafet. Orli,** San Miguel 28 ☎ 22 49 80 – 🛗 📶 🖭 rest ⌂wc 📶wc 🅿. 🛞
   Com 160 – ⊟ 40 – 40 hab 250/400.   **z e**

🏨 **Cataluña,** 1º piso, Coso 94 ☎ 21 69 38 – 🛗 📶 ☕ ⌂wc 🅿. 🛞   **Y g**
   Com 175 – ⊟ 55 – 51 hab 210/370 – P 475/500.

🏨 **Oroel,** av. de Navarra 50 ☎ 33 28 50 – 🛗 📶 🖭 rest ⌂wc 🅿 ⇦. 🛞   **V s**
   Com 215 – ⊟ 55 – 60 hab 382/425 – P 612/782.

🏨 **Burdeos** sin rest, con snack-bar, San Lorenzo 28 ☎ 24 36 47 – 📶 📶 ☕ ⌂wc 📶wc 🅿. 🛞
   ⊟ 50 – **17 hab** 140/310.   **Y d**

XXX **Parrilla Albarracín,** vía Imperial ☎ 22 49 45, « Decoración rústica » – 🖭 🅿. 🛞   **Y r**
   Com carta 350 a 565.

XXX **Rogelios,** centro Cívico La Romareda ☎ 35 89 50 – 🛞   **V b**
   Com carta 215 a 390.

XXX **Cafet. Savoy,** Coso 42 ☎ 22 49 16 – 🖭. 🛞   **Y b**
   Com carta 305 a 440.

XX Gurrea, en sótano, Paricio Frontiñán, edificio Ebrosa ☎ 21 81 00 – 🖭.   **V c**

XX Costa Vasca, Coronel Valenzuela 13 ☎ 21 73 39 – 🖭.   **Y z**

XX **Feria de Muestras,** paseo Isabel la Católica 2 ☎ 25 10 79 – 🖭, 🛞 rest   **V e**
   Com carta 320 a 380.

XX **Cafet. Formigal,** Ramón y Cajal ☎ 22 49 45, ⤓ – 🖭 🅿. 🛞   **YZ x**
   Com carta 290 a 450.

X **París,** paseo de las Damas 11 ☎ 21 11 97 – 🖭   **V r**
   cerrado martes y del 1 al 21 julio – Com carta 210 a 315.

X **Mesón del Carmen,** Hernán Cortés 4 ☎ 21 11 51 – 🖭   **V y**
   cerrado miércoles – Com carta 305 a 585.

X **Maravilla,** en sótano, paseo Independencia 1 ☎ 22 18 19 – 🖭   **Y f**
   Com carta 240 a 300.

X **Coimbra,** Coimbra 2 ☎ 41 46 01 – 🖭   **Z h**
   Com carta 205 a 355.

X **Las Palomas,** pl. de El Pilar 16 ☎ 29 10 36 – 🖭. 🛞   **X s**
   Com carta 225 a 370.

X **Taberna Aragonesa,** Hernán Cortés 8 ☎ 22 62 60 – 🖭. 🛞   **V y**
   cerrado martes – Com carta 230 a 390.

X **Casa Tena,** en sótano, pl. San Francisco 6 ☎ 25 50 22 – 🖭. 🛞   **V x**
   Com carta 275 a 450.

en la carretera de Logroño por ⑥ : 4,5 km – ⊠ ☎ Zaragoza :

XXX **Cachirulo,** ☎ 33 16 74, « Bonito conjunto típicamente aragonés » – 🖭 🅿. 🛞
   Com carta 335 a 505.

en la carretera de Madrid por ⑤ : 8 km – ⊠ ☎ Zaragoza :

X Venta de los Caballos, ☎ 33 23 00, Decoración regional – 🖭 🅿.

en Utebo por ⑥ : 9,5 km – ⊠ ☎ Utebo :

🏨 Ventas, ☎ 33 30 42, 🛞, ⤓ – 📶 🖭 rest 📶wc 🅿
   40 hab.

S.A.F.E. Neumáticos MICHELIN, Sucursal, av. de Cataluña 79 (v) ☎ 29 15 66 y 29 96 65.

AUSTIN-MG-MORRIS-MINI, PEUGEOT paseo Mª
Agustin 74 ☎ 23 99 04
CHRYSLER-SIMCA carret. Madrid km 314 ☎ 33 29 08
CHRYSLER-SIMCA av. Cataluña 243 ☎ 29 70 60
CITROEN carret. Polígono Cogullada km 0,5 ☎ 29 54 50
FIAT-SEAT av. San José 62 ☎ 22 34 78
FORD Hernán Cortés 27 ☎ 22 20 74

RENAULT paseo de la Mina 12 ☎ 23 51 05
RENAULT via de la Hispanidad 67-69 ☎ 33 36 50
RENAULT Madre Vedruna 31 ☎ 22 25 00
SEAT Rio Ara ☎ 29 82 90
SEAT av. de la Hispanidad-junto Portazgo San Lamberto ☎ 33 65 50

Esta guía no es un repertorio de todos los hoteles y restaurantes,
ni siquiera de todos los buenos hoteles y restaurantes de España y Portugal.

Como nos interesa prestar servicio a todos los turistas
nos vemos sujetos a indicar establecimientos
de todas clases y citar solamente algunos de cada clase.

ZARAUZ Guipúzcoa █▊█ ⑥, █▊ ④ – 11 642 h. – Playa – ❀ 943.

Alred. : Carretera en cornisa** de Zarauz a Guetaria – Carretera de Orio ⩽*.

🏌 Real Golf Club de Zarauz.

Madrid 479 – Bilbao 81 – Pamplona 99 – San Sebastián 17.

🏨 **El Gran Hotel,** Alameda de Madoz 7 ☎ 84 14 00, ⩽ playa, « Jardín y agradable terraza »
🍽 – 🚗 🅿. 🍴 rest
junio-septiembre – Com 285 – 🍽 66 – **74 hab** 390/680 – P 865/915.

🏨 **Euromar,** av. de Navarra ☎ 85 12 40, ⩽ mar y montaña, 🍴, 🏊 – 🚗 🅿. 🔺. 🍴 rest
Com 315 – **78 hab** 450/825 – P 988/1 020.

🏨 **Zarauz,** av. de Navarra 2 ☎ 84 12 00 – ▐🗄 🍽 ⌂wc 🛁wc 🖭 🅿. 🍴
15 junio-15 septiembre – Com 300 – 🍽 60 – **82 hab** 400/700 – P 850/900.

🏨 **París,** carret. de San Sebastián ☎ 85 16 56, ⩽ campo y montaña – 🍽 🍽 ⌂wc 🚗 🅿.
🍴 hab
abril-septiembre – Com 210 – 🍽 45 – 28 hab 260/390 – P 560/625.

🏨 **Alameda,** travesía Alameda ☎ 84 11 23 – 🍽 🔔 🅿. 🍴
mayo-septiembre – Com 185 – 🍽 45 – 26 hab 175/300 – P 500/525.

🍴🍴 **Arruti,** av. San Ignacio de Loyola 1 ☎ 85 16 40, Decoración vasca – 🖽
cerrado noviembre a abril y martes – Com carta 320 a 550.

🍴🍴 Kulixka, con snack-bar, Vizconde de Zolina 1 ☎ 84 13 01, ⩽ playa
temp.

🍴 Tea, Zumalacárregui 1 ☎ 84 13 95 – 🅿
temp.

en el Alto de Meagas O : 4 km – ✉ ☎ Zarauz :

🍴 Azkue 🐌, con hab de mayo a octubre, ☎ 84 10 08, ⩽ campo y valle – 🅿
22 hab.

SEAT Victor Pradera 10 ☎ 84 12 05

ZUMAYA Guipúzcoa █▊█ ⑥, █▊ ④ – 6 303 h. – Playa – ❀ 943.

Madrid 440 – Bilbao 71 – Lequeito 36 – San Sebastián 29.

en la carretera N 634 – ✉ ☎ Zumaya :

🍴🍴 Etxe-Ona, av. de Foronda 10 ☎ 86 12 84 – 🅿.

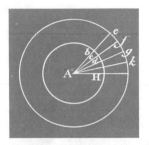

MICHELIN
est le créateur,
et le premier
fabricant du pneu à
carcasse radiale

C'est en effet, en 1948 que Michelin invente le premier pneu radial, le X, maintenant connu de tous les automobilistes.

Depuis, poursuivant ses recherches et développant ses productions, Michelin a mis à la disposition des automobilistes toute une gamme de pneus radiaux de type X.

Aujourd'hui, Michelin est en mesure de satisfaire aux exigences particulières de toutes les conditions de roulage et de tous les types de conduite.

Qu'est-ce que la technique radiale
MICHELIN X

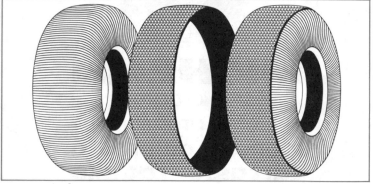

Carcasse radiale : une nappe de câbles disposés en arceaux droits.

Ceinture : composée de plusieurs nappes.

Ensemble : carcasse radiale et ceinture.

Ce principe de fabrication a pour avantages de :

- Dissocier les fonctions des flancs et de la bande de roulement : chacune de ces parties travaille de façon indépendante, contrairement à ce qui se passe dans les pneus conventionnels dont l'ensemble de la carcasse est composé de nombreuses nappes croisées.

- Supprimer les frictions entre nappes.

- Réduire au minimum les déformations parasitaires de la surface de contact du pneu avec le sol.

Pneu conventionnel

Pneu Michelin X

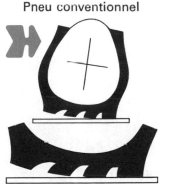

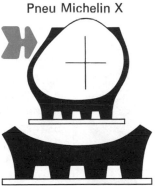

Ces avantages fondamentaux ont pour conséquences :

- Augmentation du rendement kilométrique.

- Amélioration de l'adhérence, indépendamment de l'effet de la sculpture : le pneu se déroule sur le sol comme une chenille.

- Meilleure tenue de route.

- Diminution de la consommation de carburant : le pneu absorbe moins d'énergie.

- Augmentation du confort du conducteur et protection de la mécanique : la carcasse a une grande flexibilité verticale.

- Moindre échauffement du pneu en roulage.

Il existe dans la gamme des pneus

MICHELIN

de type X, celui qui correspond:

- à votre voiture
- à l'usage que vous en faites
- à votre manière de conduire

Pour ceux qui recherchent d'abord le confort et la sécurité :

ZX Agrément de conduite
Tenue de route
(excellente sur route mouillée)
Confort et silence
Haut rendement kilométrique

Pour ceux qui exigent la sécurité maximum pour pouvoir rouler vite :

XAS

Précision de conduite
Surcroît de sécurité et de confort
Pneu « grande vitesse » (HR)

Pour ceux qui pilotent des voitures à très hautes performances :

XWX

Confort, tenue de route
et freinage exceptionnels
Pneu « très grande vitesse » (VR)

Pour ceux qui roulent sur les routes enneigées ou verglacées :

XM+S

Adhérence maximum
Facilement cramponnable
Polyvalent

Michelin travaille sans relâche à votre Sécurité, dans ses bureaux d'étude, ses laboratoires et sur ses pistes d'essais uniques au monde.

Mais votre Sécurité dépend aussi pour une très large part, de vous-même.

C'est ainsi, que vous devez:
Contrôler, ou mieux, faire contrôler par un spécialiste le plus souvent possible et en tout cas, avant chaque grand départ, la pression de gonflage de vos pneus. Cette opération doit être effectuée lorsque les pneus sont froids.
Et n'oubliez pas la roue de secours.
Pour rouler à grande vitesse, sur autoroute, par exemple, ou pour pratiquer une conduite sportive sur parcours sinueux, majorer les pressions généralement prescrites de 0,2 à 0,3 bar, à l'avant et à l'arrière.
Agir de même, si vous êtes amené à surcharger votre voiture.
Ne pas négliger de revisser le bouchon de valve, car cet accessoire s'avère indispensable à la garantie d'une bonne étanchéité.
Enfin, notez qu'un pneu qui roule chauffe et que sa pression de gonflage augmente en cours de roulage. C'est normal.
Ne dégonflez donc jamais un pneu à chaud!
Et considérez que les pressions de gonflage après un certain temps de roulage, doivent être supérieures de 0,3 bar à celles généralement prescrites (tableau de gonflage).
Grâce à un gonflage correct,
vous obtiendrez sécurité, confort,
plus longue durée de vos pneus.

Faites équilibrer vos roues

Lorsque vous équipez votre voiture de nouveaux pneus, faites équilibrer cet ensemble pneu-roue de façon à ce qu'il "tourne bien rond".

Une roue mal équilibrée peut en effet provoquer des troubles de direction, des vibrations etc...

Il est recommandé de ne faire cette opération qu'après avoir roulé une centaine de kilomètres afin que les pneus "prennent leur place" sur la jante.

Surveillez la profondeur des sculptures

Attention aux pneus dont les sculptures sont à demi-effacées ou même déjà lisses : il y a danger immédiat. Vous n'avez plus d'adhérence.

Faites surveiller l'usure de vos pneus chaque fois que vous faites vérifier vos pressions.

Conseils pour le montage des pneus de type "X"

Pour profiter au maximum de leurs qualités exceptionnelles il est préférable d'équiper entièrement votre voiture de pneus Michelin de même type.

Vous pouvez toutefois commencer avec seulement 2 pneus : dans ce cas consulter un spécialiste du pneu, ou Michelin, l'emplacement de ces pneus dépendant de la nature et du type des 2 autres.

De toute façon, sur un même essieu, les 2 pneus doivent toujours être de même type.

Pressions de gonflage des pneus MICHELIN XWX, XVS, XAS, ZX et X

Véhicules Marques et types	Dimensions pneus	XWX (VR) Pres. (bar) AV.	AR.	XVS (HR) Pres. (bar) AV.	AR.	XAS (HR) Pres. (bar) AV.	AR.	ZX (SR) Pres. (bar) AV.	AR.	X (SR) Pres. (bar) AV.	AR.
ALFA-ROMEO											
Alfasud - Alfasud TI	145-13	...	...	...	...	1,9	1,5	1,9	1,5		
	165/70-13	...	...	...	...	...	...	1,8	1,4		
Alfetta	165-14	...	...	...	...	1,8	2,0	1,8	2,0		
Giulia Super 1,3 - 1,6	165-14	...	...	...	...	1,6	1,7	1,7	1,8		
GT et Spider Junior 1300	165-14	...	...	...	...	1,4	1,7	1,7	1,8		
GT et Spider Junior 1600	165-14	...	...	...	...	1,4	1,7				
1750 Berline	165-14	...	...	...	...	1,6	1,7	1,7	1,8		
2000 Berline	165-14	...	...	...	...	1,7	1,8				
2000 GT et Spider Veloce.	165-14	...	...	...	...	1,5	1,8				
ALPINE											
A 110 : 1300 - 1300 L .	145-15	...	...	...	...	1,7	2,3				
A 110 : 1600 - 1600 S .	165-13	...	...	...	...	1,7	2,3				
A 310	165-13 FF	...	...	...	...	1,5					
	185-13 FF	...	...	...	...	...	2,1				
AUDI											
80, L, S, LS, GL	155-13	...	...	...	...	1,9	2,1	1,9	2,1		
	175/70-13	...	...	...	...	...	...	1,8	2,0		
80 GT	175/70-13	...	...	...	...	...	...	1,8	2,0		
100, 100 LS, 100 GL . .	165-14	...	...	...	...	2,0	2,0	2,0	2,0		
AUTOBIANCHI											
A 111	155-13	...	...	...	...	1,7	1,7	1,6	1,5		
A 112	135-13	...	...	...	...	1,7	1,9	1,7	1,9		
B.M.C. (AUSTIN-MORRIS)											
Allegro 1100 - 1300 - 1500.	145-13	...	...	...	...	1,8	2,1	1,8	2,1		
Allegro 1750	155-13	...	...	...	...	1,8	2,1	1,8	2,1		
Marina 1,3-1,8-1,8 TC	145-13	...	...	...	...	1,8	1,9	1,8	1,9		
	165/70-13	...	...	...	...	...	...	1,8	2,0		
Maxi 1500 et 1750	155-13	...	...	...	...	1,8	1,7	1,8	1,7		
Mini (tous types)	145-10	...	...	...	...	1,8	1,8	1,8	1,7		
1100 - 1300 - 1300 GT.	145-12	...	...	...	...	...	...	1,9	1,8		
	155-12	...	...	...	...	1,7	1,9	1,6	1,8		
B.M.W.											
518 - 520 - 520 I	175-14	...	...	...	...	2,0	2,1				
	195/70-14	2,0	2,1	2,0	2,1						
525.	175-14	...	...	...	...	2,2	2,3				
	195/70-14	2,1	2,2	2,1	2,2						
1602 - 1802 - 2002 - Touring 1600 - 1802 - 2002.	165-13	...	...	...	...	1,8	2,0	1,8	2,0		
2002 T.I.I. et T.I.I. Touring	165-13	...	...	...	...	2,0	2,2				
2002 Turbo	185/70-13	2,1	2,3								
2800 - 3,0 S - 3,0 SI . .	195/70-14	2,2	2,3	2,2	2,3						
2800 CS-3,0 CS et CSI	195/70-14	2,2	2,2								
3,3 L	195/70-14	2,2	2,4								
CHRYSLER (SIMCA)											
160-160 GT-180 (13'').	165-13	...	...	...	...	1,7	1,9	1,7	1,9		
160 - 180 - 2 L (14''). .	175-14	...	...	...	...	1,6	1,9	1,6	1,9		
900 - 1000	155-12	...	...	...	...	1,3	1,8	1,2	1,7		
1000 GL, LS, GLS . . .	145-13	...	...	...	...	1,1	1,8	1,1	1,8	1,1	1,8
1000 Rallye I	145-13	...	...	...	...	1,1	1,8	1,1	1,8		
1000 Rallye II	145-13	...	...	...	...	1,1	1,8	1,3	2,0		

Voir légendes en dernière page des tableaux.

Pressions de gonflage des pneus
MICHELIN XWX, XVS, XAS, ZX et X

Véhicules Marques et types	Dimensions pneus	XWX (VR) Pres. (bar)		XVS (HR) Pres. (bar)		XAS (HR) Pres. (bar)		ZX (SR) Pres. (bar)		X (SR) Pres. (bar)	
		AV.	AR.	AV.	AR.	AV.	AR.	AV.	AR.	AV.	AR.
CHRYSLER (SIMCA) (suite)											
1100	145-13	...	...	...	...	1,7	1,8	1,7	1,8	1,7	1,8
1100 S - 1100 TI	145-13	...	...	...	...	1,8	1,8	1,8	1,8		
1300 - 1301 - 1301 S - 1500 - 1501 - 1501 S	165-13	...	...	...	...	1,6	1,7	1,6	1,7		
Sim 4	155-12	...	...	...	...	1,2	1,8	1,2	1,8		
CITROEN											
2 CV - 2 CV 4 et 6	125-15	...	...	...	...	...	...	...	...	1,4	1,8
Dyane 4 et 6	135-15	...	...	...	...	1,4	1,8	1,4	1,8	1,4	1,8
Ami 6	125-15	...	...	...	...	...	...	...	...	1,6	1,8
	135-15	...	...	...	...	1,6	1,8	1,6	1,8	1,6	1,8
Ami 8	125-15	...	...	...	...	...	...	...	...	1,8	1,8
	135-15	...	...	...	...	1,8	1,8	1,8	1,8	1,8	1,8
Ami Super	135-15	...	...	...	...	1,8	1,9	1,8	1,9		
CX 2000	185-14	...	...	...	...	...	...	1,9	1,9		
	175-14	...	...	...	...	...	...	...	2,1		
CX 2200	185-14	...	...	1,9	1,9						
	175-14	...	...	...	2,1						
G Spéc. - GS X - GS X2	145-15	...	...	...	...	1,8	1,9	1,8	1,9		
GS 1015 - GS 1220	145-15	...	...	...	...	1,8	1,9	1,8	1,9		
GS Birotor	165-14	...	...	...	...	2,1	1,7				
ID 19 - DS 19 - ID 20 - DS 20 - D Spéciale - D Super-DS 21 (1968)	180-15	...	...	...	...	2,0	1,8				
	155-15	...	...	...	...	...	2,0				
DS 21 (1969/72)	180-15	...	...	...	...	2,0	1,8				
DS 23 - D Super 5	165-15	...	...	...	...	...	2,0				
DS 21 Injection	185-15	...	...	2,0	1,8	2,0	1,8				
DS 23 Injection	185-15	...	...	2,0	1,8	2,1	1,8				
ID 19 - ID 20 - ID 21 - DS 23 Breaks	180-15	...	...	...	...	2,0	2,2				
Méhari	135-15	...	...	...	...	1,4	1,8	1,4	1,8	1,4	1,8
SM Carburateur	195/70-15	2,2	2,0								
SM Automatique - SM Injection	205/70-15	2,3	2,1								
DAF											
44 et 55	135-14	...	...	...	...	...	...	1,6	2,0	1,6	2,0
	145-14	...	...	...	...	1,6	2,0	1,6	2,0	1,6	2,0
55 Marathon	155-13	...	...	...	...	1,4	1,7	1,4	1,7		
66	135-14	...	...	...	...	...	...	1,6	1,8	1,6	1,8
	145-14	...	...	...	...	1,6	1,8	1,6	1,8	1,6	1,8
	155-13	...	...	...	...	1,4	1,6	1,4	1,6		
66 Marathon	155-13	...	...	...	...	1,4	1,6	1,4	1,6		
DATSUN											
100 A Cherry	155-12	...	...	...	...	1,5	1,3	1,3	1,3		
120 A Cherry	155-12	...	...	...	...	1,6	1,3	1,4	1,3		
120 Y	155-12	...	...	...	...	1,5	1,9	1,5	1,9		
FERRARI											
246 GT (Dino)	205/70-14	1,9	2,2								
365 GT 4 2 + 2	215/70-15	3,2	3,5								
365 GT B 4	215/70-15	2,8	3,1								
365 GT BB	215/70-15	2,8	3,3								
365 GT C 4	215/70-15	3,1	3,1								
FIAT											
X 1 - 9	145-13	...	...	...	...	1,8	2,0				
124 - 124 S - 124 T	155-13	...	...	...	...	1,5	1,8	1,5	1,8		
125 - 125 S	175-13	...	...	...	...	1,5	1,7	1,7	1,8		
126	135-12	...	...	...	...	...	...	1,4	2,0		
127	135-13	...	...	...	...	1,7	1,9	1,7	1,9		

Voir légendes en dernière page des tableaux.

Véhicules Marques et types	Dimensions pneus	XWX (VR) Pres. (bar) AV.	AR.	XVS (HR) Pres. (bar) AV.	AR.	XAS (HR) Pres. (bar) AV.	AR.	ZX (SR) Pres. (bar) AV.	AR.	X (SR) Pres. (bar) AV.	AR.
FIAT (suite)											
128 - 128 S - 128 SL	145-13	...	...	...	...	1,8	1,7	1,8	1,7	1,8	1,7
130 Berline 2800	185-14	...	...	2,0	2,2	2,0	2,2				
130 Berline 3200	205/70-14	2,0	2,2								
132 (1600 et 1800)	175-13	...	...	...	..	1,8	1,0	1,0	1,0		
132 GL - 132 GLS	165/70-13	...	...	...	...	...	...	1,8	1,9		
850 Berline et Super	145-12	...	...	...	...	...	...	1,3	2,0	1,3	2,0
850 Spécial et Sport	145-13	...	...	...	...	1,4	1,8	1,4	1,8	1,4	1,8
FORD											
Capri 1300 - 1500 - 1600 - 1700 - 2000 - 2300	165-13	...	...	...	...	1,9	2,2	1,9	2,2		
Capri II 1300 - 1600 - 1600 GT - 2300 GT	165-13 / 185/70-13	...	...	... / 2,0	... / 2,0	1,7 / ...	2,2 / ...	1,7 / 2,0	2,2 / 2,0		
Capri 2600 GT - 2600 RS - Capri et Capri II - 3000 GT	185/70-13	...	...	2,0	2,0						
Consul 1700 Berline et Coupé	175-14 / 185-14	...	...	... / 1,5	... / 1,8	1,6 / 1,5	1,9 / 1,8	1,6 / 1,5	1,9 / 1,8		
Consul 2000 Berline et Coupé	175-14 / 185-14	...	...	... / 1,6	... / 1,8	1,7 / 1,6	1,9 / 1,8	1,7 / 1,6	1,9 / 1,8		
Consul et Granada 2300 Berlines et Coupés	175-14 / 185-14	...	...	... / 1,6	... / 2,0	1,7 / 1,6	2,1 / 2,0	1,7 / 1,6	2,1 / 2,0		
Granada 2600 Berline et Coupé	175-14 / 185-14	...	...	... / 1,7	... / 2,0	1,8 / 1,7	2,1 / 2,0	1,8 / 1,7	2,1 / 2,0		
Cortina MK III 1300 - 1600 - 2000 - 1600 GT - 2000 GT	165-13 / 175-13	...	...	...	...	1,8 / 1,6	1,9 / 1,8	1,8 / 1,6	1,9 / 1,8		
Escort 1100 - 1300	155-12	...	...	...	...	1,5	2,2	1,5	2,2		
Escort 1600 GT - RS	165-13	...	...	...	...	1,7	1,8	1,7	1,8		
Taunus 1300 - 1600 - Taunus GT et GXL 1600 - 2000 - 2300	165-13 / 175-13	...	...	...	...	1,8 / 1,6	2,0 / 1,8	1,8 / 1,6	2,0 / 1,8		
HONDA											
Civic (H 1200)	155-12	...	...	...	...	1,6	1,6	1,6	1,6		
N 360 - N 600 - Z 600	145-10	...	...	...	...	1,6	1,4	1,7	1,4		
JAGUAR											
3,4 S - 3,8 S - 420	185-15	...	...	1,8	1,9	1,8	1,9				
XJ 6 2,8 l et 4,2 l	185-15 / 205/70-15	... / 2,1	... / 2,5	2,2	2,6	2,2	2,6				
XJ 12	205/70-15	2,3	2,5								
LADA											
1200	155-13	...	...	...	...	1,7	2,0	1,7	2,0		
1500	165-13	...	...	...	...	1,7	2,0	1,7	2,0		
LAMBORGHINI											
P 250 Urraco	205/70-14	2,5	2,7								
400 GT Espada	215/70-15	2,5	2,7								
S 400 GT Jarama	215/70-15	2,5	2,8								
LANCIA											
Beta 1400	155-14	...	...	...	...	1,9	1,9	1,9	1,9		
Beta 1600-1800 Berline	175/70-14	...	...	1,9	1,9	...	...	1,9	1,9		
Beta 1600-1800 Coupé	175/70-14	...	...	1,9	1,9						

Voir légendes en dernière page des tableaux.

Pressions de gonflage des pneus
MICHELIN XWX, XVS, XAS, ZX et X

Véhicules Marques et types	Dimensions pneus	XWX (VR) Pres. (bar)		XVS (HR) Pres. (bar)		XAS (HR) Pres. (bar)		ZX (SR) Pres. (bar)		X (SR) Pres. (bar)	
		AV.	AR.	AV.	AR.	AV.	AR.	AV.	AR.	AV.	AR.
LANCIA (suite)											
Fulvia 1,3 S Coupé	165-14	...	...	...	...	1,7	1,7	1,8	1,8		
Fulvia 1,3 S Sport ...											
Fulvia Sport 1,6......	165-14	...	...	...	...	1,7	1,7				
Fulvia Coupé 1,6 HF .	175-14	...	...	...	...	1,5	1,5				
2000 Berline	175-14	...	...	...	...	1,9	1,9	2,0	2,0		
2000 IE	175-14	...	...	...	...	1,9	1,9				
2000 et 2000 HF Coupés	175-14	...	...	...	...	2,0	2,0				
MASERATI											
Bora - Indy - Khamsin	215/70-15	2,4	2,6								
Mérak	185/70-15	2,3	...								
	205/70-15	...	2,4								
MATRA											
Bagheera	145-13	...	...	...	...	1,5					
	185-13	...	...	...	...	...	2,0				
M 530, A, L, LX	145-14	...	...	...	...	1,7					
	155-14	...	...	...	...	...	1,9				
MERCEDES											
200-230/4-230/6-250- 200 D - 220 D - 240 D .	175-14 P	...	...	...	...	2,2	2,5	2,2	2,5		
280 - 280 E - C - CE ..	185-14 P	...	...	2,2	2,5	2,2	2,5				
280 S 2,8 l (1968/71) .	185-14 P	...	...	2,3	2,5	2,3	2,5				
280 SE - SEL 2,8 l (1968/71) ...	185-14 P	...	...	2,2	2,5	2,2	2,5				
280 S - SE - SEL 2,8 l (1972/74) ...	185-14 P	...	...	2,4	2,7						
	205/70-14	...	...	2,3	2,5						
280 SL - SLC	185-14 P	...	...	2,2	2,5						
280 SE - SEL 3,5 l ...	205/70-14	2,2	2,5								
350 SE - SEL	205/70-14	2,5	2,7	2,5	2,7						
350 SL	205/70-14	2,3	2,7								
350 SLC - 450 SE - SEL 450 SL - 450 SLC....	205/70-14	2,5	2,7								
M.G.											
MGB - MGB GT	165-14	...	...	...	...	1,5	1,7	1,5	1,7		
N.S.U.											
1000 - 1000 C - L - S .	145-12	...	...	...	...	...	...	1,4	1,7	1,4	1,7
TT - TTS	135-13	...	...	...	...	1,4	2,0	1,4	2,0	1,4	2,0
1200 - 1200 C	155-13	...	...	...	...	1,4	1,7	1,4	1,7		
RO 80	175-14	...	...	...	...	2,1	1,9				
OPEL											
Admiral B 2,8 E-H-S.	205/70-14	...	...	2,0	2,3						
Ascona et Manta 12 S - 16-S - SR 19-S - SR	165-13	...	...			1,6	1,9	1,6	1,9		
	185/70-13	...	...			...	...	1,8	2,0		
Commodore B 2,5 S - 2,8 S - GS 2,5 H et 2,8 H - GSE 2,8 E ...	175-14	...	...			2,2	2,4				
	195/70-14	2,0	2,4	2,0	2,4						
Kadett C 1000 et 1200 L - S - SR	155-13	...	...			1,5	2,0	1,5	2,0		
	175/70-13	...	...			...	...	1,4	1,8		
Manta GTE	185/70-13	...	...	2,2	2,2						
Rekord II 1,7 - 1,7 S et 1,9 SH	175-14	...	...			2,0	2,2	2,0	2,2		
	185/70-14	...	...			...	...	1,8	2,0		
Rekord II 2100 D	175-14	...	...			2,0	2,4	2,0	2,4		
1900 GT - GTA - GTJ	165-13	...	...	...	...	1,8	1,8				

Voir légendes en dernière page des tableaux.

Pressions de gonflage des pneus
MICHELIN XWX, XVS, XAS, ZX et X

Véhicules Marques et types	Dimensions pneus	XWX (VR) Pres. (bar)		XVS (HR) Pres. (bar)		XAS (HR) Pres. (bar)		ZX (SR) Pres. (bar)		X (SR) Pres. (bar)	
		AV.	AR.	AV.	AR.	AV.	AR.	AV.	AR.	AV.	AR.
PEUGEOT											
104 - L - GL Berlines .	135-13	...	...	...	...	1,8	2,0	1,8	2,0		
104 Coupé	135-13	...	...	...	...	1,8	2,2	1,8	2,2		
204 Berline	135-14					...	...	1,7	2,0	1,7	2,0
	145-14	...	...	...	...	1,6	1,9	1,6	1,9	1,6	1,9
204 Break	145-14	...	...	...	...	1,6	2,5	1,7	2,6	1,6	2,5
304 Berline	145-14	...	...	...	...	1,6	1,9	1,7	2,0	1,6	1,9
304 S Berline	145-14	...	...	...	...	1,8	2,1	1,9	2,2		
304 S Cabriolet	145-14	...	...	...	...	1,8	2,0	1,9	2,2		
304 S Coupé	145-14	...	...	...	...	1,8	2,2	1,9	2,4		
304 Break	145-14	...	...	...	...	1,6	2,5	1,7	2,6	1,6	2,5
404 Berline	165-15	...	...	...	...	1,4	1,6	1,5	1,7	1,4	1,6
404 Berline Injection .	165-15	...	...	...	...	1,6	1,8				
404 Break - Familiale.	165-15	...	...	...	...	1,4	2,2	1,5	2,3	1,4	2,2
504 L	165-14	...	...	...	...	1,8	2,1	1,8	2,1		
504 - 504 GL Berlines Carburateur.	175-14	...	...	...	...	1,5	1,8	1,7	2,0		
	185-14	...	...	1,6	1,9	1,6	1,9				
504 - 504 TI Berlines et Coupés Injection . .	175-14	...	...	...	...	1,5	1,8				
	185-14	...	...	1,6	1,9	1,6	1,9				
504 - 504 GL Diesel . .	175-14	...	...	...	...	1,6	1,8	1,7	2,0		
504 Cabriolet	175-14	...	...	...	...	1,5	1,6				
	185-14	...	...	1,6	1,7	1,6	1,7				
504 V6 Cabriolet.	175-14	...	...	...	...	1,6	1,7				
504 V6 Coupé	175-14	...	...	...	...	1,6	1,8				
504 Break - Commerciale - Familiale	185-14 Reinforced	...	...	...	...	...	...	1,5	3,2		
PORSCHE											
911 - 911 E - S - T . . .	185/70-15	2,0	2,4								
RENAULT											
4 - 4 L - 4 L Export . .	135-13	...	...	...	...	1,4	1,6	1,4	1,6	1,4	1,6
5 - 5 TL - 6	135-13	...	...	...	...	1,7	1,9	1,7	1,9	1,7	1,9
5 LS	145-13	...	...	...	...	1,7	2,0	1,7	2,0		
6 TL	145-13	...	...	...	...	1,5	1,8	1,5	1,8	1,5	1,8
8 - 10	135-15	...	...	...	...	1,0	1,8	1,0	1,8	1,0	1,8
8 S	135-15	...	...	...	...	1,0	2,0	1,3	2,0	1,0	2,0
12 L - TL - TR - TS .	145-13	...	...	...	...	1,8	2,0	1,8	2,0	1,8	2,0
12 Gordini	155-13	...	...	...	...	1,9	2,0				
12 Break-commerciale	155-13	...	...	...	...	1,7	2,0	1,7	2,0		
12 TS Break	155-13	...	...	...	...	1,8	2,0	1,8	2,0		
15 TL	145-13	...	...	...	...	2,0	2,2	2,0	2,2		
15 TS - 17 TL.	155-13	...	...	...	...	2,0	2,1	2,0	2,1		
16 - 16 L - 16 TL	145-14	...	...	...	...	1,7	2,2	1,7	2,2	1,7	2,2
16 TS	155-14	...	...	...	...	1,7	2,2	1,7	2,2		
16 TA - 16 TS TA . . .	155-14	...	...	...	...	1,8	2,2	1,8	2,2		
16 TX	155-14	...	...	...	...	1,9	2,2	1,9	2,2		
17 TS - 17 Gordini . . .	165-13	...	...	...	...	2,0	2,2				
SAAB											
99 1,85 l - 99 2 l - 99 EMS - 99 LC	165-15	...	...	...	...	2,1	2,1	2,1	2,1		
SIMCA (voir **CHRYSLER**)											
SUNBEAM											
1250 - 1500	155-13	...	...	...	...	1,7	2,1	1,7	2,1		

Voir légendes en dernière page des tableaux.

Pressions de gonflage des pneus
MICHELIN XWX, XVS, XAS, ZX et X

Véhicules Marques et types	Dimensions pneus	XWX (VR) Pres. (bar)		XVS (HR) Pres. (bar)		XAS (HR) Pres. (bar)		ZX (SR) Pres. (bar)		X (SR) Pres. (bar)	
		AV.	AR.	AV.	AR.	AV.	AR.	AV.	AR.	AV.	AR.
TOYOTA											
Carina et Celica 1600	155-13	...	...	...	...	1,6	1,6	1,5	1,5		
Celica 1600 ST - GT	165-13					1,6	1,6				
Corolla 1200	155-12					1,5	1,5	1,5	1,5		
TRIUMPH											
2000 MK I - MK II	175-13					1,8	1,8	1,8	1,8		
2500 PI MK I - MK II	175-13					1,8	2,1	1,8	2,1		
Dolomite	155-13					1,8	2,1	1,8	2,1		
Spitfire	145-13					1,2	1,7	1,5	1,9	1,5	1,9
Toledo	155-13					1,7	1,9	1,7	1,9		
VAUXHALL											
Firenza et Viva	155-13					1,7	1,8	1,7	1,8		
Ventora	175-13					1,9	1,9	1,9	1,9		
	185/70-14					...	...	1,8	1,8		
VOLKSWAGEN											
1200 - 1300 - 1500 - 1302-1302 S-1302 LS-1303-1303 S-1303 LS	155-15					1,3	1,9	1,3	1,9	1,3	1,9
1600 L - T - TL	165-15					1,3	2,0	1,3	2,0	1,3	2,0
411 - 412	155-15					1,6	2,2	1,6	2,2	1,6	2,2
K 70 - K 70 S - L - LS	165-14			...		1,7	1,9	1,7	1,9		
Golf 1100 L - 1500 S - LS - Passat L - S - LS (75 CV) - Scirocco 1100 L - 1500 S - LS	155-13 / 175/70-13					1,8	1,8	1,8 / 1,8	1,8 / 1,8		
Passat LS (85 CV) - Passat TS	165/70-13 / 175/70-13					...	...	1,8 / 1,8	1,8 / 1,8		
Scirocco 1500 TS	175/70-13							1,8	1,8		
VOLKSWAGEN-PORSCHE											
914/4 1,7 l et 1,8 l	165-15					1,8	2,0	1,8	2,0		
914/4 2 l	165-15					1,8	2,0				
914/6	165-15					1,8	2,0				
	185-14			1,8	2,0	1,8	2,0				
VOLVO											
142 - 144	165-15					1,9	2,2	1,9	2,2	1,9	2,2
145 Deluxe	175-15					1,8	2,7	1,8	2,7		
145 T Express	175-15 Reinforced					...	...	1,8	3,0		
164	165-15					2,0	2,4	2,0	2,4	2,0	2,4
	175-15					1,8	2,1	1,8	2,1		
164 E	165-15					2,0	2,4				
	175-15					1,8	2,1				
1800 E - 1800 ES	165-15					1,8	2,0				
	185/70-15	1,7	1,9								

Nous recommandons d'augmenter les pressions indiquées de 0,2 à 0,3 bar pour roulage prolongé à grande vitesse (autoroutes par exemple) et conduite sportive sur routes sinueuses.

La pression doit être vérifiée au départ, les pneus étant froids. Ne jamais dégonfler en cours de roulage.

Tous les renseignements figurant sur ce tableau sont donnés sous réserve des modifications pouvant survenir après sa parution.

PORTUGAL

O Guia Michelin não é um catálogo de todos os hotéis e restaurantes, nem sequer de todos os bons hotéis e restaurantes.
Como procuramos prestar serviço a todos os automobilistas, somos necessàriamente induzidos a indicar estabelecimentos de todas as categorias e a não citar senão alguns de cada classe.

SIGNOS E SÍMBOLOS ESSENCIAIS

(lista completa p. 16, 17 e 22)

HOTÉIS E RESTAURANTES

O CONFORTO

Hotel de grande luxo
Hotel de luxo
Hotel muito confortável
Hotel de bom conforto
Hotel simples, bastante confortável
Hotel muito simples, mas que convém
sem rest   O hotel não tem restaurante
Ⓜ   Na sua categoria, hotel de equipamento moderno
Restaurante de grande luxo
Restaurante de luxo
Restaurante muito confortável
Restaurante de bom conforto
Restaurante simples, mas que convém
com qto   O restaurante tem quartos

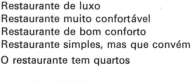

AS BOAS MESAS

Uma boa mesa na sua categoria

OS ATRACTIVOS

Hotéis agradáveis
Restaurantes agradáveis
Elemento particularmente agradável
Hotel muito tranquilo
ou isolado e tranquilo
Vista excepcional

« Parque »

≤ mar

AS CURIOSIDADES

Vale a viagem   ★★★
Merece um desvio   ★★
Interessante   ★

Para percorrer a Europa,
utilize os Mapas Michelin **Estradas Principais** a 1/1 000 000.

ALGUMAS PRECISÕES ÚTEIS

CENTROS DE INFORMAÇÃO TURÍSTICA

Para todas as questões de ordem turística, podem consultar a Direcção-Geral do Turismo, em Lisboa : Palácio Foz, Praça dos Restauradores - ℡ 36 70 31 e os Centros de Turismo nas principais cidades portuguesas (ver as direcções no texto das correspondentes localidades).

NO HOTEL - NO RESTAURANTE

A nossa classificação é estabelecida para uso do automobilista de passagem. Em cada categoria os estabelecimentos são citados por ordem de preferência.

Pousadas e estalagens. — São estabelecimentos dependentes da Direcção-Geral do Turismo. As pousadas, muitas vezes construídas num sítio escolhido, por vezes instaladas num edifício histórico confortàvelmente arranjado, estão situadas nas cidades de paragem ou nos centros de excursão e oferecem um serviço, uma cozinha, bem como uma decoração, característicos da região. Não se pode ai ficar mais de cinco dias. As estalagens são albergues dotados de características semelhantes às das Pousadas, apresentando o mesmo estilo de construção e de decoração. Estes albergues são propriedades privadas e a duração da estadia não é limitada.

Abertura. — Os hotéis em caracteres destacados, cujo nome não é seguido de qualquer menção, estão abertos todo o ano.

Os preços são indicados em escudos.

Serviço e impostos. — A prática do «tudo compreendido» é regra em Portugal, sendo os hoteleiros oficialmente obrigados a praticar preços globais, compreendendo o serviço, as taxas, os impostos...

As refeições no hotel. O turista de passagem pode obter um quarto sem ser obrigado a tomar uma refeição no hotel e em caso algum o hoteleiro está autorizado a aumentar o preço do quarto. Para este país, o número de quartos indicado neste guia figura sempre em caracteres destacados : **30 qto**. Todavia, nas pensões que praticam o regime de pensão completa, um aumento de 20 % sobre o preço do quarto pode ser aplicado se o cliente não tomar nenhuma das refeições principais.

A Pensão. — A pensão completa compreende o quarto e a pensão alimentar (o pequeno almoço e as duas refeições). A título indicativo, damos os preços mínimo e máximo da pensão completa, por pessoa e por dia, em plena estação (preços geralmente aplicáveis a partir de três dias) : P 260/280.
É indispensável entender-se de início com o hoteleiro para combinar um acordo definitivo.

Nota. — *Para as pessoas sós, ocupando um quarto de casal, os preços indicados podem, por vezes, ser aumentados.*

Nenhuma publicidade paga

As inscrições no guia são inteiramente gratuitas, mas a Michelin reserva-se o direito de modificá-las ou suprimi-las, se o considerar necessário.

O guia Michelin não entrega placas.

Os hoteleiros e os donos de restaurantes estão avisados destas condições.

ALGUNAS INFORMACIONES ÚTILES

OFICINAS DE TURISMO

Para toda clase de informaciones turísticas, puede dirigirse a la Delegação da Informação e Turismo de Portugal en :
— Madrid : Carrera de San Jerómino 18, 3º, ☎ 222 44 08 ;
o a las subdelegaciones de la Secretaria de Estado da Informação e Turismo en :
— Barcelona : Ronda de S. Pedro 7, 1º, ☎ 231 99 23 ;
— Sevilla : Pavilhão de Portugal, avenida del Cid 7 ☎ 231 150 ;
— Vigo : Consulado de Portugal, Marqués de Valladares 29-31 ☎ 224 959.

EN EL HOTEL - EN EL RESTAURANTE

Nuestra clasificación ha sido establecida para uso del automovilista de paso.
En cada categoría, los establecimientos están indicados por orden de preferencia.

Pousadas y Estalagens. — Son establecimientos dependientes de la Direcção Geral do Turismo. Las Pousadas generalmente construidas en un paraje agradable, a veces instaladas en un edificio histórico confortablemente amueblado, suelen estar situadas en poblaciones etapa o centros de excursión y ofrecen un servicio, una cocina y una decoración regionales. No se permite una estancia superior a cinco días. Los Estalagens son albergues que presentan las mismas características y el mismo estilo de construcción y decoración que las Pousadas. Estos albergues son de propiedad particular y la estancia no está limitada.

Apertura. — Los hoteles en caracteres gruesos cuyo nombre no va seguido de alguna mención, están abiertos todo el año.

Los precios están indicados en escudos.

Servicio e impuestos. — Se practica en Portugal la modalidad de «todo incluido», ya que los hoteleros están obligados oficialmente a facturar precios globales, incluyendo el servicio y los impuestos.

Las comidas en el hotel. — El turista de paso puede obtener una habitación sin estar obligado a tomar una comida en el hotel, y el hotelero no está autorizado a aumentar el precio de la habitación. Para este país, indicamos pues en la guía, el número de habitaciones con carácter grueso : **30 qto**. Sin embargo en las « pensões », que practican generalmente la modalidad de « pensión completa », un aumento del 20 % sobre el precio de la habitación puede ser aplicado si el cliente no toma ninguna comida.

La pensión. — La pensión completa incluye la habitación y la « pensão alimentar » (el desayuno y las dos comidas). Damos, a título indicativo, el precio mínimo y máximo de la pensión completa, por persona y por día, en plena temporada (precios válidos para estancias superiores a dos días) : P 260/280. Para una estancia en pensión completa, es conveniente ponerse de acuerdo con el hotelero de antemano.

Nota. — *Los precios de pensión en habitación doble ocupada por una persona son generalmente superiores a los indicados en la guía.*

Le aconsejamos envíe un cupón respuesta internacional junto con su carta de petición de reserva.

HORARIOS Y DÍAS FESTIVOS

En Portugal los horarios son diferentes a los de España. Las horas de apertura son aproximadamente las siguientes :
Oficinas de 9 h 30 a 12 h 30 y de 14 h 30 a 18 h.
Tiendas y almacenes de 9 h a 13 h y de 15 h a 19 h.
Bancos de 9 h 30 a 12 h y de 14 h a 16 h (cerrados a las 11 h 30 los sábados).
Oficinas de cambio de 9 h 30 a 18 h (cerradas a las 13 h los sábados).
Museos y monumentos de 10 h a 17 h (cerrados los lunes).
Iglesias de 7 h a 13 h y de 16 h a 19 h (las visitas se interrumpen durante los oficios).
Espectáculos : el teatro empieza hacia las 21 h 30, los fados hacia las 22 h 30.
Las comidas se sirven generalmente : a las 13 h el almuerzo, y a las 20 h la cena.
Los establecimientos públicos y administrativos están cerrados los domingos y ciertos días festivos : 1 de enero, la víspera del miércoles de ceniza, el Viernes Santo, 10 de junio (muerte de Camoëns, fiesta nacional), Corpus Cristi, 15 de agosto, 5 de octubre (proclamación de la República), 1 de noviembre, 1 de diciembre (restauración de la Independencia), 8 de diciembre, 25 de diciembre, así como en cada ciudad el día de la fiesta patronal (São Antonio en Lisboa).

Ninguna publicidad de pago

Las inserciones en la guía son totalmente gratuitas, pero Michelin se reserva el derecho de modificarlas o suprimirlas si lo juzga necesario.

La Guía Michelin no distribuye placas de propaganda.

Los hoteleros están advertidos de estas condiciones.

QUELQUES PRÉCISIONS UTILES

OFFICES DE TOURISME

Pour toutes les questions d'ordre touristique concernant le Portugal, on peut consulter l'Office National de Tourisme du Portugal à :

F-75009 Paris : / rue Scribe, ☎ 073 44 72.

B-1000 Bruxelles : Centro de Turismo de Portugal, 8 rue Ravenstein, ☎ 13 27 36 et 11 08 80.

A L'HOTEL - AU RESTAURANT

Notre classement est établi à l'usage de l'automobiliste de passage. Dans chaque catégorie les établissements sont cités par ordre de préférence.

Pousadas et Estalagens. — Ce sont des établissements dependant de la Direcção Geral do Turismo. Les Pousadas souvent construites dans un site choisi, parfois installées dans un édifice historique confortablement aménagé, sont situées dans des villes-étapes ou des centres d'excursion et offrent un service, une cuisine ainsi qu'une décoration propre à la région. On ne peut y rester plus de cinq jours. Les Estalagens sont des auberges dotées de caractéristiques semblables à celles des Pousadas et présentant le même style de construction et de décoration. Ces auberges sont propriétés privées et la durée du séjour n'y est pas limitée.

Ouverture. — Les hôtels en caractères gras dont le nom n'est suivi d'aucune mention sont ouverts toute l'année.

Les prix sont indiqués en escudos.

Service et taxes. — La pratique du tout compris est de règle au Portugal, les hôteliers étant tenus de pratiquer des prix globaux, comprenant le service, les taxes, les impôts...

Les repas à l'hôtel. — Le touriste de passage peut obtenir une chambre sans être tenu de prendre un repas à l'hôtel et en aucun cas l'hôtelier n'est autorisé à majorer le prix de la chambre. Pour ce pays, le nombre des chambres indiqué dans ce guide figure toujours en caractère gras : **30 qto.** Cependant dans les « pensões », qui pratiquent le régime de la pension complète, une augmentation de 20 % sur le prix de la chambre peut être appliquée si le client ne prend aucun des repas principaux.

La pension. — La pension complète comprend la chambre et la « pensão alimentar » (le petit déjeuner et deux repas). Nous donnons à titre indicatif le prix minimum et le prix maximum de la pension complète, par personne et par jour, en pleine saison (prix généralement applicable à partir de trois jours) : P 260/280.

Il est indispensable de s'entendre à l'avance avec l'hôtelier pour conclure un arrangement définitif.

Nota. — *Pour les personnes seules occupant une chambre de deux personnes, les prix indiqués peuvent parfois être majorés.*

A toute demande écrite, il est conseillé de joindre un coupon-réponse international.

HORAIRES ET JOURS FÉRIÉS

Au Portugal, les horaires ne subissent pas le même décalage qu'en Espagne. Les heures moyennes d'ouverture sont les suivantes :

Les bureaux de 9 h 30 à 12 h 30 et 14 h 30 à 18 h.

Les magasins de 9 h à 13 h et 15 h à 19 h.

Les banques de 9 h 30 à 12 h et 14 h à 16 h (fermées à 11 h 30 le samedi).

Les bureaux de change de 9 h 30 à 18 h (fermés à 13 h le samedi).

Les musées et monuments de 10 h à 17 h (fermés le lundi).

Les églises de 7 h à 13 h et 16 h à 19 h. Elles ne se visitent pas pendant les offices.

Les spectacles de théâtre commencent vers 21 h 30, les fados vers 22 h 30.

Les repas sont généralement servis vers 13 h pour le déjeuner et 20 h pour le dîner.

Les établissements publics sont fermés les dimanches et certains jours de fêtes : 1er janvier, Mardi Gras, Vendredi Saint, 10 juin (mort de Camoëns, fête nationale), Fête-Dieu, 15 août, 5 octobre (proclamation de la République), 1er novembre, 1er décembre (restauration de l'Indépendance), 8 décembre, 25 décembre, ainsi que dans chaque ville, le jour de la fête patronale (São Antonio à Lisbonne).

Pas de publicité payée

Les insertions au Guide sont entièrement gratuites mais Michelin se réserve le droit de les modifier ou de les supprimer s'il le juge nécessaire.

Le Guide Michelin ne délivre pas de panonceaux.

Les hôteliers et les restaurateurs sont avertis de ces conditions.

QUALCHE CHIARIMENTO UTILE

ALL'ALBERGO - AL RISTORANTE

Le nostre classifiche sono stabilite ad uso degli automobilisti di passaggio. In ogni categoria, gli esercizi sono citati in ordine di preferenza.

Pousadas ed Estalagens. — Le Pousadas sono esercizi dipendenti dalla Direcção Geral do Turismo. Costruite in posizione particolarmente interessante, o sistemate in un castello storico o in un antico monastero confortevolmente adattato, nelle città-tappa o nei centri di escursioni, offrono un servizio, una cucina ed un ambiente tipici della regione. Non vi si può soggiornare più di 5 giorni. Gli Estalagens sono alberghi aventi caratteristiche simili alle Pousadas, che adottano lo stesso stile di costruzione e di ambientazione. Sono di proprietà privata ed in essi la durata del soggiorno non è limitata.

Apertura. — Gli alberghi in carattere grassetto il cui nome non è seguito da alcuna menzione sono aperti tutto l'anno.

In questa guida **i prezzi** sono indicati in escudos per il Portogallo.

Servizio e tasse. — I prezzi tutto compreso rappresentano la regola in Portogallo, poiché gli albergatori sono ufficialmente tenuti ad applicare prezzi globali, comprendenti il servizio, le tasse e le imposte. I prezzi indicati si intendono dunque tutto compreso.

La cena in albergo. — Il turista può ottenere una camera senza essere obbligato a consumare un pasto presso l'albergo ed in nessun caso l'albergatore è autorizzato a maggiorare il prezzo della camera. Per questo Paese, il numero delle camere indicato nella guida figura sempre in carattere grassetto : **30 qto.** Tuttavia nelle « pensões », che praticano la pensione completa, un aumento del 20 % sul prezzo della camera può venire applicato se il cliente non consuma nessuno dei pasti principali.

La pensione. — La pensione completa comprende la camera e la « pensão alimentar » (la prima colazione del mattino e due pasti). Noi diamo, a titolo indicativo, il prezzo minimo ed il prezzo massimo della pensione completa, per persona e per un giorno, in alta stagione (prezzi applicabili in generale per permanenze di almeno tre giorni) : P 260/280.

E'indispensabile prendere accordi preventivi con l'albergatore per stabilire delle condizioni esatte definitive.

Nota. — *Per le persone sole che occupano una camera da due persone, i prezzi indicati sono suscettibili di maggiorazione.*

Si consiglia di allegare sempre alle richieste scritte di prenotazione un tagliando-risposta internazionale.

GLI ORARI E GIORNI DI CHIUSURA

In Portogallo gli orari non sono ritardati come in Spagna. Le ore medie di apertura sono le seguenti :

Uffici dalle 9,30 alle 12,30 e dalle 14,30 alle 18.

Negozi dalle 9 alle 13 e dalle 15 alle 19.

Banche dalle 9,30 alle 12 e dalle 14 alle 16 (chiusura alle 11,30 il sabato).

Uffici cambio dalle 9,30 alle 18 (chiusura alle 13 il sabato).

Musei e monumenti dalle 10 alle 17 (chiusi il lunedì).

Chiese dalle 7 alle 13 e dalle 16 alle 19 (anche qui è opportuno notare che le visite vengono interrotte durante le funzioni).

Gli spettacoli teatrali iniziano verso le 21,30, i fados verso le 22,30.

I pasti vengono generalmente serviti attorno alle 13 per la colazione e alle 20 per il pranzo.

Gli edifici pubblici sono chiusi la domenica e certi giorni festivi : 1º gennaio, Martedì Grasso, Venerdì Santo, 10 giugno (morte di Camoëns, festa nazionale), Corpus Domini, 15 agosto, 5 ottobre (proclamazione della Repubblica), 1º novembre, 1º dicembre (restaurazione dell'Indipendenza), 8 dicembre, 25 dicembre e, in ogni città, il giorno della festa del Santo Patrono (São Antonio a Lisbona).

Questa Guida non contiene pubblicità a pagamento

Le inserzioni sono assolutamente gratuite ma Michelin si riserva il diritto di modificarle od eliminarle se lo giudica necessario.

Le Guide Michelin non distribuiscono targhe pubblicitarie.

Gli albergatori e ristoratori sono avvisati di queste condizioni.

EINIGE NÜTZLICHE HINWEISE

REISEINFORMATIONEN

Mit allen Fragen, die das Reisen betreffen, kann man sich an das Staatliche Portugiesische Verkehrsbüro wenden in :
D - 6000 Frankfurt am Main, Kaiserstrasse 37 ☎ 23 24 93.

IM HOTEL - IM RESTAURANT

In jeder Kategorie drückt die Reihenfolge der Betriebe eine weitere Rangordnung aus.

Pousadas und Estalagens. — Dies sind Hotels, die vom Direcção-Geral do Turismo betrieben werden. Die Pousadas, komfortabel eingerichtet, an ausgesuchten Plätzen erbaut oder in historischen Gebäuden untergebracht, bieten landesübliche Dekoration, Küche und Service. Man kann in ihnen nicht länger als 5 Tage bleiben. Die Estalagens sind im gleichen Stil erbaut und eingerichtet, sind aber Privateigentum, auch wenn sie staatlich betrieben werden. Die Aufenthaltsdauer in diesen Häusern ist nicht begrenzt.

Öffnungszeiten. — Die fettgedruckten Hotels, hinter deren Namen keinerlei Zeitangabe steht, sind das ganze Jahr hindurch geöffnet.

Die Preise sind in Escudos angegeben.

Bedienung und Steuern. — Der Gebrauch von „ alles inbegriffen " ist in Portugal allgemein üblich, und es wird von den Hoteliers offiziell verlangt, Gesamtpreise - Bedienung, Steuern, und Zuschläge inbegriffen - zu berechnen.

Mahlzeiten im Hotel. — Zimmer werden an durchreisende Touristen abgegeben, ohne daß diese verpflichtet sind, eine Mahlzeit im Hotel einzunehmen. In keinem Fall darf der Hotelier den Zimmerpreis erhöhen. Daher geben wir für Portugal die Anzahl der Zimmer immer fettgedruckt an : **30 qto**. In den Häusern (pensões), die fast ausschließlich Vollpension abgeben, kann der Zimmerpreis um 20 % erhöht werden, wenn der Gast keine Hauptmahlzeit einnimmt.

Die Pension. — Die Vollpension umfaßt das Zimmer und die „ pensão alimentar " (das Frühstück und zwei Mahlzeiten). Zu Ihrer Orientierung geben wir den Mindest- und den Höchstpreis für Vollpension an. Diese Preise verstehen sich pro Person und Tag während der Hauptsaison und werden im allgemeinen für einen Aufenthalt von mehr als drei Tagen in Anrechnung gebracht: P 260/280.
Es wird dringend empfohlen, sich zuvor mit dem Hotelier über den endgültigen Pensionspreis zu einigen.

Anmerkung. — Für Personen, die allein ein Doppelzimmer belegen, werden die angegebenen Pensionspreise manchmal erhöht.

Bei schriftlichen Zimmerbestellungen empfehlen wir, einen Freiumschlag oder einen internationalen Antwortschein beizufügen.

ÖFFNUNGSZEITEN UND FEIERTAGE

Die Öffnungszeiten in Portugal sind nicht die gleichen wie in Spanien.
Geöffnet sind :
Büros von 9.30 bis 12.30 und von 14.30 bis 18.00 Uhr.
Kaufhäuser von 9.00 bis 13.00 und von 15.00 bis 19.00 Uhr.
Banken von 9.30 bis 12.00 und von 14.00 bis 16.00 Uhr (samstags ab 11.30 Uhr geschl.).
Wechselstuben von 9.30 bis 18.00 Uhr (samstags ab 13.00 Uhr geschl.).
Museen und Bauwerke von 10.00 bis 17.00 Uhr (montags geschl.).
Kirchen von 7.00 bis 13.00 und von 16.00 bis 19.00 Uhr (während der Gottesdienste sind Besichtigungen nicht erlaubt).
Die Theater beginnen gegen 21.30 Uhr, die „ Fados " gegen 22.30 Uhr.
Mittagessen wird gegen 13.00 Uhr, Abendessen gegen 20.00 Uhr serviert.
Die öffentlichen Gebäude sind sonntags sowie an folgenden Feiertagen geschlossen: 1. Januar, Aschermittwoch, Karfreitag, 10. Juni (Todestag des Schriftstellers Camoëns, Nationalfeiertag), Fronleichnam, 15. August, 5. Oktober (Proklamation der Republik), 1. November, 1. Dezember (Unabhängigkeitstag), 8. Dezember, 25. Dezember, und an den Patronatsfesten der einzelnen Orte (z.B. São Antonio in Lissabon).

Keine bezahlte Reklame im Michelin-Führer

Die Eintragung in den Führer ist völlig kostenlos. Die Firma Michelin behält sich das Recht vor, Änderungen und Streichungen vorzunehmen, wenn sie es für nötig hält.
Michelin bringt keine Schilder an.
Die Hotel- und Restaurantbesitzer sind von dieser Regelung unterrichtet.

A FEW USEFUL DETAILS

TOURIST OFFICE

All enquiries concerning touring in Portugal should be made to the Portuguese National Tourist Office : 20 Lower Regent Street - London SW 1 - 930 24 55.

HOTELS - RESTAURANTS

We have classified the hotels and restaurants with the travelling motorist in mind.   In each category, they have been listed in order of preference.

Pousadas and Estalagens. — These are establishments run by the " Direcção -Geral do Turismo ".   The " Pousadas " often built in well selected sites, or established in comfortably converted historic buildings, are situated in towns, on main roads or in touring centres. They offer service, food and decor typical of the region.   One may not stay more than five days. The " Estalagens " are inns.   They have some of the characteristics of the " Pousadas ", especially in construction and decor but are privately owned and the length of stay is not limited.

Dates open. — Where no date or season is shown, the hotel in heavy type is open all the year round.

Prices are given in escudos.

Service and Taxes. — The formula " tax and service included " has become common practice in Portugal, hotel owners now being officially expected to apply all-in prices including tax and service charge.

Meals in the hotel. — The travelling motorist can obtain a room, without being obliged to have a meal and in no case may the hotelier increase the fixed price of the room.   For Portugal the number of rooms indicated in the guide is always shown in heavy type : **30 qto.**   However in " Pensões " which have a policy of full board (room, breakfast and two meals), an extra 20 % may be added to the price of the room if the guest does not take any of the main meals.

Full Board. — The full board rates shown (room and " pensão alimentar " : breakfast and two meals) are minimum and maximum rates per person per day in season and generally apply for a stay of at least three days : P 260/280.

It is essential to settle terms with the hotel-keeper in advance.

Note. — *A single person in a double room may be charged more than for a single room.*

If you apply for a reservation in advance we advise you to enclose an International Reply Coupon in your letter.

OPENING TIMES AND PUBLIC HOLIDAYS

In Portugal opening times do not vary as much as in Spain.   The general opening hours are as follows :

Offices from 9.30 a.m. to 12.30 p.m. and 2.30 to 6 p.m.

Shops from 9 a.m. to 1 p.m. and 3 to 7 p.m.

Banks from 9.30 a.m. to noon and 2 to 4 p.m. (closed on Saturdays at 11.30 a.m.).

Exchange offices from 9.30 a.m. to 6 p.m. (closed at 1 p.m. on Saturdays).

Museums and public buildings from 10 a.m. to 5 p.m. (closed on Mondays).

Churches from 7 a.m. to 1 p.m. and 4 to 7 p.m. (no visiting during religious services).

Theatrical performances start at about 9.30 p.m., " fados " at about 10.30 p.m.

Meals : lunch is served at about 1 p.m. and dinner at about 8 p.m.

Public buildings are closed on Sundays and on certain public holidays : 1 January, Shrove Tuesday, Good Friday, 10 June (national holiday : death of Camoëns), Corpus Christi, 15 August, 5 October (Proclamation of the Republic), 1 November, 1 December (Restoration of Independence), 8 December, 25 December.   Each town has a holiday on its Patron saint's Day (São Antonio for Lisbon).

No paid advertising

Michelin accepts no paid advertisements in this or any Guide and reserves the right to include, alter and delete material as considered necessary.

There are no " Michelin Guide " hotel or restaurant signs.

The above conditions are all known to hotel and restaurant owners.

A GASTRONOMIA

A COZINHA

A cozinha portuguesa é abundante e saudável ; a sua base principal são os peixes e mariscos, e os produtos agrícolas ; é preparada com azeite ou banha.

A sopa raramente falta nas refeições. Aí se misturam os componentes mais diversos. As variedades mais conhecidas são a canja de galinha e as sopas de peixe, de mariscos, de coelho e de grão.

Os ovos, muito utilizados nas sopas, assim como acompanhando pratos de peixe ou carne, entram na composição da maior parte das sobremesas.

O peixe é a base da cozinha portuguesa ; o bacalhau é o mais corrente ; diz-se que há 201 maneiras de o preparar.

Os moluscos, que se servem sempre cozidos, e os crustáceos, são abundantes e variados.

A carne de porco é a mais utilizada e há múltiplas maneiras de a preparar. As variedades de charcutaria — seca, salgada, fumada — são numerosas.

O acompanhamento mais utilizado é o arroz, que se emprega mais frequentemente do que quaisquer outros cereais ou legumes.

Apreciar-se-à os queijos de ovelha, de cabra e os queijinhos brancos.

As sobremesas são constituidas por uma infinita variedade de bolos e doces requintados.

As especialidades regionais. — As sopas mais reputadas são : no norte de Portugal, o **« caldo verde »** (Minho) composto de puré de batatas, de couve galega verde cortada bastante fina, de azeite e de rodelas de chouriço ; no sul, o **« gaspacho »**, sopa com tomate, cebola, pepino e pimentos, temperada com azeite e vinagre e servida gelada com pedacinhos de pão torrado. No Alentejo, a **« sopa de coentros »** é feita com folhas de coentros, azeite, alho, pão e um ovo escalfado.

Os pratos de peixe são muito apreciados em todo o país. São de destacar as lampreias, os salmões do Minho, os sáveis do Tejo, os bifes de atum do Algarve, a **« caldeirada »** que os pescadores preparam na praia. O odor das sardinhas assadas perfuma as ruas de todas as localidades do litoral.

A lagosta à moda de Peniche, cozida no vapor, é justamente célebre. No Algarve, as ameijoas, cozinhadas num prato de cobre especial, a cataplana, são preparadas com especiarias e salsichas e ganham um sabor muito agradável com a cozedura.

A região da Bairrada propõe o seu delicioso **« leitão assado »** da Mealhada, o Alentejo o seu **« porco à alentejana »**, marinado em vinho, servido acompanhado de ameijoas. É também notável o **« presunto »** de Chaves e Lamego, as **« linguiças »**, os **« paios »** e as tripas à moda do Porto ou **« dobrada »**. É preciso não esquecer o prato regional, o **« cozido à portuguesa »**, preparado com carne de vaca, acompanhada de variedades de porco, salsichas, legumes, batatas e arroz.

Os melhores queijos portugueses são os queijos de ovelha (Outubro a Maio), o da Serra da Estrêla, **« queijo da serra »**, de Castelo Branco, de Azeitão ; os queijos **« cabreiro »** e **« rabaçal »** (da região de Pombal) ; os **« queijinhos brancos »** e os **« queijinhos »** de Tomar.

OS VINHOS *(ver mapa p. 35)*

Portugal possui uma grande variedade de vinhos, sendo os mais importantes o **« Porto »** e o **« Madeira »** de renome internacional ; segue - se o **« vinho verde »**, produzido no Minho e nos vales do Douro, de fraca graduação, ligeiro, espumante e com gôsto a uva ; vem depois o **« Dão »**, vinho tinto aveludado, o **« Colares »**, vinho afamado produzido na Serra de Sintra, o **« Bucelas »**, vinho branco sêco, ácido, que se produz nas margens do rio Trancão, afluente do Tejo.

Os vinhedos do **« Ribatejo »** produzem bons vinhos correntes, dos quais os principais são os tintos da região do Cartaxo e os brancos da Chamusca, Almeirim e Alpiarça. Existem também os vinhos de Torres Vedras, de Alcobaça, de Lafões e de Águeda, o vinho rosado de Pinhel, e o vinho espumoso da região da Bairrada.

Os vinhos de sobremesa. — O Moscatel de Setúbal é um vinho generoso que adquire, com a idade, um sabor particularmente agradável ; o Carcavelos é igualmente muito apreciado.

Os digestivos. — As aguardentes são variadas : **« a ginjinha »** em Alcobaça, a **« aguardente de medronho »** e o **« brandimel »** no Algarve, e o **« bagaço »** extraído do bago da uva.

LA GASTRONOMÍA

LA COCINA

La cocina portuguesa es copiosa y sana, basada principalmente en los pescados y mariscos así como en los productos agrícolas. Se prepara con aceite de oliva o manteca.

La sopa no falta casi nunca en las comidas pudiendo estar compuesta de ingredientes diversos : ave y arroz **(canja de galinha)**, pescado **(sopa de peixe)**, mariscos, conejo **(de coelho)**, garbanzos **(de grão)**.

Los huevos, muy utilizados en las sopas así como acompañando carnes y pescados, entran en la composición de la mayoría de los postres.

El pescado es la base de la cocina portuguesa, el de uso más corriente es el bacalao **(bacalhau)** ; se dice que existen 201 maneras de prepararlo.

Los moluscos, siempre cocidos, y los crustáceos, son deliciosos y variados.

La carne de cerdo es la más utilizada ; se acomoda y prepara de múltiples maneras.

Las charcuterías secas, saladas, ahumadas, son numerosas.

El consumo del arroz está muy extendido, utilizándose como guarnición más que cualquier otra verdura o legumbre.

Son apreciables los quesos de oveja, de cabra, y los quesos blancos.

Los postres están constituidos de sabrosos dulces y pasteles de infinitas clases.

Especialidades regionales. — Las sopas más apreciadas son : en el Norte, el **« caldo verde »** (Minho), compuesto de puré de patatas, col verde gallega cortada en tajadas delgadas, aceite de oliva y rodajas de morcilla **(tora)** ; en el sur el **« gaspacho »** — comparable al gazpacho español — ; en el Alentejo, la **« sopa de coentros »** está hecha con hojas de coriandro, aceite de oliva, ajo, pan y un huevo escalfado.

Los platos de pescado son muy apreciados en todo el país destacando las lampreas, salmones del Minho, sábalos del Tajo, filetes de atún en el Algarve, la **« caldeirada »** especie de sopa que los pescadores preparan en la playa. El olor de las sardinas asadas perfuma las calles de todas las localidades costeras. La langosta estofada a la manera de Peniche goza de muy justa fama. En el Algarve las almejas guisadas en una olla especial de cobre la « cataplana », con longanizas y hierbas aromáticas adquieren un sabor muy agradable.

La región de Bairrada propone su delicioso cochinillo asado **« leitão assado »** de Mealhada, el Alentejo su carne de cerdo **« à alentejana »**, marinada en el vino y guarnecida con almejas. Hay que destacar también el jamón ahumado **« presunto »** de Chaves y Lamego, las salchichas de lengua ahumada **« linguiça »**, los filetes ahumados **« paio »** y los callos a la manera de Oporto **« dobrada »**. Sin olvidar el plato nacional el **« cozido à portuguesa »** bastante similar al español.

Los mejores quesos son : los de oveja (de octubre a mayo) de la Sierra de Estrella **« queijo da Serra »**, de Castelo Branco, de Azeitão ; los de cabra, **« cabreiro »**, **« rabaçal »** de la región de Pombal, los quesos blancos y los **« queijinhos »** de Tomar.

LOS VINOS *(ver mapa p. 35)*

Portugal produce gran variedad de vinos, entre los que destacan el **« Oporto »** y el **« Madeira »** de fama internacional, el **« vinho verde »** producido en la región del Miño y valle del bajo Duero, de poca graduación, ligero y un tanto burbujeante ; son también dignos de mención el **« Dão »** vino tinto aterciopelado, el **« Colares »** producido en la Sierra de Sintra, el **« Bucelas »** vino blanco seco y acidulado procedente de la ribera del río Trancão, afluente del Tajo.

Los viñedos del **« Ribatejo »** producen buenos vinos corrientes : tintos de la región de Cartaxo, blancos de Chamusca, Almeirim y Alpiarça, tintos y blancos de Torres Vedras, Alcobaça, Lafões y Águeda ; rosado de Pinhel y espumoso de la región de Bairrada.

Vinos Generosos. — El **« moscatel »** de Setubal es un vino generoso que con el tiempo adquiere un sabor particularmente agradable, el **« Carcavelos »** es igualmente muy apreciado.

Digestivos. — Los **« aguardentes »** o **« brandys »** son variados : de cerezas **« ginginha »** de Alcobaça, de madroño **« aguardente de medronho »**, de miel **« brandimel »** en el Algarve, y el **« bagaço »**, aguardiente de orujo.

carta	En los hoteles y restaurantes citados con menú a precio fijo, generalmente también se puede comer a la carta.

LA GASTRONOMIE

LA CUISINE

La cuisine portugaise est copieuse et saine. Elle fait surtout appel aux produits de la mer et aux produits du sol. Elle est préparée à l'huile d'olive ou au saindoux.

La soupe manque rarement aux repas. On y mêle les composants les plus divers : volaille et riz **(canja de galinha)**, poisson **(sopa de peixe)**, fruits de mer **(de mariscos)**, lapin **(de coelho)**, pois chiches **(de grão)**.

Les œufs, très utilisés dans les soupes aussi bien que pour accompagner poissons et viandes, entrent dans la composition de la plupart des desserts.

Le poisson est la base de la cuisine portugaise, la morue **(bacalhau)** en est le plus courant; il y a, dit-on, 201 manières de la préparer.

Les coquillages, toujours servis cuits, et les crustacés sont abondants et variés.

La viande de porc est la plus employée. On la prépare de multiples façons. Les charcuteries, sèches, salées, fumées, sont nombreuses.

De tous les légumes, le riz est le plus consommé.

On appréciera les fromages de brebis, de chèvre et les petits fromages blancs.

Les desserts sont constitués par une infinie variété de pâtisseries et de confiseries raffinées.

Les spécialités régionales. — Les soupes les plus réputées sont : au Nord du Pays le **« caldo verde »** (Minho), composé de purée de pommes de terre, de chou galicien vert émincé, d'huile d'olive et de rondelles de boudin noir **(tora)** ; au Sud, le **« gaspacho »** soupe vinaigrée aux tomates, oignons, concombres, poivrons et servie froide avec des croûtons de pain grillé. En Alentejo la **« sopa de coentros »** est faite avec des feuilles de coriandre, de l'huile d'olive, de l'ail, du pain et un œuf poché.

Les plats de poisson sont partout à l'honneur. On peut citer notamment les lamproies, saumons du Minho, aloses du Tage, filets de thon en Algarve, la **« caldeirada »**, sorte de bouillabaisse que les pêcheurs préparent sur la plage. L'odeur des sardines grillées parfume les rues de toutes les villes du littoral. La langouste **(lagosta)** à la mode de Peniche, cuite à l'étouffée est justement célèbre. En Algarve, les praires cuisinées dans un plat en cuivre spécial, la « cataplana », agrémentées d'aromates et de saucisses, acquièrent à la cuisson une saveur très agréable.

La région de la Bairrada propose son délicieux porcelet rôti **« leitão assado »** de Mealhada, celle d'Alentalejo son **« porc à l'alentejane »** mariné dans le vin et servi accompagné de praires. Il faut aussi noter le jambon fumé **« presunto »** de Chaves et Lamego, les saucisses de langue fumée **« linguiça »**, les filets fumés **« paio »**, et les tripes à la mode de Porto **« dobrada »**. Il ne faut pas oublier le plat national, le **« cozido à portuguesa »**, sorte de pot-au-feu de bœuf accompagné de porc, saucisses, légumes, pommes de terre et riz.

Les meilleurs fromages portugais sont les fromages de brebis (d'octobre à mai) de la Serra d'Estrela **« queijo da Serra »**, de Castelo Branco, d'Azeitão, les fromages de chèvre **« cabreiro »**, le **« rabaçal »** (de la région de Pombal), les petits fromages blancs et les **« queijinhos »** de Tomar.

LES VINS *(voir carte p. 35)*

Le Portugal possède une gamme très riche de crus ; parmi ceux-ci, il faut citer le **« Porto »** et le **« Madère »** de renommée internationale, puis le vin vert **« vinho verde »** produit dans le Minho et la basse vallée du Douro, de faible teneur alcoolique, léger, fruité, pétillant, un peu aigrelet. Viennent ensuite le **« Dão »**, vin rouge velouté, le **« Colares »**, vin renommé qui est produit dans la Serra de Sintra, le **« Bucelas »**, vin blanc sec, acide que l'on trouve sur les rives du rio Trancão, affluent du Tage.

Les vignobles du **« Ribatejo »** produisent de bons vins de consommation courante dont les principaux sont : les rouges de la région de Cartaxo, les blancs de Chamusca, Almeirim et Alpiarça, les vins de Torres Vedras, d'Alcobaça, de Lafões et d'Águeda, le vin rosé de Pinhel et le vin mousseux de la région de Bairrada.

Les vins de dessert. — Le Muscat **« moscatel »** de Sétubal est un vin généreux, fruité qui acquiert avec l'âge une saveur particulièrement agréable, le **« Carcavelos »** est également très apprécié.

Les alcools. — Les eaux-de-vie **(aguardente** ou **brandy)** sont variées : de cerise **« ginginha »** à Alcobaça, d'arbouse **« aguardente de medronho »**, de miel **« brandimel »** en Algarve et **« bagaço »** tiré du marc de raisin.

carta	Dans les hôtels et restaurants cités avec des menus à prix fixes, il est généralement possible de se faire servir également à la carte.

LA GASTRONOMIA

LA CUCINA

La cucina portoghese, copiosa e sana, si avvale soprattutto dei prodotti del mare e dell'agricoltura, preparati con olio d'oliva o strutto.

La minestra manca raramente nella composizione dei pasti. Vi si mescolano i componenti più svariati; volatili e riso **(canja de galinha)** pesci **(sopa de peixe)**, frutti di mare **(de mariscos)**, coniglio **(de coelho)**, ceci **(de grão)**.

Le uova occupano un posto importante : utilizzate nelle minestre e per accompagnare carni e pesci, entrano nella composizione della maggior parte dei dessert.

Il pesce è la base della cucina portoghese; il merluzzo **(bacalhau)** è il più largamente impiegato e si dice che vi siano 201 modi di prepararlo.

Abbondanti e vari i frutti di mare, sempre serviti cotti, ed i crostacei.

Fra le carni, quella di maiale, preparata in svariati modi, è la più usata. Numerosi i salumi secchi, salati, affumicati.

Molto esteso è il consumo del riso, che è ampiamente servito anche come contorno, più di qualsiasi verdura o legume.

Si apprezzeranno i formaggi di pecora, di capra ed i formaggini freschi.

I dessert sono costituiti da una infinita varietà di pasticceria e di confetture raffinate.

Le specialità regionali. — Le minestre più apprezzate sono : al nord del paese il **« caldo verde »** (Minho) composto di purea di patate, cavolo galiziano verde tagliuzzato, olio d'oliva e rondelle di sanguinaccio **(tora)**, al sud il **« gaspacho »**, minestra acidulata e piccante con pomodori, cipolle, cetrioli, peperoni e servita fredda con crostini di pane grigliato. Nell'Alentejo **« la sopa de coentros »** è composta di foglie di coriandolo, olio d'oliva, aglio, pane ed un uovo affogato.

Il pesce costituisce ovunque il piatto forte : si possono citare in particolare le lamprede, i salmoni nel Minho, le alose del Tago, i filetti di tonno in Algarvia, la **« caldeirada »**, specie di zuppa di pesce che i pescatori preparano sulla spiaggia. L'odore delle sardine alla griglia profuma le strade di tutto il litorale. L'aragosta **(lagosta)** stufata alla moda di Peniche è giustamente celebre. In Algarvia le vongole, cucinate in un tegame di rame speciale, la **« cataplana »**, condite con aromi e con salsicce, acquistano un graditissimo sapore.

La regione della Bairrada propone un delizioso porcellino arrosto **« leitão assado »** di Mealhada, quella di Alentejo il suo **« porco all'alentejana »** marinato nel vino e servito con guarnizione di vongole. Degni di nota sono anche il prosciutto affumicato **« presunto »** di Chaves e Lamego, le salsicce di lingua affumicata **« linguiça »**, il filetti affumicati **« paio »** e le trippe alla moda di Porto **« dobrada »**. Non bisogna dimenticare il piatto nazionale, il **« cozido à portuguesa »**, specie di bollito misto a base di bue accompagnato da maiale, salsicce, legumi, patate e riso.

I migliori formaggi portoghesi sono quelli di pecora (da ottobre a maggio) della Serra d'Estrela **« queijo da Serra »**, di Castello Branco, di Azeitão, quelli di capra **« cabreiro »**, il **« rabaçal »** (della regione di Pombal), i formaggini bianchi ed i **« queijinhos »** di Tomar.

I VINI *(vedere carta p. 35)*

Il Portogallo possiede una gamma molto ricca di vini, fra i quali bisogna ricordare il **« Porto »** ed il **« Madera »** di fama internazionale, poi il vino verde **« vinho verde »** prodotto nel Minho e nella bassa valle del Douro, di debole tenore alcolico, leggero, fruttato, frizzante; vengono poi il **« Dão »**, vino rosso vellutato, il **« Colares »**, vino rinomato prodotto nella Serra de Sintra, il **« Bucelas »**, vino bianco secco, acido, che si trova sulle rive del Trancão, affluente del Tago.

I vitigni del **« Ribatejo »** producono dei buoni vini correnti, fra i quali i più noti sono : i rossi della regione di Cataxo, i bianchi di Chamusca, Alméirim e Alpiarça, i vini di Torres Vedras, di Alcobaça, di Lafões e di Agueda, il vino rosato di Pinhel ed il vino spumante della regione di Bairrada.

I vini da dessert. — Il moscato **« moscatel »** di Sétubal è un vino generoso, fruttato, che acquista con l'invecchiamento un sapore particolarmente gradevole; il **« Carcavelos »** è pure molto apprezzato.

I liquori. — Le acqueviti **(aguardente o brandy)** sono varie : di ciliege **« ginginha »** a Alcobaça, di corbezzoli **« aguardente de medronho »**, di miele **« brandimel »** in Algarvia e di vinacce **« bagaço »**.

carta	Negli alberghi e ristoranti per i quali indichiamo i pasti a prezzo fisso, è generalmente possibile farsi servire anche alla carta.

GASTRONOMIE

DIE KÜCHE

Die portugiesische Küche ist gehaltvoll und reichhaltig. Ihre Hauptbestandteile kommen sowohl aus dem Meer als auch vom Lande. Die Gerichte werden oft mit Olivenöl oder Schmalz zubereitet.

Die Suppe, die mit den verschiedensten Zutaten wie Reis, Geflügel **(canja de galinha)**, Fisch **(de peixe)**, „ Früchten des Meeres " **(de mariscos)**, Kaninchenfleisch **(de coelho)** und Kichererbsen **(de grão)** serviert wird, fehlt nur selten bei den Mahlzeiten.

Vielverwendet wird das Ei, sowohl als Suppeneinlage als auch als Beilage von Fleisch und Fisch ; außerdem werden fast alle Desserts (Nachtische, Süßspeisen) mit Eiern hergestellt.

Die Grundlage der portugiesischen Küche ist der Fisch, hauptsächlich Kabeljau **(bacalhau)**, der frisch oder als Stockfisch — und wie gesagt wird — auf 201 verschiedene Arten zubereitet wird. Reich ist die Auswahl an Muscheln und Krebstieren, die immer gegart serviert werden. Von allen Fleischsorten verwendet man Schweinefleisch am meisten und wandelt es auf verschiedene Weise ab. Vielfältig ist das Angebot an Wurst und Schinken, die gesalzen, getrocknet oder geräuchert werden.

Am häufigsten gibt man Reis als Beilage.

Unter den Käsesorten bevorzugt man kleine Weißkäse, Schafs- und Ziegenkäse.

Als Nachtisch kann man unter der Fülle der Gebäcke und feinen Süßwaren auswählen.

Regionale Spezialitäten. — Die bekanntesten Suppen — im Norden des Landes : die „ caldo verde " (Minho), eine Fleischbrühe mit pürierten Kartoffeln, kleingeschnittenem galizischem Braunkohl, Olivenöl und Blutwurst-Scheiben **(tora)**; im Süden : „ gaspacho ", eine kalte Suppe mit Tomaten, Zwiebeln, Paprika, Gurken, Essig und gerösteten Brotwürfeln, mit spanischem Pfeffer scharf gewürzt; in Alentejo : die „ sopa de coentros ", bestehend aus Korianderblättern, Olivenöl, Knoblauch, Brot und einem verlorenen Ei.

Ganz ausgezeichnet sind die Fischgerichte : Neunaugen, Lachs in der Minhogegend, Maifisch aus dem Tejo, Thunfischfilet in der Algarve und die „ caldeirada ", eine der provençalischen ähnlichen Fischsuppe, die von den Fischern am Strand gekocht wird, sowie die gedünsteten Langusten aus Peniche, die weithin bekannt sind. Und nicht zuletzt die gegrillten Sardinen, in jeder Küstenstadt riechen die Straßen danach! Die Algarve ist außerdem für die mit Kräutern und Würstchen im eigens dafür bestimmten „ cataplana " -Kupfergefäß geschmorten Venusmuscheln bekannt.

In der Bairrada bietet Mealhada seinen schmackhaften Spanferkelbraten, „ leitão assado " an. Das „ Schweinefleisch à l'Alentejana ", in Wein mariniert und mit Venusmuscheln serviert, stammt aus der Gegend von Alentalejo. Zu erwähnen sind auch der geräucherte Schinken „ presunto " von Chaves und Lamego, die Würstchen von geräucherter Zunge „ linguiça ", die geräucherten Filets „ paio " und die Kutteln „ dobrada " von Porto. Nicht zu vergessen das Nationalgericht : „ cozido à portuguesa ", ein Rindfleischeintopf mit Schweinefleisch, Würstchen, Gemüse, Kartoffeln und Reis.

Die besten portugiesischen Käse sind die Schafskäse (von Okt.-Mai) der Serra d'Estrela „ queijo da Serra ", von Castelo Branco und Azeitão, die Ziegenkäse „ cabreiro ", der „ rabaçal " (aus der Gegend von Pombal), die kleinen Weißkäse und die „ queijinhos " von Tomar.

DIE WEINE (siehe Karte S. 35)

Portugal bietet eine reiche Auswahl an Weinen, von denen einige verdienen, erwähnt zu werden : die weltbekannten „ Port- und Madeiraweine ", der alkoholarme, leichte, fruchtige und perlende grüne Wein (vinho verde) der Minhogegend und der „ Dão " des unteren Dourotals, ein samtiger Rotwein, der bekannte „ Colares " aus der Serra de Sintra und der säurereiche trockene Weißwein „ Bucelas " aus dem Tal des Sacavem, einem Nebenfluß des Tejo.

Aus den Weinbergen von „ Ribatejo " kommen gute Tischweine : die Rotweine aus der Gegend von Cartaxo, die Weißweine von Chamusca, Alméirim und Alpiarça, die Weine von Torres, Vedras, Alcobaça, Lafões und Agueda, der Rosé von Pinhel und der Schaumwein aus der Bairrada sind die wichtigsten unter ihnen.

Dessertweine. — Der Muskatwein „ moscatel " von Setubal ist ein edler, vollmundiger Wein mit gewürzhaftem Bukett, der mit zunehmendem Alter einen besonders angenehmen Geschmack entwickelt. Ebenso geschätzt ist der „ Carcavelos ".

Spirituosen. — Hier verdienen vor allem die Schnäpse, „ aguardente " oder „ brandy " eine Erwähnung : Kirschwasser „ ginginha " aus Alcobaca, „ aguardente de medronho ", Schnaps der Frucht des Erdbeerbaums und Honigschnaps „ brandimel " aus der Provinz Algarve sowie der aus dem Trester gewonnene „ bagaço ".

GASTRONOMY

THE FOOD

Portuguese food, with fish and fresh vegetables as the main ingredients, is copious and wholesome. The preferred cooking method is frying in olive oil or pure lard.

Soups, which are served at most meals, are very varied : chicken and rice **(canja de galinha)**, fish **(sopa de peixe)**, sea foods **(de mariscos)**, rabbit **(de coelho)**, chick peas **(de grão)**.

Eggs are used frequently to thicken soups as well as to complement meat and fish and are the basic ingredient of most desserts.

Fish is the mainstay of Portuguese cooking and fresh cod **(bacalhau)** the most common fish used — there are said to be 201 ways of preparing it.

Shellfish are always served cooked and are both delicious and varied as are the local crustaceans.

Pork is the most common meat and is cooked in many ways beside being preserved — dried, salted, smoked...

Rice is the preferred vegetable.

Ewe's milk cheese, goat cheese and the little white cheeses are popular.

Desserts comprise multitudinous pastries and enticing sweatmeats.

Regional specialities. — The best known soups are : in the north, the " **caldo verde** " (Minho) made up of mashed potatoes, minced green Galician cabbage, olive oil and slices of black pudding **(tora)** ; in the south, the " **gaspacho** " soup of tomatoes, onions, cucumbers and peppers seasoned with vinegar and served cold with croutons; in Alentejo the " **sopa de coentros** " is made with coriander leaves, olive oil, garlic, bread and poached egg.

Fish is the high point in any meal ; always look out for lampreys, Minho salmon, alosa from the Tagus, fillets of tunny fish in the Algarve, the " **caldeirada** ", a sort of provençal fish soup which is prepared on the beach by the fishermen. The tang of sardines grilling can be smelt in every street of every seaside village and town. Lobsters " **lagosta** " done the Peniche way, or braised, are justifiably well known. In the Algarve, clams are cooked in a special copper dish, the « cataplana », garnished with spices and sausages, and are very tasty.

The Bairrada district speciality is a delicious sucking pig " **leitão assado** " from Mealhada; from Alentejo comes " **pork alentejana style** ", marinated in wine and served with clams. Not to be missed are the smoked ham " **presunto** " of Chaves and Lamego, the sausages of smoked tongue " **linguiça** ", smoked fillets " **paio** " and tripe done the Oporto way " **dobrada** ". Then there is the national dish, " **cozido à portuguesa** ", a sort of beef hot-pot with pork, sausages, vegetables, potatoes and rice.

The best Portuguese cheeses are ewe's milk cheese (from October to May) from Serra da Estrela " **queijo da Serra** ", from Castelo Branco and from Azeitão, the goat cheeses, " **cabreiro** " and " **rabaçal** " (from the Pombal area) and the small white cheeses " **queijinhos** " from Tomar.

THE WINES (see map p. 35)

Portugal has a good range of vintages, including, of course, the traditionally famous " **port** " and " **madeira** ". Then there are the young wine " **vinho verde** " produced in the Minho area and the lower part of the Valley of Douro, which has a low alcohol content, is light, fruity and semi sparkling ; the " **Dão** ", a mellow red wine, the well known " **Colares** " wine produced in the Serra de Sintra ; and the dry, slightly sharp, white " **Bucelas** " wine, found on the banks of the Rio Trancão, a tributary of the Tagus.

The vineyards of " **Ribatejo** " provide some good table wines, the main ones being : reds from the Cartaxo region, whites from Chamusca, Améirim and Alpiarça, the wines from Torres Vedras, Alcobaça, Lafoes and Agueda, rosé from Pinhel and the sparkling wine from the Bairrada region.

The dessert wines. — The Muscat wine of Setúbal " **Moscatel** " is a generous fruity wine which improves with age and acquires a particularly pleasant taste. The " **Carcavelos** " is also popular.

Spirits. — There are various spirits " **aguardente** " or brandy : Cherry brandy " **ginginha** " at Alcobaça, arbutus berry brandy " **aguardente de medronho** " and honey brandy " **Brandimel** " in the Algarve and " **Bagaço** " which comes from grape lees.

| carta | Hotels and restaurants offering set meals generally also serve « à la carte ». |

LÉXICO

NA ESTRADA

acender as luzes
à direita
à esquerda
atenção! perigo!
auto-estrada

bifurcação
cruzamento perigoso
curva perigosa

dê passagem
descida perigosa

esperem
estacionamento proibido
estrada interrompida
estrada em
mau estado
estrada nacional

gelo

lentamente

neve
nevoeiro

obras

paragem obrigatória
passagem de gado
passagem de nível
sem guarda
pavimento escorregadio
peões
perigo!
perigoso atravessar
ponte estreita
portagem

323

LÉXICO

EN LA CARRETERA

encender las luces
a la derecha
a la izquierda
¡atención, peligro!
autopista

bifurcación
cruce peligroso
curva peligrosa

ceda el paso
bajada peligrosa

esperen
prohibido aparcar
carretera cortada
carretera en mal estado

carretera nacional

hielo

despacio

nieve
niebla

obras

parada obligatoria
paso de ganado
paso a nivel
sin barreras
calzada resbaladiza
peatones
¡peligro!
travesía peligrosa
puente estrecho
peaje

LEXIQUE

SUR LA ROUTE

allumer les lanternes
à droite
à gauche
attention! danger!
autoroute

bifurcation
croisement dangereux
virage dangereux

cédez le passage
descente dangereuse

attendez
stationnement interdit
route coupée
route en mauvais état

route nationale

verglas

lentement

neige
brouillard

travaux (routiers)

arrêt obligatoire
passage de troupeaux
passage à niveau
non gardé
chaussée glissante
piétons
danger!
traversée dangereuse
pont étroit
péage

LESSICO

LUNGO LA STRADA

accendere le luci
a destra
a sinistra
attenzione! pericolo!
autostrada

bivio
incrocio pericoloso
curva pericolosa

cedete il passo
discesa pericolosa

attendete
divieto di sosta
strada interrotta
strada in cattivo stato

strada statale

ghiaccio

adagio

neve
nebbia

lavori in corso

fermata obbligatoria
passaggio di mandrie
passaggio a livello
incustodito
fondo sdrucciolevole
pedoni
pericolo!
attraversamento pericoloso
ponte stretto
pedaggio

LEXIKON

AUF DER STRASSE

Licht einschalten
nach rechts
nach links
Achtung! Gefahr!
Autobahn

Gabelung
gefährliche Kreuzung
gefährliche Kurve

Vorfahrt achten
gefährliches Gefälle

warten
Parkverbot
gesperrte Straße
Straße in schlechtem
Zustand
Staatsstraße

Glatteis

langsam

Schnee
Nebel

Straßenbauarbeiten

Halt!
Viehtrieb
unbewachter
Bahnübergang
Rutschgefahr
Fußgänger
Gefahr!
gefährliche Durchfahrt
enge Brücke
Wegegebühr

LEXICON

ON THE ROAD

put on lights
to the right
to the left
caution! danger!
motorway

road fork
dangerous crossing
dangerous bend

yield right of way
dangerous descent

wait, halt
no parking
road closed
road in bad condition

State road

ice (on roads)

slowly

snow
fog

road works

compulsory stop
cattle crossing
unattended level
crossing
slippery road
pedestrians
danger!
dangerous crossing
narrow bridge
toll

proibido	prohibido	interdit	vietato	verboten	prohibited
proibido ultrapassar	prohibido el adelantamiento	défense de doubler	divieto di sorpasso	Überholverbot	no overtaking
pronto socorro	puesto de socorro	poste de secours	pronto soccorso	Unfall-Hilfsposten	first aid station
prudência	precaución	prudence	prudenza	Vorsicht	caution
queda de pedras	desprendimientos	chute de pierres	caduta sassi	Steinschlag	falling rocks
rebanhos	cañada	troupeaux	gregge	Viehherde	cattle
saída de camiões	salida de camiones	sortie de camions	uscita di autocarri	LKW-Ausfahrt	lorry exit
sentido proibido	dirección prohibida	sens interdit	senso vietato	Einfahrt verboten	no entry
sentido único	dirección única	sens unique	senso unico	Einbahnstraße	one way

PALAVRAS DE USO CORRENTE	PALABRAS DE USO CORRIENTE	MOTS USUELS	PAROLE D'USO CORRENTE	GEBRÄUCHLICHE WÖRTER	COMMON WORDS
abadia	abadía	abbaye	abbazia	Abtei	abbey
aberto	abierto	ouvert	aperto	offen	open
abismo	abismo	gouffre	abisso	Abgrund, Tiefe	gulf, abyss
abóbada	bóveda	voûte	volta	Gewölbe, Wölbung	vault, arch
Abril	abril	avril	aprile	April	April
adega	bodega	chais, cave	cantina	Keller	cellar
agência de viagens	oficina de viajes	bureau de voyages	ufficio viaggi	Reisebüro	travel bureau
Agosto	agosto	août	agosto	August	August
água potável	agua potable	eau potable	acqua potabile	Trinkwasser	drinking water
albergue	albergue	auberge	albergo	Gasthof	inn
aldeia	pueblo	village	villaggio	Dorf	village
alfândega	aduana	douane	dogana	Zoll	customs
almoço	almuerzo	déjeuner	colazione	Mittagessen	lunch
andar	piso	étage	piano (di casa)	Stock, Etage	floor
antigo	antiguo	ancien	antico	alt	ancient
aqueduto	acueducto	aqueduc	acquedotto	Aquädukt	aqueduct
arquitectura	arquitectura	architecture	architettura	Baukunst	architecture
arredores	alrededores	environs	dintorni	Umgebung	surroundings
artificial	artificial	artificiel	artificiale	künstlich	artificial
árvore	árbol	arbre	albero	Baum	tree
avenida	avenida	avenue	viale, corso	Boulevard, breite Straße	avenue
bagagem	equipaje	bagages	bagagli	Gepäck	luggage
baía	bahía	baie	baia	Bucht	bay

bairro	barrio	quartier	quartiere	Stadtteil	quarter, district
baixo-relevo	bajo relieve	bas-relief	bassorilievo	Flachrelief	low relief
balustrada	balaustrada	balustrade	balaustrata	Balustrade, Geländer	balustrade
barco	barco	bateau	battello	Schiff	boat
barragem	embalse	barrage	sbarramento	Talsperre	dam
béco	callejón sin salida	impasse	vicolo cieco	Sackgasse	no through road
beira-mar	orilla del mar	bord de mer	riva, litorale	Ufer, Küste	shore, strand
biblioteca	biblioteca	bibliothèque	biblioteca	Bibliothek	library
bilhete postal	tarjeta postal	carte postale	cartolina	Postkarte	post-card
bosque	bosque	bois	bosco, boschi	Wäldchen	wood
botânico	botánico	botanique	botanico	botanisch	botanical
cabeleireiro	peluquería	coiffeur	parrucchiere	Friseur	hairdresser, barber
caça	caza	chasse	caccia	Jagd	hunting, shooting
cadeiras de coro	sillería del coro	stalles	stalli	Chorgestühl	choir stalls
caixa	caja	caisse	cassa	Kasse	cash-desk
cama	cama	lit	letto	Bett	bed
campanário	campanario	clocher	campanile	Glockenturm	belfry, steeple
campo	campo	campagne	campagna	Land	country, countryside
capela	capilla	chapelle	sacello	Kapelle	chapel
capitel	capite	chapiteau	capitello	Kapitell	capital (of column)
casa	casa	maison	casa	Haus	house
casa de jantar	comedor	salle à manger	sala da pranzo	Speisesaal	dining room
cascata	cascada	cascade	cascata	Wasserfall	waterfall
castelo	castillo	château	castello	Schloss	castle
casula	casulla	chasuble	pianeta	Messgewand	chasuble
catedral	catedral	cathédrale	duomo	Dom, Münster	cathedral
centro urbano	centro urbano	centre ville	centro città	Stadtzentrum	town centre
chave	llave	clé	chiave	Schlüssel	key
cidade	ciudad	ville	città	Stadt	town
cinzeiro	cenicero	cendrier	portacenere	Aschenbecher	ash-tray
claustro	claustro	cloître	chiostro	Kreuzgang	cloisters
climatizado	climatizado	climatisé	con aria condizionata	mit Klimaanlage	air-conditioned
colecção	colección	collection	collezione	Sammlung	collection
colher	cuchara	cuillère	cucchiaio	Löffel	spoon
colina	colina	colline	colle, collina	Hügel	hill
confluência	confluencia	confluent	confluente	Zusammenfluß	confluence
conforto	confort	confort	confort	Komfort	comfort
conta	cuenta	note	conto	Rechnung	bill

convento	convento	couvent	convento	Kloster	convent
copo	vaso	verre	bicchiere	Glas	glass
correios	correos	bureau de poste	ufficio postale	Postamt	post-office
cozinha	cocina	cuisine	cucina	Kochkunst	cuisine
criado, empregado	camarero	garçon, serveur	cameriere	Ober, Kellner	waiter
crucifixo, cruz	crucifijo, cruz	crucifix, croix	crocifisso, croce	Kruzifix, Kreuz	crucifix, cross
cúpula	cúpula	coupole, dôme	cupola	Kuppel	dome, cupola
curiosidade	curiosidad	curiosité	curiosità	Sehenswürdigkeit	sight
decoração	decoración	décoration	ornamento	Schmuck, Ausstattung	decoration
dentista	dentista	dentiste	dentista	Zahnarzt	dentist
descida	bajada, descenso	descente	discesa	Gefälle	steephill
desporto	deporte	sport	sport	Sport	sport
Dezembro	diciembre	décembre	dicembre	Dezember	December
Domingo	domingo	dimanche	domenica	Sonntag	Sunday
edifício	edificio	édifice	edificio	Bauwerk	building
encosta	ladera	versant	versante	Abhang	hillside
engomado	planchado	repassage	stiratura	Büglerei	pressing, ironing
envelopes	sobres	enveloppes	buste	Briefumschläge	envelopes
episcopal	episcopal	épiscopal	vescovile	bischöflich	episcopal
equestre	ecuestre	équestre	equestre	Reit-, zu Pferd	equestrian
escada	escalera	escalier	scala	Treppe	stairs
escultura	escultura	sculpture	scultura	Schnitzwerk	carving
esquadra de policia	comisaría	commissariat de police	commissariato di polizia	Polizeistation	police headquarters
estação	estación	gare	stazione	Bahnhof	station
estância balnear	estación balnearia	station balnéaire	stazione balneare	Seebad	seaside resort
estátua	estatua	statue	statua	Standbild	statue
estilo	estilo	style	stile	Stil	style
estuário	estuario	estuaire	estuario	Mündung	estuary
estrada	carretera	route	strada	Straße	road
estrada escarpada	carretera en cornisa	route en corniche	strada panoramica	Höhenstraße	corniche road
faca	cuchillo	couteau	coltello	Messer	knife
fachada	fachada	façade	facciata	Vorderseite	façade
faiança	loza	faience	maiolica	Fayence	china
falésia	acantilado	falaise	scogliera	Klippe, Steilküste	cliff, c' face
farmácia	farmacia	pharmacie	farmacia	Apotheke	chemist
fechado	cerrado	fermé	chiuso	geschlossen	closed
2ª. feira	lunes	lundi	lunedì	Montag	Monday

3ª feira	martes	mardi	martedì	Dienstag	Tuesday
4ª feira	miércoles	mercredi	mercoledì	Mittwoch	Wednesday
5ª feira	jueves	jeudi	giovedì	Donnerstag	Thursday
6ª feira	viernes	vendredi	venerdì	Freitag	Friday
ferro forjado	hierro forjado	fer forgé	ferro battuto	Schmiedeeisen	wrought iron
Fevereiro	febrero	février	febbraio	Februar	February
floresta	bosque	forêt	foresta	Wald	forest
florido	florido	fleuri	fiorito	mit Blumen	in bloom
folclore	folklore	folklore	folklore	Volkskunde	folklore
fonte, nascente	fuente	source	sorgente	Quelle	source, stream
fortificação	fortificación	fortification	fortificazione	Befestigung	fortification
fortaleza	fortaleza	forteresse, château fort	fortezza	Festung, Burg	fortress, fortified castle
fósforos	cerillas	allumettes	fiammiferi	Zündhölzer	matches
foz	desembocadura	embouchure	foce	Mündung	mouth
fronteira	frontera	frontière	frontiera	Grenze	frontier
garagem	garaje	garage	garage	Garage	garage
garfo	tenedor	fourchette	forchetta	Gabel	fork
garganta	garganta	gorge	gola	Schlucht	gorge
gasolina	gasolina	essence	benzina	Benzin	petrol
gorjeta	propina	pourboire	mancia	Trinkgeld	tip
gracioso	encantador	charmant	delicioso	reizend	charming
igreja	iglesia	église	chiesa	Kirche	church
ilha	isla	île	isola, isolotto	Insel	island
imagem	imagen	image	immagine	Bild	picture
informações	informaciones	renseignements	informazioni	Auskünfte	information
instalação	instalación	installation	installazione	Einrichtung	arrangement
interior	interior	intérieur	interno	Innere	interior
Inverno	invierno	hiver	inverno	Winter	winter
Janeiro	enero	janvier	gennaio	Januar	January
janela	ventana	fenêtre	finestra	Fenster	window
jantar	cena	dîner	pranzo	Abendessen	dinner
jardim	jardín	jardin	giardino	Garten	garden
jornal	diario	journal	giornale	Zeitung	newspaper
Julho	julio	juillet	luglio	Juli	July
Junho	junio	juin	giugno	Juni	June
lago, lagoa	lago, laguna	lac, lagune	lago, laguna	See, Lagune	lake, lagoon
lavagem de roupa	lavado	blanchissage	lavatura	Wäsche, Lauge	laundry

local	paraje	site	posizione	Lage	site
localidade	localidad	localité	località	Ortschaft	locality
loiça de barro	alfarería	poterie	stoviglie	Tongeschirr	pottery
luxuoso	lujoso	luxueux	sfarzoso	prachtvoll	luxurious
Maio	mayo	mai	maggio	Mai	May
mansão	mansión	manoir	maniero	Gutshaus	manor
mar	mar	mer	mare	Meer	sea
Março	marzo	mars	marzo	März	march
marfim	marfil	ivoire	avorio	Elfenbein	ivory
margem	ribera	rive, bord	riva, banchina	Ufer	shore (of lake), bank (of river)
mármore	mármol	marbre	marmo	Marmor	marble
médico	médico	médecin	medico	Arzt	doctor
medieval	medieval	médiéval	mediaevale	mittelalterlich	mediaeval
miradouro	mirador	belvédère	belvedere	Aussichtspunkt	belvedere
mobiliário	mobiliario	ameublement	arredamento	Einrichtung	furniture
moinho	molino	moulin	mulino	Mühle	mill
montanha	montaña	montagne	monte	Berg	mountain
mosteiro	monasterio	monastère	monastero	Kloster	monastery
muralha	muralla	muraille	muraglia	Mauern	walls
museu	museo	musée	museo	Museum	museum
Natal	Navidad	Noël	Natale	Weihnachten	Christmas
nave	nave	nef	navata	Kirchenschiff	nave
Novembro	noviembre	novembre	novembre	November	November
obra de arte	obra de arte	œuvre d'art	opera d'arte	Kunstwerk	work of art
oceano	océano	océan	oceano	Ozean	ocean
oliveira	olivo	olivier	ulivo	Ölbaum	olive-tree
órgão	órgano	orgue	organo	Orgel	organ
orla	linde	lisière	orlo	Waldrand	forest skirt
ourivesaria	orfebrería	orfèvrerie	oreficeria	Goldschmiedekunst	goldsmith's work
Outono	otoño	automne	autunno	Herbst	autumn
Outubro	octubre	octobre	ottobre	Oktober	October
ovelha	oveja	brebis	pecora	Schaf	ewe
pagar	pagar	payer	pagare	bezahlen	to pay
paisagem	paisaje	paysage	paesaggio	Landschaft	landscape
palácio, paço	palacio	palais	palazzo	Palast	palace

palmar	palmeral	palmeraie	palmeto	Palmenhain	palm grove
papel de carta	papel de carta	papier à lettre	carta da lettere	Briefpapier	writing paper
paragem	parada	arrêt	fermata	Haltestelle	stopping place
parque	parque	parc	parco	Park	park
parque de estacionamento	aparcamiento	parc à voitures	parcheggio	Parkplatz	car park
partida	salida	départ	partenza	Abfahrt	departure
Páscoa	Pascua	Pâques	Pasqua	Ostern	Easter
passageiros	pasajeros	passagers	passeggeri	Fahrgäste	passengers
passeio	paseo	promenade	passeggiata	Spaziergang, Promenade	walk, promenade
pelourinho	picote	pilori	gogna	Pranger	pillory
percurso	recorrido	parcours	percorso	Strecke	course
perspectiva	perspectiva	perspective	prospettiva	Perspektive	perspective
pesca, pescador	pesca, pescador	pêche, pêcheur	pesca, pescatore	Fischfang, Fischer	fisher, fishing
pia baptismal	pila de bautismo	fonts baptismaux	fonte, battistero	Taufbecken	font
pinhal	pinar, pineda	pinède	pineta	Pinienhain	pine wood
pinheiro	pino	pin	pino	Kiefer	pine-tree
planície	llanura	plaine	pianura	Ebene	plain
poço	pozo	puits	pozzo	Brunnen	well
policia	guardia civil	gendarme	gendarme	Polizist	policeman
ponte	puente	pont	ponte	Brücke	bridge
porcelana	porcelana	porcelaine	porcellana	Porzellan	porcelain
portal	portal	portail	portale	Tor	doorway
porteiro	conserje	concierge	portiere, portinaio	Portier	porter
porto	puerto	port	porto	Hafen	harbour, port
povoação	burgo	bourg	borgo	kleiner Ort, Flecken	market town
praça de touros	plaza de toros	arènes	arena	Stierkampfsarena	bull ring
praia	playa	plage	spiaggia	Strand	beach
prato	plato	assiette	piatto	Teller	plate
Primavera	primavera	printemps	primavera	Frühling	spring (season)
proibido fumar	prohib. de fumar	défense de fumer	vietato fumare	Rauchen verboten	no smoking
promontório	promontorio	promontoire	promontorio	Vorgebirge	promontory
púlpito	púlpito	chaire	pulpito	Kanzel	pulpit
quadro, pintura	cuadro, pintura	tableau, peinture	quadro, pittura	Gemälde, Malerei	painting
quinzena	quincena	quinzaine	quindicina	etwa fünfzehn	about fifteen
recepção	recepción	réception	ricevimento	Empfang	reception
recife	arrecife	récif	scoglio	Klippe	reef
registado	certificado	recommandé (objet)	raccomandato	Einschreiben	registered
relógio	reloj	horloge	orologio	Uhr	clock

329

relvado	césped	pelouse	prato	Rasen	lawn
renda	encaje	dentelle	trina	Spitze	lace
retábulo	retablo	retable	postergale	Altaraufsatz	altarpiece, retable
retrato	retrato	portrait	ritratto	Bildnis	portrait
rio	río	fleuve	fiume	Fluß	river
rochoso	rocoso	rocheux	roccioso	felsig	rocky
rua	calle	rue	via	Straße	street
ruínas	ruinas	ruines	ruderi	Ruinen	ruins
rústico	rústico	rustique	rustico	ländlich	rustic, rural
Sábado	sábado	samedi	sabato	Samstag	Saturday
sacristia	sacristía	sacristie	sagrestia	Sakristei	sacristy
saída de socorro	salida de socorro	sortie de secours	uscita di sicurezza	Notausgang	emergency exit
sala capitular	sala capitular	salle capitulaire	sala capitolare	Kapitelsaal	chapterhouse
salão, sala	salón	salon	salone	Salon	drawing room, sitting room
santuário	santuario	sanctuaire	santuario	Heiligtum	shrine
século	siglo	siècle	secolo	Jahrhundert	century
selo	sello	timbre-poste	francobollo	Briefmarke	stamp
sepúlcro, túmulo	sepulcro, tumba	sépulcre, tombeau	tomba	Grabmal	tomb
serviço incluído	servicio incluído	service compris	servizio compreso	Bedienung inbegriffen	service included
serra	sierra	chaîne de montagnes	giogaia	Gebirgskette	mountain range
Setembro	septiembre	septembre	settembre	September	September
sob pena de multa	bajo pena de multa	sous peine d'amende	passibile di contravvenzione	bei Geldstrafe	under penalty of fine
solar	casa solariega	manoir	maniero	Gutshaus	manor
tabacaria	estanco	bureau de tabac	tabaccaio	Tabakladen	tobacconist
talha	tallas en madera	bois sculpté	sculture lignee	Holzschnitzerei	wood carving
tapeçarias	tapices	tapisseries	tappezzerie, arazzi	Wandteppiche	tapestries
tecto	techo	plafond	soffitto	Zimmerdecke	ceiling
telhado	tejado	toit	tetto	Dach	roof
termas	balneario	établissement thermal	terme	Kurhaus	health resort
terraço	terraza	terrasse	terrazza	Terrasse	terrace
tesouro	tesoro	trésor	tesoro	Schatz	treasure, treasury
toilette, casa de banho	servicios	toilettes	gabinetti	Toiletten	toilets
tríptico	tríptico	triptyque	trittico	Triptychon	triptych
túmulo	tumba	tombe	tomba	Grab	tomb
vale	valle	val, vallée	val, valle, vallata	Tal	valley

ver	ver	voir	vedere	sehen	see
Verão	verano	été	estare	Sommer	summer
vila	pueblo	village	villagio	Dorf	village
vinhedos, vinhas	viñedos	vignes, vignoble	vigne, vigneto	Reben, Weinberg	vines, vineyard
vista	vista	vue	vista	Aussicht	view
vitral	vidriera	verrière, vitrail	vetrata	Kirchenfenster	stained glass windows
vivenda	morada	demeure	dimora	Wohnsitz	residence

COMIDAS E BEBIDAS	COMIDAS Y BEBIDAS	NOURRITURE ET BOISSONS	CIBI E BEVANDE	SPEISEN UND GETRÄNKE	FOOD AND DRINK
açúcar	azúcar	sucre	zucchero	Zucker	sugar
água gaseificada	agua con gas	eau gazeuse	acqua gasata, gasosa	Sprudel	soda water
água mineral	agua mineral	eau minérale	acqua minerale	Mineralwasser	mineral water
alcachofra	alcachofa	artichaut	carciofo	Artischocke	artichoke
alho	ajo	ail	aglio	Knoblauch	garlic
ameixas	ciruelas	prunes	prugne	Pflaumen	plums
amêndoas	almendras	amandes	mandorle	Mandeln	almonds
anchovas	anchoas	anchois	acciughe	Anschovis	anchovies
arroz	arroz	riz	riso	Reis	rice
assado	asado	rôti	arrosto	gebraten	roast
atum	atún	thon	tonno	Thunfisch	tunny
aves, criação	ave	volaille	pollame	Geflügel	poultry
azeite	aceite de oliva	huile d'olive	olio d'oliva	Olivenöl	olive oil
azeitonas	aceitunas	olives	olive	Oliven	olives
bacalhau fresco	bacalao	morue fraîche, cabillaud	merluzzo	Kabeljau, Dorsch	cod
bacalhau salgado	bacalao en salazón	morue salée	baccalà, stoccafisso	Labercan	dried cod
banana	plátaro	banane	banana	Banane	banana
barbo	lubina	bar	ombrina	Barsch	bass, sea-perch
bebidas	bebidas	boissons	bevande	Getränke	drinks
beringela	berenjena	aubergine	melanzana	Aubergine	egg-plant
besugo, dourada	besugo, dorada	daurade	orata	Goldbrassen	dory
batatas	patatas	pommes de terre	patate	Kartoffeln	potatoes
bolos secos	galletas	gâteaux secs	biscotti secchi	Gebäck	cakes
bolos	pasteles	pâtisseries	dolci	Süßigkeiten	pastries

cabrito	cabrito	chevreau	capretto	Zicklein	kid
café com leite	café con leche	café au lait	caffè-latte	Milchkaffee	coffee and milk
café simples	café solo	café nature	caffè nero	schwarzer Kaffee	black coffee
caldo	caldo	bouillon	brodo	Fleischbrühe	clear soup
camarões	camarones	crevettes roses	gamberetti	Granat	shrimps
camarões grandes	gambas	crevettes (bouquets)	gamberetti	Garnelen	prawns
carne	carne	viande	carne	Fleisch	meat
carne de vitela	ternera	veau	vitello	Kalbfleisch	veal
carneiro	cordero	mouton	montone	Hammelfleisch	mutton
carnes frias	fiambres	viandes froides	carni fredde	kaltes Fleisch	cold meat
castanhas	castañas	châtaignes	castagne	Kastanien	chestnuts
cebola	cebolla	oignon	cipolla	Zwiebel	onion
cerejas	cerezas	cerises	ciliege	Kirschen	cherries
cerveja	cerveza	bière	birra	Bier	beer
charcutaria	charcutería, fiambres	charcuterie	salumi	Aufschnitt	pork-butchers' meat
cherne	rodaballo	turbot	rombo	Steinbutt	turbot
chocos	calamares	calmars	calamari	Tintenfische	squids
choquinhos	chipirones	petits calmars	calamaretti	kleine Tintenfische	small squids
chouriço	chorizo	saucisses au piment	salsicce piccanti	Pfefferwurst	spiced sausages
cidra	sidra	cidre	sidro	Apfelwein	cider
cogumelos	setas	champignons	funghi	Pilze	mushrooms
cordeiro	cordero lechal	agneau de lait	agnello	Lammfleisch	lamb
costeleta	costilla, chuleta	côtelette	costoletta	Kotelett	chop, cutlet
couve	col	chou	cavolo	Kohl, Kraut	cabbage
enguia	anguila	anguille	anguilla	Aal	eel
entrada	entremeses	hors-d'oeuvre	antipasti	Vorspeise	hors d'oeuvre
espargos	espárragos	asperges	asparagi	Spargel	asparagus
espinafres	espinacas	épinards	spinaci	Spinat	spinach
ervilhas	guisantes	petits pois	piselli	junge Erbsen	garden peas
faisão	faisán	faisan	fagiano	Fasan	pheasant
feijão verde	judías verdes	haricots verts	fagiolini	grüne Bohnen	French beans
fígado	hígado	foie	fegato	Leber	liver
figos	higos	figues	fichi	Feigen	figs
frango	pollo	poulet	pollo	Hähnchen	chicken
fricassé	pepitoria	fricassée	fricassea	Frikassee	fricassée
fruta	frutas	fruits	frutta	Früchte	fruit
fruta em calda	frutas en almíbar	fruits au sirop	frutta sciroppata	Früchte in Sirup	fruit in syrup

gamba	gamba	gamberone	crevette géante	große Garnele	prawns
gelado	helado	gelato	glace	Speiseeis	ice cream
grão	garbanzos	ceci	pois chiches	Kichererbsen	chick peas
grelhado	a la parrilla	allo spiedo	à la broche, grillé	am Spieß	grilled
lagosta	langosta	aragosta	langouste	Languste	spiny lobster
lagostins	cigalas	scampi	langoustines	Meerkrebse, Langustinen	crayfish
lavagante	bogavante	gambero di mare	homard	Hummer	lobster
legumes	legumbres	verdure	légumes	Gemüse	vegetables
laranja	naranja	arancia	orange	Orange	orange
leitão assado	cochinillo, tostón	maialino grigliato, porchetta	cochon de lait grillé	Spanferkelbraten	roast sucking pig
lentilhas	lentejas	lenticchie	lentilles	Linsen	lentils
limão	limón	limone	citron	Zitrone	lemon
lingua	lengua	lingua	langue	Zunge	tongue
linguado	lenguado	sogliola	sole	Seezunge	sole
lombo de porco	lomo	lombata, lombo	échine	Rückenstück	spine, chine
lombo de vaca	filete, solomillo	filetto	filet	Filetsteak	fillet
lota	rape	rana pescatrice, pesce rospo	lotte	Aalquappe	eel-pout, burbot
maçã	manzana	mela	pomme	Apfel	apple
manteiga	mantequilla	burro	beurre	Butter	butter
mariscos	mariscos	frutti di mare	fruits de mer	„Früchte des Meeres"	sea food
mel	miel	miele	miel	Honig	honey
melancia	sandía	cocomero	pastèque	Wassermelone	water melon
mero	mero	cernia	mérou	Rautenscholle	brill
mexilhões	mejillones	cozze	moules	Muscheln	mussels
miolos, miolera	sesos	cervello	cervelle	Hirn	brains
molho	salsa	sugo	sauce	Sauce	sauce
morangos	fresas	fragole	fraises	Erdbeeren	strawberries
nata	nata	panna	crème fraîche	Sahne	cream
omelete	tortilla	frittata	omelette	Omelett	omelette
ostras	ostras	ostriche	huîtres	Austern	oysters
ovo cozido	huevo duro	uovo sodo	œuf dur	hartes Ei	hard boiled egg
ovo quente	huevo pasado por agua	uovo al guscio	œuf à la coque	weiches Ei	soft boiled egg
ovos estrelados	huevos al plato	uova fritte	œufs au plat	Spiegeleier	fried eggs

pão	pan	pain	pane	Brot	bread
pato	pato	canard	anitra	Ente	duck
peixe	pescado	poisson	pesce	Fisch	fish
pepino	pepino, pepinillo	concombre, cornichon	cetriolo, cetriolino	Gurke, kleine Essiggurke	cucumber, gherkin
pêra	pera	poire	pera	Birne	pear
perú	pavo	dindon	tacchino	Truthahn	turkey
pescada	merluza	colin, merlan	merluzzo	Kohlfisch, Weißling	black cod, whiting
pêssego	melocotón	pêche	pesche	Pfirsich	peach
pimenta	pimienta	poivre	pepe	Pfeffer	pepper
pimento	pimiento	poivron	peperone	Pfefferschote	pimento
pombo, borracho	paloma, pichón	palombe, pigeon	palomba, piccione	Taube	pigeon
porco	cerdo	porc	maiale	Schweinefleisch	pork
presunto, fiambre	jamón (serrano, de York)	jambon (cru ou cuit)	prosciutto (crudo o cotto)	Schinken (roh oder gekocht)	ham (raw or cooked)
queijo	queso	fromage	formaggio	Käse	cheese
raia	raya	raie	razza	Rochen	skate
rins	riñones	rognons	rognoni	Nieren	kidneys
sal	sal	sel	sale	Salz	salt
salada	ensalada	salade	insalata	Salat	green salad
salmão	salmón	saumon	salmone	Lachs	salmon
salpicão	salchichón	saucisson	salame	Wurst	salami, sausage
salsichas	salchichas	saucisses	salsicce	Würstchen	sausages
sopa	potaje, sopa	potage, soupe	minestra, zuppa	Suppe mit Einlage	soup
sobremesa	postre	dessert	dessert	Nachspeise	dessert
sumo de frutas	zumo de frutas	jus de fruits	succo di frutta	Fruchtsaft	fruit juice
torrão de Alicante, nougat	turrón	nougat	torrone	Nugat, Mandelkonfekt	nougat
torta, tarte	tarta	tarte, grand gâteau	torta	Torte, Kuchen	tart, pie
truta	trucha	truite	trota	Forelle	trout
uva	uva	raisin	uva	Traube	grapes
vaca	vaca	bœuf	manzo	Rindfleisch	beef
vinagre	vinagre	vinaigre	aceto	Essig	vinegar
vinho branco doce	vino blanco dulce	vin blanc doux	vino bianco amabile	süßer Weißwein	sweet white wine
vinho branco sêco	vino blanco seco	vin blanc sec	vino bianco secco	herber Weißwein	dry white wine
vinho «rosé»	vino rosado	vin rosé	vino rosato	„Rosé"	„rosé" wine
vinho da região	vino corriente del país	vin courant du pays	vino nostrano	Landwein	local wine
vinho de marca	vino de marca	grand vin	vino pregiato	Prädikatswein	famous wine
vinho tinto	vino tinto	vin rouge	vino rosso	Rotwein	red wine

CIDADES

POBLACIONES
VILLES
CITTÀ
STÄDTE
TOWNS

ABRANTES Santarém 990 ②②, 37 ⑤ ⑥ ⑮ ⑯ − 9 051 h. alt. 188.
Ver : Local★. **Arred. :** Castelo de Almourol★★ (local★★, ≼★★) O : 18 km.
Turismo, Largo da Feira ☎ 555.
Lisboa 138 − Santarém 61.

🏨 **De Turismo,** Largo de Santo António ☎ 261, ≼ cidade e campo − 🏢 ☎ 🛏wc 🛁wc ⬛
Ⓟ. ⚞
Ref 120 − ☲ 25 − **24 qto** 240/350 − P 380/450.

✗✗ **O Pelicano,** Largo Avelar Machado ☎ 717 − 🗐. ⚞
fechado 5ª feira − Ref lista 90 a 128.

B.L.M.C. (AUSTIN) Estrada Nacional ☎ 129
B.L.M.C. (MORRIS) Estrada Nacional 2 ☎ 660
CITROEN Rossio ao Sul do Tejo ☎ 1050

DATSUN Rua dos Marmeleiros - Rossio de Abrantes ☎ 900
MERCEDES Estrada Nacional 2-4 ☎ 160
PEUGEOT Rua D. João IV n° 2 ☎ 060

AGUEDA Aveiro 990 ⑫, 37 ⑬ − 9 343 h. alt. 25 − ☯ 0034.
Turismo, Praça Conde de Águeda ☎ 624 13.
Lisboa 241 − Aveiro 22 − **Coimbra 42.**

✗ **Palanca,** Rua Cabedo e Lencastre 10 − estrada N 1 ☎ 624 85
fechado Sábado − Ref lista 65 a 115.

B.L.M.C. (MORRIS) Aguada de Baixo − Vale do Grou   DATSUN Borralha ☎ 623 02
☎ 662 29

ALBERGARIA-A-VELHA Aveiro 990 ⑫, 37 ⑬ − 3 623 h. alt. 126 − ☯ 0034.
Lisboa 256 − Aveiro 19 − **Coimbra 57.**

🏨 Casa da Alameda, Alameda Dr Oliveira Salazar ☎ 521 74 − 🏢 ☎ 🛏wc − **15 qto.**

na estrada N 1 :

🏨 Pousada de Santo António, S : 5 km ⊠ Mourisca de Vouga ☎ 522 30 Albergaria-a-Velha,
≼ vale do Vouga e montanha, ☴ − ☎ 🛏wc ⬛ ⬌ Ⓟ − **13 qto.**

🏨 Motel Alameda, sem rest. S : 2 km ⊠ ☎ 524 02 Albergaria-a-Velha, « Na orla de um
bosque » − 🏢 ☎ 🛏wc 🛁wc ⬛ Ⓟ − **18 qto.**

ALBUFEIRA Faro 37 ⑳ − 7 479 h. − Praia.
Ver : Local★.
Turismo, Rua 5 de Outubro ☎ 521 44.
Lisboa 324 − Faro 38 − Lagos 52.

🏨🏨 **Sol e Mar** ⚑, ☎ 521 21, Telex 18217, ≼ praia, falésias e mar − 🗐 rest. ⚞
Ref 150 − ☲ 32 − **68 qto** 180/400 − P 540/560.

🏨 **Boa Vista** ⚑, Rua B ☎ 521 75, Telex 18204, ≼ mar, ☴ climatizada − |🖊| 🏢 🗐 rest ☎ 🛏wc
⬛. ⚞ rest
Ref 90 − ☲ 20 − **20 qto** 195/345 − P 345/395.

🏨 **Estal. do Cerro** ⚑, Rua B ☎ 521 91, Decoração regional moderna − |🖊| 🏢 ☎ 🛏wc 🛁wc
⬛. ⚞ rest
Ref 90 − ☲ 20 − **50 qto** 200/300 − P 300/350.

✗✗ Alfredo, 1° andar, Rua 5 de Outubro 9 ☎ 520 59, Instalado num antigo solar.

✗ Grandevila, Av. do Ténis 14 ☎ 526 02 − 🗐.

✗ Jul Bar, Travessa Joaquim Manuel Mendonça Gouveia ☎ 520 68.

cont. ⟶

na Praia da Oura E : 3,5 km – ⊠ ⱦ Albufeira :

XXX **Borda d'Água,** ⱦ 520 45, ⩽ praia – 🍴 **Ⓟ**. 🏖
fechado 15 Novembro a 15 Dezembro e 2ª feira de Outubro a Maio – Ref lista 235 aprox.

na Praia Maria Luísa E : 6 km – ⊠ ⱦ Albufeira :

▦▦ **Da Balaia** Ⓜ 🦴, ⱦ 526 81, Telex 18298, ⩽ mar, « Arquitectura e decoração estilo moderno », 🏖, 🍵 climatizada – 🍴 **Ⓟ**. 🕳. 🏖 qto
Ref 170 – 🏊 35 – **186 qto** 570/805 – P 743/910.

ALCÁCER DO SAL Setúbal 🔟🔟🔟 ㉑, 🔟 ⑱ – 13 187 h.
Lisboa 100 – Faro 210 – Setúbal 52.

na estrada N 5 SE : 2,5 km – ⊠ ⱦ Alcácer do Sal :

🏠 Estal. da Barrosinha, ⱦ 623 63 – 📺 🍴 ⌬wc ⟵ **Ⓟ**
12 qto.

DATSUN Largo Luís de Camões ⱦ 621 35   FORD Rua de Trás do Mercado ⱦ 622 91

ALCOBAÇA Leiria 🔟🔟🔟 ㉑, 🔟 ⑮ – 4 799 h. alt. 42 – ◉ 0044.
Ver : Mosteiro de Sta. Maria** (túmulo de D. Inês de Castro**, túmulo de D. Pedro**, igreja*, claustro e dependências da abadia*).
Turismo, Praça Dr Oliveira Salazar ⱦ 422 65.
Lisboa 107 – Leiria 32 – Santarém 60.

🔱 **Mosteiro,** Av. João de Deus 5 ⱦ 421 83 – 🍴 ⌬wc 🛁wc. 🏖
fechado 15 a 28 Novembro e 6ª feira – Ref 80/90 – 🏊 15 – **13 qto** 72/150 – P 235.

na estrada da Nazaré NO : 3,5 km – ⊠ ⱦ Alcobaça :

🏠 Termal da Piedade 🦴, ⱦ 420 65 – 🍴 🍴 ⌬wc **Ⓟ** – **60 qto.**

na estrada N 8 E : 5,5 km – ⊠ ⱦ Aljubarrota :

XX **Estal. do Cruzeiro** com qto, ⱦ 421 12, ⩽ campo e montanha – 📺 🍴 ⌬wc 🛁wc ⟵
Ⓟ. 🏖
Ref 110 – 🏊 25 – **9 qto** 165/240 – P 410.

B.L.M.C. (MORRIS) Quinta da Roda ⱦ 423 02   FORD Rua Miguel Bombarda 131 ⱦ 425 29
CITROEN Rua de Angola ⱦ 425 90   MERCEDES, PEUGEOT Praça Dr Oliveira Salazar 48
DATSUN Rua Fernão de Magalhães 3 ⱦ 426 13   ⱦ 421 75

ALIJÓ Vila Real 🔟🔟🔟 ㉒, 🔟 ② – 2 201 h. alt. 620 – ◉ 0099.
Lisboa 421 – Porto 157 – Vila Real 44 – Viseu 125.

🏠 Pousada do Barão de Forrester, Rua Estradinha ⱦ 622 15 – 📺 🍴 ⌬wc 🛁wc ⟵ **Ⓟ**
12 qto.

ALMANSIL Faro 🔟🔟🔟 ㉛, 🔟 ⑳ – 3 692 h. – ◉ 0089.
Ver : Igreja de S. Lourenço* (azulejos**).
⛳, ⛳ do Vale do Lobo S : 6 km ⱦ 941 37 – ⛳, ⛳ Campo de Golf da Quinta do Lago ⱦ 942 71.
Lisboa 306 – Faro 12 – Huelva 115 – Lagos 68.

em Vale do Lobo S : 6 km – ⊠ ⱦ Almansil :

▦▦ **Dona Filipa** Ⓜ 🦴, ⱦ 941 41, Telex 18248, ⩽ pinhal, campo de golfe e mar, 🏖, 🍵 climatizada, ⛳, ⛳ – 🍴 **Ⓟ**. 🏖
Ref 170 – 🏊 40 – **129 qto** 720/1 030 – P 1 055/1 700.

ALVOR (Praia de) Faro 🔟🔟🔟 ㉛, 🔟 ⑳ – ▦▦ ver Portimão.

AMARANTE Porto 🔟🔟🔟 ㉒, 🔟 ② – 4 000 h. alt. 100 – ◉ 0025.
Ver : Mosteiro de S. Gonçalo (órgão*) – Igreja de S. Pedro (tecto*).
Arred. : Travanca : Igreja (capitéis*) NO : 18 km por N 15.
Turismo, Rua Cândido dos Reis ⱦ 429 80.
Lisboa 379 – Porto 64 – Vila Real 49.

🏠 Silva, Rua Cândido dos Reis 47 ⱦ 431 10, ⩽ rio Tâmega – 🍴 ⌬wc 🛁wc – **22 qto.**
✕ Príncipe, com qto, Largo Conselheiro António Cândido ⱦ 430 09 – 🍴 ⌬wc – **9 qto.**

na estrada N 15 SE : 26 km – ⊠ ⱦ Amarante :

XX **Pousada de São Gonçalo** com qto, Serra do Marão, alt. 885, ⱦ 461 23, ⩽ Serra do Marão,
Decoração regional – 📺 🍴 ⌬wc ⟵ **Ⓟ**. 🏖 rest
Ref 80/100 – 🏊 25 – **18 qto** 155/220 – P 295/340.

B.L.M.C. (AUSTIN) Rua João Pinto Ribeiro 72 ⱦ 339   FIAT Rua João Pinto Ribeiro 77 ⱦ 434

ARADAS Aveiro 🔟 ⑬ – ✕ ver Aveiro.

ARADE (Barragem do) Faro 🔟 ⑳ – ✕ ver Silves.

ARCOS DE VALDEVEZ Viana do Castelo 990 ⑪ e ⑫, 37 ① ⑪ – 2 574 h. alt. 46 – ☻ 0028.
Arred. : Bravães : Igreja de São Salvador* (pórtico*) SO : 10,5 km.
Lisboa 402 – Braga 37 – **Porto 87** – Viana do Castelo 45.

   🏛 Ribeiro, sem rest, Largo dos Milagres ⼧ 451 74, ⋞ rio Vez – ▥ ☞ 🏙wc ⇔ – **14 qto.**

VOLKSWAGEN Estrada Nacional ⼧ 453 53

ARMAÇÃO DE PÊRA Faro 37 ⑳ – 1 786 h. – Praia – ☻ 0082.
Turismo, Casino de Turismo ⼧ 551 45. – **Lisboa 313** – Faro 47 – Lagos 41.

   🏨 **Garbe** ⌖, Av. Marginal ⼧ 551 87, Telex 18285, ⋞ falésias e mar, ☑ climatizada – ▤ rest
     ℗. ☆ rest
     Ref 125 – ☲ 32 – **104 qto** 260/365 – P 398/475.

   🏠 Estal. Algar ⌖, Av. Beira Mar ⼧ 553 53, ⋞ mar – ▥ ☞ ⇌wc 🏙wc ⊞ – *temp.* – **18 qto.**

AVEIRO Ⓟ 990 ⑪, 37 ⑳ – 19 460 h. – ☻ 0034.
Ver : Antigo Covento de Jesus* (retrato da Princesa D. Joana*, túmulo*, interior* da igreja).
Arred. : Ria de Aveiro* (passeio de barco**).
Turismo, Praça da República ⼧ 236 80 e 240 81 – **A.C.P.** Av. Dr Lourenço Peixinho 89 – D ⼧ 225 71.
Lisboa 244 ③ – Coimbra 54 ② – Porto 78 ① – Vila Real 176 ① – Viseu 98 ①.

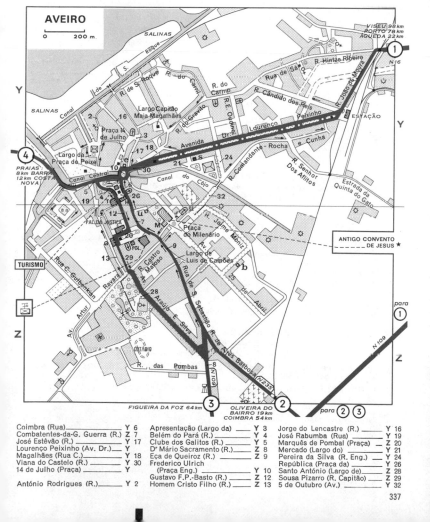

🏨 Imperial, Rua Dr Nascimento Leitão ☏ 221 41 – ॐ rest   z u
Ref 95 – ☒ 20 – **49 qto** 170/300 – P 310/380.

🏨 Afonso V ॐ sem rest, com snack-bar, Rua Jaime Moniz ☏ 251 91 – |≋| ▥ ☞ 📥wc
▥wc ☎ ⌂   z b
☒ 20 – **36 qto** 140/260.

🏨 Arcada sem rest, Rua Viana do Castelo 4 ☏ 230 01 – |≋| ▥ ☞ 📥wc ☎   Y e
☒ 20 – **52 qto** 140/240.

✗ Galo d'Ouro, Travessa do Mercado 2 ☏ 234 56.   Y s

     em Aradas SE : 2 km – ✉ Aradas ☏ Aveiro :

✗ Churrasqueira das Glicínias, ☏ 222 78.

B.L.M.C. (AUSTIN) Rua 5 de Outubro 18 ☏ 220 31
B.L.M.C. (MORRIS) Variante de Aveiro km 30,50 ☏ 277 43
B.M.W. Rua Vasco da Gama 62 ☏ 221 67
CHRYSLER-SIMCA Rua Hintze Ribeiro 63 ☏ 273 43
CITROEN Rua Cândido dos Reis 118 ☏ 236 41
DATSUN Rua do Batalhão de Caçadores 10 ☏ 261 61
FIAT Rua Cândido dos Reis 28 ☏ 220 01

FORD Estrada de Cacia ☏ 914 53
G.M. (OPEL-VAUXHALL) Largo Luís de Camões 2 ☏ 235 93
MERCEDES Rua Conselheiro Luís de Magalhães 15 ☏ 230 11
RENAULT Av. Dr Lourenço Peixinho 147 ☏ 240 81
TOYOTA Rua dos Andoeiros - Agra de Norte ☏ 251 57
VOLKSWAGEN Av. Araújo e Silva 119 ☏ 231 16

AVELAR Leiria 🎇 ⑮ – 1 694 h. alt. 275 – ⊙ 0036.
Arred. : Penela ⁂* N : 15 km.
Lisboa 188 – Coimbra 41 – Leiria 60.

🏠 Larsol, Rua Nova ✉ Avelar ☏ 322 87 Pombal – ▥ ☞ 📥wc ℗
    11 qto.

A VER O MAR Porto – ✗✗ com qto, ver Póvoa de Varzim.

BARCELOS Braga 🔢 ②, 🎇 ⑪ – 4 150 h. alt. 39 – ⊙ 0023.
Turismo, Torre de Menagem, Largo de Porta Nova ☏ 828 82.
Lisboa 363 – Braga 18 – Porto 48.

🏨 Albergaria Condes de Barcelos, Av. Alcaides de Faria ☏ 820 61 – ▤ rest
    30 qto.

B.L.M.C. (MORRIS), MERCEDES Rua Filipa Borges ☏ 820 08

FIAT Campo 5 de Outubro ☏ 821 66
TOYOTA Rua Dr Manuel Pais ☏ 833 96

BATALHA Leiria 🔢 ⑪, 🎇 ⑮ – 6 673 h. alt. 71 – ⊙ 0044.
Ver : Mosteiro*** : Claustro Real***, Sala do Capítulo** (abóbada***, vitral*), Capelas Imperfeitas** (pórtico**), Igreja** (vitrais*), Capela do Fundador*, Lavabo dos Monges*, Claustro de D. Afonso V*. **Arred. :** Cruz da Légua (loiça de barro*) SO : 8 km.
Turismo, ☏ 961 80.
Lisboa 117 – Coimbra 82 – Leiria 11.

🏨 **Estal. do Mestre Afonso Domingues** Ⓜ. ☏ 962 60, « Decoração elegante » – ▤ ℗.
ॐ rest
Ref 130 – ☒ 29 – **21 qto** 330/510 – P 649.

     na estrada N 1 :

✗✗ **Motel São Jorge** com bungalows, SO : 1,5 km ✉ ☏ 961 86 Batalha, ⟰ – ▥ ▤ rest
☞ ▥wc ☎ ℗
Ref 110 – ☒ 18 – **10 bungalows** 109/218.

✗ Santa Teresa, SO : 11 km ✉ Porto de Mós ☏ 427 86 Alcobaça – ℗.

BEJA ℗ 🔢 ②, 🎇 ⑧ – 19 187 h. alt. 277 – ⊙ 0079.
Turismo, Rua Capitão João Francisco de Sousa 25 ☏ 236 93.
Lisboa 192 – Évora 82 – Faro 154 – Huelva 182 – Santarém 183 – Setúbal 144 – Sevilla 225.

🏨 **Santa Bárbara** sem rest, Rua de Mértola 56 ☏ 220 28 – |≋| ▥ ☞ 📥wc ▥wc ☎. ॐ
☒ 26 – **26 qto** 220/330.

🏠 Coelho, Praça da República 15 ☏ 240 31 – ▥ ▤ rest ☞ 📥wc ▥wc
    28 qto.

✗ Luís da Rocha, 1° andar, Rua Capitão João Francisco de Sousa 63 ☏ 231 79 – ▤
fechado Domingo no Verão e Sábado no Inverno.

B.L.M.C. (AUSTIN) Rua Frei Amador Arrais 25 ☏ 225 91
B.L.M.C. (MORRIS), BMW Av. Miguel Fernandes 27 ☏ 221 91
CHRYSLER-SIMCA Rua Francisco Alexandre Lobo 1 ☏ 230 55
CITROEN Rua 5 de Outubro ☏ 241 99
DATSUN Rua Padre Antonio Vieira 14 ☏ 233 15
FIAT Largo Escritor Manuel Ribeiro 12 ☏ 231 74

FORD Av. Boavista 1 ☏ 230 31
G.M. (OPEL, VAUXHALL) Rua de Lisboa ☏ 241 61
MERCEDES Estrada Internacional ☏ 231 92
PEUGEOT Estrada de Serpa ☏ 231 91
RENAULT Rua dos Valentes 5 ☏ 395 770
TOYOTA Estrada Internacional - Ficalho
VOLKSWAGEN Rua Infante D. Henrique 6 ☏ 244 05

BENAVENTE Santarém 990 ㉑, 37 ⑯ – 6 098 h. alt. 18 – ⊙ 0013.
Lisboa 49 – Santarém 38.

    ✕ Solar de Benavente, com qto, Rua Luís de Camões, ☏ 522 60, Decoração regional – ▥
    🛏wc 🅿 – **8 qto.**

BOMBARRAL Leiria 990 ㉑, 37 ⑯ – 4 220 h. alt. 50 – 0012.
Lisboa 86 – Leiria 77 – Sintra 85.

    🏦 Bicho, Rua Veríssimo Duarte 32 ☏ 622 29 – 🍽
    10 qto.

B.L.M.C. (MORRIS) Rua dos Bombeiros Voluntários   DATSUN R. da Mata ☏ 624 73
☏ 621 88   VOLKSWAGEN Rua D. Afonso Henriques ☏ 621 40

BOM JESUS DO MONTE Braga 990 ⑫, 37 ⑪ – 🏔, 🏛 ver Braga.

BOTICAS Vila Real 990 ②, 37 ① – 1 121 h. alt. 490 – ⊙ 0091.
Arred. : Estrada de Montalegre ≼** N : 10 km.
Lisboa 468 – Vila Real 62.

    em Carvalhelhos O : 9 km – ✉ ☏ Boticas :

    ✕ Estal. de Carvalhelhos 🏖, com qto, ☏ 421 16, Num quadro de verdura – 🍽 🛏wc 🅿
    🅿. ✿
    Julho-Setembro – **10 qto** 225/320.

Não viage hoje com um mapa de ontem.

BRAGA 🅿 990 ⑫, 37 ⑪ – 37 633 h. alt. 190 – ⊙ 0023.
Ver : Sé Catedral★ : Imagem de Na. Sra. do Leite★, Abóbada★, Altar-mor★, Tesouro★ (azulejos★) –
Capela da Glória★ (túmulo★) – Capela dos Coimbras (esculturas★). **Arred. :** Bom Jesus do
Monte★★ (perspectiva★) 6 km por ② – Monte Sameiro★ (✲★★) 9 km por ②.
Turismo, Av. Central 1 ☏ 225 50 – **A.C.P.** Rua Eng° Frederico Ulrich ☏ 230 82.
Lisboa 365 ④ – Bragança 226 ② – Pontevedra 150 ⑤ – Porto 50 ④ – Vigo 131 ⑤.

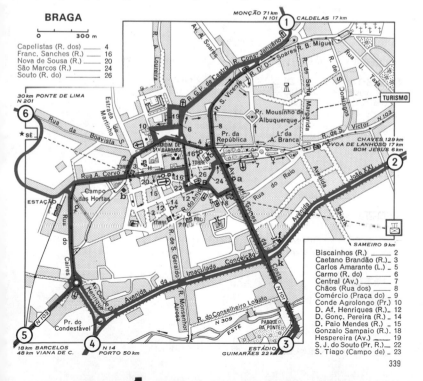

BRAGA

Capelistas (R. dos) ____ 4
Franc. Sanches (R.) ____ 16
Nova de Sousa (R.) ____ 20
São Marcos (R.) ____ 24
Souto (R. do) ____ 26

Biscainhos (R.) ____ 2
Caetano Brandão (R.)_ 3
Carlos Amarante (L.) _ 5
Carmo (R. do) ____ 6
Central (Av.) ____ 7
Chãos (Rua dos) ____ 8
Comércio (Praça do) _ 9
Conde Agrolongo (Pr.) 10
D. Af. Henriques (R.)_ 12
D. Gonç. Pereira (R.) _ 14
D. Paio Mendes (R.) _ 15
Gonzalo Sampaio (R.)_ 18
Hespereira (Av.) ____ 19
S. J. do Souto (Pr. R.)_ 22
S. Tiago (Campo de) _ 23

João XXI, Av. João XXI - 849 (k) ✆ 22 14 67 – wc wc – **28 qto.**

Grande Avenida, Av. Marechal Gomes da Costa 738 (a) ✆ 229 55 – wc wc – **24 qto.**

XX **Inácio,** Campo das Hortas 4 (b) ✆ 223 35
Ref lista 108 a 138.

X Ragú, Av. João XXI (f) ✆ 237 61.

na estrada N 101 por ③ : 2,5 km – ✉ ✆ **Braga:**

X **Retiro do Caçador,** ✆ 265 50 – Ⓟ
Ref lista 130 a 195.

no Bom Jesus do Monte por ② : 6 km – ✉ ✆ **Braga:**

Do Elevador, ✆ 250 11, ← vale e Braga – Ⓟ – **25 qto.**

Do Parque, ✆ 220 48 – wc Ⓟ – **35 qto.**

B.L.M.C. (AUSTIN) Av. Marechal Gomes da Costa 630/668 ✆ 241 05
B.L.M.C. (MORRIS) Av. Imaculada Conceição ✆ 236 80
B.M.W. Av. Eng. Arantes e Oliveira 430 ✆ 258 51
CHRYSLER-SIMCA Rua de Santo André 42 ✆ 260 01
CITROEN Rua do Caires 124 ✆ 250 32
DATSUN Tanque da Veiga-Ferreiros ✆ 223 08
FIAT Av. João XXI nº 771 ✆ 259 44
FORD Largo 1º de Dezembro 20 ✆ 229 12
G.M. (OPEL, VAUXHALL) Av. Marechal Gomes da Costa 520 ✆ 259 50
MERCEDES Av. Marechal Gomes da Costa 446 ✆ 260 97
RENAULT Rua do Raio 315 ✆ 260 71
TOYOTA Av. Marechal Gomes da Costa 356 ✆ 260 77
VOLKSWAGEN Rua da Restauração ✆ 220 82

BRAGANÇA P 990 ⑬, 37 ⑬ – **10 971 h. alt. 660.**

Ver : Cidade antiga★.

Turismo, Rua Abílio Beça ✆ 10.

Lisboa 517 – Ciudad Rodrigo 235 – Guarda 204 – Orense 190 – Vila Real 138 – Zamora 112.

Pousada de São Bartolomeu, Estrada de Turismo SE : 0,5 km ✆ 379, ← Bragança e vale – Ⓟ.
Ref 80/100 – 25 – **14 qto** 154/220 – P 295/339.

Albergaria Santa Isabel M sem rest, Rua Alexandre Herculano 67 ✆ 291 – wc.
17 – **14 qto** 145/205.

B.L.M.C. (AUSTIN) Rua do Passo 7 ✆ 381
CHRYSLER-SIMCA, CITROEN Rua Alexandre Herculano ✆ 743
DATSUN, RENAULT R. Alexandre Herculano ✆ 478
FIAT Av. João da Cruz ✆ 188
FORD Av. do Sabor ✆ 135
TOYOTA Largo do Toural
VOLKSWAGEN Rua Vale de Álvaro 17 ✆ 842

BUARCOS Coimbra 990 ⑪, 37 ⑭ – **X com qto, ver Figueira da Foz.**

BUÇACO Aveiro 990 ⑫, 37 ⑭ – **alt. 545 na Cruz Alta.**

Ver : Floresta★★★ : Cruz Alta ✳★★, Obelisco ←★.

Turismo, Rua António Granjo, Luso ✆ 931 33.

Lisboa 230 – Aveiro 47 – Coimbra 31 – Porto 109.

Palace H. do Buçaco, Floresta do Buçaco, alt. 400, ✉ Buçaco ✆ (00 31) 931 01 Mealhada, ← parque, « Luxuosas instalações num imponente palácio de estilo manuelino no centro de uma magnífica floresta », – Ⓟ. rest
Ref 170 – 40 – **70 qto** 430/610 – P 645/770.

BUCELAS Lisboa 990 ㉑, 37 ⑫ ⑰ – **5 955 h. alt. 100.**

Lisboa 24 – Santarém 62 – Sintra 40.

X Barrete Saloio, Rua Nova 28 ✆ 25 40 04, Decoração regional.

BUDENS Faro 37 ⑳ – **1 888 h.** – ✆ **0082.**

Lisboa 284 – Faro 95 – Lagos 15.

na Praia da Salema S : 4 km – ✉ ✆ **Budens:**

Estal. Infante do Mar, ✆ 651 37, ← praia e mar, – wc Ⓟ
30 qto.

CABO CARVOEIRO Leiria 990 ㉑, 37 ⑯ – **XX ver Peniche.**

CACILHAS Setúbal 990 ㉑, 37 ⑰.

Lisboa 10 – Setúbal 42.

XX **Floresta do Ginjal,** Ginjal 7 ✆ 27 00 87, ← Lisboa e porto
Ref lista 101 a 404.

CAIA Portalegre 990 ㉒, 37 ⑦ – **Ver alfândegas p. 14 e 15.**

CALDAS DA FELGUEIRA Viseu 🔟 ③ ④ – alt. 200 – Termas – ◎ 0032.

Turismo, Edifício dos Paços do Concelho, Canas de Senhorim ☎ 663 08. – **Lisboa 281** – **Coimbra 82** – Viseu 40.

  🏨 **Grande Hotel** ♨, ☒ Caldas da Felgueira ☎ 942 00 Nelas, ⌥ – **℗**. ❀ rest
    Junho-Setembro – Ref 85 – ☲ 20 – **103 qto** 135/250 – P 315/330.

  🛪 Maial ♨, ☒ Caldas da Felgueira ☎ 662 23 Nelas – 🍽 **℗** – **26 qto.**

CALDAS DA RAINHA Leiria 🔟🔟 ②, 🔟🔟 ⑯ – 15 010 h. alt. 50 – Termas – ◎ 0012.

Ver : Parque da Rainha D. Leonor* – Igreja de Na. Sra. do Pópulo (tríptico*).

Turismo, Rua de Camões ☎ 224 00. – **Lisboa 89** – Leiria 59 – Nazaré 29.

  🏠 Portugal, sem rest, Rua Amirante Cândido dos Reis 24, ☎ 221 80 – 🍽 🛏wc ⋒wc ☜
    28 qto.

  🏠 Central, sem rest, Largo Dr José Barbosa 22, ☎ 220 78 – ▥ 🍽 🛏wc. ❀ – **40 qto.**

B.L.M.C. (MORRIS) Rua Tenente Coronel Santos Costa 22 ☎ 229 47
B.M.W. Rua Sebastião de Lima 55 ☎ 230 31
CHRYSLER-SIMCA Estrada da Tornada ☎ 230 31
CITROEN, MERCEDES Rua Tenente Coronel Santos Costa 33 ☎ 229 47
FIAT Edifício Vinoeste ☎ 237 19
FORD Rua Capitão Filipe de Sousa 89 ☎ 225 61

G.M. (OPEL, VAUXHALL) Rua Heróis da Grande Guerra 128 ☎ 223 83
PEUGEOT Rua Heróis da Grande Guerra 147 ☎ 230 11
RENAULT Rua Heróis da Grande Guerra 104
TOYOTA Rua da Rosa 7 ☎ 233 09
VOLKSWAGEN Av. Heróis da Grande Guerra 128 ☎ 223 83

CALDAS DE MONCHIQUE Faro 🔟 ⑳ – ❌❌ ver Monchique.

CALDAS DE VIZELA Braga 🔟🔟 ⑫, 🔟🔟 ② – 6 714 h. alt. 150 – Termas – ◎ 0023.

Lisboa 355 – Braga 33 – **Porto 40.**

  🏠 Sul Americano, Rua Dr Emílio Torres ☒ Caldas de Vizela ☎ 482 37 Braga – 🍽 🛏wc **℗**
    74 qto.

B.L.M.C. (AUSTIN) Rua Ferreira Caldas ☎ 720 41

CALDELAS Braga 🔟🔟 ⑫, 🔟🔟 ⑪ ① – 1 081 h. alt. 150 – Termas – ◎ 0023.

Turismo, Av. Afonso Manuel ☎ 361 24. – **Lisboa 382** – Braga 17 – **Porto 67.**

  🏨 **Grande H. da Bela Vista** ♨, ☎ 361 17, « Amplo terraço com árvores e ≼ vale » – 🍽
    🛏wc ☜ ⇌ **℗**
    Julho-10 Outubro – ☲ 20 – **66 qto** 275/410 – P 410/495.

  🏠 **De Paços** ♨, Av. Afonso Manuel ☎ 361 01 – 🍽 🛏wc ⋒wc **℗**. ❀
    Junho-10 Dezembro – Ref 60 – ☲ 15 – **40 qto** 72/193 – P 245.

  🏠 Grande H. de Caldelas, Av. Afonso Manuel ☎ 361 14 – **℗** – *temp.* – **61 qto.**

  🏠 **Corredoura** ♨, Av. Afonso Manuel ☎ 361 10 – 🍽 🛏wc **℗**. ❀
    Julho-10 Outubro – Ref 60 – ☲ 15 – **21 qto** 140/200.

CAMINHA Viana do Castelo 🔟🔟 ① ⑪, 🔟🔟 ⑪ – 1 684 h.

Turismo, Av. Eng. Couto dos Santos, Moledo de Minho ☎ 921 77 e 924 61.

Lisboa 408 – Porto 93 – **Vigo 60.**

  ❌ **Albergaria Santa Rita** com qto, Rua de São João 28 ☎ 924 36 – ▥ 🍽 🛏wc
    Ref lista 80 a 115 – ☲ 15 – **5 qto** 220 – P 250.

CANAS DE SENHORIM Viseu 🔟 ③ – 🏨 ver Nelas.

CANIÇO Madeira – ❌ ver Madeira (Ilha da).

CARAMULO Viseu 🔟🔟 ⑫, 🔟🔟 ③ – alt. 800 – ◎ 0032.

Arred. : Caramulinho (miradouro**) SO : 4 km.

Turismo, Estrada Principal do Caramulo, Guardão, Tondela ☎ 862 21.

Lisboa 277 – **Coimbra 78** – Viseu 38.

  na estrada N 230 S : 1,5 km – ☒ ☎ Caramulo :

❌❌❌ Estal. de São Jerónimo ♨, com qto, ☎ 002 91, ≼ vale e Serra da Estrela, « Encantadora vivenda moderna com belo jardim », ⌥ – ▥ ▤ rest 🍽 ⋒wc ☜ **℗** – **6 qto.**

CARCAVELOS Lisboa 🔟 ⑳ ⑰ – 7 298 h. – Praia.

Lisboa 21 – Sintra 15.

  🏠 São Julião ♨, Praça do Junqueiro 16 ☒ Carcavelos ☎ 247 21 02 Lisboa – ▥ 🍽 🛏wc
    ⋒wc ☜ – **20 qto.**

  na praia :

  🏨 **Praia-Mar**, Rua do Gurué 16 ☒ Carcavelos ☎ 247 31 31 Lisboa, ≼ mar, ⌥ – ▤ rest. ♨.
    ❀ rest
    Ref 135 – ☲ 35 – **158 qto** 315/450 – P 495/585.

  ❌❌ **Fateixa**, Estrada Marginal ☒ Carcavelos ☎ 247 02 40 Lisboa, ≼ mar – **℗**
    Ref lista 152 a 230.

CITROEN Praceta do Junqueiro ☎ 247 34 70

CARVALHELHOS Vila Real **37** ① – ※ com qto, ver Boticas.

CARVOEIRO (Praia do) Faro **37** ⑳ – ※※, ※ ver Lagoa.

☞ *Benutzen Sie den Hotelführer des laufenden Jahres.*

CASCAIS Lisboa **990** ㉑, **37** ⑫ ⑰ – 20 541 h. – Praia.
Ver : Estância balnear*. **Arred. :** SO : Boca do Inferno* (abismo*) Y – Praia do Guincho* NO :
9 km Y.
🛇, ☜ do Estoril E : 3 km ☎ 26 32 48.
Lisboa 31 ② – Setúbal 71 ② – Sintra 16 ④.

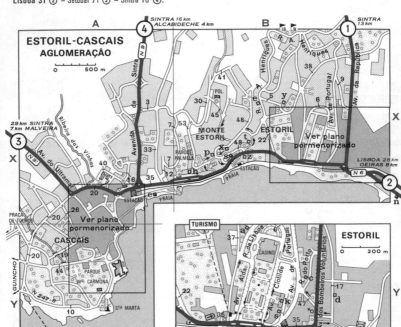

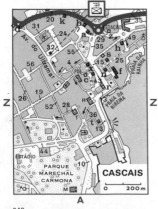

Eng. José Frederico Ulrich (Av.)	**AYZ** 20
Frederico Arouca (R.)	**AZ** 25
Marginal (Estrada)	**AZ** 35
Regimento de Inf. 19 (R.)	**AZ** 43
Sebastião J. de Carvalho e Melo (R.)	**AZ** 49
Alcaide (R. do)	**AX** 3
Alexandre Herculano (R.)	**AZ** 4
Algarve (R. do)	**BX** 5
Almeida Garret (Pr.)	**BY** 6
Argentina (Av. da)	**ABX** 7
Beira Litoral (R. da)	**BX** 9
Boca do Inferno (Est. da)	**AYZ** 10
Brasil (Av. do)	**AX** 12
Carlos I (Av. D)	**AZ** 13
Combatentes G. Guerra (Alameda)	**AZ** 15
Costa Pinto (Av.)	**AX** 16
Dr António Martins (R.)	**BY** 17
Emídio Navarro (Av.)	**AZ** 19

Fausto Figueiredo (Av.)	**BY** 22
Francisco de Avilez (R.)	**AZ** 24
Freitas Reis (R.)	**AZ** 26
Gomes Freire (R.)	**AZ** 28
Iracy Doyle (R.)	**AZ** 29
Itália (Av. de)	**BX** 30
José Maria Loureiro (R.)	**AZ** 31
Manuel J. Avelar (R.)	**AZ** 32
Marechal Carmona (Av.)	**AX** 33
Marquês Leal Pancada (R.)	**AZ** 36
Melo e Sousa (R.)	**BY** 37
Nuno Álvares Pereira (Av. D)	**BX** 38
Padre Moisés da Silva (R.)	**AX** 40
Piemonte (Av.)	**BX** 41
República (Av. da)	**AZ** 44
S. Pedro (Av. de)	**BX** 45
S. Remo (Av.)	**BY** 47
Sabóia (Av.)	**BX** 48
Vasco da Gama (Av.)	**AZ** 52
Venezuela (Av. da)	**BX** 53
Visconde da Luz (R.)	**AZ** 55
Vista Alegre (R. da)	**AZ** 56

Estoril Sol Ⓜ, Estrada Marginal ☎ 28 28 31, Telex 12624, ≼ baía e Cascais, ⌑ – 🖃 ⟸
℗. ♨. ❄ rest   BX **h**
Ref 170 – ⚏ 43 – **404 qto** 545/775 – P 678/835.

Cidadela, Av. José Frederico Ulrich ☎ 28 29 21, Telex 16320, ≼ Cascais e mar, ⌑ – 🖃 **℗**.
♨   AZ **d**
Ref 135 – ⚏ 35 – **140 qto** 315/450 – P 500/590.

Baía, Estrada Marginal ☎ 28 10 33, ≼ pequena praia de pescadores e baía – 📶 ⑩ ☜
⌂wc ⓜwc ☜. ❄   AZ **r**
Ref 110 – ⚏ 26 – **86 qto** 235/335 – P 352/420.

Nau e Rest. Portaló, Rua Dr. Iraci Doyle 14 ☎ 28 28 61 – 📶 ⑩ 🖃 rest ☜ ⌂wc ☜   AZ **z**
54 qto.

Albergaria Valbom sem rest, Av. Valbom 14 ☎ 286 58 01 – 📶 ⑩ ☜ ⌂wc ☜. ❄.
⚏ 26 – **42 qto** 256/365.   AZ **s**

Baluarte, Rua Tenente Valadim 4 ☎ 286 54 71, ≼ Estoril e baía – 🖃. ❄   AZ **t**
fechado 2ª feira – Ref lista 170 a 280.

❀ **O Pipas,** Rua das Flores 18 ☎ 28 45 01 – 🖃. ❄   AZ **f**
Ref lista 99 a 208
Espec. Parrilhada de mariscos, Pescada à chefe, Bife à Pipas.

O Frango Real, Av. José Frederico Ulrich 17 ☎ 28 21 68, Decoração neo-rústica.   AZ **k**

Fim do Mundo, Av. Valbom 26 ☎ 28 02 00.   AZ **h**

Palm Beach, Praia da Conceição ☎ 28 08 51, ≼ mar – 🖃.   AX **e**

O Retiro de João Padeiro, Rua Visconde da Luz 12 ☎ 28 02 32, Decoração rústica
– 🖃.   AZ **x**

Beira Mar, Rua das Flores 6 ☎ 28 01 52, Decoração rústica   AZ **f**
fechado 3ª feira – Ref lista 110 a 155.

Reijos, Rua Frederico Arouca 35 ☎ 28 03 11 – 🖃. ❄   AZ **s**
fechado 2 a 30 Novembro e 5ª feira – Ref lista 100 a 145.

Aos Três Porquinhos, Av. José Frederico Ulrich 7 ☎ 28 23 54, Decoração rústica – 🖃. AZ **b**

Sagres, Rua das Flores 10 - A ☎ 28 08 30 – 🖃.   AZ **f**

O Batel, Travessa das Flores 4 ☎ 28 02 15 – 🖃   AZ **n**
Ref lista 150 a 255.

O Pescador, Rua das Flores 10 ☎ 28 20 54 – 🖃.   AZ **f**

Alaúde, Largo Luís de Camões 8 ☎ 28 02 87 – 🖃.   AZ **x**

Tabuinhas, Beco Esconso 7 ☎ 28 40 60, Rest. típico : fados.   AZ **c**

Estribinho, Largo das Grutas 3 ☎ 28 19 01 – 🖃. ❄   AZ **a**
Ref lista 70 a 125.

na estrada do Guincho – em Oitavos O : 5 km – ✉ ☎ Cascais :

Oitavos, ☎ 28 92 77, ≼ pinhal e mar – **℗**
fechado 5ª feira – Ref lista 120 a 230.

na Praia do Guincho NO : 9 km – ✉ ☎ Cascais :

Do Guincho Ⓜ ♨, ☎ 285 04 91, ≼ praia, mar e falésias, « Bela decoração » – 🖃 **℗**   Y
36 qto.

Estal. Muchaxo ♨, com qto, ☎ 285 02 21, ≼ praia, mar e falésias do Cabo da Roca,
Decoração rústica, ⌑ – ⑩ ☜ ⌂wc ☜ **℗**. ❄ rest
Ref lista 165 a 320 – ⚏ 29 – **24 qto** 370/540 – P 540/630.

Estal. Mar do Guincho ♨, com qto, ☎ 285 02 51, ≼ mar – ⑩ ☜ ⌂wc ☜ **℗**. ❄
13 qto.

O Faroleiro, ☎ 285 02 25, ≼ mar e falésias – **℗**
Ref lista 106 a 159.

B.L.M.C. (AUSTIN) Av. do Ultramar 10 A-B ☎ 28 03 53
B.L.M.C. (MORRIS) Lugar da Torre ☎ 28 00 46
DATSUN Largo das Grutas ☎ 28 51 11

FORD Av. Eng. Frederico Ulrich ☎ 28 05 31
TOYOTA Av. Infante D. Henrique
VOLKSWAGEN Av. Valbom 20-D ☎ 28 09 70

CASTELO BRANCO ℗ 🔟🔟🔟 ⊚, 🔟🔟 ⑤ – 21 730 h. alt. 375.

Ver : Jardins do antigo paço episcopal★.

Turismo, Alameda Salazar 2 ☎ 1002 – **A.C.P.** Av. Marechal Carmona ☎ 283.

Lisboa 236 ⑤ – **Cáceres 137** ② – **Coimbra 147** ⑤ – **Portalegre 81** ③ – **Santarém 159** ③.

Plano página seguinte

Caravela, sem rest, Rua do Saibreiro 24 (**a**) ☎ 939 – ⑩ ☜ ⌂wc ⓜwc ☜ **℗**
27 qto.

It's, Av. 28 de Maio 55 (**b**) ☎ 938, Decoração moderna – 🖃. ❄
fechado 3ª feira – Ref lista 100 a 170.

cont. →

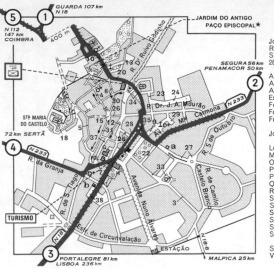

CASTELO BRANCO

|← 0 ——— 500 m →|

João C. Abrunhosa _____ 12
Rei D. Dinis _____ 25
Sidónio Pais _____ 35
28 de Maio (Av.) _____ 38

Amado Lusitano (R.) _____ 3
Arco (R. do) _____ 4
Arressário (R. do) _____ 5
Espírito Santo (R. do) _____ 7
Ferreiros (R. dos) _____ 8
Formosa (R.) _____ 9
Frei Bartolomeu
  da Costa (R. de) _____ 10
José Bento da Costa
  (Jardim) _____ 13
Luís de Camões (Pr.) _____ 15
Mercado (R. do) _____ 18
Olarias (R. das) _____ 20
Pátria (Campo da) _____ 22
Prazeres (R. dos) _____ 23
Quinta Nova (R. da) _____ 24
Relógio (R. do) _____ 26
Saibreiro (L. e R. do) _____ 27
Salazar (Alameda) _____ 28
S. Marcos (L. de) _____ 29
S. Sebastião (R.) _____ 30
Santa Maria (R. de) _____ 31
Senhora da Piedade
  (L. e R. da) _____ 33
Sé (L. e R. da) _____ 34
Vaz Preto (Av.) _____ 37

B.L.M.C. (AUSTIN), TOYOTA Rua do Saibreiro ℡ 659
B.L.M.C. (MORRIS) Av. Marechal Carmona 75 ℡ 421
B.M.W. Av. Marechal Carmona 31 ℡ 649
CHRYSLER-SIMCA Estrada da Cruz Montalvão ℡ 13 10
CITROEN Rua Amato Lusitano 11 ℡ 643
DATSUN Rua de Santo António 1 ℡ 190
FIAT Av. Marechal Carmona 78 ℡ 501

FORD Av. 28 de Maio 117 ℡ 462
G.M. (OPEL, VAUXHALL) Rua Camilo Castelo Branco
℡ 322 33
MERCEDES Av. Marechal Carmona 74 ℡ 283
RENAULT Av. 28 de Maio 8
VOLKSWAGEN Av. Marechal Carmona 25 ℡ 327

> **Avenida**   Se o nome de um hotel
> figura em pequenos caracteres,
> à chegada pergunte as condições ao hoteleiro.

CASTELO DA MAIA Porto 🗷 ⑫ – ✕ com qto, ver Porto.

CASTELO DE VIDE Portalegre 🗷🗷🗷 ⑫, 🗷 ⑥ – 3 417 h. alt. 575 – Termas – ● 0045.
Ver : Castelo ≤* – Judiaria*. Arred. : Capela de Na. Sra. da Penha ≤* S : 4 km.
Turismo, Rua Bartolomeu Álvares da Santa ℡ 913 61.
Lisboa 210 – Cáceres 128 – Portalegre 22.

  🏨 **Estal. São Paulo,** Rua Alexandre Herculano 12 ℡ 912 00, ≤ montanhas – 🎞 ▤ rest ☎
   🛏wc 🛁wc 📾. ✻ rest
   Ref 100 – ☲ 20 – **40 qto** 180/280 – P 300/350.

  🏠 **Casa do Parque,** Av. de Aramenha 37 ℡ 912 50 – 🎞 ☎ 🛏wc 🛁wc. ✻
   fechado 24 a 26 Dezembro – Ref 75/90 – ☲ 15 – **24 qto** 130/240 – P 270/280.

CAXIAS Lisboa 🗷🗷🗷 ⑳, 🗷 ⑫.
Lisboa 15 – Sintra 18.

  ✕✕ Mónaco, Estrada Marginal 🗷 Caxias ℡ 243 23 39 Lisboa, ≤ estuário do Tejo e oceano – ℗.

CELORICO DA BEIRA Guarda 🗷🗷🗷 ⑳, 🗷 ③ – 2 311 h. alt. 500 – ● 0051.
Arred. : Trancoso (fortificações*) NE : 19 km.
Lisboa 337 – Coimbra 138 – Guarda 28.

  🏨 Parque, Rua Andrade Corvo ℡ 722 30 – ☎ 🚗
   15 qto.

CHAVES Vila Real 🗷🗷🗷 ⑳, 🗷 ① – 11 465 h. alt. 350 – Termas.
� de Vidago SO : 20 km ℡ 973 56 Vidago.
Turismo, Rua de Santo António 213 ℡ 29 e Balneário das Termas ℡ 10 15.
Lisboa 472 – Orense 99 – Vila Real 66.

344

🏨 **Trajano,** Travessa Cândido dos Reis ℡ 224 15 – ⌘
Ref lista 92 a 142 – ⌷ 17 – **39 qto** 185/290.

🏨 **Estal. Santiago,** Rua do Olival ℡ 225 45, ≤ vale de Chaves – ▥ ⌸ ⇱wc ⌨. ⌘
Ref 85/100 – ⌷ 22 – **30 qto** 205/285 – P 355/585.

🏨 Jaime, Av. da Muralha ℡ 273 – ⌸ ⇱wc
59 qto.

B.L.M.C. (MORRIS), G.M. (OPEL, VAUXHALL), MER-
CEDES Largo do Tabolado ℡ 257
DATSUN Av. 5 de Outubro ℡ 209

RENAULT Rua Cândido Sotto Mayor
TOYOTA Edifício Triunfo, Largo do Caldas
VOLKSWAGEN Rua Cândido Sotto Mayor ℡ 231

☛ *Bibendum n'accroche pas de panonceau
aux hôtels et restaurants qu'il signale.*

COIMBRA

Fernão de Magalhães (Av.) _____ Y
Ferreira Borges (R.) _____ Z 25
Sofia (R. da) _____ Y
Visconde da Luz (R.) _____ Y 43

Ameias (Largo das) _____ Z 2
Antero de Quental (R.) _____ XY 3
António Augusto Gonçalves (R.) X 4
Augusta (R.) _____ X 6
Aveiro (R. de) _____ X 7
Borges Carneiro (R. de) _____ Z 8
Combatentes da Gde Guerra (R.) X 10
Dom Afonso Henriques (Av.) _ X 12
Dr Augusto Rocha (R.) _____ X 13
Dr B. de Albuquerque (R.) _____ X 15
Dr João Jacinto (R. do) _____ Y 16
Dr José Falcão (R.) _____ Z 17
Dr Júlio Henriques (Alameda)_ X 19
Dr L. de Almeida Azevedo (R.) X 20
Dr Marnoco e Sousa (Av.) _____ X 21
Fernandes Tomás (R. de) _____ Z 23

Figueira da Foz (R.) _____ X 27
Guerra Junqueiro (R.) _____ X 28
Guilherme Moreira (R.) _____ Z 29
Jardim (Arcos do) _____ X 32
João das Regras (Av.) _____ X 33
Nicolau Chanterene (R.) _____ X 36

Quebra-Costas
(Escadas de) _____ Z 37
República (Praça da) _____ X 38
Santa Teresa (R. de) _____ X 39
Sobre-Ripas (R. de) _____ Z 40
8 de Maio (Praça) _____ Y 44

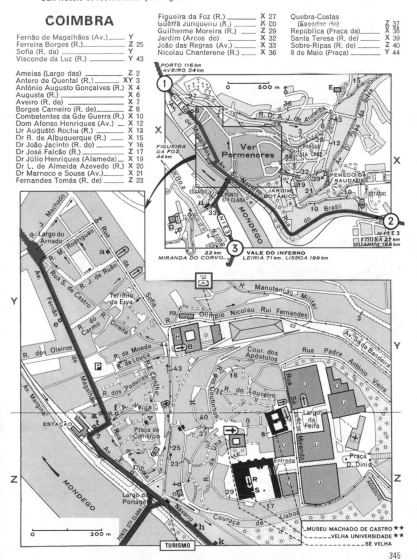

MUSEU MACHADO DE CASTRO ★★
VELHA UNIVERSIDADE ★★
SÉ VELHA

TURISMO

345

COIMBRA �🅿 🟩🟩🟩 ⑪ ⑫, 🟥🟥 ⑭ − 24 350 h. alt. 75 − ❍ 0039.

Ver : Universidade★★ (≤★) : Capela★ (órgão★★), Biblioteca★★ − Museu Machado de Castro★★ (estátua equestre★, retábulo★) − Sé Velha (retábulo★, capela★) − Mosteiro de Santa Cruz (púlpito★) Y **B** − Mosteiro de Celas (retábulo★) X **E** − Convento de Santa Clara-a-Nova (túmulo★) X **D.**

Arred. : Ruínas de Conímbriga★ : Casa dos jogos de água★★, (mosaicos★★), Casa de Cantaber★ 17 km por ⑤ − Miradouro de Na. Sra. da Piedade ≤★★ 27 km por ② e N 236.

Turismo, Largo da Portagem 🕿 255 76, 237 99 e 238 86 − **A.C.P.** Av. Navarro 6 🕿 268 13.

Lisboa 199 ③ − **Cáceres 284** ② − **Porto 116** ① − **Salamanca 337** ②.

Plano página anterior

🏨 **Bragança,** Largo das Amejas 10 🕿 221 71 − |≴| 𝕀𝕀𝕀 🍴 rest 🕾 ⎕wc 🏧wc ⊛   **z t**
    83 qto.

🏨 **Astória,** Av. Navarro 21 🕿 220 55, ≤ rio e montanha − |≴| 𝕀𝕀𝕀 🕾 ⎕wc 🏧wc ⊛. � rest   **z r**
    Ref 120 − ⌸ 30 − **70 qto** 260/430 − P 425/500.

🏨 **Oslo,** Av. Fernão de Malgahães 25 🕿 207 91 − |≴| 𝕀𝕀𝕀 🕾 ⎕wc 🏧wc ⊛. �   **YZ x**
    Ref 110 − ⌸ 20 − **34 qto** 250/350 − P 380.

🏨 **Almedina** sem rest, Av. Fernão de Magalhães 203 🕿 291 61 − |≴| 𝕀𝕀𝕀 🕾 ⎕wc 🏧wc ⊛.
    �   **Y e**
    ⌸ 15 − **28 qto** 140/220.

🏨 **Kanimambo** sem rest, Av. Fernão de Magalhães 484 🕿 271 51 − |≴| 𝕀𝕀𝕀 🕾 🏧wc ⊛. �
    ⌸ 15 − **45 qto** 120/180.   **X s**

🏨 **Domus** sem rest, Rua Adelino Veiga 62 🕿 285 84 − 𝕀𝕀𝕀 ⎕wc 🏧wc ⊛. �   **YZ f**
    ⌸ 15 − **13 qto** 150.

XXX **D. Pedro,** Av. Emídio Navarro 58 🕿 246 98 − ▤   **z k**
    fechado 4ª feira − Ref lista 110 a 205.

X **Império,** 1º andar, Rua da Sofia 165 🕿 236 55 − ▤   **Y a**
    Ref lista 90 a 190.

X **Pinto d'Ouro,** Av. João das Regras 68 🕿 250 08 − ✎belo   **x n**
    fechado 2ª feira − Ref lista 116 aprox.

X **Texas Parque,** Av. Emídio Navarro 40 🕿 234 78 − ▤. ✎belo   **z h**
    fechado 3ª feira − Ref lista 70 a 137.

X Funchal, Rua das Azeiteiras 20 🕿 241 37.   **z v**

em Santa Luzia − estrada N 1 por ① : 11 km − ⊠ Barcouço 🕿 Coimbra :

🏨 Estal. Santa Luzia, sem rest, 🕿 912 21 − 𝕀𝕀𝕀 🕾 ⎕wc 🏧wc ⊛ ❶
    8 qto.

B.L.M.C. (AUSTIN) Av. Fernão de Magalhães 🕿 255 78
B.L.M.C. (MORRIS) Estrada Nacional N 1 - Loreto 🕿 364 22
B.M.W. Rua Eng. Arantes e Oliveira 438
CHRYSLER-SIMCA Rua dos Combatentes da Grande Guerra 96 🕿 729 08
CITROEN Estrada de Coselhas 🕿 244 60
DATSUN Rua Padre Estrela Cabral 22 🕿 290 96

FIAT Av. Dr Silva Pinto 🕿 352 64
FORD Largo das Ameias 11 🕿 220 38
FORD Largo da Portagem 10 🕿 234 75
G.M. (OPEL, VAUXHALL) Av. Fernão de Magalhães 🕿 271 23
MERCEDES Estrada Nacional-Loreto 🕿 364 22
RENAULT Rua Dr Manuel Almeida e Sousa 🕿 270 71
TOYOTA Av. Eng. Arantes e Oliveira 424 🕿 723 42
VOLKSWAGEN Loreto 🕿 220 31

COLARES Lisboa 🟩🟩🟩 ⑳, 🟥🟥 ⑰ e ⑫ − 5 499 h. alt. 50.

Arred. : Azenhas do Mar (local★) NO : 7 km.

Lisboa 36 − Sintra 8.

🏨 **Estal. do Conde** ⌂, Quinta do Conde 🕿 299 00 52, ≤ vale e serra de Sintra − 𝕀𝕀𝕀 🕾 ⎕wc
    🏧wc ⊛. ✎belo
    fechado 15 Outubro a 15 Novembro − Ref 95/110 − ⌸ 26 − **11 qto** 220/330 − P 330/440.

X **Da Várzea** com qto, Várzea de Colares 🕿 299 00 08 − 🕾 ⎕wc. ✎belo
    Ref lista 80 a 130 − ⌸ 12.5 − **12 qto** 75/220 − P 220/285.

na estrada da Praia das Maçãs NO : 2 km − ⊠ 🕿 Colares :

🏨 **Miramonte** ⌂, 🕿 299 07 51, « Jardim florido sob os pinheiros », ⁅ − 𝕀𝕀𝕀 🕾 ⎕wc ⊛ ❶.
    ✎belo rest
    Ref 100 − ⌸ 20 − **92 qto** 300 − P 470.

COSTA DA CAPARICA Setúbal 𝟿𝟿𝟢 ②, 𝟛𝟟 ⑦ – 2 655 h. – Praia.

🚆 Club de Campo de Lisboa SE : 16 km ⏀ 245 75 17 Aroeira, Fonte da Telha.

Turismo, Largo Comandante Sá Linhares ⏀ 240 00 71 e 240 02 10.

Lisboa 16 – Setúbal 44.

 🏨 **Praia do Sol,** Rua dos Pescadores 12-A ⊠ Costa da Caparica ⏀ 240 00 12 Almada – 🛗
  ☎ 🚪wc 🅜wc 🅟. 🍴
  Ref 90 – ⊏⊐ 20 – **54 qto** 150/290 – P 345/395.

 🏠 **Dóris** sem rest, Rua dos Pescadores 27 ⊠ Costa da Caparica ⏀ 240 01 03 Almada – ☎
  🅜wc 🅟. 🍴
  ⊏⊐ 15 – **10 qto** 105/150.

 🏠 **Residência Real,** sem rest, Rua Mestre Manuel 18 ⊠ Costa da Caparica ⏀ 240 1 / 01
  Almada – 🅜 ☎ 🅜wc 🅟
  10 qto.

 🏠 **Santo António** 🍴 sem rest, Rua de Almada ⊠ Costa da Caparica ⏀ 240 00 28 Almada –
  🅜 ☎ 🅜wc 🅟. 🍴
  ⊏⊐ 15 – **24 qto** 70/180.

COVA DA IRIA Santarém – 🏔 a 🏠 ver Fátima.

COVILHÃ Castelo Branco 𝟿𝟿𝟢 ⑧, 𝟛𝟟 ④ – 25 281 h. alt. 675 – Desportos de Inverno – ☉ 0059.

Arred. : Estrada★★ da Covilhã a Seia (Torre ❆★★) 49 km – Estrada★★ da Covilhã a Gouveia
por Manteigas 65 km – Unhais da Serra (local★) SO : 21 km.

Turismo, Praça do Município ⏀ 221 70.

Lisboa 298 – Castelo Branco 62 – Guarda 45.

 🏠 Solneve, Rua Visconde Curiscada 126 ⏀ 230 01 – 🛗 🅜 ☎ 🅜wc 🅟 – **26 qto.**

 na Serra da Estrela – nas Penhas da Saúde NO : 11 km – ⊠ ⏀ Covilhã :

 🏔 **Serra da Estrela** 🍴, alt. 1 550, ⏀ 223 94, ≼ montanhas e vale, 🏊 – 🍴 rest 🅟. 🍴 rest
  Ref 110/150 – ⊏⊐ 26 – **38 qto** 311/387.

 🏠 Estal. O Pastor 🍴, alt. 1 550, ⏀ 221 30, ≼ montanhas – 🅜 ☎ 🅜wc 🅟
  9 qto.

B.L.M.C. (AUSTIN) Rua Nuno Álvares Pereira 1 ⏀ 220 96
B.L.M.C. (MORRIS), CHRYSLER-SIMCA Av. Frei Heitor Pinto 20 ⏀ 238 85
CITROEN, FIAT Largo de São João da Malta ⏀ 230 15
FORD Rua Rui Faleiro 37 ⏀ 227 46
G.M. (OPEL, VAUXHALL) Largo da Infantaria 21 ⏀ 220 45

MERCEDES Estrada Nacional - Refúgio ⏀ 230 85
RENAULT Rua do Marquês de Ávila e Bolama 191
TOYOTA Rua do Marquês de Ávila e Bolama 233 ⏀ 220 48
VOLKSWAGEN Rua António Augusto de Aguiar 112 ⏀ 221 54

CURIA Aveiro 𝟿𝟿𝟢 ⑪ ⑫, 𝟛𝟟 ⑭ – alt. 40 – Termas – ☉ 0031.

Turismo, Largo da Rotunda, ⏀ 522 48 e Parque da Sociedade das Águas da Curia ⏀ 522 23, Tamengos, Anadia.

Lisboa 226 – Coimbra 27 – Porto 93.

 🏔 **Palace H. da Curia** 🍴, ⏀ 521 31, « Grande jardim com árvores e 🏊 », 🍴 – 🚗 🅟.
  🏋. 🍴 rest
  Junho-Setembro – Ref 120 – ⊏⊐ 30 – **132 qto** 260/370 – P 425/500.

 🏔 **Das Termas** 🍴, ⏀ 521 85, « Num belo parque com árvores », 🏊 – 🍴 rest 🚗 🅟. 🍴
  Ref 105 – ⊏⊐ 26 – **39 qto** 500.

 🏨 Do Parque 🍴, ⏀ 523 13 – ☎ 🚪wc 🅜wc 🅟 – *temp.* – **30 qto.**

 🏠 **Lourenço** 🍴, ⏀ 522 14 – 🅜 🍴 rest ☎ 🅜wc. 🍴
  Ref 65/100 – ⊏⊐ 15 – **43 qto** 140/470 – P 290/380.

 🏠 Santos 🍴, ⏀ 524 13 – ☎ 🚪wc 🅜wc 🅟 – *temp.* – **44 qto.**

 🏠 Imperial 🍴, ⏀ 523 25 – ☎ 🚪wc 🅜wc 🅟 – *temp.* – **41 qto.**

ELVAS Portalegre 𝟿𝟿𝟢 ②, 𝟛𝟟 ⑦ – 14 548 h. alt. 300.

Ver : Muralhas★★ – Aqueduto da Amoreira★ – Largo de Santa Clara★ (pelourinho★) – Igreja de
Na. Sra. da Consolação★ (azulejos★).

Turismo, Praça D. Sancho II ⏀ 936 – A.C.P. Estrada Nacional 4 Cala ⏀ 941 07.

Lisboa 222 – Portalegre 55.

 🏨 **Estal. D. Sancho II,** Praça D. Sancho II - 23 ⏀ 127 – 🛗 🅜 ☎ 🚪wc 🅜wc 🅟. 🍴
  Ref 90/110 – ⊏⊐ 24 – **22 qto** 200/280 – P 376/450.

 🍴🍴🍴 **Pousada de Santa Luzia** com qto, Av. de Badajoz - estrada N 4 ⏀ 194 – 🅜 🍴 ☎ 🚪wc
  🅟. 🍴 rest
  Ref 130 – ⊏⊐ 25 – **11 qto** 150/220 – P 435/505.

 🍴 Estal. Aqueduto, com qto, Av. de Badajoz - estrada N 4 ⏀ 676 – 🅜 🍴 rest ☎ 🚪wc 🅟
  4 qto.

B.L.M.C. (AUSTIN) Praça Dr O. Salazar 29
B.M.W. Rua do Alcamim 49 ⏀ 28
CHRYSLER-SIMCA Rossio do Meio ⏀ 327
CITROEN Av. de Badajoz ⏀ 184
FORD Rua de Olivença 3

G.M. (OPEL, VAUXHALL) Av. de Badajoz 143 ⏀ 57
PEUGEOT Rua dos Chilões 36 - B ⏀ 172
RENAULT Av. Garcia da Horta ⏀ 538
VOLKSWAGEN Largo N. Sr★ da Oliveira 11 ⏀ 771

ENTRE-OS-RIOS Porto 🔢 ⑫ – alt. 50 – ⚙ 0025.
Turismo, Torre ☎ 624 22.
Lisboa 328 – Porto 49 – Vila Real 96.

❌ **Mira Douro** com qto, ☎ 624 22 Termas de São Vicente, ⩤ confluência dos rios Douro e Tâmega – 🏛 ☺. ❌
fechado Dezembro – Ref 65 – ⚏ 12 – **5 qto** 70/200 – P 225/240.

ERICEIRA Lisboa 🔢 ②,🔢⑯ e ⑪ – 2 565 h. – Praia.
Turismo, Rua Eduardo Burnay ☎ 22.
Lisboa 51 – Sintra 24.

🏨 Estal Morais, Rua Miguel Bombarda 3 ☎ 546 11, ⊼ – 📶 ☺ ⌁wc 🚿wc
40 qto.

🏨 Estal. Pedro o Pescador, Rua Dr Eduardo Burnay 22 ☎ 545 04 – ☺ ⌁wc 🚿wc
18 qto.

❌ **Albuquerque,** Calçada da Baleia 10 ☎ 546 69
fechado 4ª feira – Ref lista 90 a 130.

❌ Parreirinha, Rua Dr Miguel Bombarda 12 ☎ 541 48.

ESPINHO Aveiro 🔢 ⑪ ②, 🔢 ⑫ – 11 637 h. – Praia – ⚙ 02.
🏌 Oporto Golf Club, ☎ 92 90 08.
Turismo, Ângulo das Ruas 6 e 23 ☎ 92 09 11.
Lisboa 305 – Aveiro 54 – Porto 16.

🏛 **Praiagolfe** Ⓜ, ☎ 92 06 30, ⩤ mar – 🍽 rest ⇔. 🅐. ❌ rest
Ref 125 – ⚏ 31 – **119 qto** 260/365 – P 463/541.

🏨 De Espinho, Rua 19 - 342 ☎ 92 00 02 – ☺ ⌁wc – **36 qto.**

🏨 Mar Azul, Av. 8 - 676 ☎ 92 08 24 – ☺ ⌁wc 🅟 – **24 qto.**

❌ Onda, Av. 2 – 🍽.

❌ A Canoa, com snack-bar, Rua 8 n° 583 ☎ 92 07 38.

B.L.M.C. (AUSTIN) Rua 14 n° 881 ☎ 92 11 04   TOYOTA Rua 18 n° 614 ☎ 92 00 44
FIAT Rua 62 n° 384 ☎ 92 05 52

ESPOSENDE Braga 🔢 ⑪ 🔢 ⑪ – 1 534 h. – Praia – ⚙ 0023.
Turismo, Rua 1° de Dezembro ☎ 893 54.
Lisboa 364 – Braga 33 – Porto 49 – Viana do Castelo 21.

🏨 **Suave Mar** ⌂, Av. Eng. Arantes e Oliveira ☎ 894 45, ⩤ foz do Cávado e mar, ❌, ⊼ –
🏛 ☺ ⌁wc 🚿wc 🅟 🅟. ❌ rest
Ref 90 – ⚏ 20 – **46 qto** 195/320 – P 340/395.

❌❌❌ **Estal. Zende** com qto, estrada N 13 ☎ 893 33 – 🏛 ☺ ⌁wc 🅟 🅟. ❌ rest
Ref 95 – ⚏ 25 – **12 qto** 224/320 – P 439.

ESTEFÂNIA Lisboa – ❌ ver Sintra.

ESTORIL Lisboa 🔢 ②, 🔢 ⑫ e ⑰ – 15 740 h. – Praia.
Ver : Estância balnear★.
🏌, 🏌 Club de Golf do Estoril ☎ 26 32 48.
Turismo, Arcadas do Parque ☎ 26 01 13.
Lisboa 28 ② – Sintra 13 ①.

Ver plano de Cascais

🏰 **Palácio,** ☎ 26 04 00, Telex 12757, ⩤ parque e mar, ⊼ – 🍽 rest 🅟. 🅐. ❌ rest   BY **k**
Ref 170 – ⚏ 72 – **172 qto** 610/950 – P 785/952.

🏛 **Cibra,** Estrada Marginal ☎ 26 18 11, ⩤ Estoril e baía de Cascais – 🅟. ❌ rest   BY **s**
Ref 130 – ⚏ 35 – **89 qto** 300/450 – P 475/550.

🏛 **Lido** ⌂, Rua do Alentejo 12 ☎ 26 40 98, ⩤ Estoril e mar, ⊼ climatizada – 🍽 rest 🅟.
❌ rest   BX **y**
Ref 110 – ⚏ 26 – **62 qto** 275/407 – P 449/521.

🏛 Alvorada, Rua de Lisboa 3 ☎ 26 00 70 – ⇔   BY **a**
33 qto.

🏨 Estal. Belvedere ⌂, Rua Dr António Martins 8 ☎ 26 27 16, « Bela decoração » – 🏛
☺ ⌁wc 🚿wc 🅟 – **26 qto.**   BY **d**

🏨 **Inglaterra,** Av. de Portugal 2 ☎ 26 44 61, ⩤ Estoril, ⊼ – 📶 🏛 ☺ ⌁wc 🚿wc 🅟 🅟. ❌
Ref 85 – ⚏ 20 – **49 qto** 150/300 – P 325/350.   BY **c**

🏨 **Albergaria do Fundador** (The Founder's Inn), ⌂ sem rest, com snack-bar, Rua D.
Afonso Henriques 11 ☎ 26 22 21, « Albergue gracioso » – 🏛 ☺ ⌁wc 🅟   BX **e**
⚏ 26 – **12 qto** 230/320.

❌ **Tamariz** com snack-bar, na praia ☎ 26 16 65, ⩤ baía de Cascais, ⊼ paga – ❌   BY **v**
Ref lista 68 a 110.

348

no Monte Estoril – BX – ⊠ Monte Estoril ⬨ Estoril :

🏨 **Grande Hotel,** Av. Sabóia ⬨ 26 46 09, ⪪ mar, ⤵ – ▤ rest. ⍋ BX x
Ref 130 – ⟷ 35 – **73 qto** 270/450 – P 520/565.

🏨 Atlântico, Estrada Marginal 7 ⬨ 26 02 70, Telex 1825, ⪪ mar, ⤵ – ▤ 🅟. ⍋ BX z
⟷ 30 – **175 qto** 470 – P 525/660.

🏨 **Zenith,** Rua Belmonte 1 ⬨ 26 02 02, ⪪ Estoril e baía de Cascais, ⤵ – 🛗 ▥ 🕾 ⇔wc ☎. ⍋
Ref 110 – ⟷ 26 – **40 qto** 235/340 – P 480/486. BX p

🏨 **Miramar,** Rua Almeida Pinheiro 1 ⬨ 26 40 50, « Jardim com árvores e ⤵ » – 🛗 ▥. ⍋
⇔wc ☎ 🅟. ⍋ rest BX t
Ref 90/120 – ⟷ 20 – **39 qto** 200/260 – P 330/400.

XXX **English-Bar,** Estrada Marginal ⬨ 26 12 54, ⪪ mar, « Decoração rústica inglesa » – ▤ 🅟
fechado 5ª feira – Ref lista 141 a 225. BX s

em São João do Estoril por ② : 2 km – ⊠ São Pedro do Estoril ⬨ Estoril :

XX A Choupana, Estrada Marginal ⬨ 26 30 99, ⪪ mar – 🅟. BX n

ESTREMOZ Évora 🄳🄳🄳 ☎, 🄷🄷 ⑦ – 9 565 h. alt. 425.
Ver : ⪪*. **Arred.** : Vila Viçosa (localidade*) SE : 18 km – Evoramonte : Local*, Castelo* (🌤*)
SO : 18 km.
Lisboa 179 – Badajoz 62 – Évora 46.

🏨 **Pousada da Rainha Santa Isabel** ⑤, Largo D. Diniz – no Castelo de Estremoz ⬨ 648,
⪪ cidade e campo, « Luxuosa pousada instalada num belo castelo medieval » – ▤.
⍋ rest
Ref 110/130 – ⟷ 30 – **23 qto** 235/330 – P 485/525.

🏛 Carvalho, Largo da República 27 ⬨ 12 – ▥ 🕾 ▥wc ☎ – **12 qto.**

XX **Águias d'Ouro,** 2º andar, Rossio Marquês de Pombal 27 ⬨ 36 – ▤. ⍋
Ref lista 115 a 205.

B.L.M.C. (AUSTIN) Av. Santo António
CHRYSLER-SIMCA Largo do Rossio ⬨ 558
CITROEN, VOLKSWAGEN Portas de S. António ⬨ 72

PEUGEOT Travessa da Levada 9 ⬨ 393
RENAULT Rossio Marquês de Pombal 147 ⬨ 37

ÉVORA 🄿 🄳🄳🄳 ☎, 🄷🄷 ⑦ – 35 406 h. alt. 301 – Praça de touros – ◉ 0069.
Ver : Sé** : interior* (cúpula*), tesouro* (Virgem**), claustro*, cadeiras do coro* – Convento
dos Lóios* : igreja*, dependências do convento (porta*) – Museu Regional* (baixo-relevo*,
Anunciação*) – Templo Romano* – Largo das Portas de Moura* (fonte)* – Igreja de São Fran-
cisco (Capela dos Ossos*) – Fortificações*. **Arred.** : Convento de São Bento de Castris (claus-
tro*) 3 km por ⑤ – Arraiolos (vila*) 21 km por ⑤.
Turismo, Praça do Giraldo ⬨ 226 71.
Lisboa 142 ④ – Portalegre 101 ① – Setúbal 101 ④.

Plano página seguinte

🏨 **Pousada dos Lóios** ⑤, Largo Conde de Vila Flor ⬨ 240 51, « Pousada elegante instalada
num convento do século XVI, decoração de grande estilo » – 🅟. ⍋ rest BY a
Ref 130 – ⟷ 30 – **28 qto** 235/330 – P 415/485.

🏨 Planície, Largo de Álvaro Velho 40 ⬨ 240 26 – 🛗 ▥ ▤ rest 🕾 ⇔wc ▥wc ☎ BZ e
33 qto.

🏨 Riviera sem rest, Rua 5 de Outubro 49 ⬨ 233 04 – ▥ 🕾 ⇔wc ▥wc ☎. ⍋ BZ r
⟷ 20 – **21 qto** 155/220.

🏛 **Santa Clara,** Travessa de Milheira 19 ⬨ 241 41 – ▥ 🕾 ⇔wc ☎. ⍋ AZ p
Ref 90 – ⟷ 20 – **22 qto** 155/220 – P 260/305.

XX **Cozinha de Sto. Humberto,** Rua da Moeda 39 ⬨ 242 51, Decoração original – ▤ BZ b
fechado 2ª feira – Ref lista 135 a 195.

X **Fialho,** Travessa das Mascarenhas 14 ⬨ 230 79, Decoração regional – ▤. ⍋ AY h
Ref lista 113 a 190.

X Gião, Rua da República 81 ⬨ 230 71, Decoração regional. BZ s

X **Portalegre,** Rua 5 de Outubro 51 ⬨ 246 14 – ⍋ BZ r
fechado 4ª feira – Ref lista 124 a 180.

na estrada de Alcáçovas por ③ : 5 km – ⊠ ⬨ Évora :

🏨 Estal. Monte das Flores ⑤, ⬨ 254 90, « Agradável conjunto de estilo alentejano, em pleno
campo », ⍋, ⤵, ⪪ – ▤ 🅟 – **17 qto.**

B.L.M.C. (AUSTIN) Zona Industrial ⬨ 225 42
B.L.M.C.(MORRIS) Largo Santa Catarina 21 ⬨ 245 88
B.M.W., FIAT Rua Serpa Pinto 155 ⬨ 229 94
CHRYSLER-SIMCA Rua Dr António José d'Almeida 5 ⬨ 220 83
CITROEN Rua do Raimundo 99 ⬨ 240 96
DATSUN Rua D. Afonso Henriques 33 ⬨ 239 41
FORD Rua D. Isabel 7 ⬨ 238 03

G.M. (OPEL, VAUXHALL) Rua do Raimundo 93 ⬨ 240 11
MERCEDES Av. Combatentes da Grande Guerra ⬨ 233 97
PEUGEOT Praça Joaquim António de Aguiar 31 ⬨ 224 42
RENAULT Praça do Giraldo 70 ⬨ 221 01
TOYOTA Praça 28 de Maio 12 ⬨ 220 90
VOLKSWAGEN Av. de São Sebastião ⬨ 233 18

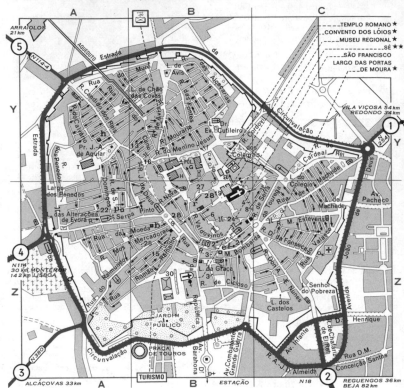

EVORA

0 ___ 300 m.

Giraldo (Pr. do) ___ BZ 9
João de Deus (R.) _ BZ

República (R. da) **BZ**
5 de Outubro (R.)_ **BZ 28**

Álvaro Velho (L.) _ **BZ 2**
Caraça (Trav. da)_ **BZ 3**
Cenáculo (R. do)_ **BZ 4**
C. de Vila-Flor (L.) **BY 5**

Diogo Cão (R.) ___ **BZ 6**
Fr. de Baixo (R. da) **CZ 8**
J. E. Garcia (R.)_ **ABY 13**
Lagar dos
  Dizim (R. do) _ **BZ 15**
L. de Camões (L.) **BY 16**
M. de Marialva (L.) **BZ 19**

Misericórdia
  (L. e R.) ___ **BZ 21**
Santa Clara (R. de) **AZ 22**
S. Manços (R. de) **BZ 24**
Torta (Trav.) ___ **BZ 25**
Vasco da Gama (R.) **BZ 27**
28 de Maio (Pr.) ___ **BZ 30**

☞ *Neste guia não há publicidade paga.*

FÃO Braga 990 ⑪, 37 ⑪ – 1 960 h. – Praia – ☎ 0023.
Lisboa 362 – Braga 35 – **Porto 47.**

na praia de Ofir – ⊠ Fão ⍩ Esposende :

🏨🏨 **Ofir** 🦶, ⍩ 893 83, Telex 22292, ⩽ mar, 🎾, ⍍ climatizada, 🎿 – ▤ rest ❷. 🏊
  Ref 125 – ⌸ 30 – **242 qto** 275/410 – P 485/555.

🏨 **Do Pinhal** 🦶, ⍩ 894 73, ⩽ foz do Cávado, « Na orla de um grande pinhal », 🎾, ⍍ – 🏊.
  🍴 rest
  Março-Outubro – Ref 115 – ⌸ 26 – **91 qto** 225/320 – P 355/420.

🏨 **Estal. do Parque do Rio** 🦶, ⍩ 895 21, « Num belo pinhal », 🎾, ⍍ climatizada – 🛗
  ▦ ☎ ⌷wc ☜ ❷. 🍴
  Ref 90/120 – ⌸ 20 – **36 qto** 235/335 – P 390.

FARO ℗ 990 ⊗, 37 ⑩ – 21 581 h. – Praia – ☎ 0089.
Ver : Miradouro de Santo António �╫* B **E. Arred. :** Praia de Faro ⩽* 9 km por ①.

🏌 Club Golf de Vilamoura 23 km por ① ⍩ 652 75 Quarteira – 🏌 Club Golf do Vale do Lobo
20 km por ① ⍩ 941 37 Almansil.

✈ de Faro 7 km por ① – T.A.P., Rua D. Francisco Gomes 8 ⍩ 221 41.

Turismo, Rua da Misericórdia 8 a 12 ⍩ 254 04, Rua Eng. Duarte Pacheco 20 ⍩ 240 67 e no aeroporto ⍩ 225 82
– **A.C.P.** Praça D. Francisco Gomes ⍩ 247 53.

Lisboa 310 ② – Huelva 103 ③ – Setúbal 262 ②.

350

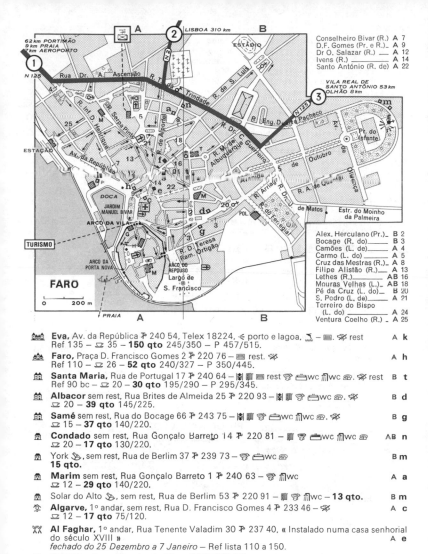

LISBOA 310 km

Conselheiro Bivar (R.) _ A 7
D.F. Gomes (Pr. e R.)_ A 9
Dr O. Salazar (R.) __ A 12
Ivens (R.) _____ A 14
Santo António (R. de) A 22

VILA REAL DE
SANTO ANTÓNIO 53 km
OLHÃO 8 km

Alex. Herculano (Pr.)_ B 2
Bocage (R. do)_____ B 3
Camões (L. de)_____ A 4
Carmo (L. do) _____ A 5
Cruz das Mestras (R.)_ A 8
Filipe Alistão (R.)___ A 13
Lethes (R.)_____ AB 16
Mouras Velhas (L.)_ AB 18
Pé da Cruz (L. do)_ B 20
S. Pedro (L. de)_____ A 21
Terreiro do Bispo
(L. do) _____ A 24
Ventura Coelho (R.) _ A 25

62 km PORTIMÃO
9 km PRAIA
7 km AEROPORTO

N 125

Rua Dr. A. Ascensão

ESTAÇÃO

TURISMO

FARO

0   200 m

ARCO DA
PORTA NOVA

PRAIA

Eva, Av. da República ℡ 240 54, Telex 18224, ≼ porto e lagoa, ⌚ – ▤. ⌘ rest
Ref 135 – ⌑ 35 – **150 qto** 245/350 – P 457/515.   A k

Faro, Praça D. Francisco Gomes 2 ℡ 220 76 – ▤ rest. ⌘   A h
Ref 110 – ⌑ 26 – **52 qto** 240/327 – P 350/445.

Santa Maria, Rua de Portugal 17 ℡ 240 64 – |⌸| ▥ ▤ rest ⌘ ⌁wc ▥wc ⊛. ⌘ rest   B t
Ref 90 bc – ⌑ 20 – **30 qto** 195/290 – P 295/345.

Albacor sem rest, Rua Brites de Almeida 25 ℡ 220 93 – |⌸| ▥ ⌘ ⌁wc ⊛. ⌘   B d
⌑ 20 – **39 qto** 145/225.

Samé sem rest, Rua do Bocage 66 ℡ 243 75 – |⌸| ▥ ⌘ ⌁wc ▥wc ⊛. ⌘   B g
⌑ 15 – **37 qto** 140/220.

Condado sem rest, Rua Gonçalo Barreto 14 ℡ 220 81 – ▥ ⌘ ⌁wc ▥wc ⊛   AB n
⌑ 20 – **17 qto** 130/220.

York ⌂, sem rest, Rua de Berlim 37 ℡ 239 73 – ⌘ ⌁wc ⊛   B m
15 qto.

Marim sem rest, Rua Gonçalo Barreto 1 ℡ 240 63 – ⌘ ▥wc   A a
⌑ 12 – **29 qto** 140/220.

Solar do Alto ⌂, sem rest, Rua de Berlim 53 ℡ 220 91 – ▥ ⌘ ▥wc – **13 qto.**   B m

Algarve, 1º andar, sem rest, Rua D. Francisco Gomes 4 ℡ 233 46 – ⌘   A c
⌑ 12 – **17 qto** 75/120.

Al Faghar, 1º andar, Rua Tenente Valadim 30 ℡ 237 40, « Instalado numa casa senhorial
do século XVIII »   A e
fechado do 25 Dezembro a 7 Janeiro – Ref lista 110 a 150.

Caracoles, Largo Terreiro do Bispo 26 ℡ 251 10.   A s

Centenário, Rua Lethes 29 ℡ 233 43.   A f

na Praia de Faro por ① : 9 km – ⊠ ℡ Faro :

Estal. Aeromar ⌂, ℡ 235 42, ≼ ria e mar – ▥ ⌘ ⌁wc ⊛ **℗**
Março-Outubro – Ref 90 – ⌑ 20 – **18 qto** 155/215 – P 257/305.

B.L.M.C. (AUSTIN) Rua dos Bombeiros Portugueses
13 ℡ 243 30
CHRYSLER-SIMCA Rua D. João de Castro 4 ℡ 240 21
CITROEN Rua do Alportel 119 ℡ 230 71
DATSUN Rua Francisco Lecor 108 ℡ 250 71
FIAT Rua 1º de Dezembro 24 ℡ 240 31

FORD Largo do Mercado 2 ℡ 230 61
G.M. (OPEL, VAUXHALL) Largo do Mercado ℡ 230 32
PEUGEOT Largo do Mercado 54 ℡ 250 45
RENAULT Rua General Teófilo da Trindade ℡ 249 36
TOYOTA Av. 5 do Outubro 204 ℡ 223 06
VOLKSWAGEN Largo de São Sebastião 12 ℡ 215 88

FATIMA Santarém 990 ⑪, 37 ⑮ – 6 433 h. alt. 346 na Cova da Iria – ✪ 0049.
Arred. : SO : Circuito⋆ das grutas (grutas dos Moinhos Velhos, de Alvados e de Santo António).
Turismo, ℡ 971 39. – **Lisboa 132** – Leiria 26 – Santarém 64.

na Cova da Iria NO : 2 km – ⊠ ☎ Fátima :

🏨 **Santa Maria,** Rua de Santo António ☎ 972 15 – 🍽 rest **P**. ⅋ rest
Ref 110 – ⌸ 25 – **60 qto** 180/280 – P 300/350.

🏨 **De Fátima,** Rua Jacinta Marto ☎ 972 51 – 🍽 rest **P**
Ref 100 – ⌸ 25 – **78 qto** 170/240 – P 290/340.

🏨 **Estal. Três Pastorinhos** ⅍, ☎ 972 29 ⊢ 🍽 rest 🚗 **P**
Ref 105 – ⌸ 23 – **92 qto** 205/295 – P 322/380.

🏨 **Pax** ⅍, ☎ 974 12 – **P**. 🖾. ⅋
Ref 85 – ⌸ 20 – **60 qto** 160/210 – P 300/550.

🏨 **Casa das Irmãs Dominicanas,** Rua Francisco Marto ☎ 971 17 – 🛗 ∥ ☞ 🚽wc 🖭
P. ⅋
Ref 80 – ⌸ 17.5 – **57 qto** 140/210 – P 282.

🏨 **Zeca,** Rua Jacinta Marto ☎ 972 62 – ∥ ☞ 🚽wc 🖭 **P**. ⅋ rest
Ref 80 – ⌸ 20 – **12 qto** 250 – P 310.

🏨 **Casa Verbo Divino,** Rua Jacinta Marto ☎ 972 59 – ∥ ☞ 🚽wc ∥wc **P**. ⅋
Ref 75 – ⌸ 15 – **32 qto** 112/180 – P 257.

🏨 **Jorguel** ⅍, ☎ 973 03 – ∥ ☞ ∥wc 🖭 **P**. ⅋
Ref 65 – ⌸ 15 – **13 qto** 140/220 – P 255/285.

🏨 **Dávi,** Estrada da Leiria ☎ 972 78 – ∥ ☞ 🚽wc ∥wc **P**. ⅋ rest
Ref *(fechado 4ª feira de Outubro a Julho)* 65 – ⌸ 15 – **14 qto** 130/180 – P 240.

FERREIRA DO ALENTEJO Beja 𝟿𝟿𝟶 ㉑, 𝟹𝟽 ⑱ – 6 153 h. alt. 143 – ⊕ 0079.
Lisboa 167 – Beja 25.

🏨 **Santo António** sem rest, estrada N 121 ☎ 723 20 – ☞ 🚽wc **P**
fechado Domingo – ⌸ 15 – **11 qto** 125/170.

✕ Estal. Eva, com qto, Estrada N 121 ☎ 722 51 – ∥ ☞ 🚽wc **P** – **8 qto**.

FERREIRA DO ZÊZERE Santarém 𝟹𝟽 ⑮ – 1 941 h. – ⊕ 0049.
Lisboa 163 – Castelo Branco 107 – Coimbra 61 – Leiria 66.

na margem do rio Zêzere – pela N 348 SE : 8 km – ⊠ ☎ Ferreira do Zêzere :

🏨 Estal. Lago Azul Ⓜ ⅍, ☎ 364 41, ≤ rio Zêzere, ⅋, ⍩ – 🛗 ∥ 🍽 rest ☞ 🚽wc 🖭 **P**. 🖾
20 qto.

FIGUEIRA DA FOZ Coimbra 𝟿𝟿𝟶 ⑪, 𝟹𝟽 ⑭ – 14 558 h. – Praia – ⊕ 0033.
Ver : Localidade*. **Arred. :** Montemor-o-Velho : Castelo★ (❄★) 17 km por ②.
Turismo, Esplanada Dr Oliveira Silva Guimarães ☎ 229 35 – **Turismo,** Rua Dr Oliveira Salazar ☎ 229 35.
Lisboa 181 ③ – Coimbra 44 ②.

FIGUEIRA DA FOZ

5 de Outubro (R.)	AB 16
8 de Maio (Praça)	B 17
Alfândega (Cais da)	B 2
Cândido dos Reis (R.)	A 6
Eng. Silva (R.)	A 8
Infante D. Henrique (P.)	A 12
Luís de Camões (Largo)	B 14
República (R. da)	B
Bernardo Lopes (R.)	A 3
Bombeiros Voluntários (R.)	B 4
C. da Grande Guerra (R.)	B 7
Fernandes Tomás (R.)	B 9
Gonçalo Velho (R.)	B 10
Luís Carriço (R.)	A 13

🏨 Grande H. da Figueira, Av. Dr Oliveira Salazar ☎ 221 46, ≤ praia – 🅿   A v
110 qto.

🏨 Da Praia, Rua Miguel Bombarda 59 ☎ 220 82, ⌄ – ▥ 🍽 ➡wc 🛁wc ➮   A a
65 qto.

🏠 **Portugal** sem rest, Rua da Liberdade 41 ☎ 221 76 – ➡wc 🛁wc. ✖   A s
Junho-Setembro – ⌄ 17 – **50 qto** 175/260.

🏠 **Hispania** sem rest, Rua Dr Diniz 61 ☎ 221 64 – 🍽 ➡wc 🛁wc ➮   A x
temp. – ⌄ 17 – **34 qto** 150/210.

🏠 Universal, Rua Miguel Bombarda 48 ☎ 229 62 – 🍽 ➡wc   A e
temp. – **36 qto.**

🍴 Demétrio, Rua Dr Calado 16 ☎ 223 85 – 🍽   A z
temp. – **49 qto.**

🍴 **Rio-Mar**, Rua Dr Diniz 90 ☎ 230 53 – 🍽 ➡wc 🛁wc   A t
Ref 05/00 – ⌄ 15 – **24 qto** 110/220 – P 255/285.

🍴 Esplanada, Rua Engenheiro Silva 86 ☎ 221 15 – ▥ 🍽 ➡wc 🛁wc   A n
19 qto.

🍴🍴 Nicola, com qto, Rua Bernardo Lopes ☎ 223 59 – ▯ ▥ 🔲 rest 🍽 ➡wc 🛁wc ➮   A b
24 qto.

🍴 Tubarão, Av. Dr Oliveira Salazar ☎ 234 45.   A r

🍴 Johnny Ringo, na cave, Av. Dr Oliveira Salazar ☎ 239 57.   A h

   em Buarcos – ✉ ☎ Figueira da Foz :

🍴 **Tamargueira** ⚲ com qto, Estrada do Cabo Mondego NO : 3 km ☎ 225 14, ≤ praia –
🍽 ➡wc 🅿
fechado 2ª feira – Ref lista 120 a 170 – ⌄ 22.5 – 5 qto – P 220.

🍴 Toimoso ⚲, com qto, Estrada do Cabo Mondego NO : 5 km ☎ 227 85, ≤ mar – ▥ 🍽 ➡wc
🅿 – **14 qto.**

B.L.M.C. (AUSTIN), CHRYSLER-SIMCA Rua Miguel
Bombarda 5 ☎ 225 13
FIAT Rua dos Combatentes da Grande Guerra 3
☎ 232 05

MERCEDES Bairro da Estação ☎ 243 01
RENAULT Rua Dr Luís Carriço 20
TOYOTA Rua 9 de Julho 13
VOLKSWAGEN Bairro da Estação ☎ 227 95

Pour parcourir l'Europe,
utilisez les cartes Michelin **Grandes Routes** à 1/1 000 000.

FOZ DO ARELHO Leiria 990 ㉑, 37 ⑮⑯ – 653 h. – Praia – ❸ 0012.
Lisboa 101 – Leiria 69.

   na praia NO : 2 km – ✉ Foz do Arelho ☎ Caldas da Rainha :

🏨 Do Facho ⚲, ☎ 971 10, ≤ praia – ▥ 🍽 ➡wc ➮ ➮ 🅿
41 qto.

FOZ DO DOURO Porto 990 ⑪, 37 ⑫ – 🏠, 🍴🍴 ver Porto.

FUNCHAL Madeira – 🏨🏨 a 🏠, 🍴 ver Madeira (Ilha da).

FUNDÃO Castelo Branco 990 ⑫, 37 ④ – 5 081 h. alt. 500 – ❸ 0059.
Lisboa 280 – Castelo Branco 44.

🏠 Estal. da Neve, na estrada N 18 ☎ 522 15, « Terraço florido » – ▥ 🍽 ➡wc ➮ 🅿
12 qto.

B.L.M.C. (AUSTIN), CHRYSLER-SIMCA Rua Aurélio
Pinto ☎ 523 72
DATSUN Estrada N 18 ☎ 523 77

FORD Largo dos Três Lagares ☎ 526 31
G M (OPEL, VAUXHALL), Largo de Santo António
☎ 522 17

GALEGOS Portalegre 990 ②, 37 ⑥ – Ver alfândegas p. 14 e 15.

GÂNDARA DE ESPARIZ Coimbra 37 ④ – 🍴 com qto, ver Tábua.

GERÊS Braga 990 ②, 37 ① – alt. 400 – Termas – ❸ 0023.
Turismo, Rua Manuel Ferreira da Costa, Vilar da Veiga, Terras do Bouro ☎ 651 33.
Lisboa 409 – Braga 44.

🏨 Do Parque ⚲, Av. M. Francisco da Costa ☎ 651 12, ⌄ – ▯ ➡wc ➮
temp. – **62 qto.**

🏨 Das Termas ⚲, sem rest, ☎ 651 43 – 🍽 ➡wc 🛁wc ➮
31 qto.

GOUVEIA Guarda 990 ⑫, 37 ③ – 2 826 h. alt. 650.
Arred. : Estrada★★ de Gouveia à Covilhã por Manteigas 65 km.
Turismo, ☏ 421 85.
Lisboa 314 – Guarda 56.

na estrada N 17 NO : 5 km – ⊠ ☏ Gouveia :

✗ Estal. Dom José, com qto, no cruzamento com a estrada N 232 ☏ 422 19, ⩽ campo e Serra da Estrela – ▥ ☞ ⇔wc ☏ ❷
7 qto.

B.L.M.C. (MORRIS) Rampa do Senhor do Calvário
☏ 421 22
CHRYSLER-SIMCA Estrada da Serra ☏ 215

CITROEN, MERCEDES Rua do Monte Calvário 25
☏ 421 21

GUARDA ℙ 990 ⑫, 37 ③ – 14 592 h. alt. 1 000.
Ver : Catedral★.
Turismo, Praça Luís de Camões, Edifício da Câmara Municipal ☏ 251.
Lisboa 365 – Castelo Branco 107 – Ciudad Rodrigo 81 – **Coimbra 166** – Viseu 85.

🏨 **De Turismo,** Av. Coronel Arlindo de Carvalho ☏ 206, ⩽ vale e montanhas – 🍴. ⅔ rest
Ref 110 – ☲ 26 – **92 qto** 240/350 – P 375/440.

🏨 **Filipe,** Rua Vasco da Gama 9 ☏ 659 – ▥ ☞ ▥wc ☏
Ref 80 – ☲ 25 – **32 qto** 85/195 – P 260/270.

🏨 **Aliança,** Rua Vasco da Gama 8 A ☏ 722 – ▥ ☞ ▥wc. ⅔ rest
Ref 80 – ☲ 20 – **50 qto** 130/200 – P 295/310.

B.L.M.C. (AUSTIN) Largo dos Correios 47 ☏ 744
B.L.M.C. (MORRIS) Rua Batalha Reis 2 ☏ 259
BMW, VOLKSWAGEN Largo Serpa Pinto 13 ☏ 278
CHRYSLER-SIMCA Rua Paiva Couceiro ☏ 259
CITROEN Rua Batalha Reis 2 ☏ 47
DATSUN Póvoa do Mileu ☏ 782
FIAT Av. Prof. Dr Gonçalves de Proença ☏ 48

FORD Rua da Fontinha ☏ 57
FORD Rua D. Luis I nº 20 ☏ 57
G.M. (OPEL, VAUXHALL) Rua Dr Manuel Arriaga
☏ 525
RENAULT Rua Dr Lopo de Carvalho 11 ☏ 259
TOYOTA Rua Dr Gonçalves Proença ☏ 766

GUARDEIRAS Porto – ✗ com qto, ver Porto.

GUIMARÃES Braga 990 ⑫, 37 ① ② ⑪ ⑫ – 10 646 h. alt. 175 – ✆ 0023.
Ver : Museu Alberto Sampaio★ (ourivesaria★, cruz★, tríptico★) – Castelo★ – Igreja de São Francisco (azulejos★, sacristia★) – Palácio dos Duques de Bragança (tapeçarias★).
Arred. : Trofa (localidade★) SE : 7,5 km – Penha ⅔★ SE : 8 km.
Turismo, Alameda Salazar 83, Local da Penha, S. Tiago da Costa ☏ 424 50.
Lisboa 364 – Braga 22 – **Porto 49** – Viana de Castelo 70.

🏨 **São Mamede** sem rest, Rua São Gonçalo ☏ 400 92 – ▤ ▥ ☞ ⇔wc ▥wc ☏. ⅔
☲ 15 – **13 qto** 155/220.

B.L.M.C. (MORRIS) Av. Conde de Margaride
☏ 421 90
B.M.W. Av. Conde de Margaride ☏ 419 96
CHRYSLER-SIMCA Rua de São Gonçalo 517 ☏ 417 68

FIAT Rua São Gonçalo ☏ 429 60
MERCEDES, VOLKSWAGEN Av. D. João IV ☏ 401 49
RENAULT Rua de São Gonçalo
TOYOTA Av. Conde Margaride 638

GUINCHO (Praia do) Lisboa 37 ⑫ e ⑰ – 🏨, ✗✗ com qto, ✗ com qto, ✗, ver Cascais.

LAGOA Faro 990 ⑬, 37 ⑳ – 5 694 h. – Praia – ✆ 0082.
Lisboa 298 – Faro 54 – Lagos 26.

🏨 Motel Alagoas, na estrada N 125 ☏ 522 43, « Relvado com ⬥ » – ▥ ☞ ⇔wc ▥wc ☏ ❷
22 qto.

na estrada N 125 SE : 1,5 km – ⊠ ☏ Lagoa :

🏨 Motel Parque Algarvio, ☏ 522 65, Conjunto moderno de estilo algarvio, « Relvado com ⬥ » – ▥ ☞ ⇔wc ☏ ❷
43 qto.

na praia do Carvoeiro S : 5 km – ⊠ Praia do Carvoeiro ☏ Lagoa :

✗✗ O Pátio, ☏ 571 15.

✗✗ **Togi,** Algar Seco, ☏ 571 07, ⩽ mar, Decoração regional – ❷. ⅔
fechado 2ª feira – Ref lista 125 a 235.

✗ O Boteco, ⩽ mar e falésias – ❷.

CITROEN Rua Elias Garcia 8 ☏ 523 90

LAGOS Faro 990 ⑬, 37 ⑳ – 10 359 h. – Praia – ✆ 0082.
Ver : ⩽★ – Capela de Sto. António★. **Arred. :** Ponta da Piedade★ (local★) S : 3 km – Barragem de Odeáxere ⩽★ 15 km por ②.
🏌, 🏌 Campo de Palmares ☏ 629 53 Meia Praia por ②.
Turismo, Rua Lima Leitão ☏ 630 31.
Lisboa 272 ① – Beja 162 ① – Faro 80 ② – Setúbal 224 ①.

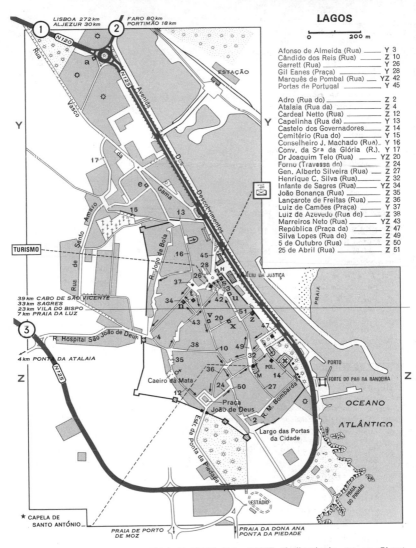

LAGOS

0 — 200 m

De Lagos, Rua Nova da Aldeia, ℱ 620 11, Telex 18277, ⌁ climatizada – 🍴 🚗, 🍽 rest
Ref 100/125 – ☲ 32 – **273 qto** 280/440 – P 435/495.
   Y **e**

São Cristóvão, Praça D. João II ℱ 630 51, Telex 8298 – 🍽 rest ℗
80 qto.
   Y **a**

Casa de São Gonçalo 🍽 sem rest, Rua Cândido dos Reis 73 ℱ 621 71, « Bela moradia
decorada com um bom gosto requintado » – 🚿 ☎ 🛏wc 🅿. 🍽
☲ 30 – **10 qto** 250/350.
   Z **v**

Albergaria Cidade Velha 🍽 sem rest, Rua Joaquim Telo 7 ℱ 620 41 – 🛗 🚿 ☎
🛏wc 🚿wc ☎
☲ 17 – **17 qto** 220.
   Z **x**

Marazul sem rest, Rua 25 de Abril 13 ℱ 621 81 – ☎ 🛏wc
☲ 16 – **18 qto** 100/250.
   Y **u**

Alpendre, Rua António Barbosa Viana 17 ℱ 627 05 – 🍽
fechado 4ª feira – Ref lista 185 a 245.
   YZ **t**

cont. →

355

✗ **Lagosteira,** Rua 1º de Maio 20 ☎ 624 86   YZ **n**
Fevereiro-Outubro – Ref lista 115 a 150.

✗ **Pouso do Infante,** Rua Afonso de Almeida 11 ☎ 628 62 – ✻   Y **s**
Ref lista 82 a 135.

✗ **Barroca,** Travessa Senhora da Graça 1 ☎ 621 85, ≼ mar – ▤. ✻   YZ **z**
fechado 2ª feira – Ref lista 82 a 205.

na Praia de Dona Ana S : 2 km – ⊠ ☎ Lagos :

🏨 **Golfinho** ⑤, ☎ 630 01, Telex 18289, ≼ mar, ⊿ – ▤ rest ⇐⊸ 🅿
Ref 125 – ☲ 32 – **72 qto** 284/410 – P 524.

🏠 Dona Ana ⑤, ☎ 623 22 – ☞ ⇌wc
11 qto.

na Meia Praia NE : 3,8 km – ⊠ ☎ Lagos :

🏨 Da Meia Praia ⑤, ☎ 620 01, Telex 8298, ≼ praia e Lagos, « Jardim com árvores », ✾,
⊿ climatizada – ▤ rest 🅿
temp. – **66 qto.**

✗✗ Duna, ☎ 620 91, ≼ praia – ▤ 🅿.

B.L.M.C. (MORRIS) Rua João Bonança 1 ☎ 631 75   RENAULT Ponte do Molião
CITROEN Rua D. Vasco da Gama 33 ☎ 621 37

LAMEGO Viseu 🅿🅿🅿 ⑫, 🅱🅱 ② – 10 350 h. alt. 500 – ✿ 0032.

Ver : Museu Regional★ (pinturas★) – Igreja do Desterro (tecto★). **Arred.** : Miradouro da Boa
Vista ≼★★ N : 5 km – São João de Tarouca : Igreja (S. Pedro★) SE : 15,5 km.

Turismo, Av. Padre Alfredo Pinto Teixeira ☎ 620 06.

Lisboa 366 – Viseu 70 – Vila Real 40.

na estrada N 2 – ⊠ ☎ Lamego :

🏠 **Parque** ⑤, ☎ 621 05, « Terraço e jardim florido » – ▥ ☞ 🕌wc 🅿. ✻ rest
Ref 80/100 – ☲ 15 – **32 qto** 140/195 – P 265/275.

✗✗ Estal. de Lamego ⑤, com qto, ☎ 262, « Parque com árvores » – ▥ ☞ ⇌wc 🕌wc 🅿 🅿
7 qto.

B.L.M.C. (MORRIS) Rua D. João da Silva Campos   CHRYSLER-SIMCA Rua D. João da Silva Campos
Neves ☎ 194   Neves ☎ 621 94

LEÇA DA PALMEIRA Porto 🅿🅿🅿 ⑪ ⑫, 🅱🅱 ⑫ – ✗✗ ver Porto.

LEIRIA 🅿 🅿🅿🅿 ⑪, 🅱🅱 ⑮ – 10 286 h. alt. 50 – ✿ 0044.

Ver : Castelo★ (local★).

Turismo, Av. Combatentes da Grande Guerra ☎ 227 48.

Lisboa 128 – Coimbra 71 – Portalegre 161 – Santarém 81.

🏨 **Euro-Sol** ⑤, Rua D. José Alves Correia da Silva, ☎ 241 01, ≼ vale, Leiria e castelo, ⊿ –
▤ rest ⇐⊸ 🅿. 🕌. ✻
Ref 105 – ☲ 26 – **54 qto** 215/300 – P 386/451.

🏠 **São Francisco,** 9º andar, sem rest, Rua São Francisco 26 ☎ 251 42, ≼ Leiria e campo –
🛗 ▥ ☞ ⇌wc 🕌wc 🅿. ✻
☲ 20 – **18 qto** 175/305.

🏠 Lis, Largo Alexandre Herculano 10 ☎ 221 08 – ▥ ☞ ⇌wc 🕌wc 🅿 🅿. ✻
41 qto.

🏨 **Casa de Santo António** sem rest, Rua Comandante Almeida Henriques ☎ 221 50 –
▥ ☞. ✻
☲ 20 – **9 qto** 72/102.

✗✗ **Estal. Claras** com qto, Av. Heróis de Angola 42 ☎ 223 73 – ▥ ☞ ⇌wc 🕌wc 🅿. ✻ rest
Ref 90 – ☲ 20 – **11 qto** 166/230 – P 287/308.

✗ Aquário, Rua Capitão Mousinho de Albuquerque 17 ☎ 247 20.

na estrada N 1 – *em Vale Gracioso* SO : 6 km – ⊠ ☎ Leiria :

🏨 Estal. Ala dos Namorados, ☎ 239 61 – ▥ ☞ ⇌wc 🅿 🅿
30 qto.

B.L.M.C. (AUSTIN) Rua de Tomar 22 ☎ 226 43
B.L.M.C. (MORRIS), MERCEDES Largo Cónego Maia
3 ☎ 238 82
B.M.W. Largo do Mercado
CHRYSLER-SIMCA Rua Na. Srª de Fátima ☎ 220 36
CITROEN Largo Cónego Maia 3 ☎ 231 48
CITROEN Rua Tenente Valadim 68 ☎ 239 69
DATSUN Alto do Vieiro

FIAT Rua de Tomar 11-A ☎ 225 20
FORD Av. dos Combatentes ☎ 241 91
G.M. (OPEL, VAUXHALL) Rua Mousinho de Albu-
querque ☎ 240 61
PEUGEOT Av. Herois de Angola 45 ☎ 231 48
RENAULT Av. Heróis de Angola ☎ 231 00
VOLKSWAGEN Rua Mousinho de Albuquerque 38
☎ 221 35

En temporada, y sobre todo en las localidades

turísticas, es preferible reservar de antemano.

LISBOA 🄿 – 🄶🄶🄾 ㉓, 🄷🄼 ㉜ e ⑰ – 782 266 h. alt. 111.
Ver : Ponte 25 de Abril** (≼**, ❄**).

LISBOA POMBALINA

Ver : Rossio* – Avenida da Liberdade* – Museu Calouste Gulbenkian*** – Parque Eduardo VII*
(Estufa Fria*) – Miradouro de São Pedro de Alcântara* (≼*) – Igreja de São Roque (interior*,
capela de São João Baptista**), Museu de Arte Sacra (casulas e altares*, Virgem com o Menino*)
– Igreja do Carmo (ruínas*) – Terreiro do Paço*. Outras curiosidades : Jardim zoológico** BU –
Jardim Botânico** EX – Basílica da Estrela (cúpula, miradouro*) BV A – Igreja de Na. Sra.
de Fátima (vitrais*) CU B.

LISBOA MEDIEVAL

Ver : Catedral* (túmulo*, porta de ferro forjado do claustro) – Miradouro de Santa Luzia* (≼*) –
Castelo de São Jorge** (≼***) – Alfama** : Beco das Cruzes* – Beco do Carneiro* – Largo
de Santo Estêvão ≼* – Rua de São Pedro**. Outras curiosidades : Igreja da Madre de Deus**
(interior** : altar-mor*, sala do capítulo**, primitivos*) DU N – Miradouro de Nossa Senhora do
Monte* (≼*) GX R – Museu militar (tectos*) HY M¹ – Igreja da Conceição Velha (fachada
sul*) GZ V.

LISBOA MANUELINA

Ver : Mosteiro dos Jerónimos** : Igreja de Santa Maria** (abóbada**), Claustro** – Padrão
dos Descobrimentos* – Museu de Arte Popular* – Torre de Belém** – Museu de Arte Antiga**
(primitivos portugueses**, políptico***, quadro dos Doze Apóstolos*). Outras curiosidades :
Museu dos Coches** AV M² – Parque de Monsanto* AUV

🄸🄱, 🄵🄶 Club de golf de Estoril 25 km por ③ ₸ 26 32 48 Estoril – 🄵🄶 Lisbon Sports Club 20 km
por ⑤ ₸ 96 00 77 Belas.

🛫 de Lisboa, 8 km do centro (CDU) – T.A.P., Praça Marquês de Pombal 3 ₸ 53 88 52 e Av.
Guerra Junqueiro 15 - C ₸ 71 60 73.

🚗 ₸ 86 41 81.

🚢 para a Madeira e Canárias : C.T.M., Rua de São Julião 63 ₸ 36 96 21, Telex 1440 e Av.
24 de Julho 132 ₸ 67 71 81 – C.N.N., Praça do Comércio 85 ₸ 32 30 21 – E.N.M., Rua de
São Julião 5 ₸ 87 01 21 e Rocha do Conde de Óbidos ₸ 66 25 47.

Turismo, Palácio Foz - Praça dos Restauradores ₸ 36 70 31 – **A.C.P.** Rua Rosa Araújo 24 ₸ 56 39 31 – **A.C.P.**
Av. Barbosa do Bocage 23 ₸ 77 54 02.

Madrid 629 ① – Bilbao 930 ① – Paris 1794 ① – Porto 315 ① – Sevilla 417 ②.

Planos : Lisboa p. 2 a 7

🏨🏨🏨 **Ritz,** Rua Rodrigo da Fonseca 88 ₸ 68 41 31, Telex 12589, ≼ Parque Eduardo VII e
   cidade – 🍴 🛗 🄿. 🛁. ❄ rest   **EX b**
   Ref lista 350 – ⊡ 45 – **306 qto** 970/1 285.

🏨🏨🏨 **Sheraton** Ⓜ, Rua Latino Coelho 2 ₸ 56 39 11, Telex 12774, ≼ Lisboa e Tejo, 🛏 climatizada – 🍴 🛗. 🛁. ❄ rest   **CU s**
   Ref 220 – ⊡ 50 – **400 qto** 825/1 150 – P 1 025/1 275.

🏨🏨🏨 **Altis** Ⓜ, Rua Castilho 11 ₸ 56 00 71, Telex 13314 – 🍴 🛗. 🛁. ❄   **EX z**
   Com 170 – ⊡ 45 – **219 qto** 595/850 – P 710/880.

🏨🏨🏨 **Tivoli e Tivoli Jardim,** Av. da Liberdade 185 ₸ 53 99 71, Telex 12172 – 🍴 🛗 🄿. 🛁. ❄
   Ref 140 – ⊡ 35 – **463 qto** 330/465 – P 516/608.   **EFX d**

🏨🏨 **Avenida Palace,** Rua 1º de Dezembro 123 ₸ 36 01 51, Telex 12815 – ❄ **FY r**
   Ref 150 – ⊡ 37 – **98 qto** 382/564 – P 530/593.

🏨🏨 **Lutécia** Ⓜ, Av. Frei Miguel Contreiras 52 ₸ 71 70 21, Telex 12457, ≼ cidade – 🍴. 🛁. ❄
   Ref 140 – ⊡ 40 – **151 qto** 360/540 – P 590/680.   **CU b**

🏨🏨 **Dom Manuel I** Ⓜ, Av. Duque d'Avila 187, ₸ 55 54 27, « Bela decoração » – 🍴 **CU m**
   60 qto.

🏨🏨 **Diplomático** Ⓜ, Rua Castilho 74 ₸ 56 20 41 – 🍴 🄿. 🛁. ❄   **EX c**
   Ref 200 – ⊡ 40 – **90 qto** 350/520 – P 540/630.

🏨🏨 **Flórida,** Rua Duque de Palmela 32 ₸ 541 71, Telex 12256 – 🍴. 🛁. ❄ rest **EX x**
   Ref 125 – ⊡ 31 – **120 qto** 290/410 – P 415/500.

🏨🏨 **Mundial,** Rua D. Duarte 4 ₸ 86 31 01, Telex 12308, ≼ cidade – 🍴 🄿. 🛁. ❄ **GY c**
   Ref 140/200 – ⊡ 40 – **146 qto** 380/550 – P 440/595.

🏨🏨 **Fénix e Rest. El Bodegón,** Praça Marquês de Pombal 8 ₸ 53 51 21, Telex 12170 – 🍴.
   ❄   **EX g**
   fechado Domingo – Ref lista 150 a 230 – ⊡ 35 – **114 qto** 295/440.

🏨🏨 **Roma,** Av. de Roma 33 ₸ 76 77 61, Telex 16586, ≼ cidade – 🍴 🛗. ❄ **CU a**
   Ref 110/180 – ⊡ 30 – **265 qto** 285/567 – P 503/505.

🏨🏨 **Dom Carlos,** Av. Duque de Loulé 121 ₸ 53 90 71, Telex 16468 – 🍴 **EX s**
   73 qto.

cont. →

LISBOA
AGLOMERAÇÃO

0 _____ 1 km

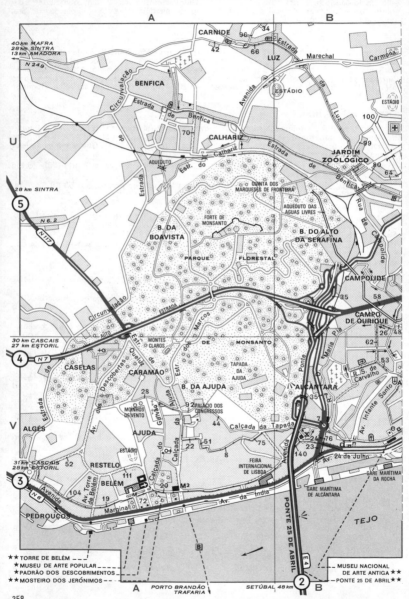

★★ TORRE DE BELÉM
★ MUSEU DE ARTE POPULAR
★ PADRÃO DOS DESCOBRIMENTOS
★★ MOSTEIRO DOS JERÓNIMOS

MUSEU NACIONAL
DE ARTE ANTIGA ★★
PONTE 25 DE ABRIL ★★

PORTO BRANDÃO
TRAFARIA

SETÚBAL 48 km

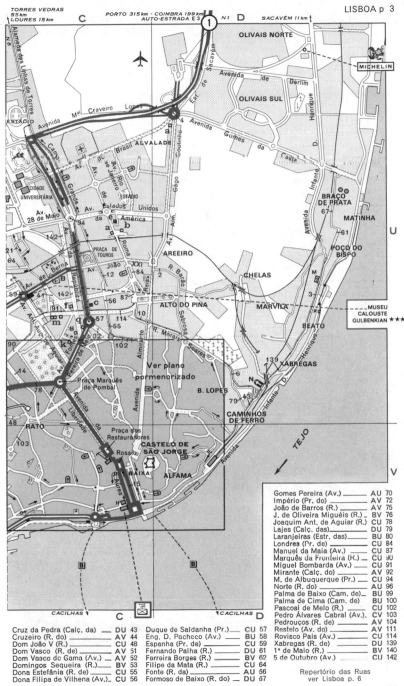

TORRES VEDRAS
55 km
LOURES 15 km

PORTO 315 km - COIMBRA 199 km
AUTO-ESTRADA E 3

SACAVÉM 11 km

MICHELIN

OLIVAIS NORTE

OLIVAIS SUL

ALVALADE

CIDADE
UNIVERSITÁRIA

Av. 28 de Maio

PRAÇA DE
TOUROS

AREEIRO

ALTO DO PINA

Praça Marquês
de Pombal

B. LOPES

RATO

Praça dos
Restauradores

CASTELO DE
SÃO JORGE

Rossio

BAIXA

ALFAMA

BRAÇO
DE PRATA

MATINHA

POÇO DO
BISPO

CHELAS

MARVILA

BEATO

XABREGAS

CAMINHOS
DE FERRO

TEJO

--- MUSEU
CALOUSTE
GULBENKIAN ★★★

CACILHAS

CACILHAS

Gomes Pereira (Av.)	AU	70
Império (Pr. do)	AV	72
João de Barros (R.)	AV	75
J. de Oliveira Miguéis (R.)	BV	76
Joaquim Ant. de Aguiar (R.)	CU	78
Lajes (Calç. das)	DU	79
Laranjeiras (Estr. das)	BU	80
Londres (Pr. de)	CU	84
Manuel da Maia (Av.)	CU	87
Marquês da Fronteira (R.)	CU	90
Miguel Bombarda (Av.)	CU	91
Mirante (Calç. do)	AV	92
M. de Albuquerque (Pr.)	CU	94
Norte (R. do)	AU	96
Palma de Baixo (Cam. de)	BU	99
Palma de Cima (Cam. de)	BU	100
Pascoal de Melo (R.)	CU	102
Pedro Álvares Cabral (Av.)	CV	103
Pedrouços (R. de)	CU	104
Restelo (Av. do)	AV	111
Rovisco Pais (Av.)	CU	114
Xabregas (R. de)	DU	139
1° de Maio (R.)	AV	140
5 de Outubro (Av.)	CU	142

Cruz da Pedra (Calç. da)	DU	43	Duque de Saldanha (Pr.)	CU	57	
Cruzeiro (R. do)	AV	44	Eng. D. Pacheco (Av.)	BU	58	
Dom João V (R.)	CU	48	Espanha (Pr. de)	CU	59	
Dom Vasco (R. de)	AV	51	Fernando Palha (R.)	DU	61	
Dom Vasco da Gama (Av.)	AV	52	Ferreira Borges (R.)	BV	62	
Domingos Sequeira (R.)	BV	53	Filipe da Mata (R.)	CU	64	
Dona Estefânia (R. de)	CU	55	Fonte (R. da)	AU	66	
Dona Filipa de Vilhena (Av.)	CU	56	Formoso de Baixo (R. do)	DU	67	

Repertório das Ruas
ver Lisboa p. 6

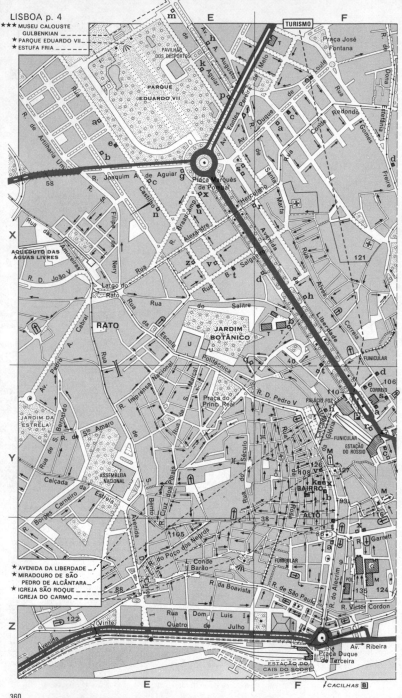

★★★ MUSEU CALOUSTE
     GULBENKIAN
★ PARQUE EDUARDO VII
★ ESTUFA FRIA

PAVILHÃO
DOS DESPORTOS

PARQUE
EDUARDO VII

X

AQUEDUTO DAS
ÁGUAS LIVRES

R. D. João V

58

R. Joaquim A. de Aguiar

Largo do
Rato

RATO

JARDIM
BOTÂNICO

Praça Marquês
de Pombal

Praça José
Fontana

121

TURISMO

JARDIM DA
ESTRELA

Praça do
Prínc. Real

ASSEMBLEIA
NACIONAL

Y

Calçada da Estrela

40

PALÁCIO
FOZ

FUNICULAR

106

CORREIO

FUNICULAR
ESTAÇÃO
DO ROSSIO

BAIRRO

ALTO

93

116

Praça do
Prínc. Real

38

R. Garrett

105

Conde
Barão

★ AVENIDA DA LIBERDADE
★ MIRADOURO DE SÃO
    PEDRO DE ALCÂNTARA
★ IGREJA SÃO ROQUE
    IGREJA DO CARMO

FUNICULAR

9

135 124

R. Victor Cordon

88

R. da Boavista

R. de São Paulo

122

Rua   Dom   Luis   I
(Vinte)   Quatro   de   Julho

Z

Avenida

Av. Ribeira

Praça Duque
de Terceira

ESTAÇÃO DO
CAIS DO SODRÉ

E   F   CACILHAS B

LISBOA
CENTRO

ALFAMA ————————
MIRADOURO
DE SANTA LUZIA ★★
CASTELO SÃO JORGE ★★
SÉ ★
ROSSIO ★
TERREIRO DO PAÇO ★

CACILHAS B

Repertório das Ruas
ver Lisboa p. 6

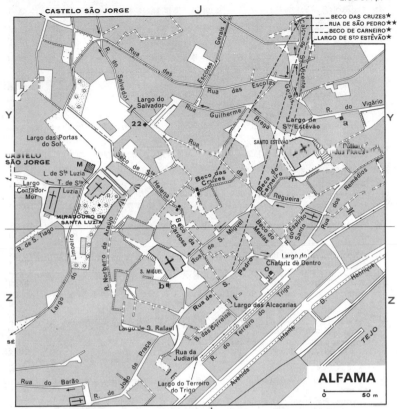

CASTELO SÃO JORGE

BECO DAS CRUZES★
RUA DE SÃO PEDRO★★
BECO DE CARNEIRO★
LARGO DE Sto ESTÊVÃO★

ALFAMA

0   50 m

🏨 **Miraparque,** Av. Sidónio Pais 12 ℡ 541 81, Telex 16745 – ▤ rest. ❀ rest   EX **k**
Ref 115 – ☲ 28 – **100 qto** 265/375 – P 425/500.

🏨 **Condestável,** Travessa do Salitre 7 ℡ 36 39 22, Telex 16402 – ▤ **Ɒ**. ❀   FX **b**
Ref 135 – ☲ 34 – **93 qto** 281/395 – P 427/511.

🏨 **Eduardo VII,** Av. Fontes Pereira de Melo 5 ℡ 53 01 41, Telex 18340, ≼ Lisboa – ▤ rest.
❀   EX **p**
Ref 125 – ☲ 30 – **100 qto** 335/515 – P 537/615.

🏨 **Embaixador,** Av. Duque de Loulé 73 ℡ 53 01 71, ≼ cidade – ▤. ❀ rest   FX **a**
Ref 140 – ☲ 35 – **96 qto** 285/405 – P 490/575.

🏨 **Rex e Rest. Cozinha d'El Rey,** Rua Castilho 169 ℡ 68 21 61 – ▮▥ ▤ ☞ ⇔wc ☏. ❀
Ref *(fechado Domingo)* lista 165 a 245 – ☲ 26 – **70 qto** 270/370 – P 431/516.   EX **a**

🏨 **Príncipe Real** sem rest, Rua da Alegria 53 ℡ 36 01 16, « Bela decoração » – ▮▥ ☞
⇔wc ▥. ❀ rest   EX **q**
☲ 31 – **24 qto** 370/570.

🏨 Do Reno, sem rest, Av. Duque d'Avila 195 ℡ 481 81 – ▮▥ ☞ ⇔wc ▥wc ☏ **Ɒ**   CU **m**
54 qto.

🏨 **Príncipe,** Av. Duque d'Ávila 199 ℡ 53 61 51 – ▮▥ ▤ rest ☞ ⇔wc ▥wc ☏ **Ɒ**. ❀ rest
Ref 120 – ☲ 32 – **60 qto** 310/450 – P 425/550.   CU **m**

🏨 **Excelsior,** Rua Rodrigues Sampaio 172 ℡ 537 151 – ▮▥ ▤ rest ☞ ⇔wc ▥wc ☏. ❀
Ref 110 – ☲ 26 – **80 qto** 290/400 – P 400/490.   EX **s**

🏨 **Presidente** sem rest, Rua Alexandre Herculano 13 ℡ 53 95 01 – ▮▥ ▤ ☞ ⇔wc ☏
☲ 26 – **59 qto** 280/410.   EFX **r**

🏨 Jorge V, Rua Mouzinho da Silveira 3 ℡ 56 25 25 – ▮▥ ▤ rest ☞ ⇔wc ☏   EX **v**
49 qto.

cont. ⟶

🏨 **Capitol,** Rua Eça de Queiroz 24 ☎ 53 68 11 – |🛗| 📶 🗏 rest 🍽 💭wc 🏠wc 🐾. ⚡   **EX f**
Ref 110 – ⚏ 26 – **58 qto** 280/410 – P 425/500.

🏨 **York House,** Rua das Janelas Verdes 32 ☎ 66 24 35, « Instalado num convento do século
XVI decorado num estilo português » – 📶 🍽 💭wc 🏠wc 🐾. ⚡ rest   **BV e**
Ref 85 – ⚏ 26 – **60 qto** 200/385 – P 325/415.

🏨 **Flamingo,** Rua Castilho 41 ☎ 53 21 91 – |🛗| 📶 🗏 rest 🍽 💭wc 🏠wc 🐾   **EX n**
Ref 120/140 – ⚏ 26 – **35 qto** 280/410.

🏨 **Infante Santo** sem rest, Rua Tenente Valadim 14 ☎ 60 01 44, ≼ Tejo – |🛗| 📶 🗏 🍽 💭wc
🐾. ⚡   **BV d**
Ref *(fechado Domingo)* 120 bc – ⚏ 26 – **27 qto** 235/335 – P 418/481.

🏨 **Borges,** Rua Garrett 108 ☎ 36 19 51 – |🛗| 📶 🗏 rest 🍽 💭wc 🏠wc 🐾. ⚡ rest   **FZ x**
Ref 110 – ⚏ 25 – **105 qto** 265/435 – P 397/445.

🏨 **Nazareth,** 4º andar, sem rest, Av. António Augusto de Aguiar 25 ☎ 57 27 42 – 📶 🍽 💭wc
🐾. ⚡   **EX m**
⚏ 26 – **32 qto** 226/412.

🏨 **Albergaria Términus** sem rest, Av. Almirante Gago Coutinho 153 - A ☎ 71 11 06, 🗲 –
📶 🍽 💭wc 🏠wc 🐾 🄿. ⚡   **DU a**
24 qto 245/345.

🏨 **América,** Rua Tomás Ribeiro 47 ☎ 53 11 78 – |🛗| 📶 🗏 rest 🍽 💭wc 🏠wc 🐾. ⚡   **CU k**
Ref 80 – ⚏ 20 – **56 qto** 240/370 – P 345/400.

🏨 **Insulana** sem rest, Rua da Assunção 52 ☎ 32 31 31 – |🛗| 📶 🍽 💭wc 🏠wc 🐾. ⚡   **GY e**
⚏ 25 – **32 qto** 225/325.

🏨 **Albergaria da Senhora do Monte** 🔭 sem rest, Calçada do Monte 39 ☎ 86 28 46,
≼ cidade e Tejo – |🛗| 📶 🍽 💭wc 🐾   **GX h**
27 qto 276/422.

🏨 Roma, 1º andar, sem rest, Travessa da Glória 22-A ☎ 36 05 57 – 📶 🍽 💭wc 🏠wc 🐾
24 qto.   **FXY t**

🏨 **Albergaria Pax** sem rest, Rua José Estêvão 20 ☎ 56 18 61 – |🛗| 📶 🍽 💭wc 🐾. ⚡
⚏ 20 – **30 qto** 150/220.   **GX q**

🏨 **Americano** sem rest, Rua 1º de Dezembro 73 ☎ 32 09 75 – |🛗| 📶 🍽 💭wc 🏠wc 🐾.
⚡ rest   **FY c**
⚏ 14 – **50 qto** 135/270.

🏨 **Lis Hotel** sem rest, Av. da Liberdade 180 ☎ 56 34 34 – |🛗| 📶 🍽 💭wc 🏠wc 🐾. ⚡   **FX h**
⚏ 20 – **62 qto** 195/255.

🏨 **Imperador** sem rest, Av. 5 de Outubro 55 ☎ 57 48 84 – |🛗| 📶 🍽 💭wc 🏠wc 🐾. ⚡
⚏ 20 – **44 qto** 170/240.   **CU f**

🏨 Horizonte, sem rest, Av. António Augusto de Aguiar 42 ☎ 53 95 26 – |🛗| 📶 🍽 💭wc
🏠wc 🐾 – **52 qto.**   **EX h**

🏨 Internacional, sem rest, Rua da Betesga 3 ☎ 36 64 01 – |🛗| 📶 🍽 💭wc 🏠wc 🐾   **GY v**
54 qto.

🏨 **Europa,** Praça Luís de Camões 6 ☎ 36 13 71 – |🛗| 📶 🍽 💭wc 🐾. ⚡ rest   **FZ a**
Ref 100 – ⚏ 25 – **53 qto** 205/290 – P 345/405.

🏨 **Metrópole,** Rossio 30 ☎ 36 91 64 – |🛗| 📶 🍽 💭wc 🐾. ⚡ rest   **GY t**
Ref 100   ⚏ 25 – **48 qto** 225/320 – P 360/425.

🏨 **Lisbonense,** 3º andar, sem rest, Rua Pinheiro Chagas 1 ☎ 446 28 – |🛗| 📶 🍽 💭wc 🏠 🐾.
⚏ 15 – **30 qto** 140/220.   **CU q**

🎭 ❀ **Aviz,** Rua Serpa Pinto 12-B ☎ 32 83 91, « Elegante decoração de estilo » – 🗏. ⚡   **FZ x**
fechado Domingo e feriados – Ref lista 260 a 510
Espec. Espadon et caneton fumés, Bacalhau dourado à Lafões, Selle d'agneau persillée (Abril a Junho).

🎭 **Tavares,** Rua da Misericórdia 37 ☎ 32 11 12, Estilo fim do século XIX – 🗏. ⚡   **FZ t**
Ref lista 250 a 550.

🎭 **Cota d'Armas,** Beco de S. Miguel 7 ☎ 86 38 74, Decoração clássica elegante – 🗏
Ref lista 220 a 400.   **JZ b**

🎭 **Varanda do Chanceler,** Largo do Chanceler 1 - A ☎ 86 62 86, ≼ Tejo e telhados de
Alfama – 🗏   **JY a**
fechado Domingo – Ref lista 151 a 239.

🎭 **Escorial,** Rua das Portas de Santo Antão 47 ☎ 36 37 58, Decoração moderna – 🗏
Ref lista 228 a 306.   **GY n**

🎭 **Gambrinus,** Rua das Portas de Santo Antão 25 ☎ 32 14 66 – 🗏. ⚡   **GY n**
Ref lista 188 a 286.

🎭 Pabe, Rua Duque de Palmela 27-A ☎ 53 56 75, Pub inglês – 🗏.   **EX u**

🎭 ❀ **Michel,** Largo de Santa Cruz do Castelo 5 ☎ 86 43 38, Rest. francês – 🗏   **GY b**
Ref lista 160 a 243
Espec. Brochette de crevettes sauce caviar, Canard au poivre vert, Loup de mer grillé au fenouil.

🎭 **Atrium** com snack-bar e self-service, Rua de São Julião 100 ☎ 36 19 00 – 🗏. ⚡   **GZ f**
Ref lista 115 a 250.

XX **Sancho,** Travessa de Glória 14 ☎ 36 97 80 – 🍴. 🦞   FXY t
fechado Domingo – Ref lista 85 a 155.

XX Solmar, Rua das Portas de Santo Antão 108-A ☎ 36 00 10, Espec. : mariscos – 🦞 FY d
fechado 2ª feira.

XX **Macau,** Rua Barata Salgueiro 37-A ☎ 588 88, Rest. chinês – 🍴   EX t
fechado 2ª feira – Ref lista 76 a 109.

X Celta, Rua Gomes Freire 148-C e D ☎ 57 30 69.   FX d

X Galão, Rua 1º de Maio 2 ☎ 63 33 51 – 🍴.   BV x

X **António,** Rua Tomás Ribeiro 63 ☎ 53 87 80 – 🍴. 🦞   CU k
Ref lista 143 a 210.

X Arraial, Rua Conde Sabugosa 13-A ☎ 71 58 92, Decoração rústica – 🍴.   CU e

X **Arameiro,** Travessa de Santo Antão 21 ☎ 36 71 85 – 🍴. 🦞   FY a
Ref lista 90 a 170.

X A Quinta, Elevador de Santa Justa ☎ 36 55 88 – 🍴   GY f
fechado Domingo e feriados – Ref lista 86 a 160.

X Bonjardim, 1º andar, Travessa de Santo Antão 21 ☎ 32 74 24 – 🍴.   FY s

X **Restauração,** Rua 1º de Dezembro 105 ☎ 36 94 95 – 🦞   FY c
fechado Sábado – Ref lista 125 a 228.

X Xangai, Av. Duque de Loulé 20-B ☎ 55 73 78, Rest. chinês.   FX e

X **Normandia,** Rua dos Condes 29 ☎ 36 94 75 – 🍴   FY e
Ref lista 119 a 181.

X **Paris,** Rua dos Sapateiros 126 ☎ 36 97 97 – 🍴   GYZ a
Ref lista 165 a 275.

Restaurantes típicos

XXX Taverna do Embuçado, Beco dos Cortumes ☎ 86 08 16, Fados, « Bela decoração rústica »
– 🍴 – Ref *(só jantar).*   JZ c

XX **Luso,** Travessa da Queimada 10 ☎ 36 28 89, Folclore e fados – 🍴   FY v
fechado Domingo – Ref *(só jantar)* lista 275 aprox.

XX **O Faia,** Rua da Barroca 56 ☎ 36 93 87, Fados – 🍴. 🦞   FY f
fechado Domingo – Ref *(só jantar)* lista 105 a 255.

XX **A Severa,** Rua das Gáveas 51 ☎ 36 40 06, Fados – 🍴. 🦞   FY b
fechado 5ª feira – Ref lista 245 a 345.

X Lisboa à Noite, Rua das Gáveas 69 ☎ 36 85 57, Fados – 🍴. 🦞.   FY x

X O Taipas, Rua das Taipas 8 ☎ 36 38 54, Folclore e fados – 🍴   FY h
Ref *(só jantar).*

X **Adega Machado,** Rua do Norte 91 ☎ 36 00 95, Fados – 🍴. 🦞   FY k
fechado 2ª feira – Ref lista 210 a 305.

Snack-Bares

XX Monumental, Rua Castilho 77 ☎ 56 14 44 – 🍴.   EX e

XX Galeto, com rest. Av. da República 14 ☎ 444 44 – 🍴.   CU c

X **Noite e Dia** com self-service, Av. Duque de Loulé 51 - A e B ☎ 57 35 14 – 🍴. 🦞   FX c
fechado Domingo – Ref lista 67 a 140.

MICHELIN, Av. Dr Francisco Luís Gomes, letras SIFG (DU) ☎ 31 40 21.

B.L.M.C. (AUSTIN) Rua das Laranjeiras 12 ☎ 78 20 71
B.L.M.C. (AUSTIN) Rua Tomás da Anunciação 11 ☎ 66 50 47
B.L.M.C. (AUSTIN) Rua Marquês Sá da Bandeira 120-A ☎ 77 47 73
B.L.M.C. (AUSTIN) Rua Rodrigues Sampaio 30 ☎ 594 86
B.L.M.C. (AUSTIN) Rua António Patrício 11 ☎ 76 70 85
B.L.M.C. (MORRIS) Av. Infante D. Henrique - Lote 320 ☎ 31 83 57
B.L.M.C. (MORRIS) Rua Saraiva de Carvalho 210 ☎ 67 80 71
B.L.M.C. (MORRIS) Av. Defensores de Chaves 35-C ☎ 53 75 00
B.L.M.C. (MORRIS) Rua de Campolide 181 ☎ 65 14 80
B.M.W. Rua de Arroios 89 ☎ 455 60
CHRYSLER-SIMCA Rua Oliveira Martins 4 ☎ 76 70 61
CHRYSLER-SIMCA Rua General Sinel de Cordes 3 ☎ 55 77 19
CHRYSLER-SIMCA Av. Infante D. Henrique ☎ 38 44 79
CITROEN Rotunda da Encarnação ☎ 251 06 63
CITROEN Av. Defensores de Chaves 12 ☎ 53 41 32
CITROEN Rua Abílio Lopes do Rego 2 ☎ 66 24 39
CITROEN Av. Infante Santo 15-A ☎ 67 71 16
CITROEN Rua Ponta Delgada 70-A ☎ 55 37 74

DATSUN Praça Silvestre Pinheiro Ferreira 1-A ☎ 78 58 08
DATSUN Rua D. Estefânia 118 ☎ 44 15 61
DATSUN Praça José Queirós 1 ☎ 31 40 61
FIAT Rua Palmira 62-A ☎ 84 81 59
FIAT Rua Filipe Folque 10-L ☎ 573 96
FIAT Rua Andrade Corvo 15 ☎ 413 91
FIAT Rua dos Lusíadas 6-A ☎ 63 88 26
FIAT Rua Stº António à Estrela 31-A ☎ 67 10 91
FIAT Av. Marconi 8-A ☎ 77 73 62
FORD Rua São Sebastião da Pedreira 122 ☎ 56 25 01
FORD Estrada da Luz 230-A ☎ 78 31 73
FORD Rua João Saraiva 15 ☎ 71 10 65
FORD Rua Carlos Mardel 12 ☎ 56 20 61
FORD Rua Gomes Freire 5-A ☎ 53 98 01
FORD Av. de Roma ☎ 76 77 42
FORD Estrada da Luz 230-A ☎ 78 31 73
FORD Av. Almirante Reis 130 ☎ 56 20 61
G.M. (OPEL, VAUXHALL) Rua Alexandre Herculano 66 ☎ 68 20 41
G.M. (OPEL, VAUXHALL) Estrada da Circunvalação, Portela da Ajuda ☎ 21 36 17
G.M. (OPEL, VAUXHALL) Av. António José d'Almeida 32-A ☎ 77 64 44
G.M. (OPEL, VAUXHALL) Rua Cidade da Beira, Olivais Sul. lote 20 ☎ 31 76 51

cont. →

G.M. (OPEL, VAUXHALL) Rua Dr José Espírito Santo, Cabo Ruivo ₸ 38 47 61
G.M. (OPEL, VAUXHALL) Rua Filipe Folque 12 ₸ 56 34 41
MERCEDES Rua de Campolide 437 ₸ 76 71 61
MERCEDES Rua Gen. Sinel de Cordes ₸ 599 14
MERCEDES Estrada Nacional 10 ₸ 252 21 30
RENAULT Rua Gen. Sinel de Cordes 15-C
RENAULT Rua Francisco Metrass 32-B ₸ 65 09 24
RENAULT Rua Luís de Camões 139
RENAULT Rua D. Estefânia 1
RENAULT Av. São João de Deus
RENAULT Av. Frei Miguel Contreiras 16-A ₸ 72 61 11
RENAULT Rua Cidade da Beira 5 ₸ 31 76 51
RENAULT Rua Possidónio da Silva 104-A
TOYOTA Rua Dr José Espírito Santo, Cabo Ruivo
TOYOTA Largo Frei Luís de Sousa, lote 1252 ₸ 77 11 36
TOYOYA Rua Coronel Bento Roma 18-A ₸ 71 61 55
VOLKSWAGEN Rua da Escola Politécnica 261 ₸ 68 92 60
VOLKSWAGEN Rua Padre Manuel da Nóbrega 8 ₸ 72 76 54
VOLKSWAGEN Av. da Liberdade 12 ₸ 36 67 51

☞ *Muchas veces el garaje gratuito en el hotel está reservado a los usuarios de la Guía Michelin del año en curso.*

Presente su guía de 1975.

LOURINHÃ Lisboa 990 ㉓, 37 ⑯ − 7 340 h. − ☉ 0011.
Turismo, Praia da Areia Branca ₸ 42 167.

Lisboa 74 − Leiria 94 − Santarém 81.

na Praia da Areia Branca NO : 3,5 km − ☒ Praia da Areia Branca ₸ Lourinhã :

🏨 **São João** ⑳, ₸ 421 45 − ☜ ⇔wc. ⚘
Ref 80 bc/100 bc − ⇌ 20 − **19 qto** 130/180 − P 210/280.

LUSO Aveiro 990 ㉒, 37 ⑭ − 2 478 h. alt. 200 − Termas − ☉ 0031.
Turismo, Rua António Granjo ₸ 931 33.

Lisboa 227 − Aveiro 44 − Coimbra 28 − Viseu 69.

🏨🏨 **Grande H. das Termas** ⑳, ₸ 931 50, ⚘, ⅃ − ⓟ. 🏊. ⚘
Junho-15 Outubro − Ref 110 − ⇌ 20 − **157 qto** 245/350 − P 400/470.

🏨🏨 **Estal. do Luso**, Rua Dr Lúcio Pais Abranches ₸ 931 14, ≼ bosques nos arredores,
« Grande casa de campo decorada com gosto » − ▥ ☜ ⇔wc ▦wc ☎ ⓟ. ⚘ rest
Ref 85/200 − ⇌ 20 − **7 qto** 155/220 − P 300.

🏨 Serra ⑳, Rua Costa Simões ₸ 932 76 − ☜ ⇔wc ⓟ
temp. − **44 qto**.

MACEDO DE CAVALEIROS Bragança 37 ① − 3 237 h. alt. 580.
Lisboa 507 − Bragança 42 − Vila Real 101.

🏨🏨 Estal. do Caçador, Largo Manuel Pinto de Azevedo ₸ 56 − ▥ ☜ ⇔wc
22 qto.

🏨 **Monte Mel**, Praça Agostinho Valente 26 ₸ 78 − ▥ ☜ ▦wc. ⚘
Ref 60 − ⇌ 14 − **12 qto** 120/170 − P 220.

TOYOTA Rua Alexandre Herculano

MACHICO Madeira − 🏨🏨🏨, 🏨🏨, ✗✗ ver Madeira (Ilha da).

MACIEIRA DE SARNES Aveiro 990 ㉒, 37 ⑬ − ✗ ver São João da Madeira.

MADEIRA (Ilha da) 990 ㉚ − 249 293 h.

Caniço − 5 631 h. − Praia.

na estrada do Funchal O : 1 km − ☒ Caniço ₸ Funchal :

✗ Jardim do Sol, ₸ 931 23, ≼ mar, Decoração típica − ⓟ.

Funchal − 43 768 h. − Praia.
Ver : Sé★ (tecto★) − Museu de Arte Sacra★ (colecção de quadros★) γ M¹ − Quinta das Cruzes★ γ M² − Capela da Nazaré★ (azulejos★) por ④ − Pontinha ✻★★ − Jardim Botânico ≼★ v.

Arred. : Miradouro do Pináculo★★ 4 km por ② − Pico dos Barcelos★★ (✻★★) 3 km por④ − Monte (localidade★) 5 km por ① − Terreiro da Luta ≼★ 7 km por ① − Câmara de Lobos (local★) 9 km por ⑤ − Eira do Serrado ✻★★★ NO : 13 km pelo Caminho de Santo António − Flora da Madeira (jardim botânico★) 15 km por ① − Curral das Freiras (local★ − ≼★) NO : 17 km pelo Caminho de Santo António − Miradouro dos Balcões★★ 18 km por ① e 30 min a pé − Miradouro do Juncal★ 19 km por ① − Cabo Girão★ (≼★) 20 km por ⑤ − Miradouro do Pico Arieiro ✻★★ 20 km por ①.

Excurs. : Pico Ruivo★★★ (✻★★★) 21 km por ① e 3 h a pé.
🏇 do Santo da Serra 25 km por ② ₸ 551 39.

✈ do Funchal 23 km por ② − T.A.P. Av. António José d'Almeida 178 ₸ 301 51.

🚢 para Lisboa e Canárias : C.T.M. Av. Gonçalves Zarco 2 ₸ 206 52 − C.N.N. Av. do Mar 1 ₸ 201 61 − E.N.M. Rua da Praia 45 ₸ 301 95.

Turismo, av. Arriaga 18 ₸ 290 57.

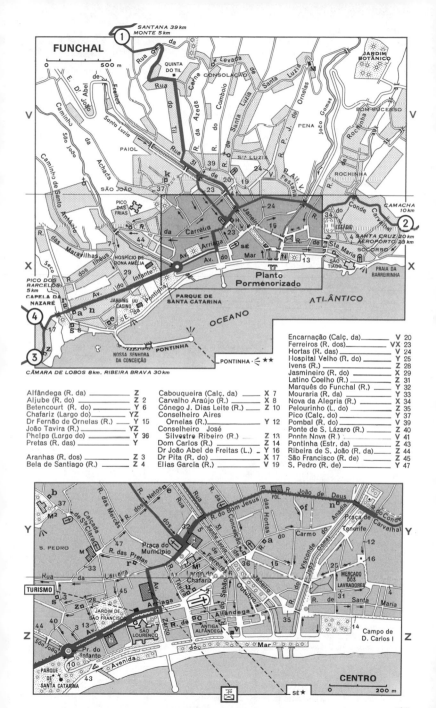

FUNCHAL

SANTANA 39 km
MONTE 5 km

JARDIM BOTÂNICO

CÂMARA DE LOBOS 8 km. RIBEIRA BRAVA 30 km

PONTINHA · ≤ ★★

TURISMO

CENTRO

SÉ ★

MADEIRA (Ilha da) − Funchal

Savoy Ⓜ, Av. do Infante ℡ 220 31, Telex 72153, ≤ Baía do Funchal e montanha, « Belo terraço com ⅂ climatizada à beira - mar », ⚘ − 🍽 rest ❶. 🛁. ⚘   **X n**
Ref 150 − ⚏ 37 − **353 qto** 478/788 − P 676/760.

Reid's ♨, Estrada Monumental 139 ℡ 230 01, Telex 72139, ≤ baía do Funchal, « Magnífico jardim semi-tropical sobre um promontório rochoso », ⚘, ⅂ − 🍽. ⚘ rest   **X z**
Ref 200 − ⚏ 45 − **168 qto** 630/1 200 − P 930/960.

Madeira-Sheraton H. Ⓜ, Largo António Nobre ℡ 310 31, Telex 72122, ≤ mar e montanha, ⚘, ⅂ climatizada − 🍽 ❶. 🛁. ⚘ rest   **X s**
Ref 180 − ⚏ 50 − **294 qto** 825/1 185 − P 887/1 120.

Vila-Ramos Ⓜ ♨, Azinhaga da Casa Branca 7 ℡ 311 81, Telex 72168, ≤ mar e montanha, ⚘, ⅂ climatizada − 🍽 ❶. 🛁. ⚘   por ③
Ref 125 − ⚏ 32 − **108 qto** 445/742 − P 653/727.

Do Carmo, Travessa do Rego 10 ℡ 290 01, ⅂ − ⚘   **Y f**
Ref 105 − ⚏ 23 − **80 qto** 220/310 − P 330/395.

Santa Isabel, Av. do Infante ℡ 231 11, Telex 7272, ⅂ climatizada − 🍽 rest ❶   **X a**
68 qto.

Nova Avenida, Rua do Favila 17 ℡ 200 43, « Belo terraço relvado » − 🛗 ☎ 🚻wc ❶. ⚘
Ref 125 − ⚏ 32 − **46 qto** 250/365 − P 317/435.   **X r**

Madeira, Rua Ivens 21 ℡ 300 71, Decoração moderna, ⅂ − 🛗 ☎ 🚻wc 🚿wc ⊛. ⚘   **Z z**
Ref 95 − ⚏ 23 − **31 qto** 242/345 − P 342/410.

Santa Maria, Rua João de Deus 26 ℡ 252 71, ⅂ − 🛗 ☎ 🚻wc 🚿wc ⊛. ⚘   **Y n**
Ref 105 − ⚏ 25 − **83 qto** 250/385 − P 338/395.

Orquídea sem rest, Rua dos Netos 71 ℡ 260 91 − 🛗 ☎ 🚻wc 🚿wc ⊛. ⚘   **Y e**
⚏ 25 − **70 qto** 200/300.

A Torre sem rest, Rua dos Murças 42 ℡ 300 31 − 🛗 🍽 ☎ 🚻wc ⊛. ⚘   **Z c**
⚏ 25 − **41 qto** 330/440.

Monte Carlo ♨, Calçada da Saúde 10 ℡ 261 31, ≤ cidade e baía, ⅂ − 🛗 🛗 ☎ 🚻wc 🚿wc ⊛ ❶   **V k**
45 qto.

Albergaria Catedral sem rest, Rua do Aljube 13 ℡ 300 91 − 🛗 🛗 ☎ 🚻wc ⊛   **Z u**
⚏ 26 − **25 qto** 250/370.

Greco, Rua do Carmo 16 ℡ 300 81 − 🛗 ☎ 🚻wc 🚿wc ⊛   **Y a**
28 qto.

Quinta da Penha de França ♨ sem rest, Rua da Penha de França 2 ℡ 290 87, « Lindo jardim com árvores e ⅂, bela decoração interior » − 🛗 ☎ 🚻wc 🚿wc ⊛. ⚘   **X e**
⚏ 30 − **17 qto** 255/355.

Reno sem rest, Rua das Pretas 15 ℡ 261 25 − 🛗 ☎ 🚻wc 🚿wc ⊛. ⚘   **Y r**
⚏ 20 − **37 qto** 230.

Flamenga, Rua dos Aranhas 45 ℡ 290 41 − 🛗 ☎ 🚻wc ⊛. ⚘   **Z s**
Ref 75 − ⚏ 17.5 − **35 qto** 160/235 − P 227/270.

Residência Phelps sem rest, Largo do Phelps 4 ℡ 252 15 − 🛗 🍽 rest ☎ 🚻wc 🚿wc ⊛
⚏ 15 − **18 qto** 200.   **Y t**

3 Bandeiras sem rest, Rua do Aljube 17 ℡ 252 21 − 🛗 ☎ 🚻wc ⊛. ⚘   **Z u**
⚏ 12 − **17 qto** 140/240.

Santa Clara ♨, sem rest, Calçada do Pico 16-B ℡ 241 94, ≤ cidade e baía, « Belo jardim » − 🛗 ☎ 🚿wc ⊛   **Y b**
14 qto.

Caravela, 3º andar, Av. do Mar 15 ℡ 284 64, ≤ porto − ⚘   **Z v**
Ref lista 120 a 180.

a Oeste da cidade − ✉ ℡ Funchal :

Madeira Palácio Ⓜ ♨, Estrada Monumental, 4,5 km por ③ ℡ 300 01, Telex 72156, ≤ mar e montanha, ⚘, ⅂ climatizada − 🍽 ❶. ⚘ rest
Ref 170 − ⚏ 40 − **278 qto** 508/791.

Lido Sol, 2º andar, Estrada Monumental 318 - 2,4 km por ③ ℡ 290 06, ⅂ climatizada.

Clube de Turismo, Estrada Monumental 179 - 2 km por ③ ℡ 203 59, « Terraço com ⅂ e ≤ mar » − ❶.

B.L.M.C. (AUSTIN) C. Postal 416 ℡ 22
B.L.M.C. (AUSTIN, MORRIS) Rua da Ribeira de S. João 26 ℡ 221 01
B.M.W. Rua Dr Fernão Ornelas 32 ℡ 274 27
CHRYSLER-SIMCA Rua Dr Fernão de Ornelas 32 ℡ 210 28
DATSUN Rua do Hospital Velho 19 ℡ 265 85
FIAT Caixa Postal 69

FORD Rua do Combóio 14 ℡ 253 01
G.M. (OPEL, VAUXHALL) Rua 31 de Janeiro 121 ℡ 205 84
MERCEDES Rua Dr Fernão de Ornelas 28 ℡ 253 66
RENAULT Rua 5 de Outubro 108
TOYOTA Rua do Hospital Velho 28 ℡ 211 91
VOLKSWAGEN Rua Dr Fernão de Ornelas 18 ℡ 218 54

lista   Os hotéis e restaurantes citados com um menú a preço fixo, geralmente também servem à lista.

Machico – 10 905 h.

Arred. : Miradouro Francisco Álvares da Nóbrega★ SO : 2 km – Santa Cruz (Igreja de S. Salvador★) S : 6 km.

🏨🏨🏨 **Dom Pedro da Madeira** ☾, ✉ Machico ☎ 544 50 Funchal, Telex 72135, ⩽ mar e montanha, ≋ climatizada – ▤ rest Ⓟ. ⊘ rest
Ref 125 – ☕ 30 – **218 qto** 260/400 – P 390/470.

na estrada do Funchal S : 2 km – ✉ Machico ☎ Funchal :

🏨🏨🏨🏨 **Holiday Inn Madeira** Ⓜ ☾, Águas de Pena, Urbanização Matur ☎ 544 00, Telex 72154, ⩽ mar e montanha, 🎾, ≋, ≋ – ▤ 🚗 Ⓟ. ⊘ rest
Ref 170 – ☕ 45 – **276 qto** 600/800 – P 715/890.

✕✕ **Matur-Piscina,** Águas de Pena, Urbanização Matur ☎ 543 11, ⩽ mar e piscina – Ⓟ. ⊘
Ref lista 150 a 250.

✕✕ Luigi, Águas de Pena, Urbanização Matur ☎ 542 64, ⩽ mar e montanha, Rest. italiano.

Porto Moniz – 2 579 h. – Praia.

Ver : Recifes★. **Arred. :** Estrada de Santa ⩽★ SO : 6 km – Seixal (local★) SE : 10 km.

✕ Cachalote, ☎ 741 80, ⩽ mar, Piscinas naturais entre os rochedos.

P 340/380	Los **precios de la pensión** se consignan en la guía a título indicativo. Para una estancia, consulte siempre al hotel.

MAFRA Lisboa [990] ㉑, [37] ⑫ ⑯ – 7 149 h. alt. 250.

Ver : Mosteiro★ – Basílica★ (cúpula★).

Turismo, Av. Dr Oliveira Salazar ☎ 520 23.

Lisboa 40 – Sintra 21.

✕ Frederico, Terreiro de D. João V 48 ☎ 520 89.

em Sobreiro – estrada da Ericeira NO : 4 km – ✉ ☎ Mafra :

✕ **A Cantarinha,** ☎ 524 04, Rest. típico – Ⓟ. ⊘
fechado 15 a 31 Outubro e 2ª feira – Ref lista 62 a 112.

B.L.M.C. (AUSTIN) Rua Al. Gago Coutinho ☎ 521 52 CITROEN Terreiro D. João V, 11 ☎ 522 67

MANGUALDE Viseu [990] ⑫, [37] ③ – 4 839 h. alt. 545 – ⊛ 0032.

Lisboa 314 – Guarda 67 – Viseu 18.

⌂ Beira Alta, Rua do Grémio 45 ☎ 622 34 – ▥ ☏ 🛁wc
28 qto.

✕✕ **Aviz,** Largo Dr Couto 94 ☎ 623 59, « Decoração rústica »
fechado 2ª feira – Ref lista 62 a 97.

na estrada N 16 O : 1,5 km – ✉ ☎ Mangualde :

✕✕ Estal. Cruz da Mata, com qto, ☎ 625 56 – ▥ ☏ 🛁wc 🚿wc Ⓟ. ⊘
☕ 14 – **12 qto** 120/165.

CITROEN ☎ 622 28

MANTEIGAS Guarda [990] ⑫, [37] ④ – 3 834 h. alt. 775 – Desportos de Inverno – ⊛ 0037.

Arred. : Poço do Inferno (cascata★) S : 9 km.

Turismo, ☎ 471 29.

Lisboa 352 – Guarda 49.

🏨 **Paragem Serradalto,** Rua Dr Oliveira Salazar ☎ 471 51, ⩽ Serra da Estrela e vale do Zêzere – ▥ ☏ 🛁wc 🚿wc
Ref lista 64 a 122 – ☕ 15 – **18 qto** 110/150.

MARINHA GRANDE Leiria [990] ⑪, [37] ⑮ – 18 548 h. alt. 70 – Praia em São Pedro de Moel – ⊛ 0044.

Turismo, São Pedro de Moel ☎ 911 52.

Lisboa 140 – Leiria 12 – **Porto 199.**

em São Pedro de Moel O : 9 km – ✉ São Pedro de Moel ☎ Leiria :

🏨🏨 **Mar e Sol** ☾, Av. Sá e Melo ☎ 911 82, ⩽ mar – ▥ ▤ rest ☏ 🛁wc 🚿wc ☎ Ⓟ. ⊘
Ref 120 – ☕ 30 – **45 qto** 245/365.

🏨 São Pedro ☾, Rua Dr Adolfo Leitão ☎ 911 20 – ☏ 🛁wc 🚿wc Ⓟ
68 qto.

FORD Rua Machado dos Santos ☎ 523 44 TOYOTA Rua Marquês de Pombal 96 ☎ 529 26

MARVÃO Portalegre 🔲🔲🔲 ②, 🔳🔳 ⑥ – 888 h. alt. 865 – ◯ 0045.
Ver : Local** – Aldeia* (balaustradas*) – Castelo* (≼**).
A.C.P. Estrada Nacional 246, Galegos ☏ 941 67.
Lisboa 223 – Cáceres 127 – Portalegre 22.

  🏨 **Pousada de Santa Maria** 🐾, ☏ 932 01, ≼ vale, Santo António das Areias e Espanha,
    Decoração regional – 🎬 ☞ 🛏wc 🚗 **P**. 🍴
    Ref 100 – 🔲 25 – **9 qto** 220.

MATOSINHOS Porto 🔲🔲🔲 ⑪ ⑫, 🔳🔳 ⑫ – ✗✗, ✗ ver Porto.

MEALHADA Aveiro 🔲🔲🔲 ⑪ ⑫, 🔳🔳 ⑭ – 2 509 h. alt. 60 – ◯ 0031.
Lisboa 218 – Aveiro 35 – **Coimbra 19.**

  na estrada N 1 N : 1,5 km – ✉ ☏ Mealhada :

  ✗ Pedro dos Leitões, ☏ 220 62 – ▤ **P**.

VOLKSWAGEN Rua Dr Costa Simões 113 ☏ 220 60

MEIA PRAIA Faro – 🏨, ✗✗ ver Lagos.

MELGAÇO Viana do Castelo 🔲🔲🔲 ②, 🔳🔳 ⑪ – 1 169 h. alt. 180 – Termas em Peso – ◯ 0021.
Turismo, Paderne ☏ 423 27.
Lisboa 478 – Viana do Castelo 93.

  em Peso – na estrada N 202 O : 4 km – ✉ Peso ☏ Melgaço :

  🏨 Águas de Melgaço, ☏ 422 62 – ☞ 🛏wc **P**
    temp. – **60 qto.**

MIRA Coimbra 🔲🔲🔲 ⑪, 🔳🔳 ⑬ – 12 740 h. – Praia – ◯ 0031.
Arred. : Varziela : Capela (retábulo*) SE : 11 km.
Lisboa 218 – Coimbra 38 – Leiria 90.

  na praia de Mira NO : 7 km – ✉ ☏ Praia de Mira :

  🏨 Do Mar 🐾, Av. do Mar ☏ 471 39, ≼ mar – 🎬 ☞ 🛏wc – **14 qto.**

MIRAMAR Porto 🔲🔲🔲 ⑪ ⑫, 🔳🔳 ⑫ – Praia – ◯ 02.
🏌 Club Golf Miramar, ☏ 96 10 67.
Lisboa 312 – Porto 9.

  na praia de Miramar – ✉ Miramar ☏ Porto :

  🏨 **Mirassol** 🐾, Av. Vasco da Gama ☏ 96 16 65, ≼ mar – ▤ rest **P**. 🍴
    Ref 100 – 🔲 25 – **25 qto** 260/370 – P 435.

  ✗ Areal, ☏ 96 14 19, ≼ praia – **P**.

MIRANDA DO DOURO Bragança 🔳🔳 ⑭ – 1 563 h. alt. 675.
Ver : Antiga Catedral (retábulos*). **Arred. :** Barragem de Miranda do Douro* E : 3 km – Barragem
de Picote* SO : 21 km.
Lisboa 521 – Bragança 85.

  🏨 Pousada de Santa Catarina 🐾, ☏ 55, ≼ Barragem e rio Douro – 🚙 **P**
    12 qto.

VOLKSWAGEN Rua da Terronha ☏ 53

MONÇÃO Viana do Castelo 🔲🔲🔲 ② 🔳🔳 ⑪ – 2 401 h. alt. 40 – ◯ 0021.
Turismo, Largo do Loreto ☏ 523 07.
Lisboa 454 – Braga 71 – **Porto 139** – Viana do Castelo 69.

  🏨 **Albergaria Atlântico,** Rua General Pimenta de Castro 13 ☏ 523 55 – 🛗 🎬 ▤ rest ☞
    🛏wc 🚾wc 🚗
    Ref 100/130 – 🔲 26 – **24 qto** 190/270 – P 400/600.

  ✗ **Mané,** 1º andar, com qto, Rua General Pimenta de Castro 5 ☏ 524 90 – 🎬 ☞ 🚾wc 🚗
    Ref lista 112/147 – 🔲 15 – **8 qto** 120/240 – P 345/450.

B.L.M.C. (AUSTIN) ☏ 522 66   MERCEDES Rua Cons. João da Cunha ☏ 522 61
CITROEN Estação de Melgaço ☏ 522 26   VOLKSWAGEN ☏ 524 38

Além dos estabelecimentos classificados com
✗✗✗✗✗ ... ✗,
há vários hotéis
que possuem um bom restaurante.

MONCHIQUE Faro 990 ② ③, 37 ② – 8 155 h. alt. 458 – Termas – 🟢 0082.
Arred. : Estrada* de Monchique à Fóia ≼* – Percurso* de Monchique à Nave Redonda.
Lisboa 260 – Faro 86 – Lagos 42.

XX Estal. Abrigo da Montanha ⑤, com qto, na estrada da Fóia SO : 2 km ₸ 921 31 ≼ vale
montanha e mar, « Terraços floridos » – 🏢 ☞ ⊟wc 🅿 ☎
6 qto.

nas Caldas de Monchique S : 5,5 km – ✉ ₸ Monchique :

XX **Rouxinol,** ₸ 922 15 – 🅿
fechado 3ª feira e 10 Janeiro a 5 Fevereiro – Ref lista 105 a 160.

MONFORTINHO (Termas de) Castelo Branco 990 ③, 37 ④ ⑤ – 878 h. alt. 473 – Termas.
Turismo, Salvaterra do Extremo, Idanha-a-Nova ₸ 442 23.
Lisboa 306 – Castelo Branco 70 – Santarém 229.

🏬 Astória ⑤, ₸ 442 05 – 🅿
temp. – **100 qto.**

🏨 Fonte Santa ⑤, ₸ 441 04, « Num parque » – 🏢 ☞ ⊟wc 🏢wc ☎ 🅿
temp. – **50 qto.**

🏠 Portuguesa ⑤, ₸ 442 18 – 🏢 ☞ ⊟wc 🏢wc 🅿
75 qto.

MONSARAZ Évora 37 ⑧ – 1 575 h. alt. 342 – 🟢 0069.
Turismo, Rua Direita ₸ 522 70.
Lisboa 194 – Évora 52.

XX Estal de Monsaraz ⑤, com qto, Largo de São Bartolomeu ₸ 551 12, « Casa de campo
decorada em estilo regional, terraços com ≼ campo », ⤢ – 🏢 ☞ ⊟wc ☎
7 qto.

MONTE ESTORIL Lisboa 37 ② – 🏬, 🏨, XXX ver Estoril.

MONTE GORDO Faro 37 ⑩ – 🏨🏠, 🏬, 🏨, ⌖ ver Vila Real de Santo António.

MONTEMOR-O-NOVO Évora 990 ② ②, 37 ⑦ – 9 284 h. alt. 240.
Lisboa 112 – Badajoz 129 – Évora 30.

🏠 **Monte Alentejano,** Av. Gago Coutinho ₸ 821 41 – 🏢 ☞ ⊟wc 🏢wc. ⌖ qto
fechado 4ª feira – Ref 90/120 – ⊃ 15 – **10 qto** 140/220.

⌖ Sampaio, Av. Gago Coutinho ₸ 822 37 – 🏢 ☞ 🏢wc ☎
6 qto.

na estrada N 4 O : 7,5 km – ✉ ₸ Montemor-o-Novo :

X **O Chaparral,** ₸ 824 84
fechado 2ª feira – Ref lista 82 a 152.

B.L.M.C. (MORRIS) Av. Gago Coutinho ₸ 823 38   DATSUN Av. Gago Coutinho ₸ 821 39

MONTE REAL Leiria 990 ⑪, 37 ⑮ – 1 950 h. alt. 50 – Termas – 🟢 0044.
Turismo, ₸ 621 67.
Lisboa 144 – Leiria 16 – Santarém 97.

🏨 **Monte Real** ⑤, Rua Dr Oliveira Salazar ₸ 621 63 – 📧 ☞ ⊟wc ☎ 🚗 🅿. ⌖
Maio-Outubro – Ref 90 – ⊃ 20 – **111 qto** 185/210 – P 350.

🏠 Santa Rita ⑤, Rua de Leiria ₸ 621 47 – ☞ ⊟wc 🏢wc 🅿
temp. – **26 qto.**

MOURA Beja 990 ②, 37 ⑧ – 9 351 h. alt. 180 – Termas.
Ver : Igreja de São João Baptista*.
Turismo, Praça Sacadura Cabral ₸ 222 01.
Lisboa 250 – Beja 58 – Évora 103.

🏨 **Moura** ⑤ sem rest, Praça Gago Coutinho 1 ₸ 224 94 – 🏢 ☞ ⊟wc 🏢wc ☎ 🚗 🅿. ⌖
37 qto 165/235.

B.L.M.C. (AUSTIN) Largo José Maria dos Santos   G.M. (OPEL, VAUXHALL) Rua do Sequeiro 1 ₸ 217
CITROEN Largo José Maria dos Santos 37   VOLKSWAGEN Av. 28 de Maio ₸ 234

MURTOSA Aveiro 990 ⑪, 37 ⑬ – 4 131 h. – Praia – 🟢 0034.
Turismo, Edifício da Câmara Municipal, Torreira ₸ 462 03.
Lisboa 280 – Aveiro 30.

na estrada N 327 SO : 15 km – ✉ São Jacinto ₸ Murtosa :

XX **Pousada da Ria** ⑤ com qto, ₸ 461 32, ≼ Ria de Aveiro, ⤢ – 🏢 ☞ ⊟wc ☎. ⌖
Ref 80/100 – ⊃ 25 – **10 qto** 220.

NAZARÉ Leiria 990 ⑪, 37 ⑮ – 8 553 h. – Praia.
Ver : O Sítio ≤** – Bairro dos pescadores*.
Turismo, Rua Mouzinho de Albuquerque 72 ☎ 461 20 e Av. da República.
Lisboa 120 ② – **Coimbra 103** ① – Leiria 32 ①.

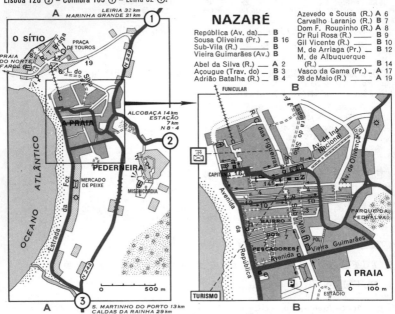

NAZARÉ

República (Av. da)	B
Sousa Oliveira (Pr.)	B 16
Sub-Vila (R.)	B
Vieira Guimarães (Av.)	B
Abel da Silva (R.)	A 2
Açougue (Trav. do)	B 3
Adrião Batalha (R.)	B 4

Azevedo e Sousa (R.)	A 6
Carvalho Laranjo (R.)	B 7
Dom F. Roupinho (R.)	A 8
Dr Rui Rosa (R.)	B 9
Gil Vicente (R.)	B 10
M. de Arriaga (Pr.)	B 12
M. de Albuquerque (R.)	B 14
Vasco da Gama (Pr.)	A 17
28 de Maio (R.)	A 19

🏨 **Praia,** Av. Vieira Guimarães 39 ☎ 464 23, ≤ telhados da Nazaré e mar – 🗐 rest 🅿. 🏖 rest **B f**
Ref 110 – 🛏 26 – **40 qto** 250/350 – P 325/380.

🏨 **Da Nazaré,** Largo Afonso Zuquete ☎ 463 11, Telex 16116, ≤ telhados da Nazaré e mar –
📶 🎬 🍽 ⇌wc 🎞wc ☜. 🏖 rest **B z**
Ref 110 – 🛏 25 – **50 qto** 230/325 – P 407/475.

🏠 **Clube,** Rua Mouzinho de Albuquerque 10 ☎ 461 22 – 🍽 ⇌wc **B t**
temp. – **28 qto.**

🏠 **Central,** Rua Mouzinho de Albuquerque 85 ☎ 461 00 – 🍽 ⇌wc 🎞wc. 🏖 rest **B s**
Ref 70/120 – 🛏 15 – **18 qto** 150/240 – P 275/305.

✗ Beira Mar, com qto, Av. da República 40 ☎ 464 58 – 🎬 🍽 ⇌wc 🎞wc ☜ **B h**
fechado Janeiro – Ref lista 55 a 100 – 🛏 20 – **18 qto.**

✗ **Maré,** Praça Sousa Oliveira 17 ☎ 462 26 **B a**
fechado 3ª feira – Ref 80.

✗ **Mar e Sol,** Av. da República ☎ 463 52 **B e**
fechado Janeiro e Fevereiro – Ref lista 72 a 130.

CHRYSLER-SIMCA ☎ 461 68

NELAS Viseu 990 ⑫, 37 ③ – 2 857 h. alt. 441 – ✿ 0032.
Turismo, Edifício dos Paços do Conselho, Canas de Senhorim ☎ 663 08.
Lisboa 286 – Guarda 80 – Viseu 22.

🏠 **Mangas,** Largo do Arvoredo ☎ 942 37 – 🍽 🎞wc. 🏖
Ref 65 – 🛏 14 – **14 qto** 40/135 – P 144/166.

na estrada N 234 – em Canas de Senhorim SO : 4 km – ✉ ☎ Canas de Senhorim :

🏨 **Urgeiriça** ⑤, ☎ 672 67, ≤ campo e Serra da Estrela, « Mansão senhorial com mobiliário
e decoração de estilo, Parque com árvores », 🎾, ⊥ – 🅿. 🏖 rest
Ref 105 – 🛏 20 – **59 qto** 190/270 – P 335/390.

CITROEN Estrada Nacional 234 ☎ 662 91

Se scrivete ad un albergo straniero,
allegate alla vostra lettera un tagliando-riposta internazionale.

OBIDOS Leiria 𝟵𝟵𝟬 ㉑, 𝟯𝟳 ⑯ − 4 718 h. alt. 75 − ◎ 0012.
Ver : A Cidadela★★ (rua principal★) − Igreja de Sta. Maria (túmulo★).
Turismo, Largo de São Pedro ☎ 951 02 − **Turismo,** Rua Direita ☎ 952 31.
Lisboa 89 − Leiria 66 − Santarém 56.

  🏦 Estal. do Convento, Rua Dr João de Ornelas ☎ 952 17, « Decoração rústica » − ▥ ⛛
    ⇱wc ☜
    13 qto.

  XX **Pousada do Castelo** ⑊ com qto, Paço Real ☎ 951 05, « Belas instalações nas muralhas
    do castelo - mobiliário de estilo » − ▥ ⛛ ⇱wc
    Ref 80/100 − ⌖ 25 − **6 qto** 155/220.

  X Alcaide, Rua Direita ☎ 952 20, ≼ vale e colinas.

OEIRAS Lisboa 𝟵𝟵𝟬 ㉑, 𝟯𝟳 ⑫ ⑰ − 14 880 h. − Praia.
Lisboa 18 − Estoril 8 − Sintra 20.

  🏦 Motel Continental, sem rest, com self-service, Estrada Marginal S : 1 km ☎ 243 11 86,
    ≼ estuário do Tejo e oceano, ⍿ − ▥ ⛛ ⑂wc ☜ ☺. ⌾
    ⌖ 20 − **140 qto.**

  🏦 **Estal. Conde d'Oeiras** ⑊, Nova Oeiras ☎ 243 43 91 − ▯▥ ⛛ ⇱wc ☜ ☺. ⌾
    fechado 2ª feira − Ref 80/110 − ⌖ 26 − **22 qto** 262/389 − P 482.

OFIR (Praia de) Braga 𝟯𝟳 ⑪ − 🏨 a 🏦 ver Fão.

OITAVOS Lisboa 𝟯𝟳 ⑫ ⑰ − XX ver Cascais.

OLHÃO Faro 𝟵𝟵𝟬 ㉒, 𝟯𝟳 ⑯ − 10 827 h. − Praia − ◎ 0089.
Ver : Campanário da Igreja ⌖★.
Lisboa 309 − Faro 8 − Huelva 95 − Lagos 88.

  🏨 Siroco ⑊, ☎ 721 93, ≼ mar, ⌾, ⍿ − ▤ rest ☺
    160 apartamentos.

  🏠 Caique, Rua Dr Oliveira Salazar 37 ☎ 721 67 − ▥ ⛛ ⇱wc ⑂wc ☜
    39 qto.

B.L.M.C. (MORRIS) Brancanes ☎ 720 71   MERCEDES Estrada Nacional-Brancanes ☎ 720 72

☞ *Frequentemente os portadores do Guia Michelin*
  têm direito a utilizar gratuitamente a garagem do hotel.
  Apresente o Guia 1975.

OLIVEIRA DO HOSPITAL Coimbra 𝟯𝟳 ④ − 2 256 h. alt. 500.
Lisboa 281 − Coimbra 82 − Guarda 88.

  na Póvoa das Quartas − na N 17 E : 7 km − ✉ ☎ Oliveira do Hospital :

  🏨 Pousada de Santa Bárbara ⑊, ☎ 522 52, ≼ vale e Serra da Estrela − ⇌ ☺
    16 qto.

OVAR Aveiro 𝟵𝟵𝟬 ⑪ ⑫, 𝟯𝟳 ⑬ − 16 004 h. − Praia − 0026.
Turismo, Edifício da Câmara, Praça da República ☎ 522 15.
Lisboa 291 − Aveiro 36 − **Porto 40.**

  na estrada do Furadouro O : 2 km − ✉ ☎ Ovar :

  X Sol e Sombra, ☎ 525 19.

  na estrada N 327 − em Torrão do Lameiro SO : 5 km − ✉ ☎ Ovar :

  XX **Vela Areínho,** ☎ 528 48, ≼ Ria de Aveiro
    fechado 5ª feira − Ref lista 126 a 164.

PEDRAS SALGADAS Vila Real 𝟵𝟵𝟬 ⑫, 𝟯𝟳 ① − alt. 575 − Termas − ◎ 0099.
Lisboa 440 − Braga 109 − Vila Real 34.

  🏦 Avelames ⑊, no parque ☎ 422 55, Num grande parque ⍿ − ▯▥ ⛛ ⇱wc ☺
    temp. − **132 qto.**

B.L.M.C. (AUSTIN) Rua Henrique Maia 2 ☎ 441 74

PENACOVA Coimbra 𝟵𝟵𝟬 ⑫, 𝟯𝟳 ④⑭ − 3 914 h. alt. 240 − ◎ 0039.
Lisboa 222 − Coimbra 23 − Viseu 66.

  ⚲ Avenida ⑊, Av. Abel Rodrigues da Costa ✉ Penacova ☎ 471 42 Coimbra, ≼ vale e mon-
    tanha − ⛛ ⑂wc ⇌
    19 qto.

PENHAS DA SAÚDE Castelo Branco 𝟯𝟳 ④ − 🏨, 🏠 ver Covilhã.

PENICHE Leiria 990 ⑳, 37 ⑮ ⑯ − 12 496 h. − Praia − 0012.

Ver : O porto*. **Arred. :** Remédios (azulejos*, ⩤*) O : 3 km − Cabo Carvoeiro* (⩤*) O : 5 km − − Ilha Berlenga** (local*, ⩤ *) 1 h de barco.

⟺ para a Ilha Berlenga : Viamar, no porto de Peniche.

Turismo, Jardim Municipal, Rua Alexandre Herculano ☎ 992 71 e no Parque de Campismo, Estrada Nacional ☎ 995 29.

Lisboa 92 − Leiria 89 − Santarém 79.

🏛 Félita, sem rest, Largo Professor Francisco Freire ☎ 991 90 − 🍴 🛏wc 🛁wc
21 qto.

🍴 Gaivota, 1º andar, Largo da Ribeira ☎ 992 02.

   no Cabo Carvoeiro O : 5 km − ✉ ☎ Peniche :

🍴🍴 **Nau dos Corvos,** ☎ 994 10, « Num promontório rochoso com ⩤ oceano e Ilha Berlenga »
   fechado 2ª feira − Ref lista 95 a 140.

B.L.M.C. (AUSTIN) Av. Dr Oliveira Salazar ☎ 992 33   PEUGEOT Rua António da Conceição Bento 34
CHRYSLER-SIMCA Rua Alexandre Herculano 64
☎ 994 40

PÊRA Faro 37 ⑳ − 1 421 h. alt. 25.

Lisboa 310 − Faro 43 − Lagos 38.

🍴🍴 Estal. São Jorge, com qto, Estrada N 125 ✉ Pêra ☎ 552 04 Alcantarilha − 🎬 🍴 🛏wc
🛁wc ☕ 🅿
14 qto.

PESO Viana do Castelo 37 ⑪ − 🏛 ver Melgaço.

PINHÃO Vila Real 37 ② − 847 h. alt. 120.

Lisboa 396 − Vila Real 30 − Viseu 100.

🏛 Douro, Largo da Estação ☎ 424 04 − **11 qto.**

PORTALEGRE Ⓟ 990 ⑳, 37 ⑥ − 13 143 h. alt. 477.

Arred. : Flor da Rosa (Antigo Convento* : igreja*) O : 23 km.

Turismo, Rua 19 de Junho ☎ 62.

Lisboa 217 − Badajoz 76 − Cáceres 137 − Mérida 136 − Setúbal 193.

🏨 **D. João III** Ⓜ, av. da Liberdade ☎ 11 37
   Ref 105 − 🍽 26 − **56 qto** 190/270 − P 360.

🏛 Pensão Nova, Rua 31 de Janeiro 28 ☎ 705 − 🍴 🛏wc 🛁wc ☕
15 qto.

🍴🍴 O Tarro, Av. Dr Fernandes Carvalho ☎ 728 − 🍴.

   na estrada da Serra de São Mamede NE : 4 km − ✉ ☎ Portalegre :

🏛 Estal. Quinta da Saúde 🌿 ☎ 346, ⩤ montanhas e vale − 🎬 🍴 🛏wc ☕ 🅿
11 qto.

B.L.M.C. (AUSTIN) Rua 1º de Maio 35   FORD Boavista ☎ 11 09
CHRYSLER-SIMCA Parque Miguel Bombarda 10   FORD Av. Garcia da Horta 1 ☎ 48
☎ 10 82   FORD Rua Tablado ☎ 48
CITROEN Av. General Lacerda Machado ☎ 321   MERCEDES Av. Fernandes Carvalho
DATSUN Rua Guilherme G. Fernandes 22 ☎ 874   PEUGEOT Rua Luís de Camões ☎ 221 17
FIAT Estrada da Penha ☎ 458   TOYOTA Largo da Boa Vista
FORD Rua 1º de Maio 94 ☎ 167

PORTIMÃO Faro 990 ③, 37 ⑳ − 18 205 h. − Praia − ⊙ 0082.

Ver : ⩤* da ponte sobre o rio Arade Z. **Arred. :** Praia da Rocha* (miradouro*).

🏌 Golf Club Penina por ③ : 5 km ☎ 220 51.

Turismo, Largo 1º de Dezembro ☎ 236 95 e 220 65 e Edifício Santa Catarina, Av. Marginal, Praia da Rocha ☎ 222 90.

Lisboa 290 ③ − Faro 62 ② − Lagos 18 ⑤.

                            Plano página seguinte

🏨 **Globo,** Rua 5 de Outubro 26 ☎ 221 51, ⩤ cidade, rio e campo − 🍴 rest. 🍴 rest   X a
   Ref 110 − 🍽 26 − **68 qto** 200/285 − P 327/385.

🏨 **Nelinanda** sem rest, Rua Vicente Vaz das Vacas 22 ☎ 231 56 − 🛗 🎬 🍴 🛏wc 🛁wc ☕
   🍽 17 − **32 qto** 175/250.   X d

🏨 **Pimenta** sem rest, Rua Dr Ernesto Cabrita 7 ☎ 232 03 − 🎬 🍴 🛏wc ☕. 🍴   X f
   🍽 20 − **32 qto** 120/200.

🏛 Miradoiro, sem rest, Rua Machado Santos 13 ☎ 230 11 − 🍴 🛏wc ☕   X n
25 qto.

🏛 D. Carlos I, sem rest, Rua dos Operários Conserveiros 2 ☎ 231 09 − 🍴 🛏wc ☕ ⟺   Y g
20 qto.

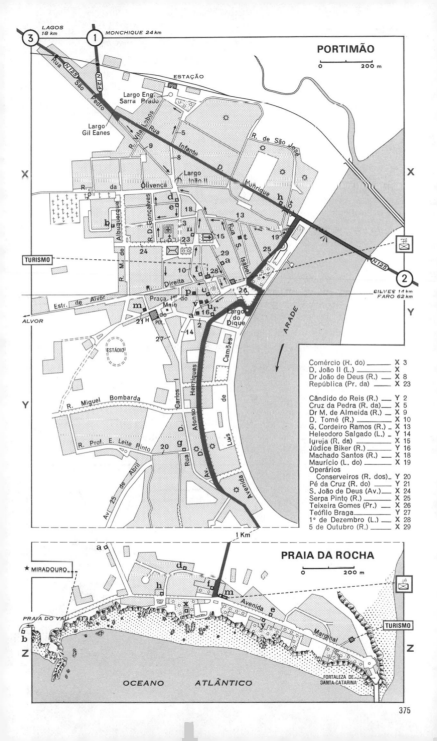

PORTIMÃO

0 _____ 200 m

LAGOS 18 km
MONCHIQUE 24 km

ESTAÇÃO
Largo Eng. Sarra Prado
Largo Gil Eanes
Largo João II
R. de São José

TURISMO

Estr. de Alvor
ALVOR
Praça 1º de Main
ESTÁDIO
Largo do Dique
ARADE

SILVES 14 km
FARO 62 km

R. Miguel Bombarda
R. Prof. E. Leite Pinto

Comércio (R. do)	X 3
D. João II (L.)	X
Dr João de Deus (R.)	X 8
República (Pr. da)	X 23

Cândido do Reis (R.)	Y 2
Cruz da Pedra (R. da)	X 5
Dr M. de Almeida (R.)	X 9
D. Tomé (R.)	X 10
G. Cordeiro Ramos (R.)	X 13
Heleodoro Salgado (L.)	Y 14
Igreja (R. da)	X 15
Júdice Biker (R.)	Y 16
Machado Santos (R.)	X 18
Maurício (L. do)	X 19
Operários Conserveiros (R. dos)	Y 20
Pé da Cruz (R. do)	Y 21
S. João de Deus (Av.)	X 24
Serpa Pinto (R.)	X 25
Teixeira Gomes (Pr.)	X 26
Teófilo Braga	Y 27
1º de Dezembro (L.)	X 28
5 de Outubro (R.)	X 29

1 Km

PRAIA DA ROCHA

0 _____ 200 m

MIRADOURO
PRAIA DO VAU
Avenida
Marginal
TURISMO

OCEANO ATLÂNTICO
FORTALEZA DE SANTA CATARINA

PORTIMÃO

🏠 Mira Fóia, Rua Vicente Vaz das Vacas 33 ☏ 220 11 – 🛗 🎬 🍴➜wc 🅿   **X e**
     25 qto.

🏠 Afonso III, sem rest, Rua do Ultramar Português 1 ☏ 242 82 – 🎬 ➜wc 🍴wc   **X b**
     30 qto.

🏠 **Central** sem rest, Largo 1° de Dezembro 20 ☏ 220 61 – 🎬 ➜wc 🍴wc 🅿   **XY c**
     🛏 15 – **19 qto** 150/220.

🏠 **Do Rio** sem rest, Largo do Dique 20 ☏ 230 41 – 🎬 🍴wc 🅿   **Y r**
     🛏 15 – **11 qto** 150/220.

🏠 **Caracol** sem rest, Rua Infante D. Henrique 38 ☏ 242 81 – 🎬 🍴wc. 🎿   **X h**
     fechado 15 Dezembro a 15 Janeiro – 🛏 12.5 – **9 qto** 73/175.

XXX Sete Mares, Rua Júdice Bicker 10 ☏ 243 01 – ▤   **Y u**
     temp.

XXX A Feitoria, Rua Padre Filipe 11 ☏ 241 18, « Decoração original num antigo estábulo »
     – ▤.   **X t**

XX **Alfredo's,** Rua Pé da Cruz 12 ☏ 242 89 – ▤. 🎿   **Y m**
     fechado Domingo e Novembro – Ref lista 120 a 180.

X **O Pai Paulo,** Rua Dr José Joaquim Nunes 5 ☏ 229 73, Cozinha francesa, decoração
     rústica – ▤. 🎿   **XY p**
     fechado Domingo e Janeiro – Ref lista 120 a 219.

X **O Pescador,** Rua Dr José Joaquim Nunes 6 ☏ 242 99   **Y v**
     fechado Domingo e de 20 Dezembro a 5 Janeiro – Ref lista 66 a 139.

X Cascata, Rua Cândido Reis 14 ☏ 229 38.   **Y a**

na Praia da Rocha S : 2,3 km – ✉ Praia da Rocha ☏ Portimão :

🏨🏨 **Algarve** Ⓜ 🌊, ☏ 240 09, Telex 18247, ≼ praia, 🏊 climatizada – ▤ 🅿. 🎿 rest   **z y**
     Ref 180 – 🛏 45 – **171 qto** 670/950 – P 780/975.

🏨 **Júpiter,** Av. Tomás Cabreira ☏ 220 41, Telex 18246, ≼ estuário do rio e mar, 🏊 climati-
     zada – ▤ rest 🚗 🅿. 🎿   **Z f**
     Ref 140 – 🛏 35 – **144 qto** 215/385 – P 443/480.

🏨 **Tarik** 🌊 sem rest, ☏ 221 61, ≼ mar e interior da região – 🅿. 🎿   **Z a**
     🛏 22 – **150 qto** 380.

🏨 **Da Rocha,** Av. Tomás Cabreira, ☏ 240 81, Telex 18287, ≼ estuário do rio e mar – ▤ rest. 🎿
     Ref 120 – 🛏 30 – **73 qto** 260/370 – P 463/483.   **Z m**

🏨 **Bela Vista,** Av. Tomás Cabreira ☏ 240 55, ≼ rochedos e mar, Decoração clássica portu-
     guesa – 🛗 🎬 ➜wc 🍴wc 🅿. 🎿 rest   **Z x**
     Ref 135 – 🛏 35 – **27 qto** 230/370 – P 425/485.

🏨 **Mira Sol** 🌊, Rua N° 2 ☏ 240 46, Telex 18287 – 🎬 ➜wc. 🎿   **Z d**
     fechado 15 Novembro a 15 Dezembro – Ref 120 – 🛏 25 – **37 qto** 270/310 – P 340/410.

🏨 **Alcalá,** Av. Tomás Cabreira ☏ 240 62 – 🎬 ➜wc 🅿 🅿. 🎿 rest   **Z e**
     Ref 120 – 🛏 25 – **20 qto** 245/420 – P 410/445.

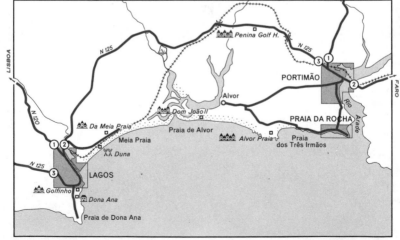

🏛 Albergaria 3 Castelos 🦢, estrada da Praia do Vau ☎ 240 87 – ▥ 🖼 🛏wc ☜ ❷   z b
10 qto.

🏛 **Sol,** Av. Tomás Cabreira ☎ 240 71 – 🖼 🛏wc ▥wc ❷   z h
Ref 65 – ☲ 15 – **37 qto** 145/205 – P 213/255.

na Praia dos Três Irmãos por ③ : 4,5 km – ✉ Alvor ☎ Portimão :

🏨 **Alvor Praia** Ⓜ 🦢, ☎ 240 21, Telex 18299, ≤ praia e baía de Lagos, ℀, ⊐ climatizada –
▤ ❷. 🔏. ℀
Ref 170 – ☲ 40 – **237 qto** 735/1 080 – P 830.

na Praia de Alvor por ③ : 5 km – ✉ Alvor ☎ Portimão :

🏨 **Dom João II,** ☎ 321 35, Telex 18121, ≤ praia e baía de Lagos, ℀, ⊐ climatizada, ⚓ – ▤
❷. 🔏. ℀
Ref 125 – ☲ 32 – **215 qto** 410 – P 487.

na estrada N 125 por ③ : 5 km – ✉ Penina ☎ Portimão :

🏨 **Penina Golf H.** Ⓜ, ☎ 220 51, Telex 18207, ≤ golfe e campo, ℀, ⊐ climatizada, ▮₁₈, ▮₉,
⚓ – ▤ ❷. 🔏. ℀ rest
Ref 170 – ☲ 40 – **204 qto** 537/558 – P 515/804.

B.L.M.C. (MORRIS) Av. N° 2, Zona do Porto ☎ 231 26
CHRYSLER-SIMCA Quinta do Amparo, lote 43
CITROEN Av. Infante D. Henrique ☎ 222 28
DATSUN Av. N° 2 ☎ 241 24
FIAT Estrada de Ferragudo, Parchal
FORD Rua Serpa Pinto 11 ☎ 221 07

G.M. (OPEL, VAUXHALL) Rua D. Carlos I ☎ 230 83
MERCEDES Av. N° 2, Zona do Dique ☎ 231 21
TOYOTA Av. Afonso Henriques
RENAULT Avenida 3
VOLKSWAGEN Av. D. Afonso Henriques ☎ 222 28

PORTINHO DA ARRÁBIDA Setúbal 🖼 ⑰ – Praia.

Ver : Localidade*.

Lisboa 43 – Setúbal 13.

🏛 **Estal. de Santa Maria** 🦢, ✉ ☎ 208 05 27 Azeitão, ≤ mar – 🖼 🛏wc. ℀
Abril-Outubro – Ref 120 – ☲ 20 – **33 qto** 190/260 – P 330/380.

PORTO ℗ 🔢 ⑪ ⑫, 🖼 ⑫ – 310 437 h. alt. 90 – ☯ 02.

Ver : A vista* – As pontes* (Ponte da Arrábida*) BX – Igreja de São Francisco* (interior**) –
Catedral (capela*) – Palácio da Bolsa (salão árabe*) – Igreja dos Clérigos (⁎*) – Museu
Soares dos Reis (primitivos*, obras de Soares dos Reis*) Igreja de Santa Clara (talha*) BZ A
– Antigo Convento de Na. Sra. da Serra do Pilar (claustro*) CX F.

Arred. : Leça do Balio (Igreja do Mosteiro* : pia baptismal*) 8 km por ②.

▮₁₈ Oporto Golf Club por ⑥ : 17 km ☎ 92 90 08 Espinho – ▮₉ Club Golf Miramar por ⑥ : 9 km
☎ 96 10 67 Miramar.

✈ do Porto-Pedras Rubras 17 km por ① – T.A.P., Praça D. Filipa de Lencastre ☎ 283 71.

🚂 ☎ 86 41 81 em Lisboa.

Turismo, Praça do Município ☎ 298 71 e Praça D. João I - 43 ☎ 375 14 – **A.C.P.**, Rua Gonçalo Cristóvão 2
☎ 292 71.

Lisboa 315 ⑥ – La Coruña 294 ② – Madrid 602 ⑥.

Planos páginas seguintes

🏨 **Infante de Sagres,** Praça D. Filipa de Lencastre 62 ☎ 281 01, Telex 22378 – ℀ rest
Ref 170 – ☲ 37 – **84 qto** 370/525 – P 547.   BZ b

🏨 **Castor,** Rua das Doze Casas 17 ☎ 286 91, Telex 22793, « Bela decoração de estilo »
– ▤. ℀   CY g
Ref 125/175 – ☲ 32 – **63 qto** 322/474.

🏨 **Grande H. da Batalha,** Praça da Batalha 116 ☎ 205 71, ≤ cidade – ▤ rest. 🔏. ℀ rest
Ref 140/228 – ☲ 30 – **147 qto** 290/410 – P 520.   BZ f

🏨 **Dom Henrique** Ⓜ, Rua Guedes de Azevedo 179 ☎ 257 55, Telex 22554 – ▤ rest. ℀
Ref *(fechado Domingo)* lista 205 a 400 – ☲ 31 – **102 qto** 301/612.   CY b

🏨 **Grande H. do Porto,** Rua de Santa Catarina 197 ☎ 281 76 – ▤ rest   CZ q
100 qto.

🏛 Albergaria São José, sem rest, Rua da Alegria 172 ☎ 38 02 61 – ▯ ▥ 🖼 🛏wc ▥wc ☜
☜. 🔏   CY a
43 qto.

🏛 **Albergaria Corcel** sem rest, Rua de Camões 135 ☎ 38 02 68 – ▯ ▥ 🖼 🛏wc ☜ ℀
☲ 20 – **30 qto** 245/350.   BY v

🏛 Miradouro, sem rest, Rua da Alegria 598 ☎ 278 61, ≤ Porto e arredores – ▯ ▥ 🖼 🛏wc
☜ ❷   CY d
30 qto.

🏛 **Albergaria São Jorge,** 5° andar, sem rest, Rua do Bolhão 85 ☎ 268 44 – ▯ ▥ 🖼 🛏wc
☜. ℀   CY n
☲ 22 – **20 qto** 250/300.

cont. →
377

PORTO
AGLOMERAÇÃO

0 ⊢————⊣ 1 km

🏨 Do Vice-Rei, sem rest, Rua Júlio Dinis 779 🕿 601 24, Telex 2751 – 🖕 🎢 🕾 🛏wc 🛁wc 🕾
26 qto.   BX **c**

🏨 São João, 4º andar, sem rest, con snack-bar, Rua do Bonjardim 120 🕿 216 62 – 🎢 🖕
🛏wc 🛁wc 🕾
14 qto.   BZ **r**

🏨 Nave, Av. Fernão de Magalhães 247 🕿 561 31 – 🖕 🎢 🕾 🛏wc 🕾 ⟺
48 qto.   CY **m**

🏨 Tuela, Rua do Arquitecto Marques da Silva 180 🕿 671 61 – 🖕 🎢 🕾 🛏wc 🛁wc 🕾
43 qto.   BX **f**

🏠 **Malaposta** sem rest, Rua da Conceição 80 🕿 262 78 – 🖕 🎢 🛏wc 🕾. 🎇
⌂ 20 – **37 qto** 180/255.   BY **e**

🏠 Girassol, Rua Sá da Bandeira 133 🕿 218 91 – 🖕 🎢 🕾 🛏wc 🕾
18 qto.   BZ **r**

🏠 **Pão de Açúcar** sem rest, Rua do Almada 262 🕿 224 25 – 🖕 🎢 🕾 🛏wc 🕾. 🎇
⌂ 11 – **40 qto** 140/200.   BY **s**

🏠 Solar São Gabriel, sem rest, Rua da Alegria 98 🕿 299 47 – 🖕 🎢 🕾 🛏wc 🛁wc 🕾 ⟺
28 qto.   CZ **k**

🏠 **De Paris,** Rua da Fábrica 27 🕿 210 95 – 🖕 🎢 🕾 🛏wc 🕾. 🎇 rest
Ref 85 – ⌂ 14 – **41 qto** 115/235 – P 269/299.   BZ **c**

🏠 Peninsular, Rua Sá da Bandeira 21 🕿 230 12 – 🖕 🎢 🕾 🛏wc 🛁wc 🕾
60 qto.   BZ **e**

🏠 **Escondidinho** sem rest, Rua Passos Manuel 135 🕿 240 79 – 🖕 🎢 🕾 🛏wc 🕾. 🎇
⌂ 14 – **22 qto** 154/220.   CZ **w**

XXX 🕸 Portucale, 13º andar, Rua da Alegria 598 🕿 278 61, ≼ Porto e arredores – 🍴 🅿   CY **d**
    Espec. Lombas de pescada à moda do chefe, Bacalhau à pescador, Cabritinho à serrana com arroz de forno.

XXX **Orfeu,** Rua de Júlio Dinis 928 🕿 643 22 – 🍴   BX **a**
    Ref lista 165 a 235.

XX Escondidinho, Rua Passos Manuel 142 🕿 210 79, Decoração rústica.   CZ **n**

XX Chinês, Av. Vimara Peres 38 🕿 289 15, Rest. chinês.   BZ **y**

XX **Mesa Antiga,** Rua de Santo Ildefonso 208 🕿 264 32 – 🍴   CZ **x**
    Ref *(fechado 2ª feira)* lista 105 a 225.

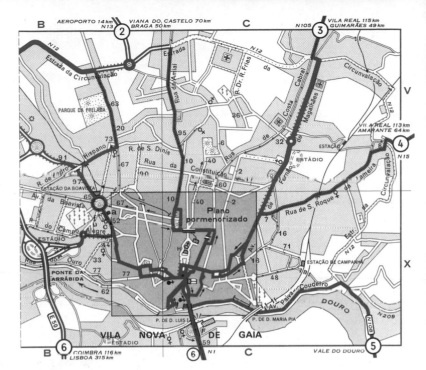

✗	3 Irmãos, Rua do Bonjardim 99 ☏ 213 23.	BZ r
✗	**Palmeira,** Rua Ateneu Comercial do Porto 36 ☏ 31 56 01 – 🍽. ⧓ *fechado 5ª feira* – Ref lista 105 a 150.	BZ t
✗	**Abadia,** Rua Ateneu Comercial do Porto 22 ☏ 287 57 – ⧓ Ref lista 97 a 132.	BZ t
✗	Tripeiro, Rua Passos Manuel 195 ☏ 258 86.	CZ w
✗	Aquário, Rua Rodrigues Sampaio 105 ☏ 222 31.	BY a
✗	**Taverna do Bebobos,** Cais da Ribeira 24 ☏ 335 65, Rest. típico *fechado Domingo* – Ref lista 105 a 162.	BZ x

na Foz do Douro – ⊠ ☏ Porto :

🏠	Boa-Vista e Grill a Cela, Esplanada do Castelo 58 ☏ 68 00 83 – 🎞 ☞ 🛏wc ☎ **22 qto.**	AX s
XXX	**Varanda da Barra,** Rua Paulo da Gama 470 ☏ 68 50 06, ⬅ rio Douro e mar – ⧓ *fechado 4ª feira* – Ref lista 140 a 210.	AX a

em Matosinhos NO : 8,5 km – ⊠ ☏ Matosinhos :

XX	Proa, com snack-bar, Av. Dr Oliveira Salazar, Praia Moderna ☏ 93 00 22, Espec. : Peixes e mariscos.
✗	Convés, con snack-bar, Rua do Godinho 283 ☏ 93 01 72.

na estrada N 13 por ② : 10,5 km – ⊠ ☏ Leça do Balio :

XXX	**Estal. Via Norte** com qto, ☏ 948 02 94, ☊ – 🎞 🍽 rest ☞ 🛏wc ☎ 🚗 🅿. ⧓ Ref 135 – ☐ 29 – **12 qto** 335/475 – P 509/549.

em Leça da Palmeira NO : 11,5 km – ⊠ ☏ Leça da Palmeira :

XX	**Garrafão,** Rua António Nobre 53 ☏ 995 16 60, Espec. : Peixes e mariscos – 🍽. ⧓ *fechado Domingo* – Ref lista 115 a 215.

em Guardeiras por ② : 12 km – ⊠ ☏ Moreira :

✗	**Estal. Lidador** com qto, na estrada N 13 ☏ 948 11 09 – 🎞 ☞ 🛏wc ☎ 🅿. ⧓ Ref 80/120 – ☐ 17.5 – **7 qto** 140/180 – P 260/300.

cont. →

PORTO
CENTRO

0   200 m

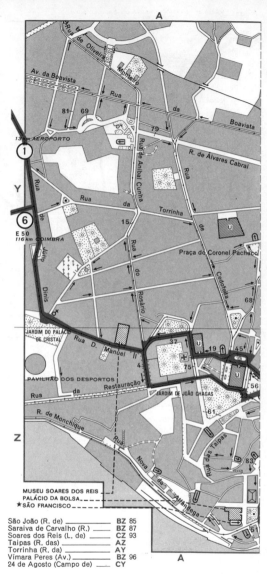

no farol de Leça da Palmeira NO : 13 km – ✉ ☏ Leça da Palmeira :

XX **Boa Nova**, ☏ 995 17 85, ≤ rochedos e mar – **P**. ✗
Ref !ista 170 aprox.

em Castelo da Maia por ② : 14 km – ✉ ☏ Castelo da Maia :

X Estal. do Galo, com qto, na estrada N 14 - S : 1 km, ☏ 99 10 40 – ▥ ☞ ⇔wc **P** – **5 qto.**

MICHELIN, Rua Delfim Ferreira 474 (AV) ☏ 678 42.

B.L.M.C. (AUSTIN) Rua do Heroismo 333 ☏ 531 79
B.L.M.C. (MORRIS) Rua Costa Cabral 954 ☏ 49 50 45
B.L.M.C. (MORRIS) Via Rápida ☏ 641 65
B.M.W. Rua Manuel Pinto de Azevedo 510
CHRYSLER-SIMCA Rua Fernandes Tomás 71 ☏ 500 08

CHRYSLER-SIMCA Av. da Boavista 1210 ☏ 69 13 82
CHRYSLER-SIMCA Av. Fernão de Magalhães 981 ☏ 430 56
CITROEN Travessa Anselmo Braancamp 40 ☏ 554 05

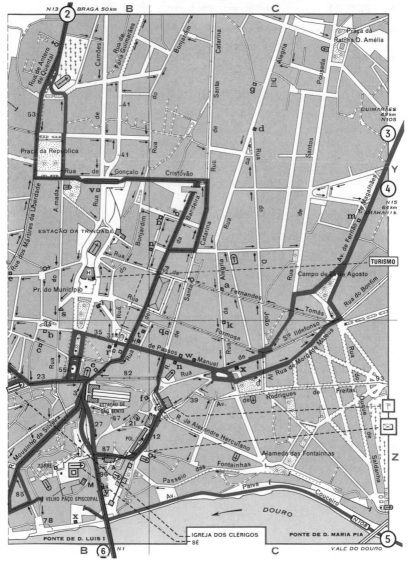

CITROEN Rua Aval de Cima 233 ℡ 48 51 85
CITROEN Rua Cunha Júnior 128 ℡ 48 01 56
CITROEN Rua do Campo Alegre 620 ℡ 620 17
DATSUN Rua Dr Alves da Veiga 95 ℡ 56 00 15
FIAT Rua de Santa Catarina 1232 ℡ 481 23
FIAT Rua Faria Guimarães 883 ℡ 430 11
FIAT Rua Latino Coelho 89 ℡ 450 63
FORD Av. dos Aliados 157 ℡ 245 84
FORD Rua Faria Guimarães 732 ℡ 49 45 56
G.M. (OPEL, VAUXHALL) Rua da Alegria 853 ℡ 485 011
G.M. (OPEL, VAUXHALL) Rua Visconde de Setúbal 66 ℡ 422 23
G.M. (OPEL, VAUXHALL) Av. F. de Magalhães 412
G.M. (OPEL, VAUXHALL) Av. Camilo 150 ℡ 547 33

G.M. (OPEL, VAUXHALL) Rua Manuel Pinto de Azevedo 574 ℡ 630 66
G.M. (OPEL, VAUXHALL) Rua Clemente Meneres 76 ℡ 290 93
MERCEDES Av. Marechal Carmona, Via Rápida ℡ 641 65
PEUGEOT Rua Delfim Ferreira 230 ℡ 326 31
RENAULT Rua do Breiner 106 ℡ 227 13
RENAULT Rua Duque de Loulé 186 ℡ 375 11
RENAULT Rua Serpa Pinto 137 ℡ 48 60 74
TOYOTA Rua Delfim Ferreira 462 ℡ 69 05 72
TOYOTA Rua Brito Capelo 779, Matosinhos ℡ 93 12 05
VOLKSWAGEN Av. dos Aliados 77 ℡ 250 87

☞ *Utilize o Guia do ano corrente.*

PORTO MONIZ Madeira – ✕ ver Madeira (Ilha da).

PÓVOA DAS QUARTAS Coimbra – 🏨 ver Oliveira do Hospital.

PÓVOA DE VARZIM Porto 990 ⑪, 87 ⑫ – 21 165 h. – Praia – ✪ 0022.
Ver : Porto de pesca*. **Arred. :** Rio Mau : Igreja de S. Cristóvão (capitéis*) O : 12 km.
Turismo, Av. Mouzinho de Albuquerque 🕿 646 09.
Lisboa 345 – Braga 40 – **Porto 30.**

  🏨 Grande Hotel, Passeio Alegre 🕿 620 61, ≤ mar – 🛗 📶 ☺ 🛏wc 🛁wc 🕿
     106 qto.

  ✕ Esplanada, na estrada N 13 N : 1 km 🕿 628 67 – 🅿.

  na estrada N 13 – em A Ver o Mar N : 3,5 km – ✉ A Ver o Mar 🕿 Famalicão :

  ✕✕ Estal. Santo André 🦢, com qto, 🕿 641 81, ≤ praia e mar – 📶 ☺ 🛏wc 🕿 🅿
     9 qto.

FIAT Praça do Almada 9-A 🕿 642 52
FORD Praça Marquês de Pombal 122 🕿 620 51
RENAULT Rua Tenente Valadim 13

RENAULT Estrada Nacional
TOYOTA Rua Sacra Familia 🕿 642 88
VOLKSWAGEN Rua Sacra Família 🕿 644 10

PRAIA DA AREIA BRANCA Lisboa 87 ⑯ – 🏠 ver Lourinhã.

PRAIA DA OURA Faro – ✕✕✕ ver Albufeira.

PRAIA DA ROCHA Faro 990 ㉛, 87 ⑳ – 🏨🏨 a 🏠 ver Portimão.

PRAIA DA SALEMA Faro 87 ⑳ – 🏨 ver Budens.

PRAIA DE DONA ANA Faro 87 ⑳ – 🏨, 🏠 ver Lagos.

PRAIA DE SANTA CRUZ Lisboa 990 ⑳, 87 ⑯ – ✪ 0011.
Lisboa 69 – Santarém 88 – Sintra 51.

  🏨 Estal. Santa Cruz, Rua José Pedro Lopes 🕿 901 08, ≤ mar – 🛗 📶 ☺ 🛏wc 🛁wc 🅿
     32 qto.

  ✕ Mar Lindo, 1º andar, com qto, 🕿 972 06, ≤ oceano – ☺ 🛏wc
     temp. – **7 qto.**

PRAIA DO MARTINHAL Faro – 🏨 ver Sagres.

PRAIA DO PORTO NOVO Lisboa 87 ⑯ – 🏨 ver Vimeiro (Termas do).

PRAIA DOS TRÊS IRMÃOS Faro 87 ⑳ – 🏨🏨 ver Portimão.

PRAIA MARIA LUÍSA Faro – 🏨🏨 ver Albufeira.

QUARTEIRA Faro 990 ㉛, 87 ⑳ – 3 263 h. – Praia.
🏌 Club Golf de Vilamoura NO : 6 km 🕿 652 75 Quarteira.
Turismo, Rua Vasco da Gama 94 🕿 652 17.
Lisboa 308 – Faro 22.

  em Vilamoura NO : 6 km – ✉ Boliqueime 🕿 Quarteira :

  🏨 **Motel Vilamoura** 🦢, 🕿 653 21, « Relvado repousante com ⛟ », ✁✁, 🏌 – 🅿. ✁
     Ref 120 – ⚏ 32 – **52 qto** 220/320 – P 410/475.

  ✕✕ Estal. da Cegonha 🦢, com qto, 🕿 662 71, « Belas instalações numa antiga adega », ✁ –
     📶 ☺ 🛏wc 🕿 – **8 qto.**

QUELUZ Lisboa 990 ⑳, 87 ⑫ e ⑰ – 28 862 h. alt. 125.
Ver : Palácio Real* (sala do trono*) – Jardins do Palácio* (escada dos Leões*).
Lisboa 12 – Sintra 15.

  ✕✕✕✕ Cozinha Velha, Palácio Nacional, ✉ Queluz 🕿 95 07 40 Lisboa, « Restaurante de luxo
     instalado nas antigas cozinhas do palácio »

TOYOTA Rua D. Pedro IV nº 35-A 🕿 95 18 63

VOLKSWAGEN Rua dos Combatentes da Grande
Guerra 2 🕿 95 39 68

QUINTANILHA Bragança 990 ⑬, 87 ⑬ – Ver alfândegas p. 14 e 15.

Non viaggiate oggi con una carta stradale di ieri.

RIBA DE AVE Braga 🛐 ⑫ − 2 796 h.

Lisboa 358 − Braga 37 − Guimarães 15.

XX Estal. São Pedro, com qto, Av. da Fábrica ☎ 933 38 − 📖 🍽 🛏wc
   9 qto.

RIO DE MOURO Lisboa 🛐 ⑫ e ⑰ − 10 406 h.

Lisboa 21 − Sintra 7.

   na estrada de Sintra :

X Estal. Gruta do Rio, com qto, Av. Gago Coutinho 1 ☎ 296 05 35 − 📖 🍽 🛏wc 🕮 ❷
   8 qto.

SABUGO Lisboa 🛐 ⑫ e ⑰ − alt. 225.

Lisboa 22 − Sintra 12.

   em Vale de Lobos SE : 1 km − ⊠ ☎ Sabugo :

🏨 Vale de Lobos 🖎, ☎ 29 28 43, « Grande Jardim com 🔺 »   📖 🍽 🛏wc 🕮 ❷
   32 qto.

SAGRES Faro 🖽 ⑳, 🛐 ⑳ − 1 197 h. − Praia − ❂ 0082.

Arred. : Ponta de Sagres* (local**, ⩽*) SO : 1,5 km − Cabo de São Vicente** (⩽*) NO : 6 km.

Turismo, ☎ 641 25.

Lisboa 286 − Faro 113 − Lagos 33.

🏨 **Baleeira** 🖎, ☎ 642 12, Telex 18267, ⩽ falésias e mar, 🔺 − ❷. 🍽 rest
   Ref 105 − 🖵 26 − **108 qto** 295/360 − P 360/475.

🏢 Dom Henrique e Rest. Promontório 🖎, Sítio da Mareta ☎ 641 33, ⩽ falésias e mar −
   📖 🍽 🛏wc ❷
   22 qto.

XX Pousada do Infante 🖎, com qto, ☎ 642 22, ⩽ falésias e mar − 📖 🍴 🍽 🛏wc 🕮 🚗 ❷
   15 qto.

   na Praia do Martinhal NE : 3,5 km − ⊠ ☎ Sagres :

🏨 Motel Gambozinos 🖎 ☎ 641 08, ⩽ praia, falésias e mar, « Terraços com flores » − 📖 🍽
   🛏wc 🕮 ❷
   17 qto.

   na estrada do Cabo S. Vicente NO : 5 km − ⊠ ☎ Sagres :

X **Fortaleza do Beliche** 🖎 com qto, ☎ 641 24, « Instalado numa fortaleza sobre uma falésia dominando o mar » − 📖 🍽 🛏wc ❷. 🍽 qto
   Ref 80 − 🖵 20 − **4 qto** 125/395.

SANTA CLARA-A-VELHA Beja 🛐 ⑲ − 2 570 h. alt. 50.

Lisboa 231 − Beja 100 − Faro 112.

   na Barragem de Santa Clara SE : 5 km − ⊠ Santa Clara-a-Velha ☎ Sabóia :

XX **Pousada de Santa Clara** 🖎 com qto, ☎ 522 50, ⩽ lago artificial e montanhas, « Parque
   com árvores » − 📖 🍽 🛏wc 🛏wc ❷
   Ref 80/100 − 🖵 25 − **6 qto** 155/220 − P 295/340.

SANTA LUZIA Coimbra 🛐 ⑭ − 🏢 ver Coimbra.

SANTA LUZIA Viana do Castelo 🛐 ⑪ − 🏨 ver Viana do Castelo.

SANTARÉM 🅿 🖽 ⑳, 🛐 ⑮ − 20 030 h. alt. 103 − ❂ 0043.

Ver : Miradouro de São Bento ⁂* − Igreja de São João de Alporão (museu arqueológico*) −
Igreja da Graça (nave*). **Arred. :** Alpiarça : Museu (tapeçarias*, faianças e porcelanas*) 10 km
por ②.

Turismo, Rua Capelo Ivens 63 ☎ 231 40, Estação dos Caminhos de Ferro ☎ 231 00 e Portas do Sol ☎ 231 41.

Lisboa 77 ③ − Évora 115 ② − Faro 301 ② − Portalegre 140 ② − Setúbal 120 ③.

Plano página seguinte

🏢 Abidis, Rua Guilherme de Azevedo 4 ☎ 220 17, Decoração regional − 🍽 🛏wc 🕮
   28 qto.   AB **f**

🏠 **Muralha** sem rest, Rua Pedro Canavarro 12 ☎ 223 99 − 🍽 🕮. 🍽   A **b**
   🖵 12 − **10 qto** 75/140.

🏠 Central, sem rest, Rua Guilherme de Azevedo 22 ☎ 220 28 − 🍽   A **t**
   30 qto.

XX **Ribatejano**, 1º andar, Av. do Brasil 43 ☎ 225 50 − 🍴   A **c**
   fechado 2ª feira − Ref lista 90 a 125.

X Caravana, Travessa dos Fróis 24 ☎ 225 68.   A **a**

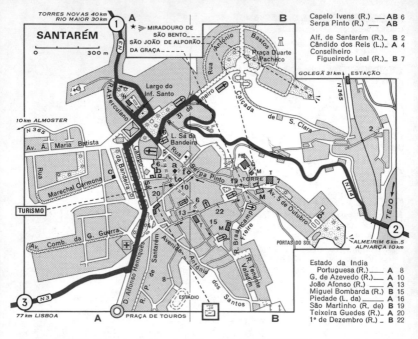

SANTARÉM map

A

TORRES NOVAS 40km
RIO MAIOR 30km

★ ⇒ MIRADOURO DE
SÃO BENTO
SÃO JOÃO DE ALPORÃO
DA GRAÇA

Largo do
Inf. Santo

L. Sá da
Bandeira

TURISMO

10km ALMOSTER

Av. A. Maria Batista

Marechal Carmona

Av. Comb. da G. Guerra

N 3

77 km LISBOA

A PRAÇA DE TOUROS

B

Capelo Ivens (R.) ___ **AB** 6
Serpa Pinto (R.) ___ **AB**

Alf. de Santarém (R.)_ **B** 2
Cândido dos Reis (L.)_ **A** 4
Conselheiro
Figueiredo Leal (R.)_ **B** 7

GOLEGÃ 31 km ESTAÇÃO

ALMEIRIM 6 km,5
ALPIARÇA 10 km

Estado da India
Portuguesa (R.) ___ **A** 8
G. de Azevedo (R.)___ **A** 10
João Afonso (R.) ___ **A** 13
Miguel Bombarda (R.) **B** 15
Piedade (L. da) ___ **A** 16
São Martinho (R. de) **B** 19
Teixeira Guedes (R.)_ **A** 20
1° de Dezembro (R.) _ **B** 22

B.L.M.C. (AUSTIN) Portela das Padeiras ☎ 240 51
B.L.M.C. (MORRIS), MERCEDES Rua Pedro de Santarém 141 ☎ 227 91
B.M.W. Av. D. Afonso Henriques 63 ☎ 220 77
CHRYSLER-SIMCA Av. do Brasil ☎ 220 12
CITROEN Rua Alexandre Herculano 11 ☎ 231 15
DATSUN Rua Luís Matoso 37 ☎ 240 77
FIAT Largo da Piedade 8 ☎ 230 61
FORD Rua Guilherme Azevedo 33 ☎ 241 25
FORD Av. D. Afonso Henriques 4

G.M. (OPEL, VAUXHALL) Senhora da Guia ☎ 221 23
G.M. (OPEL, VAUXHALL) Av. António dos Santos 44 ☎ 221 76
PEUGEOT Rua Pedro Canavarro 31 ☎ 220 49
PEUGEOT Av. D. Afonso Henriques 53 ☎ 220 49
RENAULT Rua Duarte Pacheco Pereira 2 ☎ 220 57
TOYOTA Casal das Eirinhas ☎ 251 96
TOYOTA Rua Pedro de Santarém 135
VOLKSWAGEN Rua 31 de Janeiro 30 ☎ 226 82

SANTIAGO DO CACÉM Setúbal 990 ㉑, 37 ⑱ − 5 887 h. alt. 225 − ✪ 0017.

Ver : ≼★.

Lisboa 146 − Beja 78 − Setúbal 98.

🏛 **Esperança,** Largo Marechal Carmona 17 ☎ 221 93 − ☞ ➟wc
Ref 80/100 − ☑ 15 − **42 qto** 100/230 − P 250/280.

✗ **Pousada de Santiago** com qto, na estrada de Lisboa ☎ 224 59, ≼ campo e vila, Decoração regional − ▥ ☞ ➟wc ❷. ✾ rest
Ref lista 100 a 170 − ☑ 20 − **5 qto** 60/85.

CHRYSLER-SIMCA Av. D. Nuno Álvares Pereira ☎ 224 85
CITROEN Estrada Santo André 20

FORD Rua P. Jorge de Oliveira 12 ☎ 46
VOLKSWAGEN Av. D. Nuno Alvares Pereira ☎ 85

SANTO ESTÊVÃO Santarém 37 ⑰ − 1 417 h. − ✪ 0013.
Lisboa 55 − Santarém 70 − Setúbal 57.

na estrada N 10 S : 4 km − ⊠ ☎ Santo Estêvão :

✗ Estal. do Infantado, com qto, ☎ 941 02 − ▥ ☞ ➟wc ❷
5 qto.

SANTO TIRSO Porto 990 ②, 37 ② − 10 138 h. alt. 75 − ✪ 0022.
Turismo, Rua Domingos Moreira ☎ 529 14.

Lisboa 342 − Braga 29 − Porto 27.

✗✗ **São Rosendo,** Praça do Município 6 ⊠ Santo Tirso ☎ 530 54 Famalicão, ≼ montanhas −
✾
fechado 2ª feira − Ref lista 85 a 150.

B.L.M.C. (AUSTIN) Rua Francisco Moreira 2 ☎ 528 12
FIAT Centro Cívico de Santo Tirso 4 ☎ 528 99

TOYOTA Rua Ferreira de Lemos ☎ 523 00

SÃO GREGÓRIO Viana do Castelo 990 ②, 37 ⑪ – Ver alfândegas p. 14 e 15.

SÃO JOÃO DA MADEIRA Aveiro 990 ⑫, 37 ⑬ – 14 105 h. alt. 205 – ✿ 0026.
Lisboa 283 – Aveiro 46 – Porto 32.

🏛 **Solar São João,** Praça Luís Ribeiro 165 ☎ 226 64 – ▥ 🕾 ➦wc 🛁wc 🚗
fechado Sábado – Ref 60 – 🍽 14 – **16 qto** 140/220 – P 240.

XX **Mutamba,** 1º andar, Rua Camilo Castelo Branco 18 ☎ 236 26 – 🍴
Ref lista 126 a 164.

em Macieira de Sarnes NE : 2 km – ✉ ☎ São João da Madeira :

X **Toca do Velhinho,** Estrada N 327 🏠 227 01, Decoração rústica – 🍴
Ref lista 70 a 115.

B.L.M.C. (AUSTIN) Rua do Visconde 2288 ☎ 231 80
CHRYSLER-SIMCA Rua Oliveira Júnior ☎ 225 47
FIAT Rua do Dourado 265 ☎ 222 19

FORD Rua Oliveira Júnior 137 ☎ 230 93
RENAULT Rua Oliveira Júnior
TOYOTA Av. Combatentes do Ultramar

SÃO JOÃO DO ESTORIL Lisboa 37 ⑫ – XX ver Estoril.

SÃO LEONARDO Évora 37 ⑧ – Ver alfândegas p. 14 e 15.

SÃO MARTINHO DO PORTO Leiria 990 ②, 37 ⑤ – 1 616 h. – Praia – ✿ 0012.
Ver : ≤*.
Turismo, Av. Dr Oliveira Salazar ☎ 981 10.
Lisboa 105 – Leiria 51 – Santarém 65.

🏛 **Parque,** Av. Marechal Carmona ☎ 981 08, 🍴 – 🕾 ➦wc 🛁wc ❿
Junho-Outubro – Ref 90 – 🍽 20 – **44 qto** 150/210 – P 255/300.

🏛 Estal. Concha, Largo Vitorino Fróis ☎ 982 20 – ▥ ▤ rest 🕾 ➦wc 🛁wc 🚗
27 qto.

🏛 Carvalho, Rua Miguel Bombarda 6 ☎ 981 12 – 🕾 ➦wc 🚗
temp. – **26 qto.**

SÃO PEDRO DE MOEL Leiria 990 ⑪, 37 ⑤ – 🏛, 🏛 ver Marinha Grande.

SÃO PEDRO DE SINTRA Lisboa 37 ⑫ ⑰ – XXX, X ver Sintra.

SÃO PEDRO DO SUL (Termas de) Viseu 990 ⑫, 37 ③ – alt. 169 – Termas – ✿ 0032.
Turismo, Estrada Nacional N 16, Várzea ☎ 723 20.
Lisboa 318 – Aveiro 76 – Viseu 22.

🏛 Grande H. Lisboa, ☎ 722 50 – 🛗 🕾 ➦wc 🚗 ❿
temp. – **62 qto.**

🏛 Vouga, ☎ 722 63, Na margem do rio – 🕾 ➦wc 🛁wc ❿
22 qto.

🏛 David, ☎ 723 05 – 🕾 ➦wc 🛁wc
19 qto.

🏛 Avenida, Rua Dr Veiga de Macedo ☎ 722 88 – 🕾 ➦wc
23 qto.

SÃO VICENTE (Termas de) Porto 37 ⑫ – alt. 50 – Termas – ✿ 0025.
Turismo, Lugar da Várzea ☎ 623 60.
Lisboa 329 – Braga 66 – Porto 39.

🏛 **São Vicente** 🌳, na estrada N 106 ✉ Termas de São Vicente ☎ 622 03 Penafiel – ▥ ➦wc
❿ 🍴
15 Junho-Setembro – Ref 80 – 🍽 15 – **75 qto** 55/180.

SEGURA Castelo Branco 990 ③, 37 ⑤ – Ver alfândegas p. 14 e 15.

SEIA Guarda 990 ⑰ ⑩, 37 ① – 4 162 h. alt. 532 – ✿ 0037.
Arred. : Oliveira do Hospital : Igreja Matriz* (estátua*, retábulo*) SO : 23 km – Estrada** de
Seia à Covilhã (Torre ❄**) 49 km.
Turismo, ☎ 92.
Lisboa 300 – Guarda 69 – Viseu 45.

🏛 **Camelo** sem rest, Estrada de São Romão ☎ 225 30, ≤ vale – ▥ 🕾 ➦wc 🚗 ❿
13 qto 160/250.

🏛 Serra da Estrela, Rua Dr Simões Pereira ☎ 225 73 – ▥ 🕾 ➦wc 🛁wc 🚗
21 qto.

X **Camelo** com qto, Largo Marques da Silva, 19 ☎ 225 30 – ▥ 🕾 🛁wc
Ref 80/100 – 🍽 20 – **18 qto** 160/260 – P 250.

CHRYSLER-SIMCA Estrada Nacional
DATSUN Paranhos da Beira ☎ 961 21

FIAT ☎ 313

SERPA Beja 37 ⑨ – 7 991 h. alt. 230 – ✪ 0079.

Turismo, Largo D. Jorge de Mello 2 e 3 ℡ 523 51. – **Lisboa 221** – Beja 29 – Évora 111.

Pousada de São Gens ⛰, S : 1,5 km ℡ 523 27, « Belo terraço com ≤ oliveiras e campo » – ▦ ☏ ⌂wc ☎ 🅟. ✂ rest
Ref 80/100 – ☕ 25 – **15 qto** 155/220 – P 340.

SESIMBRA Setúbal 990 ㉑, 37 ⑰ ⑱ – **16 614 h.** – Praia.

Ver : Castelo ≤★. **Arred. :** Cabo Espichel (local★) O : 15 km.

Turismo, Largo do Município ℡ 229 304. – **Lisboa 43** – Setúbal 26.

Do Mar Ⓜ ⛰, ℡ 22 96 28, ≤ mar, « Belo edifício de linhas modernas construído entre jardins no flanco de uma encosta », ⛱ – ▤ rest 🅟. ✂
Ref 150 – ☕ 35 – **119 qto** 287/410 – P 490/572.

Espadarte, ℡ 22 91 89, ≤ mar – ⇅ ▦ ☏ ⌂wc ⌂wc ☎. ✂
Ref 120 – ☕ 30 – **80 qto** 260/380 – P 420/480.

Náutico ⛰ sem rest, Bairro Infante D. Henrique ℡ 22 92 33 – ☏ ⌂wc ☎
temp. – **13 qto.**

✕ Casa Mateus, com qto, Largo da Fortaleza 15 ℡ 22 90 39 – ▦ ☏ ⌂wc. ✂ qto
fechado 2ª feira – Ref 75 – ☕ 12 – **6 qto.**

✕ Ribamar, Largo da Fortaleza 6 ℡ 22 91 07, Fados no Verão.

SETÚBAL Ⓟ 990 ㉑, 37 ⑰ – **58 581 h.** – ✪ 04.

Ver : Museu★ (quadros★) – Igreja de Jesus★ – Castelo de São Filipe ☼★. **Arred. :** Serra da Arrábida (estrada escarpada★★) por ② – Palmela (Castelo★ (☼★) – Igreja de São Pedro : azulejos★) N : 7,5 km.

⛴ para Tróia, Praça da República 63 ℡ 237 27 e 247 58.

Turismo, Largo do Corpo Santo ℡ 242 84 e Praça do Bocage, Edifício da Camara ℡ 242 04.

Lisboa 48 ③ – **Badajoz 200** ① – Beja 144 ① – Évora 101 ① – Santarém 120 ③.

SETÚBAL

0 — 500 m

Álvaro Castelões (R.) 4
Antão Girão (R.) 6
Augusto Cardoso (R.) 8
Bocage (R. de) 13
Dr Paula Borba (R.) 20
Misericórdia (R. da) 33
Almirante Reis (Praça) 2
Almocreves (R. dos) 3
Arronches Junqueiro (R.) 7
Bela Vista (Travessa da) 10
Bocage (Praça de) 12
Ciprestes (Estrada dos) 15
Combatentes da Grande Guerra (Av. dos) 16
Defensores da República (L. dos) 17
Dr António J. Granjo (R.) 19
Exército (Praça do) 21
Ladislau Parreira (R.) 23
Machado dos Santos (Praça) 24
Major Afonso Pala (R.) 25
Mariano de Carvalho (Av.) 27
Marquês da Costa (R.) 28
Marquês de Pombal (Praça) 29
Miguel Bombarda (Praça) 31
Mirante (R. do) 32
Paulino de Oliveira (R.) 35
Trabalhadores do Mar (R. dos) 37

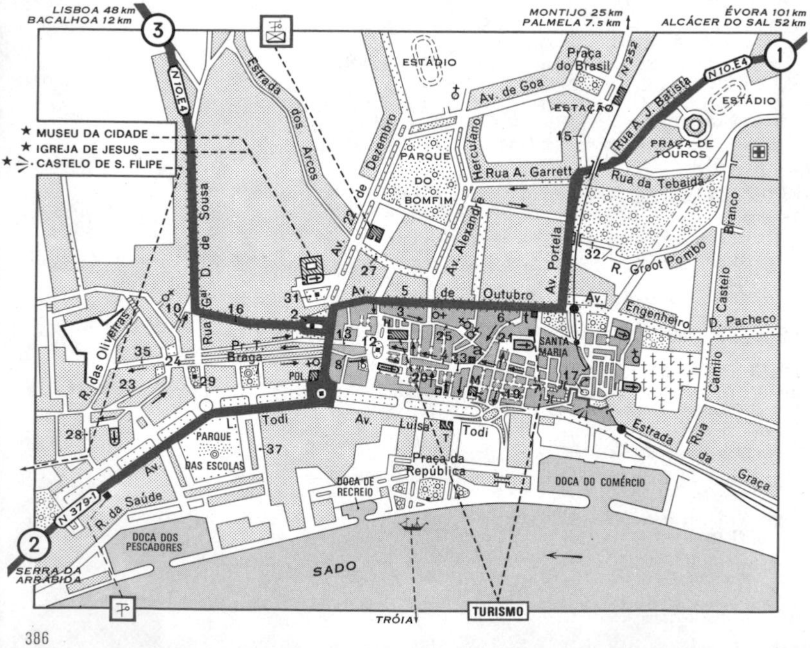

🏨 Esperança, Av. Luísa Todi 220 (f) ☎ 251 51, ⩽ foz do Sado – 🍽 rest
76 qto.

XX **O Beco,** Rua da Misericórdia 24 (a) ☎ 246 17
fechado 5ª feira – Ref lista 155 a 185.

XX **O Pescador,** Av. 5 de Outubro 15 (t) ☎ 229 69
fechado 4ª feira – Ref lista 120 a 165.

no Castelo de São Filipe O : 1,5 km – ✉ ☎ Setúbal :

🏨 **Pousada de São Filipe** ⑤. ☎ 238 44, ⩽ Setúbal e foz do Sado, Decoração rústica,
« Dentro das muralhas de uma antiga fortaleza » – **P**. ⁓ rest
fechado Novembro – Ref 110/130 – ⌷ 30 – **11 qto** 530 – P 515.

B.L.M.C. (AUSTIN) Av. Combatentes da Grande
Guerra -1719 ☎ 237 12
B.L.M.C. (MORRIS), CHRYSLER-SIMCA Rua Garcia
Peres 12 ☎ 231 69
B.M.W. Rua Jorge de Sousa 10
CITROEN Av. Luísa Todi 125 e 150 ☎ 233 35 e 227 20
DATSUN Est. da Graça ☎ 261 38
FIAT Av. General Daniel de Sousa ☎ 224 50
FORD Av. dos Combatentes da Grande Guerra 81
☎ 231 31

G.M. (OPEL, VAUXHALL), MERCEDES Rua Garcia
Peres 12 ☎ 231 69
G.M. (OPEL, VAUXHALL) Av. de Goa 30 ☎ 266 24
PEUGEOT Av. dos Combatentes da Grande Guerra 47
☎ 247 89
RENAULT Av. Luísa Todi 560 ☎ 226 73
TOYOTA Rua Mártires da Pátria ☎ 230 22
VOLKSWAGEN Rua Almeida Garrett 48 ☎ 239 72

SILVES Faro 🄰🄰🄰 ⑨, 🄰🄷 ⑫ – 9 493 h. alt. 50 – ◉ 0082.
Ver : Castelo★.
Turismo, Rua Dr Oliveira Salazar.
Lisboa 289 – Faro 54 – Lagos 32.

na Barragem do Arade NE : 10 km – ✉ ☎ Silves :

X Do Arade, ☎ 422 92, ⩽ barragem, Decoração rústica – **P**.

SINES Setúbal 🄰🄷 ⑱ – 6 996 h. – Praia – ◉ 0017.
Lisboa 165 – Beja 97 – Setúbal 117.

🏨 **Búzio** ⑤ sem rest, Av. 25 de Abril 14 ☎ 621 14 – ▥ ☞ 📶wc ☏. ⁓
⌷ 17.5 – **40 qto** 140/220.

🏨 Malhada, Av. 25 de Abril ☎ 621 05 – ▥ ☞ 📶wc ☏
35 qto.

🏨 **Habimar** sem rest, Praça da República ☎ 621 45 – ☞ 📶wc ☏. ⁓
⌷ 14 – **22 qto** 160.

X **Búzio,** Av. 25 de Abril 10 ☎ 621 14
Ref lista 75 a 110.

DATSUN Rua Barradas 2 ☎ 620 51   RENAULT Rua Marquês de Pombal 114

SINTRA Lisboa 🄰🄰🄰 ②, 🄰🄷 ⑫ ⑦ – 15 994 h. alt. 200.
Ver : Palácio Real★ (azulejos★★, tecto★★). **Arred. :** Castelo dos Mouros★ (<★)   Palácio da
Pena ⩽★★ – Parque da Pena★★ – Parque de Monserrate★ O : 3 km – Peninha ⩽★★ SO : 10 km
– Azenhas do Mar★ (local★) 16 km por ①.
Turismo, Largo Rainha D. Amélia ☎ 98 11 57.
Lisboa 28 ③ – Santarém 96 ③ – Setúbal 68 ③.

Plano página seguinte

🏨 Central, Largo Rainha D. Amélia 35 ☎ 293 09 63 – ▥ ☞ 📶wc ☏   Y u
10 qto.

X Solar dos Mouros, Rua Consiglieri Pedroso 2 ☎ 293 17 06.   Z e

em São Pedro de Sintra – ✉ São Pedro de Sintra ☎ Sintra :

XXX **Galeria Real,** Rua Tude de Sousa ☎ 293 16 61, Instalado num pavilhão de caça do
século XVIII – **P**   Z c
Ref lista 168 a 245.

X Dos Arcos, Rua Serpa Pinto 4 ☎ 293 02 64.   Z z

na Estefânia – ✉ ☎ Estefânia :

X **Ad Hoc** com snack-bar, Rua Capitão Mário Pimentel 1 ☎ 293 22 86 – ⁓   Y a
fechado 3ª feira – Ref lista 95 a 165.

na estrada de Colares pela N 375 O : 1,5 km – ✉ ☎ Sintra :

🏨 **Palácio dos Seteais** ⑤, Rua Barbosa do Bocage 8 ☎ 293 32 00, ⩽ campos em redor,
« Luxuosas instalações num palácio do século XVIII rodeado de jardins » – ⇌ **P**. ⁓ rest
Ref 160 – ⌷ 35 – **18 qto** 355/505 – P 515/525.

B.L.M.C. (AUSTIN) Rua D. Francisco de Almeida
37-A ☎ 293 16 69
B.L.M.C. (MORRIS) Estrada de Chão de Meninos 17
☎ 293 04 34

FORD Av. D. Francisco de Almeida 1 ☎ 98 00 96
G.M. (OPEL, VAUXHALL) Av. José Frederico Ulrich
☎ 98 02 90

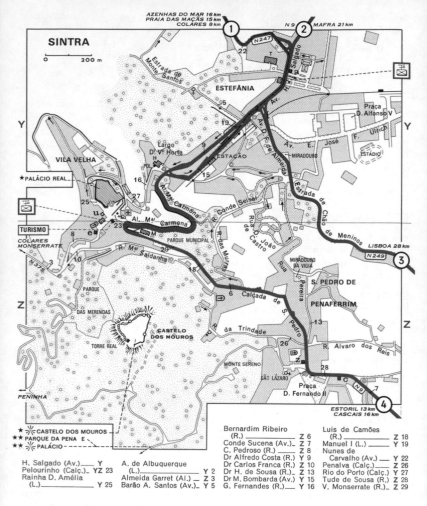

SINTRA

AZENHAS DO MAR 16 km
PRAIA DAS MAÇAS 15 km
COLARES 8 km

N 9   MAFRA 21 km

ESTEFÂNIA

Praça D. Afonso V

VILA VELHA

Largo D. V° Horta

★ PALÁCIO REAL

TURISMO

COLARES
MONSERRATE

ESTÁDIO

MIRADOURO

PARQUE MUNICIPAL

MIRADOURO DA VIGIA

LISBOA 28 km
N 249

S. PEDRO DE

PENAFERRIM

PARQUE

DAS MERENDAS

TORRE REAL

CASTELO DOS MOUROS

Calçada de S. Pedro

da Trindade

R. Álvaro dos Reis

MONTE SERENO

SÃO LÁZARO

PENINHA

Praça D. Fernando II

ESTORIL 13 km
CASCAIS 16 km

★ ※ CASTELO DOS MOUROS
★★ ※ PARQUE DA PENA E
★★ ※ PALÁCIO

H. Salgado (Av.)___ Y	A. de Albuquerque	
Pelourinho (Calç.)_ YZ 23	(L.) ___ Y 2	
Rainha D. Amélia	Almeida Garret (Al.) _ Z 3	
(L.) ___ Y 25	Barão A. Santos (Av.)_ Y 5	

Bernardim Ribeiro
(R.) ____ Z 6
Conde Sucena (Av.)_ Z 7
C. Pedroso (R.) ____ Z 8
Dr Alfredo Costa (R.)_ Y 9
Dr Carlos Franca (R.) Z 10
Dr H. de Sousa (R.)_ Z 13
Dr M. Bombarda (Av.) Y 15
G. Fernandes (R.)_ Y 16

Luis de Camões
(R.) ____ Z 18
Manuel I (L.) ____ Y 19
Nunes de
Carvalho (Av.) _ Y 22
Penalva (Calç.)____ Z 26
Rio do Porto (Calç.) Y 27
Tude de Sousa (R.) Z 28
V. Monserrate (R.)_ Z 29

Pour un bon usage des plans de villes, voir les signes conventionnels p. 23.

SOBREIRO Lisboa **37** ⑫ – ※ ver Mafra.

TÁBUA Coimbra **990** ⑫, **37** ④ – 1 824 h. alt. 225.
Lisboa 251 – Coimbra 52 – Viseu 47.

em Gândara de Espariz S : 7 km – ⊠ ☎ Tábua :

※ **Estal. Tabriz** com qto, na estrada N 17 ☎ 911 53 – 🏢 ☞ 🛏wc ☎ **P**. ※ qto
Ref 65/80 – �ₓ 12.5 – **10 qto** 80/110 – P 210/310.

TAVIRA Faro **990** ㉒, **37** ⑩ – 10 263 h. – Praia – ✪ 0081.
Turismo, Paços do Concelho ☎ 225 11.
Lisboa 314 – Faro 31 – Huelva 72 – Lagos 111.

na estrada N 125 NE : 3 km – ⊠ ☎ Tavira :

🏨 Eurotel, Quinta das Oliveiras ☎ 220 41, ≤ campo e mar, ※, ⅀, 🏊 – **P**
80 qto.

TERMAS DOS CUCOS Lisboa **37** ⑯ – 🏢 ver Torres Vedras.

TOMAR Santarém 𝟿𝟿𝟶 ②, 𝟛𝟟 ⑮ − 16 467 h. alt. 75 − ✆ 0049.

Ver : Convento de Cristo** : dependências do convento* (janela**), Igreja (charola dos Templários**) − Igreja de São João Baptista (portal*). **Arred.** : Barragem do Castelo de Bode* (⇐*) SE : 15 km − Atalaia (azulejos*) SO : 16 km.

Turismo, Av. Dr Cândido Madureira ⫞ 330 95, Av. Marquês de Tomar ⫞ 330 95 e 336 08 e Parque de Campismo, Parque Municipal ⫞ 337 50.

Lisboa 142 − Leiria 45 − Santarém 65.

⌂⌂ **Dos Templários** Ⓜ ⌂⌂, Largo Cândido dos Reis 1 ⫞ 331 21, ⇐ parque, ⁂, ⤒ − ▤ **❿**.
⁂ rest
Ref 125 − ⚏ 32 − **84 qto** 275/410 − P 487/557.

✗ Nabão, Fonte do Choupo ⫞ 331 10.

✗ Bela Vista, na ponte ⫞ 328 70.

na estrada de Abrantes SE : 14 km − ⊠ Castelo do Bode ⫞ Tomar :

⌂⌂ **Pousada de São Pedro**, ⫞ 381 59, Terraço com ⇐ lago artificial, ⤒ − ▥ ⌨ 🛁wc ⊛
❿, ⁂
Ref 80/110 − ⚏ 25 − **16 qto** 220 − P 295/340.

B.L.M.C. (MORRIS), CHRYSLER-SIMCA Av. D. Nuno Álvares Pereira 25 ⫞ 324 44
CITROEN Av. D. Nuno Álvares Pereira 41 ⫞ 327 19
DATSUN Av. D. Nuno Álvares Pereira 8 ⫞ 336 37
FIAT Av. D. Nuno Álvares Pereira 69 ⫞ 333 55
FORD Av. D. Nuno Álvares Pereira 9 ⫞ 331 44

G.M. (OPEL, VAUXHALL) Rua de Coimbra ⫞ 330 37
PEUGEOT Av. D. Nuno Álvares Pereira 87 ⫞ 335 73
TOYOTA Av. D. Nuno Álvares Pereira 6 ⫞ 335 63
VOLKSWAGEN Av. D. Nuno Álvares Pereira 2 ⫞ 331 05

TORRÃO DO LAMEIRO Aveiro − ⁂ ver Ovar.

TORRES VEDRAS Lisboa 𝟿𝟿𝟶 ②, 𝟛𝟟 ⑯ − 14 833 h. alt. 30 − Termas − ✆ 0011.
🛆 Club Golf Vimeiro NO : 16 km ⫞ 3 A-dos-Cunhados.

Turismo, Rua 9 de Abril ⫞ 230 94.

Lisboa 55 − Santarém 74 − Sintra 62.

🛆 **Moderna** sem rest, Av. Tenente Valadim 26 ⫞ 231 46 − ⌨ 🛁wc ▥wc ⁂
⚏ 15 − **28 qto** 120/165.

✗ Barrete Preto, Rua Paiva de Andrada 27 ⫞ 220 63.

na estrada N 248-nas Termas dos Cucos E : 2 km − ⊠ ⫞ Torres Vedras :

⌂ Das Termas dos Cucos ⌂⌂, ⫞ 231 27, Num parque − ⌨ 🛁wc ▥wc **❿**
temp. − **35 qto**.

B.L.M.C. (MORRIS) Rua José Augusto Lopes Júnior 13 ⫞ 221 55
CHRYSLER-SIMCA Praça do Império ⫞ 220 21
CITROEN Rua dos Polomos ⫞ 221 74
DATSUN Av. Tenente Valadim ⫞ 220 18
FIAT Av. 5 de Outubro 1 ⫞ 230 47
FORD Parque do Choupal ⫞ 231 15
G.M. (OPEL, VAUXHALL) Av. Salazar ⫞ 229 94

G.M. (OPEL, VAUXHALL) Av. 5 de Outubro 47 ⫞ 230 82
MERCEDES, VOLKSWAGEN Av. Presidente Salazar ⫞ 221 55
PEUGEOT Rua 9 de Abril 56 ⫞ 220 81
PEUGEOT Rua Cândido dos Reis
RENAULT Rua Cândido dos Reis 62 ⫞ 220 81
TOYOTA Rua Cândido dos Reis 2 ⫞ 221 94

TRÓIA (Península de) Setúbal 𝟛𝟟 ⑰ − Praia − ✆ 04.
🚢 para Setúbal, Ponta do Adoxe ⫞ 442 50.

Lisboa 181 − Beja 127 − Setúbal 133.

⁂ Troiamar, Ponta do Adoxe ⊠ ⫞ 441 51 Setúbal, ⇐ mar.

✗ Bico das Loulas, Ponta do Adoxe ⊠ ⫞ 441 51 Setúbal, ⇐ mar, ⤒ paga.

VALE DE LOBOS Lisboa 𝟛𝟟 ⑫ − ⌂⌂ ver Sabugo.

VALE DO LOBO Faro 𝟛𝟟 ⑩ ⑳ − ⌂⌂⌂⌂ ver Almansil.

VALE GRACIOSO Leiria − ⌂⌂ ver Leiria.

VALENÇA DO MINHO Viana do Castelo 𝟿𝟿𝟶 ②, 𝟛𝟟 ⑪ − 1 811 h. alt. 72 − ✆ 0021 − Ver alfândegas p. 14 e 15.

Ver : Fortificações* (⇐*). **Arred.** : Monte do Faro ⁂** E : 7 km e 10 mn a pé.

A.C.P. Estrada N 13 ⫞ 224 68.

Lisboa 437 − Braga 88 − Porto 122 − Viana do Castelo 52.

⁂⁂⁂ **Pousada de São Teotónio** ⌂⌂ com qto, ⫞ 222 52, ⇐ vale do Minho, Tuy e montanhas de Espanha − ▥ ⌨ 🛁wc ⊛. ⁂ rest
Ref 80/100 − ⚏ 25 − **16 qto** 202/220 − P 295/387.

B.L.M.C. (MORRIS) Estação de Serviço Nita ⫞ 23 07

☞ *Il garage gratuito presso gli alberghi è spesso riservato agli utenti della Guida Michelin dell'anno.*
Mostrate la Vostra Guida 1975.

VIANA DO CASTELO ℙ 𝟵𝟵𝟬 ⑪, 𝟯𝟳 ⑪ – 13 781 h. alt. 200 – Praia – ◉ 0028.

Ver : Praça da República★ – Igreja da Misericórdía (azulejos★) B **A** – Museu Municipal (azulejos★) A **M. Arred. :** Monte de Santa Luzia ⩵★★ N : 6 km.

Turismo, Praça da República ☏ 226 20.

Lisboa 385 ② – **Braga 48** ② – **Orense 159** ③ – **Porto 70** ② – **Vigo 83** ③.

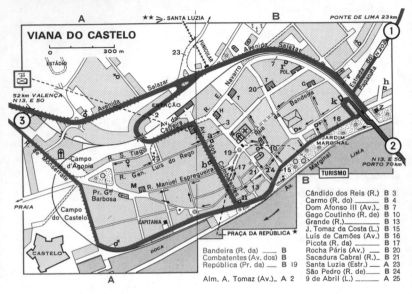

VIANA DO CASTELO

Cândido dos Reis (R.)	B 3
Carmo (R. do)	B 4
Dom Afonso III (Av.)	B 7
Gago Coutinho (R. de)	B 10
Grande (R.)	B 13
J. Tomaz da Costa (L.)	B 15
Luís de Camões (Av.)	B 16
Picota (R. da)	B 17
Rocha Páris (Av.)	B 20
Sacadura Cabral (R.)	B 21
Santa Luzia (Estr.)	A 23
São Pedro (R. de)	B 24
9 de Abril (L.)	A 25

Bandeira (R. da)	B
Combatentes (Av. dos)	B
República (Pr. da)	B 19
Alm. A. Tomaz (Av.)	A 2

🏨🏨 **Do Parque** Ⓜ, Parque da Galiza ☏ 241 51, ⩵ foz do rio, cidade e colina de Santa Luzia, ⊗, ⌦ climatizada – Ⓟ. 🏊. ⚘ rest   B **h**
Ref lista 121 a 213 – ☲ 25 – **120 qto** 285/425 – P 440/520.

🏨🏨 **Afonso III** Ⓜ sem rest, Av. Afonso III - 494 ☏ 241 23, Telex 22699, ⩵ rio Lima e montanha – ▤ rest ⇔. ⚘   B **k**
temp. – ☲ 26 – **89 qto** 225/320.

🏨 **Rali,** Av. Afonso III - 150 ☏ 221 76, ⌦ – 🛗 🎞 🍽 ➡wc 🛁wc 🕿 Ⓟ. ⚘ rest   B **r**
Ref 80/100 – ☲ 20 – **39 qto** 155/220 – P 227/248.

🏠 **Aliança,** Av. dos Combatentes da Grande Guerra ☏ 230 01, ⩵ rio Lima – 🎞 🍽 ➡wc 🛁wc 🕿 – **31 qto.**   B **n**

🏠 **Laranjeira,** sem rest, Rua General Luís do Rego 45 ☏ 222 61 – 🎞 🍽 ➡wc ⇔ **27 qto.**   B **a**

🏠 **Viana-Mar,** Av. dos Combatentes da Grande Guerra 215 ☏ 230 54, Telex 2629 – 🎞 🍽 🛁wc 🕿   B **b**
35 qto.

✕ **Náutico,** Límia Parque ☏ 223 30, ⩵ rio Lima – Ⓟ   B **z**
Ref lista 90 a 130.

em Santa Luzia N : 6 km – ✉ ☏ Viana do Castelo :

🏨🏨 Santa Luzia ⍟, ☏ 221 92, « Bela situação com ⩵ mar, vale e estuário do Lima », ⊗, ⌦ climatizada – Ⓟ
fechado provisòriamente até o Verão – **48 qto.**

B.L.M.C. (AUSTIN) Rua de Aveiro ☏ 227 49
CHRYSLER-SIMCA, VOLKSWAGEN Av. de Camões 37 ☏ 220 92
CITROEN, DATSUN Av. Luís de Camões 110 ☏ 223 46
FORD Av. Combatentes da Grande Guerra 232 ☏ 220 27

PEUGEOT Rua da Bandeira ☏ 559 65
RENAULT Rua Santo António 9
RENAULT Rua Emídio Navarro 21
TOYOTA Largo Infante D. Henrique

VIDAGO Vila Real 🇼🇮🇩🇦, ⚐, 🇫🇵 ① – 1 186 h. alt. 350 – Termas.

🏌 Club de Golf de Vidago ☏ 973 56.

Turismo, Estrada Nacional ☏ 974 70.

Lisboa 453 – Bragança 116 – Vila Real 47.

🏨 **Palace Hotel** ⑊, no parque ☏ 973 56, « Antigo palácio num belo parque com ⟱ », ⚒,
🏌, ⚒ – 🍽 ⑉. ⚒ rest
Ref 110 – ⊡ 26 – **124 qto** 231/330 – P 411/506.

🏠 Do Parque ⑊, Av. Teixeira de Sousa ☏ 971 57 – 🍽 ⑉
29 qto.

VIEIRA DO MINHO Braga 🇫🇵 ① – 1 906 h. alt. 390.

Lisboa 399 – Braga 34 – Porto 84.

🏯 **Pousada de São Bento** ⑊ com qto, NO : 7 km ⊠ ☏ 571 90 Braga, ≪ Serra do Gerês e
rio Cávado, ⚒, ⟱ – 🍽 🍽 ⌂wc ⊞ ⬅ ⑉
Ref 80 – ⊡ 25 – **10 qto** 140/200 – P 280/340.

VILA DA FEIRA Aveiro 🇼🇮🇩🇦, ⚐, 🇫🇵 ⊛ ⑧ – 5 222 h. alt. 125 – ⚙ 0026.

Ver : Castelo★.

Lisboa 292 – Aveiro 47 – Porto 29.

🏠 Estal. Santa Maria, Rua dos Condes de Feijó ⊠ Vila da Feira ☏ 961 30 São João da
Madeira – 🍽 🍽 ⌂wc ⑉
18 qto.

VILA DO BISPO Faro 🇼🇮🇩🇦, ⚐, 🇫🇵 ⊛ – 1 156 h. alt. 109 – ⚙ 0082.

Arred. : Percurso★ de Vila do Bispo à falésia do Castelejo ≪★ O : 4 km.

Lisboa 276 – Faro 103 – Lagos 23.

🍴 Mira-Sagres, Rua Dr Oliveira Salazar ☏ 661 60 – 🍽
7 qto.

VILA DO CONDE Porto 🇼🇮🇩🇦, ⚐, 🇫🇵 ⊛ – 15 871 h. – Praia – ⚙ 0022.

Ver : Mosteiro de Santa Clara★ (túmulos★).

Turismo, Rua Barão do Rio Ave ☏ 634 72.

Lisboa 342 – Braga 43 – Porto 27.

🏨 Estal. do Brasão, Av. Coronel Alberto Graça ⊠ Vila do Conde ☏ 640 16 Vila Nova de
Famalicão – 🍽 🍽 ⌂wc ⊞ ⑉
24 qto.

B.L.M.C. (AUSTIN) Rua 5 de Outubro 282 ☏ 631 57   DATSUN Rua 5 de Outubro 280 ☏ 631 57
B.L.M.C. (MORRIS) Rua 5 de Outubro ☏ 633 28   G.M. (OPEL, VAUXHALL) Rua 5 de Outubro ☏ 633 28

VILA FRANCA DE XIRA Lisboa 🇼🇮🇩🇦, ⚐, 🇫🇵 ⊛ – 16 280 h. – ⚙ 0013.

Lisboa 31 – Évora 111 – Santarém 46.

🏠 Estal. da Lezíria, Rua Palha Blanco 56 ☏ 221 29, Decoração regional   🍽 🍽 ⌂wc ⑉
15 qto.

🍴 **Flora,** Rua Palha Blanco 77-A ☏ 231 27 – ▤ rest 🍽 ⌂wc. ⚒ qto
Ref 70 – ⊡ 18 – **23 qto** 85/150 – P 215.

🍴 **O Redondel,** praça de Touros, estrada de Lisboa ☏ 229 73, Debaixo das bancadas da
praça de touros – ▤ ⑉. ⚒
Ref lista 160 a 241.

🍴 Estrela do Ribatejo, Rua Serpa Pinto 10 ☏ 229 13, Decoração regional – ▤.

na estrada N 10 E : 4 km – ⊠ ☏ Vila Franca de Xira :

🍴 **Estal. Gado Bravo** com qto, ☏ 231 24, Na planície ribatejana – 🍽 🍽 ⌂wc ⊞ ⑉. ⚒
Ref 110 – ⊡ 26 – **8 qto** 175/330.

B.L.M.C. (MORRIS) Praceta da Justiça 19 ☏ 225 29   PEUGEOT Rua Joaquim Pedro Monteiro 29 ☏ 225 29
CHRYSLER-SIMCA Rua António L. Batista 2 ☏ 422   PEUGEOT Pr. da Justiça 74 ☏ 225 29
CITROEN Rua Palha Blanco 31 ☏ 231 22   RENAULT Av. Combatentes da Grande Guerra 53-A
FIAT Rua Joaquim Pedro Monteiro 35 ☏ 221 27   TOYOTA Rua Palha Blanco ☏ 221 07
FORD Rua Sacadura Cabral 2 ☏ 521 73

VILA MEA Viseu – ⚒ com qto, ver Viseu.

VILAMOURA Faro 🇫🇵 ⊛ – 🏨, ⚒ com qto, ver Quarteira.

VILA NOGUEIRA DE AZEITÃO Setúbal 🇼🇮🇩🇦, ⚐, 🇫🇵 ⑦ – alt. 110.

Arred. : Quinta da Bacalhoa : Jardins (azulejos★) NE : 1,5 km.

Lisboa 34 – Setúbal 14.

🏨 **Estal. Quinta das Torres** ⑊, na estrada de Setúbal ☏ 208 00 01, « Hotel instalado numa
antiga casa senhorial » – 🍽 🍽 ⌂wc ⑉. ⚒ rest
Ref 110/150 – ⊡ 26 – **12 qto** 220/330 – P 410/465.

VILA NOVA DE FAMALICÃO Braga 990 ⑫, 37 ⑫ – 3 986 h. alt. 88 – ✪ 0022.
Lisboa 347 – Braga 18 – **Porto 32.**

🏠 Francesa, sem rest, Rua Frederico Ulrich ⏏ 230 18 – 📶 🏢 🍴 🛏wc 🗄wc
35 qto.

✗ Tanoeiro, Campo Mouzinho de Albuquerque 207 ⏏ 221 62.

FIAT   Rua Narciso Ferreira 26 ⏏ 233 07   TOYOTA   Lugar de Talvai ⏏ 228 50

VILA REAL ℗ 990 ⑫, 37 ② – 13 245 h. alt. 425 ↝ ✪ 0099.
Ver : Igreja de São Pedro (tecto*). **Arred. :** Mateus* (solar* dos Condes de Vila Real) E : 3,5 km –
Estrada* de Vila Real a Amarante ‹‹** – Estrada de Vila Real a Mondim de Basto (‹*, descida
escarpada*).
Turismo, Av. Carvalho Araújo ⏏ 228 19.

Lisboa 406 – Braga 104 – Guarda 159 – Orense 165 – **Porto 113** – Viseu 110.

🏨 Tocaio, Av. Carvalho Araújo 55 ⏏ 231 06
52 qto.

🏨 **Albergaria Cabanelas** Ⓜ, Rua D. Pedro de Castro ⏏ 231 53 – 📶 🏢 ▤ rest 🍴 🛏wc
☎. 🞴
Ref 80 – ⌂ 20 – **24 qto** 175/250 – P 305/355.

🏨 Mondego, Travessa de São Domingos 9 ⏏ 230 97 – 🏢 🍴 🛏wc
10 qto.

B.L.M.C. (Austin)   Av. Marginal ⏏ 220 65
B.M.W.   Av. Almeida Lucena ⏏ 229 44
CHRYSLER-SIMCA   Timpeira ⏏ 231 65
CITROEN, FIAT   Praça Diogo Cão ⏏ 230 35
FORD   Rua Dr Roque da Silveira 69 ⏏ 221 54
FORD   Rua Visconde de Carnaxide 22 ⏏ 221 51

G.M. (OPEL, VAUXHALL)   Rua Marechal Teixeira
Rebelo 17 ⏏ 230 07
PEUGEOT   Rua 5 de Outubro 10 ⏏ 238 82
RENAULT   Rua de Santa Sofia
VOLKSWAGEN   Av. Marginal ⏏ 229 44

VILA REAL DE SANTO ANTÓNIO Faro 990 ⑫, 37 ⑩ – 10 320 h. – Praia – Ver alfândegas
p. 14 e 15.
Arred. : Castro Marim (Castelo ‹*) NO : 4,5 km.
🚢 para Ayamonte (Espanha).
Turismo, Praça Marquês de Pombal ⏏ 495.

Lisboa 314 – Faro 53 – Huelva 50.

em Monte Gordo O : 4 km – ✉ Monte Gordo ⏏ Vila Real :

🏨 **Alcazar** Ⓜ 🞴, Rua de Ceuta ⏏ 22 42, Telex 13128, ‹ pinhal e mar, 🏊 – ▤. 🞴
Ref 125 – ⌂ 32 – **95 qto** 275/410 – P 435/505.

🏨 **Vasco da Gama** 🞴, Av. Infante D. Henrique ⏏ 321, Telex 18220, ‹ pinhal e praia, 🞴,
🏊 climatizada – ▤ rest ℗. 🞴 rest
Ref 125 – ⌂ 32 – **180 qto** 405/495 – P 530/687.

🏨 **Dos Navegadores** 🞴, Rua Gonçalo Velho ⏏ 24 90, Telex 18254, ‹ pinhal, 🏊 climatizada
– 🞴
Ref 110 – ⌂ 25 – **104 qto** 385 – P 352/420.

🏨 **Das Caravelas** 🞴, Rua Diogo Cão ⏏ 458, ‹ pinhal e mar – 📶 🏢 🍴 🛏wc ☎. 🞴 rest
Ref lista 95 a 109 – ⌂ 26 – **87 qto** 255/360.

RENAULT   Av. da República 129

VILAR FORMOSO Guarda 37 ③ – 1 508 h. – ✪ 0051 – Ver alfândegas p. 14 e 15.
Turismo, ⏏ 522 02 – **A.C.P.** estrada N 16 ⏏ 522 01.

Lisboa 419 – Guarda 54.

✗✗ **Turismo,** na fronteira portuguesa ⏏ 522 04 – 🞴
Ref lista 92 a 137.

CHRYSLER-SIMCA, FORD   Estrada N. 16 ⏏ 521 05

VILA VERDE DA RAIA Vila Real 990 ⑫, 37 ① – Ver alfândegas p. 14 e 15.

VILA VERDE DE FICALHO Beja 990 ⑫, 37 ⑨ – Ver alfândegas p. 14 e 15.

VIMEIRO (Termas do) Lisboa 990 ⑰, 37 ⑯ – 945 h. alt. 25 – Termas – ✪ 0011.
🏌 Club Golf Vimeiro ⏏ 281 57.

Lisboa 69 – Sintra 76.

🏨 Das Termas 🞴, ✉ Vimeiro ⏏ 981 03 A-dos-Cunhados, 🏊 – 📶 🍴 🛏wc ☎ ℗
temp. – **88 qto.**

na praia do Porto Novo O : 4 km – ✉ Vimeiro ⏏ A-dos-Cunhados :

🏨 **Golf Mar** 🞴, ⏏ 981 57, ‹ mar e golfe, « Belos terraços com 🏊 dominando o mar », 🞴,
🏌, 🞴 – ▤ ℗. 🞴
Ref 95 – ⌂ 26 – **300 qto** 220/370 – P 440.

VISEU ℗ 990 ⑫, 37 ③ – 19 527 h. alt. 483 – ✪ 0032.

Ver : Cidade Antiga* : Museu Grão Vasco** (Trono da Graça*, primitivos**) – Sé* (liernes*, retábulo*) – Praça da Sé* – Igreja de São Bento (azulejos*) Y **D**.

Turismo, Av. Gulbenkian ☏ 222 94.

Lisboa 296 ④ – Aveiro 98 ① – **Coimbra 97** ④ – Guarda 85 ② – Vila Real 110 ①.

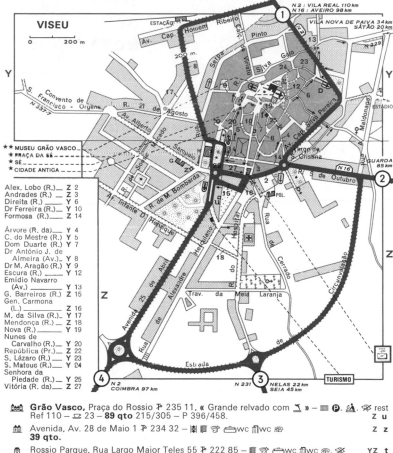

★★ MUSEU GRÃO VASCO
★ PRAÇA DA SÉ
★ SÉ
★ CIDADE ANTIGA

Alex. Lobo (R.)__ Z 2
Andrades (R.) __ Z 3
Direita (R.) _____ Y 6
Dr Ferreira (R.)_ Y 10
Formosa (R.) ___ Z 14

Árvore (R. da)___ Y 4
C. do Mestre (R.) Y 5
Dom Duarte (R.) Y 7
Dr António J. de
 Almeira (Av.)_ Y 8
Dr M. Aragão (R.) Y 9
Escura (R.) _____ Y 12
Emídio Navarro
 (Av.) _____ Y 13
G. Barreiros (R.) Z 15
Gen. Carmona
 (L.) _____ Z 16
M. da Silva (R.)_ Y 17
Mendonça (R.) _ Z 18
Nova (R.) _____ Y 19
Nunes de
 Carvalho (R.)_ Y 20
República (Pr.)_ Z 22
S. Lázaro (R.) __ Y 23
S. Matouc (R.) _ Y 24
Senhora da
 Piedade (R.)_ Y 25
Vitória (R. da)__ Z 27

🏨 **Grão Vasco,** Praça do Rossio ☏ 235 11, « Grande relvado com ⏌ » – 🍴 ℗. 🏖. 🞉 rest   Z u
 Ref 110 – 🛏 23 – **89 qto** 215/305 – P 396/458.

🏨 **Avenida,** Av. 28 de Maio 1 ☏ 234 32 – 📶 🛏 🍴 ⇱wc 🛁wc ☎   Z z
 39 qto.

🏨 **Rossio Parque,** Rua Largo Major Teles 55 ☏ 222 85 – 🛏 🍴 ⇱wc 🛁wc ☎. 🞉   YZ t
 12 qto.

✗ **Cortiço,** Rua Nova 47 ☏ 238 53. Rest. típico, decoração rústica – 🞉   Y f
 Ref 80 bc/100 bc.

 na estrada N 16 por ② : 3 km – ✉ ☏ Viseu :

✗ **Cozinha do Dão,** ☏ 244 79 – ℗
 Ref lista 70 a 138.

 em Vila Meã – na estrada N 16 por ② : 10 km – ✉ ☏ Vila Meã :

✗✗ Viriato, com qto, ☏ 931 25, ≼ rio Dão, Decoração típica – 🛏 🍴 ⇱wc 🛁wc ⇦ ℗
 temp. – **11 qto.**

B.L.M.C. (MORRIS) Av. Capitão Silva Pereira 139 ☏ 235 83
B.M.W. Av. Emídio Navarro ☏ 231 42
CHRYSLER-SIMCA Rua 5 de Outubro 79 ☏ 239 05
CITROEN Travessa da Meia Laranja ☏ 225 11
CITROEN Av. Capitão Homem Ribeiro 37 ☏ 244 45
DATSUN Zona Industrial de Abraveses ☏ 234 81
FIAT Rua Capitão Silva Pereira 16 ☏ 224 66

FORD Rua da Paz 21 ☏ 235 61
G.M. (OPEL, VAUXHALL) Av. da Bélgica ☏ 251 61
G.M. (OPEL, VAUXHALL) Rua 5 de Outubro 79 ☏ 234 56
RENAULT Av. Dr Oliveira Salazar 21 ☏ 234 91
TOYOTA Rua Nova do Hospital ☏ 220 09
VOLKSWAGEN Av. Emídio Navarro ☏ 229 66

 **APUNTES**

NOTAS

MANUFACTURE FRANÇAISE DES PNEUMATIQUES MICHELIN
© Michelin et Cie, propriétaires-éditeurs, 1975
Société en commandite par actions au capital de 500 millions de francs
Siège social : Clermont-Ferrand (France), pl. des Carmes-Déchaux - R.C. Clermont-Fd 55-B-50
ISBN 2 06 157 161 – 1

Imp. Blanchard 73 563 – 92350 Le Plessis-Robinson – Printed in France 2.75.80 – Dépôt légal, 1er trim. 1975
394

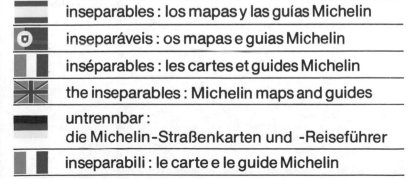

	inseparables : los mapas y las guías Michelin
	inseparáveis : os mapas e guias Michelin
	inséparables : les cartes et guides Michelin
	the inseparables : Michelin maps and guides
	untrennbar : die Michelin-Straßenkarten und -Reiseführer
	inseparabili : le carte e le guide Michelin

España - Portugal

mapas de carreteras	
mapas de estradas	
cartes routières	
road maps	
Straßenkarten	
carte stradali	

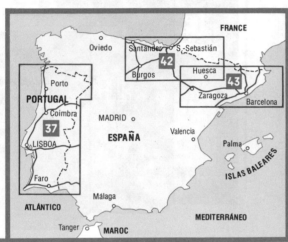

1/500 000 37
1/400 000 42 43

990 1/1 000 000

Africa

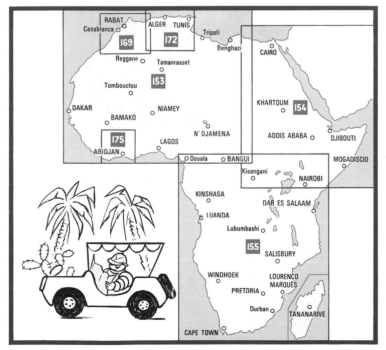	**mapas de los grandes itinerarios**
	mapas dos grandes itinerários
	cartes des grands itinéraires
	main cross country roads
	Karten der Hauptverkehrsstrecken
	carte dei grandi itinerari

153 **154** **155** 1/4000 000

169 **172** 1/1000 000

175 1/800 000

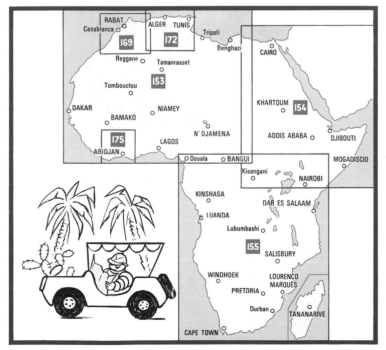

RABAT
Casablanca
ALGER   TUNIS
Tripoli
169
172
Benghazi
CAIRO
Reggane
Tamanrasset
153
Tombouctou
KHARTOUM
154
DAKAR
NIAMEY
BAMAKO
N' DJAMENA
ADDIS ABABA
DJIBOUTI
175
LAGOS
ABIDJAN
Douala   BANGUI
MOGADISCIO
Kisangani
NAIROBI
KINSHASA
DAR ES SALAAM
LUANDA
Lubumbashi
155
SALISBURY
WINDHOEK
LOURENCO
MARQUÈS
PRETORIA
Durban
TANANARIVE
CAPE TOWN

España - Portugal

dos guías verdes turísticas

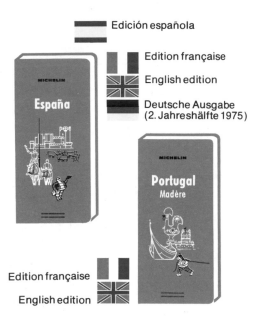

■■■ Edición española

Edition française

English edition

Deutsche Ausgabe
(2. Jahreshälfte 1975)

Edition française

English edition